G000149309

Italian
Universal Dictionary

Italian – English
Inglese – Italiano

Berlitz Publishing

New York · Munich · Singapore

Original edition edited by the
Langenscheidt editorial staff

Compiled by LEXUS

Inset cover photo: © Punchstock/Medioimages

© 2008 Berlitz Publishing/APA Publications GmbH & Co.
Verlag KG, Singapore Branch, Singapore

Printed in Germany
ISBN 978-981-268-355-7

Contents
Indice

Abbreviations / Abbreviazioni

vedi	☞	see
marchio registrato	®	registered trademark
aggettivo	*adj*	adjective
avverbio	*adv*	adverb
aggettivo	*agg*	adjective
agricoltura	AGR	agriculture
inglese americano	*Am*	American English
anatomia	ANAT	anatomy
architettura	ARCHI	architecture
articolo	*art*	article
astronomia	AST	astronomy
astrologia	ASTR	astrology
uso attributivo	*attr*	attributive usage
automobilismo	AUTO	motoring
aviazione	AVIA	civil aviation
avverbio	*avv*	adverb
biologia	BIO	biology
botanica	BOT	botany
inglese britannico	*Br*	British English
chimica	CHEM	chemistry
chimica	CHIM	chemistry
commercio	COM	commerce, business
informatica	COMPUT	computers, IT term
congiunzione	*cong*	conjunction
congiunzione	*conj*	conjunction
diritto	DIR	law
eccetera	*ecc*	et cetera
educazione	EDU	education

elettricità, elettronica	EL	electricity, electronics
elettricità, elettronica	ELEC	electricity, electronics
specialmente	*esp*	especially
eccetera	*etc*	et cetera
eufemismo	*euph*	euphemistic
familiare	F	familiar, colloquial
femminile	*f*	feminine
sostantivo femminile e aggettivo	*f/agg*	feminine noun and adjective
ferrovia	FERR	railways
figurato	*fig*	figurative
finanze	FIN	financial
fisica	FIS	physics
uso formale	*fml*	formal usage
fotografia	FOT	photography
femminile plurale	*fpl*	feminine plural
femminile singolare	*fsg*	feminine singular
gastronomia	GASTR	cooking
generalmente	*gen*	generally
geografia	GEOG	geography
geologia	GEOL	geology
grammatica	GRAM	grammatical
informatica	INFOR	IT term
interiezione	*int*	interjection
invariabile	*inv*	invariable
diritto	LAW	law
maschile	*m*	masculine
sostantivo maschile e aggettivo	*m/agg*	masculine noun and adjective
marineria, navigazione	MAR	nautical

matematica	MAT	mathematics
matematica	MATH	mathematics
medicina	MED	medicine
maschile e femminile	*m/f*	masculine and feminine
militare	MIL	military
mineralogia	MIN	mineralogy
automobilismo	MOT	motoring
maschile plurale	*mpl*	masculine plural
maschile singolare	*msg*	masculine singular
musica	MUS	music
sostantivo	*n*	noun
marineria, navigazione	NAUT	nautical
sostantivo plurale	*npl*	plural noun
sostantivo singolare	*nsg*	singular noun
sé, se stesso	o.s.	oneself
popolare	P	popular, slang
spregiativo	*pej*	pejorative
fotografia	PHOT	photography
fisica	PHYS	physics
pittura	PITT	painting
plurale	*pl*	plural
politica	POL	politics
participio passato	*pp*	past participle
preposizione	*prep*	preposition
pronome	*pron*	pronoun
preposizione	*prp*	preposition
psicologia	PSI	psychology
psicologia	PSYCH	psychology
qualcosa	qc	something

qualcuno	qu	someone
radio	RAD	radio
ferrovia	RAIL	railways
religione	REL	religion
sci	SCI	skiing
singolare	*sg*	singular
qualcuno	s.o.	someone
sport	SP	sports
uso spiritoso	*spir*	humorous
uso spregiativo	*spreg*	pejorative
qualcosa	sth	something
congiuntivo	*subj*	subjunctive
teatro	TEA	theatre
tecnica	TEC	technology
tecnica	TECH	technology
telecomunicazioni	TELEC	telecommunications
teatro	THEA	theatre
tipografia	TIP	typography, typesetting
televisione	TV	television
volgare	V	vulgar
verbo ausiliario	*v/aus*	auxiliary verb
verbo ausiliario	*v/aux*	auxiliary verb
verbo intransitivo	*v/i*	intransitive verb
verbo transitivo	*v/t*	transitive verb
zoologia	ZO	zoology

Pronuncia delle parole inglesi

Vocali e dittonghi

[ɑː]	*a* molto lunga, più che in *mare*: *far* [fɑː(r)]
[ʌ]	simile alla seconda *a* in *mamma* non accentata: *mother* ['mʌðə(r)]
[æ]	simile alla prima *a* in *mamma*: *man* [mæn]
[ɛə]	dittongo composto da una *e* molto aperta e lunga e da [ə]: *care* [kɛə(r)]
[aɪ]	dittongo composto da [a] e [ɪ]: *time* [taɪm]
[aʊ]	dittongo composto da [a] e [ʊ]: *cloud* [klaʊd]
[e]	*e* aperta e breve, più che in *bello*: *get* [get]
[eɪ]	dittongo composto da una *e* lunga, seguita da un leggero suono di *i*: *name* [neɪm]
[ə]	suono atono simile alla *e* nell'articolo francese *le*: *about* [ə'baʊt]
[ɜː]	forma più prolungata del suono anteriore: *bird* [bɜːd]
[ɪ]	suono molto breve tra la *i* di *fitto* e la *e* di *fetta*: *city* ['sɪtɪ]
[iː]	*i* molto lunga, più che in *vino*: *tea* [tiː]
[ɪə]	dittongo composto da [ɪ] e [ə]: *here* [hɪə(r)]
[ɒ]	simile alla *o* di *lotta*: *not* [nɒt]
[ɔː]	*o* aperta e lunga, più che in *noto*: *ball* [bɔːl]
[ɔɪ]	dittongo composto da [ɔ] e [ɪ]: *boy* [bɔɪ]
[əʊ]	dittongo composto da una *o* lunga, seguita da un leggero suono di *u*: *boat* [bəʊt]
[ʊ]	suono molto breve tra la *u* di *tutto* e la *o* di *rotto*: *book* [bʊk]

[u:]   *u* lunga, più che in *fiume*: *fruit* [fru:t]

[ʊə]   dittongo composto da [ʊ] e [ə]: *sure* [ʃʊə(r)]

Consonanti

Le consonanti si pronunciano nella maggior parte dei casi quasi come in italiano. Le doppie si pronunciano come se fossero semplici.

[b]	come la *b* in *burro*: *bag* [bæg]
[d]	come la *d* in *dare*: *dear* [dɪə(r)]
[f]	come la *f* in *forte*: *coffee* ['kɒfɪ]
[g]	come la *g* in *gatto*: *give* [gɪv]
[h]	suono aspirato simile a quello della *c* di *casa* dei fiorentini: *head* [hed]
[j]	come la *i* in *ieri*: *yes* [jes], *use* [ju:z]
[k]	ome la *c* in *casa*: *come* [kʌm]
[l]	come la *l* in *lungo*: *land* [lænd]
[m]	come la *m* i *madre*: *summer* ['sʌmə(r)]
[n]	come la *n* in *no*: *night* [naɪt]
[p]	come la *p* in *pane*: *top* [tɒp]
[r]	una *r* gutturale che si pronuncia soltanto quando precede una vocale: *right* [raɪt], *carol* ['kærəl]
[s]	*s* aspra come in *sono*: *cycle* ['saɪkl], *sun* [sʌn]
[t]	come la *t* in *torre*: *take* [teɪk]
[v]	come la *v* in *valore*: *vain* [veɪn]
[w]	come la *u* in *uomo*: *wait* [weɪt], *quaint* [kweɪnt]
[z]	*s* dolce come in *rosa*: *rose* [rəʊz]
[ŋ]	come la *n* in *banca*: *bring* [brɪŋ]

[ʃ]   come *sce* in *scena*: *she* [ʃiː]

[tʃ]   come *ce* in *cento*: *chair* [tʃeə(r)], *rich* [rɪtʃ]

[dʒ]   come *ge* in *gente*: *join* [dʒɔɪn], *range* [reɪndʒ]

[ʒ]   non esiste in italiano, simile alla *j* francese in *je*: *leisure* [ˈleʒə(r)], *usual* [ˈjuːʒʊəl]

[θ]   lingua tra i denti: *think* [θɪŋk]

[ð]   lingua dietro l'arcata superiore dei denti: *the* [ðə], *lather* [ˈlɑːðə(r)]

ˈ   il segno dell'accento viene sempre collocato prima della sillaba accentata, es. *ability* [əˈbɪlətɪ]

Italian pronunciation

Vowels

a	mare	as in father but shorter
e	bello	as in bed
	neve	like the e sound in they
i	vino	as in machine
o	lotta	as in pot
	nome	like the o sound in blow
u	fiume	as oo in cool but shorter

Consonants

b, d, f, l, m, n, p, t and **v** are pronounced as in English. When a word has double consonants, each consonant is pronounced separately: contat-to.

c	certo	before e and i as ch in church
	canto	before a, o, u (almost) as in cake
ch	chiamare	before e and i to make c hard as in cat
g	gelo	before e and i as in general
	gatto	before a, o, u as in gate
gh	laghi	before e and i to make g hard as in got
gl	biglietto	like English lli in million
gn	ogni	like English ni in onion
h	hanno	not pronounced
r	rotto	with the tongue against the upper teeth
s	sole	unvoiced as in case
	rosa	voiced as in cheese
sc	uscire	before e and i like sh in ship
z	prezzo	unvoiced as ts in hats
	mezzo	voiced as ds in maids
j, k, w, x, y		these letters do not belong to the Italian alphabet and are found only in foreign words

A

A (= *autostrada*) M (= motor-way), *Am* I (= interstate)

a ◊ *stato in luogo* at; ~ *Roma* in Rome; ~ *casa* at home ◊ *moto a luogo* to; *andare* ~ *Roma* go to Rome ◊ *tempo*: *alle quattro* at four o'clock; ~ *Natale* at Christmas; ~ *maggio* in May; ~ *vent'anni* at the age of twenty; ~ *due* ~ *due* two at a time ◊ *modo*: ~ *piedi* on foot ◊ *mezzo*: *ricamato* ~ *mano* embroidered by hand ◊ *prezzo, misura*: ~ *che prezzo* at what price; *al metro* by the metre; *100 km all'ora* 100 km an hour

abate *m* abbot

abbacchio *m* GASTR young lamb

abbagliante 1 *agg* dazzling **2** *m gen pl -i* AUTO full beam; **abbagliare** dazzle

abbaiare bark

abbandonare abandon; **abbandono** *m* abandon; (*rinuncia*) abandonment

abbassare lower; *radio* turn down; **abbassarsi** (*chinarsi*) bend down; *di prezzo* come down; *fig* ~ **a** stoop to; **abbasso**: ~ **la scuola!** down with school!

abbastanza enough; (*alquanto*) quite

abbattere knock down; *casa* demolish; *albero* cut down; *aereo* shoot down; *fig* dishearten; **abbattersi** fall; *fig* become disheartened; **abbattuto** disheartened

abbazia *f* abbey

abbellire embellish

abbi, abbia ☞ *avere*

abbigliamento *m* clothing; ~ *sportivo* sportswear

abbinare match; (*combinare*) combine

abboccare *di pesce* bite; *fig* swallow the bait

abbonamento *m a giornale*, TEA subscription; *a treno, bus* season ticket; **abbonare** take out a subscription for; (*condonare*) deduct; **abbonarsi** subscribe; **abbonato** *m* subscriber; TELEC *elenco m degli -i* telephone directory, phone book

abbondante abundant; *porzione* generous; *vestito* loose; *nevicata* heavy

abbordabile *persona* approachable; *prezzo* reasonable; **abbordare 1** *v/t persona* approach; F *persona dell'altro sesso* chat up F, Am come on to; *argomento* tackle **2** *v/t* MAR board

abbottonare button up

abbozzo *m* sketch

abbracciare embrace, hug; *fig* take up; **abbracciarsi** embrace, hug; **abbraccio** *m* embrace, hug; *un* ~ *a fine lettera* love

abbreviare abbreviate; **abbreviazione** *f* abbreviation

abbronzante *m* sun-tan lotion; **lettino** *m* ~ sunbed; abbronzare *pelle* tan; **abbronzarsi** get a tan; **abbronzato** tanned; **abbronzatura** *f* tan

abbrustolire roast

abbuffarsi stuff o.s. (*di* with)

abdicare abdicate

abete *m* fir

abile (*in* at); fit (*a* for); **abilità** *f inv* ability

abilitazione *f* qualification

abisso *m* abyss

abitacolo *m* AUTO passenger compartment

abitante *m/f* inhabitant; **abitare 1** *v/t* live in **2** *v/i* live; **abitato 1** *agg* inhabited **2** *m* built-up area; **abitazione** *f* house

abiti *mpl* clothes; **abito** *m* dress; *da uomo* suit; ~ *da sera* evening dress

abituale usual; **abituarsi:** ~ *a* get used to; **abitudinario 1** *agg* of fixed habits **2** *m* creature of habit; **abitudine** *f* habit

abolire abolish; **abolizione** *f* abolition

abominevole abominable

aborigeno *m/agg* aboriginal

abortire MED miscarry; *volontariamente* have an abortion; *fig* fail; **aborto** *m* MED miscarriage; *provocato* abortion

abrogare repeal

abusare ~ *di* abuse; (*approfittare*) take advantage of; ~ *nel bere* drink to excess; **abusivo** illegal; **abuso** *m* abuse

a.C. (= *avanti Cristo*) BC (= before Christ)

accademia *f* academy; ~ *di belle arti* art college; **accademico** academic

accadere happen; **accaduto** *m*: **raccontami l'**~ tell me what happened

accaldato overheated

accampamento *m* camp; **accampare 1** *v/t*: ~ *scuse* come up with excuses **2** *v/i e* **accamparsi** camp

accanimento *m* (*tenacia*) tenacity; (*furia*) rage; **accanirsi** (*ostinarsi*) persist; ~ *contro qu* rage against s.o.; **accanito** *odio* fierce; *fumatore* inveterate

accanto 1 *prp* ~ *a* next to **2** *avv* near, nearby; *abitare* next door

accantonare put aside

accappatoio *m* bathrobe; *da mare* beachrobe

accarezzare caress; *speranza* cherish; *animale* stroke

accasciarsi flop down

accattone *m* beggar

accavallare cross; **accavallarsi** *fig* overlap

accecare 1 *v/t* blind **2** *v/i* be blinding

accedere: ~ **a** enter

accelerare speed up; AUTO accelerate; **acceleratore** *m* AUTO accelerator, *Am* gas pedal; **accelerazione** *f* acceleration

accendere light; RAD, TV turn on; **accendersi** light up; *apparecchio* come on; **accendino** *m*, **accendisigari** *m inv* (cigarette) lighter

accennare indicate; *con parole* mention; ~ **a fare qc** show signs of doing sth; **accenno** *m* (*cenno*) gesture; (*indizio*) sign; (*allusione*) hint

accensione *f* ignition

accento *m* accent; **accentuare** accentuate

accertare check; **accertarsi**: ~ **di qc** check sth

acceso *colore* bright; *motore* running; *TV, luce* on

accessibile accessible; *prezzo* reasonable; **accesso** *m* access; *fig* e MED fit; **divieto d'** ~ no entry

accessori *mpl* accessories; **accessoriato** AUTO complete with accessories

accetta *f* axe, *Am* ax

accettabile acceptable; **accettare** accept; **accettazione** *f* acceptance; *di albergo* reception; ~ **bagagli** check-in

acchiappare catch

acciaio *m* steel; ~ **inossidabile** stainless steel

accidentale accidental

accidentato *terreno* rough

accidenti F damn! F; *di sorpresa* wow!

accigliato frowning

accingersi: ~ **a fare qc** be about to do sth

acciottolato *m* cobbles

acciuffare grab

acciuga *f* anchovy

acclimatarsi get acclimatized

accludere enclose; **accluso** enclosed; **qui** ~ enclosed

accogliente welcoming; **accogliere** welcome; *richiesta* grant

accollarsi take on

accollato *abito* high-necked

accoltellare knife

accolto *pp* ☞ **accogliere**

accomodante accommodating; **accomodare** (*riparare*) mend; *lite* resolve; **accomodarsi** make o.s. at home; **si accomodi!** come in!; (*sedersi*) have a seat!

accompagnare accompany; **accompagnatore** *m*, **-trice** *f* escort; MUS accompanist

acconciatura *f* hairdo

acconsentire consent (*a* to)

accontentare satisfy; accontentarsi be happy (*di* with)

acconto *m* deposit

accorciare shorten; accorciarsi get shorter

accordare grant; MUS tune; (*armonizzare*) harmonize; accordarsi agree; *di colori* match; accordo *m* agreement; (*armonia*) harmony; MUS chord; *essere d'~* agree; *mettersi d'~* reach an agreement; *d'~!* OK!

accorgersi: ~ *di* notice

accorrere hurry; ~ *in aiuto di qu* rush to help s.o.

accortezza *f* forethought

accorto 1 *pp* ☞ accorgersi 2 *agg* shrewd

accostare approach; *porta* leave ajar; accostarsi get close

accreditare confirm; FIN credit; accredito *m* credit

accrescere increase; accrescersi grow bigger

accudire 1 *v/t* look after 2 *v/i*: ~ *a qc* attend to sth

accumulare accumulate; accumulatore *m* battery

accuratezza *f* care; accurato careful

accusa *f* accusation; DIR charge; accusare accuse; DIR charge; accusato *m*, -a *f* accused

acerbo unripe

acero *m* maple

aceto *m* vinegar

acetone *m* nail varnish remover

ACI *m* (= *Automobile Club d'Italia*) Automobile Club of Italy

acidità *f* acidity; ~ *di stomaco* heartburn; acido 1 *agg* acid; *fig* sour 2 *m* acid

acne *f* acne

acqua *f* water; ~ *minerale* mineral water; ~ *potabile* drinking water; ~ *di rubinetto* tap water; ~ *ossigenata* hydrogen peroxide; -*e pl territoriali* territorial waters; *fig in cattive -e* in deep water

acquaforte *f* etching

acquaio *m* sink

acquaragia *f* turpentine

acquario *m* aquarium; ASTR *Acquario* Aquarius

acquatico aquatic

acquavite *f* brandy

acquazzone *m* downpour

acquedotto *m* aqueduct

acqueo: *vapore m ~* water vapour *o Am* vapor

acquerello *m* watercolour, *Am* watercolor

acquirente *m/f* purchaser; acquisizione *f* acquisition; acquistare 1 *v/t* buy; *fig* gain 2 *v/i* improve; acquisto *m* purchase

acquolina *f*: *mi viene l'~ in bocca* my mouth's watering

acre sour; *voce* harsh

acrilico acrylic

acrobata *m/f* acrobat

acustica f acoustics; **acustico** acoustic

acuto 1 agg intense; nota, dolore sharp; suono, voce shrill; MED acute **2** m MUS high note

ad ☞ **a** (before vowels)

adagiarsi lie down; **adagio 1** avv slowly; con cautela cautiously **2** m MUS adagio

adattamento m adaptation; (rielaborazione) reworking; **adattare** adapt; **adattarsi** (adeguarsi) adapt (**a** to); (adirsi) be suitable (**a** for); **adattatore** m adaptor; **adattatore** m adaptor; **adattare to right (**a** for)

addebitare: FIN ~ **qc a qu** debit s.o. with sth; fig ascribe sth to s.o.; **addebito** m FIN debit; **nota f di ~** debit note

addensarsi thicken

addestramento m training; **addestrare** train

addetto 1 agg assigned (**a** to) **2** m, -**a** f person responsible; **vietato l'ingresso ai non -i** authorized personnel only

addio 1 int goodbye **2** m goodbye, farewell

addirittura (assolutamente) absolutely; (perfino) even

additivo m additive; **addizionare** add; **addizione** f addition

addobbare decorate; **addobbo** m decoration

addolcire sweeten; fig soften

addolorare grieve

addome m abdomen

addomesticare tame

addominale abdominal

addormentarsi fall asleep; **addormentato** asleep; (assonnato) sleepy

addossare (appoggiare) lean (**a** on); fig colpa put, lay (**a** on); **addossarsi** lean (**a** on); fig shoulder; **addosso 1** prp on; vicino next to **2** avv: **avere ~ vestiti** have on; **avere ~ qu** have s.o. breathing down one's neck

adeguarsi conform; **adeguato** adequate

adempiere: ~ **a** dovere carry out, do

aderente 1 agg vestito tight **2** m/f follower; **aderire**: ~ **a** adhere to; partito support; richiesta agree to; **adesione** f adhesion; (consenso) agreement; **adesivo 1** agg adhesive **2** m sticker

adesso now; **da ~ in poi** from now on; **fino a ~** up to now; **per ~** for the moment

adiacente adjacent; ~ **a** next to, adjacent to

adirato angry

adolescente m/f adolescent, teenager; **adolescenza** f adolescence, teens

adoperare use

adorare adore

adottare adopt; **adottivo** genitori adoptive; figlio adopted; **adozione** f adoption

adrenalina f adrenalin

adriatico Adriatic; **mare** *m* **Adriatico** Adriatic Sea

adulare flatter

adulterio *m* adultery; **adulto 1** *agg* adult **2** *m*, **-a** *f* adult

adunare assemble

aerare air; **aereo 1** *agg* air *attr*; *fotografia* aerial; **compagnia** *f* **-a** airline; **posta** *f* **-a** airmail **2** *m* plane

aerobica *f* aerobics *sg*

aerodinamico aerodynamic

aeronautica *f*: **~ militare** Air Force

aeroplano *m* plane, aeroplane, *Am* airplane

aeroporto *m* airport

aerosol *m inv contenitore* aerosol

aerostazione *f* air terminal

afa *f* closeness, mugginess

affabile affable

affaccendarsi busy o.s. (**in** with); **affaccendato** busy

affacciarsi appear

affamato starving

affannato breathless; **affanno** *m* breathlessness; *fig* anxiety

affare *m* matter, business; FIN transaction; **-i** *pl* business; **non sono -i tuoi** it's none of your business; **uomo** *m* **d'-i** businessman

affascinante fascinating; **affascinare** fascinate

affaticarsi tire o.s. out

affatto completely; **non ... ~** not ... at all

affermare state; **affermarsi** become established; **affermazione** *f* assertion; (*successo*) achievement

afferrare seize, grab; (*comprendere*) grasp; **afferrarsi** cling (**a** to)

affettare (*tagliare*) slice

affettato[1] *m* sliced meat

affettato[2] *agg* affected

affetto *m* affection; **affettuoso** affectionate; **affezionarsi**: **~ a qu** become fond of s.o.; **affezionato**: **~ a qu** fond of s.o.

affibbiare: **~ qc a qu** saddle s.o. with sth

affidabilità *f* dependability; **affidamento** *m* trust; **fare ~ su** rely on; **affidare** entrust; **affidarsi**: **~ a** rely on

affiggere *avviso* put up

affilare sharpen; *fig* make thinner; **affilato** sharp; *naso* thin

affiliato *m*, **-a** *f* member

affinché so that

affine similar

affinità *f inv* affinity

affiorare *dall'acqua* emerge; *fig* (*mostrarsi*) appear

affissione *f* bill-posting; **affisso 1** *pp* ☞ **affiggere 2** *m* bill

affittacamere *m/f* landlord; *donna* landlady; **affittare** rent; **affittasi** to rent; **affitto** *m* rent; **dare in ~** rent (out); **prendere in ~** rent

affliggere distress; *di malattia* trouble, plague; **afflitto** distressed

affluente *m* tributary; **affluenza** *f fig* influx

affogare drown

affollare, affollarsi crowd; **affollato** crowded

affondare sink

affrancare free; *posta* frank; **affrancatura** *f* franking; *(tassa di spedizione)* postage

affresco *m* fresco

affrettarsi hurry

affrontare face, confront; *spese* meet

affumicare *stanza* fill with smoke; *alimenti* smoke; **affumicato** smoked

afoso sultry

Africa *f* Africa; **africano 1** *agg* African **2** *m*, -a *f* African

afroamericano 1 *agg* Afro-American **2** *m*, -a *f* Afro-American

afrodisiaco *m/agg* aphrodisiac

agenda *f* diary

agente *m/f* agent; **~ immobiliare** estate agent, *Am* realtor; **~ di pubblica sicurezza** police officer

agenzia *f* agency; **~ di cambio** bureau de change; **~ immobiliare** estate agency, *Am* real estate office,; **~ di viaggi** travel agency

agevolare make easier; **agevolazione** *f* FIN special term

agganciare hook; *cintura, collana* fasten

aggeggio *m* gadget

aggettivo *m* adjective

agghiacciante spine-chilling

aggiornamento *m* updating; *(rinvio)* postponement; **corso** *m* **d'~** refresher course; **aggiornare** *(mettere al corrente)* update; *(rinviare)* postpone; **aggiornarsi** keep up to date

aggirare surround; *fig ostacolo* get around

aggirarsi hang around; FIN be in the region of

aggiudicare award; *all'asta* knock down

aggiungere add; **aggiunta** *f* addition

aggiustare *(riparare)* repair; *(sistemare)* settle

agglomerato *m*: **~ urbano** built-up area

aggrapparsi cling, hold on (**a** to)

aggravare *punizione* increase; *(peggiorare)* make worse; **aggravarsi** worsen, deteriorate

aggraziato graceful

aggredire attack; **aggressione** *f* aggression; *(attacco)* attack; **aggressività** *f* aggressiveness; **aggressivo** *agg* aggressive; **aggressore** *m* attacker; MIL aggressor

agguato *m* ambush

agguerrito hardened

agiato comfortable, well-off; *(comodo)* comfortable

agibile fit for human habitation

agile agile; **agilità** f agility; fig liveliness

agio m ease; **sentirsi a proprio ~** feel at ease

agire act; di medicina take effect

agitare shake; fazzoletto wave; fig (turbare) upset, agitate; **agitato** agitated; mare rough; **agitazione** f agitation

agli = **a** and art **gli**

aglio m garlic

agnello m lamb

agnolotti mpl type of ravioli

ago m needle

agonia f agony

agonistico competitive

agopuntura f acupuncture

agorafobia f agoraphobia

agosto m August

agricolo agricultural; **agricoltore** m farmer; **agricoltura** f agriculture

agrifoglio m holly

agriturismo m farm holidays

agrodolce bittersweet; GASTR sweet and sour

agrumi mpl citrus fruit

aguzzare sharpen; **~ la vista** keep one's eyes peeled; **aguzzo** pointed

ahi! ouch!

ai = **a** and art **i**

Aids m o f Aids

airbag m inv airbag

airone m heron

aiuola f flower bed

aiutante m/f assistant; **aiutare** help; **aiuto** m help, assist-ance; persona assistant

aizzare incite

al = **a** and art **il**

ala f wing

alano m Great Dane

alabastro m alabaster

alba f dawn; **all'~** at dawn

albanese agg, m/f Albanian; **Albania** f Albania

alberato tree-lined

alberghiero hotel attr; **albergo** m hotel

albero m tree; MAR mast; AUTO shaft; **~ genealogico** family tree; **~ di Natale** Christmas tree

albicocca f apricot; **albicocco** m apricot (tree)

albo m notice board, Am bulletin board; (registro) register; **radiare dall'~** strike off

album m inv album

alcol m alcohol; **alcolico 1** agg alcoholic **2** m alcoholic drink; **alcolismo** m alcoholism; **alcolizzato** m, -a f alcoholic; **alcoltest** m inv Breathalyzer®

alcuno 1 agg any; **non ~** no, not any **2** pron any; **-i** pl some, a few

aldilà m: **l'~** the next world

aletta f fin

alfabetico alphabetical; **alfabeto** m alphabet

alfiere m scacchi bishop

alga f seaweed

algebra f algebra

Algeria f Algeria; **algerino 1** agg Algerian **2** m, -a f Algerian

aliante *m* glider

alice *f* anchovy

alienato 1 *agg* alienated **2** *m*, **-a** *f* madman; *donna* madwoman; **alienazione** *f* alienation; **~ mentale** madness

alimentare 1 *v/t* feed **2** *agg* food *attr;* **generi** *mpl* **-i** foodstuffs; **alimentazione** *f* feeding; **alimento** *m* food; **-i** *pl* DIR alimony

aliquota *f* share; **~ d'imposta** rate of taxation

aliscafo *m* hydrofoil

alito *m* breath

all. (= **allegato**) enc(l). (= enclosed)

all', alla = **a** and *art* **l', la**

allacciamento *m* TEC connection; **allacciare** fasten; TEC connect

allagamento *m* flooding; **allagare** flood

allargare widen; *vestito* let out; *braccia* open; **allargarsi** widen

allarmare alarm; **allarmarsi** become alarmed; **allarme** *m* alarm; **dare l'~** raise the alarm

allattare *bambino* feed

alle = **a** and *art* **le**

alleanza *f* alliance; **allearsi** ally o.s.; **alleato 1** *agg* allied **2** *m*, **-a** *f* ally

allegare *documento* enclose; INFOR attach; **allegato** *m* enclosure; INFOR attachment; **qui ~** enclosed

alleggerire lighten; *fig: dolore* ease

allegria *f* cheerfulness; **allegro 1** *agg* cheerful; *colore* bright **2** *m* MUS allegro

allenamento *m* training; **allenare, allenarsi** train (**per** for; **a** in); **allenatore** *m*, **-trice** *f* trainer

allentare 1 *v/t* loosen **2** *v/i* **allentarsi** loosen

allergia *f* allergy; **allergico** allergic (**a** to)

allestimento *m* preparation; MAR fitting out; TEA **~ scenico** sets, scenery; **allestire** prepare; MAR fit out; TEA stage

allevamento *m* BOT, ZO breeding; **allevare** BOT, ZO breed; *bambini* bring up, raise; **allevatore** *m*, **-trice** *f* breeder

alleviare alleviate

allievo *m*, **-a** *f* pupil, student

alligatore *m* alligator

allineare line up; FIN adjust; TIP align

allo = **a** and *art* **lo**

allodola *f* skylark

alloggiare 1 *v/t* put up **2** *v/i* stay, put up; **alloggio** *m* accommodation, *Am* accommodations; **vitto e ~** bed and board

allontanarsi go away; *fig* grow apart

allora then; **da ~ in poi** from then on; **fin d'~** since then

alloro *m* laurel; GASTR bay

alluce *m* big toe

allucinante F incredible, mind-blowing F; **allucinazione** *f* hallucination

alludere allude (**a** to)

alluminio *m* aluminium, *Am* aluminum

allungare lengthen; (*diluire*) dilute; *mano* put out; **allungarsi** *di giorni* get longer; *di persona* stretch out, lie down

allusione *f* allusion

alluvione *f* flood

almeno at least

alogena *f* halogen

Alpi *fpl* Alps; **alpinismo** *in* mountaineering; **alpinista** *m/f* mountain climber; **alpino** Alpine

alquanto 1 *agg* some **2** *avv* a little, somewhat

alt stop

altalena *f* swing

altare *m* altar

alterare alter; **alterarsi** (*guastarsi*) go bad o off; (*irritarsi*) get angry

alternare, alternarsi alternate; **alternativa** *f* alternative; **alternativo** alternative; **alternato: corrente** *f* **-a** alternating current; **alterno: a giorni** *pl* **-i** on alternate days

altezza *f* height; *titolo* Highness

alticcio tipsy

altitudine *f* altitude

alto 1 *agg* high; *persona* tall; **a voce -a** in a loud voice; *leg-*gere aloud; **in** ∼ at the top; *moto* up **2** *m* top

altoatesino 1 *agg* South Tyrolean **2** *m*, **-a** *f* South Tyrolean

altoparlante *m* loudspeaker

altopiano *m* plateau

altrettanto as much; **-i** *pl* as many

altrimenti (*in modo diverso*) differently; (*in caso contrario*) otherwise

altro 1 *agg* other; **un** ∼ another; **l'altr'anno** last year; **l'ieri** the day before yesterday **2** *pron* other; **l'un l'**∼ one another; **gli altri** other people; **tra l'**∼ what's more, moreover; **desidera** ∼? anything else?; **tutt'**∼ **che** anything but; **qualcun'**∼ someone o somebody else

altronde: d'∼ on the other hand

altrove elsewhere

altruismo *m* altruism

altura *f* hill

alunno *m*, **-a** *f* pupil, student

alzacristallo *m inv* AUTO window winder

alzare raise; **alzarsi** stand up, rise; *da letto* get up; *di sole* rise

amaca *f* hammock

amalgamare amalgamate

amante *m/f* lover; **amare** love; *amico* be fond of

amareggiato embittered

amarena *f* sour black cherry

amarezza *f* bitterness; **amaro**

1 *agg* bitter **2** *m* *liquore* bitters

ambasciata *f* embassy; **ambasciatore** *m*, **-trice** *f* ambassador

ambedue both

ambientale environmental; **ambientalista 1** *agg* environmental **2** *m/f* environmentalist; **ambientarsi** become acclimatized; **ambiente** *m* environment

ambiguità *f inv* ambiguity; **ambiguo** ambiguous

ambito *m* sphere

ambizione *f* ambition; **ambizioso** ambitious

ambo 1 *agg* both **2** *m* *lotteria* double

ambulante 1 *agg* travelling, *Am* traveling **2** *m/f* pedlar; **ambulanza** *f* ambulance; **ambulatorio** *m* MED outpatients

America *f* America; **americano 1** *agg* American **2** *m*, **-a** *f* American **3** *m* American English

ametista *f* amethyst

amianto *m* asbestos

amichevole friendly; **amicizia** *f* friendship; **amico 1** *agg* friendly **2** *m*, **-a** *f* friend

amido *m* starch

ammaccare dent; *frutta* bruise; **ammaccatura** *f* dent; *su frutta* bruise

ammaestrare teach; *animali* train

ammalarsi fall sick; **ammala-**

to **1** *agg* sick **2** *m*, **-a** *f* sick person

ammarare *di aereo* put down in the water; *di navetta spaziale* splash down

ammassare, **ammassarsi** mass; **ammasso** *m* pile; GEOL mass

ammazzare kill; *animali* slaughter; **ammazzarsi** (*suicidarsi*) kill o.s.

ammenda *f* (*multa*) fine

ammesso *pp* ☞ **ammettere**; **ammettere** admit; (*supporre*) suppose; (*riconoscere*) acknowledge; **ammesso che** ... supposing (that) ...

amministrare administer; *azienda* manage, run; **amministrativo** administrative; **amministratore** *m*, **-trice** *f* administrator; *di azienda* manager; **amministrazione** *f* administration

ammirare admire; **ammiratore** *m*, **-trice** *f* admirer; **ammirazione** *f* admiration; **ammirevole** admirable

ammobiliare furnish; **ammobiliato** furnished

ammollo: **in ~** soaking

ammonimento *m* reprimand, admonishment; (*consiglio*) warning; **ammonire** reprimand, admonish; (*avvertire*) warn; DIR caution; **ammonizione** *f* reprimand, admonishment; SP warning; DIR caution

ammontare: **~ a** amount to

ammorbidire soften

ammortizzare FIN pay off; **ammortizzatore** *m* AUTO shock absorber

ammucchiare pile up

ammuffire go mouldy, *Am* go moldy; *fig* moulder away, *Am* molder away

ammutolire be struck dumb

amnesia *f* amnesia

amnistia *f* amnesty

amo *m* hook; *fig* bait

amore *m* love; *fare l'~ con qu* make love to s.o.; *amoroso* loving; *sguardo* amorous; *lettera, poesia* love *attr*

ampiezza *f di stanza* spaciousness; *di gonna* fullness; *fig di cultura* breadth; *fig ~ di vedute* broadmindedness; **ampio** *stanza* spacious, large; *abito* roomy; *gonna* full

ampliamento *m* broadening, widening; *di edificio* extension; **ampliare** broaden, widen; *edificio* extend

amplificare TEC *suono* amplify; **amplificatore** *m* amplifier

amputare amputate

amuleto *m* amulet

anabbagliante dipped, *Am* low-beam

anacronistico anachronistic

anagrafe *f ufficio* registry office

analcolico 1 *agg* non-alcoholic **2** *m* non-alcoholic drink

anale anal

analfabeta *m/f* illiterate person, person who cannot read or write; **analfabetismo** *m* illiteracy

analgesico *m/agg* analgesic

analisi *f inv* analysis; *~ del sangue* blood test; **analista** *m/f* analyst; *~ programmatore* systems analyst

analizzare analyse, *Am* analyze

analogia *f* analogy; **analogo** analogous

ananas *m inv* pineapple

anarchia *f* anarchy; **anarchico 1** *agg* anarchic **2** *m*, *-a f* anarchist

anatomia *f* anatomy; **anatomico** anatomical

anatra *f* duck

anca *f* hip

anche too, also; *(perfino)* even; *~ se* even if

ancora[1] *avv* still; *di nuovo* again; *di più* (some) more; *non ~* not yet; *~ una volta* once more; *dammene ~ un po'* give me a bit more

ancora[2] *f* anchor

andamento *m di vendite* performance

andare 1 *v/i* go; *(funzionare)* work; *~ via (partire)* leave; *di macchia* come out; *~ bene* suit; *taglia* fit; *~ a male* go off; *come va?* how are you?; *non mi va di vestito* it doesn't fit me; *non mi va di venire* I don't feel like coming **2** m: **a lungo** ~ in the long run; **andarsene** go away; **andata** f outward journey; (**biglietto** m **di**) ~ **single** (ticket), Am oneway ticket, (**biglietto** m **di**) ~ **e ritorno** return (ticket), Am round-trip ticket; **andatura** f walk; SP pace

androne m hallway

aneddoto m anecdote

anello m ring

anemia f anaemia, Am anemia; **anemico** anaemic, Am anemic

anestesia f sostanza anaesthetic, Am anesthetic; **anestetico** m anaesthetic, Am anesthetic

anfibio 1 agg amphibious **2** m ZO amphibian; MIL amphibious vehicle

anfiteatro m amphitheatre, Am amphitheater

anfora f amphora

angelo m angel

anglicano 1 agg Anglican **2** m, -a f Anglican

angolo m corner; MAT angle; ~ **cottura** kitchenette; MAT ~ **retto** right angle

angoscia f anguish; **angoscioso** anguished; che da angoscia heart-rending

anguilla f eel

anguria f water melon

angusto narrow

anice m aniseed

anidride f: ~ **carbonica** carbon dioxide

anima f soul

animale m animal; ~ **domestico** pet

animare give life to; conversazione liven up; (promuovere) promote; **animato** strada busy; conversazione, persona animated; **animatore** m, **-trice** f di gruppo leader; **animazione** f animation; INFOR ~ **al computer** computer animation

animo m nature; (coraggio) heart; **perdersi d'~** lose heart

anitra f duck

annaffiare water; **annaffiatoio** m watering can

annata f vintage; (anno) year; importo annual amount

annegare 1 v/t drown **2** v/i e **annegarsi** drown

annerire, **annerirsi** turn black, blacken

annessione f POL annexation

annidarsi nest

anniversario m anniversary

anno m year; **buon ~!** Happy New Year!; **quanti -i hai?** how old are you?; **ho 33 -i** I'm 33 (years old)

annodare tie (together); cravatta tie, knot

annoiare bore; (dare fastidio a) annoy; **annoiarsi** get bored; **annoiato** bored

annotare make a note of; testo annotate; **annotazione** f note; in testo annotation

annuale annual, yearly; di un

anno year-long

annuire (*assentire*) assent (**a** to)

annullamento *m* cancellation; *di matrimonio* annulment; *annullare* cancel; *matrimonio* annul; *gol disallow; (vanificare)* cancel out

annunciare announce; annunciatore *m*, -trice *f* RAD, TV announcer; Annunciazione *f* REL Annunciation; annuncio *m* announcement; *in giornale* advertisement; *-i pl* **economici** classifieds

annuo annual, yearly

annusare sniff; *fig* smell

anomalo anomalous

anonimo anonymous

anoressia *f* anorexia; anoressico anorexic

anormale abnormal

ansia *f* anxiety

ansimare wheeze

ansioso anxious

antagonismo *m* antagonism; antagonista *m/f* antagonist

antartico Antarctic *attr*

antecedente **1** *agg* preceding **2** *m* precedent

antenato *m*, -a *f* ancestor

antenna *f* RAD, TV aerial, *Am* antenna; zo antenna; ~ **parabolica** satellite dish

anteprima *f* preview

anteriore front; *precedente* previous

anti ... anti ...

antibiotico *m/agg* antibiotic

anticamente in ancient times; antichità *f inv* antiquity

anticiclone *m* anticyclone

anticipato: **pagamento** *m* ~ advance payment; anticipare anticipate; *denaro* pay in advance; *partenza, riunione ecc* bring forward; anticipo *m* advance; (*caparra*) deposit; **in** ~ ahead of time, early

antico ancient; *mobile* antique

anticoncezionale *m/agg* contraceptive

anticonformista *m/f* nonconformist

anticostituzionale unconstitutional

antidoto *m* antidote

antifurto **1** *agg* antitheft **2** *m* anti-theft device

antigas *inv* gas *attr*

antincendio *inv* fire *attr*

antinebbia *m inv* foglamp

antiorario: **in senso** ~ anticlockwise, *Am* counterclockwise

antipasto *m* starter

antipatia *f* antipathy; antipatico disagreeable

antiquariato *m* antique business; **negozio** *m* **di** ~ antique shop; antiquario *m*, -a *f* antique dealer; antiquato antiquated

antiriflesso *inv* anti-glare

antiruggine *m* rust inhibitor

antisemitismo *m* anti-Semitism

appiglio

antisettico *m/agg* antiseptic
antisismico earthquake-proof
antologia *f* anthology
anulare *m* ring finger
anzi in fact; (*o meglio*) (or) better still
anzianità *f* old age; **~ di servizio** seniority; anziano **1** *agg* elderly; *per servizio* (most) senior **2** *m*, -a *f* old man; *donna* old woman; **gli -i** *pl* the elderly *pl*
anziché rather than
anzitutto first of all
aorta *f* aorta
apatia *f* apathy; apatico apathetic
ape *f* bee
aperitivo *m* aperitif
aperto **1** *pp* ☞ **aprire 2** *agg* open; **all' ~ piscina** open-air; **mangiare all'~** eat in the open air, eat outside; **apertura** *f* opening; FOT aperture
apice *m* apex; *fig* height
apicoltura *f* bee-keeping
apnea *f* SP free diving
apostolo *m* apostle
apostrofo *m* apostrophe
appagare satisfy
appalto *m* (*contratto*) contract; **dare in ~** contract out; **prendere in ~** win the contract for; **gara** *f* **di ~** call for tenders
appannare *di vetro* mist up; *di vista* grow dim
apparato *m* apparatus; **~ di-**

gerente digestive system
apparecchiare *tavola* set; (*preparare*) prepare; **apparecchio** *m* TEC device; AVIA F plane; *per denti* brace
apparenza *f* appearance; **apparire** appear; **appariscente** striking
appartamento *m* flat, *Am* apartment
appartarsi withdraw
appartenere belong
appassionare excite; (*commuovere*) move; **appassionarsi** become excited (**a** by); **appassionato** passionate
appassire wither
appellarsi appeal (**a** to; **contro** against); **appello** *m* appeal; **fare ~ a qu** appeal to s.o
appena **1** *avv* just **2** *cong* as soon as
appendere hang
appendiabiti *m* hatstand
appendice *f* appendix; **appendicite** *f* appendicitis
Appennini *mpl* Apennines
appesantire make heavier
appeso *pp* ☞ **appendere**
appetito *m* appetite; **buon ~!** enjoy (your meal)!; **appetitoso** appetizing
appiattire flatten
appiccicare stick; **appiccicarsi** stick; **appiccicoso** sticky; *fig* clingy
appiglio *m per mani* fingerhold; *per piedi* toehold; *fig*

excuse

applaudire applaud; **applauso** *m* applause

applicare *etichetta* attach; *regolamento* apply; **applicazione** *f* application

appoggiare lean (*a* against); (*posare*) put; *fig* support, back; **appoggiarsi**: **~ a** lean on; *fig* rely on; **appoggiatesta** *m inv* headrest; **appoggio** *m* support

apporre put; **~ la firma su qc** put one's signature to sth

apportare bring; *fig* (*causare*) cause

apposito appropriate

apposta deliberately, on purpose; (*specialmente*) specifically

apprendere learn; *notizia* hear

apprendistato *m* apprenticeship

apprensione *f* apprehension; **apprensivo** apprehensive

appreso *pp* ☞ **apprendere**

appresso 1 *prp* close, near; (*dietro*) behind. **2** *avv* near, close by; **portarsi qc ~** bring sth (with one)

apprezzare appreciate

approccio *m* approach

approdare land; *di barca* moor

approdo *m* landing; *luogo* landing stage

approfittare: **~ di qc** take advantage of sth

approfondire deepen; *fig*

appropriarsi: **~ di qc** appropriate sth; **appropriato** appropriate

approvare approve of; *legge* approve; **approvazione** *f* approval

appuntamento *m* appointment

appuntito pointed; *matita* sharp

appunto 1 *m* note; **prendere -i** take notes **2** *avv*: (**per l'**) **~** exactly

apribottiglie *m inv* bottle opener

aprile *m* April

aprire open; *rubinetto* turn on; **aprirsi** open; **apriscatole** *m inv* can-opener, *Br* anche tin-opener

aquila *f* eagle

aquilone *m* kite

arabesco *m* arabesque; *spir* scrawl, scribble

Arabia Saudita *f* Saudi (Arabia)

arabo 1 *agg* Arab **2** *m*, **-a** *f* Arab **3** *m* Arabic

arachide *f* peanut

aragosta *f* lobster

arancia *f* orange; **aranciata** *f* orangeade

arancio 1 *agg inv* orange **2** *m* *albero* orange tree; *colore* orange; **arancione** *m/agg* orange

arare plough, *Am* plow; **aratro** *m* plough, *Am* plow

arazzo *m* tapestry

arbitrario arbitrary

arbitro m arbiter; SP referee

arbusto m shrub

arcaico archaic

arcata f arch

archeologia f archaeology, Am archeology; **archeologo** m, -a f archaeologist, Am archeologist

archetto m MUS bow

architetto m architect; **architettonico** architectural

archiviare file; **archivio** m archives

arcipelago m archipelago

arcivescovo m archbishop

arco m bow; ARCHI arch; **~ di tempo** period of time; **arcobaleno** m rainbow

ardere burn

area f surface; **zona area**; **~ di servizio** service area

arena f arena

arenarsi run aground; fig come to a halt

areo ... ☞ **aereo** ...

argano m winch

argentato silver-plated; **argenteria** f silver(ware)

Argentina f Argentina; **argentino 1** agg Argentinian **2** m, -a f Argentinian

argento m silver

argilla f clay; **argilloso** clayey

arginare embank; **argine** m embankment

argomento m argument; (contenuto) subject

arguto witty; (perspicace) shrewd

aria f air; (aspetto) appearance; MUS tune; di opera aria; **~ condizionata** air conditioning; **all'~ aperta** in the fresh air; **mandare all'~ qc** ruin sth; **aver l'~ stanca** look tired; **darsi delle -e** give o.s. airs

arido dry, arid

arieggiare stanza air

ariete m ZO ram; ASTR **Ariete** Aries

aringa f herring

arista f GASTR chine of pork

aristocratico 1 agg aristocratic **2** m, -a f aristocrat

aritmetica f arithmetic

arma f weapon; **~ da fuoco** firearm; **chiamare alle -i** call up; fig **essere alle prime -i** be a beginner

armadio m cupboard; **~ a muro** fitted cupboard

armamento m armament; **armarsi** arm o.s. (di with); **armato** armed

armatura f armour, Am armor; (struttura) framework

armistizio m armistice

armonia f harmony

armonica f harmonica; **~ a bocca** mouth organ, harmonica

armonioso harmonious

arnese m tool

arnia f beehive

aroma m aroma; **aromaterapia** f aromatherapy; **aromatico** aromatic

aromatizzare flavour, Am

flavor

arpa f harp

arpione m harpoon

arrabattarsi do everything one can

arrabbiarsi get angry; **arrabbiato** angry; *(idrofobo)* rabid

arrampicarsi climb; **arrampicata** f climb

arrangiarsi *(accordarsi)* agree **(su** on); *(destreggiarsi)* manage

arrecare m bring; *fig* cause

arredamento m décor; *mobili* furniture; *arte* interior design; *arredare* furnish; **arredatore** m, **-trice** f interior designer

arrendersi surrender; *fig* give up; **arrendevole** soft, yielding

arrestare stop; DIR arrest; **arrestarsi** stop; **arresto** m coming to a stop; DIR arrest

arretrato 1 *agg* in arrears; *paese* underdeveloped **2 -i** *mpl* arrears

arricchire *fig* enrich; **arricchirsi** get rich

arricciare *capelli* curl; **~ il naso** turn up one's nose

arringa f DIR closing speech for the defence *o Am* defense

arrivare arrive, come; **~ a** reach, get to; **~ a fare qc** manage to do sth

arrivederci, **arrivederla** goodbye

arrivista m/f social climber

arrivo m arrival; SP finish line

arrogante arrogant; **arroganza** f arrogance

arrossire blush

arrosto m roast

arrotolare roll up

arrotondare round off; *stipendio* supplement

arroventato red-hot

arruffato ruffled

arrugginire 1 *v/t* rust **2** *v/i* e **arrugginirsi** rust; *fig* get rusty

arruolarsi enlist

arsenale m arsenal; MAR dockyard

arso 1 *pp* ☞ *ardere* **2** *agg* burnt; *(secco)* dried-up

arte f art; *(abilità)* gift

artefice m/f *fig* author, architect

arteria f artery; **arterioso** arterial

artico Arctic

articolazione f ANAT joint

articolo m item, article; GRAM **~ determinativo** definite article; GRAM **~ indeterminativo** indefinite article

artificiale artificial; **artificio** m artifice; **artificioso** *maniere* artificial

artigianale handmade; **artigianato** m craftsmanship; **artigiano** m, **-a** f craftsman; *donna* craftswoman

artiglieria f artillery

artiglio m claw

artista m/f artist; **artistico** artistic

arto *m* limb

artrite *f* arthritis

artrosi *f* rheumatism

ascella *f* armpit

ascendente 1 *agg* ascending; *strada* sloping upwards; *movimento* upwards **2** *m* ASTR ascendant; *fig* influence; **ascensione** *f* ascent; REL Ascension; **ascensore** *m* lift, *Am* elevator; **ascesa** *f* ascent

ascesso *m* abscess

ascia *f* axe, *Am* ax

asciugacapelli *m* hairdryer; **asciugamano** *m* towel; **asciugare** dry; **asciugarsi** dry o.s.; ~ **i capelli** dry one's hair; **asciugatrice** *f* tumble dryer; **asciutto** dry

ascoltare listen to; **ascoltatore** *m*, **-trice** *f* listener; **ascolto** *m* listening; **dare** ~ listen (**a** to)

asettico aseptic

asfaltare asphalt; **asfalto** *m* asphalt

asfissiare asphyxiate

Asia *f* Asia; **asiatico 1** *agg* Asian **2** *m*, **-a** *f* Asian

asilo *m* shelter; ~ **politico** political asylum; ~ **nido** day nursery, *Am* day care center

asimmetrico asymmetrical

asino *m* ass (*anche fig*)

asma *f* asthma

asociale antisocial

asola *f* buttonhole

asparago *m* spear of aspara-

gus; **-gi** asparagus

aspettare wait for; ~ **un bambino** be expecting a baby; **aspettarsi** expect; **aspettativa** *f* expectation; *da lavoro* unpaid leave

aspetto[1] *m* look, appearance; *di problema* aspect

aspetto[2]: **sala** *f* **d'**~ waiting room

aspirapolvere *m* vacuum cleaner

aspirare 1 *v/t* inhale; TEC suck up **2** *v/i*: ~ **a qc** aspire to sth

aspirina *f* aspirin

asportare take away

aspro sour; (*duro*) harsh; *litigio* bitter

assaggiare taste; **assaggio** *m* taste, sample

assai 1 *agg* a lot of **2** *avv con verbo* a lot; *con aggettivo* very; (*abbastanza*) enough

assalire attack

assaltare attack; **assalto** *m* attack; *fig* **prendere d'**~ storm

assassinare murder; POL assassinate; **assassinio** *m* murder; POL assassination; **assassino 1** *agg* murderous **2** *m*, **-a** *f* murderer; POL assassin

asse[1] *f* board; ~ **da stiro** ironing board

asse[2] *m* TEC axle; MAT axis

assecondare support; (*esaudire*) satisfy

assediare besiege; **assedio** *m* siege

assegnare *premio* award; (*destinare*) assign; **assegno** *m* cheque, *Am* check; **~ in bianco** blank cheque; **~ turistico** traveller's cheque; *Am* traveler's check; **contro ~** cash on delivery; *Am* collect on delivery; **-i familiari** child benefit; **emettere un ~** write a cheque

assemblea *f* meeting

assentarsi go away, leave; assente absent, away; *fig* absent-minded; assenza *f* absence; **~ di qc** lack of sth

assessore *m* councillor, *Am* councilor; **~ comunale** local councillor

assicurare insure; (*legare*) secure; *lettera, pacco* register; assicurarsi make sure, ensure; assicurata *f* registered letter; assicurato 1 *agg* insured; *lettera, pacco* registered 2 *m*, -a *f* person with insurance, insured party; assicurazione *f* insurance

assideramento *m* exposure

assieme together

assillante nagging; assillare pester; assillo *m* fig: *persona* pest F, nuisance; (*preoccupazione*) nagging thought

assistente *m/f* assistant; **~ sociale** social worker; **~ di volo** flight attendant; assistenza *f* assistance; **~ medica** medical care; assistere 1 *v/t* assist, help; (*curare*) nurse 2 *v/i* (*essere presente*) be pre-

sent (**a** at)

asso *m* ace

associare take into partnership; *fig* **~ qu a qc** associate s.o. with sth; associarsi enter into partnership (**a** with); (*unirsi*) join forces; (*iscriversi*) subscribe (**a** to); (*prendere parte*) join (**a** sth); associazione *f* association

assolo *m inv* MUS solo

assolto *pp* ☞ **assolvere**

assolutamente absolutely; assoluto absolute; assoluzione *f* DIR acquittal; REL absolution; assolvere DIR acquit; *da un obbligo* release; *compito* carry out; REL absolve, give absolution to

assomigliare: **~ a qu** be like s.o., resemble s.o.; assomigliarsi be like *o* resemble each other

assonnato sleepy

assorbente 1 *agg* absorbent 2 *m*: **~ igienico** sanitary towel, *Am* sanitary napkin; assorbire absorb

assordante deafening; assordare 1 *v/t* deafen 2 *v/i* go deaf

assortimento *m* assortment

assorto engrossed

assuefatto *pp* ☞ **assuefare**; assuefazione *f* resistance, tolerance; *agli alcolici, alla droga* addiction

assumere *impiegato, incarico* take on

assunzione *f di impiegato* employment; REL **Assunzione** Assumption

assurdità *f inv* absurdity; **assurdo** absurd

asta *f* pole; FIN auction; **mettere all'~** sell at auction

astemio 1 *agg* abstemious **2** *m*, **-a** *f* abstemious person; **astenersi: ~ da** abstain from

asterisco *m* asterisk

astigmatico astigmatic; **astigmatismo** *m* astigmatism

astinenza *f* abstinence

astio *m* rancour, *Am* rancor

astratto abstract

astringente *m/agg* MED astringent

astro *m* star; **astrologia** *f* astrology; **astronauta** *m/f* astronaut; **astronave** *f* spaceship; **astronomia** *f* astronomy; **astronomico** astronomical

astuccio *m* case

astuto astute

ateo *m*, **-a** *f* atheist

atlante *m* atlas

atlantico Atlantic; **Oceano m Atlantico** Atlantic Ocean

atleta *m/f* athlete; **atletica** *f* athletics; **~ leggera** track and field (events); **atletico** athletic

atmosfera *f* atmosphere; **atmosferico** atmospheric

atomico atomic; **atomo** *m* atom

atrio *m* foyer, *Am* lobby

atroce atrocious; **atrocità** *f inv* atrocity

attaccabrighe *m o f inv* F troublemaker; **attaccante** *m* SP forward; **attaccapanni** *m inv* clothes hook; *a stelo* clothes hanger; **attaccare 1** *v/t* attach; *(incollare)* stick; *(appendere)* hang; *(assalire)* attack **2** *v/i* stick; **attaccarsi** stick; *(aggrapparsi)* hold on *(a* to); **attacco** *m* attack; *(punto di unione)* junction; SCI binding; MED fit

atteggiamento *m* attitude; **atteggiarsi: ~ a** pose as

attendere 1 *v/t* wait for **2** *v/i*: **~ a** attend to

attendibile reliable

attenersi stick *(a* to)

attentare: ~ a attack; *~* **alla vita di qu** make an attempt on s.o.'s life; **attentato** *m* attempted assassination

attento 1 *agg* attentive; **stare ~ a** be careful of **2** *int ~!* look out!, (be) careful!

attenuante *f* extenuating circumstance; **attenuare** reduce; *colpo* cushion; **attenuarsi** lessen

attenzione *f* attention; **~!** look out!, (be) careful!; **far ~ a qc** mind o watch sth

atterraggio *m* landing; **atterrare 1** *v/t avversario* knock down **2** *v/i* land

attesa *f* waiting; *(tempo d'attesa)* wait; *(aspettativa)* expectation

atteso pp ☞ **attendere**

attestato m certificate

attico m attic

attimo m moment; **un ~!** just a moment!

attirare attract

attitudine f attitude; **avere ~ per qc** have an aptitude for sth

attivare activate; **attività** f inv activity; pl FIN assets; **attivo 1** agg active **2** m FIN assets; GRAM active (voice)

atto m act; (gesto) gesture; documento deed; **mettere in ~** carry out; **prendere ~ di** note

attorcigliare, attorcigliarsi twist

attore m, **-trice** f actor; donna anche actress

attorno: **~ a qc** around sth; **qui ~** around here

attraccare MAR berth, dock

attraente attractive; **attrarre** attract; **attrattiva** f attraction; **attratto** pp ☞ **attrarre**

attraversare strada, confine cross; **~ un momento difficile** be going through a bad patch; **attraverso** across

attrazione f attraction

attrezzare equip; **attrezzarsi** get o.s. kitted out; **attrezzato** equipped; **attrezzatura** f equipment, gear F; **attrezzo** m piece of equipment

attribuire attribute

attrice f actress

attuale current; **attualità** f inv

news sg; **d'~** topical; **attuare** put into effect; **attuazione** f putting into effect

audace bold

audioleso 1 agg hearing-impaired **2** m, **-a** f person who is hearing-impaired

audiovisivo audiovisual

audizione f audition

augurare wish; **augurio** m wish; **tanti -ri!** all the best!

aula f di scuola class room; di università lecture room

aumentare increase; **aumento** m increase

aureola f halo

auricolare m earphone

aurora f dawn

ausiliare m/agg auxiliary

australe southern

Australia f Australia; **australiano 1** agg Australian **2** m, **-a** f Australian

Austria f Austria; **austriaco 1** agg Austrian **2** m, **-a** f Austrian

autenticare authenticate; **autentico** authentic

autista m/f driver

auto f inv ☞ **automobile**

autoadesivo 1 agg self-adhesive **2** m sticker

autoambulanza f ambulance

autobiografia f autobiography

autobomba f car bomb

autobus m bus; **~ di linea** city bus

autocarro m truck, Br anche lorry

autocisterna f tanker

autocontrollo m self-control

autodidatta m/f self-taught person

autodifesa f self-defence, Am self-defense

autodromo m motor racing circuit

autogol m inv own goal

autografo m autograph

autogrill m inv roadside café

autolavaggio m car-wash

automa m robot

automatico 1 agg automatic **2** m bottone press-stud, Am snap fastener

automezzo m motor vehicle

automobile f car, Am anche automobile; **automobilismo** m driving; SP motor racing; **automobilista** m/f driver

autonoleggio m car rental; azienda car-rental firm

autonomia f autonomy; TEC battery life; **autonomo** autonomous

autoradio f inv car radio

autore m, **-trice** f author; DIR perpetrator; **autorevole** authoritative

autorimessa f garage

autorità f inv authority; **autoritario** authoritarian; **autorizzare** authorize; **autorizzazione** f authorization

autoscuola f driving school

autostop m: **fare l'~** hitchhike; **autostoppista** m/f hitchhiker

autostrada f motorway, Am highway

autovettura f motor vehicle

autrice f ☞ autore

autunno m autumn, Am fall

avambraccio m forearm

avanguardia f avant-garde; azienda leading-edge

avanti 1 avv in front, ahead; **d'ora in ~** from now on; **andare ~** di orologio be fast; **essere ~ nel programma** be ahead of schedule **2** int **~!** come in!

avanzare 1 v/i advance; fig make progress; (rimanere) be left over **2** v/t put forward

avanzo m remainder; FIN surplus; **gli -i** pl the leftovers

avaria f failure; **avariato** damaged; cibi spoiled

avarizia f avarice; **avaro 1** agg miserly **2** m, **-a** f miser

avena f oats

avere 1 v/t have; **~ 20 anni** be 20 (years old); **~ fame / sonno** be hungry / sleepy; **~ caldo / freddo** be hot / cold; **avercela con qu** have it in for s.o **2** v/aus have; **hai visto Tony?** have you seen Tony?; **hai visto Tony ieri?** did you see Tony yesterday? **3** m FIN credit; **-i** mpl wealth

avi mpl ancestors

aviazione f aviation; MIL Air Force

avidità f avidness; **avido** avid

avocado m avocado

avorio *m* ivory

avvalersi: ~ *di qc* avail o.s. of sth

avvantaggiare favour, *Am* favor; **avvantaggiarsi:** ~ *di qc* take advantage of sth

avveduto astute

avvelenamento *m* poisoning; **avvelenare** poison; **avvelenarsi** poison o.s.

avvenimento *m* event; **avvenire 1** *v/i* (*accadere*) happen **2** *m* future

Avvento *m* Advent

avventura *f* adventure; **avventurarsi** venture; **avventuriero** *m*, **-a** *f* adventurer; *donna* adventuress; **avventuroso** adventurous

avvenuto *pp* ☞ **avvenire**

avverarsi come true

avverbio *m* adverb

avversario 1 *agg* opposing **2** *m*, **-a** *f* opponent, adversary

avversione *f* aversion (*per* to)

avvertenza *f* (*ammonimento*) warning; (*premessa*) foreword; **-e** *pl* (*istruzioni per l'uso*) instructions

avvertimento *m* warning; **avvertire** warn; (*percepire*) catch

avviamento *m* introduction; TEC, AUTO start-up; **avviare** start; **avviarsi** set out, head off; **avviato** established

avvicendarsi alternate

avvicinare approach; ~ *qc a*

qc move sth closer to sth; **avvicinarsi** approach, near (*a* sth)

avvilire depress; (*mortificare*) humiliate; **avvilirsi** demean o.s.; (*scoraggiarsi*) get depressed; **avvilito** (*scoraggiato*) depressed

avvio *m*: **dare l'~ a qc** get sth under way

avvisare inform, advise; (*mettere in guardia*) warn; **avviso** *m* notice; *a mio* ~ in my opinion

avvitare screw in; *fissare* screw

avvocato *m* lawyer

avvolgere wrap; **avvolgibile** *m* roller blind; **avvolto** *pp* ☞ **avvolgere**

avvoltoio *m* vulture

azienda *f* business; **aziendale** company *attr*

azionare activate; *allarme* set off; **azionario** share *attr*; **azione** *f* action; (*effetto*) influence; FIN share; **azionista** *m/f* stockholder, shareholder

azoto *m* nitrogen

azzannare bite into

azzardarsi dare; **azzardo** *m* hazard; *gioco* *m* *d'*~ game of chance

azzerare TEC reset

azzuffarsi come to blows

azzurro 1 *agg* blue **2** *m* blue; SP **gli -i** *pl* the Italian national team

B

babbo *m* F dad F, pop F; **Babbo Natale** Santa (Claus), *Br anche* Father Christmas

babordo *m* MAR port (side)

baby-sitter *m/f inv* baby-sitter

bacato wormeaten

bacca *f* berry

baccalà *m inv* dried salt cod

baccano *m* din

bacchetta *f* rod; MUS *del direttore d'orchestra* baton; *per suonare il tamburo* (drum) stick; ~ **magica** magic wand

bacheca *f* notice board, *Am* bulletin board; *di museo* showcase

baciare kiss; **baciarsi** kiss (each other)

bacillo *m* bacillus

bacinella *f* basin; FOT tray

bacino *m* basin; ANAT pelvis; MAR port

bacio *m* kiss

baco *m* worm; ~ **da seta** silkworm

bada: tenere a ~ qu keep s.o. at bay; **badare: a ~** look after; *(fare attenzione a)* look out for, mind

baffo *m*: **-i** pl moustache, *Am* mustache; *di animali* whiskers

bagagliaio *m* FERR luggage van, *Am* baggage car; AUTO boot, *Am* trunk; **bagaglio** *m* luggage, baggage; **fare i -i** pack

bagliore *m* glare; *di speranza* glimmer

bagnante *m/f* bather; **bagnare** wet; *(immergere)* dip; *(inzuppare)* soak; *(annaffiare)* water; *di fiume* flow through; **bagnarsi** get wet; **bagnato** wet; **bagnino** *m*, **-a** *f* lifeguard; **bagno** *m* bath, *Am* (bath)tub; *stanza* bathroom; *gabinetto* toilet; **fare il ~** have a bath; **mettere a ~** soak; **bagnomaria** *m inv* double boiler, bain marie

baia *f* bay

baita *f* mountain chalet, *Am* mountain lodge

balaustra *f* balustrade

balbettare stammer; *di bambino* babble; **balbettio** *m* stammering; *di bambino* babble, prattle

balbuzie *f* stutter; **balbuziente** *m/f* stutterer

balconata *f* TEA dress circle, *Am* balcony; **balcone** *m* balcony

baldoria *f* revelry; **fare ~** have a riotous time

balena *f* whale

balenare: *fig* **gli è balenata un'idea** an idea flashed through his mind; **baleno** *m* lightning; **in un ~** in a flash

balia f: **in ~ di** at the mercy of

balla f bale; fig F (frottola) fib F

ballare dance

ballata f MUS ballad

ballerina f dancer; di balletto ballet dancer; di rivista chorus girl; scarpa ballet shoe;

ballerino m dancer; di balletto ballet dancer

balletto m ballet

ballo m dance; (il ballare) dancing; (festa) ball; **essere in ~ persona** be involved; (essere in gioco) be at stake; **tirare in ~ qc** bring sth up

balneare centro seaside attr

balordo 1 agg ragionamento shaky; idea stupid; tempo, consiglio unreliable **2** m (teppista) lout

balsamico aceto balsamic; aria balmy; **balsamo** m per i capelli hair conditioner

balzare jump, leap; **balzo** m jump, leap; fig **cogliere la palla al ~** jump at the chance

bambinaia f nanny; **bambino** m, -a f child; in fasce baby

bambola f doll; **bambolotto** m baby boy doll

bambù m bamboo

banale banal; **banalità** f inv banality

banana f banana

banca f bank; INFOR ~ **dati** data bank

bancarella f stall

bancario 1 agg istituto, segreto banking attr; deposito, estratto conto bank attr **2** m, -a f bank employee

bancarotta f bankruptcy

banchetto m banquet

banchiere m banker

banchina f FERR platform; MAR quay; di strada verge

banchisa f ice floe

banco m FIN bank; di scuola desk; di bar bar; di chiesa pew; di negozio counter; **bancomat®** m inv (distributore) ATM; **carta** cash card, debit card

bancone m (work)bench

banconota f banknote, Am bill

banda f band; di delinquenti gang; **banda** f **larga** broadband

banderuola f weathercock (anche fig)

bandiera f flag

bandire proclaim; concorso announce; (esiliare) banish; fig (abolire) dispense with; **bandito** m bandit; **bando** m proclamation; (esilio) banishment

bar m inv bar

bara f coffin

baracca f hut; spreg hovel; **baraccopoli** f inv shanty town

barare cheat

baratro m abyss

barattare barter

barattolo m can, Br anche tin; di vetro jar

barba f beard; **farsi la ~** shave; fig **che ~!** what a pain! F

barbabietola f beetroot, Am red beet; **~ da zucchero** sugar beet

barbarico barbaric; **barbaro 1** agg barbarous **2** m barbarian

barbecue m inv barbecue

barbiere m barber

barboncino m (miniature) poodle

barbone[1] m cane poodle

barbone[2] m, -a f (vagabondo) tramp, Am hobo

barca f boat; **~ a remi** rowing boat, Am rowboat; **~ a vela** sailing boat, Am sail boat

barcaiolo m boatman

barcollare stagger

barcone m barge

barella f stretcher

barile m barrel

barista m/f barman; donna barmaid; Am bartender; proprietario bar owner

baritono m baritone

barocco m/agg Baroque

barometro m barometer

barone m, -essa f baron; donna baroness

barra f bar

barricata f barricade

barriera f barrier (anche fig)

barzelletta f joke

basare base; **basarsi** be based (**su** on)

basco m (berretto) beret

base f base; fig basis; **in ~ a** on the basis of

basette fpl sideburns

basilica f basilica

basilico m basil

basso 1 agg low; di statura short; MUS bass; fig despicable **2** avv: **in ~** stato down below; **da ~** in una casa downstairs **3** m MUS bass; **basso-piano** m GEOG lowland; **bassorilievo** m bas-relief; **bassotto** m dachshund

basta ☞ **bastare**

bastardo m, -a f cane mongrel; fig bastard

bastare be enough; (durare) last; **basta!** that's enough; **basta che** (purché) as long as

bastonare beat; **bastone** m stick; di pane baguette, French stick

battaglia f battle (anche fig)

battello m boat

battente m di porta wing; di finestra shutter

battere 1 v/i (bussare, dare colpi) knock **2** v/t beat; record break; **~ le mani** clap (one's hands); **~ al computer** key

batteri mpl bacteria

batteria f battery; MUS drums; **batterista** m/f drummer

battersela run off; **battersi** fight

battesimo m christening, baptism; **battezzare** christen, baptize

battibecco m argument; **batticuore** m palpitations; fig **con un gran ~** with great anxiety; **battipanni** *m inv* carpet beater

battistero *m* baptistry

battistrada *m inv* AUTO tread

battito *m* beating, beat; *~ cardiaco* heartbeat

battuta *f* beat; *in dattilografia* keystroke; MUS bar; TEA cue; *nel tennis* service; *~ (di spirito)* wisecrack

baule *m* trunk; AUTO boot, *Am* trunk

bavaglino *m* bib

bavaglio *m* gag

bavero *m* collar

bazzecola *f* trifle

bazzicare 1 *v/t un posto* haunt; *persone* associate with **2** *v/i* hang about

beatificare beatify; *beato* happy; REL blessed; *~ te!* lucky you!

beauty-case *m inv* toilet bag

bebè *m inv* baby

beccare peck; F *fig (cogliere sul fatto)* nab F; F *fig: malattia* catch, pick up F; *beccarsi* F *malattia* catch, pick up F

becchino *m* grave digger

becco *m* beak; *di teiera ecc* spout

befana *f kind* old witch who brings presents to children on Twelfth Night; REL Twelfth Night; *fig* old witch

beffa *f* hoax; *farsi -e di qu* make a fool of s.o.; *beffardo* scornful; *beffare* mock; *beffarsi: ~ di* mock

bega *f (litigio)* fight, argu-

ment; *(problema)* can of worms

begli ☞ **bello**

bei ☞ **bello**

belare bleat

belga *agg, m/f* Belgian; Belgio *m* Belgium

bellezza *f* beauty

bellico *(di guerra)* war *attr*; *(del tempo di guerra)* wartime *attr*

bello 1 *agg* beautiful; *uomo* handsome; *tempo* fine, nice, beautiful; *questa è -a!* that's a good one!; *nel bel mezzo* right in the middle **2** *m* beauty; *sul più ~* at the worst possible moment

belva *f* wild beast

belvedere *m inv* viewpoint

bemolle *m inv* MUS flat

benda *f* bandage; *per occhi* blindfold; **bendare** MED bandage

bene 1 *avv* well; *~!* good!; *per ~* properly; *stare ~ di salute* be well; *di vestito* suit; *ben ti sta!* serves you right!; *va ~!* OK!; *andare ~ a qu di abito* fit s.o.; *di orario, appuntamento* suit s.o; *sentirsi ~* feel well **2** *m* good; *fare ~ alla salute* be good for you; *per il tuo ~* for your own good; *voler ~ a qu* love s.o.; *(amare)* love s.o.; *-i pl* assets, property; *-i immobili* real estate

benedetto 1 *pp* ☞ **benedire 2** *agg* blessed; REL *acqua f -a* holy water; **benedire** bless; **benedizione** f blessing

beneducato well-mannered

beneficenza f charity; *spettacolo m di ~* benefit (performance)

beneficio m benefit; *a ~ di* for the benefit of; **benefico** beneficial; *organizzazione, istituto* charitable; *spettacolo* charity *attr*

benessere m well-being; (*agiatezza*) affluence; **benestante 1** *agg* well-off **2** *m/f* person with money

benigno MED benign

beninteso of course; *~ che* provided that

benone splendid

benpensante *m/f* moderate; *spreg* conformist

bensì but rather

benvenuto 1 *agg* welcome **2** *m* welcome; *dare il ~ a qu* welcome s.o.

benvolere: *farsi ~ da qu* win s.o. over

benzina f petrol, *Am* gas; *fare ~* get petrol; **benzinaio** m, **-a** f petrol *o Am* gas station attendant

bere drink; *fig* swallow

berlina f AUTO saloon, *Am* sedan

bermuda *mpl* Bermuda shorts

bernoccolo m bump

berretto m cap

berrò ☞ **bere**

bersaglio m target; *fig*: *di scherzi* butt

bestemmia f swear-word; **bestemmiare 1** *v/i* swear (*contro* at) **2** *v/t* curse

bestia f animal; *fig* **andare in ~** fly into a rage; **bestiale** bestial; F (*molto intenso*) terrible; **bestiame** m livestock

bettola f *spreg* dive

betulla f birch

bevanda f drink

beve ☞ **bere**

biada f fodder

biancheria f linen; *~ intima* underwear

bianco 1 *agg* white; *foglio* blank **2** m white; *~ d'uovo* egg white; *mangiare in ~* avoid rich food; *in ~ e nero* film black and white

biasimare blame; **biasimo** m blame

bibbia f bible

biberon m *inv* baby's bottle

bibita f soft drink

bibliografia f bibliography

biblioteca f library; *mobile* book-case; **bibliotecario** m, **-a** f librarian

bicamerale POL two-chamber

bicarbonato m: *~ (di sodio)* bicarbonate of soda

bicchiere m glass

bicentenario m bicentenary, *Am* bicentennial

bici f *inv* F bike F; **bicicletta** f bike, bicycle; *andare in ~* go by bike, *Br anche* cycle

bidè m *inv* bidet

bidone m drum; *della spazzatura* (dust)bin, *Am* garbage can; F (*imbroglio*) swindle

biennale biennial; (*che dura due anni*) two-year; **biennio** m two-year period

bietola f beet

biforcarsi fork; **biforcazione** f fork

bigamo m, -a f bigamist

bigiotteria f costume jewellery o *Am* jewelry; *negozio* jeweller's, *Am* jewelry store

bigliettaio m, -a f ticket seller; *sul treno, tram* conductor, *Am* guard; **biglietteria** f ticket office; *di cinema, teatro* box office; **biglietto** m ticket; **~ d'auguri** (greetings) card; **~ da visita** business card; **un ~ da 10 dollari** a ten-dollar bill; **fare il ~** buy the ticket

bigodino m roller

bigotto 1 *agg* bigoted 2 m, -a f bigot

bikini m *inv* bikini

bilancia f scales; ASTR **Bilancia** Libra; **bilanciare** balance; (*pareggiare*) equal; *fig* weigh up; FIN **~ un conto** balance an account; **bilanciarsi** balance; **bilancio** m balance; (*rendiconto*) balance sheet; **~ preventivo** budget; **fare il ~** draw up a balance sheet; *fig* take stock

bile f bile; *fig* rage

biliardo m billiards *sg*, *Am* pool

bilico m: **essere in ~** be precariously balanced; *fig* be undecided

bilingue bilingual

bilocale m two-room flat o *Am* apartment

bimbo m, -a f child

bimotore m twin-engine plane

binario 1 *agg* binary **2** m track; (*marciapiede*) platform

binocolo m binoculars

biochimica f biochemistry

biodegradabile biodegradable

biografia f biography; **biografico** biographical; **biografo** m, -a f biographer

biologia f biology; **biologico** biological; *alimento* organic; **biologo** m, -a f biologist

biondo blonde

biossido m dioxide

birbante m rascal

birichino 1 *agg* naughty **2** m, -a f little devil

birillo m skittle

biro® f *inv* ballpoint (pen), *Br anche* biro

birra f beer; **~ alla spina** draught o *Am* draft beer; **birreria** f pub that sells only beer, *fabbrica* brewery

bis m *inv* encore

bisbetico bad-tempered

bisbigliare whisper

bisca f gambling den

biscia f grass snake

biscotto m biscuit, *Am* cookie

bisessuale bisexual

bisestile: *anno* m ~ leap year

bisnonno m, -a f great-grand-father; *donna* great-grand-mother

bisognare: *bisogna farlo* it must be done, it needs to be done; ***non bisogna farlo*** it doesn't have to be done, there's no need to do it; **bi-sogno** m need; (*mancanza*) lack; (*fabbisogno*) require-ments; ***avere ~ di qc*** need sth; **bisognoso** needy

bisonte m ZO bison

bistecca f steak

bisticciare quarrel; **bisticcio** m quarrel

bisturi m inv MED scalpel

bitter m inv aperitif

bivio m junction; *fig* cross-roads sg

bizantino Byzantine

bizzarro bizarre

bizzeffe: *a ~* galore

blando mild, gentle

blatta f cockroach

blindato armoured, *Am* ar-mored

blitz m inv blitz

bloccare block; MIL block-ade; (*isolare*) cut off; *prezzi, conto* freeze; **bloccarsi** *di ascensore, persona* get stuck; *di freni, porta* jam; **blocca-ruota** m AUTO wheel clamp, *Am* Denver boot; ***mettere il ~ a*** clamp; **bloccasterzo** m AUTO steering lock

blocchetto m *per appunti* notebook

blocco m block; *di carta* pad; **~ stradale** road block

bloc-notes m inv writing pad

blu blue

blusa f blouse

boa[1] m inv ZO boa constrictor

boa[2] f MAR buoy

boato m rumble

bob m inv SP bobsleigh, bob-sled; **bobbista** m/f bobsled-der

bobina f spool

bocca f mouth; (*apertura*) opening; **in ~ al lupo!** good luck!; **boccaccia** f (*smorfia*) grimace; **boccaglio** m *di maschera per il nuoto* mouth-piece

boccale m jug; *da birra* tank-ard

boccetta f small bottle

boccheggiare gasp

bocchino m *per sigarette* ciga-rette holder; MUS, *di pipa* mouthpiece

boccia f (*palla*) bowl; **boccia-re** (*respingere*) reject, vote down; EDU fail; *boccia* hit, strike; **bocciatura** f failure

bocciolo m bud

bocconcino m morsel; **boc-cone** m mouthful

bocconi face down

body m inv body(suit)

boia m inv executioner; F ***fa un freddo ~*** it's freezing

boicottaggio m boycott; **boi-cottare** boycott

bolide m meteor; *come un ~* like greased lightning

bolla[1] f bubble; MED blister

bolla[2] f *documento* note, docket; *~ di consegna* delivery note

bollare stamp; *fig* brand

bollente boiling hot

bolletta f bill; *~ della luce* electricity bill

bollettino m: *~ meteorologico* weather forecast

bollire boil; **bollito** 1 *agg* boiled 2 m boiled meat; **bollitore** m kettle

bollo m stamp

bomba f bomb; **bombardamento** m shelling, bombardment; *(attacco aereo)* air raid; *fig* bombardment; **bombardare** bomb; *fig* bombard

bombola f cylinder

bomboniera f wedding keepsake

bonaccia f MAR calm

bonaccione m, -a f kindhearted person

bonario kind-hearted

bonificare FIN *(scontare)* discount; *(accreditare)* credit; AGR reclaim; *(prosciugare)* drain; **bonifico** m *(trasferimento)* (money) transfer

bontà f inv goodness; *(gentilezza)* kindness

bora f bora *(a cold north wind)*

borbottare mumble

bordello m brothel; *fig* F bed-

lam F; *(disordine)* mess

bordo m *(orlo)* edge; *a ~* on board

boreale northern; *aurora f ~* northern lights

borgata f village; *(rione popolare)* suburb

borghese middle-class; *in ~* in civilian clothes; **borghesia** f middle classes pl

borgo m village

borraccia f flask

borsa f bag; *(borsetta)* handbag, Am purse; *per documenti* briefcase; FIN Stock Market; *~ di studio* scholarship; **borsaiolo** m, -a f pickpocket; **borsellino** m purse, Am coin purse; **borsetta** f handbag, Am purse

borsista m/f speculatore speculator; *studente* scholarship holder

boscaiolo m woodcutter; **bosco** m wood

bossolo m *di proiettili* (shell) case

botanico 1 *agg* botanical 2 m, -a f botanist

botola f trapdoor

botta f blow; *(rumore)* bang; *fare a ~* come to blows

botte f barrel

bottega f village; *(laboratorio)* workshop; **bottegaio** m, -a f shopkeeper; **botteghino** m box office; *(del lotto)* sales outlet for lottery tickets

bottiglia f bottle

bottino m loot

brioche

botto m (*rumore*) bang

bottone m button; **~ automatico** press-stud, Am snap fastener

bovino 1 agg bovine **2** m: **-i** pl cattle pl

box m inv per auto lock-up (garage); per bambini playpen; per cavalli loose box

boxe f boxing

bozza f draft; TIP proof; **bozzetto** m sketch

bozzolo m cocoon

braccetto: a ~ arm in arm

bracciale m bracelet; (*fascia*) armband; di orologio watch strap; **braccialetto** m bracelet; **bracciante** m/f day labourer, Am day laborer

bracciata f nel nuoto stroke; **braccio** m arm; **portare in ~ qu** carry s.o.; **bracciolo** m arm(rest)

bracconiere m poacher

brace f embers; **alla ~** chargrilled, Am char-broiled

braciola f GASTR chop

branca f branch (*anche fig*)

branchia f gill

branco m di cani, lupi pack; di pecore, uccelli flock; fig spreg gang

brancolare grope

branda f camp-bed, Am cot

brandello m shred, scrap; **a -i** in shreds o tatters

brano m di testo, musica passage

brasato m di manzo braised beef

Brasile m Brazil; **brasiliano 1** agg Brazilian **2** m, **-a** f Brazilian

bravata f boasting; *azione* bravado

bravo good; (*abile*) clever, good; **~!** well done!; **bravura** f skill

bretella f (*raccordo*) slip road, Am ramp; **-e** pl braces, Am suspenders

breve short; **in ~** briefly, in short

brevettare patent; **brevetto** m patent; di pilota licence, Am license

brezza f breeze

bricco m jug, Am pitcher

briciola f crumb; **briciolo** m fig grain, scrap

bricolage m do-it-yourself, DIY, Am home improvement

briga f: **darsi la ~ di fare qc** take the trouble to do sth; **attaccar ~ con qu** pick a quarrel with s.o.

brigadiere m MIL sergeant

brigante m bandit

briglia f rein

brillante 1 agg sparkling; colore bright; fig brilliant **2** m diamond; **brillare** shine

brillo tipsy

brina f hoar-frost

brindare drink a toast (**a** to); **~ alla salute di qu** drink to s.o.'s health; **brindisi** m inv toast

brioche f inv brioche

britannico 1 *agg* British **2** *m*, -a *f* Briton, Brit F

brivido *m di freddo, spavento* shiver; *di emozione* thrill

brizzolato *capelli* greying, *Am* graying

brocca *f* jug, *Am* pitcher

broccato *m* brocade

broccoli *mpl* broccoli *sg*

brodo *m* (clear) soup; *di pollo, di manzo, di verdura* stock; **brodoso** watery, thin

bronchite *f* bronchitis

broncio *m:* **avere il ~** sulk

broncopolmonite *f* bronchial pneumonia

brontolare grumble; *di stomaco* rumble; **brontolio** *m* grumble; *di stomaco* rumble; **brontolone 1** *agg* grumbling **2** *m*, -a *f* grumbler

bronzo *m* bronze

bruciapelo: **a ~** point-blank; **bruciare 1** *v/t* burn; *(incendiare)* set fire to **2** *v/i* burn; *fig: di occhi* sting; **bruciarsi** burn o.s.; **bruciato** burnt; *dal sole* scorched, parched; **bruciatura** *f* burn; **bruciore** *m* burning sensation; **~ di stomaco** heartburn

bruco *m* grub; *(verme)* worm

brufolo *m* spot

brulicare swarm

brullo bare

bruno brown; *capelli* dark

brusco sharp; *persona, modi* brusque, abrupt; *(improvviso)* sudden

brutale brutal; **brutalità** *f inv* brutality

brutta *f:* *(copia)* ~ rough copy; **bruttezza** *f* ugliness; **brutto** ugly; *(cattivo)* bad; *tempo, tipo, affare* nasty

Bruxelles *f* Brussels

buca *f* hole; *(avvallamento)* hollow; *del biliardo* pocket; **~ delle lettere** letter-box, *Am* mailbox; **bucare** make a hole in; *(pungere)* prick; *biglietto* punch; **~ una gomma** have a flat (tyre); **bucarsi** prick o.s.; *con droga* shoot up

bucato *m* washing, laundry; **fare il ~** do the washing

buccia *f* peel

bucherellare make holes in; **bucherellato dai tarli** riddled with woodworm

buco *m* hole

budello *m* gut; *(vicolo)* alley

budget *m inv* budget

budino *m* pudding

bue *m* ox; *carne* beef

bufalo *m* buffalo

bufera *f* storm

buffet *m inv* buffet; *mobile* sideboard, *Am* buffet

buffo funny; **buffone** *m*, -a *f* buffoon, fool; *di corte* fool, jester

bugia *f* *(menzogna)* lie; **bugiardo 1** *agg* lying **2** *m*, -a *f* liar

buio 1 *agg* dark **2** *m* darkness; **al ~** in the dark

bulbo *m* BOT bulb

Bulgaria *f* Bulgaria; **bulgaro**

1 *agg* Bulgarian **2** *m, -a f* Bulgarian
bullone *m* bolt
buoi ☞ **bue**
buon ☞ **buono**
buonafede f: **in ~** in good faith
buonanotte good night
buonasera good evening
buongiorno good morning, hello
buongustaio *m, -a f* gourmet; **buongusto** *m* good taste; **di ~** in good taste
buono 1 *agg* good; *momento* right; **alla -a** informal, casual **2** *m* good; FIN bond; (*tagliando*) voucher; **~ regalo** gift voucher; *Am* **gift certificate**; **~ sconto** discount voucher
buonsenso *m* common sense
buonuscita f (*liquidazione*) golden handshake
burattino *m* puppet
burbero gruff, surly
burla f practical joke, trick; **burlarsi: ~ di qu** make fun

of s.o.; **burlone** *m, -a f* joker
burocratico bureaucratic; **burocrazia** f bureaucracy
burrasca f storm; **burrascoso** stormy
burro *m* butter
burrone *m* ravine
bussare knock
bussola f compass
busta f *per lettera* envelope; *per documenti* folder; (*astuccio*) case; **~ paga** pay packet
bustarella f bribe
bustina f: **~ di tè** tea bag
busto *m* ANAT torso; *scultura* bust; (*corsetto*) girdle
buttafuori *m inv* TEA callboy; *di locale notturno* bouncer; **buttare 1** *v/i* BOT sprout **2** *v/t* throw; **~ via** throw away; *fig* waste; **~ giù** knock down; *lettera* scribble down; *boccone* gulp down; F **~ la pasta** put the pasta on; **buttarsi** throw o.s.; *fig* have a go (**in** at)
by-pass *m inv* by-pass
byte *m inv* INFOR byte

C

ca (= *circa*) ca (= circa)
c.a. (= **corrente alternata**) AC (= alternating current)
cabina f *di nave, aereo* cabin; *di ascensore, funivia* cage; **~ telefonica** phone box; *Am* pay phone
cabriolè, **cabriolet** *m inv* con-

vertible
cacao *m* cocoa
caccia f hunting; **cacciagione** f GASTR game; **cacciare** hunt; (*scacciare*) drive out; (*ficcare*) shove; **~ (via)** chase away; **cacciarsi: dove ti eri cacciato?** where did you

get to?; **cacciatora** f: **alla ~** stewed; **cacciatore** m, **-trice** f hunter; **cacciavite** m inv screwdriver

cachemire m inv cashmere

cactus m inv cactus

cadavere m corpse

cadente: **stella** f ~ falling star; **cadere** fall; *di edificio* fall down; *di capelli, denti* fall out; *di aereo* crash; **caduta** f fall

caffè m inv coffee; *locale* café; **~ corretto** espresso with a shot of alcohol; **~ macchiato** espresso with a splash of milk; **caffeina** f caffeine; **senza ~** caffeine-free; **caffellatte** m inv hot milk with a small amount of coffee; **caffettiera** f (*bricco*) coffee pot; (*macchinetta*) coffee maker

cafone m boor

cagna f bitch

calabrese agg, m/f Calabrian

calabrone m hornet

calamari mpl squid

calamità f inv calamity; **~ naturale** natural disaster

calamita f magnet

calante: **luna** f ~ waning moon; **calare 1** v/t lower **2** v/i di vento drop; *di prezzi, sipario* fall; *di sole* set, go down

calca f throng

calcagno m heel

calcare[1] (*pigiare*) press down; *con i piedi* tread; *parole* emphasize

calcare[2] m limestone

calcareo chalky

calce f lime

calcestruzzo m concrete

calciatore m football o soccer player

calcina f (*malta*) mortar; **calcinaccio** m (*intonaco*) bit of plaster; *di muro* bit of rubble

calcio[1] m kick; *attività* football, soccer; MIL butt; **~ di rigore** penalty kick

calcio[2] m CHIM calcium

calco m mould, Am mould

calcolare calculate; (*valutare*) weigh up; **calcolatore** m calculator; *fig* calculating person; *elettronico* computer; **calcolatrice** f calculator; **calcolo** m calculation

caldaia f boiler

caldarrosta f roast chestnut

caldo 1 agg warm; (*molto caldo*) hot **2** m warmth; *molto caldo* heat; **ho ~** I'm warm; I'm hot

calendario m calendar

calibro m calibre, Am caliber; TEC callipers

calice m goblet; REL chalice

calle f a Venezia lane

calligrafia f calligraphy

callo m corn

calma f calm; **prendersela con ~** take it easy; **calmante** m sedative; **calmare** calm; *dolore* soothe; **calmarsi** di dolore ease (off); **calmo** calm

calo m di peso loss; *dei prezzi*

drop, fall

calore m warmth; *intenso* heat

caloria f calorie

caloroso *fig* warm

calpestare walk on; *fig* trample over

calunnia f slander

calvario m REL Calvary; *fig* ordeal

calvizie f baldness; **calvo** bald

calza f *da donna* stocking; *da uomo* sock; **calzamaglia** f tights, *Am* pantyhose; *da ginnastica* leotard; **calzare 1** v/t *scarpe* put on; *(indossare)* wear **2** v/i *fig* fit; **calzascarpe** m shoehorn; **calzatoio** m shoehorn; **calzature** fpl footwear; **calzettone** m knee sock; **calzino** m sock; **calzolaio** m shoemaker

calzoncini mpl shorts; **~ da bagno** (swimming) trunks

calzone m GASTR folded-over pizza

calzoni mpl trousers, *Am* pants

camaleonte m chameleon

cambiale f bill (of exchange)

cambiamento m change; **cambiare 1** v/t change; *(scambiare)* exchange **2** v/i e **cambiarsi** change; **cambio** m change; FIN, *(scambio)* exchange; AUTO, TEC gear; *in ~* in exchange (*di* for)

camera f room; **~ da letto** bedroom; **~ singola** single room; **~ matrimoniale** double room; **Camera dei Deputati** House of Commons, *Am House of Representatives*; **~ d'aria** inner tube; **~ dell'industria e del commercio** chamber of commerce; **camerata** f *stanza* dormitory; *in ospedale* ward

cameriera f waitress; *(domestica)* maid; **cameriere** m waiter

camerino m dressing room

camice m *di medico* white coat; *di chirurgo* gown; **camicetta** f blouse; **camicia** f shirt; **~ da notte** nightdress

caminetto m fireplace; **camino** m chimney; *(focolare)* fireplace

camion m *inv* truck, *Br anche* lorry; **camioncino** m van; **camionista** m lorry driver, *Am* truck driver

cammello m camel; *stoffa* camel hair

camminare walk; *(funzionare)* work, go; **camminata** f walk; *(passeggiata)* walk: *un'ora di* **~** an hour's walk; *mettersi in* **~** set out

camomilla f camomile; *(infuso)* camomile tea

camoscio m chamois; *scarpe fpl di* **~** suede shoes

campagna f country; *fig*, POL campaign

campana f bell; **campanello** m bell; *della porta* doorbell; **campanile** m bell tower

campare live

campeggiatore *m* camper; **campeggio** *m* camping; *posto* camp site; **camper** *m inv* camper van; **camping** *m* camp site

campionario *m* samples

campionato *m* championship

campione *m* sample; (*esemplare*) specimen; SP champion

campo *m* field; **~ da golf** golf course; **~ da calcio** football *o* soccer pitch; **~ da tennis** tennis court; **~ profughi** refugee camp; **camposanto** *m* cemetery

Canada *m* Canada; **canadese 1** *agg* Canadian **2** *m/f* Canadian **3** *f half-litre bottle of beer*

canale *m* channel; *artificiale* canal

canapa *f* hemp

canarino *m* canary

cancellare cross out; *con gomma* erase; INFOR delete; *appuntamento* cancel

cancellata *f* railings

cancelleria *f*: **articoli** *mpl* **di ~** stationery

cancelliere *m* chancellor; DIR clerk of the court

cancello *m* gate

cancerogeno carcinogenic

cancrena *f* gangrene

cancro *m* MED cancer; ASTR **Cancro** Cancer

candeggina *f* bleach

candela *f* candle; **candelabro** *m* candelabra; **candeliere** *m* candlestick

candidarsi stand (for election), *Am* run; **candidato** *m*, **-a** *f* candidate; **candidatura** *f* candidacy, candidature

candido pure white; (*sincero*) frank; (*innocente*) innocent, pure; (*ingenuo*) naive

canditi *mpl* candied fruit

cane *m* dog

canestro *m* basket

canguro *m* kangaroo

canile *m* (*casotto*) kennel; *luogo* kennels

canino 1 *agg* dog *attr* **2** *m* (*dente*) canine (tooth)

canna *f* reed; (*bastone*) stick; P joint P; **~ da pesca** fishing rod

cannella *f* GASTR cinnamon

cannelloni *mpl* cannelloni *sg*

cannibale *m* cannibal

cannocchiale *m* telescope

cannone *m* MIL gun, cannon; (*asso*) ace

cannuccia *f* straw

canoa *f* canoe

canone *m* FIN rental (fee); RAD, TV licence (fee); (*norma*) standard

canottaggio *m* *a pagaie* canoeing; *a remi* rowing

canottiera *f* vest, *Am* undershirt

canotto *m* rowing boat, *Am* rowboat; **~ pneumatico** rubber dinghy

cantante *m/f* singer; **cantare** sing; **cantautore** *m*, **-trice** *f* singer-songwriter

cantiere *m* building site; MAR shipyard

cantina *f* cellar; *locale* wine-shop

canto¹ *m* song; (*il cantare*) singing

canto² *m*: **d'altro ~** on the other hand

cantone *m* POL canton

canzonare tease

canzone *f* song

caos *m* chaos; **caotico** chaotic

C.A.P. *m* (= *Codice di Avviamento Postale*) postcode, *Am* zip code

capace (*abile*) capable; (*ampio*) large; **~ di fare qc** capable of doing sth; **capacità** *f inv* ability; (*capienza*) capacity

capanna *f* hut; **capannone** *m* shed; AVIA hangar

caparra *f* FIN deposit

capello *m* hair; **-i** *pl* hair

capezzolo *m* nipple

capiente large, capacious; **capienza** *f* capacity

capigliatura *f* hair

capillare MED capillary

capire understand; **capisco** I see; **ho capito** I see

capitale **1** *agg* capital; *fig* major **2** *f città* capital **3** *m* FIN capital; **capitalismo** *m* capitalism; **capitalista** *agg*, *m/f* capitalist

capitaneria *f*: **~ di porto** port authorities

capitano *m* captain

capitare *di avvenimento* happen; *di persona* find o.s.; **~ a proposito** come along at the right time

capitolo *m* chapter

capo *m* head; *persona* head, chief, boss; GEOG cape; **~ di vestiario** item of clothing; **da ~** from the beginning; **andare a ~** start a new paragraph; **capodanno** *m* New Year's Day; **capofamiglia** *m/f* head of the family; **capofitto**: **a ~** headlong; **capogiro** *m* dizzy spell; **capogruppo** *m/f* group leader; POL leader; **capolavoro** *m* masterpiece; **capolinea** *m* terminus; **capoluogo** *m* principal town; **caporeparto** *m/f di fabbrica* foreman; *donna* forewoman; *di ufficio* superintendent; **caposala** *m/f in ospedale* ward sister; *uomo* charge nurse; **capostazione** *m/f* station master; **capostipite** *m/f* founder; **capotavola**: **a ~** at the head of the table; **capotreno** *m/f* guard, *Am* conductor; **capoufficio** *m/f* supervisor; **capoverso** *m* paragraph; TIP indent; **capovolgere** turn upside down; *piani* upset; *situazione* reverse; **capovolgersi** turn upside down; *di barca* capsize; **capovolgimento** *m* complete change; **capo-volto** *pp* ☞ **capovolgere**

cappa *f* (*mantello*) cloak; *di cucina* hood; **~ del camino** cowl

cappella *f* chapel

cappelletti *mpl* pasta, *shaped like little hats, with meat, cheese and egg filling;* **cappello** *m* hat

cappero *m* caper

cappio *m* noose

cappone *m* capon

cappotto *m* coat

cappuccino *m* bevanda cappuccino

cappuccio *m* hood; *di penna* top, cap

capra *f* (nanny)goat; (*cavalletto*) trestle; **capretto** *m* kid

capriccio *m* whim; *di bambini* tantrum; **fare i -i** have tantrums; **capriccioso** capricious; *bambino* naughty; *tempo* changeable

Capricorno ASTR Capricorn

capriola *f* somersault

capriolo *m* roe deer; GASTR venison; **capro** *m* billy goat; **~ espiatorio** scapegoat

capsula *f* capsule; *di dente* crown

captare RAD pick up

carabiniere *m* police officer

caraffa *f* carafe

caramella *f* sweet

caramello *m* caramel

carato *m* carat

carattere *m* character; (*caratteristica*) characteristic; **-i** *pl*

TIP font; **caratteristica** *f* characteristic; **caratteristico** characteristic; **caratterizzare** characterize

caravan *m inv* caravan

carboidrato *m* carbohydrate

carbone *m* coal; **carbonella** *f* charcoal

carburante *m* fuel

carburatore *m* carburettor, *Am* carburetor

carcassa *f* carcass; TEC (*intelaiatura*) frame; MAR, **F** wreck

carcerato *m*, **-a** *f* prisoner; **carcerazione** *f* imprisonment; **~ preventiva** preventive detention; **carcere** *m* jail, prison

carciofo *m* artichoke

cardiaco cardiac, heart *attr*

cardinale *m/agg* cardinal

cardiologo *m*, **-a** *f* heart specialist, cardiologist

cardo *m* thistle

carena *f* MAR keel

carenza *f* lack (**di** of)

carestia *f* shortage

carezza *f* caress; **carezzare** caress

cariato: **dente** *m* **~** decayed tooth

carica *f* (*incarico*) office; (*slancio, energia*) drive; TEC load; MIL (*attacco*) charge; SP tackle; **caricare** load; MIL charge; *orologio* wind up; **caricarsi** overload o.s. (**di** with)

caricatura *f* caricature

carico 1 *agg* loaded; EL charged **2** *m* load; MAR cargo

carie *f inv* tooth decay

carino (*grazioso*) pretty; (*gentile*) nice

carisma *m* charisma

carità *f* charity

carnagione *f* complexion

carne *f* flesh; GASTR meat; ~ **di maiale / manzo** pork / beef; ~ **tritata** mince, *Am* ground beef; **carneficina** *f* slaughter

carnevale *m* carnival

carnivoro *m* carnivore

caro 1 *agg* dear; (*costoso*) dear, expensive **2** *avv* a lot; **costare** ~ be very expensive; *fig* have a high price

carogna *f* carrion; F swine

carota *f* carrot

carotide *f* carotid artery

carovana *f* caravan

carovita *m* high cost of living; **indennità** *f di* ~ cost of living allowance

carpa *f* carp

carpire: ~ **qc a qu** get sth out of s.o.

carponi on all fours

carrabile ☞ **carraio**

carraio: **passo** *m* ~ driveway

carreggiata *f* roadway

carrello *m* trolley, *Am* cart; AVIA undercarriage

carretto *m* cart

carriera *f* career

carriola *f* wheelbarrow

carro *m* cart; AST Bear; ~ **ar-** **mato** tank; ~ **attrezzi** tow truck, *Am* wrecker

carrozza *f* FERR carriage, *Am* car; ~ **con cuccette** sleeping car; ~ **ristorante** restaurant car

carrozzella *f* **per bambini** pram, *Am* baby carriage; *per invalidi* wheelchair

carrozzeria *f* bodywork, coachwork; **carrozziere** *m* AUTO (*progettista*) (car) designer; (*costruttore*) coachbuilder; *chi fa riparazioni* panel beater; **carrozzina** *f* pram, *Am* baby carriage

carta *f* paper; (*menù*) menu; ~ **geografica** map; ~ **da gioco** (playing) card; ~ **da parati** wallpaper ~ **di credito** credit card; ~ **d'identità** identity card; ~ **d'imbarco** boarding card; ~ **igienica** toilet paper; ~ **stagnola** silver paper; GASTR tinfoil; ~ **telefonica** phone card; **cartamodello** *m* pattern; **cartapesta** *f* papier-mâché; **cartastraccia** *f* waste paper

cartella *f* (*borsa*) briefcase; *di alunno* schoolbag; *per documenti* folder, file; **cartellino** *m* (*etichetta*) label; *con prezzo* price tag; (*scheda*) card

cartello *m* sign; *nelle dimostrazioni* placard; FIN cartel; ~ **stradale** road sign

cartellone *m* **pubblicitario** hoarding, *Am* billboard; TEA bill

cartiera f paper mill

cartilagine f cartilage

cartina f GEOG map; (*bustina*) packet; *per sigarette* cigarette paper

cartoccio m paper bag; *a cono* paper cone; GASTR *al ~* baked in tinfoil

cartoleria f stationer's, *Am* stationery store

cartolina f postcard

cartoncino m (thin) cardboard; (*biglietto*) card

cartone m cardboard; *-i pl animati* cartoons

cartuccia f cartridge

casa f edificio house; (*abitazione*) home; *~ di cura* nursing home; *~ editrice* publishing house; *cambiare ~* move (house); *fatto in ~* homemade; *andare a ~* go home; *essere a ~* be at home; SP *giocare in / fuori ~* play at home / away; *casalinga* f housewife; *casalingo* domestic; (*fatto in casa*) home-made; *persona* home-loving; *-ghi mpl* household goods

cascare fall (down); *fig cascarci* fall for it; *cascata* f waterfall

cascina f (*casa colonica*) farmhouse; (*caseificio*) dairy farm

casco m helmet; *dal parrucchiere* hair dryer

caseggiato m (*edificio*) block of flats, *Am* apartment block

caseificio m dairy

casella f *di schedario* pigeon-hole; (*quadratino*) square; *~ postale* post office box; *casellario* m pigeon holes; *~ giudiziario* criminal records (office); **casello** m autostradale toll booth, pay station

casereccio homemade

caserma f barracks

casinò m inv casino

casino m P brothel; (*rumore*) din, racket; (*disordine*) mess

caso m case; (*destino*) chance; (*occasione*) opportunity; *~ d'emergenza* emergency; *per ~* by chance; *a ~* at random; *in ~ contrario* should that not be the case; *in ogni ~* in any case, anyway; *in nessun ~* under no circumstances

casolare m farmhouse

caspita! good heavens!

cassa f case; *di legno* crate; *di negozio* till; *sportello* cash desk; (*banca*) bank; *~ toracica* ribcage; *cassaforte* f safe; *cassapanca* f chest

casseruola f (sauce)pan

cassetta f box; *per frutta, verdura* crate; (*musicassetta*) cassette; *~ delle lettere* (*buca*) post box, *Am* mailbox; (*casella*) letterbox, *Am* mailbox

cassetto m drawer; **cassettone** m chest of drawers

cassiere m, **-a** f cashier; *di*

banca teller; *di supermercato* checkout assistant

cassonetto *m* dustbin, *Am* garbage can

casta *f* caste

castagna *f* chestnut; **castagno** *m* chestnut (tree)

castano *capelli* chestnut; *occhi* brown

castello *m* castle

castigo *m* punishment

castità *f* chastity

castoro *m* beaver

castrare castrate; *gatto* neuter; *femmina di animale* spay

casual 1 *agg* casual **2** *m* casual clothes, casual wear; **casuale** chance *attr*, casual

cataclisma *m* disaster

catacomba *f* catacomb

catalizzatore *m* catalyst; AUTO catalytic converter

catalogare catalogue, *Am* catalog; **catalogo** *m* catalogue, *Am* catalog

catapecchia *f* shack

catarifrangente *m* reflector; *lungo la strada* cat's eye, *Am* reflector

catarro *m* catarrh

catasto *m* land register

catastrofe *f* catastrophe; **catastrofico** catastrophic

categoria *f* category; *di albergo* class; **categorico** categoric(al)

catena *f* chain; **-e** *pl* **da neve** snow chains; **~ montuosa** mountain range, chain of mountains

cateratta *f* sluice(gate); *(cascata)* falls

catino *m* basin

catrame *m* tar

cattedra *f* *(scrivania)* desk

cattedrale *f* cathedral

cattiveria *f* wickedness; *di bambini* naughtiness; *azione* nasty thing to do; *parole crudeli* nasty thing to say; **cattivo** bad; *bambino* naughty, bad

cattolicesimo *m* (Roman) Catholicism; **cattolico 1** *agg* (Roman) Catholic **2** *m*, **-a** *f* (Roman) Catholic

cattura *f* capture; *(arresto)* arrest; **catturare** capture; *(arrestare)* arrest

caucciù *m* rubber

causa *f* cause; *(motivo)* reason; DIR lawsuit; **a ~ di** because of; **causare** cause

cautela *f* caution; *(precauzione)* precaution; **cauto** cautious; **cauzione** *f* *(deposito)* security; *per la libertà provvisoria* bail

cava *f* quarry

cavalcare ride; **cavalcavia** *m inv* flyover, *Am* overpass; **cavalcioni: a ~** astride; **cavaliere** *m* rider; *accompagnatore* escort; *al ballo* partner

cavalla *f* mare; **cavalletta** *f* grasshopper; **cavalletto** *m* trestle; FOT tripod; *da pittore* easel; **cavallo** *m* horse; *scacchi* knight; *dei pantaloni* crotch; **andare a ~** go riding;

cavallone *m* breaker; cavalluccio *m*: ~ **marino** sea horse

cavare take out; **cavarsela** manage, get by; cavarsi: ~ **da un impiccio** get out of trouble; cavatappi *m inv* corkscrew

caverna *f* cave

cavia *f* guinea pig (*anche fig*)

caviale *m* caviar

caviglia *f* ANAT ankle

cavillo *m* quibble

cavità *f inv* cavity

cavo 1 *agg* hollow 2 *m* cable; (*fune*) rope

cavolfiore *m* cauliflower

cavolo *m* cabbage; ~ **di Bruxelles** Brussels sprout

cazzo *m* V prick V; ~*l* fuck! V

CC (= **Carabinieri**) Italian police force

cc (= **centimetri cubici**) cc (= cubic centimetres)

c.c. (= **corrente continua**) DC (= direct current)

c/c (= **conto corrente**) current account, *Am* checking account

CD *m inv* CD; **lettore** ~ ~ CD player; CD-Rom *m inv* CD-Rom; **drive** *m* **per** ~ CD-Rom drive

ce = **ci** (*before* lo, la, li, le, ne)

c'è there is

cecchino *m* sniper

cece *m* chickpea

ceco 1 *agg* Czech 2 *m*, -a *f* Czech

cedere 1 *v/t* (*dare*) hand over; give up; (*vendere*) sell; ~ **il posto** give up one's seat 2 *v/i* give in, surrender (*a* to); *muro, terreno* collapse, give way; **non** ~*l* don't give in!

cedola *f* coupon

cedro *m* **del Libano** cedar

ceffone *m* slap

celebrare celebrate; celebrazione *f* celebration; celebre famous; celebrità *f inv* fame; *persona* celebrity

celeste sky blue; (*divino*) heavenly (*anche fig*)

celibato *m* celibacy; celibe 1 *agg* single, unmarried 2 *m* bachelor

cella *f* cell

cellula *f* cell; cellulare 1 *agg* cell *attr*; **telefono** *m* ~ mobile (phone), *Am* cell(ular) phone 2 *m* prison van; *telefono* mobile, *Am* cell (phone)

cellulite *f* cellulite

cemento *m* cement; ~ **armato** reinforced concrete

cena *f* supper, evening meal; *importante, con ospiti* dinner; cenacolo *m* PITT Last Supper; cenare have supper; *formalmente* dine

cencio *m* rag; *per spolverare* duster; **bianco come un** ~ white as a sheet

cenere *f* ash; **le Ceneri** *fpl* Ash Wednesday

cenno *m* sign; *della mano* wave; *del capo* nod; *con gli occhi* wink; (*breve notizia*) mention; (*allusione*) hint; *far ~ di sì* nod (one's head); *far ~ di no* shake one's head

cenone *m* feast, banquet

censimento *m* census

censura *f* censorship; censurare censor

centenario 1 *agg* hundred-year-old **2** *m persona* centenarian; *anniversario* centenary, *Am* centennial; **centesimo 1** *agg* hundredth **2** *m* FIN cent

centigrado *m* centigrade; **centimetro** *m* centimetre, *Am* centimeter; *~ cubo* cubic centimetre; *~ quadrato* square centimetre; **centinaio** *m* hundred; *un ~ di* about a hundred; **cento** hundred; *per ~* per cent

centrale 1 *agg* central **2** *f* station, plant; **centralinista** *m/f* switchboard operator; **centralino** *m* switchboard; **centrare** centre, *Am* center; *~ il bersaglio* hit the bull's eye

centrifuga 1 *agg* centrifugal **2** *f* spin-dryer; TEC centrifuge; **centrifugare** spin-dry; TEC centrifuge

centro *m* centre, *Am* center; *di bersaglio* bull's eye; *~ commerciale* shopping centre, *Am* downtown; *~ storico* old (part of) town

ceppo *m*: *~ bloccarruota* wheel clamp, *Am* Denver boot

cera *f* wax; *per lucidare* polish

ceramica *f* ceramics *sg*; *oggetto* piece of pottery

cerata *f* oilskins

cerca *f*: *in ~ di ...* in search of ...; **cercare 1** *v/t* look for **2** *v/t*: *~ di fare* try to do

cerchio *m* circle; **cerchione** *m* TEC rim

cereale 1 *agg* grain *attr* **2** *-i mpl* grain, cereals

cerebrale: *commozione* *f ~* concussion

cerimonia *f* ceremony; REL service; *-e pl* (*convenevoli*) pleasantries

cerino *m* (wax) match

cernia *f* grouper

cerniera *f* hinge; *~ lampo* zip (fastener), *Am* zipper

cernita *f* selection, choice

cero *m* (large) candle

cerotto *m* (sticking) plaster, *Am* Bandaid®

certezza *f* certainty

certificare certify; **certificato** *m* certificate

certo 1 *agg* (*sicuro*) certain, sure; *un ~ signor Federici* a (certain) Mr Federici; *ci vuole un ~ coraggio* it takes (some) courage; *di una -a età* of a certain age; *-i* some **2** *avv* (*certamente*) certainly; (*naturalmente*) of course; *~ che ...* surely ... **3** *pron*: *-i, -e* some, some people

certosa *f* Carthusian monastery

cervello *m* brain; GASTR brains

cervo m deer; *carne* venison

cesareo: taglio m ~ Caesarean, *Am* Cesarean

cesoie fpl shears

cespuglio m bush, shrub

cessare stop, cease; *cessate il fuoco* m ceasefire; *cessazione* f *di contratto* termination

cessione f transfer, handover

cesso m P bog P, *Am* john F

cesta f basket

cestinare throw away, bin F; *cestino* m little basket; *per la carta* wastepaper basket, *Am* waste basket; *cesto* m basket

ceto m (social) class; ~ *medio* middle class

cetriolino m gherkin; *cetriolo* m cucumber

che 1 agg what; **a ~ cosa serve?** what is that for?; **~ brutta giornata!** what a filthy day! **2** pron persona: soggetto who; *persona: oggetto* who, that, *fml* whom; *cosa* that, which; **ciò ~** what; **non c'e di ~** don't mention it, you're welcome **3** cong dopo il comparativo than

check-in m inv check-in

chemioterapia f chemotherapy, chemo F

chi who; **di ~ è il libro?** whose book is this? **a ~ ha venduto la casa?** who did he sell the house to?; **c'è ~ dice che** some people say that; **~ ... ~ some ... others**

chiacchiera f chat; (*maldicenza*) gossip; (*notizia infondata*) rumour, *Am* rumor; **chiacchierare** chat, chatter; *spreg* gossip; **chiacchierata** f chat; **chiacchierone 1** agg talkative, chatty; (*pettegolo*) gossipy **2** m, -a f chatterbox; (*pettegolo*) gossip

chiamare call; **andare a ~ qu** go and get s.o., fetch s.o.; **chiamarsi** be called; **come ti chiami?** what's your name?; **mi chiamo ... my** name is ...; **chiamata** f call; TELEC (telephone) call, (phone)call

chiara f egg white; **chiarezza** f clarity; **chiarimento** m clarification; **chiarire** clarify; **chiarirsi** become clear; **chiaro** clear; *colore* light, pale; (*luminoso*) bright; **~!** obviously!; **chiaroscuro** m chiaroscuro

chiasso m din, racket; **fare ~** make a din o racket; **chiassoso** noisy

chiatta f barge; **ponte** m **di -e** pontoon bridge

chiave 1 agg inv key **2** f key; MUS clef; **~ inglese** spanner, *Am* monkey wrench; **chiavistello** m bolt

chiazza f (*macchia*) stain; *sulla pelle, di colore* patch

chic inv chic, stylish

chicco m grain; *di caffè* bean; **~ d'uva** grape

chiedere *per sapere* ask (*di*

about); *per avere* ask for; (*esigere*) demand, require; ~ **qc a qu** ask s.o. sth; ~ **di qu** (*chiedere notizie di*) ask about s.o.; *per parlargli* ask for s.o.; ~ **un piacere a qu** ask s.o. a favour; **chiedersi** wonder (**se** whether)

chiesa *f* church

chiesto *pp* ☞ **chiedere**

chiglia *f* MAR keel

chilo *m* kilo; **chilogramma** *m* kilogram; **chilometraggio** *m* AUTO mileage; **chilometro** *m* kilometre, *Am* kilometer; **-i** *pl* **all'ora** kilometres per hour

chilowatt *m inv* kilowatt

chimica *f* chemistry; **chimico 1** *agg* chemical **2** *m*, **-a** *f* chemist

chinare *testa* bend; *occhi* lower; **chinarsi** stoop, bend down

chincaglierie *fpl* knick-knacks

chioccia *f fig* mother hen

chiocciola *f* snail; *in indirizzo* e-mail at; **scala** *f* **a** ~ spiral staircase

chiodato: SP **scarpe** *fpl* **-e** spikes

chiodo *m* nail

chioma *f* mane; *di cometa* tail

chiosco *m* kiosk

chiostro *m* cloister

chiromante *m/f* palmist

chirurgia *f* surgery; **chirurgo** *m* surgeon

chissà who knows; (*forse*) maybe

chitarra *f* guitar; **chitarrista** *m/f* guitarist

chiudere close, shut; *a chiave* lock; *strada* close off; *gas, luce* turn off; *fabbrica, negozio per sempre* shut down; **chiudersi** *di porta, ombrello* close, shut; *di ferita* heal up

chiunque anyone; *relativo* whoever; ~ **lo vede** whoever sees it

chiuso 1 *pp* ☞ **chiudere 2** *agg* closed, shut; *a chiave* locked; *persona* reserved; **chiusura** *f* closing, shutting

choc *m inv* shock

ci 1 *pron* ◇ us; **non** ~ **ha parlato** he didn't speak to us; ~ **siamo divertiti molto** we had a great time; ~ **vogliamo bene** we love each other ◇: ~ **penso** I'm thinking about it **2** *avv* here; (*lì*) there; **c'è ...** there is ...; ~ **sono ...** there are ...

ciabatta *f* slipper

cialda *f* wafer

ciambella *f* GASTR *type of cake, baked in a ring-shaped mould*; (*salvagente*) lifebelt

cianfrusaglia *f* knick-knack

ciao! hi!; *nel congedarsi* bye!

ciarpame *m* junk

ciascuno 1 *agg* each; (*ogni*) every **2** *pron* everyone

ciber-... cyber-...

cibo *m* food; **-i** *pl* foodstuffs, foods; ~ **pronto** fast food

cicala f *insetto* cicada

cicalino m buzzer, bleeper

cicatrice f scar; **cicatrizzare, cicatrizzarsi** heal

cicca f (*mozzicone*) stub, butt; (*gomma da masticare*) (chewing) gum

ciccia f (*grasso*) flab; **ciccione m, -a f** fatty

ciclamino m cyclamen

ciclismo m cycling; **ciclista** m/f cyclist; **ciclistico** bike *attr*, cycle *attr*, **ciclo** m cycle; **ciclomotore** m moped

ciclone m cyclone

cicloturismo m cycling holidays

cicogna f stork

cicoria f chicory

cieco 1 *agg* blind; **vicolo m ~** dead end, blind alley **2** m, -a f blind man; **donna blind woman**

cielo m sky; REL heaven; **grazie al ~** thank heavens

cifra f figure; (*monogramma*) monogram; (*somma*) amount, sum; (*codice*) cipher, code

ciglio m ANAT eyelash; (*bordo*) edge

cigno m swan

cigolare squeak; **cigolio** m squeak

Cile m Chile

cilecca f: **far ~ di arma da fuoco** misfire

cileno 1 *agg* Chilean **2** m, -a f Chilean

ciliegia f cherry; **ciliegio** m

cherry (tree)

cilindro m cylinder; **cappello top hat**

cima f top; **in ~ a** on top of; **da ~ a fondo** from top to bottom; *fig* from beginning to end

cimentarsi: **~ in** embark on

ciminiera f smokestack

cimitero m cemetery

cin cin! F cheers!

Cina f China

cineforum m *inv* film followed by a discussion; *club* film club

cinema m *inv* cinema, *luogo* cinema, Am movie theater; **cinematografico** film *attr*, movie *attr*

cinepresa f cine-camera

cinese *agg*, m/f Chinese

cinghia f strap; (*cintura*) belt

cinghiale m wild boar

cinguettare twitter

cinico 1 *agg* cynical **2** m -a f cynic; **cinismo** m cynicism

cinquanta fifty; **cinquantenne** m/f 50-year-old; **cinquantesimo** fiftieth; **cinquantina** f: **una ~ di** about 50; **cinque** five; **cinquecento 1** *agg* five hundred **2** m: **il Cinquecento** the sixteenth century; **cinquemila** five thousand

cintura f belt; (*vita*) waist; **~ di sicurezza** seatbelt; **cinturino** m strap

ciò (*questo*) this; (*quello*) that; **~ che** what; **~ nonostante**

nevertheless

ciocca f di capelli lock

cioccolata f chocolate; **cioccolatino** m chocolate; **cioccolato** m chocolate

cioè that is, i.e.

ciondolo m pendant

ciotola f bowl

ciottolo m pebble

cipolla f onion; di pianta bulb; **cipollina** f small onion

cipresso m cypress (tree)

cipria f (face) powder

circa about

circo m circus

circolare 1 v/i circulate; di persone move along **2** agg circular **3** f lettera circular; **circolazione** f traffic; MED circulation; **mettere in ~ voci** spread

circolo m circle; (club) club

circondare surround

circonferenza f circumference

circonvallazione f ring road, Am beltway

circoscrizione f area, district; **~ elettorale** constituency

circostante surrounding; **circostanza** f circumstance; (occasione) occasion

circuito m SP (percorso) track; EL circuit; EL **corto ~** short circuit

cisterna f cistern; (serbatoio) tank; **nave f ~** tanker

cisti f cyst; **cistifellea** f gall bladder; **cistite** f cystitis

citare quote; come esempio cite, quote; DIR testimone summons; **citazione** f quotation, quote; DIR summons sg

citofono m entry phone; in uffici intercom

città f inv town; grande city; **Città del Vaticano** Vatican City; **cittadina** f (small) town; **cittadinanza** f citizenship; (popolazione) citizens; **cittadino 1** agg town attr, city attr **2** m, -a f citizen; (abitante di città) city dweller

ciuccio m F (succhiotto) dummy, Am pacifier

ciuffo m tuft

civetta f ZO (little) owl; fig **far la ~** flirt

civico della città municipal, town attr, delle persone civic

civile 1 agg civil; civilizzato civilized; (non militare) civilian **2** m civilian; **civiltà** f inv civilization

clacson m inv horn

clamoroso fig sensational

clandestino 1 agg clandestine; (illegale) illegal **2** m, -a f stowaway

clarinetto m clarinet

classe f class; (aula) classroom

classico 1 agg classical; (tipico) classic **2** m classic

classifica f classification; (elenco) list; sportiva league standings, league table; musicale charts; **classificare**

classify; **classificatore** *m* (*cartella*) folder; *mobile* filing cabinet, *Am* file cabinet

classismo *m* class consciousness

clausola *f* clause; (*riserva*) proviso

claustrofobia *f* claustrophobia

clavicola *f* collar-bone

clero *m* clergy

clessidra *f* hourglass

cliccare INFOR click (**su** on); **~ due volte** double-click

cliché *m inv fig* cliché

cliente *m/f* customer; *di professionista* client; *di albergo* guest; MED patient; **clientela** *f* customers, clientele; *di professionista* clients; *di medico* patients

clima *m* climate; **climatico** climate *attr*, climatic; **stazione** *f* **climatica** health resort

clinica *f* (*ospedale*) clinic; (*casa di cura*) nursing home; **clinico 1** *agg* clinical **2** *m* clinician

clip *m inv* clip

clonare BIO clone; **clonazione** *f* cloning; **clone** *m* clone

cloro *m* chlorine

clorofilla *f* chlorophyl(l)

cloroformio *m* chloroform

club *m inv* club

coabitare share a flat *o Am* an apartment

coagularsi *di sangue* coagulate, clot; *di latte* curdle; **coalizione** *f* coalition; **governo** *m* **di ~** coalition government; **coalizzarsi** join forces; POL form a coalition

cobra *m inv* cobra

cocaina *f* cocaine

coccinella *f* ladybird, *Am* ladybug

coccio *m* earthenware; *frammento* fragment (of pottery); **cocciuto** stubborn, obstinate

cocco *m* **albero** coconut palm

coccodrillo *m* crocodile

coccolare F cuddle; (*viziare*) spoil

cocktail *m inv* cocktail; *festa* cocktail party

cocomero *m* water melon

coda *f* tail; (*fila*) queue, *Am* line; *di veicolo, treno* rear; MUS coda; **fare la ~** queue (up), *Am* stand in line

codardo 1 *agg* cowardly **2** *m*, -**a** *f* coward

codice *m* code; **~ di avviamento postale** postcode, *Am* zip code; **~ fiscale** tax code; **~ segreto** PIN; **codificare** *dati* encode; DIR codify

codino *m* pigtail, plait, *Am* braid

coerente coherent; *fig* consistent; **coerenza** *f* coherence; *fig* consistency

coetaneo 1 *agg* the same age (*di* as) **2** *m*, -**a** *f* contemporary

cofanetto *m* casket

cofano *m* AUTO bonnet, *Am* hood

cogliere pick; (*raccogliere*) gather; (*afferrare*) seize; *occasione* take, seize; (*capire*) grasp

cognac *m inv* cognac

cognato *m*, **-a** *f* brother-in-law; *donna* sister-in-law

cognizione *f* knowledge; *filosofia* cognition; **parla con ∼ di causa** he knows what he's talking about

cognome *m* surname, family name

coi = **con** and *art* **i**

coincidenza *f* coincidence; FERR connection; **coincidere** coincide

coinquilino *m*, **-a** *f* in *condominio* fellow tenant; *in appartamento* flatmate, *Am* roommate

coinvolgere involve; **coinvolto** *pp* ☞ **coinvolgere**

col = **con** and *art* **il**

colapasta *m inv* colander

colare **1** *v/t* strain; *pasta* drain **2** *v/i* drip; (*perdere*) leak; *di naso* run; *di cera* melt; **∼ a fondo** *o* **a picco** sink, go down; **colazione** *f* *prima* breakfast; *di mezzogiorno* lunch; **far ∼** have breakfast

colei *pron f* the one; **∼ che** the one that

colera *m* cholera

colesterolo *m* cholesterol

colica *f* colic

colino *m* strainer

colla *f* glue; *di farina* paste

collaborare co-operate, col-laborate; *con giornale* con-tribute; **collaboratore** *m*, **-trice** *f* collaborator; *di giornale* contributor; **collabora-zione** *f* co-operation, collab-oration

collana *f* necklace; *di libri* se-ries *sg*

collant *m inv* tights, *Am* pan-tyhose

collare *m* collar

collasso *m* collapse

collaudare test; *fig* put to the test; **collaudo** *m* test

colle *m* hill; (*valico*) pass

collega *m/f* colleague, co-worker

collegamento *m* connection; MIL liaison; RAD, TV link; **collegare** connect, link; **col-legarsi** RAD, TV link up

collegio *m* boarding school

collera *f* anger; **essere in ∼ con qu** be angry with s.o.

colletta *f* collection; **colletti-vità** *f* community; **collettivo** *m/agg* collective

colletto *m* collar

collezionare collect; **colle-zione** *f* collection; **fare ∼ di qc** collect sth; **collezionista** *m/f* collector; **∼ di franco-bolli** stamp collector

collina *f* hill

collirio *m* eyewash

collisione *f* collision

collo *m* neck; (*bagaglio*) piece of luggage; (*pacco*) package

collocamento *m* placing; (*impiego*) employment;

agenzia f **di ~** employment agency; collocare place, put

colloquiale colloquial

colloquio m talk, conversation; *ufficiale* interview; *(esame)* oral (exam)

colluttazione f scuffle

colmare fill *(di* with); *fig: di gentilezze* overwhelm *(di* with); *colmo* full *(di* of)

colomba f ZO, *fig* dove

colombo m pigeon

colon m colon

colonia f colony; *per bambini* holiday camp, *Am* summer camp; **colonizzare** colonize

colonna f column; **~ vertebrale** spinal column; colonnato m colonnade

colonnello m colonel

colorante m dye; **senza -i** with no artificial colouring o *Am* coloring; colorare colour, *Am* color; *disegno* colour in; **colorato** coloured, *Am* colored; **colore** m colour, *Am* color; *carte* suit; **a -i** *film, televisione* colour *attr*; **colorito 1** *agg volto* rosy-cheeked; *fig (vivace)* colourful, *Am* colorful **2** m complexion

coloro *pron pl* the ones; **~ che** those who

colossale colossal

colpa f fault; REL sin; **dare a qu la ~ di qc** blame s.o. for sth; **per ~ tua** because of you; **colpevole 1** *agg* guilty **2** *m/f* culprit, guilty party

colpire hit, strike; *fig* impress; **colpo** m blow; *di pistola* shot; MED stroke; **~ di telefono** phonecall; **di ~** suddenly

coltellata f *ferita* stab wound; **coltello** m knife

coltivare AGR, *fig* cultivate; **coltivazione** f cultivation; *di prodotti agricoli e piante* growing; *campi coltivati* crops

colto[1] cultured, learned

colto[2] *pp* ☞ **cogliere**

coltura f growing; *piante* crop

colui *pron* m the one; **~ che** the one that

coma m coma

comandante m commander; AVIA, MAR captain; **comandare 1** *v/t (ordinare)* order, command; *esercito* command; *nave* captain, be captain of; TEC control **2** *v/i* be in charge; **comando** m order, command; TEC control

combaciare fit together; *fig* correspond

combattere fight; **combattimento** m fight

combinare combine; *(organizzare)* arrange; **~ un guaio** make a mess; **combinazione** f combination; *(coincidenza)* coincidence; **per ~** by chance

combustibile 1 *agg* combustible **2** m fuel

come 1 *avv* as; *(in modo simile o uguale)* like; *interrogativo, esclamativo* how; *(prego?)*

pardon?, *Am* pardon me?; *fa' ~ ti ho detto* do as I told you; *~ me* like me; *un cappello ~ il mio* a hat like mine; *~ sta?* how are you?; *~ mai?* how come?, why?; *~ se* as if 2 *cong* (*come se*) as if, as though; (*appena, quando*) as (soon as)

cometa *f* comet

comfort *m inv* comfort; *dotato di tutti i ~ moderni* with all mod cons

comico 1 *agg* funny, comical; *genere* comic 2 *m*, -a *f* comedian; *donna* comedienne

comignolo *m* chimney pot

cominciare start, begin (*a* to)

comitato *m* committee; *~ direttivo* steering committee; **comitiva** *f* group, party

comizio *m* meeting

commedia *f* comedy; *fig* playacting; **commediografo** *m*, -a *f* playwright

commemorare commemorate; **commemorazione** *f* commemoration

commentare comment on; **commento** *m* comment

commerciale commercial; *relazioni, trattative* trade *attr*; *lettera* business *attr*; **commercialista** *m/f* accountant; **commercializzare** market; **commerciante** *m/f* merchant; (*negoziante*) shopkeeper, *Am* storekeeper; **commercio** *m* trade, business; *di droga* traffic; *essere*

in ~ be available

commesso *m*, -a *f* shop assistant, *Am* sales clerk

commestibile 1 *agg* edible 2 *-i mpl* foodstuffs

commettere commit; *errore* make

commiserare feel sorry for

commissariato *m*: *~ (di pubblica sicurezza)* police station; **commissario** *m di polizia* police superintendent, *Am* police chief; *membro di commissione* commissioner

commissione *f* commission; (*incarico*) errand; *-i pl* shopping

commosso *pp ☞ commuovere* 2 *agg fig* moved, touched

commovente moving, touching; **commozione** *f* emotion; *~ cerebrale* concussion; **commuovere** move, touch; (*toccare*) touch; **commuoversi** be moved *o* touched

comò *m inv* chest of drawers; **comodino** *m* bedside table

comodità *f inv* comfort; (*vantaggio*) convenience

comodo 1 *agg* comfortable; (*facilmente raggiungibile*) easy to get to; (*utile*) useful, handy; F *persona* laidback F; *stia ~!* don't get up! 2 *m* comfort; *con ~* at one's convenience; *far ~ di denaro* come in useful; *le fa ~ così* she finds it easier that way;

fare il propio ~ do as one pleases

compagnia f company; (*gruppo*) group; **~ aerea** airline; **far ~ a qu** keep s.o. company

compagno m, -a f companion; (*convivente*) partner; POL comrade; **~ di scuola** schoolfriend

comparativo m/agg comparative

comparire appear; (*far figura*) stand out; **comparizione** f: DIR **mandato m di ~** summons sg; **comparsa** f appearance; TEA person with a walk-on part; *in film* extra; **comparso** pp ☞ ***comparire***

compartimento m compartment

compassione f compassion, pity; **provare ~ per qu** feel sorry for s.o.

compasso m compass

compatibile compatible; **compatibilità** f compatibility

compatire: **~ qu** feel sorry for s.o.

compatto compact; *folla* dense; *fig* united

compensare (*controbilanciare*) compensate for, make up for; (*ricompensare*) reward; (*risarcire*) pay compensation to; **compenso** m (*ricompensa*, *risarcimento*) compensation; (*retribuzione*)

fee; **in ~** (*d'altra parte*) on the other hand

compera f purchase; **fare le -e** go shopping

competente competent; (*responsabile*) appropriate; **competenza** f (*esperienza*) competence; **essere di ~ di qu** be s.o.'s responsibility

competere (*gareggiare*) compete; **competitivo** competitive; **competizione** f competition

compiacere please; **compiacersi** (*provare piacere*) be pleased (**di** with); **compiaciuto** pp ☞ ***compiacere***

compiangere pity; *per lutto* mourn; **compianto** pp ☞ ***compiangere***

compiere (*finire*) complete, finish; (*eseguire*) carry out; **~ gli anni** have one's birthday

compilare compile; *modulo* complete

compito m task; EDU **i -i** pl homework

compiuto *lavoro, opera* completed, finished; **ha 10 anni -i** he's 10

compleanno m birthday; **buon ~!** happy birthday!

complementare complementary; **complemento** m complement; GRAM object

complessato full of complexes, uptight F; **complessivo** all-in; **complesso 1** agg complex **2** m complex;

MUS group; *di circostanze* set, combination; **in** *o* **nel ~** on the whole

completare complete; **completo 1** *agg* complete; (*pieno*) full; TEA sold out **2** *m* set; (*vestito*) suit; **al ~** (*pieno*) full (up); TEA sold out

complicare complicate; **complicarsi** get complicated; **complicato** complicated; **complicazione** *f* complication

complice *m/f* DIR accomplice

complimentarsi: **~ con** *qu* congratulate s.o. (**per** on); **complimento** *m* compliment; **-i!** congratulations!; **non fare -i!** help yourself!

componente 1 *m* component **2** *m/f* (*persona*) member; **componibile** modular; *cucina* fitted; **comporre** (*mettere in ordine*) arrange; MUS compose; **~ un numero** dial a number

comportamento *m* behaviour, *Am* behavior; **comportare** involve; **comportarsi** behave

compositore *m*, **-trice** *f* composer; **composizione** *f* composition; *di fiori* arrangement; DIR settlement

composto 1 *pp* ☞ **comporre 2** *agg* compound; *abiti, capelli* tidy, neat; **~ da** made up of **3** *m* compound

comprare buy, purchase; (*corrompere*) bribe, buy off;

compratore *m*, **-trice** *f* buyer, purchaser; **compravendita** *f* buying and selling

comprendere (*includere*) comprise, include; (*capire*) understand; **comprensibile** understandable, comprehensible; **comprensione** *f* understanding; **comprensivo** (*tollerante*) understanding; **~ di** inclusive of; **compreso 1** *pp* ☞ **comprendere 2** *agg* inclusive; (*capito*) understood; **tutto ~** all in; **~ te** including you

compressa *f* (*pastiglia*) tablet; *di garza* compress

compresso *pp* ☞ **comprimere**; **comprimere** press; (*reprimere*) repress; FIS compress

compromesso 1 *pp* ☞ **compromettere 2** *m* compromise; **compromettere** compromise; **compromettersi** compromise o.s.

computer *m inv* computer; **~ portatile** laptop

comunale *del comune* municipal, town *attr*; **comune 1** *agg* common; *amico* mutual; (*ordinario*) ordinary, common; **in ~** in common; **fuori del ~** out of the ordinary **2** *m* municipality; **comunemente** commonly

comunicare 1 *v/t notizia* pass on, communicate; *contagio* pass on; REL give Communion to **2** *v/i* (*esprimersi*) communicate; *di persone* keep in touch, communicate; **comunicato** *m* announcement; ~ **stampa** press release; **comunicazione** *f* communication; *(annuncio)* announcement; TELEC *(collegamento)* connection

comunione *f* REL communion; *di idee* sharing

comunismo *m* Communism; **comunista** *m/f* Communist

comunità *f inv* community; **comunitario** community *attr*, *dell'Ue* Community *attr*

comunque 1 *cong* however, no matter how **2** *avv* (*in ogni modo*) in any case, anyhow; (*in qualche modo*) somehow; *(tuttavia)* however

con with; *(mezzo)* by

conato *m*: ~ **di vomito** retching

concedere grant; *premio* award; **concedersi**: ~ **qc** treat o.s. to sth

concentramento *m* concentration; **concentrare**, **concentrarsi** concentrate; **concentrazione** *f* concentration

concentrico concentric

concepibile conceivable; **concepimento** *m* conception; **concepimento** *m* conception; **concepire** conceive

concernere concern

concerto *m* concert; *(composizione)* concerto

concessionario *m* agent

concesso *pp* ☞ **concedere**

concetto *m* concept; *(giudizio)* opinion

conchiglia *f* shell

conciare *pelle* tan; *(sistemare)* arrange; **come ti sei conciato!** what a state you're in!; ~ **qu per le feste** tan s.o.'s hide

conciliare reconcile; *multa* pay, settle

concimare *pianta* feed; **concime** *m* manure

conciso concise

concittadino *m*, -a *f* fellow citizen

concludere conclude; *(portare a termine)* achieve, carry off; ~ **un affare** clinch a deal; **concludersi** end, close; **conclusione** *f* conclusion; **in** ~ in short; **conclusivo** conclusive; **concluso** *pp* ☞ **concludere**

concordare 1 *v/t* agree (on); GRAM make agree **2** *v/i* agree; *(coincidere)* tally; **concorde** in agreement; *(unanime)* unanimous

concorrente 1 *agg* *(rivale)* competing, rival *attr* **2** *m/f* in una gara, gioco competitor, contestant; FIN competitor; **concorrenza** *f* competition; **concorrere** *(contribuire)* concur; *(competere)* compete (**a** for); *di strade* converge; **concorso** *m* *(competizione)* competition, contest

concreto concrete; *(pratico)* practical

condanna *f* DIR sentence;

condannare condemn (**a** to); DIR sentence (**a** to)

condensare, condensarsi condense

condimento *m* seasoning; *di insalata* dressing; *condire* season; *insalata* dress; condito seasoned

condividere share; condiviso *pp* ☞ **condividere**

condizionale 1 *m/agg* conditional 2 suspended sentence; condizionamento *m* PSI conditioning; **~ dell'aria** air conditioning; condizionare PSI condition; condizionato: **con aria -a** air-conditioned; condizionatore *m* air conditioner; condizione *f* condition; **a ~ che** on condition that

condoglianze *fpl* condolences; *fare le* **~ a qu** express one's condolences to s.o.

condominio *m* (*comproprietà*) joint ownership; *edificio* block of flats, *Am* condo(-minium); condomino *m* owner-occupier, *Am* condo owner

condono *m* remission; **~ fiscale** conditional amnesty for tax evaders

condotta *f* (*comportamento*) behaviour, *Am* behavior, conduct; (*canale*) piping; condotto 1 *pp* ☞ **condurre** 2 *m* pipe; ANAT duct

conducente *m/f* driver; condurre lead; (*accompagnare*)

take; *veicolo* drive; conduttore *m*, -trice *f* RAD, TV presenter; conduttura *f* (*condotto*) pipe

confederazione *f* confederation

conferenza *f* conference; **~ stampa** press conference; conferire 1 *v/t* (*dare*) confer; *premio* award 2 *v/i*: **~ con qu** confer with s.o.

conferma *f* confirmation; confermare confirm

confessare, confessarsi confess; confessione *f* confession

confetto *m* GASTR sugared almond; MED pill

confettura *f* jam, *Am* jelly

confezione *f* wrapping, packaging; *di abiti* making; **~ regalo** gift wrap; **-i** *pl* (*abiti*) garments

conficcare hammer, drive

confidare 1 *v/t* confide 2 *v/i*: **~ in** trust in, rely on; confidarsi: **~ con** confide in; confidenza *f* (*familiarità*) familiarity, trust; *avere* **~ con qu** be familiar with s.o.; *prendere* **~ con qc** familiarize o.s. with sth; confidenziale (*riservato*) confidential

configurazione *f* configuration

confinante neighbouring, *Am* neighboring

confinare border (**con** sth); *fig* confine; confine *m* border; *fra terreni, fig* boundary confisca *f* seizure; **confiscare** confiscate

conflitto *m* conflict

confluire merge

confondere confuse, mix up; (*imbarazzare*) embarrass; **confondersi** get mixed up

conformarsi: ~ *a* conform to; (*adattarsi*) adapt to; **conforme** (*simile*) similar; ~ *a* in accordance with; **conformismo** *m* conformity; **conformista** *m/f* conformist; **conformità** *f* conformity; **in ~ a** in accordance with

confortare comfort; **confortevole** comfortable; **conforto** *m* comfort

confrontare compare; **confronto** *m* confrontation; (*comparazione*) comparison; **a ~ di, in ~ a** compared with; **nei -i di** towards

confusione *f* confusion; (*disordine*) muddle, mess; (*baccano*) noise; (*imbarazzo*) embarrassment; **confuso 1** *pp* ☞ **confondere 2** *agg* (*non chiaro*) confused, muddled; (*imbarazzato*) embarrassed

congedare dismiss; MIL discharge; **congedarsi** take leave (**da** of); **congedo** *m* (*permesso*) leave; MIL ~ **assoluto** discharge

congelare **1** *v/t* freeze **2** *v/i e* **congelarsi** freeze; **congelato** frozen; **congelatore** *m* freezer

congenito congenital

congestionato congested; *volto* flushed; **congestione** *f* congestion

congettura *f* conjecture

congiungere join; **congiungersi** join (up)

congiuntivite *f* conjunctivitis

congiuntivo *m* GRAM subjunctive; **congiunto 1** *pp* ☞ **congiungere 2** *m*, -a *f* relative, relation; **congiunzione** *f* GRAM conjunction

congiura *f* conspiracy, plot

congratularsi: ~ **con qu** congratulate s.o. (**per** on); **congratulazioni** *fpl*: **fare le proprie ~ a qu** congratulate s.o.; **-i!** congratulations!

congressista *m/f* convention participant; *Am* conventioneer; **congresso** *m* convention

conguaglio *m* balance

coniare mint; *fig* coin

coniglio *m* rabbit

coniugare conjugate; **coniugato** married; **coniugazione** *f* conjugation; **coniuge** *m/f* spouse; **-i** *pl* husband and wife; **i -i Rossi** Mr and Mrs Rossi

connazionale *m/f* compatriot

connessione *f* connection

connotati *mpl* features

cono *m* cone; ~ **gelato** ice-cream cone

conoscente *m/f* acquaintance; **conoscenza** *f* knowledge; *persona* acquaintance;

(sensi) consciousness; **perdere** ~ lose consciousness, faint; **conoscere** know; *(fare la conoscenza di)* meet; **conosciuto** well-known

conquista *f* conquest; **conquistare** conquer; *fig* win

consacrare consecrate; *sacerdote* ordain; *(dedicare)* dedicate

consanguineo *m*, -a *f* blood relative

consapevole: ~ **di** conscious of, aware of; **consapevolezza** *f* consciousness, awareness; **conscio** conscious, aware

consecutivo consecutive; **tre giorni -i** three consecutive days, three days in a row

consegna *f di lavoro, documento* handing in; *di prigioniero, ostaggio* handover; **bagagli** left luggage, *Am* baggage checkroom; **consegnare** *lavoro, documento* hand in; *prigioniero, ostaggio* hand over; *merci, posta* deliver

conseguenza *f* consequence; **di** ~ consequently; **conseguire** 1 *v/t* achieve; *laurea* obtain 2 *v/i* follow

consenso *m (permesso)* consent, permission; **consentire** 1 *v/i (accondiscendere)* consent 2 *v/t* allow

conserva *f* preserve; ~ **di pomodoro** tomato purée; ~ **di frutta** jam, *Am* jelly; **conservante** *m* preservative; **conservare** keep; GASTR preserve; **conservarsi** keep; *in salute* keep well; **conservatore** *m*, **-trice** *f* conservative; **conservatorio** *m* music school, conservatoire

considerare consider; **considerazione** *f* consideration; *(osservazione)* remark, comment; **prendere in** ~ take into consideration; **considerevole** considerable

consigliare advise; *(raccomandare)* recommend; **consigliarsi** seek advice; **consigliere** *m* adviser; ~ **municipale** town councillor, *Am* councilman; **consiglio** *m* piece of advice; *(organo amministrativo)* council; ~ **d'amministrazione** board (of directors); ~ **dei ministri** Cabinet; **consigli** *pl* advice

consistente substantial; *(denso)* thick; **consistenza** *f (densità)* consistency, thickness; *di materiale* texture; *di argomento* basis; **consistere** consist **(in, di** of)

consolare[1] *v/t* console, comfort

consolare[2] *agg* consular

consolarsi console o.s.

consolato *m* consulate

consolazione *f* consolation

console *m diplomatico* consul

consolidare consolidate; **consolidarsi** stabilize

consonante f consonant

consorte m/f spouse; **principe** m ~ prince consort

consorzio m di imprese consortium

constatare ascertain, determine; (notare) note; constatazione f statement

consueto usual

consulente m/f consultant; ~ **legale** legal adviser; ~ **tributario** tax consultant; consulenza f consultancy; consultare consult; consultarsi: ~ **con qu** consult (with) s.o.; consultazione f consultation; consultorio m family planning clinic

consumare acqua, gas use, consume; (logorare) wear out; (mangiare) eat, consume; (bere) drink; consumarsi wear out; consumatore m, -trice f consumer; consumazione f food; (bevanda) drink; consumismo m consumerism; consumo m consumption; (usura) wear

contabile m/f book-keeper; contabilità f FIN disciplina accounting; ufficio accounts department; **tenere la** ~ keep the books

contachilometri m inv mileometer, Am odometer

contadino 1 agg rural, country attr 2 m, -a f farmer; (bracciante) farm labourer o Am laborer

contagiare infect; contagio m infection; per contatto diretto contagion; (epidemia) outbreak; contagioso infectious; per contatto contagious

contagiri m inv rev(olution) counter; contagocce m inv dropper

container m inv container

contaminare contaminate, pollute; contaminazione f contamination, pollution

contante m cash; **in -i** cash

contare 1 v/t count 2 v/i count; ~ **di fare qc** plan on doing sth; contascatti m inv time meter on phone; contatore m meter

contatto m contact

conte m count

contemplare contemplate

contemporaneamente at the same time; contemporaneo 1 agg contemporary (**di** with); movimenti simultaneous 2 m, -a f contemporary

contendersi contend for, compete for

contenere contain, hold; (reprimere) repress; (limitare) limit; contenersi contain o.s.; contenitore m container

contentezza f happiness; contento pleased (**di** with); (lieto) glad, happy

contenuto m contents

contesa f dispute

conteso *pp* ☞ **contendere**

contessa *f* countess

contestare protest; DIR serve; **contestazione** *f* protest

contesto *m* context

contiene ☞ **contenere**

continentale continental; **continente** *m* continent

continuare 1 *v/t* continue **2** *v/i* continue, carry on (**a fare** doing); **continuazione** *f* continuation; *di film* sequel; *in* ~ over and over again; (*ininterrottamente*) non stop; **continuità** *f* continuity; **continuo** (*ininterrotto*) continuous; (*molto frequente*) continual; *di* ~ (*ininterrottamente*) continuously; (*molto spesso*) continually

conto *m* (*calcolo*) calculation; FIN account; *in ristorante* bill, *Am* check; ~ **corrente** current account, *Am* checking account; **rendere** ~ **di qc** account for sth; **rendersi** ~ **di qc** realize sth; **tenere** ~ **di qc** take sth into account; ~ **alla rovescia** countdown; *in fin dei -i* when all's said and done, after all

contorcersi : ~ **dal dolore** / **dalle risate** roll about in pain / laughing

contorno *m* outline, contour; GASTR accompaniment

contorto twisted

contrabbandare smuggle; **contrabbandiere** *m* smug-

gler; **contrabbando** *m* contraband

contrabbasso *m* MUS double bass

contraccambiare return

contraccettivo *m* contraceptive

contraccolpo *m* rebound; *di arma da fuoco* recoil

contraddire contradict; **contraddizione** *f* contradiction

contraffare (*falsificare*) forge; (*imitare*) imitate; **contraffatto** forged; *voce* imitated; **contraffazione** *f* (*imitazione*) imitation; (*falsificazione*) forgery

contralto *m* MUS contralto

contrappeso *m* counterbalance

contrapporre set against; **contrapposizione** *f* opposition; **mettere in** ~ contrast; **contrapposto** *pp* ☞ **contrapporre**

contrariamente : ~ **a** contrary to

contrariare *piani* thwart, oppose; *persona* irritate, annoy; **contrariato** irritated, annoyed

contrarietà *fpl* difficulties

contrario 1 *agg* contrary; *direzione* opposite; *vento* adverse; **essere** ~ be against (**a** sth) **2** *m* contrary, opposite; **al** ~ on the contrary

contrarre contract; **contrarsi** contract

contrassegnare mark;

contrassegno *m* mark; FIN (*in*) ~ cash on delivery, *Am* collect on delivery

contrastante contrasting; contrasto *m* contrast; (*litigio, discordia*) dispute

contrattacco *m* counter-attack

contrattare negotiate; *persona* hire

contrattempo *m* hitch

contratto 1 *pp* ☞ contrarre 2 *m* contract

contravvenire contravene; contravvenzione *f* contravention; (*multa*) fine

contrazione *f* contraction; (*riduzione*) reduction

contribuente *m/f* taxpayer; contribuire contribute; contributo *m* contribution

contro against

controbattere (*replicare*) answer back; (*confutare*) rebut

controcorrente 1 *agg* nonconformist 2 *avv* against the current; *in fiume* upstream

controffensiva counter-offensive

controfigura *f* in film stand-in

controindicazione *f* MED contraindication

controllare control; (*verificare*) check; controllo *m* control; (*verifica*) check; MED check-up; ~ (*dei*) passaporti passport control; controllore *m* controller; *di bus, treno*

ticket inspector

controluce *f*: *in* ~ against the light

contromano: *andare a* ~ be going the wrong way

controproducente counter-productive

contrordine *m* counterorder

controsenso *m* contradiction in terms; (*assurdità*) nonsense

controversia *f* controversy, dispute; DIR litigation; controverso controversial

controvoglia unwillingly

contusione *f* bruise; contuso bruised

convalescente 1 *agg* convalescent 2 *m/f* person who is convalescent; convalescenza *f* convalescence; *essere in* ~ be convalescing

convalidare validate

convegno *m* convention; *luogo* meeting place

convenevoli *mpl* pleasantries

conveniente (*vantaggioso*) good; (*opportuno*) appropriate; convenienza *f di prezzo, offerta* good value; *di gesto* appropriateness; *fare qc per* ~ do sth out of self-interest

convenire 1 *v/i* gather, meet; (*concordare*) agree; (*essere opportuno*) be advisable, be better 2 *v/t* (*stabilire*) stipulate

convento *m di monache* convent; *di monaci* monastery

convenuto *pp* ☞ **convenire**

convenzionale conventional; **convenzione** *f* convention; (*accordo*) agreement, convention

convergere converge

conversare talk, make conversation; **conversazione** *f* conversation

conversione *f* conversion; AUTO U-turn; **convertirsi** be converted

convincere convince; **convinto** *pp* ☞ **convincere**; **convinzione** *f* conviction

convivente *m/f* common-law husband; *donna* common-law wife; **convivenza** *f* living together, cohabitation; **convivere** live together

convocare call, convene

convoglio *m* MIL, MAR convoy; FERR train

cooperare co-operate (**a** in); (*contribuire*) contribute (**a** to); **cooperativa** *f*: (**società** *f*) ~ co-operative; **cooperazione** *f* cooperation

coordinamento *m* co-ordination; **coordinare** co-ordinate; **coordinatore** *m*, **-trice** *f* co-ordinator; **coordinazione** *f* co-ordination

coperchio *m* lid, top

coperta *f* blanket; MAR deck; **copertina** *f* cover; **coperto 1** *pp* ☞ **coprire 2** *agg* covered (**di** with); *cielo* overcast, cloudy **3** *m* cover, shelter;

piatti e posate place; *prezzo* cover charge; **essere al** ~ be under cover, be sheltered

copertone *m* AUTO tyre, *Am* tire

copia *f* copy; **copiare** copy

copione *m* *per attore* script

copisteria *f* copy centre *o Am* center

coppa *f* cup; (*calice*) glass; ~ (**di**) *gelato* dish of icecream; **coppetta** *f* *di gelato* tub

coppia *f* couple, pair

copricapo *m inv* head covering; **copricostume** *m inv* beachrobe; **coprifuoco** *m* curfew; **copriletto** *m inv* bedspread; **coprire** cover; *errore, suono* cover up; **coprirsi** (*vestirsi*) put something on; (*rannuvolarsi*) become overcast

coraggio *m* courage; (*sfacciataggine*) nerve; **coraggioso** brave, courageous

corallo *m* coral

Corano *m* Koran

corda *f* cord; (*fune*) rope; (*cordicella*), MUS string; **essere giù di** ~ feel down; **tagliare la** ~ cut and run

cordiale 1 *agg* cordial; **-i saluti** *mpl* kind regards **2** *m* cordial

cordoglio *m* (*dolore*) grief; (*condoglianze*) condolences

cordone *m* cord; *di marciapiedi* kerb, *Am* curb; (*sbarramento*) cordon; ~ **ombelica-**

le umbilical cord
coreografo m, **-a** f choreographer
coriandolo m BOT coriander; **-i** mpl confetti sg
coricarsi lie down
cornacchia f crow
cornamusa f bagpipes
cornea f cornea
cornetta f del telefono receiver
cornetto m (brioche) croissant; (gelato) cone, cornet
cornice f frame
cornicione m ARCHI cornice
corno m horn; ramificate antlers; fig F **fare le -a a qu** cheat on s.o.; **facciamo le -a!** touch wood!; **cornuto** F cheated, betrayed
coro m chorus; cantori choir; **in ~** (insieme) all together
corona f crown; (rosario) rosary
corpo m body; MIL corps; (a) **~ a ~** hand-to-hand; **corporatura** f build
corpulento stout, corpulent
corredo m equipment; da sposa trousseau; da neonato layette
correggere correct; **correggersi** correct o.s.
correlazione f correlation
corrente 1 agg current; acqua running; lingua fluent; **2** m: **essere al ~** know (di sth); **tenere qu al ~** keep s.o. up to date, keep s.o. informed **3** f current; fig: di opinione trend; fazione faction; **~ d'aria** draught, Am draft
correre 1 v/i run; **~ il pericolo** run the risk **2** v/i run; (affrettarsi) hurry; di veicolo speed; di tempo fly; **lascia ~!** let it go!; **corre voce** it is rumoured o Am rumored
correttezza f correctness; (onestà) honesty; **corretto 1** pp ☞ **correggere 2** agg correct; correzione f correction
corridoio m corridor; in aereo, teatro aisle
corridore m in auto racing driver; a piedi runner
corriera f bus
corriere m courier
corrispondente 1 agg corresponding **2** m/f correspondent; **corrispondenza** f correspondence; (posta) mail; **corrispondere 1** v/t (pagare) pay; (ricambiare) reciprocate **2** v/i correspond; (coincidere) coincide; (equivalere) be equivalent; **corrisposto 1** pp ☞ **corrispondere 2** agg reciprocated
corrodere, corrodersi corrode, rust
corrompere corrupt; con denaro bribe; **corroso** pp ☞ **corrodere**; **corrotto 1** pp ☞ **corrompere 2** agg corrupt
corrugare wrinkle; **~ la fronte** frown
corruzione f corruption; con denaro bribery

corsa f run; *attività* running; *di autobus* trip, journey; (*gara*) race; **di ~** at a run; *in fretta* in a rush; **fare una ~** rush, dash; **-e** pl races

corsia f aisle; *di ospedale* ward; AUTO lane; **~ di emergenza** emergency lane; **~ di sorpasso** fast lane; **a tre -e** three-lane

Corsica f Corsica

corsivo m italics

corso¹ 1 agg Corsican 2 m, -a f Corsican

corso² 1 pp ☞ **correre** 2 m course; (*strada*) main street; FIN *di moneta* circulation; *di titoli* rate; **~ d'acqua** watercourse; **~ di lingue** language course; FIN **fuori ~** out of circulation; **lavori** mpl **in ~** work in progress

corte f court

corteccia f bark

corteggiare court

corteo m procession

cortese polite, courteous; **cortesia** f politeness, courtesy; **per ~!** please!

cortile m courtyard

corto short; **essere a ~ di** be short of; **cortocircuito** m short (circuit)

corvo m rook; **~ imperiale** raven

cosa f thing; (**che**) what; **qualche ~** something; **dimmi una ~** tell me something; **una ~ da nulla** a trifle

coscia f thigh; GASTR leg

cosciente conscious; **coscienza** f conscience; (*consapevolezza*) consciousness; **coscienzioso** conscientious

così so; (*in questo modo*) like this; **~ ~** so-so; **e ~ via** and so on; **per ~ dire** so to speak; **proprio ~!** exactly!; **basta ~!** that's enough!; **cosicché** and so; **cosiddetto** so-called

cosmetico m/agg cosmetic

cosmo m cosmos

cosmopolita cosmopolitan

coso m F what-d'you-call-it F

cospargere sprinkle; (*coprire*) cover (**di** with); **cosparso** pp ☞ **cospargere**

cospiratore m, **-trice** f conspirator; **cospirazione** f conspiracy

costa f coast, coastline; (*pendio*) hillside; ANAT rib

costante constant, steady; **costanza** f perseverance

costare cost; **~ caro** be expensive, cost a lot; *fig* cost dear; **quanto costa?** how much is it?

costata f rib steak; **~ di agnello** lamb chop

costeggiare skirt, hug

costellazione f constellation

costiero coastal

costituire constitute; *società* form, create; **costituirsi** give o.s. up; **costituzionale** constitutional; **costituzione** f constitution

costo m cost; **~ della vita** cost of living; **ad ogni ~** at all costs

costola f rib; *di libro* spine; **costoletta** f GASTR cutlet

costoso expensive, costly

costretto pp ☞ **costringere**; **costringere** force, compel

costruire build, construct; **costruttivo** *fig* constructive; **costruttore** m, **-trice** f builder; (*fabbricante*) manufacturer; **costruzione** f building, construction; GRAM construction

costume m (*usanza*) custom; (*condotta*) morals; (*indumento*) costume; **~ da bagno** swimming costume, swimsuit; *da uomo* (swimming) trunks

cotechino m kind of pork sausage

cotoletta f cutlet; **~ alla milanese** breaded cutlet fried in butter

cotone m cotton; MED **~ idrofilo** cotton wool, *Am* absorbent cotton

cotta f F crush

cottimo m: **lavorare a ~** do piecework

cotto 1 pp ☞ **cuocere 2** agg done, cooked; F *fig* head over heels in love (**di** with); **cottura** f cooking

covare 1 v/t sit on, hatch; *fig*: *malattia* sicken for; *rancore* harbour, *Am* harbor **2** v/i sit on eggs; **covo** m den; (*nido*) nest; *fig* hideout

covone m sheaf

cozza f mussel

C.P. (= *Casella Postale*) PO Box (= Post Office Box)

crampo m cramp

cranio m skull

cratere m crater

cravatta f tie, *Am anche* necktie

creare create; *fig* (*causare*) cause; **creatività** f creativity; **creativo 1** agg creative **2** m copywriter; **creatore 1** agg creative **2** m Creator **3** m, **-trice** f creator; **creatura** f creature; **creazione** f creation

credente m/f believer

credenza[1] f belief

credenza[2] f mobile dresser

credenziali fpl credentials

credere 1 v/t believe; (*pensare*) believe, think; **lo credo bene!** I should think so too!; **credersi** believe o think o.s. to be **2** v/i believe; **~ a qu** believe s.o.; **~ in qu** believe in s.o; **non ci credo** I don't believe it; **credibile** credible; **credibilità** f credibility

credito m credit; *fig* trust; (*attendibilità*) reliability; **creditore** m, **-trice** f creditor

crema f cream; *di latte e uova* custard; **~ da barba** shaving foam; **~ idratante** moisturizer, moisturizing cream; **~ solare** suntan lotion

cremare cremate; **cremazione** f cremation

cren m horseradish

crepa f crack; crepaccio m cleft; di ghiacciaio crevasse; crepare (spaccarsi) crack; F (morire) kick the bucket F

crêpe f inv pancake

crepitare crackle

crepuscolo m twilight

crescente growing; luna crescent; crescere 1 v/t bring up, raise 2 v/i grow

crescione m watercress

crescita f growth

cresima f confirmation

crespo capelli frizzy

cresta f crest; di montagna peak

creta f clay

cretino F 1 agg stupid, idiotic 2 m, -a f idiot, cretin

cric m inv AUTO jack

criminale agg, m/f criminal; criminalità f crime; crimine m crime

criniera f mane

cripta f crypt

crisantemo m chrysanthemum

crisi f inv crisis; MED fit

cristallizzare, cristallizzarsi crystallize; cristallo m crystal

cristianesimo m Christianity; cristiano 1 agg Christian 2 m, -a f Christian; Cristo m Christ

criterio m criterion; (buon senso) common sense

critica f criticism; criticare criticize; critico 1 agg critical 2 m, -a f critic

croato 1 agg Croatian 2 m, -a f Croat, Croatian; Croazia f Croatia

croccante 1 agg crisp, crunchy 2 m GASTR nut brittle

crocchetta f GASTR potato croquette

croce f cross; Croce Rossa Red Cross; crociata f crusade; crociera f cruise; crocifiggere crucify; crocifisso m crucifix

crollare collapse; crollo m collapse

cronaca f chronicle; di partita commentary; fatto di ~ news item; ~ nera crime news sg

cronico chronic

cronista m/f reporter; di partita commentator

cronologico chronological

cronometrare time; cronometro m chronometer; SP stopwatch

crosta f crust; MED scab; di formaggio rind

crostacei mpl shellfish pl

crostata f GASTR tart

crostino m GASTR crouton

cruciale crucial

cruciverba m inv crossword (puzzle)

crudele cruel; crudeltà f cruelty

crudo raw

crumiro m, -a f scab

crusca f bran

cruscotto m dashboard; scomparto glove compartment

Cuba f Cuba; **cubano 1** agg Cuban **2** m, -a f Cuban

cubetto m (small) cube; **~ di ghiaccio** ice cube; **cubo 1** agg cubic **2** m cube

cuccagna f: (**paese m della**) **~** land of plenty

cuccetta f FERR couchette; MAR berth

cucchiaiata f spoonful; **cucchiaino** m teaspoon; **cucchiaio** m spoon; **~ da tavola** tablespoon

cuccia f dog's basket; **esterna** kennel

cucciolo m cub; **di cane** puppy

cucina f kitchen; (cibi) food; (il cucinare) cooking; **~ a gas** gas cooker; **cucinare** cook; **cucinino** m kitchenette

cucire sew; **cucito 1** agg sewn **2** m sewing; **cucitura** f seam

cuffia f **da piscina** swimming cap; RAD, TV headphones; **~ da bagno** shower cap

cugino m, -a f cousin

cui persona who, whom fml; cose which; **la casa in ~ abitano** the house they live in, the house in which they live; **il ~ nome** whose name; **per ~** so

culinario cookery attr, culinary; **arte** f **-a** culinary art, cookery

culla f cradle; **cullare** rock

culmínante: punto m **~** cli-

max; **culmine** m peak

culo V m arse V, Am ass V

culto m cult; religione religion

cultura f culture; **culturale** cultural; **culturismo** m body-building

cumulativo cumulative; **biglietto** m **~** group ticket; **cumulo** m heap, pile

cuneo m wedge

cunetta f fondo stradale bump

cuocere cook; pane bake; **cuoco** m, -a f cook

cuoio m leather; **~ capelluto** scalp

cuore m heart; **carte -i** pl hearts; **di ~** wholeheartedly; **stare a ~ a qu** be very important to s.o.

cupo gloomy; suono deep

cupola f dome

cura f care; MED treatment; **~ dimagrante** diet; **avere ~ di qc** take care of sth; **curabile** curable; **curare** take care of; MED treat; **curarsi** look after o.s.; **non curarti di loro** don't bother about them

curiosare have a look around; spreg pry (**in** into); **curiosità** f inv curiosity; **curioso** curious

cursore m INFOR cursor

curva f curve; **curvare** curve; schiena bend; **curvarsi** bend; **curvo** curved; persona bent

cuscinetto m TEC bearing; **~ a sfere** ball bearing; POL **stato** m **~** buffer state; **cuscino** m cushion; (guanciale)

pillow
custode m/f caretaker; *di parco, museo* attendant; **custodia** f care; DIR custody; (*astuccio*) case; **custodire**

(conservare) keep
cute f skin
CV m (= **curriculum vitae**) CV (= curriculum vitae), *Am* résumé

D

da *stato in luogo* at; *moto da luogo* from; *moto a luogo* to; *tempo* since; *con verbo passivo* by; **viene ~ Roma** he comes from Rome; **sono ~ mio fratello** I'm at my brother's (place); **passo ~ Firenze** I'm going via Florence; **vado dal medico** I'm going to the doctor's o *Am* doctor; **~ ieri** since yesterday; **~ oggi in poi** from now on; **~ bambino** as a child; **l'ho fatto ~ me** I did it myself; **qualcosa ~ mangiare** something to eat; **la donna dai capelli grigi** the woman with grey hair
dà ☞ **dare**
daccapo ☞ **capo**
dado m dice; GASTR stock cube; TEC nut
dagli = **da** and *art* **gli**
dai[1] = **da** and *art* **i**
dai[2] ☞ **dare**
daino m deer; *(pelle)* buckskin
dal = **da** and *art* **il**
dall', **dalla**, **dalle**, **dallo** = **da** and *art* **l'**, **la**, **le**, **lo**
daltonico colour-blind, *Am* color-blind

dama f lady; *gioco* draughts *sg*, *Am* checkers *sg*
damigiana f demijohn
danese 1 m/agg Danish **2** m/f Dane; **Danimarca** f Denmark
danneggiare *(rovinare)* damage; *(nuocere)* harm; **danno** m damage; *(a persona)* harm; **dannoso** harmful
danza f dance; **~ classica** ballet; **danzare** dance
dappertutto everywhere
dappoco *agg inv* *(inetto)* worthless; *(irrilevante)* minor, unimportant
dapprima at first
dare 1 v/t give; **~ qc a qu** give s.o. sth, give sth to s.o.; **~ uno sguardo a qc** have a look at sth; **dammi del tu** call me 'tu' **2** v/i *di finestra* overlook (**su** sth); *di porta* lead into (**su** sth) **3** m FIN debit; **~ e avere** debit and credit
darsena f dock
darsi give each other; *(dedicarsi)* devote o.s. (**a** to); **~ al commercio** go into business; **può ~** perhaps
data f date; **~ di nascita** date

of birth; **~ di scadenza** expiry date, *Am* expiration date; **datare 1** *v/t* date **2** *v/i:* **a ~ da oggi** from today

dato 1 *pp* ☞ **dare 2** *agg* (*certo*) given, particular; (*dedito*) addicted (**a** to); **in -i casi** in certain cases; **~ che** given that **3** *m* piece of data; **-i** *pl* data *sg*

datore *m,* **-trice** *f:* **~ di lavoro** employer

dattero *m* date; (*albero*) date palm

dattilografo *m,* **-a** *f* typist

davanti 1 *prp:* **~ a** in front of **2** *avv* in front; (*dirimpetto*) opposite **3** *m/agg inv* front

davanzale *m* window sill

davanzo more than enough

davvero really

d.C. (= *dopo Cristo*) AD (= anno domini)

dea *f* goddess

debito 1 *agg* due, proper **2** *m* debt; (*dovere*) duty; **avere un ~ con qu** be in debt to s.o.; **debitore** *m,* **-trice** *f* debtor

debole 1 *agg* weak; (*luce*) dim **2** *m* weakness; **avere un ~ per qu** have a soft spot for s.o.; **debolezza** *f* weakness

debutto *m* début

decadente decadent

decaffeinato decaffeinated, decaff F

decalcomania *f* transfer, *Am* decal

decappottabile *f/agg* AUTO convertible

decennio *m* decade

decente decent

decentrare decentralize

decesso *m* death

decidere 1 *v/t questione* settle; **data** decide on, settle on; **~ di fare qc** decide to do sth **2** *v/i* decide; **decidersi** decide (**a** to), make up one's mind (**a** to)

decifrare decipher

decimale *m/agg* decimal

decimo tenth

decina *f* MAT ten; **una ~** about ten

decisione *f* decision; (*risolutezza*) decisiveness; **prendere una ~** make a decision; **decisivo** decisive; **deciso 1** *pp* ☞ **decidere 2** *agg* (*definito*) definite; (*risoluto*) determined; (*netto*) clear; (*spiccato*) marked

declinare 1 *v/t* decline; *responsabilità* disclaim **2** *v/i* (*tramontare*) set; (*diminuire*) decline; **declinazione** *f* GRAM declension; **declino** *m fig* decline

decodificatore *m* decoder

decollare take off; **decollo** *m* take-off

decomposizione *f* decomposition; CHIM breaking down

decompressione *f* decompression

decorare decorate; **decoratore** *m,* **-trice** *f* decorator; **decorazione** *f* decoration

decorrenza f: **con immediata ~** with immediate effect; **decorrere** pass; **a ~ da oggi** with effect from today; **decorso** 1 pp ☞ **decorrere** 2 m di malattia course

decrepito decrepit

decreto m decree; **~-legge** m decree passed in exceptional circumstances that has the force of law

dedica f dedication; **dedicare** dedicate; **dedicarsi** dedicate o.s.; **dedito** dedicated (**a** to); a un vizio addicted (**a** to); **dedizione** f dedication

dedurre deduce; FIN deduct; (derivare) derive; **deduzione** f deduction

deficiente 1 agg (mancante) deficient, lacking (**di** in) 2 m/f idiot, moron

deficit m inv deficit; **~ del bilancio pubblico** public spending deficit

definire define; (risolvere) settle; **definitivo** definitive; **definizione** f definition

deflettore m AUTO quarterlight

deformare deform; legno warp; metallo buckle; fig distort; **deformarsi** di legno warp; di metallo buckle; di scarpe lose their shape; **deformazione** f deformation; di legno warping; di metallo buckling; fisica deformity; fig, visuale distortion; deforme deformed

defunto 1 agg dead; fig defunct 2 m, -a f DIR: **il ~** the deceased

degenerare degenerate (**in** into)

degente m/f patient

degli = **di** and art **gli**

degnare 1 v/i: **~ qu di una parola** deign to speak to s.o. 2 v/i e **degnarsi**: **~ di** deign to, condescend to

degno worthy; **~ di nota** noteworthy

degradante degrading; **degradarsi** demean o.s., lower o.s.; CHIM degrade; di ambiente, edifici deteriorate; **degradazione** f degradation; **degrado** m deterioration; **~ ambientale** damage to the environment

degustazione f tasting

dei[1] = **di** and art **i**

dei[2] (pl di **dio**): **gli ~** mpl the Gods

del = **di** and art **il**

delega f delegation; (procura) proxy; **delegare** delegate; **delegato** 1 agg: **~ amministratore** m ~ managing director 2 m, -a f delegate; **~ sindacale** (trade) union delegate

delfino m dolphin

deliberare 1 v/t decide 2 v/i DIR deliberate (**su** on)

delicatezza f delicacy; **delicato** delicate

delimitare define

delineare outline

delinquente *m/f* criminal; *fig* scoundrel; **delinquenza** *f* crime; **~ minorile** juvenile delinquency; **~ organizzata** organized crime

delirare be in raptures; MED be delirious; **delirio** *m* delirium; *fig* frenzy

delitto *m* crime

delizioso delightful; *cibo* delicious

dell', della, delle, dello = di and *art* **l', la, le, lo**

delta *m* delta; **deltaplano** *m* hang-glider; *attività* hang-gliding

deludere disappoint; **delusione** *f* disappointment; **deluso** disappointed

demanio *m* State property

demente *m/f* person with dementia; F lunatic F

democratico 1 *agg* democratic **2** *m*, **-a** *f* democrat; **democrazia** *f* democracy

demografico demographic

demolire demolish (*anche fig*); *macchine* crush; **demolizione** *f* demolition; *di macchine* crushing

demonio *m* devil

demoralizzarsi become demoralized, lose heart

demotivato demotivated

denaro *m* money; **~ contante** cash

denaturato CHIM: **alcol** *m* **~** methlyated spirits *sg*

denominare name, call; denominazione *f* name; **~ di origine controllata** term signifying that a wine is of a certain origin and quality

denotare denote, be indicative of

densità *f* density; *della nebbia* thickness, density; **denso** dense; *fumo, nebbia* thick, dense

dentario dental; **dente** *m* tooth; **~ del giudizio** wisdom tooth; **mal** *m* **di -i** toothache; GASTR **al ~** al dente, *still slightly firm*

dentice *m* fish native to the Mediterranean

dentiera *f* dentures; **dentifricio** *m* toothpaste; **dentista** *m/f* dentist

dentro 1 *prp* in, inside; (*entro*) within **2** *avv* in, inside; (*nell' intimo*) inwardly; **qui / lì ~** in here / there

denuclearizzato nuclear-free, denuclearized

denuncia *f* denunciation; *alla polizia, alla società di assicurazione* complaint, report; *di nascita, morte* registration; **~ dei redditi** income tax return; **denunciare** denounce; *alla polizia, alla società di assicurazione* report; *nascita* register

denutrito undernourished

deodorante *m* deodorant

depilare con *pinzette* pluck; *con rasoio* shave; *con ceretta* wax

depilatorio *m/agg* depilatory

dépliant *m inv* leaflet; (*opuscolo*) brochure

deplorevole deplorable

deporre 1 *v/t* put down; *uova* lay; *re, presidente* depose; **~ il falso** commit perjury **2** *v/i* DIR testify, give evidence (**a favore di** for, **a carico di** against)

deportare deport

depositare deposit; (*posare*) put down, deposit; (*registrare*) register; **depositato: marchio** *m* **~** registered trademark; **deposito** *m* deposit; (*magazzino*) warehouse; *rimessa* depot; FERR **~ bagagli** left-luggage office, *Am* baggage checkroom

depravato *m*, **-a** *f* depraved person

depressione *f* depression; **depresso 1** *pp* ☞ **deprimere 2** *agg* depressed; **deprimente** depressing; **deprimere** depress; **deprimersi** get depressed

depurare purify; **depuratore** *m* purifier

deputato *m*, **-a** *f* Member of Parliament, *Am* Representative

deragliare FERR go off the rails; **far ~** derail

deridere deride; **derisione** *f* derision; **deriso** *pp* ☞ **deridere**

deriva *f* MAR drift; **andare alla ~** drift

derivare 1 *v/t* derive **2** *v/i:* **~ da** come from, derive from

dermatologo *m*, **-a** *f* dermatologist

derubare rob

descritto *pp* ☞ **descrivere**; **descrivere** describe; **descrizione** *f* description

deserto 1 *agg* deserted **2** *m* desert

desiderare (*volere*) want, wish; *intensamente* long for; *sessualmente* desire; **desidera?** can I help you?; **lascia a ~** it leaves a lot to be desired; **desiderio** *m* wish (**di** for); *intenso* longing (**di** for); *sessuale* desire (**di** for)

design *m inv* design

designare (*nominare*) appoint, name; (*fissare*) fix

desistere: **~ da** desist from

desolato desolate; **sono ~!** I am so sorry

dessert *m inv* dessert

destinare destine; (*assegnare*) assign; *con il pensiero* mean, intend; *data* fix; (*indirizzare*) address (**a** to); **destinatario** *m*, **-a** *f* *di lettera* addressee; **destinazione** *f:* (**luogo** *m* **di**) **~** destination

destino *m* destiny

destra *f* right; (*mano*) right hand; **a ~** to the right

destreggiarsi manœuvre, *Am* maneuver

destrezza *f* skill, dexterity; **destro** right; (*abile*) skilful,

Am skillful, dexterous

detenere hold; **detenuto** *m*, **-a** *f* prisoner; **detenzione** *f* (*imprigionamento*) detention

detergente *m* detergent; *per cosmesi* cleanser

deteriorabile perishable; **deteriorarsi** deteriorate, get worse

detergente *m* detergent; *per piatti* washing-up liquid, *Am* dishwashing liquid; *per biancheria* detergent, *Br anche* washing powder

detestare hate, detest

detonare detonate

detrarre deduct (**da** from); **detratto** *pp* ☞ **detrarre**; **detrazione** *f* deduction

detrito *m* debris; GEOL detritus

detta: **a ~ di** according to

dettaglio *m* detail; FIN **commercio** *m* **al ~** retail trade

dettare dictate; **dettato** *m* dictation

detto 1 *pp* ☞ **dire**; **~ fatto** no sooner said than done; **come non ~** let's forget it **2** *agg* said; (*soprannominato*) known as **3** *m* saying

devastare devastate

deve, devi ☞ **dovere**

deviare 1 *v/t traffico, sospetti* divert **2** *v/i* deviate; **deviazione** *f* deviation; *di traffico* diversion

devo ☞ **dovere**

devoto 1 *agg* devoted; REL devout **2** *m*, **-a** *f* devotee; REL **i -i** the devout *pl*

di 1 *prp* of; *con il comparativo* than; **~ ferro** (made of) iron; **io sono ~ Roma** I'm from Rome; **l'auto ~ mio padre** my father's car; **~ giorno** by day; **parlare ~ politica** talk about politics; **d'estate** in the summer; **di ~** on Sundays; **più bello ~** prettier than **2** *art* some; *interrogativo* any, some; *negativo* any; **del vino** some wine

di' ☞ **dire**

dia ☞ **dare**

diabete *m* diabetes *sg*; **diabetico 1** *agg* diabetic **2** *m*, **-a** *f* diabetic

diadema *m* diadem

diaframma *m* diaphragm

diagnosi *f inv* diagnosis; **diagnosticare** diagnose

diagonale *f*/*agg* diagonal

diagramma *m* diagram

dialetto *m* dialect

dialisi *f inv* dialysis

dialogo *m* dialogue, *Am* dialog

diamante *m* diamond

diametro *m* diameter

diapason *m inv* tuning fork

diapositiva *f* FOT slide

diario *m* diary

diarrea f diarrhoea, Am diarrhea

diavolo m devil; **mandare qu al ~** tell s.o. to get lost; F **ma che ~ fai?** what the heck are you doing? F

dibattersi struggle; **dibattito** m debate

dicembre m December

diceria f rumour, Am rumor

dichiarare state; ufficialmente declare; **dichiararsi** declare o.s.; **dichiarazione** f declaration; **~ dei redditi** income tax statement; **~ doganale** customs declaration

diciannove nineteen; **diciannovesimo** nineteenth; **diciassette** seventeen; **diciassettesimo** seventeenth; **diciottenne** m/f eighteen-year-old; **diciottesimo** eighteenth; **diciotto** eighteen; then ten; **alle / verso le ~** at / about ten (o'clock)

diesel m diesel

dieta f diet; **essere a ~** be on a diet; **dietetico** diet attr

dietro 1 prp behind; **~ l'angolo** around the corner; **~ di me** behind me **2** avv behind; in auto in the back; **di ~** stanza, porta back; zampe hind; AUTO rear **3** m inv back

difatti in fact

difendere defend; (proteggere) protect; **difensiva** f defensive; **stare sulla ~** be on the defensive; **difensivo** defensive; **difensore** m de-

fender; **~ d'ufficio** legal aid lawyer, Am public defender; **difesa** f defence, Am defense; **~ dei consumatori** consumer protection; **legittima ~** self-defence; **difeso** pp ☞ **difendere**

difetto m (imperfezione) defect; morale fault; flaw; (mancanza) lack; **difettoso** defective

diffamare slander; scrivendo libel; **diffamazione** f defamation of character

differente different (da from); **differenza** f difference; **~ di prezzo** difference in price, price difference; **a ~ di** unlike; **differenziarsi** differ (da from)

difficile difficult; (improbabile) unlikely; **difficoltà** f inv difficulty; **senza ~** easily, without any difficulty

diffidare 1 v/t DIR issue an injunction against; **~ qu dal fare qc** warn s.o. not to do sth **2** v/i: **~ di qu** distrust s.o.; **diffidente** distrustful; **diffidenza** f distrust

diffondere diffuse; fig spread; **diffondersi** fig spread; (dilungarsi) enlarge; **diffusione** f di luce, calore diffusion; di giornale circulation; **diffuso 1** pp ☞ **diffondere 2** agg widespread; luce diffuse

diga f fluviale dam; litoranea dyke; portuale breakwater

digerire digest; F (tollerare)

stomach F; **digestione** f digestion; **digestivo 1** agg digestive **2** m after-dinner drink, digestif

digitale digital; **impronta** f ~ fingerprint

digitare INFOR key

digiunare fast; **digiuno 1** agg fasting **2** m fast; **a** ~ on an empty stomach

dignità f dignity

digrignare gnash

dilagare flood; fig spread rapidly

dilaniare tear apart

dilatare expand; **occhi** open wide; **dilatarsi** di materiali expand; di pupilla dilate

dilazionare defer, delay

dileguarsi vanish, disappear

dilemma m dilemma

dilettante m/f amateur; spreg dilettante; **dilettarsi**: ~ **di qc** dabble in sth, do sth as a hobby; ~ **a fare qc** take delight in doing sth

diligente diligent; (accurato) accurate

diluire dilute

dilungarsi amateur; dwell (**su** on)

diluviare pour down; **diluvio** m downpour; fig deluge

dimagrante: **cura** f ~ diet; **dimagrire** lose weight

dimenarsi throw o.s. about

dimensione f dimension; (grandezza) size; (misure) dimensions

dimenticanza f forgetfulness, absent-mindedness; (svista)

oversight; **dimenticare** forget; **dimenticarsi** forget (**di** sth; **di fare qc** to do sth)

dimestichezza f familiarity

dimettere dismiss (**da** from); da ospedali discharge (**da** from); da carceri release (**da** from); **dimettersi** resign (**da** from)

dimezzare halve

diminuire 1 v/t reduce **2** v/i decrease, di prezzi, valore fall, go down; di vento, rumore die down; **diminuzione** f decrease, di prezzi, valore fall, drop (**di** in)

dimissioni fpl resignation; **dare le** ~ hand in one's resignation

dimora f residence

dimostrare demonstrate; (interesse) show; (provare) prove, show; **dimostrarsi** prove to be; **dimostrazione** f demonstration; (prova) proof

dinamica f dynamics; **dinamico** dynamic

dinamite f dynamite

dinanzi: ~ **a** al cospetto di before

dinastia f dynasty

dinosauro m dinosaur

dintorno 1 avv around **2** m: **-i** pl neighbourhood, Am neighborhood

dio m god; **grazie a Dio!** thank God!; **per l'amor di Dio** for God's sake

diocesi f inv diocese

diossina *f* dioxin

dipartimento *m* department

dipendente 1 *agg* dependent 2 *m/f* employee; dipendenza *f* dependence; (*edificio*) annexe, *Am* annex; essere alle ~ di work for; dipendere: ~ da (*essere subordinato a*) depend on; (*essere mantenuto da*) be dependent on; (*essere causato da*) be due to; dipende it depends; questo dipende da te it's up to you; dipeso *pp* ☞ dipendere

dipingere paint; *fig* describe, depict; dipinto 1 *pp* ☞ dipingere 2 *m* painting, picture

diploma *m* diploma, certificate; ~ di laurea degree (certificate); diplomarsi obtain a diploma

diplomatico 1 *agg* diplomatic 2 *m* diplomat; diplomato 1 *agg* qualified 2 *m*, -a *f* holder of a diploma; diplomazia *f* diplomacy

diporto: imbarcazione *f* da ~ pleasure boat

diradare thin out; diradarsi thin out; *di nebbia* clear, lift

dire 1 *v/t* say; (*raccontare*) tell; ~ qc a qu tell s.o. sth; ~ a qu di fare qc tell s.o. to do sth; vale a ~ that is, in other words; a ~ il vero to tell the truth; come si dice ... in inglese? what's the English for ... ?, how do you say ... in English?; voler ~ mean

2 *v/i* ~ bene di qu speak highly of s.o.; dico sul serio I'm serious

direttiva *f* directive; direttivo 1 *agg* managerial; comitato, consiglio, POL executive *attr* 2 *m* di società board (of directors); POL leadership

diretto ☞ dirigere 2 *agg* (*immediato*) direct; ~ a aimed at; *lettera* addressed to; essere ~ a casa be heading for home; RAD, TV in (ripresa) -a live 3 *m* direct train; SP straight

direttore *m*, -trice *f* manager; più in alto nella gerarchia director; EDU headmaster; donna headmistress; *Am* principal; di giornale, rivista editor (in chief); ~ generale CEO; ~ d'orchestra conductor

direzione *f* direction; di società management; di partito leadership; ufficio office; sede generale head office

dirigente 1 *agg* classe, partito ruling; personale managerial 2 *m/f* executive; POL leader; dirigere direct; azienda run, manage; orchestra conduct; dirigersi head (a, verso for, toward)

dirigibile *m* airship, dirigible

diritto 1 *agg*, *avv* straight 2 *m* right; DIR law; aver ~ a be entitled to; di ~ by rights; dirittura *f* straight line; SP straight; *fig* rectitude; in ~

d'arrivo on the home straight

diroccato ramshackle

dirottare *traffico* divert; *aereo* reroute; *con intenzioni criminali* hijack; **dirottatore** *m*, **-trice** *f* hijacker

dirotto: *piove a ~* it's pouring

dirupo *m* precipice

disabile 1 *agg* disabled **2** *m/f* disabled person

disabitato uninhabited

disaccordo *m* disagreement

disadattato 1 *agg* maladjusted **2** *m/f* (social) misfit

disagio *m* (*difficoltà*) hardship; (*scomodità*) discomfort; (*imbarazzo*) embarrassment; *essere a ~* be ill at ease

disapprovare disapprove of; **disapprovazione** *f* disapproval

disappunto *m* disappointment

disarmato unarmed; *fig* defenceless, *Am* defenseless; **disarmo** *m* POL disarmament

disastro *m* disaster; **disastroso** disastrous

disattento inattentive; **disattenzione** *f* inattention; *errore* careless mistake

disavanzo *m* deficit

disavventura *f* misadventure

disboscamento *m* deforestation

discapito *m*: *a ~ di qu* to the detriment *o* disadvantage of s.o.

discarica *f* dumping; *luogo* dump

discendente 1 *agg inv* descending **2** *m/f* descendant; **discendere** descend; (*trarre origine*) be descended (*da* from); *da veicoli, da cavallo* get off (*da qc* sth)

discepolo *m* disciple

discesa *f* descent; (*pendio*) slope; *di bus* exit; *strada in ~* street that slopes downward

dischetto *m* INFOR diskette, floppy

disciplina *f* discipline; **disciplinato** disciplined

disco *m* disc, *Am* disk; SP discus; MUS record; INFOR disk; INFOR *~ rigido* hard disk; AUTO *~ orario* parking disc; *~ volante* flying saucer; **discobolo** *m* discus thrower

discolpare clear

discontinuo intermittent; (*disuguale*) erratic

discorde not in agreement, clashing; **discordia** *f* discord; (*differenza di opinioni*) disagreement; (*litigio*) argument

discorrere talk (*di* about); **discorso 1** *pp* ☞ **discorrere 2** *m pubblico, ufficiale* speech; (*conversazione*) conversation, talk

discoteca *f locale* disco; *raccolta* record library

discrepanza *f* discrepancy

discreto (*riservato*) discreet; (*abbastanza buono*) fairly good; (*moderato*) moderate, fair; **discrezione** *f* discretion; *a ~ di* at the discretion of

discriminare 1 *v/i* discriminate **2** *v/t stranieri, donne* discriminate against; **discriminazione** *f* discrimination

discussione *f* discussion; (*litigio*) argument; **discusso** *pp* ☞ **discutere**; **discutere 1** *v/t* discuss, talk about; *questione* debate; (*mettere in dubbio*) question; (*contestare*) dispute **2** *v/i* talk; (*litigare*) argue; (*negoziare*) negotiate; **discutibile** debatable

disdegnare disdain

disdetto *pp* ☞ **disdire**; **disdire** *impegno* cancel; *contratto* terminate

disegnare draw; (*progettare*) design; **disegno** *m* drawing; (*progetto*) design; *~ di legge* bill

diserbante *m* weed-killer

diseredare disinherit; **diseredato** underprivileged, disadvantaged

disertare desert; **disertore** *m* deserter; **diserzione** *f* desertion

disfare undo; *letto* strip; (*distruggere*) destroy; *~ la valigia* unpack; **disfarsi** *di ghiaccio* melt; *~ di* get rid of; **disfatta** *f* defeat; **disfatto** *pp* ☞ **disfare**

disgelo *m* thaw

disgrazia *f* misfortune; (*incidente*) accident; (*sfavore*) disgrace; *per ~* unfortunately; **disgraziato 1** *agg* (*sfortunato*) unlucky **2** *m*, *-a f* poor soul; F (*farabutto*) bastard F

disgregare break up; **disgregarsi** break up, disintegrate

disguido *m* hiccup, hitch

disgustare disgust; **disgusto** *m* disgust; **disgustoso** disgusting

disidratato dehydrated

disillusione *f* disillusionment; **disilluso** disillusioned

disinfettante *m* disinfectant; **disinfettare** disinfect

disinibito uninhibited

disinnescare *bomba* defuse

disinserire disconnect

disinteressarsi take no interest (*di* in); **disinteressato** disinterested; **disinteresse** *m* lack of interest; (*generosità*) unselfishness

disintossicare detoxify; **disintossicazione** *f* treatment for drug / alcohol addiction, detox F

disinvolto confident; **disinvoltura** *f* confidence

dislessia *f* dyslexia; **dislessico** dyslexic

dislivello *m* difference in height, height difference; *fig* difference

disobbedire ☞ **disubbidire**

disoccupato 1 *agg* unemployed, jobless **2** *m*, -a *f* unemployed person; **i** -**i** the unemployed *pl*, the jobless *pl*; **disoccupazione** *f* unemployment

disonestà *f* dishonesty; **disonesto** dishonest

disonore *m* dishonour, *Am* dishonor

disopra 1 *avv* above; **al ~ di** above **2** *agg* upper **3** *m inv* top

disordinato untidy, messy; **disordine** *m* untidiness, mess; **in ~** untidy, in a mess; **-i** *pl* riots, public disorder

disorganizzazione *f* disorganization

disorientamento *m* disorientation; **disorientare** disorientate, *Am* disorient; **disorientato** disorientated, *Am* disoriented

disotto 1 *avv* below; **al ~ di** beneath **2** *agg* lower **3** *m* underside

dispari *inv* odd; **disparità** *f inv* disparity

disparte: **in ~** aside

dispendio *m* waste; **dispendioso** expensive

dispensa *f stanza* larder; *mobile* cupboard; *pubblicazione* instalment, *Am* installment; DIR exemption; *(esonerare)* exonerate

disperare despair (**di** of); **far ~ qu** drive s.o. to despair; **disperarsi** despair; **disperato**

desperate; **disperazione** *f* despair, desperation

disperdere disperse; *energie, sostanze* squander; **disperdersi** disperse; **disperso 1** *pp* ☞ **disperdere 2** *agg* scattered; *(sperduto)* lost, missing

dispetto *m* spite; **per ~** out of spite; **a ~ di qc** in spite of sth; **fare i -i a qu** annoy *o* tease s.o.; **dispettoso** mischievous

dispiacere 1 *v/i (causare dolore)* upset (**a** s.o.); *(non piacere)* displease (**a** s.o.); **mi dispiace** I'm sorry; **le dispiace se apro la finestra?** do you mind if I open the window? **2** *m (rammarico)* regret, sorrow; *(dolore)* sadness; *(delusione)* disappointment; **-i** *pl (preoccupazioni)* worries, troubles

display *m* display

disponibile available; *(cortese)* helpful, obliging; **disponibilità** *f* availability; *(cortesia)* helpfulness

disporre 1 *v/t* arrange; *(stabilire)* order **2** *v/i (decidere)* make arrangements; **~ di qc** have sth (at one's disposal)

dispositivo *m* device

disposizione *f* arrangement; *(norma)* provision; *(attitudine)* aptitude (**a** for); **stare / mettere a ~ di qu** be / put at s.o.'s disposal

disposto 1 pp ☞ **disporre 2**
agg: ~ *a* ready to, willing
to; **essere ben ~ verso qu**
be well disposed to s.o.

dispotico despotic

disprezzare despise; **disprezzo** *m* contempt

disputa *f* dispute, argument;
disputare 1 *v/i* argue **2** *v/t*
SP take part in; **disputarsi
qc** compete for sth.

disseminare scatter, disseminate; *fig* spread

dissenso *m* dissent; (*dissapore*) argument, disagreement

dissenteria *f* dysentery

dissentire disagree (**da** with)

disservizio *m* poor service;
(*inefficienza*) inefficiency;
(*cattiva gestione*) mismanagement

dissestato *strada* uneven; *finanze* precarious

dissetante thirst-quenching;
dissetare: ~ *qu* quench
s.o.'s thirst; **dissetarsi**
quench one's thirst

dissimulare conceal, hide;
dissimulazione *f* concealment

dissociarsi dissociate o.s.
(**da** from)

dissolvere dissolve; *dubbi,
nebbia* dispel; **dissolversi**
dissolve; (*svanire*) vanish

dissuadere: ~ *qu da fare qc*
dissuade s.o. from doing
sth, persuade s.o. not to do
sth; **dissuaso** pp ☞ **dissuadere**

distaccare detach; SP leave
behind; **distaccarsi** *da persone* detach o.s. (**da** from);
distacco *m* detachment (*anche fig*); (*separazione*) separation; SP lead

distante distant, far-off; ~ *da*
far from; **distanza** *f* distance
(*anche fig*); **distanziare 1** *v/t*
space out; SP leave behind;
(*superare*) overtake; **distare:
l'albergo dista 100 metri
dalla stazione** the hotel is
100 metres from the station;
quanto dista da qui? how
far is it from here?

distendere (*adagiare*) lay;
gambe, braccia stretch out;
muscoli relax; *nervi* calm; **distendersi** lie down; (*rilassarsi*) relax

distesa *f* expanse; **disteso 1**
pp ☞ **distendere 2** *agg*
stretched out; (*rilassato*) relaxed

distinguere distinguish; **distintivo 1** *agg* distinctive **2**
m badge; **distinto 1** pp ☞ **distinguere 2** *agg* (*diverso*)
different, distinct; (*chiaro*)
distinct; *fig* distinguished; *-i
saluti* yours faithfully; **distinzione** *f* distinction

distorsione *f* distortion; MED
sprain

distrarre distract; (*divertire*)
entertain; **distrarsi** (*non essere attento*) get distracted;
(*svagarsi*) take one's mind
off things; **distratto 1** pp ☞

distrarre 2 *agg* absent-minded; **distrazione** *f* absent-mindedness; (*errore*) inattention; (*svago*) amusement; *che distrae da un'attività* distraction

distribuire distribute; *premi* award, present; **distributore** *m* distributor; **~** (*di benzina*) (petrol *o Am* gas) pump; **~ automatico** vending machine; **~ automatico di biglietti** ticket machine; **distribuzione** *f* distribution; *posta* delivery

distruggere destroy; **distruttivo** destructive; **distrutto** *pp* ☞ **distruggere**; **distruzione** *f* destruction

disturbare disturb; (*dare fastidio a*) bother; (*sconvolgere*) upset; **disturbarsi**: **non si disturbi** please don't bother; **disturbo** *m* trouble, bother; MED **-i** *pl* **di circolazione** circulation problems

disubbidiente disobedient; **disubbidire**: **~ a** disobey

disumano inhuman

disuso: *in* **~** in disuse, disused

ditale *m* thimble

dito *m* (*pl* le dita) finger; *del piede* toe; *un* **~ di vino** a drop of wine

ditta *f* company, firm

dittatore *m* dictator; **dittatura** *f* dictatorship

diurno daytime *attr*; **albergo** *m* **~** place where travellers can have a shower / shave

diva *f* diva

divagare digress

divampare *di rivolta, incendio* break out; *di passione* blaze

divano *m* couch, *Br anche* sofa; **~ letto** sofa bed

divaricare open (wide)

divario *m* difference

divenire become

diventare become; *rosso, bianco* turn, go

diverbio *m* argument

divergenza *f* divergence; *di opinioni* difference

diversamente differently; (*altrimenti*) otherwise

diversificare 1 *v/t* diversify 2 *v/i* e **diversificarsi** differ; **diversità** *f inv* difference; (*varietà*) diversity

diversivo *m* diversion, distraction

diverso (*differente*) different (**da** from, than); **-i** *pl* several; **da -i giorni** for the past few days

divertente amusing; **divertimento** *m* amusement; **buon ~!** have a good time!, have fun!; **divertire** amuse; **divertirsi** enjoy o.s., have a good time

dividere divide; (*condividere*) share; **dividersi** *di coppia* separate; (*scindersi*) be divided (*in* into)

divieto *m* ban; **~ di sosta** no parking

divincolarsi twist, wriggle

divinità *f inv* divinity; **divino**

divine

divisa *f* uniform; FIN currency

divisione *f* division; **divisorio 1** *agg* dividing **2** *m* partition

divo *m* star

divorare devour

divorziare get a divorce, get divorced; **divorziato** divorced; **divorzio** *m* divorce

divulgare divulge, reveal; (*rendere accessibile*) popularize

dizionario *m* dictionary

DNA *m inv* (= *acido deossiribonucleico*) DNA (= deoxyribonucleic acid)

do¹ ☞ **dare**

do² *m inv* MUS C; *nel solfeggio della scala* doh

dobbiamo ☞ **dovere**

D.O.C., doc (= *Denominazione d'Origine Controllata*) *term signifying that a wine is of a certain origin and quality*

doccia *f* shower; **fare la ~** (take a) shower

docente 1 *agg* teaching **2** *m/f* teacher

docile docile

documentario *m* documentary; **documentarsi** collect information; **documentazione** *f* documentation; **documento** *m* document

dodicesimo twelfth; **dodici** twelve

dogana *f* customs; (*dazio*) (customs) duty; **doganale** customs *attr*

doglie *fpl*: **avere le -e** be in labour *o Am* labor

dolce 1 *agg* sweet; *carattere, voce, pendio* gentle; *acqua* fresh; *clima* mild; *ricordo* pleasant; *suono* soft **2** *m portata* dessert; *di sapore* sweetness; *torta* cake; **-i** *pl* sweet things; **dolcezza** *f* sweetness; *di carattere, voce* gentleness; *di clima* mildness; *di ricordo* pleasantness; *di suono* softness; **dolciastro** sweetish; *fig* sugary; **dolcificante** *m* sweetener; **dolciumi** *mpl* sweets, *Am* candy

dolente painful, sore; **dolere** hurt, be painful; **mi duole la schiena** my back hurts

dollaro *m* dollar

dolo *m* malice

Dolomiti *fpl* Dolomites

dolore *m* pain; **doloroso** painful

doloso malicious

domanda *f* question; (*richiesta*) request; FIN demand; **fare una ~ a qu** ask s.o. a question; **domandare 1** *v/t per sapere: nome, ora, opinione ecc* ask; *per ottenere: informazioni, aiuto* ask for; **~ un favore a qu** ask s.o. a favour; **~ scusa** *v/i* 2 apologize; **~ a qu** ask s.o.; **~ di qu** *per sapere come sta* ask after s.o.; *per parlargli* ask for s.o.; **domandarsi** wonder, ask o.s.

domani *m/avv* tomorrow; **~ mattina** tomorrow morning;

~ sera tomorrow evening; **a ~!** see you tomorrow!

domare tame; *fig* control

domattina tomorrow morning

domenica *f* Sunday

domestico 1 *agg* domestic; **animale ~** pet **2** *m*, **-a** *f* servant; *donna* maid

domiciliato: ~ a domiciled at; **domicilio** *m* domicile; (*casa*) home

dominante dominant; *idee* prevailing; *classe* ruling; *dominare* **1** *v/t* dominate; *materia*; *passioni* master **2** *v/i* rule (**su** over); *fig*: *di confusione* reign; **dominio** *m* (*controllo*) control, power; *fig* (*campo*) domain, field; INFOR domain

domino *m* mask, domino

donare donate, give; *sangue* give; **donatore** *m*, **-trice** *f* donor; **~ di sangue** blood donor

dondolare 1 *v/t culla* rock **2** *v/i* sway; (*oscillare*) swing; **dondolarsi** *su altalena* swing; *su sedia* rock; *fig* hang around; **dondolo** *m*: **cavallo** *m* **a ~** rocking horse; **sedia** *f* **a ~** rocking chair

donna *f* woman; *carte da gioco* queen; **~ di servizio** home help

dono *m* gift

dopo 1 *prp* after; **~ di te** after you; **~ mangiato** after eating **2** *avv* (*in seguito*) afterwards, after, *Am* afterward; (*poi*) then; (*più tardi*) later; **il giorno ~** the day after **3** *cong*: **~ che** after; **~ essere uscito ho visto ...** after I left, I saw ...; **dopobarba** *m inv* aftershave; **dopodomani** the day after tomorrow; **dopoguerra** *m inv* post-war period; **dopopranzo** *m* afternoon; **doposci** *m inv* après-ski; **~ pl stivali** après-ski boots; **dopotutto** after all

doppiaggio *m di film* dubbing; **doppiare** *film* dub; SP lap; MAR round; **doppiatore** *m*, **-trice** *f* dubber

doppio 1 *agg* double **2** *m* double; SP doubles; **doppipetto** *m* double-breasted jacket

dorato 1 *pp* ☞ **dorare 2** *agg* gilded; *sabbia*, *riflessi* golden; GASTR browned

dormicchiare doze

dormiglione *m*, **-a** *f* late riser

dormire sleep; **dormita** *f* (good) night's sleep; **dormitorio** *m* dormitory; **dormiveglia** *m*: **essere nel ~** be only half awake

dorso *m* back; (*di libro*) spine; SP backstroke

dosare measure out; *fig* be sparing with; *parole* weigh; **dose** *f* quantity; amount; MED dose

dosso *m di strada* hump; **togliersi gli abiti di ~** get undressed

dunque

dotare provide, supply (**di** with); *fig* provide, endow (**di** with); **dotato** gifted; **~ di** equipped with; **dote** *f* dowry; *fig* gift

dott. (= **dottore**) Dr (= doctor)

dottore *m* doctor (**in** of); **dottoressa** *f* (woman) doctor

dottrina *f* doctrine

dott.ssa (= **dottoressa**) Dr (= doctor)

dove where; **di ~ sei?** where are you from?; **fin ~?** how far?; **per ~ si passa?** which way do you go?; **mettilo ~ vuoi** put it wherever you like

dovere 1 *v/i* have to, must; **non devo dimenticare** I mustn't forget; **deve arrivare oggi** she is supposed to arrive today; **come si deve** (*bene*) properly; *persona* very decent; **doveva succedere** it was bound to happen; **dovresti avvertirlo** you ought to *o* should let him know **2** *v/t denaro* owe **3** *m* duty

dovunque 1 *avv* (*dappertutto*) everywhere; (*in qualsiasi luogo*) anywhere **2** *cong* wherever

dovuto 1 *pp* ☞ **dovere 2** *agg* due; **~ a** because of, due to

dozzina *f* dozen; **una ~ di uova** a dozen eggs

dragare dredge

drago *m* dragon; **dragoncello** *m* tarragon

dramma *m* drama; **drammatico** dramatic

drastico drastic

dritto 1 *agg* straight **2** *avv* straight (ahead) **3** *m di indumento, tessuto* right side **4** *m, -a f* F crafty devil F; **drizzare** (*raddrizzare*) straighten; (*erigere*) put up, erect; **~ le orecchie** prick up one's ears; **drizzarsi**: **~ in piedi** get to one's feet

droga *f* drug; **drogarsi** SP take drugs; **drogato** *m, -a f* drug addict

drogheria *f* grocer's, *Am* grocery store

dubbio 1 *agg* doubtful; (*equivoco*) dubious **2** *m* doubt; **essere in ~ fra** hesitate between; **mettere qc in ~** doubt sth; **senza ~** without a doubt; **dubbioso** doubtful; **dubitare** doubt (**di** sth); **dubito che venga** I doubt whether he'll come

duca *m* duke; **duchessa** *f* duchess

due *agg* two; **a ~ a ~** in twos, two by two; **tutt'e ~** both of them; **duecento 1** *agg* two hundred **2** *m*: **il Duecento** the thirteenth century

duello *m* duel

duemila two thousand; **duepezzi** *m inv* bikini; *vestito* two-piece (suit)

duna *f* (sand) dune

dunque 1 *cong* so; (*allora*) well (then) **2** *m*: **venire al ~**

come to the crunch
duomo *m* cathedral
duplicato *m* duplicate; **duplice** double; **in ~ copia** in duplicate
durante during; **durare** last; *(conservarsi)* keep, last; **durata** *f* duration, length; *di prodotto* life; **duraturo** lasting

duro 1 *agg* hard; *carne, persona* tough; *inverno, voce* harsh; *congegno, meccanismo* stiff; *pane* stale; *(ostinato)* stubborn; **tieni ~!** hang in there! **2** *m* tough guy
durone *m* MED callus
DVD *m inv* DVD

E

e and; **sono le due ~ un quarto** it's (a) quarter past two, *Am* it's a quarter after two
è ☞ **essere**
ebano *m* ebony
ebbe, ebbi ☞ **avere**
ebbene well
ebbrezza *f* drunkenness; *fig* thrill
ebraico 1 *agg* Hebrew; *religione* Jewish **2** *m* Hebrew; **ebreo 1** *m*, **-a** *f* Jew; **2** *agg* Jewish
ecc. (= **eccetera**) etc (= et cetera)
eccedente excess; **eccedere 1** *v/t* exceed, go beyond **2** *v/i* go too far; **~ nel bere** drink too much
eccellente excellent
eccentrico eccentric
eccessivo excessive; **eccesso** *m* excess; **~ di velocità** speeding
eccetera et cetera
eccetto except; **eccezionale** exceptional; **eccezional-**

mente exceptionally; **eccezione** *f* exception
ecchimosi *f inv* bruise
eccitante 1 *agg* exciting **2** *m* stimulant; **eccitare** excite; **eccitarsi** get excited; **eccitazione** *f* excitement
ecclesiastico 1 *agg* ecclesiastical **2** *m* priest
ecco *(qui)* here; *(là)* there; **~ come** this is how; **~ fatto** that's that; **~ tutto** that's all; **~mi** here I am; **~li** they are; **~ti il libro** here's your book
eclissarsi *fig* slip away; **eclisse** *f*, **eclissi** *f inv* eclipse
eco *m/f* echo
ecografia *f* scan
ecologia *f* ecology; **ecologico** ecological
economia *f* economy; *scienza* economics *sg*; **fare ~** economize *(di* on); **-e** *pl* savings; **economico** economic; *(poco costoso)* economical; **economizzare 1** *v/t* save **2** *v/i*

economize (**su** on)

ecosistema *m* ecosystem

eczema *m* eczema

ed and

edera *f* ivy

edicola *f* newspaper kiosk

edificare build; *fig* edify; **edificio** *m* building; *fig* structure

edile construction *attr*, building *attr*; **edilizia** *f* construction, building; (*urbanistica*) town planning

editore 1 *agg* publishing **2** *m*, **-trice** *f* publisher; (*curatore*) editor; **editoria** *f* publishing; **edizione** *f* edition

educare educate; (*allevare*) bring up; *orecchio, mente* train; **educativo** education *attr*; (*istruttivo*) educational; **educato:** (**ben**) ~ well brought-up; **educazione** *f* education; *dei figli* upbringing; (*buone maniere*) (good) manners; ~ **fisica** physical education

effervescente effervescent; *aspirina* soluble

effettivamente in fact; *per rafforzare un'affermazione* really, actually; **effettivo** (*reale*) real, actual; (*efficace*) effective; **effetto** *m* effect; (*impressione*) impression; **fare** ~ (*funzionare*) work; (*impressionare*) make an impression; **-i** *pl* **personali** personal effects; **in -i** in fact; **effettuare** carry out; *pagamento* make;

effettuarsi take place; *il servizio non si effettua la domenica* there is no Sunday service

efficace effective

efficiente efficient; (*funzionante*) in working order; **efficienza** *f* efficiency

Egitto *m* Egypt; **egiziano 1** *agg* Egyptian **2** *m*, **-a** *f* Egyptian; **egizio** ancient Egyptian

egli he

egocentrico egocentric

egoismo *m* selfishness, egoism

egoista 1 *agg* selfish **2** *m/f* selfish person

egr. (= **egregio**) *form of address used in correspondence*

egregio distinguished; *nelle lettere* ~ **signore** Dear Sir

eguale ☞ **uguale**

ehi! oi!

E.I. (= **Esercito Italiano**) Italian army

elaborare elaborate; *dati* process; *piano* work out; **elaborato** elaborate; **elaboratore** *m:* ~ **elettronico** computer; **elaborazione** *f* elaboration; ~ **elettronica dei dati** electronic data processing; ~ **dei testi** word processing

elastico 1 *agg* elastic; *orari* flexible **2** *m* rubber band

elefante *m* elephant

elegante elegant; **eleganza** *f* elegance

eleggere elect

elementare elementary; **scuola** f ~ primary school, *Am* elementary school

elemento m element; (*componente*) component; **-i** pl (*rudimenti*) rudiments; (*fatti*) data sg

elemosina f charity; **chiedere l'~** beg

elencare list; **elenco** m list; ~ **telefonico** phone book, telephone directory

eletto 1 pp ☞ **eleggere 2** agg chosen; **elettore** m, **-trice** f voter

elettrauto m inv auto electrics garage; *persona* automobile electrician; **elettricista** m/f electrician; **elettricità** f electricity; **elettrico** electric

elettrocardiogramma m electrocardiogram; **elettrodo** m electrode; **elettrodomestico** m household appliance; **elettromagnetico** electromagnetic

elettrone m electron; **elettronico** electronic; **libro** ~ e-book, electronic book; **commercio** ~ e-commerce

elettrotecnico 1 agg electrical **2** m electrical engineer

elevare raise; *costruzioni* erect; (*promuovere*) promote; *fig* (*migliorare*) better; **elevato** high; *fig* elevated, lofty

elezione f election

eliambulanza f air ambulance

elica f propeller

elicottero m helicopter

eliminare eliminate; **eliminatoria** f SP heat; **eliminazione** f elimination

eliporto m heliport

élite f élite

elmetto m helmet; **elmo** m helmet

elogio m praise

eloquente eloquent

eludere elude; *sorveglianza, domanda* evade

elvetico Swiss

e-mail f inv e-mail; **inviare un'~ a qc** e-mail s.o., send s.o. an e-mail

emanare 1 v/t give off; *legge* pass **2** v/i emanate, come (**da** from)

emanciparsi become emancipated; **emancipazione** f emancipation

emarginare marginalize; **emarginato** m, **-a** f person on the fringes of society

ematoma m haematoma, *Am* hematoma

embrione m embryo

emergenza f emergency; **emergere** emerge; (*distinguersi*) stand out; **emerso** pp ☞ **emergere**

emesso pp ☞ **emettere**; **emettere** live give out, emit; *grido, verdetto* give; *calore* give off; FIN issue; TEC emit

emicrania f migraine

emigrante m/f emigrant; **emigrare** emigrate; **emigrato** m, -**a** f person who has emigrated, ex-pat; **emigrazione** f emigration

emisfero m hemisphere

emissione f emission; *di denaro, francobolli* issue; RAD broadcast; **emittente 1** agg issuing; (*trasmittente*) broadcasting **2** f RAD transmitter; TV channel

emoglobina f haemoglobin, Am hemoglobin

emorragia f haemorrhage, Am hemorrhage

emorroidi fpl haemorrhoids, Am hemorrhoids

emotivo emotional; (*sensibile*) sensitive

emozionante exciting, thrilling; **emozionarsi** get excited; (*commuoversi*) be moved; **emozionato** excited; (*agitato*) nervous; (*commosso*) moved; (*turbato*) upset; **emozione** f emotion; (*agitazione*) excitement

emporio m *negozio* department store

emulsione f emulsion

enciclopedia f encyclopedia

endovenoso intravenous

energetico *consumo ecc* energy *attr*, *alimento* energy-giving; **energia** f energy; **energico** strong, energetic

enfasi f emphasis

enigma m enigma

ennesimo MAT nth; F **per l'-a**

volta for the hundredth time F

enorme enormous

enoteca f *negozio* wine merchant (*specializing in fine wines*)

ente m organization; **gli enti locali** the local authorities

entrambi both

entrare (*andare dentro*) go in, enter; (*venire dentro*) come in, enter; *fig* **questo non c'entra** that has nothing to do with it; **~ in una stanza** enter a room, go into / come into a room; **entrata** f entrance; *in parcheggio* entrance, way in; *in un paese* entry; FIN -**e** pl (*reddito*) income; (*guadagno*) earnings; **~ libera** admission free

entro within

entroterra m inv hinterland

entusiasmare enthuse; **entusiasmo** m enthusiasm; **entusiasta** enthusiastic

enumerare enumerate

enzima m enzyme

epatite f hepatitis

epicentro m epicentre, Am epicenter; *fig* centre, Am center

epidemia f epidemic

epidermide f skin; MED epidermis

Epifania f Epiphany

epilessia f epilepsy; **epilettico 1** agg epileptic **2** m, -**a** f epileptic

episodio m episode

epoca f age; (periodo) period, time; **auto** f **d'~** vintage car; **mobili** mpl **d'~** period furniture

eppure (and) yet

equatore m equator; **equatoriale** equatorial

equazione f equation

equilibrare balance; **equilibrato** balanced; **equilibrio** m balance; fig common sense

equino horse attr

equinozio m equinox

equipaggiamento m equipment; **equipaggio** m crew

équipe f inv team

equitazione f horse riding

equivalente m/agg equivalent

equivoco 1 agg ambiguous; (sospetto) suspicious; F (losco) shady F **2** m misunderstanding

era f (epoca) age, era; GEOL era; **~ atomica** atomic age; **~ glaciale** Ice Age

era, erano ☞ **essere**

erba f grass; GASTR **-e** pl herbs; **-e aromatiche** herbs; **erbaccia** f weed; **erboristeria** f herbalist's, Am herbalist store

erede m/f heir; donna heiress; **eredità** f inheritance; BIO heredity; **ereditare** inherit; **ereditarietà** f heredity; **ereditario** hereditary; **ereditiera** f heiress

eremita m hermit

eretico 1 agg heretical **2** m, **-a** f heretic

eretto 1 pp ☞ **erigere 2** agg erect; erezione f building; di pene erection

ergastolo m life sentence

ergonomico ergonomic

erica f heather

erigere erect; fig (fondare) establish, found

eritema m cutaneo rash; **~ solare** sunburn

ermafrodito m hermaphrodite

ermellino m ermine

ermetico (a tenuta d'aria) airtight; fig obscure

ernia f MED hernia; **~ del disco** slipped disc

ero ☞ **essere**

eroe m hero

erogare denaro allocate; gas, acqua supply

eroina f droga heroin; donna **eroica** heroine

erosione f GEOL erosion

erotico erotic; **erotismo** m eroticism

errare wander, roam; (sbagliare) be mistaken; **errata corrige** m inv correction; **erroneamente** mistakenly; **errore** m mistake, error; **~ di ortografia** spelling mistake; **~ di stampa** misprint, typo; **per ~** by mistake

erta f: **stare all'~** be on the alert

erudito 1 agg erudite, learned **2** m, **-a** f erudite person, scholar

eruttare *di vulcano* erupt; **eruzione** *f* eruption; MED rash

es. (= *esempio*) eg (= for example)

esagerare 1 *v/t* exaggerate **2** *v/i* exaggerate; (*eccedere*) go too far; **esagerato** exaggerated; *zelo* excessive; *prezzo* exorbitant; **esagerazione** *f* exaggeration

esalare 1 *v/t odori* give off; **~ il respiro** exhale **2** *v/i* come, emanate (*da* from)

esaltare exalt; (*entusiasmare*) elate; **esaltarsi** become elated; **esaltato 1** *agg* elated; (*fanatico*) fanatical **2** *m* fanatic

esame *m* exam(ination); MED (*test*) test; (*visita*) examination; **esaminare** examine (*anche* MED)

esasperante exasperating; **esasperare** (*inasprire*) exacerbate; (*irritare*) exasperate; **esasperazione** *f* exasperation

esattezza *f* accuracy; *per l'~* to be precise; **esatto 1** *pp* ☞ **esigere 2** *agg* exact; *risposta* correct, right; *in punto* exactly; *~!* that's right!

esaudire grant; *speranze* fulfil, *Am* fulfill

esauriente exhaustive; **esaurimento** *m* exhaustion; COM **svendita** *f* **fino a ~ della merce** clearance sale; **~ ner-**

voso nervous breakdown; **esaurire** exhaust; *merci* run out of; **esaurito** (*esausto*) exhausted; COM sold out; *pubblicazioni* out of print; **esausto** exhausted

esca *f* bait (*anche fig*)

esce ☞ **uscire**

eschimese *agg*, *m/f* Inuit, Eskimo

esclamare exclaim; **esclamazione** *f* exclamation

escludere exclude; **esclusione** *f* exclusion; **esclusiva** *f* exclusive right, sole right; **esclusivo** exclusive; **escluso 1** *pp* ☞ **escludere 2** *agg* excluded; (*impossibile*) out of the question **3** *m*, **-a** *f* person on the fringes of society

esco ☞ **uscire**

escogitare contrive

escoriazione *f* graze

escrementi *mpl* excrement

escursione *f* trip, excursion; *a piedi* hike, excursion; **escursionismo** *m* touring; *a piedi* hiking, walking; **escursionista** *m/f* tourist; *a piedi* hiker, walker

eseguire *m/agg* executive; **esecutore** *m*, **-trice** *f* DIR executor; MUS performer; **esecuzione** *f* (*realizzazione*) carrying out; MUS performance; ~ (*capitale*) execution; **eseguire** carry out; MUS perform

esempio *m* example; **per ~, ad ~** for example; **esemplare 1** *agg* exemplary **2** *m* spec-

imen; (*copia*) copy
esentare exempt (**da** from);
esente exempt; **~ da tasse**
tax-free
esercente m/f shopkeeper,
Am storekeeper
esercitare exercise; (*addestrare*) train; *professione* practise,
Am practice; **esercitarsi**
practise, Am practice; **esercitazione** f exercise
esercito m army
esercizio m exercise; (*pratica*)
practice; (*anno finanziario*)
financial year, Am fiscal
year; FIN *azienda* business;
negozio shop, Am anche
store
esibire *documenti* produce;
mettere in mostra display;
esibirsi *in uno spettacolo*
perform; *fig* show off; **esibizione** f exhibition; (*ostentazione*) showing off; (*spettacolo*) performance; **esibizionista** m/f show-off; PSI exhibitionist
esigente exacting, demanding; **esigenza** f demand; (*bisogno*) need; **esigere** demand; (*riscuotere*) exact
esile slender; *voce* faint
esiliare exile; **esilio** m exile
esistente existing; **esistenza**
f existence; **esistere** exist
esitare hesitate; **esitazione** f
hesitation
esito m result, outcome; FIN
sales, turnover
esodo m exodus

esofago m œsophagus, Am
esophagus
esonerare exempt (**da** from)
esordiente m/f beginner;
esordio m introduction; (*inizio*) beginning; TEA début
esortare (*incitare*) urge; (*pregare*) beg; **esortazione** f urging
esotico exotic
espandere expand; **espandersi** expand; (*diffondersi*)
spread; **espansivo** FIS, TEC
expansive; *fig* warm, friendly
espatriare leave one's country; **espatrio** m expatriation
espediente m expedient
espellere expel
esperienza f experience
esperimento m experiment
esperto m/agg expert
espirare breathe out, exhale
esplicito explicit
esplodere 1 v/t colpo fire **2** v/i
explode
esplorare explore; **esploratore** m, **-trice** f explorer; **giovane** m ~ boy scout
esplosione f explosion; **~ demografica** population explosion; **esplosivo** m/agg
explosive; **esploso** pp ☞
esplodere
esponente m/f exponent;
esporre expose (*anche*
FOT); *avviso* put up; *in una
mostra* exhibit, show; (*riferire*) present; *ragioni, caso*
state; *teoria* explain; **esporsi**

expose o.s. (**a** to); (*compromettersi*) compromise o.s.

esportare export; **esportazione** *f* export

esposizione *f* (*mostra*) exhibition; (*narrazione*) presentation; FOT exposure; **esposto 1** *pp* ☞ **esporre 2** *agg* **in mostra** on show; ~ **a** exposed to; **critiche** open to; ~ **a sud** facing **3** *m* statement; (*petizione*) petition

espressione *f* expression; **espressivo** expressive; **espresso 1** *pp* ☞ **esprimere 2** *agg* express **3** *m* posta express letter; FERR express; (*caffè m*) ~ espresso; **per** ~ express; **esprimere** express; **esprimersi** express o.s.

espropriare expropriate; **esproprio** *m* expropriation

espulsione *f* expulsion; **espulso** *pp* ☞ **espellere**

essa *pron f persona* she; *cosa, animale* it

essenza *f* essence; **essenziale 1** *agg* essential **2** *m*: **l'~ è** the main thing is

essere *v/i* be; ~ **di** (*provenire di*) be o come from; ~ **di qu** (*appartenere a*) belong to; **c'è** there is; **ci sono** there are; **sono io** it's me; **cosa c'è?** what's the matter?; **non c'è di che!** don't mention it!; **chi è?** who is it; **sono le tre** it's three o'clock; **siamo in quattro** there are four of us; **se fossi in te** if

I were you; **sarà!** if you say so! **2** *v/aus*: **siamo arrivati alle due** we arrived at two o'clock; **non siamo ancora arrivati** we haven't arrived yet; **è stato investito** he has been run over **3** *m* being

esso *pron m persona* he; *cosa, animale* it

est *m* east; **a** (*l*)~ **di** (to the) east of

estasi *f* ecstasy

estate *f* summer; **in** ~, **d'**~ in (the) summer

estendere extend; **estendersi** *di territorio* extend; (*allungarsi*) stretch; *fig* (*diffondersi*) spread

estenuante exhausting

esteriore *m/agg* exterior, outside

esterno 1 *agg* external **2** *m* outside; **all'**~ on the outside

estero 1 *agg* foreign **2** *m* foreign countries; **all'**~ abroad

esteso 1 *pp* ☞ **estendere 2** *agg* extensive; (*diffuso*) widespread; **per** ~ in full

estetista *f* beautician

estinguere extinguish, put out; *debito* pay off; **estinguersi** die out; **estinto 1** *pp* ☞ **estinguere 2** *agg* extinct; *debito* paid off **3** *m*, -**a** *f* deceased; **estintore** *m* fire extinguisher; **estinzione** *f* extinction; FIN paying off

estirpare uproot; *dente* extract; *fig* eradicate

estivo summer *attr*

estorcere *denaro* extort; **estorsione** f extortion; **estorto** pp ☞ **estorcere**

estradizione f extradition

estraneo 1 agg outside (**a qc** sth) **2** m, -a f stranger; *persona non autorizzata* unauthorized person

estrarre extract; *pistola* pull out; ~ **a sorte** draw; **estratto 1** pp ☞ **estrarre 2** m extract; *documento* abstract; FIN ~ **conto** statement (of account); **estrazione** f extraction

estremista m/f extremist; **estremità** f inv extremity; *di corda* end; *(punta)* tip; *(punto superiore)* top; **estremo 1** agg extreme; *(più lontano)* farthest; *(ultimo nel tempo)* last, final **2** m *(estremità)* extreme; **gli -i** pl di un documento the main points

estro m *(ispirazione artistica)* inspiration

estroverso extrovert(ed)

estuario m estuary

esuberante *(vivace)* exuberant

esultare rejoice

età f inv age; **all'~ di** at the age of; **avere la stessa** ~ be the same age; **di mezz'~** middle-aged

eternità f eternity; **eterno** eternal; *questione, problema* age-old; **in ~** for ever and ever

eterogeneo heterogen(e)ous

eterosessuale heterosexual

etica f ethics sg

etichetta f label; *cerimoniale* etiquette

etico ethical

etiope agg, m/f Ethiopian; **Etiopia** f Ethiopia

etnico ethnic

etrusco 1 agg Etruscan **2** m, -a f Etruscan

ettaro m hectare

etto m hundred grams; **ettogrammo** m hundred grams, hectogram

eucalipto m eucalyptus

eucaristia f REL Eucharist

euforia f euphoria

euro m inv euro; **eurodeputato** m, -a f Euro MP; **Europa** f Europe; **europeo 1** agg European **2** m, -a f European; **eurovisione** f Eurovision

evacuare evacuate; **evacuazione** f evacuation

evadere 1 v/t evade; *(sbrigare)* deal with **2** v/i escape (**da** from)

evaporare evaporate

evasione f escape; *fig* escapism; ~ **fiscale** f tax evasion; **evasivo** evasive; **evaso 1** pp ☞ **evadere 2** m, -a f fugitive; **evasore** m: ~ **fiscale** tax evader

evenienza f eventuality

evento m event

eventuale possible; **eventualità** f inv eventuality; **eventualmente** if necessary

evidente evident; **evidenziatore** *m* highlighter

evitare avoid; ~ **il fastidio a qu** spare s.o. the trouble

evoluto 1 *pp* ☞ **evolvere 2** *agg* developed; (*progredito*) progressive, advanced; *senza pregiudizi* open-minded; **evoluzione** *f* evolution; **evolvere 1** *v/t* develop **2** *v/i*

e **evolversi** evolve, develop

evviva hurray

ex ... ex-, former

extra *m/agg inv* extra

extracomunitario 1 *agg* non-EU **2** *m, -a f* non-EU citizen

extraconiugale extramarital

extraeuropeo non-European

extraterrestre *agg, m/f* extra-terrestrial

F

fa 1 ☞ **fare 2** *avv:* **5 anni** ~ 5 years ago **3** *m* MUS F; *nel solfeggio della scala* fa(h)

fabbisogno *m* needs

fabbrica *f* plant, factory; **fabbricante** *m/f* manufacturer; **fabbricare** manufacture; ARCHI build; *fig* fabricate; **fabbricato** *m* building

faccenda *f* matter; **faccende** *fpl* housework

faccia *f* face; (*risvolto, aspetto*) facet; (*lato*) side; ~ **tosta** cheek; ~ **a** ~ face to face; **gliel'ha detto in** ~ he told him to his face; **facciata** *f* ARCHI front, façade; *di foglio* side; *fig* (*esteriorità*) appearance

faccio ☞ **fare**

facile easy; *di carattere* easy-going; (*incline*) prone (**a** to); **è** ~ **a dirsi!** easier said than done!; **è** ~ **che venga** he is likely to come; **facilità** *f* ease; (*attitudine*) aptitude,

facility; **facilitare** facilitate; **facilmente** easily

facoltà *f inv* faculty; (*potere*) power; **facoltativo** optional

faggio *m* beech (tree)

fagiano *m* pheasant

fagiolini *mpl* green beans; **fagiolo** *m* bean

fagotto *m* bundle; MUS bassoon; *fig* **far** ~ pack up and leave

fai da te *m inv* do-it-yourself, DIY, *Am* home improvement

fai ☞ **fare**

falciatrice *f* lawn-mower

falco *m* hawk

falegname *m* carpenter

falena *f* moth

falla *f* MAR leak

fallimento *m* failure; FIN bankruptcy; **fallire 1** *v/t* miss **2** *v/i* fail; FIN go bankrupt; **fallito 1** *agg* unsuccessful, failed; FIN bankrupt **2** *m* failure; FIN bankruptcy

fallo *m* fault; (*errore*) error, mistake; SP foul

falò *m inv* bonfire

falsario *m* forger; **falsificare** forge; **falso 1** *agg* false; (*sbagliato*) incorrect, wrong; *oro, gioielli* imitation, fake F; (*falsificato*) forged, fake F **2** *m* (*falsità*) falsehood; *oggetto* falsificato forgery, fake F

fama *f* fame; (*reputazione*) reputation

fame *f* hunger; *aver* ~ be hungry

famiglia *f* family; **familiare 1** *agg* family *attr*, (*conosciuto*) familiar; (*semplice*) informal **2** *m/f* relative, relation; **familiarità** *f* familiarity; **familiarizzare** familiarize o.s.

famoso famous

fanale *m* light; (*lampione*) street lamp

fanatico 1 *agg* fanatical **2** *m*, **-a** *f* fanatic

fanciullo *m*, **-a** *f* (young) boy; *ragazza* (young) girl

fango *m* mud; MED **-ghi** *pl* mud-baths; **fangoso** muddy

fannullone *m*, **-a** *f* lazy good-for-nothing

fantascienza *f* science fiction

fantasia *f* fantasy; (*immaginazione*) imagination; (*capriccio*) fancy; MUS fantasia

fantasma *m* ghost

fantasticare day-dream (*di* about); **fantastico** fantastic

fantoccio *m* puppet (*anche fig*)

farabutto *m* nasty piece of work

faraona *f*: (*gallina*) ~ guinea fowl

farcire GASTR stuff; *torta* fill; **farcito** stuffed; *dolce* filled

fard *m inv* blusher

fardello *m* bundle; *fig* burden

fare 1 *v/t* do; *vestito, dolce, errore* make; *biglietto, benzina* buy, get; ~ *un bagno* have a bath; ~ *il medico* be a doctor; ~ *vedere qc a qu* show sth to s.o.; *farcela* manage; *non c'e la faccio più* I can't take any more; *2 più 2 fa 4* 2 and 2 make(s) 4; *quanto fa?* how much is it?; *far ~ qc a qu* get s.o. to do sth **2** *v/i*: *faccia pure!* go ahead!; *fa freddo / caldo* it's cold / warm

farfalla *f* butterfly

farina *f* flour; **farinaceo 1** *agg* starchy **2** **-cei** *mpl* starchy foodstuffs

faringe *f* pharynx; **faringite** *f* inflammation of the pharynx

farmaceutico pharmaceutical; **farmacia** *f* pharmacy; *Br negozio* chemist's; **farmacista** *m/f* pharmacist, *Br* chemist; **farmaco** *m* drug

faro *m* MAR lighthouse; AVIA beacon; AUTO headlight

farsi (*diventare*) grow; F (*drogarsi*) shoot up F; *si sta facendo tardi* it's getting late; ~ *male* hurt o.s.

fascia *f* band; MED bandage; ~

oraria (time) slot; **fasciare** MED bandage; **fasciatura** *f* (*fascia*) bandage; *azione* bandaging

fascicolo *m* (*opuscolo*) booklet, brochure; (*incartamento*) file

fascino *m* fascination, charm

fascio *m* bundle; *di fiori* bunch; *di luce* beam

fascismo *m* Fascism; **fascista** *agg, m/f* Fascist

fase *f* phase; AUTO stroke; *fig* **essere fuori ~** be out of sorts; **~ di lavorazione** production stage

fastidio *m* bother, trouble; **dare ~ a qu** bother s.o.; **le dà ~ se ... ?** do you mind if ... ?; **fastidioso** (*irritante*) irritating, annoying; (*irritabile*) irritable

fata *f* fairy

fatale fatal; **fatalità** *f inv* fate; (*disavventura*) misfortune

fatica *f* (*sforzo*) effort; (*stanchezza*) fatigue; **a ~** with a great deal of effort; **faticare** toil; **~ a** find it difficult to; **faticoso** tiring; (*difficile*) laborious

fatto 1 *pp* ☞ **fare 2** *agg* done; AGR ripe; **~ a mano** handmade; **~ di legno** made of wood **3** *m* (*avvenimento*) event; (*faccenda*) affair, business; **di ~** *agg* real; *avv* in fact, actually; **in ~ di** as regards

fattore *m* (*elemento*) factor;

AGR farm manager; **~ di protezione antisolare** (sun) protection factor

fattoria *f* farm; *casa* farmhouse

fattorino *m* messenger; *per consegne* delivery man

fattura *f* (*lavorazione*) workmanship; *di abiti* cut; FIN invoice; **fatturare** FIN invoice; **fatturato** *m* FIN (*giro d'affari*) turnover

fauna *f* fauna

fava *f* broad bean

favola *f* (*fiaba*) fairy tale; (*storia*) story; *morale* fable; (*meraviglia*) dream; **favoloso** fabulous

favore *m* favour, *Am* favor; **per ~!** please!; **fare un ~ a qu** do s.o. a favour; **favorevole** favourable, *Am* favorable; **favorire 1** *v/t* favour, *Am* favor; (*promuovere*) promote **2** *v/i*: **vuol ~?** would you care to join me / us?; **favorito** *m/agg* favourite, *Am* favorite

fax *m inv* fax; **faxare** fax

fazione *f* faction

fazzolettino *m*: **~ di carta** tissue; **fazzoletto** *m* handkerchief; *per la testa* headscarf

febbraio *m* February

febbre *f* fever; **ha la ~** he has a temperature

fecondare fertilize; **fecondazione** *f* fertilization; **~ artificiale** artificial insemination

fede *f* faith; (*fedeltà*) loyalty; *anello* wedding ring; **fedele**

1 *agg* faithful; (*esatto, conforme all'originale*) true **2** *m* REL believer; **i ~i** *pl* the faithful *pl*

federa *f* pillowcase

federazione *f* federation

fegato *m* liver; *fig* courage, guts F

felce *f* fern

felice happy; (*fortunato*) lucky; **felicità** *f* happiness; **felicitarsi**: **~ con qu per qc** congratulate s.o. on sth

felino feline

felpa *f* sweatshirt

feltro *m* felt

femmina *f* (*figlia*) girl, daughter; ZO, TEC female; **femminile 1** *agg* feminine; (*da donna*) women's **2** *m* GRAM feminine; **femminilità** *f* femininity; **femminismo** *m* feminism; **femminista** *m/f* feminist

femore *m* femur

fendinebbia *m inv* fog lamp *o* light

fenomeno *m* phenomenon

feriale: **giorno** *m* **~** weekday; **ferie** *fpl* holiday, *Am* vacation, **andare in ~** go on holiday

ferire wound; *in incidente* injure; *fig* hurt; **ferirsi** injure o.s.; **ferita** *f* wound; *in incidente* injury; **ferito 1** *agg* wounded; *in incidente* injured; *fig: sentimenti* hurt; *orgoglio* injured **2** *int* casualty

fermacarte *m inv* paperweight

fermacravatta *m inv* tiepin

fermaglio *m* clasp; *per capelli* hair slide, *Am* barrette; (*gioiello*) brooch

fermare stop; DIR detain; **fermarsi** stop; (*restare*) stay, remain; **fermata** *f* stop; **~ dell' autobus** bus stop

fermentare ferment; **fermento** *m* yeast; *fig* ferment

fermo 1 *agg* still; *veicolo* stationary; (*saldo*) firm; *mano* steady; **star ~** (*non muoversi*) keep still **2** *int* **~!** (*alt!*) stop!; (*immobile!*) keep still!

feroce fierce, ferocious; *animale* wild; (*insopportabile*) dreadful

ferragosto *m* August 15 public holiday; *periodo* August holidays

ferramenta *f* hardware; *negozio* hardware store

ferro *m* iron; (*arnese*) tool; **~ da calza** knitting needle; **~ da stiro** iron; **~ di cavallo** horseshoe; GASTR **ai ~i** grilled, *Am* broiled; **ferrovia** *f* railway, *Am* railroad

fertile fertile; **fertilizzante** *m* fertilizer

fesso *m* F idiot F; **far ~ qu** con s.o F

fessura *f* (*spaccatura*) crack; (*fenditura*) slit, slot

festa *f* feast; REL *di santo* feast day; (*ricevimento*) party; (*compleanno*) birthday; **~ della mamma / del papà** Mother's / Father's Day; **~**

nazionale national holiday; **festeggiamenti** *mpl* celebrations; **festeggiare** celebrate; *persona* have a celebration for; **festival** *m inv* festival; **festività** *f inv* festival; ~ *pl* celebrations, festivities; **festivo** festive; ***giorno*** ~ holiday

feto *m* fetus, *Br anche* foetus

fetta *f* slice; ***a -e*** sliced

fiaba *f* fairy tale

fiacca *f* weariness; (*svogliatezza*) laziness; ***battere la*** ~ be a shirker

fiaccola *f* torch

fiamma *f* flame; MAR pennant; **fiammante**: ***rosso*** *m* ~ fiery red; ***nuovo*** ~ brand new; **fiammifero** *m* match

fiancheggiare border; *fig* support

fianco *m* side; ANAT hip; ~ ***a*** ~ side by side; ***di*** ~ ***a qu*** beside s.o.

fiasco *m* flask; *fig* fiasco

fiato *m* breath; ***senza*** ~ breathless; ***riprendere*** ~ catch one's breath

fibbia *f* buckle

fibra *f* fibre, *Am* fiber; ~ ***sintetica*** synthetic; **fibroso** fibrous

ficcanaso *m*/*f* F nosy parker F; **ficcare** thrust; F (*mettere*) shove F; **ficcarsi** get; ***dove s'è ficcato?*** where can it / he have got to?

fico *m* fig; *albero* fig (tree); ~ ***d'India*** prickly pear

fidanzamento *m* engagement; **fidanzarsi** get engaged; **fidanzata** *f* fiancée; **fidanzato** *m* fiancé; ***i -i*** *pl* the engaged couple *pl*

fidarsi: ~ ***di*** trust, rely on; **fidato** trustworthy; **fiducia** *f* confidence; ***avere*** ~ ***in qu*** have faith in s.o.; **fiduciaria** *f* ~ FIN trust company; **fiducioso** trusting

fienile *m* barn

fieno *m* hay

fiera *f* *mostra* fair

fiero proud

fifa F *f* jitters F; ***aver*** ~ have the jitters

figlia *f* daughter; **figliastra** *f* stepdaughter; **figliastro** *m* stepson; **figlio** *m* son; ***avere -gli*** *pl* have children; ***essere*** ~ ***unico*** be an only child; **figlioccia** *f* goddaughter; **figlioccio** *m* godson

figura *f* figure; (*illustrazione*) illustration; (*apparenza*) appearance; ***far brutta*** ~ make a bad impression; **figurare 1** *v/t fig* imagine; ***figurati!*** just imagine! **2** *v/i* (*apparire*) appear; (*far figura*) make a good impression; **figurato** illustrated; *linguaggio* figurative

fila *f* line, row; (*coda*) queue, *Am* line; ***tre giorni di*** ~ three days running; ***fare la*** ~ queue (up), *Am* wait in line; **filare 1** *v/t* spin **2** *v/i di ragionamento* make sense; *di for-*

maggio go stringy; *di veicolo* travel; F *(andarsene)* take off F; **~ diritto** *(comportarsi bene)* behave (o.s.)

filastrocca *f* nursery rhyme

filato 1 *agg (logico)* logical; **andare di ~ a casa** go straight home; **per 10 ore filate** for ten hours on the trot **2** *m* yarn; *per cucire* thread

file *m inv* INFOR file

filetto *m* GASTR fillet

filiale *f* branch; *(società affiliata)* affiliate

filigrana *f su carta* watermark; *in oreficeria* filigree

film *m inv* film, movie; **filmare** film; **filmato** *m* short (film)

filo *m* thread; *metallico* wire; *di lama* edge; *d'erba* blade; **~ interdentale** (dental) floss; **~ spinato** barbed wire;

filone *m* MIN vein; *pane* French stick; *fig* tradition

filosofia *f* philosophy; **filosofico** philosophical; **filosofo** *m* philosopher

filtrare 1 *v/t* filter **2** *v/i fig* filter out; **filtro** *m* filter

fin ☞ **fine, fino**

finale 1 *agg* final **2** *m* end **3** *f* SP final; **finalista** *m/f* finalist; **finalmente** *(alla fine)* at last; *(per ultimo)* finally

finanza *f* finance; **finanziamento** *m* funding; **finanziare** fund, finance; **finanziario** financial; **finanziere** *m* financier; *(guardia di finanza)* Customs officer; *lungo le co-*

ste coastguard

finché until; *(per tutto il tempo che)* as long as

fine 1 *agg* fine; *(sottile)* thin; *udito, vista* sharp, keen; *(raffinato)* refined **2** *m* aim; **al ~ di …** in order to … **3** *f* end; **alla ~** in the end; **fine settimana** *m inv* weekend

finestra *f* window; **finestrino** *m* window

fingere 1 *v/t:* **~ sorpresa** pretend to be surprised **2** *v/i:* **~ di** pretend to; **fingersi** pretend to be

finire finish, end; **finiscila!** stop it!; **finito** finished; *(venduto)* sold out

finlandese 1 *m/agg* Finnish **2** *m/f* Finn; **Finlandia** *f* Finland

fino¹ *agg* fine; *(acuto)* sharp; *oro* pure

fino² *prp tempo* till, until; *luogo* as far as; **~ a domani** until tomorrow; **~ a che** *(per tutto il tempo che)* as long as; *(fino al momento in cui)* until; **fin da ieri** since yesterday

fino³ *avv* even; **fin troppo** more than enough

finocchio *m* fennel

finora so far

finta *f* pretence, *Am* pretense, sham; *SP* feint; **far ~ di** pretend to; **finto 1** *pp* ☞ **fingere 2** *agg* false; *(artificiale)* artificial; *(simulato)* feigned; **finzione** *f* pretence, *Am* pretense

fiocco *m* bow; ~ **di neve** snowflake; **-cchi** *pl* **d'avena** oat flakes

fioco weak; *luce* dim

fionda *f* catapult

fioraio *m*, **-a** *f* florist; **fiore** *m* flower; *fig* **il (fior)** ~ the cream; *nelle carte* **-i** *pl* clubs; **fiorente** flourishing

fiorentino 1 *agg* Florentine **2** *m*, **-a** *f* Florentine; GASTR **alla -a** with spinach; *bistecca* charcoal grilled **3** *f* GASTR T-bone steak

fiorire flower; *fig* flourish

Firenze *f* Florence

firma *f* signature; **firmare** sign; **firmatario** *m* signatory; **firmato** *abito*, *borsa* designer *attr*

fisarmonica *f* accordion

fiscale tax *attr*, fiscal; *fig spreg* rigid, unbending

fischiare 1 *v/t* whistle; ~ **qu** boo s.o. **2** *v/i di vento* whistle; **fischio** *m* whistle

fisco *m* tax authorities, Inland Revenue, *Am* IRS, *Am* Internal Revenue Service

fisica *f* physics; **fisico 1** *agg* physical **2** *m* physicist; ANAT physique

fisionomia *f* face; *fig*: *di popolo*, *città* appearance; *(carattere)* character

fisioterapia *f* physiotherapy; **fisioterapista** *m/f* physiotherapist

fissare *(fermare)* fix; *(guarda-*

re intensamente) stare at; *(stabilire)* arrange; *(prenotare)* book; **fissarsi** *(stabilirsi)* settle; *(ostinarsi)* set one's mind *(di* on); *(avere un'idea fissa)* become obsessed *(di* with); **fissazione** *f (mania)* fixation *(di* about); **fisso 1** *agg* fixed; *stipendio*, *cliente* regular; *lavoro* permanent **2** *avv* fixedly

fitta *f* sharp pain

fitto *(denso)* thick

fiume *m* river; *fig* flood, torrent

fiutare smell; *cocaina* snort; ~ **un imbroglio** smell a rat; **fiuto** *m* sense of smell; *fig* nose

flacone *m* bottle

flagrante flagrant; **cogliere qu in** ~ catch s.o. red-handed

flash *m inv* FOT flash; *stampa* newsflash

flauto *m* flute

flemma *f* calm

flessibile flexible; **flessione** *f* bending; GRAM inflection; *(diminuzione)* dip, *(slight)* drop

flipper *m inv* pinball machine

flirtare flirt

F.lli (= **fratelli**) Bros (= brothers)

floppy disk *m inv* floppy (disk)

flora *f* flora

floscio limp; *muscoli* flabby

flotta *f* fleet

fluido *m/agg* fluid

fluorescente fluorescent

flusso *m* flow

fluttuazione *f* fluctuation

FMI *m* (= *Fondo Monetario Internazionale*) IMF (= International Monetary Fund)

foca *f* seal

focaccia *f* focaccia; *dolce*: *sweet type of bread*

foce *f* mouth

focoso fiery

fodera *f interna* lining; *esterna* cover; **foderare** *all'interno* line; *all'esterno* cover; **fodero** *m* sheath

foglia *f* leaf

foglio *m* sheet

fogna *f* sewer; **fognatura** *f* sewers

folata *f* gust

folclore *m* folklore; **folcloristico** folk *attr*

folgorare *di fulmine, idea* strike; *di corrente elettrica* electrocute; **~ qu con lo sguardo** glare at s.o.

folla *f* crowd; *fig* host

folle[1] *agg* mad

folle[2] AUTO: **in ~** in neutral

follia *f* madness

folto thick

fondale *m* MAR sea bed; TEA backcloth

fondamentalista *m/f* fundamentalist; **fondamentale** fundamental; **fondamento** *m* foundation; **senza ~** unfounded; **fondare** found; **fondarsi** be based (**su** on);

fondato founded; **fondatore** *m*, **-trice** *f* founder; **fondazione** *f* foundation

fondere 1 *v/t* (*liquefare*) melt; *metalli* smelt; *colori* blend **2** *v/i* melt; **fondersi** melt; FIN merge

fondo 1 *agg* deep **2** *m* bottom; (*sfondo*) background; *terreno* property; FIN fund; SP long-distance; SCI cross-country; **-i** *pl denaro* funds; **a ~** (*profondamente*) in depth; *fig* **in ~** basically; **in ~ alla strada** at the end *o* bottom of the road; **andare a ~** (*affondare*) sink; (*approfondire*) get to the bottom (**di** of); **fondo-tinta** *m inv* foundation

fonduta *f* cheese fondue

fonetica *f* phonetics

fontana *f* fountain

fonte *m/f* spring; *fig* source

footing *m* jogging; **fare ~** go jogging

forare *di proiettile* pierce; *con il trapano* drill; *biglietto* punch; *pneumatico* puncture; **foratura** *f di pneumatico* puncture

forbici *fpl* scissors

forchetta *f* fork

forcina *f* hairpin

foresta *f* forest

foresteria *f* guest rooms; **forestiero 1** *agg* foreign **2** *m*, **-a** *f* foreigner

forfait *m inv* lump sum; **forfettario** flat-rate

forfora *f* dandruff

forma f form; (*sagoma*) shape; TEC (*stampo*) mould, *Am* mold; ***essere in ~*** be in good form

formaggino m processed cheese; **formaggio** m cheese

formale formal; **formalità** f inv formality

formare form; **formarsi** form; (*svilupparsi*) develop; **formato** m size; *di libro* format; **formattare** INFOR format; **formazione** f formation; *fig:* addestramento training; SP line-up

formica[1] f ZO ant

formica[2]® Formica

formicaio m anthill

formicolare *di mano, gamba* tingle; *fig ~ di* teem with; **formicolio** m sensazione pins and needles

formidabile (*straordinario*) incredible; (*poderoso*) powerful

formula f formula; **formulare** *teoria* formulate; (*esprimere*) express

fornaio m baker; *negozio* bakery; **fornello** m oven

fornire supply (*qc a qu* s.o. with sth); **fornirsi** get (*di* sth); **fornitore** m supplier; **fornitura** f supply

forno m oven; (*panetteria*) bakery; *~ a microonde* microwave (oven); *al ~ carne, patate* roast; *mele, pasta* baked

foro[1] m (*buco*) hole

foro[2] m romano forum; DIR (*tribunale*) (law) court

forse perhaps, maybe

forte 1 agg strong; *suono* loud; *pioggia* heavy; *taglia, somma* large; *dolore severe* **2** avv (*con forza*) hard; (*ad alta voce*) loudly; (*velocemente*) fast **3** m (*fortezza*) fort; **fortezza** f MIL fortress

fortuito chance

fortuna f fortune; *avere ~* be successful; (*essere fortunato*) be lucky; ***buona ~!*** good luck!; *per ~* luckily; **fortunatamente** fortunately; **fortunato** lucky, fortunate

foruncolo m pimple

forza f strength; (*potenza*) power; *muscolare* force; *a ~ di ...* by dint of ...; *per ~* against my / our will; *per ~!* (*naturalmente*) of course!; *~!* come on!; *-e pl* (*armate*) MIL (armed) forces; **forzare** force

foschia f haze

fosforescente phosphorescent

fossa f pit, hole; (*tomba*) grave; **fossato** m ditch; *di fortezza* moat; **fossetta** f dimple

fossile m/agg fossil (*attr*)

fosso m ditch

foto f inv photo

fotocopia f photocopy; **fotocopiatrice** f photocopier

fotografare photograph; **fotografia** f arte photography;

(foto) photograph; **~ a colori** colour photograph; **fotografico** photographic; **macchina** *f* **-a** camera; **fotografo** *m* photographer

fotomontaggio *m* photomontage

fotoromanzo *m* graphic novel

fra between; *più persone o cose* among; *temporale* in; **~ questi ragazzi** out of all these boys; **~ l'altro** what's more; **~ breve** in a very short time, soon; **~ sé e sé** to himself / herself

frac *m inv* tails

fracassare smash; **fracasso** *m* din; *di oggetti che cadono* crash

fradicio rotten; *(bagnato)* soaking wet

fragile fragile; *persona* frail, delicate

fragola *f* strawberry

fragore *m* roar; *di tuono* rumble

fraintendere misunderstand

frammentario fragmentary; **frammento** *m* fragment

frana *f* landslide; **franare** collapse

francamente frankly

francese 1 *m/agg* French **2** *m/f* Frenchman; *donna* Frenchwoman; **i -i** *pl* the French *pl*; **Francia** *f* France

franco frank; FIN free; **farla ~** get away with it; **francobollo** *m* stamp

frangia *f* fringe, *Am* bangs

frantumare shatter; **frantumi** *mpl* splinters; **in ~** in smithereens; **mandare in ~** smash to smithereens

frappé *m inv* milkshake

frase *f* sentence; MUS phrase; **~ fatta** set phrase, idiom

frassino *m* ash (tree)

frastagliato *costa* jagged

frastuono *m* racket

frate *m* REL friar, monk

fratellastro *m* step-brother; *con un genitore in comune* half-brother; **fratello** *m* brother; **-i** *pl fratello e sorella* brother and sister; **fraterno** brotherly, fraternal

frattaglie *fpl* GASTR offal; *di pollo* giblets

frattanto meanwhile, in the meantime

frattempo: **nel ~** meanwhile, in the meantime

frattura *f* fracture; **fratturarsi:** **~ una gamba** break one's leg

frazione *f* fraction; POL small group; *(borgata)* hamlet

freccia *f* arrow; AUTO **~ (di direzione)** indicator, *Am* turn signal

freddo 1 *agg* cold **2** *m* cold; **ho ~** I'm cold; **fa ~** it's cold; **freddoloso:** **essere ~** feel the cold

freezer *m inv* freezer

fregare rub; F *(imbrogliare)* swindle; F *(rubare)* pinch F; P **me ne frego di quello**

che pensano I don't give a damn what they think F; *fregatura f* F (*imbroglio*) rip-off F; (*ostacolo, contrarietà*) pain F

fregio *m* ARCHI frieze

frenare AUTO brake; *folla, lacrime, risate* hold back; *impulso* restrain; *frenarsi* (*dominarsi*) restrain o.s.; *frenata f* braking; *fare una ~* brake; *freno m* AUTO brake; *del cavallo* bit; *~ a mano* handbrake, *Am* parking brake

frequentare *luoghi* frequent; *scuola, corso* attend; *persona* associate with; **frequentato** popular; *strada* busy; **frequente** frequent; *di ~* frequently; **frequenza** *f* frequency; *scolastica* attendance; *un'alta ~ di spettatori* a large audience; *con ~* frequently

fresco 1 *agg* fresh; *temperatura* cool **2** *m* coolness; *fa ~* it's cool; *mettere in ~* put in a cool place

fretta *f* hurry; *aver ~* be in a hurry; *non c'è ~* there's no hurry; *frettoloso* hurried; *lavoro* rushed; *persona* in a hurry

fricassea *f* GASTR fricassée

friggere 1 *v/t* fry **2** *v/i* sizzle; *friggitoria f shop that sells deep fried fish etc*

frigo *m* fridge, *Am* refrigerator; **frigorifero 1** *agg* cold

attr; camion refrigerated **2** *m* refrigerator

frittata *f* GASTR omelette, *Am* omelet; **frittella** *f* fritter; fritto **1** *pp* ☞ *friggere* **2** *agg* fried **3** *m* fried food; *~ misto* assortment of deep-fried food

frittura *f metodo* frying; *~ di pesce* fried fish

frivolo frivolous

frizionare rub; **frizione** *f* friction; AUTO clutch

frizzante *bevanda* fizzy, sparkling

frode *f* fraud

frontale frontal; *scontro ~* head-on collision; **fronte 1** *f* forehead; *di ~ a* (*dirimpetto*) opposite, facing; *in presenza di* before; *a confronto di* compared with **2** *m* front; *far ~ agli impegni* face up to one's responsibilities; **fronteggiare** face

frontiera *f* border, frontier

fronzolo *m* frill

frottola *f* F fib F

frugale frugal

frugare 1 *v/i* rummage **2** *v/t* (*cercare con cura*) search, rummage through

frullare GASTR blend, liquidize; *uova* whisk; **frullato** *m* milkshake; **frullatore** *m* liquidizer, blender; **frullino** *m* whisk

frumento *m* wheat

fruscio *m* rustle

frusta *f* whip; GASTR whisk;

frustare whip; **frustino** *m* riding crop

frustante frustrating; **frustrazione** *f* frustration

frutta *f* fruit; **~ secca** nuts

fruttare 1 *v/t* yield **2** *v/i* fruit; **frutteto** *m* orchard; **fruttivendolo** *m*, **-a** *f* greengrocer; **frutto** *m* fruit; **-i** *pl* **di mare** seafood

FS (= **Ferrovie dello Stato**) Italian State railways

f.to (= **firmato**) signed

fu ☞ **essere**

fucilare shoot; **fucile** *m* rifle

fuga[1] *f* escape; **~ di gas** gas leak

fuga[2] *f* MUS fugue

fuggifuggi *m inv* stampede; **fuggire** flee; **fuggitivo** *m* fugitive

fuliggine *f* soot

fulminare *di sguardo* glare at; **rimanere fulminato** *da fulmine* be struck by lightning; *da elettricità* be electrocuted; *fig* be thunderstruck; **fulminarsi** *di lampadina* blow; **fulmine** *m* lightning; **fulmineo** fast, rapid

fumare smoke; **fumatore** *m*, **-trice** *f* smoker; **scompartimento** *m* **per -i / non -i** smoking / non-smoking car

fumetto *m* comic strip; **-i** *pl* **per ragazzi** comics

fumo *m* smoke; (*vapore*) steam; **~ passivo** passive smoking; **fumoso** smoky; *fig* (*oscuro*) muddled

fune *f* rope; (*cavo*) cable

funebre funeral *attr*; *fig* gloomy, funereal

funerale *m* funeral

fungere act (**da** as)

fungo *m* mushroom; MED fungus

funicolare *f* funicular railway

funivia *f* cableway

funzionamento *m* operation, functioning; **funzionare** operate, function; **non ~** be out of order; *di orologio* have stopped; **funzionario** *m* official, civil servant; **funzione** *f* function; (*carica*) office; REL service; **mettere in ~** put into operation

fuoco *m* fire; FOT focus; **dar ~ a qc** set fire to sth; **~ fuoco** catch fire; **-chi** *pl* **d'artificio** fireworks; MIL **far ~** (open) fire; FOT **mettere a ~** focus

fuorché except

fuori 1 *prp stato* outside, out of; *moto* out of, away from; **~ città** out of town; **~ luogo** out of place; **~ di sé** beside o.s. **2** *avv* outside; *all'aperto* out of doors; SP out; **~!** out! **fuoribordo** *m inv* motorboat; *motore* outboard motor; **fuorigioco** *m inv* offside; **essere nel ~** be offside; **fuoriserie 1** *agg* made to order, custom **2** *f inv* AUTO custom-built model; **fuoristrada** *m inv* off-roader; **fuoriuscita** *f* **di gas** leakage; **fuor-**

viare **1** *v/i* go astray **2** *v/t* lead astray

furbizia *f* cunning; **furbo** cunning, crafty

furgoncino *m* (small) van; **furgone** *m* van

furia *f* fury, rage; *a ~ di ...* by dint of ...; **furibondo** furious, livid; **furioso** furious; *vento, lotta* violent; **furore** *m* fury, rage; *far ~* be all the rage

furto *m* theft; *~ con scasso* burglary

fusa *fpl*: *fare le ~* purr

fuseaux *mpl* leggings

fusibile *m* EL fuse

fusione *f* fusion; FIN merger

fuso[1] *pp* ☞ *fondere*; *metallo* molten; *burro* melted

fuso[2] *m* spindle; *~ orario* time zone

fusto *m* (*tronco*) trunk; (*stelo*) stem, stalk; *di metallo* drum; *di legno* barrel

futile futile

futuristico futuristic; **futuro** *m/agg* future

G

gabbia *f* cage

gabbiano *m* (sea)gull

gabinetto *m* toilet, *Am* rest room

gaffe *f* blunder, gaffe

gala *f* (*ricevimento*) gala

galante gallant

galera *f* (*prigione*) jail, prison

galla *f*: *venire a ~* (come to the) surface; *fig* come to light; **galleggiante 1** *agg* floating **2** *m* (*boa*) buoy; **galleggiare** float

galleria *f* gallery; *passaggio con negozi* (shopping) arcade; FERR, MIN tunnel; TEA circle, *Am* balcony

Galles *m* Wales; **gallese 1** *m/agg* Welsh **2** *m/f* Welshman; *donna* Welshwoman

gallina *f* hen; **gallo** *m* cock

gallone *m* *unità di misura* gallon

galoppare gallop; **galoppo** *m* gallop; *al ~* at a gallop

gamba *f* leg; *fig in ~* (*capace*) smart, bright; *persona anziana* sprightly

gamberetto *m* shrimp; **gambero** *m* prawn

gambo *m* *di fiore, bicchiere* stem; *di pianta, fungo* stalk

gamma *f* range; MUS scale

gancio *m* hook

gara *f* competition; *di velocità* race; *fare a ~* compete

garage *m inv* garage

garantire 1 *v/t* guarantee; (*assicurare*) ensure **2** *v/i* (*farsi garante*) stand guarantor (*per* for); **garantito** guaranteed; **garanzia** *f* guarantee; *essere in ~* be under guarantee

gareggiare compete

gargarismo *m* gargle; (*collutorio*) mouthwash; **fare i -i** gargle

garofano *m* carnation; GASTR **chiodi di ~** cloves

garza *f* gauze

gas *m inv* gas; **a ~** gas *attr*; **~ lacrimogeno** tear gas; **gasato 1** *agg* bibita fizzy; F (*eccitato*) excited **2** *m*, **-a** *f* F bighead F

gasolio *m per riscaldamento* oil; AUTO diesel

gastrite *f* gastritis

gastronomia *f* gastronomy; **gastronomico** gastronomic

gatta *f* (female) cat; **gattino** *m* kitten; **gatto** *m* cat

gay *m/agg* gay

gazzella *f* gazelle

gazzetta *f* gazette

gazzosa *f* fizzy *o Am* carbonated drink, *Am* soda

G.d.F. (= **Guardia di Finanza**) Customs and Excise

gel *m inv* gel

gelare 1 *v/t* freeze **2** *v/i e* **gelarsi** freeze

gelateria *f* ice-cream parlour *o* parlor

gelatina *f* gelatine; **~ di frutta** fruit jelly

gelato 1 *agg* frozen **2** *m* ice cream

gelido freezing

gelo *m* (*brina*) frost; *fig* chill

gelosia *f* jealousy; **geloso** jealous (**di** of)

gelsomino *m* jasmine

gemellaggio *m* twinning; **gemello 1** *agg* twin **2** *m di camicia* cuff link **3** *m*, **-a** *f* twin; ASTR **Gemelli** *pl* Gemini

gemito *m* groan

gemma *f anche fig* gem; BOT bud

gene *m* BIO gene

genealogia *f* genealogy; **genealogico** genealogical

generale *m/agg* general; **in ~** in general; **generalità** *f inv* general nature; **le ~** personal details; **generalizzare** generalize; **generalmente** generally; **generare** (*dar vita a*) give birth to; (*causare*) generate, create; *sospetti* arouse; *elettricità, calore* generate; **generatore** *m* EL generator; **generazione** *f* generation

genere *m* kind; BIO genus; GRAM gender; **in ~** generally; **-i alimentari** foodstuffs; **~ umano** mankind, humanity; **generico** generic

genero *m* son-in-law

generoso generous (**con** to)

genetico genetic; **ingegneria** *f* **-a** genetic engineering

gengiva *f* gum

geniale ingenious; **genialità** *f* genius; (*ingegnosità*) ingeniousness

genio *m* genius; (*inclinazione*) talent

genitali *mpl* genitals

genitori *mpl* parents

gennaio *m* January

genocidio *m* genocide

Genova Genoa; **genovese** *m/agg* Genoese

gentaglia *f* scum

gente *f* people *pl*

gentile kind; *nelle lettere* **~ Signora** Dear Madam; **gentilezza** *f* kindness

genuino genuine; *prodotto alimentare* traditionally made; *risata* spontaneous

genziana *f* gentian

geografia *f* geography; **geografico** geographic

geologico geological

geometra *m/f* surveyor, *Am* structural engineer; **geometria** *f* geometry

geranio *m* geranium

gerarchia *f* hierarchy

gergo *m* slang; *di una professione anche* jargon

Germania *f* Germany

germe *m* germ; *fig (principio)* seeds; **in ~** in embryo; **germogliare** sprout; **germoglio** *m* shoot

geroglifico *m* hieroglyph

gesso *m* MIN gypsum; MED, *scultura* plaster cast; *per scrivere* chalk

gesticolare gesticulate

gestione *f* management; **gestire** manage

gesto *m* gesture; *con la testa* nod

gestore *m* manager

Gesù *m* Jesus; **~ bambino** baby Jesus

gettare throw; *fondamenta* lay; *grido* give, let out; **~ via** throw away; **gettarsi** throw o.s.; *di fiume* flow (**in** into)

getto *m* jet; **di ~** in one go

gettone *m* token; *per giochi* counter; *per giochi d'azzardo* chip

ghetto *m* ghetto

ghiacciaio *m* glacier; **ghiacciato** *lago, stagno* frozen; *bibita* ice-cold; **ghiaccio** *m* ice; *sulla strada* black ice; **ghiacciolo** *m* icicle; *(gelato)* ice lolly, *Am* Popsicle®

ghiaia *f* gravel

ghianda *f* acorn; **ghiandola** *f* gland

ghigliottina *f* guillotine

ghiotto *persona* greedy; *fig: di notizie ecc* avid (**di** for); *(appetitoso)* appetizing

ghirigoro *m* doodle

ghirlanda *f* garland

ghiro *m* dormouse; **dormire come un ~** sleep like a log

già already; *(ex)* formerly; **~!** of course!

giacca *f* jacket; **~ a vento** windproof jacket

giacché since

giacenza *f per la vendita* stock; *invenduta* unsold goods; *periodo* stock time; **~ di cassa** cash in hand; **-e** *pl* **di magazzino** stock in hand; **giacimento** *m* MIN deposit

giada *f* jade

giallo *m/agg* yellow; **libro ~**, **film ~** thriller

Giappone m Japan; **giapponese** agg, m/f Japanese

giardinaggio m gardening; **giardiniera** f gardener; mobile plant stand; GASTR (mixed) pickles; **giardiniere** m gardener; **giardino** m garden; ~ **pubblico** park

gigante m/agg giant (attr); **gigantesco** gigantic

giglio m lily

gilè m inv waistcoat, Am vest

gin m inv gin

ginecologo m, -a f gynaecologist, Am gynecologist

ginepro m juniper

ginestra f broom

gingillarsi fiddle; (perder tempo) fool around

ginnastica f exercises; disciplina sportiva gymnastics; in palestra physical education

ginocchio m knee; **stare in** ~ be on one's knees, be kneeling

giocare 1 v/i play; d'azzardo, in Borsa gamble; (scommettere) bet; ~ **a tennis, flipper** play **2** v/t play; (ingannare) trick; **giocarsi** (perdere al gioco) gamble away; (beffarsi) make fun; carriera throw away; **giocatore** m, **-trice** f player; d'azzardo gambler; **giocattolo** m toy; **gioco** m game; **il** ~ gambling; ~ **d'azzardo** game of chance; **l'ho detto per** ~ ! I was joking!; **giocoliere** m juggler

gioia f joy; (gioiello) jewel;

gioielleria f jeweller's (shop), Am jewelry store; **gioiello** m jewel

giornalaio m, -a f newsagent, Am news vendor; **giornale** m (news)paper; (rivista) magazine; (registro) journal; ~ **radio** news (bulletin); **giornaliero** daily; **abbonamento** ~ day pass; **giornalino** m per ragazzi comic; **giornalismo** m journalism; **giornalista** m/f journalist, reporter; **giornalistico** journalistic; agenzia, servizio news attr; **giornata** f day; **lo finiremo in** ~ we'll finish it today; **giorno** m day; ~ **feriale** weekday, workday; ~ **festivo** (public) holiday; **l'altro** ~ the other day; **a -i** (fra pochi giorni) in a few days (time); **al** ~ a day; **al** ~ **d'oggi** nowadays; **di** ~ by day

giostra f carousel, merry-go-round

giovane 1 agg young; (giovanile) youthful **2** m/f young man, youth; ragazza young woman, girl; **i -i** young people pl, the young pl; **giovanotto** m young man, youth

giovare (essere utile) be useful (**a** to); (far bene) be good (**a** for)

Giove m Jupiter; **giovedì** m inv Thursday

gioventù f youth; (i giovani) young people pl; **giovinezza** f youth

gippone m AUTO SUV

giraffa f giraffe

girandola f *fuoco d'artificio* Catherine wheel, *Am* pinwheel; *(giocattolo)* windmill; *(banderuola)* weather vane; **girare** 1 v/t turn; *città, negozi* go around; *paese* travel around; *film* shoot; *(mescolare)* mix; FIN endorse 2 v/i turn; *rapidamente* spin; *(andare in giro)* wander around; *con un veicolo* drive around; **mi gira la testa** I feel dizzy; **girarrosto** m GASTR spit; **girasole** m sunflower; **girata** f turn; *(passeggiata a piedi)* walk, stroll; *in macchina* drive; FIN endorsement; **girevole** revolving

girino m tadpole

giro m turn; *(circolo)* circle; *(percorso abituale)* round; *(deviazione)* detour; *(passeggiata a piedi)* walk, stroll; *in macchina* drive; *in bicicletta* ride; *di pista* lap; *di motore* rev; *(viaggio)* tour; **nel ~ di una settimana** within a week; **essere in ~** *(da qualche parte)* be around somewhere; *(fuori)* be out; **mettere in ~** spread; *fig* **prendere in ~ qu** pull s.o.'s leg

girocollo m inv: **maglione a ~** crewneck sweater; **gironzolare** hang around; **~ per negozi** wander around the stores; **girovagare** wander around

gita f trip, excursion; **gitante** m/f (day) tripper

giù down; *(sotto)* below; *(da basso)* downstairs; *fig* **essere ~** be down o depressed; *di salute* be run down; **mandar ~** swallow *(anche fig)*; **su e ~** up and down

giubbotto m sports jacket; **~ di salvataggio** life jacket

giudicare judge; **~ male qu** misjudge s.o.; **lo hanno giudicato colpevole** he has been found guilty; **giudice** m judge; **giudizio** m judg(e)ment; *(senno)* wisdom; DIR *(causa)* trial; *(sentenza)* verdict; **a mio ~** in my opinion

giugno m June

giungere arrive **(a** in, at), reach **(a** sth)

giungla f jungle

giunta f addition; POL junta; **~ comunale** town council; **per ~** in addition, moreover; **giunto** pp ☞ **giungere**

giuramento m oath; **giurare** swear; **giurato 1** agg sworn **2** m member of the jury; **giuria** f jury

giuridico legal; **giurisprudenza** f jurisprudence

giustificare justify; **giustificazione** f justification

giustizia f justice; **giusto 1** agg just, fair; *(adatto)* right, appropriate; *(esatto)* correct, right **2** avv correctly; *mirare* accurately; *(proprio, per l'appunto)* just; **~!** that's right!

glassa f GASTR icing, *Am* frosting

gli 1 *art m* the; **avere gli occhi azzurri** have blue eyes **2** *pron (a lui)* (to) him; *(a esso)* (to) it; *(a loro)* (to) them; **dagli i libri** give him / them the books, give the books to him / them

glicemia f glycaemia, *Am* glycemia

glie: **~la**, **~lo**, **~li**, **~le**, **~ne** = *pron* **gli** *or* **le** with *pron* **la**, **lo**, **li**, **le**, **ne**

globale global; **globalizzazione** f globalization; **globo** m globe; **globulo** m globule; MED corpuscle; **~ rosso** red blood cell

gloria f glory

glossario m glossary

glucosio m glucose

gnocchi mpl *(di patate)* gnocchi *(small potato dumplings)*

gnorri m F: **fare lo ~** act dumb F

goal m inv SP goal

gobba f hump; **gobbo 1** *agg* hunchbacked **2** m hunchback

goccia f drop; **a ~ a ~** little by little; **gocciolare** drip

godere 1 v/t enjoy; **godersela** enjoy o.s. **2** v/i *(rallegrarsi)* be delighted *(di* at)

goffo awkward, clumsy

gol m inv SP goal

gola f throat; *(ingordigia)* greed(iness), gluttony; GEOG gorge; **mal** m **di ~** sore throat

golf m inv golf; *(cardigan)* cardigan; *(maglione)* sweater

golfo m gulf

goloso greedy; **essere ~ di dolci** have a sweet tooth

golpe m inv coup

gomito m elbow

gomitolo m ball (of wool)

gomma f rubber; *per cancellare* eraser, *Br anche* rubber; *(pneumatico)* tyre, *Am* tire; **~ da masticare** (chewing) gum; AUTO **~ di scorta** spare tyre; **avere una ~ a terra** have a flat tyre; **gommapiuma®** f foam rubber; **gommista** m tyre o *Am* tire specialist; **gommone** m rubber dinghy

gondola f gondola; **gondoliere** m gondolier

gonfiare 1 v/t con aria inflate; *le guance* puff out; *fig (esagerare)* exaggerate, magnify **2** v/i e **gonfiarsi** swell up; **gonfio** swollen; *pneumatico* inflated; *stomaco* bloated; *fig* puffed up *(di* with); **gonfiore** m swelling

gonna f skirt

gorgogliare *di stomaco* rumble; *dell'acqua* gurgle

gorilla m inv gorilla; F *(guardia del corpo)* bodyguard, gorilla F

gotico m/agg Gothic

governante 1 f housekeeper **2** m ruler; **governare** POL govern, rule; **governativo** government attr; **scuola** state

grasso

attr; **governo** *m* government
gozzovigliare make merry
gracchiare *di corvo* caw; *di rane* croak; *di persona* squawk
gracidare croak
gracile (*debole*) delicate
gradazione *f* gradation; (*sfumatura*) shade; **~ alcolica** alcohol(ic) content
gradevole pleasant, agreeable; **gradimento** *m* liking
gradinata *f* flight of steps; *stadio* stand; *a teatro* gallery, balcony; **gradino** *m* step
gradire like; (*desiderare*) wish; **gradisce un po' di vino?** would you like some wine?; **gradito** pleasant; (*bene accetto*) welcome
grado[1] *m* degree; *in una gerarchia*, MIL rank; **in ~ di lavorare** capable of working, fit for work; **per-i** by degrees
grado[2] *m*: **di buon ~** willingly
graduale gradual
graduatoria *f* list
graffa *f* TIP brace
graffiare scratch; **graffio** *m* scratch; **graffiti** *mpl* graffiti *sg o pl*
grafica *f* graphics; **grafico 1** *agg* graphic **2** *m* (*diagramma*) graph; (*disegnatore*) graphic artist
grafologia *f* handwriting analysis, graphology
grammatica *f* grammar; **grammaticale** grammatical
grammo *m* gram(me)

Gran Bretagna *f* Great Britain
gran ☞ **grande**
grana 1 *f* grain; F (*seccatura*) trouble; F *soldi* dough F, cash **2** *m inv* cheese similar to Parmesan
granaio *m* barn
granchio *m* crab
grande big; (*largo*) wide; *fig* (*intenso*, *notevole*) great; (*adulto*) grown-up, big; (*vecchio*) old; **grandezza** *f* (*dimensione*) size; (*larghezza*) width; (*ampiezza*) breadth; (*altezza*) height; *fig* (*eccellenza*) greatness; (*grandiosità*) grandeur
grandinare hail; **grandine** *f* hail
grandioso grand
granducato *m* grand duchy
granello *m* grain; **~ di pepe** peppercorn; **~ di polvere** speck of dust
granita *f* type of ice made of frozen crystals of coffee or fruit syrup
granito *m* granite
grano *m* (*chicco*) grain; (*frumento*) wheat; *fig* grain, ounce
granturco *m* maize, corn
grappa *f* grappa, *brandy made from the remains of the grapes used in wine-making*
grappolo *m* bunch
grassetto *m* TIP bold
grasso 1 *agg* fat; (*unto*) greasy; *cibo* fatty **2** *m* fat;

grassoccio plump
grata f grating
gratella f, **graticola** f GASTR grill, Am broiler
gratifica f bonus
gratin m: **al ~** au gratin; **gratinato** au gratin
gratis free (of charge)
gratitudine f gratitude; **grato** grateful
grattacapo m problem, headache F; **grattacielo** m skyscraper; **grattare** scratch; (raschiare) scrape; (grattugiare) grate; F pinch F; **grattugia** f grater; **grattugiare** grate
gratuito free (of charge); (infondato) gratuitous
gravare 1 v/t burden **2** v/i weigh (**su** on); **grave** (pesante) heavy; (serio) serious; (difficile) hard
gravidanza f pregnancy
gravità f seriousness, gravity; FIS (**forza** f **di**) **~** (force of) gravity
grazia f grace; (gentilezza) favour, Am favor; DIR pardon; **graziare** pardon; **grazie** thank you, thanks; **~ tante**, **~ mille** thank you so much; **~ a** thanks to; **grazioso** charming; (carino) pretty
Grecia f Greece; **greco 1** agg Greek **2** m, **-a** f Greek
gregge m flock
greggio 1 agg (non lavorato) raw, crude **2** m crude (petroleum)

grembiule m apron; **grembo** m lap; materno womb; fig bosom
gretto (avaro) mean; (di mente ristretta) narrow-minded
gridare 1 v/t shout, yell; **~ aiuto** shout for help **2** v/i shout, yell; (strillare) scream; **grido** m shout, cry
grigio grey, Am gray; fig (triste) sad; (scialbo) dreary
griglia f (grata) grating; GASTR grill; **alla ~** grilled
grilletto m trigger
grillo m cricket; fig (capriccio) fancy, whim
grimaldello m lock pick
grinfie fpl fig clutches
grinta f grit; fig determination
grinza f di stoffa crease; **grinzoso** viso wrinkled; (spiegazzato) creased
grissino m bread stick
grondaia f gutter
grondare 1 v/i (colare) pour; (gocciolare) drip; **~ di sudore** be dripping with sweat **2** v/t drip with
groppa f back
groppo m: **avere un ~ alla gola** have a lump in one's throat
grossezza f (dimensione) size; (spessore) thickness; (l'essere grosso) largeness
grossista m/f wholesaler; **grosso 1** agg big, large; (spesso) thick; mare rough; sale, ghiaia coarse; **sbagliarsi di ~** make a big mistake;

farla -a make a fine mess **2** *m* bulk; **grossolano** coarse; *errore* serious; **grossomodo** roughly

grotta *f* cave; *artificiale* grotto

grottesco grotesque

groviglio *m* tangle; *fig* muddle

gru *f inv* crane

gruccia *f* crutch; *per vestiti* hanger

grumo *m* clot; *di farina* lump

gruppo *m* group; **~ sanguigno** blood group

guadagnare earn; *(ottenere)* gain; **guadagno** *m* gain; *(profitto)* profit; *(entrate)* earnings

guaina *f* sheath; *(busto)* corset

guaio *m* trouble; *(danno)* damage; **essere nei -ai** be in trouble

guancia *f* cheek

guanciale *m* pillow

guanto *m* glove; **guantone** *m*: **~ da boxe** boxing glove

guardaboschi *m inv* forest ranger; **guardacoste** *m inv* MAR coastguard; **guardalinee** *m inv* SP assistant referee, linesman; **guardamacchine** *m* car park attendant, *Am* parking lot attendant

guardare 1 *v/t* look at; *(osservare, stare a vedere)* watch; *(custodire)* watch, look after; *(esaminare)* check **2** *v/i* look; *(controllare)* check; *di finestra* overlook (**su** sth); **~ a sud**

face south; **guardaroba** *m inv* cloakroom, *Am* checkroom; *armadio* wardrobe; **guardarsi** look at o.s.; **~ da** beware of; *(astenersi)* refrain from

guardia *f* guard; **~ forestale** forest ranger; **~ di finanza** Customs official; **~ del corpo** bodyguard; **~ medica**, **medico** *m* **di ~** duty doctor; **fare la ~** keep guard; **stare in ~** be on one's guard; **guardiano** *m*, **-a** *f* *(custode)* warden; *(portiere)* caretaker; *(guardia)* guard; *di parco* keeper; **~ notturno** night watchman; **guardone** *m* voyeur

guardrail *m inv* guardrail

guarigione *f* recovery; **in via di ~** on the mend; **guarire 1** *v/t* cure **2** *v/i* recover; *di ferita* heal

guarnizione *f* *(abbellimento)* trimming; GASTR garnish; *di rubinetto* washer; AUTO **~ del freno** brake lining

guastafeste *m/f inv* spoilsport; **guastare** spoil, ruin; *meccanismo* break; **guastarsi** break down; *di tempo* change for the worse; *di cibi* go bad; **guasto 1** *agg* broken; *telefono, ascensore* out of order; AUTO broken down; *cibi* bad; *dente* rotten, decayed **2** *m* fault, failure; AUTO breakdown

guerra *f* war; **guerrafondaio**

m war-monger; **guerriglia** *f* guerrilla warfare; **guerrigliero** *m*, **-a** *f* guerrilla
gufo *m* owl
guida *f* guidance; (*persona, libro*) guide; AUTO driving; **~ telefonica** phone book; **~ turistica** tourist guide; AUTO **~ a destra / a sinistra** right-hand / left-hand

drive; **guidare** guide; AUTO drive; **guidatore** *m*, **-trice** *f* driver
guinzaglio *m* lead, leash
guscio *m* shell
gustare taste; *fig* enjoy; **gusto** *m* taste; (*sapore*) flavour, Am flavor; *fig* (*piacere*) pleasure; **buon / cattivo ~** good / bad taste

H

ha[1] (= **ettaro**) ha (= hectare)
ha[2] ☞ **avere**
habitat *m inv* BIO habitat
habitué *m/f inv* regular
hacker *m/f inv* INFOR *inv* hacker
hai ☞ **avere**
hall *f inv* foyer
hamburger *m inv* hamburger
handicap *m inv* handicap; **handicappato 1** *agg* disabled, handicapped **2** *m*, **-a** *f* disabled *o* handicapped person
hanno ☞ **avere**
hard disk *m inv* INFOR hard disk
hardware *m inv* INFOR hardware

ware
harem *m inv* harem
hashish *m inv* hashish
henné *m inv* henna
herpes *m inv* herpes
hinterland *m inv* hinterland
hit parade *f inv* hit parade, charts
ho ☞ **avere**
hobby *m inv* hobby
hockey *m inv* hockey; **~ su ghiaccio** ice hockey
hostess *f inv* hostess; **~ di terra** (*guida*) member of ground staff
hot dog *m inv* hot dog
hotel *m inv* hotel

I

i *art mpl* the
iceberg *m inv* iceberg
icona *f* icon
idea *f* idea; (*opinione*) opinion; **cambiare ~** change

one's mind; **non avere la minima ~ di qc** not have the slightest idea about sth; **neanche per ~!** of course not!; **ideale** *m/agg* ideal; **idealiz-**

zare idealize; **ideare** *scherzo, scusa* think up; *metodo, oggetto nuovo* invent; *piano, progetto* devise; **ideatore** *m*, **-trice** *f* originator; *di metodo, oggetto nuovo* inventor

idem ditto

identico identical; **identificare** identify; **identikit** *m inv* Identikit®, *Am* composite drawing; **identità** *f inv* identity

ideologia *f* ideology

idiomatico idiomatic

idiota 1 *agg* idiotic, stupid **2** *m/f* idiot, fool; **idiozia** *f* stupidity; (*assurdità*) nonsense; **un'~** a stupid *o* idiotic thing to do / say

idolo *m* idol

idoneo suitable (**a** for)

idrante *m* hydrant

idratante *della pelle* moisturizing; **idratare** *la pelle* moisturize

idraulico 1 *agg* hydraulic; **impianto** *m* ~ plumbing **2** *m* plumber

idrico water *attr*

idroelettrico hydroelectric; **idrofilo: cotone** *m* ~ cotton wool, *Am* absorbent cotton; **idromassaggio** *m* Jacuzzi®, **whirlpool;** **idroplano** *m* hydroplane

iena *f* hyena

ieri yesterday; **~ l'altro, l'altro ~** the day before yesterday; **~ mattina** yesterday morning

igiene *f* hygiene; **igienico** hygienic; **carta** *f* **-a** toilet paper

ignaro unaware (**di** of); **ignorante** (*non informato*) ignorant; (*incolto*) uneducated; (*maleducato*) rude; **ignoranza** *f* ignorance; **ignorare** (*non considerare*) ignore; (*non sapere*) not know; **ignoto** unknown

il *art m sg* the; **~ martedì** on Tuesdays; **2 euro ~ chilo** 2 euros a kilo; **mi piace il caffè** I like coffee

illegale illegal

illeggibile illegible

illegittimo illegitimate

illeso unhurt

illimitato unlimited

illogico illogical

illudere deceive; **illudersi** delude o.s.

illuminare light up; *fig* enlighten; **illuminazione** *f* lighting; *fig* flash of inspiration

illusione *f* illusion; **illuso 1** *pp* ☞ **illudere 2** *m/f* (*sognatore*) dreamer

illustrare illustrate; **illustratore** *m*, **-trice** *f* illustrator; **illustrazione** *f* illustration

illustre illustrious

imballaggio *m* *operazione* packing; (*involucro*) package; **imballare** pack; AUTO **~ il motore** race the engine

imbambolato *occhi, sguardo* blank; *dal sonno* bleary-eyed

imbarazzante embarrassing; **imbarazzare** embarrass; **im-**

barazzato embarrassed; **imbarazzo** *m* embarrassment; (*disturbo*) trouble; **mettere in ~ qu** embarrass s.o.

imbarcadero *m* landing stage; **imbarcarsi** go on board, embark; **imbarcazione** *f* boat; **~ da diporto** pleasure boat; **imbarco** *m di passeggeri* boarding, embarkation; *di carico* loading; (*banchina*) landing stage

imbattersi: ~ in qu bump into s.o.

imbattibile unbeatable

imbecille 1 *agg* idiotic, stupid **2** *m/f* imbecile, fool

imbiancare 1 *v/t* whiten; *con pitture* paint; *tessuti* bleach **2** *v/i e* **imbiancarsi** go white; **imbianchino** *m* (house) painter

imboccare *persona* feed; *fig* prompt; **~ una strada** turn into a road; **imboccatura** *f* (*apertura*) opening; (*ingresso*) entrance; MUS mouthpiece; **imbocco** *m* entrance

imboscata *f* ambush

imbottigliare bottle; *di veicoli* hold up

imbottito stuffed; *panino* filled; **imbottitura** *f* stuffing; *di giacca* padding

imbranato clumsy

imbrattare soil; (*macchiare*) stain

imbrogliare 1 *v/t* (*raggirare*) take in; (*truffare*) cheat; *fig* confuse **2** *v/i* cheat; **imbro-**

glio *m* (*truffa*) trick; *fig* (*pasticcio*) mess; **imbroglione** *m*, **-a** *f* cheat

imbronciato sulky

imbruttire 1 *v/t* make ugly **2** *v/i* get ugly

imbucare *posta* post, *Am* mail

imburrare butter

imbuto *m* funnel

imitare imitate; **imitazione** *f* imitation

immaginare imagine; (*supporre*) suppose; **immaginario** imaginary; **immaginazione** *f* imagination

immagine *f* image

immangiabile inedible

immaturo *persona* immature; (*precoce*) premature; *frutto* unripe

immedesimarsi identify (**in** with)

immediatamente immediately; **immediato** immediate; (*pronto*) prompt

immenso immense

immergere immerse; (*lasciare immerso*) soak; **immergersi** plunge; *di subacqueo, sottomarino* dive; *fig* immerse o.s. (**in** in); **immersione** *f* immersion; *di subacqueo, sottomarino* dive; **immerso 1** *pp* ☞ **immergere 2** *agg* immersed

immettere introduce (**in** into); INFOR *dati* enter; (*portare*) lead (**in** into); **immettersi: ~ in** get into

immigrante m/f immigrant; **immigrare** immigrate; **immigrato** m, **-a** f immigrant; **immigrazione** f immigration; (immigrati) immigrants; FIN inflow

imminente imminent; pericolo impending; pubblicazione forthcoming

immischiarsi meddle (**in** with), interfere (**in** in)

immissione f introduction; di manodopera intake; INFOR di dati entry

immobile 1 agg motionless **2** mpl: **-i** real estate; **immobiliare**: **agente** m/f ~ estate agent, Am realtor; **società** f ~ di compravendita property company; di costruzione construction company

immondizia f (gen pl) rubbish, Am trash

immorale immoral

immortale immortal; **immortalità** f immortality

immune MED immune (**a** to); (esente) free (**da** from); **immunità** f immunity; **immunitario**: **sistema** m ~ immune system; **immunodeficienza** f immunodeficiency

immutato unchanged

impacchettare (confezionare) wrap (up); (mettere in pacchetti) package

impacciare movimenti hamper; persona hinder; **impacciato** (imbarazzato) embarrassed; (goffo) awkward; im-paccio m (ostacolo) hindrance; (situazione difficile) awkward situation; (imbarazzo) awkwardness

impacco m MED compress

impadronirsi: ~ **di qc** take possession of sth; fig master sth

impalcatura f temporanea scaffolding; fig framework

impallidire di persona turn pale

impanare GASTR coat with breadcrumbs; **impanato** in breadcrumbs, breaded

impaperarsi falter

imparare learn (**a** to)

imparentarsi: ~ **con qu** become related to s.o.

impari unequal; MAT odd

impartire give

imparziale impartial; **imparzialità** f impartiality

impassibile impassive

impastare mix; pane knead; **impasto** m GASTR dough; (mescolanza) mixture

impatto m impact

impaurire frighten; **impaurirsi** get frightened

impaziente impatient; **impazienza** f impatience

impazzata: **all'~** correre at breakneck speed; colpire wildly

impazzire go mad o crazy; **far** ~ **qu** drive s.o. mad o crazy

impeccabile impeccable

impedire prevent; (ostruire) block, obstruct; (impacciare) hinder; **~ a qu di fare qc** prevent s.o. from doing sth, keep s.o. from doing sth

impegnare (*dare come pegno*) pawn; (*riservare*) reserve; *spazio, corsia* take up; **impegnarsi** (*prendersi l'impegno*) commit o.s., undertake (**a** to); (*concentrarsi*) apply o.s. (**in** to); **impegnativo** (*che richiede impegno*) demanding; *pranzo, serata, abito* formal; (*vincolante*) binding; **impegnato** (*occupato*) busy; *fig* (politically) committed; **sono già ~** I've made other arrangements; **impegno** *m* commitment; (*appuntamento*) engagement; **con ~** in earnest

impensabile unthinkable; **impensato** unexpected

imperante (*dominante*) prevailing

imperativo *m/agg* imperative; **imperatore** *m*, **-trice** *f* emperor; *donna* empress

impercettibile imperceptible

imperdonabile unforgivable

imperfetto *m/agg* imperfect; **imperfezione** *f* imperfection

impermeabile 1 *agg* waterproof **2** *m* raincoat; **impermeabilizzare** waterproof

impero *m* empire; (*potere*) rule

impersonale impersonal; **impersonare** personify; (*interpretare*) play (the part of)

impertinente impertinent; **impertinenza** *f* impertinence

imperturbabile imperturbable

imperversare rage; *fig*: *di moda* be all the rage

impeto *m* impetus, force; (*accesso*) outburst; (*slancio*) passion; **parlare con ~** speak forcefully; **impetuoso** impetuous

impianto *m* operation installation; (*apparecchiature*) plant; (*sistema*) system; MED implant; **~ elettrico** wiring; **~ di risalita** ski lift; **~ di riscaldamento** heating system

impiccare hang; **impiccarsi** hang o.s.

impicciarsi: **~ di** *o* **in qc** interfere *o* meddle in sth; **impiccio** *m* (*ostacolo*) hindrance; (*seccatura*) bother; **essere d'~** be in the way; **essere in un ~** be in trouble

impiegare (*usare*) use; *tempo, soldi* spend; (*metterci*) take; (*assumere*) employ; **ho impiegato un'ora** it took me an hour; **impiegato** *m*, **-a** *f* employee; **~ di banca** bank employee; **impiego** *m* (*uso*) use; (*occupazione*) employment; (*posto*) job

impietosire move to pity; **impietosirsi** be moved to pity

impigliare entangle; **impigliarsi** get entangled

impigrire 1 v/t make lazy **2** v/i e **impigrirsi** get lazy

implacabile implacable

implicare (*coinvolgere*) implicate; (*comportare*) imply

implicito implicit

implorare implore

impolverato dusty, covered in dust

imponente imposing, impressive

imponibile 1 *agg* taxable **2** *m* taxable income

impopolare unpopular

imporre impose; *prezzo* fix; **imporsi** (*farsi valere*) assert o.s.; (*avere successo*) be successful, become established; (*essere necessario*) be necessary

importante important; *importanza* f importance; **senza** ~ not important, unimportant; **importo 1** v/t FIN, INFOR import **2** v/i matter, be important; (*essere necessario*) be necessary; **non importa** it doesn't matter; **non gliene importa niente** he couldn't care less; *importatore* m, *-trice* f importer; *importazione* f import; *importo* m amount

importunare (*assillare*) pester; (*disturbare*) bother; **importuno** troublesome; *domanda*, *osservazione* ill-timed

impossessarsi: ~ **di** seize

impossibile impossible; **im-**

possibilità f impossibility

imposta¹ f tax; ~ **sul reddito** income tax; ~ **sul valore aggiunto** value added tax, *Am* sales tax

imposta² f di finestra shutter

impostare *lavoro* plan; *problema* set out; *lettera* post, *Am* mail

imposto pp ☞ *imporre*

impostore m impostor

impotente powerless; (*inefficace*) ineffectual; MED impotent

impraticabile *strada* impassable

impratichirsi get practice (**in** in)

imprecare curse, swear (**contro** at); *imprecazione* f curse

imprecisato *quantità* indeterminate; *motivi*, *circostanze* not clear; *imprecisione* f inaccuracy; **impreciso** inaccurate

impregnare impregnate; (*imbevere*) soak; **impregnarsi** become impregnated (**di** with)

imprenditore m, *-trice* f entrepreneur; *imprenditoriale* entrepreneurial

impreparato unprepared

impresa f (*iniziativa*) enterprise, undertaking; (*azienda*) business, firm

impresario m contractor; TEA impresario

impressionante impressive;

(*spaventoso*) frightening; (*sconvolgente*) upsetting, shocking; **impressionare** (*turbare*) upset, shock; (*spaventare*) frighten; (*colpire*) impress; **impressionato** FOT exposed; ~ **favorevolmente** (favourably) impressed; **impressione** *f* impression; (*turbamento*) shock; (*paura*) fright; TIP printing; **impresso** *pp* ☞ **imprimere**

imprevedibile unforeseeable; *persona* unpredictable; **imprevisto 1** *agg* unexpected **2** *m* unforeseen event; **salvo imprevisti** all being well

imprigionare imprison

imprimere impress; *fig: nella mente* fix firmly, imprint; *movimento* impart; TIP print

improbabile unlikely, improbable

impronta *f* impression, mark; (*orma*) footprint; (*traccia*) track; *fig* mark; **-e** *pl* **digitali** fingerprints; **-e** *pl* **genetiche** genetic fingerprints

improprio improper

improvvisamente suddenly; **improvvisare** improvize; **improvvisata** *f* surprise; **improvvisato** improvized, impromptu; **improvviso** sudden; (*inaspettato*) unexpected; **all'~** suddenly; (*inaspettatamente*) unexpectedly

imprudente careless; (*non*

saggio) imprudent, rash; **imprudenza** *f* carelessness; (*mancanza di saggezza*) imprudence, rashness

impugnare grasp; DIR contest; **impugnatura** *f* grip; (*manico*) handle

impulsivo impulsive; **impulso** *m* impulse

impunità *f* impunity

impuntarsi (*ostinarsi*) dig one's heels in

imputato *m*, -a *f* accused; **imputazione** *f* charge

imputridire rot

in in; *moto a luogo* to; ~ **casa** at home; **va ~ Inghilterra** he is going to England; ~ **italiano** in Italian; ~ **campagna** in the country; **viaggiare ~ macchina** travel by car; **nel 1999** in 1999; ~ **vacanza** on holiday

inabile unfit (**a** for); (*disabile*) disabled

inaccessibile inaccessible, out of reach; *fig: persona* unapproachable; *prezzi* exorbitant

inaccettabile unacceptable

inacidire, inacidirsi turn sour

inadatto unsuitable (**a** for)

inadeguato inadequate

inalare inhale; **inalatore** *m* inhaler; **inalazione** *f* inhalation

inalterabile *sentimento* unchangeable; *colore* fast; *metallo* non-tarnish

inalterato unchanged
inamidare starch
inammissibile inadmissible
inanimato inanimate; *(senza vita)* lifeless
inappetenza f lack of appetite
inarcare *schiena* arch; *sopracciglia* raise
inaridire 1 v/t parch **2** v/i dry up
inaspettato unexpected
inasprimento m *(intensificazione)* worsening; *di carattere* embitterment; **inasprire** exacerbate, make worse; *carattere* embitter
inattendibile unreliable
inatteso unexpected
inattività f inactivity; **inattivo** *persona, capitale* idle, inactive; *vulcano* dormant
inattuabile *(non fattibile)* impracticable; *(non realistico)* unrealistic
inaugurare *mostra* (officially) open, inaugurate; *lapide* unveil; F *oggetto nuovo* christen F; **inaugurazione** f *di mostra* (official) opening, inauguration; *di lapide* unveiling; F *di oggetto nuovo* christening F
inavvertenza f inadvertence
incagliarsi MAR run aground
incalcolabile incalculable
incalzare pursue; *fig*: *con richieste* ply
incamminarsi set out
incandescente incandescent; *fig* heated

incantare enchant; **incantarsi** *(restare affascinato)* be spellbound; *(sognare a occhi aperti)* be in a daze; TEC jam; **incantato** *per effetto di magia* enchanted; *(trasognato)* in a daze; *(affascinato)* spellbound; **incantesimo** m spell; **incantevole** delightful, charming
incanto[1] m *(incantesimo)* spell; **come per ~** as if by magic
incanto[2] m COM auction; **mettere all'~** put up for auction
incapace 1 agg incapable *(di* of); *(incompetente)* incompetent **2** m/f incompetent person; **incapacità** f *(inabilità)* inability; *(incompetenza)* incompetence
incappare: **~ in** nebbia, difficoltà run into
incapricciarsi: **~ di qu** take a liking to s.o.
incarcerare imprison
incaricare *(dare istruzioni a)* instruct; **~ qu di fare qc** tell o instruct s.o. to do sth; **incaricarsi:** **~ di qc** see to sth, deal with sth; **incaricato** m, **-a** f *(responsabile)* person in charge; *(funzionario)* official; **incarico** m *(compito)* task, assignment; *(nomina)* appointment
incarnare embody
incartare wrap (up) (in paper)

incassare COM *(riscuotere)* cash; *fig: colpi, insulti ecc* take; **incasso** *m (riscossione)* collection; *(somma incassata)* takings

incastonare set

incastrare fit in; F *fig (far apparire colpevole)* frame F; *(mettere in una posizione difficile)* corner F

incastro *m* joint

incatenare chain

incavato hollow; *occhi* deep-set

incendiare set fire to; **incendiario** *m, -a f* arsonist; **incendio** *m* fire; **~ doloso** arson

incenerire reduce to ashes; **inceneritore** *m* incinerator

incenso *m* incense

incensurato irreproachable; DIR **essere ~** have a clean record

incentivare *(incrementare)* boost; **incentivo** *m* incentive

incerata f oilcloth

incertezza f uncertainty; **incerto 1** *agg* uncertain **2** *m* uncertainty

incessante incessant

incetta f: **fare ~ di qc** stockpile sth

inchiesta f investigation

inchinarsi bow; *di donna* curtsy; **inchino** *m* bow; *di donna* curtsy

inchiodare 1 *v/t* nail; *coperchio* nail down **2** *v/i* AUTO jam on the brakes

inchiostro *m* ink

inciampare trip *(in over)*; **~ in qu** run into s.o.

incidentale *(casuale)* accidental; *(secondario)* incidental; **incidente** *m (episodio)* incident; **~ aereo** plane crash; **~ stradale** road accident

incidere [1] *v/i* affect *(su sth)*

incidere [2] *v/t* engrave; *(tagliare)* cut; *(registrare)* record

incinta pregnant

incirca: all'~ more or less

incisione f engraving; *(acquaforte)* etching; *(taglio)* cut; MED incision; *(registrazione)* recording; **incisivo 1** *agg* incisive **2** *m (dente)* incisor

incitare incite

incivile uncivilized; *(villano)* impolite

inclinare 1 *v/t* tilt **2** *v/i*: **~ a** *(tendere a)* be inclined to; **inclinato** tilted; **inclinazione** f inclination; **incline** inclined *(a to)*

includere include; *(allegare)* enclose; **inclusivo** inclusive; **incluso 1** *pp* ☞ **includere 2** *agg* included; *(compreso)* inclusive; *(allegato)* enclosed

incoerente *(incongruente)* inconsistent; **incoerenza** f inconsistency

incognita f unknown quantity; **incognito: in ~** incognito

incollare stick; *con colla liquida* glue; **incollarsi** stick *(a to)*

incolore colourless, Am colorless

incolpare blame

incolto uneducated; (*trascurato*) unkempt; AGR uncultivated

incolume unharmed; **incolumità** *f* safety

incombente *pericolo* impending; **incombenza** *f* task

incominciare start, begin (a to)

incomodare inconvenience; **incomodarsi** put o.s. out

incompatibile incompatible; **incompatibilità** *f* incompatibility

incompetente incompetent; **incompetenza** *f* incompetence

incompiuto unfinished

incompleto incomplete

incomprensibile incomprehensible; **incomprensione** *f* lack of understanding; (*malinteso*) misunderstanding; **incompreso** misunderstood

inconcepibile inconceivable

inconcludente inconclusive; *persona* ineffectual

inconfondibile unmistakable

inconfutabile indisputable

inconsapevole (*ignaro*) unaware

inconscio *m/agg* unconscious

inconsistente insubstantial; fig (*infondato*) unfounded; (*vago*) vague

inconsolabile inconsolable

inconsueto unusual

incontentabile hard to please; (*perfezionista*) perfectionist

incontestato undisputed

incontrare 1 *v/t* meet; *difficoltà* encounter **2** *v/i* e **incontrarsi** meet (**con** s.o.)

incontrario: *all'~* the other way round; (*nel modo sbagliato*) the wrong way round

incontrastato undisputed

incontro 1 *m* meeting; *~ di calcio* football match *o* *Am* game **2** *prp*: *~ a* towards; *andare ~ a qu* go and meet s.o.; *fig* meet s.o. halfway

inconveniente *m* (*svantaggio*) drawback; (*ostacolo*) hitch

incoraggiamento *m* encouragement; **incoraggiante** encouraging; **incoraggiare** encourage

incorniciare frame

incoronare crown

incorporare incorporate

incorreggibile incorrigible

incorrere: *~ in sanzioni* incur; *errore* make

incorruttibile incorruptible

incosciente unconscious; (*irresponsabile*) reckless

incoscienza *f* unconsciousness; (*insensatezza*) recklessness

incostante changeable; *negli affetti* fickle

incostituzionale unconstitutional

incredibile incredible

incredulo incredulous, disbelieving

incrementare increase; **incremento** *m* increase, growth

increspare *acque* ripple; *capelli* frizz; *tessuto* gather

incriminare indict

incrociare 1 *v/t* cross **2** *v/i* MAR, AVIA cruise; **incrocio** *m* (*intersezione*) crossing; (*crocevia*) crossroads *sg*, *Am* intersection; *di razze animali* cross(-breed)

incubatrice *f* incubator; **incubazione** *f* incubation

incubo *m* nightmare

incudine *f* anvil

incurabile incurable

incurante heedless (**di** of)

incuriosire: ~ **qu** arouse s.o.'s curiosity

incursione *f* raid; ~ **aerea** air raid

incustodito unattended; *passaggio a livello* unmanned

indaco *m/agg* indigo

indaffarato busy

indagare investigate (**su, intorno a** sth); **indagine** *f* research; *della polizia* investigation; ~ **di mercato** market survey

indebitare, indebitarsi get into debt

indebolire weaken

indecente indecent

indecisione *f* indecision, in-

decisiveness; **indeciso** undecided; *abitualmente* indecisive

indefinito indefinite

indelebile indelible; *colore* fast

indenne *persona* uninjured; *cosa* undamaged; **indennità** *f inv* (*gratifica*) allowance, benefit; (*risarcimento*) compensation; ~ **di trasferta** travel allowance; **indennizzare** compensate (**per** for); **indennizzo** *m* (*compenso*) compensation

indescrivibile indescribable

indesiderato unwanted

indeterminato *tempo* unspecified, indefinite; *quantità* indeterminate

India *f* India; **indiano 1** *agg* Indian **2** *m*, **-a** *f* Indian

indicare show, indicate; *col dito* point at *o* to; (*consigliare*) suggest, recommend; (*significare*) mean; **indicativo** *m* GRAM indicative; **indicato** (*consigliabile*) advisable; (*adatto*) suitable

indicatore 1 *agg* indicative **2** *m* indicator; AUTO ~ **di direzione** indicator, *Am* turn signal; **indicazione** *f* indication; (*direttiva*) direction; (*informazione*) piece of information; MED **-i** *pl* directions (for use); **-i pl stradali** road signs

indice *m* index; ANAT index finger, forefinger

indicibile indescribable

indietreggiare draw back; *camminando all'indietro* step back; MIL retreat

indietro behind; *tornare, girarsi* back; *essere ~ con il lavoro* be behind; *mentalmente* be backward; *di orologio* be slow; *dare ~ (restituire)* give back; *tirarsi ~* draw back; *fig* back out; *all'~* backwards

indifeso defenceless, *Am* defenseless

indifferente indifferent; *non ~* appreciable, considerable; *per me è ~* it's all the same to me; **indifferenza** *f* indifference

indigeno 1 *agg* native, indigenous **2** *m*, -a *f* native

indigestione *f* indigestion; **indigesto** indigestible

indignare: *~ qu* make s.o. indignant; **indignarsi** get indignant (*per* about)

indimenticabile unforgettable

indipendente independent (*da* of); **indipendentemente** independently; *~ dall'età* regardless of age; **indipendenza** *f* independence

indire *conferenza, elezioni, sciopero* call; *concorso* announce

indiretto indirect

indirizzare direct; *lettera* address; *(spedire)* send; **indirizzario** *m* address book; *per spedizione* mailing list; **indirizzo** *m* address; *(direzione)* direction; *~ di posta elettronica* e-mail address

indisciplinato undisciplined

indiscreto indiscreet; **indiscrezione** *f* indiscretion

indiscriminato indiscriminate

indiscusso unquestioned

indiscutibile unquestionable

indispensabile 1 *agg* indispensable, essential **2** *m* essentials

indispettire irritate; **indispettirsi** get irritated; **indispettito** irritated

indisposto *(ammalato)* indisposed

indistinto indistinct

indistruttibile indestructible

indivia *f* endive

individuale individual; **individualista** *m/f* individualist; **individuo** *m* individual

indizio *m* clue; *(segno)* sign; *(sintomo)* symptom; DIR *-i pl* circumstantial evidence

indole *f* nature

indolente indolent

indolore painless

indomani: *l'~* the next day

indossare *(mettersi)* put on; *(portare)* wear; **indossatore** *m*, -trice *f* model

indotto *pp* ☞ **indurre**

indovinare guess; *futuro* predict; **indovinato** *(ben riuscito)* successful; *(ben scelto)* well chosen; **indovinello** *m* riddle; **indovino** *m*, **-a** *f* fortune-teller

indubbiamente undoubtedly

indugiare 1 *v/t partenza* delay **2** *v/i* (*tardare*) delay; (*esitare*) hesitate; (*attardarsi*) linger; **indugio** *m* delay; **senza ~** without delay

indulgente indulgent; *giudice, sentenza* lenient; **indulgenza** *f* indulgence; *di giudice, sentenza* leniency

indumento *m* item of clothing; **gli -i** *pl* clothes

indurire 1 *v/t* harden **2** *v/i* e **indurirsi** go hard, harden; **indurito** hardened

indurre induce

industria *f* industry; (*operosità*) industriousness; **industriale 1** *agg* industrial **2** *m* industrialist; **industrializzazione** *f* industrialization

ineccepibile irreproachable; *ragionamento* faultless

inedito unpublished; *fig* novel

inefficace ineffective

inefficiente inefficient; **inefficienza** *f* inefficiency

ineguagliabile (*senza rivali*) unrivalled; *Am* unrivaled; (*senza confronto*) incomparable; **ineguale** unequal; (*discontinuo*) uneven

inequivocabile unequivocal

inerte (*inoperoso*) idle; (*immobile*) inert, motionless; (*senza vita*) lifeless; FIS inert; **inerzia** *f* inertia; (*inattività*) inactivity

inesattezza *f* inaccuracy; **inesatto** inaccurate

inesauribile inexhaustible

inesperienza *f* inexperience; **inesperto** inexperienced

inesplorato unexplored

inesploso unexploded

inestimabile inestimable; *bene* invaluable

inetto inept

inevaso pending

inevitabile inevitable

inezia *f* trifle

infallibile infallible

infame 1 *agg* (*turpe*) infamous, foul; *spir* horrible **2** *m/f* P (*delatore*) grass P

infantile *letteratura, giochi* children's; *malattie* childhood *attr*; (*immaturo*) childish, infantile; **infanzia** *f* childhood; (*primi mesi*) infancy (*anche fig*); (*bambini*) children *pl*

infarinare (*dust with*) flour; **infarinatura** *f fig* smattering

infarto *m cardiaco* heart attack

infastidire annoy, irritate

infatti in fact

infatuarsi: ~ di qu become infatuated with s.o.

infedele 1 *agg* unfaithful; *traduzione* inaccurate **2** *m/f* REL infidel; **infedeltà** *f inv* unfaithfulness

infelice unhappy; (*inopportuno*) unfortunate; (*malriuscito*) bad; **infelicità** *f* unhappiness

inferiore 1 agg lower; fig inferior (**a** to); **essere ~ a qu** be inferior to s.o. **2** m/f inferior; (subalterno) subordinate; **inferiorità** f inferiority; **complesso** m **d'~** inferiority complex

infermeria f infirmary; **infermiere** m, **-a** f nurse; **infermo 1** agg (ammalato) ill; (invalido) invalid **2** m, **-a** f invalid

infernale infernal; **inferno** m hell

inferriata f grating; (cancellata) railings

infestare infest; **infettarsi** become infected; **infettivo** infectious; **infezione** f infection

infiammabile flammable; **infiammarsi** become inflamed; **infiammazione** f inflammation

infierire di maltempo, malattie rage; **~ su** o **contro** savagely attack

infilare fili, corde, ago thread; (inserire) insert, put in; (indossare) put on; strada take; **infilarsi** indumento slip on; (conficcarsi) stick; (introdursi) slip (**in** into); (stiparsi) squeeze (into)

infiltrarsi seep, fig infiltrate; **infiltrazione** f infiltration; di liquidi seepage

infilzare pierce; perle thread

infimo lowest

infine (alla fine) finally, eventually; (insomma) in short

infinità f infinity; **ho un'~ di cose da fare** I've got no end of things to do; **infinito 1** agg infinite **2** m infinity; GRAM infinitive

infischiarsi F: **~ di** not give a hoot about F; **me ne infischio** I couldn't care less F

inflazione f inflation

inflessibile inflexible

infliggere inflict; **inflitto** pp **☞ infliggere**

influente influential; **influenza** f influence; MED flu, influenza; **influenzabile** easily influenced, impressionable; **influenzare** influence; **influire**: **~ su** influence, have an effect on; **influsso** m influence

infondato unfounded

infondere fig instil, Am instill

inforcare occhiali put on; bicicletta get on, mount

informale informal

informare inform (**di** of); **informarsi** find out (**di, su** about); **informatica** f scienza information technology, IT; **informatico 1** agg computer attr, IT attr **2** m, **-a** f computer scientist, IT specialist

informato informed; **informatore** m, **-trice** f informant; della polizia informer; **informazione** f information; **un'~** a piece of information; **-i** information; **ufficio** m **-i** information office

informicolirsi have pins and needles

infortunio *m* accident; ~ *sul lavoro* accident at work

infossato *occhi* deep-set, sunken

infrangere break; **infrangibile** unbreakable; *vetro m* ~ shatterproof glass

infranto *pp* ☞ *infrangere*

infrarosso infrared

infrasettimanale midweek

infrastruttura *f* infrastructure

infrazione *f* offence, *Am* offense

infreddatura *f* cold

infuocato (*caldissimo*) scorching; *discorso, tramonto* fiery

infuori: all'~ outwards; *all'~ di* except

infuriarsi fly into a rage; **infuriato** furious

infusione *f*, **infuso** *m* infusion; (*tisana*) herbal tea

ingaggiare (*reclutare*) recruit; *attore, cantante lirico* engage; SP sign (up); (*iniziare*) start, begin; **ingaggio** *m* (*reclutamento*) recruitment; SP signing; (*somma*) fee

ingannare deceive; ~ *il tempo* kill time; **inganno** *m* deception, deceit

ingarbugliare tangle; *fig* confuse, muddle; **ingarbugliarsi** get entangled; *fig* get confused

ingegnarsi do one's utmost

(*a, per* to)

ingegnere *m* engineer; **ingegneria** *f* engineering; ~ *genetica* genetic engineering

ingegno *m* (*mente*) mind; (*intelligenza*) brains; (*genio*) genius; (*inventiva*) ingenuity

ingelosire 1 *v/t* make jealous **2** *v/i* be jealous

ingente enormous

ingenuo ingenuous

ingerire swallow

ingessare put in plaster; **ingessatura** *f* plaster

Inghilterra *f* England

inghiottire swallow

ingiallire turn yellow; **ingiallito** yellowed

inginocchiarsi kneel (down)

ingiù: all'~ down(wards)

ingiunzione *f* injunction; ~ *di pagamento* final demand

ingiuria *f* insult

ingiustificato unjustified

ingiustizia *f* injustice; **ingiusto** unjust, unfair

inglese 1 *m/agg* English **2** *m/f* Englishman; *donna* Englishwoman *f*

ingoiare swallow

ingolfare, ingolfarsi flood

ingombrante cumbersome, bulky; **ingombrare** *passaggio* block; *stanza, mente* clutter (up); **ingombro 1** *agg* *passaggio* blocked; *stanza, mente* cluttered (up) **2** *m* hindrance, obstacle; *essere d'~* be in the way

ingordo greedy

ingorgo *m* blockage; ~ *stradale* traffic jam

ingozzare *cibo* devour, gobble up; *persona* stuff (*di* with); **ingozzarsi** stuff o.s (*di* with)

ingranaggio *m* gear; *fig* machine; **ingranare** engage; *fig* **F le cose cominciano a ~** things are beginning to work out

ingrandimento *m* enlargement; *di azienda, città* expansion, growth; **ingrandire** enlarge; *azienda, città* expand, develop; (*esagerare*) exaggerate; **ingrandirsi** grow

ingrassare 1 *v/t animali* fatten (up); (*lubrificare*) grease **2** *v/i* get fat, put on weight

ingratitudine *f* ingratitude; **ingrato** ungrateful; *lavoro, compito* thankless

ingrediente *m* ingredient

ingresso *m* entrance; (*atrio*) hall; (*accesso*) admittance; INFOR input; ~ **libero** admission free; **vietato l'~** no entry, no admittance

ingrossare *v/t* make bigger; (*gonfiare, accrescere*) swell **2** *v/i e* **ingrossarsi** get bigger; (*gonfiarsi*) swell; **ingrosso:** **all'~** (*all'incirca*) roughly, about; COM wholesale

inguaribile incurable

inguinale groin *attr*; **ernia** *f* ~ hernia; **inguine** *m* ANAT groin

ingurgitare gulp down

inibire prohibit, forbid; PSI inhibit; **inibito** inhibited; **inibizione** *f* PSI inhibition

iniettare inject; ~ *qc a qu* inject s.o. with sth; **iniezione** *f* injection

inimicarsi fall out (*con* with); **inimicizia** *f* enmity

inimmaginabile unimaginable

ininterrotto continuous

iniziale *f*/*agg* initial; **iniziare** begin, start; *ostilità, dibattito* open; *fig* initiate; ~ *a fare qc* begin *o* start doing sth, begin *o* start to do sth

iniziativa *f* initiative; *di mia* ~ on my own initiative

inizio *m* start, beginning; **avere** ~ start, begin; **dare** ~ *a qc* start sth

innaffiare water; **innaffiatoio** *m* watering can

innalzare raise; (*erigere*) erect

innamorarsi fall in love (*di* with); **innamorato 1** *agg* in love (*di* with) **2** *m*, -a *f* boyfriend; *donna* girlfriend

innanzi 1 *prp* before; ~ *a* in front of; ~ *tutto* first of all; (*soprattutto*) above all **2** *avv* *stato in luogo* in front; (*avanti*) forward; (*prima*) before; **d'ora** ~ from now on

innato innate, inborn

innervosire: ~ *qu* make s.o. nervous; (*irritare*) get on s.o.'s nerves; **innervosirsi** get nervous; (*irritarsi*) get irritated

innestare BOT, MED graft; EL *spina* insert; AUTO *marcia* engage

inno *m* hymn; ~ *nazionale* national anthem

innocente innocent; **innocenza** *f* innocence

innocuo innocuous, harmless

innovativo innovative; **innovazione** *f* innovation

inodore odourless, *Am* odorless

inoffensivo harmless, inoffensive

inoltrare forward; **inoltrarsi** advance, penetrate (*in* into); **inoltrato** late; **inoltre** besides

inondare flood; **inondazione** *f* flood

inopportuno (*inadatto*) inappropriate; (*intempestivo*) untimely; *persona* tactless

inorridire 1 *v/t* horrify **2** *v/i* be horrified; **inorridito** horrified

inosservato unobserved, unnoticed; (*non rispettato*) disregarded; *passare* ~ go unnoticed

inossidabile stainless

inquadrare *fotografia* frame; *fig* put into context; **inquadratura** *f* frame

inquietante (*che preoccupa*) worrying; (*che turba*) disturbing; **inquieto** restless; (*preoccupato*) worried; (*adirato*) angry

inquilino *m*, **-a** *f* tenant

inquinamento *m* pollution; **inquinante 1** *agg* polluting; **non** ~ environmentally friendly; *sostanza f* ~ pollutant **2** *m* pollutant; **inquinare** pollute; DIR *prove* tamper with

insabbiamento *m di porto* silting up; *fig* shelving

insaccati *mpl* sausages

insalata *f* salad; ~ *mista* mixed salad; ~ *verde* green salad; **insalatiera** *f* salad bowl

insanabile (*incurabile*) incurable; *fig* (*irrimediabile*) irreparable

insanguinato bloodstained

insaponare soap

insapore tasteless; **insaporire** flavour, *Am* flavor

insaputa: *all'*~ *di qu* unknown to s.o.

insaziabile insatiable

inscenare stage

inscindibile inseparable

insegna *f* sign; (*bandiera*) flag; (*stemma*) symbol; (*decorazione*) decoration

insegnamento *m* teaching; **insegnante 1** *agg* teaching; *corpo m* ~ (teaching) staff **2** *m/f* teacher; **insegnare** teach; ~ *qc a qu* teach s.o. sth

inseguimento *m* chase, pursuit; **inseguire** chase, pursue

inseminazione *f* insemination; ~ *artificiale* artificial insemination

insenatura f inlet

insensato 1 agg senseless, idiotic **2** m, -a f fool, idiot

insensibile insensitive (**a** to); parte del corpo numb; **insensibilità** f insensitivity; di parte del corpo numbness

inseparabile inseparable

inserire insert; (collegare: in elettrotecnica) connect; annuncio place; **inserirsi** fit in; in una conversazione join in; **inserto** m (pubblicazione) supplement; **inserviente** m/f attendant

inserzione f insertion; sul giornale ad, advertisement

insetticida m insecticide; insettifugo m insect repellent; **insetto** m insect

insicurezza f insecurity, lack of security; **insicuro** insecure

insieme 1 avv together; (contemporaneamente) at the same time **2** prp: **~ a**, **~ con** together with **3** m whole; di abiti outfit; **nell'~** on the whole

insignificante insignificant

insinuare insert; fig: dubbio, sospetto sow the seeds of; **~ che** insinuate that; **insinuarsi** penetrate; fig **~ in** creep into; **insinuazione** f insinuation

insipido insipid

insistente insistent; **insistenza** f insistence; **insiste**-re insist; (perseverare) persevere; **~ a fare qc** insist on doing sth

insoddisfacente unsatisfactory; **insoddisfatto** unsatisfied; (scontento) dissatisfied; **insoddisfazione** f dissatisfaction

insofferente intolerant

insolazione f sunstroke

insolente insolent

insolito unusual

insoluto unsolved; debito outstanding; **insolvenza** f insolvency

insomma briefly, in short; **~!** well, really!

insonne sleepless; **insonnia** f insomnia; **insonnolito** sleepy

insopportabile unbearable, intolerable

insorgere rise (up) (**contro** against); di difficoltà come up, crop up

insormontabile insurmountable

insorto 1 pp ☞ **insorgere 2** m rebel

insospettabile above suspicion; (impensato) unsuspected; **insospettire 1** v/t: **~ qu** make s.o. suspicious **2** v/i e **insospettirsi** become suspicious

insperato unhoped for; (inatteso) unexpected

inspiegabile inexplicable

inspirare breathe in, inhale

instabile unstable; tempo

changeable

installare install; **installazione** f installation

instancabile tireless

insù: all'~ upwards

insuccesso m failure

insufficiente insufficient; (*inadeguato*) inadequate; **insufficienza** f insufficiency; (*inadeguatezza*) inadequacy

insulina f insulin

insulso fig (*privo di vivacità*) dull; (*vacuo*) inane; (*sciocco*) silly

insultare insult; **insulto** m insult

insurrezione f insurrection

intaccare (*corrodere*) corrode; fig (*danneggiare*) damage; (*scorte, capitale*) make inroads into

intanto (*nel frattempo*) meanwhile; (*per ora*) for the time being; (*invece*) yet; ~ **che** while

intasare block; **intasarsi** get blocked; **intasato** blocked

intascare pocket

intatto intact

integrale whole; MAT integral; *edizione* unabridged; **pane** ~ wholemeal bread, Am wholewheat bread; **integrare** integrate; (*aumentare*) supplement; **integrarsi** integrate; **integrazione** f integration; **cassa** f ~ form of income support

intelaiatura f framework

intelletto m intellect; intellet-

tuale agg, m/f intellectual

intelligente intelligent; **intelligenza** f intelligence

intendere (*comprendere*) understand; (*udire*) hear; (*voler dire*) mean; (*avere intenzione*) intend; **s'intende!** of course!; **intendersi** (*capirsi*) understand each other; (*accordarsi*) agree; ~ **di qc** know a lot about sth; **intenditore** m, **-trice** f connoisseur, expert

intensificare intensify; **intensificarsi** intensify; **intensità** f inv intensity; EL strength; **intensivo** intensive; **intenso** intense

intento 1 agg engrossed (**a** in), intent (**a** on) **2** m aim, purpose; **intenzionale** intentional; **intenzione** f intention; **avere l'~ di fare qc** intend to do sth

interagire interact

interamente entirely

interattivo interactive

intercalare 1 v/t insert **2** m stock phrase

intercambiabile interchangeable

intercapedine f cavity

intercedere intercede (**presso** with; **per** on behalf of)

intercettare intercept; **intercettazione** f interception; **-i** pl **telefoniche** phone tapping

intercontinentale intercontinental

interdentale: filo m ~ (dental) floss

interessante interesting; **in stato** ~ pregnant; **interessare 1** v/t interest; (*riguardare*) concern **2** v/i matter; **interessarsi** be interested (**a**, **di** in); (*occuparsi*) take care (**di** of); **interessato 1** agg interested (**a** in); (*implicato*) involved (**a** in); *spreg* parere, opinione biased; **persona** self-interested **2** m, **-a** f person concerned; **interesse** m interest; (*tornaconto*) benefit; **per** ~ out of self-interest; **senza** ~ of no interest

interfaccia f INFOR interface

interferenza f interference; **interferire** interfere

interiezione f interjection

interiora fpl entrails

interiore m/agg interior

interlocutore m, **-trice** f: **la sua -trice** the woman he was talking to

intermediario m, **-a** f intermediary; **intermedio** intermediate; **bilancio, relazione** interim

interminabile interminable

intermittente intermittent

internazionale international

internet m Internet; **navigare su** ~ surf the Net

interno 1 agg internal, inside attr; GEOG inland; POL, FIN domestic; fig inner **2** m (*parte interna*) inside, interior; GEOG interior; TELEC exten-

sion; **via Dante n. 6** ~ **9** 6 via Dante, Flat 9; **all'**~ inside

intero whole, entire; (*completo*) complete; **latte** m ~ whole milk; MAT **numero** m ~ integer

interpellare consult

interpretare interpret; *personaggio* play; MUS play, perform; **interpretazione** f interpretation; TEA, MUS, *film* performance; **interprete** m/f interpreter; *attore, musicista* performer; **fare da** ~ interpret, act as interpreter

interpunzione f punctuation

interrogare question; EDU test; **interrogativo 1** agg GRAM interrogative; *occhiata* questioning; **punto** m ~ question mark **2** m (*domanda*) question; (*dubbio*) doubt; **interrogatorio** m questioning; **interrogazione** f questioning; *domanda* question; EDU oral (test)

interrompere interrupt; (*sospendere*) break off, stop; *comunicazioni, forniture* cut off; **interrotto** pp ☞ **interrompere; interruttore** m EL switch; **interruzione** f interruption

interurbana f long-distance (phone) call; **interurbano** intercity; **chiamata** f **-a** long-distance (phone) call

intervallo m interval; *di scuola, lavoro* break

intervenire intervene; (*parte-*

cipare) take part, participate
(**a** in); MED operate; **intervento** *m* intervention; *(partecipazione)* participation; MED operation; **pronto ~** emergency services
intervista *f* interview; **intervistare** interview; **intervistatore** *m*, **-trice** *f* interviewer
intesa *f* *(accordo)* understanding; *(patto)* agreement; SP team work; **inteso 1** *pp* ☞ **intendere 2** *agg* *(capito)* understood; *(destinato)* intended (**a** to); **siamo ~i?** agreed
intestare *assegno* make out (**a** to); *proprietà* register (**a** in the name of); **intestatario** *m*, **-a** *f* *di assegno* payee; *di proprietà* registered owner
intestazione *f* heading; *su carta da lettere* letterhead
intestinale intestinal; **intestino** *m* intestine, gut
intimare order
intimidazione *f* intimidation; **intimidire** intimidate
intimità *f* privacy; *di un rapporto* intimacy; **intimo 1** *agg* intimate; *(segreto)* private; *(accogliente)* cosy, *Am* cozy; *amico* close, intimate **2** *m persona* close friend; *(abbigliamento)* underwear
intingere dip
intitolare call, entitle; *(dedicare)* dedicate (**a** to); **intitolarsi** be called
intollerabile intolerable; **intollerante** intolerant; **intol-**

leranza *f* intolerance
intonacare plaster; **intonaco** *m* plaster
intonarsi *(armonizzare)* go well (**a, con** with); **intonato** MUS in tune; **colori** *pl* **-i** colours that go well together
intontito dazed
intoppo *m* *(ostacolo)* hindrance; *(contrattempo)* snag
intorno 1 *prp*: **~ a** around; *(riguardo a)* about **2** *avv* around
intossicare poison; **intossicazione** *f* poisoning; **~ alimentare** food poisoning
intralciare hinder; **intralcio** *m* hindrance
intransigente intransigent
intransitivo intransitive
intraprendente enterprising; **intraprendenza** *f* enterprise; **intraprendere** undertake
intrattabile intractable; *prezzo* fixed, non-negotiable
intrattenere entertain; **~ buoni rapporti con qu** be on good terms with s.o.; **intrattenersi** dwell (**su** on)
intravedere glimpse; *fig (presagire)* anticipate, see; **intravisto** *pp* ☞ **intravedere**
intrecciare plait, braid; *(intessere)* weave; **intrecciarsi** intertwine
intreccio *m* *fig* *(trama)* plot
intricato tangled; *disegno* intricate; *fig* complicated
intrigante scheming; *(affasci-*

nante) intriguing; **intrigo** *m* plot

intrinseco intrinsic

introdurre introduce; (*inserire*) insert; **introdursi** get in; **introduzione** *f* introduction

introito *m* income; (*incasso*) takings

intromettersi interfere; (*interporsi*) intervene

introvabile impossible to find

introverso 1 *agg* introverted **2** *m*, **-a** *f* introvert

intrufolarsi sneak in

intruglio *m* concoction

intruso *m*, **-a** *f* intruder

intuire know instinctively; **intuito** *m* intuition; **intuizione** *f* intuition

inumano inhuman

inumidire dampen, moisten; **inumidirsi** get damp

inutile useless; (*superfluo*) unnecessary, pointless; **inutilizzabile** unusable; **inutilmente** pointlessly, needlessly

invadente 1 *agg* nosy **2** *m/f* busybody

invadere invade; (*occupare*) occupy; (*inondare*) flood

invaghirsi: ~ *di* take a liking to

invalido 1 *agg* disabled; DIR invalid **2** *m*, **-a** *f* disabled person

invano in vain

invariato unchanged

invasione *f* invasion (*di* of)

invecchiare 1 *v/t* age **2** *v/i* age, get older; *di vini, cibi* mature; *fig* (*cadere in disuso*) date

invece instead; (*ma*) but; ~ *di fare* instead of doing

inveire: ~ *contro* inveigh against

invenduto unsold

inventare invent

inventario *m* inventory

inventore *m*, **-trice** *f* inventor; **invenzione** *f* invention

invernale winter *attr*; **sport** *mpl* **-i** winter sports; **inverno** *m* winter; **d'~** in winter

inverosimile improbable, unlikely

inversione *f* (*scambio*) reversal; AUTO ~ *di marcia* U-turn

inverso 1 *agg* reverse **2** *m* opposite

invertire reverse; (*capovolgere*) turn upside down; ~ *la marcia* turn around

investigare investigate; **investigatore** *m*, **-trice** *f* investigator

investimento *m* investment; *di pedone* running over; **investire** *pedone* run over; FIN, *fig* invest

inviare send; **inviato** *m*, **-a** *f* envoy; *di giornale* correspondent

invidia *f* envy; **invidiare** envy; **invidioso** envious

invincibile invincible

invio *m* dispatch

invisibile invisible

invitante *profumo* enticing; *offerta* tempting; **invitare** invite; **invitato** *m*, **-a** *f* guest; **invito** *m* invitation

invocare invoke; (*implorare*) beg for

invogliare induce

involontario involuntary

involtini *mpl* GASTR *rolled stuffed slices of meat*

involucro *m* wrapping

inzaccherare spatter with mud

inzuppare soak; (*intingere*) dip

io 1 *pron* I; ~ **stesso** myself; **sono ~!** it's me! **2** *m inv* ego

iodio *m* iodine

ionico ARCHI Ionic

iosa: *a* ~ in abundance

iperattivo hyperactive

ipermercato *m* hypermarket, *Am* supermarket

ipersensibile hypersensitive

ipertensione *f* high blood pressure

ipnosi *f* hypnosis; **ipnotizzare** hypnotize

ipocalorico low-calorie

ipocrisia *f* hypocrisy; **ipocrita 1** *agg* hypocritical **2** *m/f* hypocrite

ipoteca *f* mortgage; **ipotecare** mortgage

ipotesi *f inv* hypothesis; **ipotetico** hypothetical; **ipotizzare** hypothesize

ippica *f* (horse) riding; **ippodromo** *m* race-course

ippopotamo *m* hippo (potamus)

ira *f* anger

iracheno 1 *agg* Iraqi **2** *m*, **-a** *f* Iraqi

Iran *m* Iran; **iraniano 1** *agg* Iranian **2** *m*, **-a** *f* Iranian

Iraq *m* Iraq

irascibile irritable, irascible

iride *f* (*arcobaleno*) rainbow; ANAT, BOT iris

Irlanda *f* Ireland; **irlandese 1** *agg* Irish **2** *m* Irish Gaelic **3** *m/f* Irishman; *donna* Irishwoman

ironia *f* irony; **ironico** ironic(al); **ironizzare** be ironic

IRPEF *f* (= *Imposta sul Reddito delle Persone Fisiche*) income tax

irraggiungibile unattainable

irragionevole unreasonable

irrazionale irrational

irreale unreal

irrealizzabile unattainable

irregolare irregular; **irregolarità** *f inv* irregularity

irreparabile irreparable

irreperibile impossible to find

irreprensibile irreproachable

irrequieto restless

irresistibile irresistible

irresponsabile irresponsible

irrestringibile shrink-resistant

irrevocabile irrevocable

irriconoscibile unrecognizable

irrigare irrigate

irrigidire stiffen; *fig disciplina* tighten; **irrigidirsi** stiffen

irrilevante irrelevant

irrimediabile irremediable

irripetibile unrepeatable

irrisorio derisive; *quantità, somma di denaro* derisory; *prezzo* ridiculously low

irritabile irritable; **irritabilità** f irritability; **irritante** irritating; **irritare** irritate; **irritarsi** get irritated

irruzione f: **fare ~ in** burst into; *di polizia* raid

iscritto 1 p p ☞ **iscrivere 2** m, -a f member; *a gare, concorsi* entrant; EDU pupil, student **3** m: **per ~** in writing; **iscrivere** register; *a gare, concorsi* enter (**a** for, in); EDU enrol, Am enroll (**a** at); **iscriversi** *in un elenco* register; **~ a partito, associazione** join; *gara* enter; EDU enrol at, Am enroll at; **iscrizione** f inscription

islamico Islamic

Islanda f Iceland; **islandese 1** m/agg Icelandic **2** m/f Icelander

isola f island; **~ pedonale** pedestrian precinct

isolamento m isolation; TEC insulation; **~ acustico** soundproofing; **isolano** m, -a f islander

isolante 1 agg insulating **2** m insulator; TEC insulate; **isolare** isolate; TEC insulate; **isolarsi** isolate o.s., cut o.s. off; **isolato 1**

agg isolated; TEC insulated **2** m outsider; *di case* block

ispettore m, -trice f inspector; **ispezionare** inspect; **ispezione** f inspection

ispirare inspire; **ispirarsi di artista** get inspiration (**a** from); **ispirazione** f inspiration; (*impulso*) impulse; (*idea*) idea

Israele m Israel; **israeliano** m, -a f Israeli

istallare ☞ **installare**

istantanea f snap; **istantaneo** instantaneous; **istante** m instant; **all'~** instantly

istanza f (*esigenza*) need; (*domanda*) application; DIR petition

isterico hysterical

istigare instigate

istintivo instinctive; **istinto** m instinct

istituire establish; **istituto** m institute; *assistenziale* institution, home; **~ di bellezza** beauty salon; **istituzione** f institution

istmo m isthmus

istruire educate, teach; (*dare istruzioni a, addestrare*) instruct; **istruito** educated; **istruttivo** instructive; **istruttore** m, -trice f instructor; **istruzione** f education; (*direttiva*) instruction; **-i** pl **per l'uso** instructions (for use)

Italia f Italy; **italiano 1** m/agg Italian; **parla ~?** do you speak Italian? **2** *m*, **-a** *f* Italian

itinerario *m* route, itinerary

ittico fish

iuta *f* jute

IVA *f* (= *Imposta sul Valore Aggiunto*) VAT (= value-added tax), *Am* sales tax

J

jazz *m* jazz; **jazzista** *m/f* jazz musician

jeans *mpl* jeans

jeep *f inv* jeep

jet-lag *m inv* jet lag

jogging *m* jogging; **fare ~** jog, go for a jog

joint-venture *f inv* joint venture

jolly *m inv* joker

joy-stick *m inv* joystick

judo *m* judo

juke-box *m inv* jukebox

jumbo *m* jumbo

junior *m/agg* junior

K

kamikaze *m inv* suicide bomber

karatè *m* karate

killer *m inv* killer

kit *m inv* kit

kitsch *agg inv*, *m* kitsch

kiwi *m inv* BOT kiwi (fruit)

kmq (= *chilometri quadrati*) km² (= square kilometres)

k.o.: **mettere qu ~** knock s.o. out; *fig* trounce s.o.

kolossal *m inv* epic

krapfen *m inv* GASTR doughnut, *Am* donut

L

l (= *litro*) l (= litre)

l' = **lo**, **la**

là there; **di ~** that way; (*in quel luogo*) in there; (**al**) **di ~ di** on the other side of; **più in ~** further on; **nel tempo** later on

la¹ *art fsg* the; **~ signora Rossi** Mrs Rossi; **~ domenica** on

Sundays; **mi piace la birra** I like beer

la² *pron* **1** *sg* (*persona*) her; (*cosa, animale*) it; **~ prenderò** I'll take it **2** *anche* **La** *sg* you

la³ *m* MUS A; *nel solfeggio della scala* la(h)

labbro *m* lip

labirinto *m* labyrinth

laboratorio *m* lab, laboratory; (*officina*) workshop

laborioso laborious; *persona* hard-working

laburista 1 *agg* Labour **2** *m/f* Labour Party member; *elettore* Labour supporter

lacca *f* lacquer; **laccare** lacquer

laccio *m* tie, (draw)string; **-cci** *pl* **delle scarpe** shoe laces

lacerante *dolore, grido* piercing; **lacero** tattered

lacrima *f* tear; **lacrimare** water; **lacrimevole** heart-rending; **film** *m* ~ tear-jerker; **lacrimogeno: gas** *m* ~ tear gas

lacuna *f* gap; **lacunoso** incomplete

ladino 1 *agg* South Tyrolean **2** *m*, -a *f* South Tyrolean

ladro *m*, -a *f* thief

laggiù down there; *distante* over there

laghetto *m* pond

lagna *f* (*lamentela*) whining; *persona* whiner; (*cosa noiosa*) bore; **lagnarsi** complain (**di** about)

lago *m* lake

laguna *f* lagoon

laico 1 *agg* *scuola, stato* secular **2** *m*, -a *f* layman; laywoman

lama *f* blade

lamentarsi complain (**di** about); **lamentela** *f* complaint; **lamento** *m* whimper

lametta *f*: ~ (**da barba**) razor blade

lamiera *f* metal sheet

lamina *f* foil; ~ **d'oro** gold leaf

lampada *f* lamp; **lampadario** *m* chandelier; **lampadina** *f* light bulb; ~ **tascabile** torch, *Am* flashlight

lampante blindingly obvious

lampeggiare flash; **lampeggiatore** *m* AUTO indicator, *Am* turn signal; FOT flashlight

lampione *m* streetlight

lampo *m* lightning

lampone *m* raspberry

lana *f* wool; **pura** ~ **vergine** pure new wool

lancetta *f* needle; *di orologio* hand

lancia *f* spear; MAR launch; **lanciare** throw; *prodotto* launch; ~ **un'occhiata** glance, take a quick look; ~ **un urlo** give a shout, shout; **lanciarsi** rush; ~ **contro** throw o.s at, attack; F ~ **in un'impresa** embark on a venture

lancinante *dolore* piercing

lancio *m* throwing; *di prodotto* launch; ~ **del disco** discus; ~ **del giavellotto** javelin; ~ **del peso** putting the shot

languore *m* languor; **ho un** ~ **allo stomaco** I'm feeling peckish

lapide *f* gravestone; *su monumento* plaque

lapis *m inv* pencil

lardo *m* lard

larghezza *f* width, breadth; **largo 1** *agg* wide, broad; *indumento* loose, big; *(abbondante)* large, generous **2** *m* width; *(piazza)* square; **andare al ~** head for the open sea; **farsi ~** elbow one's way through; **stare alla -a da** keep away from

laringe *f* larynx; **laringite** *f* laryngitis

larva *f* ZO larva

lasagne *fpl* lasagne *sg*

lasciapassare *m inv* pass

lasciare leave; *(abbandonare)* give up; *(concedere)* let; *(smettere di tenere)* let go of; **lascia andare!, lascia perdere!** forget it!; **lasciarsi** separate, split; **~ andare** let o.s. go

lascito *m* legacy

laser *m inv, agg inv* laser

lassativo *m/agg* laxative

lasso *m*: **~ di tempo** period of time

lassù up there

lastra *f* di pietra slab; *di metallo, ghiaccio, vetro* sheet; MED X-ray

lastrico *m*: *fig* **ridursi sul ~** lose everything

latente latent

laterale lateral

laterizio *m* bricks and tiles

latino 1 *agg* Latin; **~-americano** Latin-American **2** *m* Latin; **~-americano, -a** Latin-American

latitante *m/f* fugitive

latitudine *f* latitude

lato *m* side; **a ~ di, di ~ a** beside

latrato *m* barking

latrina *f* latrines

latta *f* can, *Br anche* tin

latte *m* milk; **~ intero** whole milk; **~ scremato** skimmed milk; **latteo** milk *attr*; **Via f Lattea** Milky Way; **latteria** *f* dairy; **lattice** *m* latex; **latticinio** *m* dairy product

lattina *f* can, *Br anche* tin

lattuga *f* lettuce

laurea *f* degree; **laurearsi** graduate; **laureato** *m*, **-a** *f* graduate

lava *f* lava

lavabile washable; **~ in lavatrice** machine-washable

lavabo *m* basin

lavaggio *m* washing; **~ a secco** dry-cleaning

lavagna *f* blackboard, *Am* chalkboard; GEOL slate

lavanda *f* BOT lavender

lavanderia *f* laundry; **~ a gettone** laundrette, *Am* laundromat®

lavandino *m* basin; *nella cucina* sink

lavapiatti *m/f inv* dishwasher; **lavare** wash; **~ i panni** do the washing; **lavarsi** wash; **~ le mani** wash one's hands; **~ i denti** brush *o* clean one's teeth; **lavastoviglie** *f inv* dishwasher; **lavatrice** *f* washing machine

lavello m basin; *nella cucina* sink

lavorare 1 v/i work **2** v/t *materia prima* process; *legno* carve; *terra* work; **lavorativo**: **giorno** ~ workday; *lavorato legno* carved; **lavoratore** m, **-trice** f worker; **lavorazione** f *di materia prima* processing; *di legno* carving; *lavoro* m work; (*impiego*) job; **per** ~ on business; **-i in corso** roadworks, work in progress; **senza** ~ unemployed, out of work

le[1] art fpl the

le[2] pron fsg to her; fpl them; *anche* **Le** you

leader m/f inv leader

leale loyal; **lealtà** f loyalty

lebbroso m, **-a** f leper

lecca-lecca m inv lollipop; **leccare** lick

leccio m holm oak

leccornia f delicacy

lecito legal, permissible

lega f league; *di metalli* alloy

legale 1 agg legal **2** m/f lawyer; **legalizzare** legalize

legame m tie, relationship; (*nesso*) link, connection; **legamento** m ANAT ligament; **legare** tie; *persona* tie up; (*collegare*) link; *fig di lavoro* tie down

legge f law; **fuori** ~ illegal

leggenda f legend; *di carta geografica ecc* key; **leggendario** legendary

leggere read

leggerezza f lightness; *fig* casualness; **con** ~ thoughtlessly; **leggero** light; (*lieve, di poca importanza*) slight; (*superficiale*) thoughtless; *caffè* weak; **alla -a** lightly

leggibile legible

leggio m lectern; MUS music stand

legislativo legislative; **legislatura** f *periodo* term of parliament

legittimare approve; **legittimo** legitimate

legna f (fire)wood; **legname** m timber; **legno** m wood; **di** ~ wooden

legumi mpl peas and beans; *secchi* pulses

lei pron fsg *soggetto* she; *oggetto, con preposizione* her; ~ **stessa** herself; *anche* **Lei** you; **dare del** ~ **a qu** address s.o. as 'lei'

lembo m *di gonna* hem, bottom; *di terra* tip

lente f lens; **-i** pl glasses, spectacles; **-i** pl (**a contatto**) contact lenses, contacts F; ~ **d'ingrandimento** magnifying glass

lenticchia f lentil

lentiggine f freckle

lento slow; (*allentato*) slack; *abito* loose

lenza f fishing rod

lenzuolo m sheet

leone m lion; ASTR **Leone** Leo; **leonessa** f lioness

leopardo m leopard

lepre *f* hare

lesbica *f* lesbian

lesionare damage; **lesione** *f* MED injury

lessare boil

lessico *m* vocabulary; (*dizionario*) glossary

lesso 1 *agg* boiled **2** *m* boiled beef

letale lethal

letame *m* manure, dung

letargo *m* lethargy

lettera *f* letter; **alla ~** to the letter; FIN **~ di cambio** bill of exchange; **letterale** literal; **letterario** literary; **letteratura** *f* literature

lettino *m* cot, *Am* crib; *dal medico* bed; *dallo psicologo* couch

letto[1] *m* bed; **~ a una piazza** single bed; **~ matrimoniale** double bed; **~i pl a castello** bunk beds; **andare a ~** go to bed

letto[2] *pp* ☞ **leggere**

lettore *m*, **-trice** *f* reader; *all'università* lecturer in a foreign language; INFOR disk drive; **~ compact disc, ~ CD** CD player

lettura *f* reading

leucemia *f* leukaemia, *Am* leukemia

leva *f* lever; MIL call-up, *Am* draft; AUTO **~ del cambio** gear lever, *Am* gear shift

levante *m* east

levare (*alzare*) raise, lift; (*togliere*) take, (re)move; (*ri-*

muovere) take out, remove; *macchia* remove, get out; *dente* take out, extract; **~ l'ancora** weigh anchor; **levarsi** get up, rise; *di sole* rise, come up; *indumento* take off; **levata** *f di posta* collection; **levatrice** *f* midwife

levigare smooth down; **levigato** smooth

lezione *f* lesson; *all'università* lecture

li *pron mpl* them

lì there; **~ per ~** there and then

libanese *agg, m/f* Lebanese; **Libano** *m* (the) Lebanon

libbra *f* pound

libellula *f* dragon-fly

liberale 1 *agg* generous; POL liberal **2** *m/f* liberal; **liberalizzare** liberalize; **liberalizzazione** *f* liberalization; **liberamente** freely; **liberare** release, free; (*sgomberare*) empty; *stanza* vacate; **liberarsi: ~ di** get rid of; **liberazione** *f* release; *di nazione* liberation; **libero** free; **libertà** *f inv* freedom, liberty

Libia *f* Libya; **libico 1** *agg* Libyan **2** *m*, **-a** *f* Libyan

libreria *f* bookshop, *Am* bookstore; (*biblioteca*) library; *mobile* bookcase

libretto *m* booklet; MUS libretto; **~ degli assegni** cheque book, *Am* check book; AUTO **~ di circolazione** registration document; **~ di risparmio** bank book

libro m book

licenza f FIN licence, Am license; MIL leave; EDU school leaving certificate; **~ di costruzione** building permit; **~ di esercizio** trading licence; **licenziamento** m dismissal; **licenziare** dismiss; **licenziarsi** resign

liceo m high school

lido m beach

lieto happy; **~ di conoscerla** nice o pleased to meet you

lieve light; (*di poca gravità*) slight, minor; *sorriso, rumore* faint

lievitare rise; *fig* rise, be on the increase; **lievito** m yeast; **~ in polvere** baking powder

lilla m/agg lilac

lima f file; **limetta** f emery board; *di metallo* nail file

limitare limit (**a** to); **limitato** limited; **limitazione** f limitation; **~ delle nascite** birth control; **senza -i** without restriction; **limite** m limit; (*confine*) boundary; **~ di velocità** speed limit; **al ~** at most, at the outside

limitrofo bordering

limonata f lemonade; **limone** m lemon; (*albero*) lemon tree

limpido clear; *acqua* crystal-clear

lince f lynx

linciare lynch

linea f line; **~ dell'autobus** bus route; **mantenere la ~**

keep one's figure; TELEC **restare in ~** stay on the line, not hang up; INFOR **in ~** on line

lineamenti mpl (*fisionomia*) features

lineare linear

lineetta f dash

linfonodo m lymph node

lingotto m ingot

lingua f tongue; (*linguaggio*) language; **~ madre** mother tongue; **~ straniera** foreign language; **linguaggio** m language

lino m BOT flax; *tessuto* linen

liofilizzato freeze-dried

lipidico: a basso contenuto ~ low-fat

liposuzione f liposuction

liquidare (*pagare*) pay; *merci* clear; *azienda* liquidate; *fig: questione* settle; *problema* dispose of; *persona* F dispose of F; **liquidazione** f liquidation; **~ totale** clearance sale; **liquidità** f liquid assets, liquidity; **liquido** m/agg liquid

liquirizia f liquorice

liquore m liqueur

lira f lira

lirica f lyric poem; MUS **la ~** opera; **lirico** lyric; *cantante* opera *attr*

lisca f fishbone

lisciare smooth; (*accarezzare*) stroke; *capelli* straighten; **liscio** smooth; *bevanda* straight, neat

liso worn

lista f (elenco) list; (striscia) strip; ~ **d'attesa** waiting list; ~ **dei vini** wine list

listino m: ~ **di borsa** share index; ~ **prezzi** price list

lite f quarrel, argument; **litigare** quarrel, argue; **litigio** m quarrel, argument

litografia f lithography

litorale 1 agg coastal 2 m coast; **litoranea** f coastal road; **litoraneo** coast attr, coastal

litro m litre, Am liter

liuto m lute

livella f level; **livello** m level

livido 1 agg livid; braccio, viso black and blue; occhio black; per il freddo blue 2 m bruise

lo 1 art msg the 2 pron msg him; cosa, animale it; **non ~ so** I don't know

lobo m lobe

locale 1 agg local 2 m room; luogo pubblico place; FERR local train; **località** f inv town; ~ **balneare** seaside resort; **localizzare** localize; (reperire) locate

locandina f TEA bill

locatario m, -a f tenant; **locatore** m, **-trice** f landlord; donna landlady; **locazione** f rental

locomotiva f locomotive; **locomozione** f locomotion; **mezzo** m **di** ~ means of transport

locuzione f fixed expression

lodare praise; **lode** f praise

loggia f loggia

loggione m TEA gallery

logica f logic; **logico** logical

logorare wear out; **logorio** m wear and tear; **logoro** indumento worn (out)

lombaggine f lumbago

Lombardia f Lombardy; **lombardo** 1 agg of Lombardy 2 m, -a f native of Lombardy

lombata f loin

lombo m loin

lombrico m earthworm

Londra f London

longevo long-lived

longitudine f GEOG longitude

lontananza f distance; tra persone separation; **lontano** 1 agg far; nel tempo far-off; passato, futuro, parente distant 2 avv far (away); **da** ~ from a distance; **abita molto** ~? do you live very far away?

lontra f otter

loquace talkative

lordo dirty; peso, reddito ecc gross

loro 1 pron soggetto they; oggetto them; forma di cortesia you 2 possessivo their; forma di cortesia your; **il** ~ **amico** their / your friend; **i** ~ **genitori** their / your parents 3 pron: **il** ~ theirs; forma di cortesia yours

lotta f struggle; SP wrestling; fig fight; **lottare** wrestle, struggle (con with); fig fight (contro against; per for);

lottatore *m* wrestler
lotteria *f* lottery
lotto *m* lottery; *di terreno* plot
lozione *f* lotion; **~ dopobarba** aftershave
L.st. (= **lira sterlina**) £ (= pound)
lubrificante *m* lubricant; AUTO lubricating oil; **lubrificare** lubricate
lucchetto *m* padlock
luccicare sparkle
luccio *m* pike
lucciola *f* glowworm
luce *f* light; *fig* **far ~ su qc** shed light on sth; AUTO **-i** *pl* **di posizione** side lights; **-i** *pl* **posteriori** rear lights
lucente shining
lucertola *f* lizard
lucidare polish; *disegno* trace; **lucido 1** *agg* *superficie* shiny; FOT glossy; *persona* lucid **2** *m* polish; *disegno* transparency; **~ da scarpe** shoe polish
lucro *m*: **a scopo di ~** profit-making
luglio *m* July
lugubre sombre, *Am* somber
lui *pron* **msg** soggetto he; *oggetto* him; **a ~** to him; **~ stesso** himself
lumaca *f* slug
luminosità *f* luminosity; FOT

speed; **luminoso** luminous; *stanza* bright
luna *f* moon; **~ crescente / calante** crescent / waning moon; **~ piena** full moon; **~ di miele** honeymoon; **luna-park** *m inv* amusement park
lunario *m*: **sbarcare il ~** make ends meet
lunatico moody
lunedì *m inv* Monday
lunghezza *f* length; **lungo 1** *agg* long; *caffè* weak; **a ~** for a long time; *fig* **alla -a** in the long run; **andare per le -ghe** drag on; **di gran -a** by far **2** *prp* along; *(durante)* throughout; **lungolago** *m* lakeside; **lungomare** *m inv* sea front
lunotto *m* AUTO rear window
luogo *m* place; **~ di nascita** birthplace, place of birth; **avere ~** take place, be held; **fuori ~** out of place; **in primo ~** in the first place
lupo *m* wolf
lurido filthy
lusingare flatter
lussazione *f* dislocation
lusso *m* luxury; **albergo *m* di ~** luxury hotel; **lussuoso** luxurious
lustrare polish
lutto *m* mourning

M

ma but; (*eppure*) and yet; ~ **va!** nonsense!

maccheroni *mpl* macaroni *sg*

macchia *f* spot; (*di sporco*) stain; (*bosco*) scrub; **macchiare** stain; **macchiato** stained; **caffè** *m* ~ espresso with a splash of milk

macchina *f* machine; (*auto*) car; *fig* machinery; ~ **fotografica** camera; ~ **da cucire** sewing machine; ~ **da scrivere** typewriter; **macchinario** *m* machinery

macedonia *f*: ~ **(di frutta)** fruit salad

macellaio *m*, -a *f* butcher; **macelleria** *f* butcher's

macerie *fpl* rubble

macigno *m* boulder

macinacaffè *m inv* coffee mill; **macinapepe** *m inv* pepper mill; **macinare** mill, grind

macrobiotica *f* health food; **negozio** *m* **di** ~ health food store; **macrobiotico** macrobiotic

Madonna *f* Madonna, Our Lady; **madonnaro** *m* pavement artist specializing in sacred images

madre *f* mother; **madrelingua 1** *f* mother tongue **2** *m/f* native speaker; **madreperla** *f* mother-of-pearl; **ma-**

drina *f* godmother

maestà *f* majesty

maestrale *m* north-west wind

maestro 1 *agg* (*principale*) main **2** *m* master; MUS, PITT maestro, master **3** *m*, -a *f* teacher; ~ **di nuoto** swimming teacher *o* instructor; ~ **di sci** ski instructor

mafia *f* Mafia

maga *f* witch

magari 1 *avv* maybe, perhaps **2** *int* ~! if only! **3** *cong* ~ **venisse** if only he would come

magazzino *m* warehouse; *di negozio* stock room; (*emporio*) factory shop; **grandi -i** *pl* department store

maggio *m* May

maggioranza *f* majority; **maggiore 1** *agg* bigger; (*più vecchio*) older; MUS major; **il** ~ the biggest; *figlio* the oldest; *artista* the greatest; **la maggior parte di ...** most of the ..., the majority of the ...; **andare per la** ~ be a crowd pleaser **2** *m* MIL major; **maggiorenne** adult *attr*; **maggioritario** majority; POL **sistema** *m* ~ first-past-the-post system

magia *f* magic; **magico** magic(al)

magistrato DIR *m* magistrate

maglia *f* top; (*maglione*)

sweater; SP shirt, jersey; *ai ferri* stitch; **lavorare a ~** knit; **maglieria** *f* knitwear; **maglietta** *f* T-shirt; **maglione** *m* sweater

magnetico magnetic

magnifico magnificent

magnolia *f* magnolia

mago *m* wizard; *i re -gi* the Three Wise Men, the Magi

magro thin; *cibo* low-fat; *fig*: *consolazione* small; *guadagno* meagre, *Am* meager

mai never; (*qualche volta*) ever; **~ più** never again; **più che ~** more than ever; **se ~** if ever; **dove / perché ~?** where / why on earth?

maiale *m* pig, *Am* hog; (*carne f di*) ~ pork

maiolica *f* majolica

maionese *f* mayonnaise

mais *m* maize

maiuscola *f* capital (letter); **maiuscolo** capital

mal ☞ **male**

malandato dilapidated; *persona* poorly

malanno *m* misfortune; (*malattia*) illness

malapena: *a* ~ hardly

malato 1 *agg* ill; **essere ~ di cuore** have heart problems; **~ di mente** mentally ill **2** *m*, -a *f* sick person; **malattia** *f* illness; **essere / mettersi in** ~ be / go on sick leave

malavita *f* underworld

malavoglia *f* unwillingness, reluctance; *di* ~ unwillingly,

reluctantly

malconcio the worse for wear; *persona* not very well

maldestro awkward, clumsy

male 1 *m* evil; **che c'è di ~?** where's the harm in it?; **andare a ~** go bad; MED **mal di gola** sore throat; **mal di testa** headache; **mal di denti** toothache; **mal di mare** seasickness; **far ~ a qu** hurt s.o.; **mi fa ~ il braccio** my arm hurts; **il cioccolato mi fa ~** chocolate doesn't agree with me; **fare ~ alla salute** be bad for you; **farsi ~** hurt o.s. **2** *avv* badly; **capire ~** misunderstand; **meno ~!** thank goodness!; **stare ~** (*essere malato*) be ill; (*essere giù*) be depressed; **il giallo mi sta ~** yellow doesn't suit me

maledetto 1 *pp* ☞ **maledire 2** *agg* damn(ed); **maledire** curse; **maledizione** *f* curse; **~!** damn!

maleducato bad-mannered

malessere *m* indisposition; *fig* malaise

malfamato disreputable

malfatto *cosa* badly made; **malfattore** *m* criminal

malformazione *f* malformation

malgoverno *m* misgovernment

malgrado 1 *prp* in spite of; **mio ~** against my will **2** *cong* although

maligno malicious, spiteful;

MED malignant

malinconia f melancholy; **malinconico** melancholic

malincuore: *a ~* reluctantly, unwilling

malintenzionato 1 *agg* shady, suspicious **2** *m*, -a f shady character

malinteso *m* misunderstanding

malizioso malicious; *sorriso* mischievous

malloppo *m* (*refurtiva*) loot

malmenare mistreat

malnutrito under-nourished; **malnutrizione** f malnutrition

malore *m*: **è stato colto da un ~** he was suddenly taken ill

malsano unhealthy

maltempo *m* bad weather

malto *m* malt

maltrattare ill-treat

malumore *m* bad mood; **essere di ~** be in a bad mood

malvagio evil, wicked

malvisto unpopular

malvivente *m* lout

malvolentieri unwillingly, reluctantly

mamma f mother, mum; **~ mia!** goodness!

mammella f breast

mammifero *m* mammal

mammografia f mammography

manager *m/f* manager; **manageriale** managerial, management *attr*

mancanza f lack (**di** of); (*er-*

rore) oversight

mancare 1 *v/i* be missing; *di coraggio* fail; (*euph: morire*) pass away; **a qu manca qc** s.o. lacks sth; **mi manchi molto** I miss you a lot; **mi mancano 10 euro** I'm 10 euros short; **mancano tre mesi a Natale** it's three months to Christmas; **mi mancano le parole** words fail me; **c'è mancato poco che cadesse** he almost fell; **ci mancherebbe altro!** no way!, you must be joking!; **~ di qc** (*non avere*) lack sth, be lacking in sth **2** *v/t* miss; **mancato** *occasione* missed, lost; *tentativo* unsuccessful

mancia f tip; **manciata** f handful

mancino 1 *agg* left-handed; *fig* **colpo** *m* **~** dirty trick **2** *m*, -a f left-hander

mandante *m/f* DIR client; **mandare** send; **~ qu a prendere qc** send s.o. for sth; *fig* **~ giù** digest, take in

mandarino *m* BOT mandarin (orange)

mandato *m* POL mandate; DIR warrant; **~ bancario** banker's order; **~ d'arresto** arrest warrant

mandibola f jaw

mandolino *m* mandolin

mandorla f almond; **mandorlo** *m* almond tree

mandria f herd

maneggevole manageable; **maneggiare** handle (*anche fig*); **maneggio** *m* handling; *per cavalli* riding school

manesco a bit too ready with one's fists

manette *fpl* handcuffs

manganello *m* truncheon, *Am* night stick

mangereccio edible

mangiabile edible; **mangia-cassette** *m inv*, **mangiana-stri** *m inv* cassette player; **mangiare 1** *v/t* eat; *fig* squander; **mangiarsi le parole** mumble **2** *m* food; **mangime** *m* fodder; **mangiucchiare** snack

mango *m* mango

mania *f* mania

manica *f* sleeve; **senza -che** sleeveless

Manica *f*: **la** ~ the (English) Channel

manicaretto *m* delicacy

manichino *m* dummy

manico *m* handle

manicomio *m* mental home

manicure *f inv* manicure; (*persona*) manicurist

maniera *f* (*modo*) way, manner; (*stile*) manner; **-e** *pl* manners

manifestante *m/f* demonstrator; **manifestare 1** *v/t* (*esprimere*) express; (*mostrare*) show **2** *v/i* demonstrate; **manifestarsi** appear, show up; *di malattia* manifest itself; **manifestazione** *f* expres-

sion; *il mostrare* show; ~ **di protesta** demonstration, demo F; ~ **sportiva** sporting event; **manifesto 1** *agg* obvious **2** *m* poster

maniglia *f* handle; *di autobus, metro* strap

manipolare manipulate; *vino* adulterate; **manipolato geneticamente** genetically modified

mano *f* hand; **fuori** ~ out of the way; *fig* **alla** ~ approachable; **di seconda** ~ second-hand; **dare una** ~ **a qu** give s.o. a hand; **tenersi per** ~ hold hands; **man** ~ **che** as (and when); **manodopera** *f* labour, *Am* labor

manomettere tamper with

manopola *f* knob

manoscritto *m* manuscript

manovale *m* hod carrier

manovella *f* starting handle

manovra *f* manoeuvre, *Am* maneuver; **manovrare 1** *v/t* TEC operate; FERR shunt; *fig* manipulate **2** *v/i* manoeuvre, *Am* maneuver

mansarda *f locale* attic

mantello *m* (*cappa*) cloak; *di animale* coat; (*strato*) layer

mantenere keep; *in buono stato* maintain; **mantenersi in forma** keep in shape; **mantenimento** *m* maintenance; *di famiglia* keep

Mantova *f* Mantua; **mantovano 1** *agg* Mantuan **2** *m*, **-a** *f* Mantuan

manuale m/agg manual

manubrio m handlebars

manutenzione f maintenance

manzo m steer, bullock; *carne* ~ beef

mappa f map; **mappamondo** m globe

maratona f marathon; **maratoneta** m/f marathon runner

marca f brand, make; (*etichetta*) label; ~ **da bollo** revenue stamp; **marcare** mark; *goal* score; **marcato** *accento*, *lineamenti* strong

marchio m COM brand; ~ **depositato** registered trademark

marcia f march; SP walk; TEC AUTO gear; ~ **indietro** reverse; **marciapiede** m pavement, Am sidewalk; FERR platform; **marciare** march

marcio bad, rotten; (*corrotto*) corrupt; **marcire** rot *anche fig*

mare m sea; **in alto** ~ on the high seas; **marea** f tide; *fig* **una** ~ **di** loads of; **alta** ~ high tide; **bassa** ~ low tide; **mareggiata** f storm; **maremoto** m tidal wave

margarina f margarine

margherita f daisy

margine m margin; (*orlo*) edge, brink

marina f coast(line); MAR navy; PITT seascape; **marinaio** m sailor

marinare GASTR marinate; F

~ **la scuola** play truant, Am play hooky; **marinato** GASTR marinated

marino sea *attr*, marine

marionetta f puppet, marionette

marito m husband

marittimo maritime

marmellata f jam, Am jelly; ~ **di arance** marmalade

marmitta f AUTO silencer, Am muffler

marmo m marble

marocchino 1 agg Moroccan **2** m, -a f Moroccan; **Marocco** m Morocco

marrone 1 agg (chestnut) brown **2** m colore (chestnut) brown; (*castagno*) chestnut

marsala m Marsala, *dessert wine*

Marte m Mars

martedì m inv Tuesday; ~ **grasso** Shrove Tuesday, Am Mardi Gras

martello m hammer

martire m/f martyr; **martirio** m martyrdom

marzapane m marzipan

marziano m Martian

marzo m March

mascara m inv mascara

mascarpone m mascarpone

mascella f jaw

maschera f mask; *in teatro* usher; *donna* usherette; ~ **antigas** gas mask; **mascherare** mask; *fig* camouflage, conceal; **mascherarsi** put on a mask; (*travestirsi*) dress up

(**da** as)

maschile spogliatoio, *abito* men's; *caratteristica* male; GRAM masculine; **maschilista** m/agg sexist; **maschio 1** *agg* male; **hanno tre figli -i** they have three sons o boys **2** m (*ragazzo*) boy; (*uomo*) man; ZO male; **mascolino** masculine

mascotte f inv mascot

mass media mpl mass media

massa f mass; EL earth, Am ground

massacrare massacre; **massacro** m massacre

massaggiare massage; **massaggiatore** m, **-trice** f masseur; *donna* masseuse; **massaggio** m massage

massaia f housewife

massiccio 1 *agg* massive; *oro*, *noce ecc* solid **2** m massif

massima f saying, maxim; *temperatura* maximum; **in linea di ~** generally speaking; **massimo 1** *agg* greatest, maximum **2** m maximum; **al ~** at most

masso m rock

masticare chew

mastice m mastic; (*stucco*) putty

mastino m mastiff

mastodontico gigantic

masturbare,   masturbarsi masturbate

matematica f mathematics, maths, Am math; **matematico 1** *agg* mathematical **2** m,

-**a** f mathematician

materassino m airbed; **materasso** m mattress

materia f matter; (*materiale*) material; (*disciplina*) subject; **~ prima** raw material; **materiale 1** *agg* material; (*rozzo*) coarse, rough **2** m material; TEC equipment

maternità f inv motherhood; **in ospedale** maternity; **materno** maternal; **scuola f -a** nursery school

matita f pencil

matrice f matrix

matricola f register; *all'università* first-year student

matrigna f stepmother

matrimoniale matrimonial; **matrimonio** m marriage; *rito* wedding *attr*

mattina f morning; **di ~** in the morning; **mattinata** f morning; TEA matinée; **mattiniero: essere ~** be an early bird; **mattino** m morning

matto 1 *agg* mad, crazy (**per** about) **2** m, **-a** f madman, lunatic; *donna* madwoman, lunatic; **mi piace da -i andare al cinema** I'm mad about the cinema

mattone m brick; **mattonella** f tile

maturare *interessi* accrue; **maturità** f maturity; *diploma*: A levels, Am final exams

maturo *frutto* ripe; *persona* mature

mazza f club; (*martello*)

sledgehammer; **da baseball** bat; **~ da golf** golf club

mazzo *m* bunch; **~ di carte** pack *o* deck of cards

me (= *mi* before *lo, la, li, le, ne*) me; **dammelo** give me it, give it to me; **per ~** for me

meccanica *f* mechanics; *di orologio* mechanism; **meccanicamente** mechanically; **meccanico 1** *agg* mechanical **2** *m* mechanic; **meccanismo** *m* mechanism

mecenate *m/f* sponsor

mèche *f inv* streak, highlight

medaglia *f* medal

medesimo (very) same

media *f* average; **in ~** on average; **mediano 1** *agg* central, middle **2** *m* SP half-back; **mediante** by (means of); **mediatore** *m*, **-trice** *f* mediator; **mediazione** *f* mediation

medicare *persona* treat; *ferita* clean, disinfect; **medicazione** *f* treatment; *(bende)* dressing; **medicina** *f* medicine; **medicinale 1** *agg* medicinal **2** *m* medicine; **medico 1** *agg* medical **2** *m* doctor; **~ di guardia** duty doctor

medievale *agg* medieval

medio 1 *agg* middle *attr*; *statura, rendimento* average **2** *m* middle finger

mediocre *agg* mediocre

medioevo *m* Middle Ages

meditare 1 *v/t* think about; *(progettare)* plan **2** *v/i* medi-

tate; *(riflettere)* think; **~ su qc** think about sth; **meditazione** *f* meditation; *(riflessione)* reflection

mediterraneo *m/agg* Mediterranean

medium *m/f inv* medium

medusa *f* ZO jellyfish

meglio 1 *avv* better; **~!, tanto ~!** good!; **alla ~** to the best of one's ability **2** *agg* better; *superlativo* best **3** *m* best; **fare del proprio ~** do one's best **4** *f* **avere la ~ su** get the better of

mela *f* apple

melagrana *f* pomegranate

melanzana *f* aubergine, *Am* eggplant

melma *f* mud

melo *m* apple (tree)

melodia *f* melody

melodrammatico *agg* melodramatic

melone *m* melon

membrana *f* membrane; **~ del timpano** eardrum

membro *m* ANAT limb; *persona* member

memorabile *agg* memorable; **memoria** *f* memory; **a ~** by heart; **-e** *pl* memoirs; **memorizzare** memorize; INFOR save

menare lead; F *(picchiare)* hit

mendicante *m/f* beggar; **mendicare 1** *v/t* beg for **2** *v/i* beg

menefreghismo *m* couldn't-care-less attitude

mescolare

meningite f meningitis

meno 1 avv less; superlativo least; MAT minus; **il ~ possibile** as little as possible; **a ~ che** unless; **per lo ~** at least; **sono le sei ~ un quarto** it's a quarter to six, Am it's a quarter of six; **sempre ~** less and less; **fare a ~ di qc** do without sth **2** prp except; **menomato** damaged; (handicappato) disabled

mensa f di azienda canteen; MIL mess

mensile m/agg monthly; **mensilità** f inv salary

mensola f bracket

menta f mint

mentale mental; **mentalità** f inv mentality; **mentalmente** mentally; **mente** f mind; **avere in ~ di fare qc** be thinking about doing sth; **tenere a ~ qc** bear sth in mind; **non mi viene in ~ il nome di** ... I can't remember the name of ...

mentire lie

mento m chin

mentre while

menù m inv menu (anche INFOR)

menzionare mention

menzogna f lie

meraviglia f wonder; **a ~** wonderfully; **meravigliare** astonish; **meravigliarsi:** **~ di** be astonished by; **meravigliato** astonished; **meraviglioso** marvellous, Am marvelous, wonderful

mercante m merchant; **mercantile 1** agg nave cargo attr; porto commercial **2** m cargo ship; **mercanzia** f merchandise

mercato m market; **~ coperto** indoor market; **~ delle pulci** flea market; **a buon ~** cheap, inexpensive

merce f goods

merceria f haberdashery, Am notions

mercoledì m inv Wednesday; **~ delle Ceneri** Ash Wednesday

mercurio m mercury; AST **Mercurio** Mercury

merda P shit P

merenda f snack

meridiana f sundial; **meridiano 1** agg midday attr **2** m meridian

meridionale 1 agg southern **2** m/f southerner; **meridione** m south; **il Meridione** southern Italy

meringa f meringue

meritare 1 v/t deserve **2** v/i: **un libro che merita** a worthwhile book; **merito** m merit; **in ~ a** as regards; **per ~ suo** thanks to him

merletto m lace

merlo m ZO blackbird

merluzzo m cod

meschino mean; (infelice) wretched

mescolanza f mixture; **mescolare** mix; insalata toss;

caffè stir; **mescolarsi** mix, blend

mese *m* month

messa[1]: ~ **in piega** set; ~ **in scena** production

messa[2] *f* REL mass

messaggino *m* text, text message; **messaggio** *m* message

messicano 1 *agg* Mexican **2** *m*, *-a f* Mexican; **Messico** *m* Mexico

messinscena *f* production; fig act

messo *pp* ☞ **mettere**

mestiere *m* trade; (*professione*) profession

mestolo *m* ladle

mestruazione *f* menstruation

meta *f* destination; SP try; fig goal, aim

metà *f inv* half; *punto centrale* middle, centre, *Am* center; **a ~ prezzo** half price; **a ~ strada** halfway; **fare a ~** go halves with

metabolismo *m* metabolism

metadone *m* methadone

metafora *f* metaphor; **metaforico** metaphorical

metallico metallic; **metallizzato** metallic; **metallo** *m* metal

metamorfosi *f inv* metamorphosis

metano *m* methane; **metanodotto** *m* gas pipeline

meteora *f* meteor; **meteorite** *m o f* meteorite; **meteorolo-**

gico meteorological, weather *attr*

meticoloso meticulous

metodico methodical; **metodo** *m* method

metrico metric

metro *m* metre, *Am* meter; ~ **quadrato** square metre; ~ **cubo** cubic metre

metrò *m inv* (*metropolitana*) underground, *Am* subway

metronotte *m inv* night watchman

metropoli *f inv* metropolis; **metropolitana** *f* underground, *Am* subway

mettere put; *vestito* put on; ~ **in moto** start (up); ~ **in ordine** tidy up; **mettiamo che ...** let's assume that ...; **mettersi** *abito, cappello ecc* put on; ~ **a sedere** sit down; AVIA, AUTO ~ **la cintura** fasten one's seat belt; ~ **a fare qc** start to do sth

mezzaluna *f* half moon; GASTR *two-handled chopper*; **mezzanotte** *f* midnight; **mezzo 1** *agg* half; **mezz'ora** half-hour; **le sei e ~** half past six, *Am* six thirty; ~ **chilo** a half kilo; **di -a età** middle-aged **2** *avv* half **3** *m* (*parte centrale*) middle; (*metà*) half; (*strumento*) means *sg*; (*veicolo*) means *sg* of transport; **per ~ di** by means of; **in ~ a** between; **in ~ a quei documenti** in the middle of those papers, among those papers;

in ~ alla stanza in the middle of the room; *nel ~ di* in the middle of; *giusto ~* happy medium; **mezzobusto** *m* half-length photograph / portrait; **mezzofondo** *m* middle distance; **mezzogiorno** *m* midday; GEOG **Mezzogiorno** south (of Italy)

mi[1] *m* MUS E; *nel solfeggio della scala* me, mi

mi[2] *pron* me; *riflessivo* myself; *eccomi* here I am

miagolare miaow; **miagolio** *m* miaowing

mica: *non ho ~ finito* I'm nowhere near finished; *non è ~ vero* there's not the slightest bit of truth in it; *~ male* not bad at all

miccia *f* fuse

micidiale *veleno, clima* deadly; *fatica, sforza* exhausting

micio F *m* (pussy) cat

micosi *f inv* mycosis

microbiologia *f* microbiology

microbo *m* microbe

microchip *m inv* microchip

microcamera *f* miniature camera

microchirurgia *f* microsurgery

microfilm *m inv* microfilm

microfono *m* microphone, mike F

microonda *f* microwave; *forno m a -e* microwave (oven)

microprocessore *m* micro-processor

microscopico microscopic; **microscopio** *m* microscope

midollo *m* marrow; *~ spinale* spinal cord

miei *mpl* di *mio* my

miele *m* honey

mietere harvest

migliaio *m* thousand; *un ~* a *o* one thousand; *a migliaia* in their thousands

miglio[1] *m* misura mile

miglio[2] *m* grano millet

miglioramento *m* improvement; **migliorare 1** *v/t* improve **2** *v/i e* **migliorarsi** improve, get better; **migliore** better; *il ~* the best

mignolo *m (o dito~)* little finger; *del piede* little toe

-mila thousand; *due~* two thousand

milanese 1 *agg* of Milan **2** *m/f* inhabitant of Milan; **Milano** *f* Milan

miliardario *m*, *-a f* billionaire, multimillionaire; **miliardo** *m* billion; **milionario** *m*, *-a f* millionaire; *donna* millionairess; **milione** *m* million

militare 1 *agg* military **2** *m* soldier; **milite** *m* soldier; **milite** **militesente** exempt from military service; **milizia** *f* militia

mille a thousand

millefoglie *m inv* vanilla slice; **millennio** *m* millennium; **millepiedi** *m inv* millipede; **millesimo** thousandth

milligrammo *m* milligram(me)

millimetro *m* millimetre, *Am* millimeter

milza *f* spleen

mimetizzare MIL camouflage; **mimetizzarsi** camouflage o.s.

mimo *m* mime

mina *f* mine; *di matita* lead

minaccia *f* threat; **minacciare** threaten; **minaccioso** threatening

minareto *m* minaret

minato: *campo* ~ minefield; **minatore** *m* miner

minatorio threatening

minerale *m/agg* mineral

minestra *f* soup; ~ *di verdura* vegetable soup; **minestrina** *f* clear soup, broth; **minestrone** *m* minestrone

miniatura *f* miniature

miniera *f* mine (*anche fig*)

minigolf *m inv* minigolf

minigonna *f* mini(skirt)

minimizzare minimize; **minimo** 1 *agg* least, slightest; *prezzo* lowest; *salario, temperatura* minimum 2 *m* minimum

ministero *m* ministry; **ministro** *m* minister; ~ *degli Esteri* Foreign Secretary, *Am* Secretary of State; ~ *degli Interni* Home Secretary, *Am* Secretary of the Interior; *primo* ~ Prime Minister; *consiglio m dei -i* Cabinet

minoranza *f* minority

minorato 1 *agg* severely handicapped 2 *m*, *-a f* severely handicapped person

minore 1 *agg* minor; *di età* younger; *distanza* shorter; *più piccolo* smaller 2 *m/f*: *vietato ai -i di 18 anni* no admittance to those under 18 years of age; *film* X-rated; **minorenne** 1 *agg* underage 2 *m/f* minor

minuscola *f* small letter, lower case letter; **minuscolo** tiny, miniscule

minuto 1 *agg* tiny, minute; *descrizione* detailed 2 *m* minute; **minuzioso** *descrizione* detailed; *ricerca* meticulous

mio 1 *agg* my; *un* ~ *amico* a friend of mine, one of my friends 2 *pron*: *il* ~ mine; *i miei* my parents

miope short-sighted; **miopia** *f* short-sightedness, myopia

mira *f* aim; (*obiettivo*) target; *prendere la* ~ take aim; *fig prendere di* ~ *qu* have it in for s.o.

miracolo *m* miracle; *per* ~ by a miracle, miraculously

miraggio *m* mirage

mirare aim (*a* at)

mirino *m* MIL sight; FOT viewfinder

mirtillo *m* blueberry

mirto *m* myrtle

miscela *f* mixture; *di caffè, tabacco* blend; **miscelatore** *m* GASTR mixer; *rubinetto* mixer tap

mischia *f* (*rissa*) scuffle; SP,

(*folla*) scrum; **mischiare** mix; *carte* shuffle; **mischiarsi** mix; **miscuglio** *m* mixture

miseria *f* (*povertà*) poverty; **costare una ~** cost next to nothing; F **porca ~!** damn and blast! F; **misero** wretched

missile *m* missile

missionario *m*, **-a** *f* missionary; **missione** *f* mission

misterioso mysterious; **mistero** *m* mystery

mistico mystic(al)

misto 1 *agg* mixed **2** *m* mixture; **~ lana** wool mix

misura *f* measurement; (*taglia*) size; (*provvedimento*), *fig* measure; **su ~** made to measure; **misurare** measure; *vestito* try on; **misurino** *m* measuring spoon

mite mild; *condanna* light

mito *m* myth; **mitologia** *f* mythology; **mitologico** mythological

mitra *m inv*, **mitragliatrice** *f* machine gun

mitt. (= **mittente**) from

mittente *m/f* sender

mixare mix

M.M. (= **Marina Militare**) Italian navy

mobile 1 *agg* mobile; *ripiano, pannello* removeable **2** *m* piece of furniture; **-i** *pl* furniture; **mobilia** *f* furnishings; **mobilificio** *m* furniture factory; **mobilitare** mobilize

moca *m* mocha

mocassino *m* moccasin

moda *f* fashion; **alla ~** fashionable, in fashion; *vestirsi* fashionably; **fuori ~** out of fashion, unfashionable

modalità *f inv* method

modella *f* model; **modellare** model; **modello 1** *agg* model **2** *m* model; *di vestito* style; (*formulario*) form

modem *m inv* INFOR modem

moderare moderate; **moderato** moderate; **moderazione** *f* moderation

modernizzare modernize; **moderno** modern

modestia *f* modesty; **modesto** modest; *prezzo* very reasonable

modico reasonable

modifica *f* modification; **modificare** modify

modo *m* (*maniera*) way, manner; (*mezzo*) way; **~ di dire** expression; **per ~ di dire** so to speak; **a ~ mio** in my own way; **ad ogni ~** anyway, anyhow; **di ~ che** so that; **in che ~?** how?

modulo *m* form; (*elemento*) module

mogano *m* mahogany

moglie *f* wife

molare 1 *v/t* grind **2** *m* molar

mole *f* (*grandezza*) size

molecola *f* molecule

molestare bother; **sessualmente** sexually harass; **molestia** *f* bother, nuisance; **~ sessuale** sexual harassment

molla f spring; fig spur; **-e** pl
tongs; **mollare** corda release,
let go; F schiaffo, ceffone
give; F fidanzato dump; ~
la presa let go

molle soft; (bagnato) wet

molletta f hairgrip; da bucato
clothes peg, Am clothes pin

mollica f crumb

mollusco m mollusc, Am
mollusk

molo m pier

molteplice multifaceted

moltiplicare, moltiplicarsi
multiply

molto 1 agg a lot of; con nomi
plurali a lot of, many **2** avv a
lot; con aggettivi very; ~ **meglio** much better, a lot better; **da** ~ for a long time;
fra non ~ before long

momentaneo momentary,
temporary; **momento** m
moment; **dal** ~ **che** causale
since; **a -i** sometimes; **per il**
~ for the moment; **sul** ~ at
the time

monaca f nun; **monaco** m
monk

monarchia f monarchy

monastero m monastery; di
monache convent

mondano society attr, (terreno) worldly; **fare vita -a** go
out

mondare frutta peel

mondiale 1 agg world attr, fenomeno, scala worldwide; **di
fama** ~ world-famous **2** m: **i
-i di calcio** the World Cup;

mondo m world; **il più bello
del** ~ the most beautiful in
the world

monello m, **-a** f little devil

moneta f coin; (valuta) currency; (denaro) money; (spiccioli) change; **monetario**
monetary; **Fondo** m ~ **internazionale** International
Monetary Fund

mongolfiera m hot-air balloon

monolocale m bedsit

monopattino m child's scooter

monopolio m monopoly;
monopolizzare monopolize

monoposto m single-seater

monotonia f monotony; **monotono** monotonous

monouso disposable, throw-
away

montacarichi m inv hoist

montaggio m TEC assembly;
di film editing

montagna f mountain; fig **-e**
pl **russe** rollercoaster; **mon-
tagnoso** mountainous;
montanaro m, **-a** f mountain
dweller

montare 1 v/t go up, climb; cavallo get onto, mount; TEC
assemble; film edit; GASTR
whip **2** v/i go up; venire come
up; ~ **in macchina** get into; ~
su scala climb; pullman get
on

montarsi: ~ **la testa** get big-
headed

montatura f di occhiali frame;

di gioiello mount; *fig* frame-up F

monte *m* mountain (*anche fig*); **a ~** upstream; *fig* **mandare a ~** ruin

montone *m* ram; *pelle, giacca* sheepskin

montuoso mountainous

monumento *m* monument

moquette *f inv* fitted carpet

mora *f* BOT *del gelso* mulberry; *del rovo* blackberry

morale 1 *agg* moral **2** *f* morals; *di favola ecc* moral **3** *m* morale; **essere giù di ~** be feeling a bit down

morbido soft

morbillo *m* measles *sg*

morbo *m* disease; **morboso** *fig* unhealthy; *curiosità* morbid

mordere bite

morena *f* moraine

morfina *f* morphine

moribondo dying

morire die; *fig* **~ di paura** be scared to death

mormorare murmur; (*bisbigliare, lamentarsi*) mutter; **mormorio** *m* murmuring; (*brontolio*) muttering

morsetto *m* TEC clamp; EL terminal

morsicare bite; **morso 1** *pp* ☞ **mordere 2** *m* bite; *di cibo* bit, mouthful; *per cavallo* bit

mortale *malattia* fatal; *offesa, nemico* deadly; *uomo* mortal; **mortalità** *f* mortality

morte *f* death

mortificare mortify

morto 1 *pp* ☞ **morire 2** *agg* dead; **stanco ~** dead tired **3** *m*, **-a** *f* dead man; *donna* dead woman; **i -i** *pl* the dead *pl*

mortorio *m*: F **essere un ~** be deadly boring

mosaico *m* mosaic

mosca *f* fly

moscato 1 *agg* muscat **2** *m* muscatel

moscerino *m* gnat, midge

moschea *f* mosque

moscio thin, flimsy; *fig* washed out

moscone *m* ZO bluebottle; (*imbarcazione*) pedalo

mossa *f* movement; *fig e di judo, karate* move; **mosso 1** *pp* ☞ **muovere 2** *agg* *mare* rough

mostarda *f* mustard

mosto *m* must, *unfermented grape juice*

mostra *f* show; (*esposizione*) exhibition; *fig* **mettere in ~** show off; **mostrare** show; (*indicare*) point out; **mostrarsi** appear

mostro *m* monster; **mostruoso** monstrous

motel *m inv* motel

motivare cause; *personale* motivate; (*spiegare*) explain; **motivazione** *f* (*spiegazione*) explanation; (*stimolo*) motivation; **motivo** *m* reason; MUS theme, motif; *su tessuto* pattern; **per quale ~?** for what reason?

moto[1] *m* movement; **fare ~** get some exercise; **mettere in ~** *motore* start (up)

moto[2] *f* (motor)bike

motocicletta *f* motorcycle; **motociclista** *m/f* motorcyclist; **motociclo** *m* motorcycling

motore *m* engine; **accendere il ~** start the engine; **motorino** *m* moped; **motorizzato** motorized; F **sei ~** have you got wheels? F

motoscafo *m* motorboat

motto *m* motto

mouse *m inv* INFOR mouse

movente *m* motive

movimento *m* movement; (*vita*) life

mozione *m* motion; **~ di fiducia** vote of confidence

mozzarella *f* mozzarella

mozzicone *m* cigarette end, (*cigarette*) stub

mozzo *m* TEC hub

mq (= **metro quadrato**) sq m, m² (= square metre)

mucca *f* cow

mucchio *m* pile

muco *m* mucus

muffa *f* mould, *Am* mold; **fare la ~** go mouldy

mugolare whine

mulattiera *f* mule track

mulatto *m*, **-a** *f* mulatto

mulinello *m su canna da pesca* reel; *vortice d'acqua* eddy

mulino *m* mill; **~ a vento** windmill

mulo *m* mule

multa *f* fine; **multare** fine

multiculturale multicultural

multimediale multimedia

multinazionale *f/agg* multinational

multiplo multiple

multisala *m inv* multiplex

multiuso multipurpose

mungere milk

municipale municipal; **municipio** *m* town council, municipality; *edificio* town hall

munire: **~ di** supply with; **munizioni** *fpl* ammunition

muovere 1 *v/t* move **2** *v/i partire* move off (**da** from); **~ incontro a qu** move towards s.o.; **muoversi** move; F (*sbrigarsi*) get a move on F

murare (*chiudere*) wall up; **muratore** *m* bricklayer; **muratura** *f* brickwork

murena *f* moray eel

muro *m* wall; **le -a** *fpl* the (city) walls

muschio *m* BOT moss

muscolare muscular; **strappo** *m* **~** strained muscle; **muscolo** *m* muscle; **muscoloso** muscular

museo *m* museum; **~ etnologico** folk museum; **~ d'arte** art gallery

museruola *f* muzzle

musica *f* music; **musicale** musical; **musicista** *m/f* musician

muso *m di animale* muzzle; **tenere il ~ a qu** be in a huff with s.o.; **musone** m sulker

musulmano 1 agg Muslim **2** m, -a f Muslim

muta f di cani pack; SP wetsuit

mutamento m change

mutande fpl di donna panties; di uomo (under)pants, Am briefs; **mutandine** fpl panties;**~ (da bagno)** (swimming) trunks, Am swimsuit

mutare change

mutilato m disabled ex-serviceman

muto 1 agg dumb; (silenzioso) silent, dumb; **film** m **~** silent movie **2** m, -a f mute

mutua f fund that pays out sickness benefit; **medico** m **della ~a** doctor recognized by the 'mutua'; **mutuato** m, -a f person entitled to sickness benefit

mutuo 1 agg mutual **2** m mortgage

N

n. (= **numero**) No. (= number)

nacchere fpl castanets

nafta f naphtha

nano 1 agg dwarf **2** m, -a f dwarf

napoletano 1 agg Neapolitan **2** m, -a f Neapolitan; **Napoli** f Naples

nappa f tassel; pelle nappa (type of soft leather)

narcotico m narcotic

narice f nostril

narrare tell, narrate; **narratore, -trice** f narrator

nascere be born; BOT, di sole come up; fig develop; **sono nato a Roma** I was born in Rome; **nascita** f birth

nascondere hide; **nascondersi** hide; **nascondiglio** m hiding place; **nascosto 1** pp ☞ **nascondere 2** avv: **di ~** in secret; **di ~ a qu** unbe-

knownst to s.o.

nasello m pesce hake

naso m nose

nastro m tape; per capelli, di decorazione ribbon; **~ adesivo** adhesive tape, Sellotape®, Am Scotch tape®

Natale m Christmas; **buon ~!** Merry Christmas!; **natalità** f birth rate; **natalizio** Christmas

natante 1 agg floating **2** m boat

nativo 1 agg native **2** m, -a f native

NATO f (= **Organizzazione del Trattato nord-atlantico**) NATO (= North Atlantic Treaty Organization)

nato ☞ **nascere**

natura f nature; PITT **~ morta** still life; **naturale** natural; **naturalezza** f naturalness; **con ~** naturally; **naturaliz-**

zare: **è naturalizzato ameri-cano** he's a naturalized American; **naturalmente** naturally

naufragare *di nave* be wrecked; *di persona* be shipwrecked; *fig* be ruined; **naufragio** *m* shipwreck; *fig* ruin; **fare** ∼ *di nave* be wrecked; *di persona* be shipwrecked; **naufrago** *m*, **-a** *f* survivor of a shipwreck

nausea *f* nausea; **avere la** ∼ feel sick, *Am* feel nauseous; **nauseare** nauseate (*anche fig*)

nautico nautical

navale naval; **cantiere** *m* ∼ shipyard

navata *f* ARCHI: ∼ **centrale** nave; ∼ **laterale** aisle

nave *f* ship; ∼ **da carico** cargo ship; ∼ **passeggeri** passenger ship; ∼ **traghetto** ferry;

navetta **1** *agg inv:* **bus** *m* ∼ shuttle bus **2** *f* shuttle; ∼ **spaziale** space shuttle

navigabile navigable; **navigare** sail; INFOR navigate; ∼ **in Internet** surf the Net; **navigatore** *m* navigator

nazionale **1** *agg* national **2** *f* national team; **nazionalismo** *m* nationalism; **nazionalista** *m/f* nationalist; **nazionalità** *f inv* nationality; **nazione** *f* nation

ne **1** *pron* (*di lui*) about him; (*di lei*) about her; (*di loro*) about them; (*di ciò*) about

it; ∼ **sono contento** I'm happy about it; ∼ **ho abbastanza** I have enough **2** *avv* from there; ∼ **vengo adesso** I've just come back from there

né ∼ ... ∼ neither ... nor; **non l'ho trovato** ∼ **a casa** ∼ **in ufficio** I couldn't find him either at home or in the office

neanche neither; **neanch'io** neither am I, me neither; **non l'ho** ∼ **visto** I didn't even see him

nebbia *f* fog; **nebbioso** foggy

nebulosa *f* AST nebula

necessaire *m inv:* (*da viaggio*) beauty case; **necessario 1** *agg* necessary **2** *m:* **il** ∼ **per vivere** the basic necessities; **necessità** *f inv* need; **in caso di** ∼ if need be; **per** ∼ out of necessity

nefrite *f* MED nephritis

negare deny; (*rifiutare*) refuse; **negativa** *f* negative; **negativo** *m/agg* negative; **negato:** **essere** ∼ **per qc** be hopeless at sth

negli = **in** and *art* **gli**

negligente careless, negligent; **negligenza** *f* carelessness, negligence

negoziante *m/f* shopkeeper, *Am* storekeeper; **negoziare** negotiate FIN ∼ **in** trade in; **negoziato** *m* negotiation; **-i** *pl* **di pace** peace negotiations; **negozio** *m* shop, *Am* store

negro **1** *agg* black **2** *m*, **-a** *f*

black (man / woman)

nei, nel, nell', nella, nelle, nello = **in** and *art* **i, il, l', la, le, lo**

nemico 1 *agg* enemy *attr* **2** *m*, **-a** *f* enemy

nemmeno neither; **~ io** me neither; **~ per idea!** don't even think about it!

neo *m* mole; *fig* flaw

neonato *m*, **-a** *f* infant, new-born baby

neppure not even; **non ci vado ~ io** I'm not going - neither am I, me neither

nero 1 *m/agg* black (*anche fig*) **2** *m*, **-a** *f* black (man / woman)

nervo *m* nerve; **dare sui -i a qu** get on s.o.'s nerves; **nervosismo** *m* nervousness; **nervoso 1** *agg* nervous; (*irritabile*) edgy **2** *m* F: **mi viene il ~** this is getting on my nerves

nespola *f* medlar; **nespolo** *m* medlar (tree)

nessuno 1 *agg* no; **non chiamare in nessun caso** don't call in any circumstances; **c'è -a notizia?** is there any news? **2** *pron* nobody, no one; **hai visto ~?** did you see anyone or anybody?

nettezza *f* cleanliness; **~ urbana** cleansing department; **netto** clean; (*chiaro*) clear; *reddito*, *peso* net

neurologico neurological; **neurologo** *m*, **-a** *f* neurologist

neutrale neutral; **neutralizzare** neutralize; **neutro** neutral; GRAM neuter

neve *f* snow; **nevicare** snow; **nevicata** *f* snowfall

nevralgia *f* neuralgia; **nevralgico** neuralgic; **punto** *m* **~** specially painful point; *fig* weak point

nevrotico 1 *agg* neurotic; F short-tempered **2** *m*, **-a** *f* neurotic

nicchia *f* niche

nicotina *f* nicotine

nido *m* nest

niente 1 *pron* nothing **2** *avv* nothing; **non ho ~** I don't have anything, I have nothing; **non ho per ~ fame** I'm not at all hungry; **non fa niente** it doesn't matter; **niente(di)meno** no less; **~!** that's incredible!

ninfea *f* water-lily

nipote *m/f di zio* nephew; *donna, ragazza* niece; *di nonno* grandson; *donna, ragazza* granddaughter

nitido clear; FOT sharp

nitrire neigh

NO (= **nord-ovest**) NW (= northwest)

no no; **come ~!** of course!; **se ~** otherwise; **dire di ~** say no; **credo di ~** I don't think so

nobile 1 *agg* noble **2** *m/f* aristocrat; **nobiltà** *f* nobility

nocca *f* knuckle

nocciola *f* hazelnut; (**color m**) **~** hazel; **nocciolina** *f*: **~**

(*americana*) peanut

nocciolo[1] *m albero* hazel (tree)

nocciolo[2] *m di frutto* stone; *di questione* kernel

noce 1 *m* walnut (tree); *legno* walnut 2 *f* walnut; ~ *di cocco* coconut; ~ *moscata* nutmeg; nocepesca *f* nectarine

nocivo harmful

nodo *m* knot; *fig* crux; FERR junction

no-global *m/f inv* anti-globalist

noi *pron soggetto* we; *con prp* us; *a* ~ to us; *con* ~ with us

noia *f* boredom; -*e pl* trouble; *dar* ~ *a qu* annoy s.o.; noioso boring; (*molesto*) annoying

noleggiare rent, Br anche hire; (dare a noleggio) rent out, Br hire out; noleggio *m* rent, Br anche hire; nolo *m* rent, Br anche hire; *prendere a* ~ rent; *dare a* ~ rent out

nome *m* name; GRAM noun; ~ *di battesimo* Christian name; ~ *e cognome* full name; *in* ~ *di* in the name of

nomina *f* appointment; nominare (*menzionare*) mention; *a un incarico* appoint (*a* to)

non not; ~ *ho fratelli* I don't have any brothers, I have no brothers

non stop *inv* nonstop

non vedente *m/f* blind person

nonché let alone; (*e anche*) as well as

noncurante nonchalant; ~ *di* heedless of

nondimeno nevertheless

nonno *m*, -a *f* grandfather; *donna* grandmother; -*i pl* grandparents

nonnulla *m inv* trifle

nono ninth

nonostante despite; *ciò* ~ however

nontiscordardimé *m inv* forget-me-not

nord *m* north; *a(l)* ~ *di* (to the) north of; nordest *m* northeast; nordico northern; *lingue* Nordic; nordovest *m* north-west

norma *f* (*precetto*) rule; TEC standard; *a* ~ *di legge* up to standard; normale normal; normalità *f* normality

norvegese *agg*, *m/f* Norwegian; Norvegia *f* Norway

nostalgia *f* nostalgia; *avere* ~ *di casa* feel homesick; *avere* ~ *di qu* miss s.o.

nostrano local, home *attr*

nostro 1 *agg* our; *i* -*i genitori* our parents; *un* ~ *amico* a friend of ours 2 *pron*: *il* ~ ours

nota *f* note; FIN bill; ~ *spese* expense account; *prendere* ~ *di qc* make a note of sth; *situazione* take note of sth; notaio *m* notary (public);

notare (*osservare*) notice; (*annotare*) make a note of; *con segni* mark; **notarile** notarial; **notevole** (*degno di nota*) notable, noteworthy; (*grande*) considerable; **notificare** serve (*a* on)

notizia *f* piece of news; *avere -e di qu* have news of s.o., hear from s.o.; **notiziario** *m* RAD, TV news *sg*

noto well-known; (*a* one); **notorietà** *f* fame; *spreg* notoriety

nottambulo *m*, -a *f* night owl; **nottata** *f* night; *fare la ~* stay up all night; **notte** *f* night; *di ~* at night; *buona ~!* good night!; **notturno** night(-time) *attr*, *animale* nocturnal

novanta ninety; **novantesimo** ninetieth; **nove** nine; **novecento 1** *agg* nine hundred **2** *m*: *il Novecento* the twentieth century

novella *f* short story

novembre *m* November

novità *f inv* novelty; (*notizia*) piece of news

nozione *f* notion, idea; *-i pl di base* rudiments

nozze *fpl* wedding; *~ d'argento* silver wedding (anniversary)

ns. (= *nostro*) our(s), used in correspondence

nube *f* cloud; **nubifragio** *m* cloudburst

nubile single, unmarried

nuca *f* nape of the neck

nucleare nuclear; **nucleo** *m* FIS nucleus (*anche fig*)

nudismo *m* naturism, nudism; **nudista** *m/f* naturist, nudist; **nudo 1** *agg* nude, naked; (*spoglio*) bare **2** *m* PITT nude

nulla nothing; *è una cosa da ~* it's nothing; *per ~* for nothing; **nullaosta** *m*: *fig ottenere il ~* get the green light; **nullo** invalid; *gol* disallowed; *voto* spoiled

numerale *m* numeral; **numerare** number; **numerato** numbered; **numero** *m* number; *arabo, romano* numeral; *di scarpa* size; *~ di targa* registration number, *Am* license number; *~ di telefono* phone number; *~ di volo* flight number; *~ verde* 0800 number, *Am* toll-free number; *F dare i -i* talk nonsense; **numeroso** numerous; *famiglia, classe* large

nuocere: *~ a* harm

nuora *f* daughter-in-law

nuotare swim; **nuotata** *f* swim; **nuoto** *m* swimming

nuovamente again; **nuovo 1** *agg* new; *di ~* again **2** *m*: *che c'è di ~?* what's new?

nutriente nourishing; **nutrimento** *m* food; **nutrire** feed; **nutrirsi**: *~ di* live on; **nutritivo** nutritious

nuvola *f* cloud; *fig cadere dalle -e* be taken aback; **nuvoloso** cloudy

O

O (= *ovest*) W (= west)
o or; **~ ... ~** either ... or
oasi *f inv* oasis
obbedire ☞ **ubbidire**
obbligare: **~ qu a fare qc** oblige s.o. to do sth; **obbligatorio** obligatory; **obbligazione** *f* obligation; FIN bond; **obbligo** *m* obligation; **d'~** obligatory
obesità *f* obesity; **obeso** obese
obiettare object (**a** to); **obiettivo 1** *agg* objective **2** *m* aim, objective; FOT lens; **obiettore** *m*: **~ di coscienza** conscientious objector; **obiezione** *f* objection
obliquo oblique
obliterare *biglietto* punch
oblò *m inv* MAR porthole
oca *f* goose; *fig* silly woman
occasionale casual; **occasionalmente** occasionally; **occasione** *f* (*opportunità*) opportunity, chance; (*evento*) occasion; (*affare*) bargain; **automobile** *f* **d'~** second-hand car; **cogliere l'~** seize the opportunity; **all'~** if necessary; **in ~ di** on the occasion of
occhiaie *fpl* bags under the eyes
occhiali *mpl* glasses; **~ da sole** sunglasses; **occhiata** *f* look; **dare un'~ a** have a look at; (*sorvegliare*) keep an eye on; **occhiello** *m* buttonhole; **occhio** *m* eye; **a ~ nudo** to the naked eye; **a ~ e croce** roughly; **dare nell'~** attract attention; **a quattr'-i** in private
occidentale western; **occidente** *m* west; **a ~ di** (to the) west of
occorrente 1 *agg* necessary **2** *m* necessary materials; **occorrenza** *f*: **all'~** if necessary, if need be; **occorrere** be necessary; (*accadere*) occur; **mi occorre** I need; **non occorre!** there's no need!
occupare *spazio* take up, occupy; *tempo* occupy, fill; *posto* have; *persona* keep busy; **occuparsi** take care (**di** of), deal (**di** with); **occupati degli affari tuoi!** mind your own business!; **occupato** TELEC busy, Br *anche* engaged; *posto, appartamento* taken; *gabinetto* engaged, Am occupied; *persona* busy; *città, nazione* occupied; **occupazione** *f* **di città, paese** occupation; (*attività*) pastime; (*impiego*) job
oceano *m* ocean; **Oceano Atlantico** Atlantic Ocean; **Oceano Pacifico** Pacific

Ocean

oculista *m/f* ophthalmologist

od = **o** (*before a vowel*)

odiare hate, detest

odierno modern-day *attr*, today's *attr*

odio *m* hatred; **odioso** hateful, odious

odontotecnico *m*, **-a** *f* dental technician

odorare smell (**di** of); **odorato** *m* sense of smell; **odore** *m* smell, odour, *Am* odor; **-i** *pl* GASTR herbs

offendere offend; **offendersi** take offence *o Am* offense; **offensiva** *f* offensive; **offensivo** offensive

offerente *m* bidder; **maggior ~** highest bidder; **offerta** *f* offer; FIN supply; REL offering; (*dono*) donation; *in asta* bid; **~ d'impiego** job offer; **~ speciale** special offer

offesa *f* offence, *Am* offense; **offeso** *pp* ☞ **offendere**

officina *f* workshop; *per macchine* garage

offrire offer; **ti offro da bere** I'll buy you a drink; **posso offrirti qualcosa?** can I get you anything?

oggettivo objective; **oggetto** *m* object

oggi today; **d'~** of today; **da ~ in poi** from now on; **~ stesso** today, this very day; **~ come ~** at the moment; **~ pomeriggio** this afternoon; **oggigiorno** nowadays

ogni every; **~ tanto** every so often; **~ sei giorni** every six days; **Ognissanti** *m inv* All Saints Day; **ognuno** everyone, everybody

Olanda *f* Holland; **olandese 1** *agg m* Dutch **2** *m/f* Dutchman; **donna** Dutchwoman

oleandro *m* oleander

oleoso oily

olfatto *m* sense of smell

oliera *f* type of cruet for oil and vinegar bottles

Olimpiadi *fpl* Olympic Games, Olympics; **~ invernali** Winter Olympics

olio *m* oil; **~ extra-vergine d'oliva** extra-virgin olive oil; **~ solare** suntan oil

oliva *f* olive; **olivo** *m* olive (tree)

oltraggio *m* offence, *Am* offense, outrage

oltre 1 *prp* after, past; (*più di*) over; **vai ~ il semaforo** go past the traffic lights; **~ a** apart from **2** *avv nello spazio* further; *nel tempo* longer

omaggio *m* homage; (*dono*) gift; **copia (in) ~** free *o* complimentary copy; **essere in ~ con** come free with

ombelico *m* navel

ombra *f* shadow; *zona non illuminata* shade; **all'~** in the shade; **ombrello** *m* umbrella; **ombrellone** *m* parasol; *sulla spiaggia* beach umbrella; **ombretto** *m* eye shadow

omeopatico 1 *agg* homeopathic **2** *m*, -a *f* homeopath

omero *m* humerus

omesso *pp* ☞ **omettere**; **omettere** omit, leave out

omicida 1 *agg* murderous **2** *m/f* murderer; **omicidio** *m* murder

omogeneizzato *m* baby food; **omogeneo** homogeneous

omonimo 1 *agg* of the same name **2** *m* homonym **3** *m*, -a *f* namesake

omosessuale *agg*, *m/f* homosexual

on. (= **onorevole**) Hon (= honourable)

onda *f* wave; **-e** *pl* **corte** short wave; **-e** *pl* **lunghe** long wave; **-e** *pl* **medie** medium wave; RAD **andare in** ~ go on the air; **ondata** *f* wave; ~ **di caldo** heat wave; ~ **di freddo** cold spell; **ondeggiare** *di barca* rock; *di bandiera* flutter; **ondulato** *capelli* wavy; *superficie* uneven; *cartone, lamiera* corrugated

onestà *f* honesty; **onesto** honest; *prezzo, critica* fair

onice *m* onyx

onomastico *m* name day

onorare be a credit to; ~ **qu di qc** honour *o Am* honor s.o. with sth; **onorario 1** *agg* honorary **2** *m* fee; **onore** *m* honour, *Am* honor; **in** ~ **di** in honour of; **onorevole 1** *agg* honourable, *Am* honorable **2** **Onorevole** *m/f*

Member of Parliament

ONU *f* (= **Organizzazione delle Nazioni Unite**) UN (= United Nations)

opaco opaque; *calze, rossetto* dark

opera *f* work; MUS opera; ~ **d'arte** work of art; **mettersi all'~** set to work; **operaio 1** *agg* working **2** *m*, -a *f* worker; ~ **specializzato** skilled worker; **operare 1** *v/t cambiamento* make; *miracoli* work; MED operate on **2** *v/i* act; **operativo** operational; *ricerca* applied; *ordine* operative; **piano** *m* ~ plan of operations; **operatore** *m*, -trice *f* operator; *televisivo, cinematografico* cameraman; ~ **di Borsa** market trader; ~ **sociale** social worker; ~ **turistico** tour operator; **operazione** *f* operation

opinione *f* opinion

oppio *m* opium

opporre offer; **opporsi** be opposed

opportunista *m/f* opportunist; **opportunità** *f inv* opportunity; *di decisione* timeliness; **opportuno** suitable

opposizione *f* opposition; **opposto 1** *pp* ☞ **opporre 2** *agg* opposite **3** *m* POL opposition

oppressione *f* oppression; **oppresso 1** *pp* ☞ **opprimere 2** *agg* oppressed; **opprimere** oppress

oppure or (else)

optare: ~ per choose, opt for

opuscolo m brochure

opzione f option

ora¹ f time; *unità di misura* hour; *che ~ è?, che ~ so-no?* what's the time?; *~ le-gale* daylight saving time; *~ locale* local time; *~ di punta* rush hour; TELEC peak time; *di buon'~* early

ora² f avv now; *per ~* for the moment, for the time being; *~ come ~* at the moment; *d'~ in poi* from now on **2** cong now

orale m/agg oral

orario **1** agg *tariffa* hourly; *ve-locità per hour* **2** m *di treno, bus* timetable, Am schedule; *di negozio* business hours; *al lavoro* hours of work; *~ di apertura / chiusura* open-ing / closing time; *in ~* on time

orata f bream

orbita f AST orbit; ANAT eye-socket; *in ~* in orbit

orchestra f orchestra; *luogo* (orchestra) pit

orchidea f orchid

ordigno m device

ordinale m/agg ordinal

ordinamento m rules and regulations; *~ sociale* rules governing society; *ordinare* order; *stanza* tidy up

ordinario ordinary; *mediocre* pretty average

ordinato tidy; ordinazione f

order; ordine m order; *met-tere in ~* tidy up; *di prim'~* first-rate; *~ del giorno* agen-da; *l'~ dei medici* the medical association

orecchino m earring; orec-chio m ear; MUS *a ~* by ear; orecchioni mpl mumps sg

oreficeria f goldsmith work; (*gioielleria*) jeweller's, Am jewelry store

orfano **1** agg orphan **2** m, -a f orphan; orfanotrofio m or-phanage

organismo m organism; *fig* body

organizzare organize; orga-nizzazione f organization

organo m organ

orgasmo m orgasm

orgoglio m pride; orgoglio-so proud

orientale **1** agg eastern; (*del-l'Oriente*) Oriental **2** m/f Ori-ental

orientamento m: *senso m d'~* sense of direction; *~ pro-fessionale* professional ad-vice; *orientarsi* get one's bearings

oriente m east; *l'Oriente* the Orient; *Medio Oriente* Mid-dle East; *Estremo Oriente* Far East; *ad ~ di* (to the) east of

origano m oregano

originale m/agg original; ori-ginalmente originally; ori-ginario original; *essere ~*

di come from; **popolo** originate in; **origine** f origin; **in
~** originally
origliare eavesdrop
orizzontale horizontal; **orizzonte** m horizon
orlo m edge; **di vestito** hem
orma f footprint; **fig seguire
le -e di qu** follow in s.o.'s
footsteps
ormai by now
ormonale hormonal; **ormone** m hormone
ornamentale ornamental;
ornamento m ornament; **ornare** decorate
oro m gold; **d'~** (made of)
gold
orologiaio m (clock- and)
watch-maker; **orologio** m
clock; **da polso** watch
oroscopo m horoscope
orrendo m horrendous
orribile horrible
orrore m horror (**di** of)
orsacchiotto m bear cub;
giocattolo teddy (bear)
orso m bear; **fig** hermit; **~
bianco** polar bear
ortaggio m vegetable
ortica f nettle; **orticaria** f nettle rash
orto m vegetable garden,
kitchen garden; **~ botanico**
botanical gardens
ortodosso orthodox
ortografia f spelling
ortopedico 1 agg orthopae-
dic, **Am** orthopedic **2** m, **-a**
f orthopaedist, **Am** orthope-

dist
orzaiolo m stye
orzo m barley
oscillare di corda sway,
swing; **di barca** rock; **FIS** os-
cillate; **fig: di persona** waver;
di prezzi fluctuate
oscurare obscure; **luce** block
out; **oscurità** f darkness; **fig**
obscurity; **nell'~** in the dark;
oscuro 1 agg dark; (sconosciuto) obscure **2** m: **essere
all'~ di qc** be in the dark
about sth
ospedale m hospital
ospitale hospitable; **ospitalità** f hospitality; **ospitare** put
up; **ospite** m/f guest; **chi
ospita** host; **donna** hostess;
ospizio m old folk's home
osservare (guardare) look at,
observe; (notare) see, observe; (far notare) point
out; (seguire) obey; **~ una
dieta** keep to a diet; **osservatore** m, **-trice** f observer;
osservatorio m AST observatory; **osservazione** f observation
ossessione f obsession (**di**
with); **avere l'~ di** be obsessed with; **ossessivo** obsessive
ossia or rather
ossidare tarnish
ossigeno m oxygen
osso m bone; **~ sacro** sa-
crum; **in carne e -a** in the

flesh; **ossobuco** *m* marrow-bone; GASTR ossobuco, *stew made with knuckle of veal*

ostacolare hinder; **ostacolo** *m* obstacle; *nell'atletica* hurdle; *nell'equitazione* fence, jump; *fig* stumbling block, obstacle

ostaggio *m* hostage; **prendere qu in ~** take s.o. hostage

ostello *m*: **~ della gioventù** youth hostel

osteoporosi *f* osteoporosis

osteria *f* inn

ostetrica *f* obstetrician; (*levatrice*) midwife; **ostetrico 1** *agg* obstetric(al) **2** *m* obstetrician

ostia *f* Host

ostile hostile; **ostilità** *f inv* hostility

ostinarsi dig one's heels in; **~ a fare qc** persist in doing sth; **ostinato** obstinate

ostrica *f* oyster

ostruire block, obstruct; **ostruito** blocked

otite *f* ear infection

otorinolaringoiatra *m/f* ear, nose and throat specialist

ottagono octagon; **ottanta** eighty; **ottantesimo** eighti-

eth; **ottavo** eighth

ottenere get, obtain; **ottengo** ☞ **ottenere**

ottica *f* optics; *fig* viewpoint; **ottico 1** *agg* optical **2** *m* optician

ottimismo *m* optimism; **ottimista** *m/f* optimist

ottimizzare optimize; **ottimo** excellent

otto eight

ottobre *m* October

ottocento 1 *agg* eight hundred **2** *m*: **l'Ottocento** the nineteenth century

ottone *m* brass; MUS **-i** *pl* brass

otturare block; *dente* fill; **otturatore** *m* FOT shutter; **otturazione** *f* blocking; *di dente* filling

ottuso obtuse

ovaia *f* ANAT ovary

ovale *m/agg* oval

overdose *f inv* overdose

ovest *m* west; **a(l) ~ di** (to the) west of

ovini *mpl* sheep

ovunque everywhere

ovvero or rather; (*cioè*) that is

ovvio obvious

ozio *m* laziness, idleness

ozono *m* ozone; **la fascia d'~** the ozone layer

P

pacato calm, unhurried

pacchetto m package; *di sigarette, biscotti* packet

pacchiano vulgar, in bad taste

pacco m parcel, package; ~ **postale** parcel

pace f peace; *lasciare in* ~ *qu* leave s.o. alone *o* in peace

pacifista m/f pacifist

padano of the Po; *pianura f -a* Po Valley

padella f *di cucina* frying pan

padiglione m pavilion; ~ **auricolare** auricle

Padova f Padua; **padovano 1** *agg* Paduan **2** m, **-a** Paduan

padre m father; **padrino** m godfather; **padronanza** f control; *(conoscenza)* mastery; ~ **di sé** self-control; **padrone** m, **-a** f boss; *(proprietario)* owner; *di cane* master; *donna* mistress; ~ **di casa** man / lady of the house; *per inquilino* landlord; *donna* landlady

paesaggio m scenery; PITT, GEOG landscape; **paesaggista** m/f PITT landscape painter; **paese** m country; *(villaggio)* village; *(territorio)* region; *i Paesi Bassi pl* the Netherlands; *-i pl* in *via di sviluppo* developing countries

paga f pay; **pagabile** payable; **pagamento** m payment; **pagare 1** *v/t* pay for; *conto, fattura* pay; *gliela faccio* ~ he'll pay for this **2** *v/i* pay

pagella f report, *Am* report card

paghetta f pocket money

pagina f page; *-e gialle* Yellow Pages; ~ **web** webpage

paglia f straw

paio m: *un* ~ *di* a pair of; *un* ~ *di volte* a couple of times

pala f shovel; *di elica, turbina* blade

palasport m *inv* indoor sports arena

palato m palate

palazzina f luxury home; **palazzo** m palace; *(edificio)* building; *con appartamenti* block of flats, *Am* apartment block; ~ **di giustizia** courthouse; ~ **dello sport** indoor sports arena

palco m dais; TEA stage; **palcoscenico** m stage

palese obvious

Palestina f Palestine; **palestinese** *agg*, m/f Palestinian

palestra f gym

paletta f shovel; *per la spiaggia* spade; **paletto** m tent peg

palla f ball; ~ **di neve** snowball; **pallacanestro** f basketball; **pallanuoto** f water po-

lo; **pallavolo** f volley ball
palliativo m palliative
pallido pale
pallina f di vetro marble; **~ da golf** golf ball; **~ da tennis** tennis ball; **pallino** m nel biliardo cue ball; nelle bocce jack; munizione pellet; fig **avere il ~ della pesca** be mad about fishing; **a -i** pl spotted; **palloncino** m balloon; **pallone** m ball; (calcio) football, soccer; AVIA balloon; **pallottola** f pellet; di pistola bullet
palma f palm
palmare m PDA
palmo m hand's breadth; ANAT palm
palo m pole; nel calcio (goal)-post
palombaro m diver
palpare feel; MED palpate
palpebra f eyelid
paltò m inv overcoat
palude f swamp; **paludoso** swampy; **palustre** swampy; pianta swamp attr
panca f bench; in chiesa pew
pancarré m sliced loaf
pancetta f pancetta, cured belly of pork
panchetto m footstool; **panchina** f bench
pancia f m stomach; **mal** m **di ~** stomach-ache; **panciotto** m waistcoat, Am vest
pancreas m inv pancreas
pane m bread; **~ integrale** wholemeal o Am whole-

wheat bread; **panetteria** f bakery; **panettiere** m/f baker; **panettone** m panettone, cake made with candied fruit
panfilo m yacht; **~ a motore** motor yacht
pangrattato m breadcrumbs
panico m panic
paniere m basket
panificio m bakery
panino m roll; **~ imbottito** filled roll; **paninoteca** f sandwich shop
panna f cream; **~ montata** whipped cream
panne f: **essere in ~** have broken down
pannello m panel; **~ solare** solar panel
panno m (pezzo di stoffa) cloth; **-i** pl clothes; **se fossi nei tuoi -i** if I were in your shoes
pannocchia f cob
pannolino m nappy, Am diaper; per donne sanitary towel, Am sanitary napkin
panorama m panorama; fig overview
pantaloncini mpl shorts; **pantaloni** mpl trousers, Am pants
pantera f ZO panther
pantofola f slipper
papà m inv daddy, dad
papa m Pope
papavero m poppy
papera f fig (errore) slip of the tongue
papero m, **-a** f gosling

papillon m inv bow tie

pappa f food

pappagallo m parrot

paprica f paprika

parabola f TV satellite dish

parabrezza m inv windscreen, Am windshield

paracadute m inv parachute; **paracadutista** m/f parachutist

paracarro m post

paradiso m heaven, paradise

paradossale paradoxical; **paradosso** m paradox

parafango m AUTO wing; di bici mudguard

parafulmine m lightning rod

paraggi mpl neighbourhood, Am neighborhood; **nei ~ di** (somewhere) near

paragonare compare; **paragone** m comparison

paragrafo m paragraph

paralisi f paralysis; **paralizzare** paralyze

parallela f parallel line; **-e** pl parallel bars; **parallelo** m/agg parallel

paralume m lampshade

parametro m parameter

paranoia f paranoia; **paranoico** m/agg paranoid

paranormale m/agg paranormal

paraocchi mpl blinkers (anche fig)

parapetto m parapet; MAR rail

paraplegico 1 agg paraplegic **2** m, **-a** f paraplegic

parare 1 v/t ornare decorate; proteggere shelter; occhi shield; scansare parry **2** v/i save

parassita m/f parasite (anche fig)

parata f parade

paraurti m inv bumper

parcheggiare park; **parcheggio** m parking; luogo car park, Am parking lot

parchimetro m parking meter

parco m park; **~ naturale** nature reserve

parecchio 1 agg a lot of **2** pron **parecchi** mpl, **parecchie** fpl quite a few **3** avv quite a lot

pareggiare 1 v/t even up; (uguagliare) match; conto balance **2** v/i SP draw, Am tie; **pareggio** m SP draw, Am tie

parente m/f relative

parentesi f bracket, Am parenthesis

parere 1 v/i seem, appear; **che te ne pare?** what do you think?; **non ti pare?** don't you think?; **a quanto pare** by all accounts **2** m opinion; **a mio ~** in my opinion

parete f wall

pari 1 agg equal; numero even; **alla ~** the same; SP **finire alla ~** end in a draw o Am tie **2** m (social) equal, peer

Parigi Paris; **parigino** Parisian

parità *f* equality, parity; **~ di diritti** equal rights; **a ~ di condizioni** all things being equal

parlamentare 2 *agg* Parliamentary **2** *v/i* negotiate **3** *m/f* Member of Parliament, MP; **parlamento** *m* Parliament

parlare talk, speak (**a qu** to s.o.; **di qc** about sth); **parla inglese?** do you speak English?

parmigiano *m formaggio* Parmesan

parodia *f* parody

parola *f* word; *facoltà* speech; **~ d'ordine** password; **-e pl crociate** crossword; **-e chiave** keyword; **essere di ~** keep one's word; **parolaccia** *f* swear word

parquet *m* parquet floor

parrocchia *f* parish; **parroco** *m* parish priest

parrucca *f* wig; **parrucchiere** *m*, **-a** *f* hairdresser; **~ per signora** ladies' hairdresser

part time 1 *agg* part-time **2** *avv* part time

parte *f* part; (*porzione*) portion; (*lato*) side; DIR party; **prendere ~ a** take part in; **a ~** separate; **mettere da ~** qc put sth aside; **da nessuna ~** nowhere; **da tutte le -i** everywhere; **da ~ mia** *regalo ecc* from me; **in ~** in part, partly

partecipante *m/f* participant

partecipare 1 *v/t* announce **2** *v/i*: **~ a gara** take part in; *dolore, gioia* share; **partecipazione** *f* (*intervento*) participation; (*annunzio*) announcement; FIN holding; **~ agli utili** profit-sharing

partenza *f* departure; SP start

participio *m* participle

particolare 1 *agg* particular; *segretario* private; **in ~** in particular **2** *m* particular, detail; **particolareggiato** detailed; **particolarità** *f inv* special nature

partigiano *m*, **-a** *f* partisan

partire leave; AUTO, SP start

partita *f* SP match; *di carte* game; *di merce* shipment; **~ IVA** VAT registration number

partito *m* POL party

partner *m/f inv* partner

parto *m* birth; **partorire** give birth to

parziale partial; *fig* biased

Pasqua *f* Easter; **pasquale** Easter *attr*; **Pasquetta** *f* Easter Monday

passaggio *m* passage; *in macchina* lift, *Am* ride; *atto* passing; SP pass; **essere di ~** be passing through; **~ a livello** level crossing, *Am* grade crossing; **dare un ~ a qu** give s.o. a lift; **passante** *m/f* passer-by; **passaporto** *m* passport; **passare 1** *v/i* (*trasferirsi*) go (**in** into); SP pass; *di legge* be passed; *di* *tempo* go by, pass; **~ da / per Milano** go through Milan; **~ dal panettiere** drop by the baker's; **mi è passato di mente** it slipped my mind; **~ per imbecille** be taken for a fool **2** *v/t confine* cross; (*sorpassare*) overstep; (*porgere*) pass; (*trascorrere*) spend; TELEC **ti passo Claudio** here's Claudio; **passata** *f* quick wipe; GASTR **~ (di pomodoro)** passata, *sieved tomato pulp*; **passatempo** *m* pastime, hobby; **passato 1** *agg* past; *alimento* puréed; **l'anno ~** last year **3** *m* past; GASTR purée

passeggero 1 *agg* passing, short-lived **2** *m*, **-a** *f* passenger; **passeggiare** stroll, walk; **passeggiata** *f* stroll, walk; (*percorso*) walk; **passeggino** *m* pushchair, *Am* baby buggy; **passeggio** *m*: **andare a ~** go for a walk

passe-partout *m inv chiave* master key

passerella *f* (*foot*)bridge; MAR gangway; AVIA ramp; *per sfilate* catwalk, *Am* runway

passero *m* sparrow

passionale passionate; *delitto* of passion; **passione** *f* passion; REL Passion

passivo 1 *agg* passive **2** *m* GRAM passive; FIN liabilities

passo *m* step; (*impronta*) footprint; *di libro* passage;

GEOG pass; **~ carrabile** driveway; **fare due -i** go for a walk *o* a stroll; *fig* **fare il primo ~** take the first step

pasta *f* paste; (*pastasciutta*) pasta; (*impasto*) dough; (*dolce*) pastry; **~ frolla** shortcrust pastry; **~ sfoglia** puff pastry; **pastasciutta** *f* pasta; **pastella** *f* batter

pastello *m* pastel

pasticca *f* pastille

pasticceria *f* pastries, cakes; *negozio* cake shop; **pasticcino** *m* pastry; **pasticcio** *m* pastry; *fig* mess; **essere nei -i** be in a mess

pastiglia *f* MED tablet, pill

pasto *m* meal

pastore 1 *m*, **-a** *f* shepherd **2** *m* REL: **~ (evangelico)** pastor; **pastorizzato** pasteurized

patata *f* potato; **-e** *pl* **fritte** (French) fries; **patatine** *fpl* crisps, *Am* chips; (*fritte*) French fries

patente *f*: **~ (di guida)** driving licence, *Am* driver's license

paternità *f* paternity; **paterno** paternal, fatherly

patetico pathetic

patire 1 *v/i* suffer (*di* from) **2** *v/t* suffer (from); **patito 1** *agg* of suffering **2** *m*, **-a** *f* fan

patria *f* homeland

patrigno *m* stepfather

patrimonio *m* estate; **~ artistico** artistic heritage

patriottismo *m* patriotism

patrocinio *m* support, patronage
patrono *m*, -a *f* REL patron saint
patteggiare negotiate
pattinaggio *m* skating; ~ **su ghiaccio** ice skating; **pattinare** skate; AUTO skid; **pattinatore** *m*, -**trice** *f* skater; **pattino** *m* SP skate; ~ **a rotelle** roller skate; ~ **in linea** roller blade
patto *m* pact; **a** ~ **che** on condition that
pattuglia *f* patrol
pattumiera *f* dustbin, *Am* trashcan
paura *f* fear; **avere** ~ **di** be frightened of; **mettere** ~ **a qu** frighten s.o.; **pauroso** fearful; *(che fa paura)* frightening
pausa *f* pause; *durante il lavoro* break
pavimento *m* floor
pavone *m* peacock
pazientare be patient; **paziente** *agg*, *m/f* patient; **pazienza** *f* patience
pazzesco crazy; **pazzia** *f* madness; **pazzo 1** *agg* mad, crazy; **andare** ~ **per** be mad *o* crazy about **2** *m*, -a *f* madman; *donna* madwoman
p.c. (= *per conoscenza*) cc (= carbon copy)
peccare sin; ~ **di** be guilty of; **peccato** *m* sin; *(che)* ~ *!* what a pity!

pecora *f* sheep
pecorino *m/agg*: *(formaggio m)* ~ pecorino *(ewe's milk cheese)*
peculiarità *f inv* special feature, peculiarity
pedaggio *m* toll
pedalare pedal; **pedale** *m* pedal; **pedalò** *m inv* pedalo
pedana *f* footrest; SP springboard
pedata *f* kick; *impronta* footprint
pediatra *m/f* paediatrician, *Am* pediatrician
pedicure 1 *m/f* chiropodist, *Am* podiatrist **2** *m inv* pedicure
pedina *f* draughtsman, *Am* draftsman; *fig* cog in the wheel; **pedinare** shadow, follow
pedofilo *m*, -a *f* paedophile, *Am* pedophile
pedonale pedestrian; **pedone** *m* pedestrian
peggio 1 *avv* worse **2** *m*: *il* ~ **è che** the worst of it is that; **avere la** ~ get the worst of it; **peggioramento** *m* deterioration, worsening; **peggiorare 1** *v/t* make worse, worsen **2** *v/i* get worse, worsen; **peggiore** worse; *superlativo* worst; *il* ~ the worst
pelare peel; *pollo* pluck; *fig* F fleece F
pelle *f* skin; **avere la** ~ **d'oca** have gooseflesh
pellegrinaggio *m* pilgrim-

age; **pellegrino** *m*, **-a** *f* pilgrim

pelletteria *f* leatherwork

pellicano *m* pelican

pelliccia *f* fur; *cappotto* fur coat

pellicola *f* film

pelo *m* hair, coat; *(pelliccia)* coat; *fig* **per un** ~ by the skin of one's teeth

pena *f (sofferenza)* pain, suffering; *(punizione)* punishment; **~ di morte** death penalty; **stare in ~ per qu** worry about s.o.; **non ne vale la ~** it's not worth it; **mi fa ~** I feel sorry for him / her; **penale 1** *agg* criminal; *codice* **penale 2** *f* penalty; **penalità** *f inv* penalty; **penalizzare** penalize

pendenza *f* slope; **pendere** hang; *(essere inclinato)* slope; **pendio** *m* slope

pendolare *m/f* commuter

pendolo *m* pendulum

pene *m* penis

penetrante *dolore, freddo* piercing; *fig: sguardo* piercing, penetrating; *analisi* penetrating; **penetrare 1** *v/t* penetrate **2** *v/i:* **~ in** enter

penisola *f* peninsula

penitenza *f* REL penance; *in gioco* forfeit; **penitenziario** *m* prison

penna *f* pen; *di uccello* feather; **~ stilografica** fountain pen; **pennarello** *m* felt-tip (pen); **pennello** *m* brush

penombra *f* half-light

penoso painful

pensare think; **~ a** think about *o* of; **~ a fare qc** *(ricordarsi di)* remember to do sth; **~ di fare qc** think of doing sth; **ci penso io** I'll take care of it; **pensiero** *m* thought; *(preoccupazione)* worry; **stare in ~** be worried *(per* about); **pensieroso** pensive

pensile hanging

pensilina *f* shelter

pensionamento *m* retirement; **pensionato** *m*, **-a** *f* pensioner, retired person; *alloggio* boarding house; **pensione** *f* pension; *albergo* boarding house; **~ completa** full board; **mezza ~** half board; **andare in ~** retire

Pentecoste *f* Pentecost, *Br anche* Whitsun

pentirsi *di peccato* repent; **~ di aver fatto qc** be sorry for doing sth

pentola *f* pot, pan

penultimo last but one, penultimate

penzolare dangle; **penzoloni** dangling

pepare pepper; **pepato** peppered; **pepe** *m* pepper; **peperone** *m* pepper

per for; *mezzo* by; **~ qualche giorno** a few days; **~ tutta la notte** throughout the night; **dieci ~ cento** ten per cent; **uno ~ uno** one by one; **~ fare qc** (in order) to do sth; **stare ~** about to

pera f pear

peraltro however

perbene 1 agg respectable **2** avv properly

percento 1 m percentage **2** avv per cent; **percentuale** fagg percentage

percepire perceive; (riscuotere) cash

perché because; (affinché) so that; ~? why?

perciò so, therefore

percorrere distanza cover; strada, fiume travel along; **percorso 1** pp ☞ **percorrere 2** m (tragitto) route

percossa f blow; **percosso** pp ☞ **percuotere**; **percuotere** strike

percussione f percussion; MUS **-i** pl percussion

perdere f v/t lose; treno, occasione miss; ~ **tempo** waste time **2** v/i lose; di rubinetto, tubo leak; **perdersi** get lost; ~ **d'animo** lose heart; **mi sono perduto** I'm lost; **perdita** f loss; di gas, di acqua leak; ~ **di tempo** waste of time; **perditempo 1** m/f inv idler **2** m inv waste of time

perdonare forgive; **perdono** m forgiveness

perenne eternal; BOT perennial

perfettamente perfectly; **perfetto** perfect; **perfezionamento** m perfection, further improvement; **corso** m **di** ~ further training; **per-**

fezionare perfect; **perfezione** f perfection; **perfezionista** m/f perfectionist

perfido treacherous

perfino even

perforare drill through

pergolato m pergola

pericolante on the verge of collapse; **pericolo** m danger; (rischio) risk; **fuori** ~ out of danger; **pericoloso** dangerous

periferia f periphery; di città outskirts; **periferico** peripheral; quartiere outlying; IN-FOR **unità** f inv **-a** peripheral

perifrasi f inv circumlocution

periodico 1 agg periodic **2** m periodical; ~ **mensile** monthly; **periodo** m period

peripezia f misadventure

perito 1 agg expert **2** m, **-a** f expert

peritonite f peritonitis

perizia f skill, expertise; esame examination (by an expert)

perla f pearl; **perlina** f bead

perlomeno at least

perlopiù usually

perlustrare patrol

permaloso easily offended, touchy

permanente 1 agg permanent **2** f perm; **permanenza** f permanence; **in un luogo** stay

permesso 1 pp ☞ **permettere 2** m permission; (breve licenza) permit; MIL leave; ~

di soggiorno residence permit; **(è) ~?** may I?; **permettere** allow, permit; **permettersi** afford

pernacchia f F raspberry F, Am bronx cheer F

perno m pivot

pernottamento m night, overnight stay

però but

pero m pear (tree)

perpendicolare f/agg perpendicular

perplesso perplexed

perquisire search; **perquisizione** f search; **~ personale** body search; **mandato** m **di ~** search warrant

persecuzione f persecution; **mania** f **di ~** persecution complex; **perseguitare** persecute; **perseguitato** m: **~ politico** person persecuted for their political views

perseverante persevering; **perseverare** persevere

persiana f shutter

persino ☞ **perfino**

persistente persistent; **persistere** persist

perso pp ☞ **perdere**

persona f person; **a (o per) ~** a head, each; **in~, di~** in person; **personaggio** m character; (*celebrità*) personality; **personale 1** agg personal **2** m staff, personnel; **personalità** f inv personality; **personalmente** personally

perspicace shrewd

persuadere persuade, convince; **~ qu a fare qc** persuade s.o. to do sth; **persuasivo** persuasive; **persuaso** pp ☞ **persuadere**

pertanto and so, therefore

pertinente relevant, pertinent

perturbazione f disturbance

Perù m Peru; **peruviano 1** agg Peruvian **2** m, -a f Peruvian

pervenire arrive; **far ~** send

p.es. (= **per esempio**) eg (= for example)

pesante heavy; fig: *libro, film* boring; **pesantezza** f heaviness; **~ di stomaco** indigestion; **pesapersone** f inv scales; *in negozio ecc* weighing machine; **pesare** weigh

pesca[1] f frutto peach

pesca[2] f fishing

pescare fish for; (*prendere*) catch; fig dig up; *ladro, svaligiatore ecc* catch (red-handed); **pescatore** m fisherman; **pesce** m fish; **~ d'aprile** April Fool; ASTR **Pesci** pl Pisces; **pescecane** m shark; **peschereccio** m fishing boat; **pescheria** f fishmonger's, Am fish store; **pescivendolo** m, -a f fishmonger, Am fish seller

pesco m peach (tree)

peso m weight; **a ~** by weight

pessimismo m pessimism; **pessimista 1** agg pessimistic **2** m/f pessimist

pessimo very bad, terrible

pestaggio *m* F going-over F; **pestare** *carne, prezzemolo* pound; *con piede* step on; *(picchiare)* beat up

peste *f* plague; *persona* pest F

pesticida *m* pesticide

pesto *m* pesto, *paste of basil, olive oil and pine nuts*

petalo *m* petal

petardo *m* fire-cracker

peto *m* fart F

petroliera *f* (oil) tanker; **petrolifero** *oil attr*; **petrolio** *m* oil, petroleum

pettegolezzo *m* piece of gossip; **pettegolo 1** *agg* gossipy **2** *m*, -a *f* gossip

pettinare comb; **pettinarsi** comb one's hair; **pettinatura** *f* hairstyle, hairdo; **pettine** *m* comb

petto *m* chest; *(seno)* breast; **~ di pollo** chicken breast; **a doppio ~** double-breasted

pezza *f* cloth; *(toppa)* patch

pezzo *m* piece; *di motore* part; **da / per un ~** for a long time; **~ di ricambio** spare (part); **andare in -i** break into pieces

piacere 1 *v/i*: **le piace il vino?** do you like wine?; **non mi piace il cioccolato** I don't like chocolate; **mi piacerebbe saperlo** I'd really like to know **2** *m* pleasure; *(favore)* favour, *Am* favor; **~!** pleased to meet you!; **mi fa ~** I'm happy to; **con ~** with pleasure; **per ~** please; **piacevole**

pleasant; **piacimento**: **a ~** as much as you like

piaga *f* (*ferita*) wound

piallare plane

pianerottolo *m* landing

pianeta *m* planet

piangere 1 *v/i* cry, weep **2** *v/t* mourn

pianificare plan

pianista *m/f* pianist; **piano 1** *agg* flat **2** *avv* (*adagio*) slowly; (*a voce bassa*) quietly **3** *m* plan; (*pianura*) plane; *di edificio* floor; MUS piano; **~ rialzato** mezzanine; **primo ~** foreground; FOT close-up; **pianoforte** *m* piano

pianta *f* plant; *di città* map; *del piede* sole; **piantare** plant; *chiodo* hammer in; F **piantala!** cut it out! F; F **~ qu** dump s.o. F

pianterreno *m* ground floor, *Am* first floor

pianto 1 *pp* ☞ **piangere 2** *m* crying, weeping; (*lacrime*) tears

pianura *f* plain

piastra *f* plate; **piastrella** *f* tile

piattaforma *f* platform; **~ di lancio** launch pad; **piattino** *m* saucer; **piatto 1** *agg* flat **2** *m* plate; GASTR dish; MUS **-i** *pl* cymbals; **primo ~** first course; **~ del giorno** day's special

piazza *f* square; COM market (place); **piazzale** *m* large square; *in autostrada* tollbooth area; **piazzare** place, put; (*vendere*) sell; **piazzola** *f* small square; **~ di sosta** lay-by

piccante spicy, hot

picchiare beat

piccione *m* pigeon

picco *m* peak; MAR **colare a ~** sink

piccolo 1 *agg* small, little; *di statura* short **2** *m*, **-a** *f* child; **la gatta con i suoi -i** the cat and her young; **da ~** as a child

piccozza *f* ice axe, *Am* ice ax

picnic *m inv* picnic

pidocchio *m* louse

piede *m* foot; **a -i** on foot; **stare in -i** stand; **a -i nudi** barefoot, with bare feet

piedistallo *m* pedestal

piega *f* wrinkle; *di pantaloni* crease; *di gonna* pleat; **piegare 1** *v/t* bend; (*ripiegare*) fold **2** *v/i* bend; **piegarsi** bend; *fig* **~ a** comply with; **pieghevole** sedia folding

Piemonte *m* Piedmont; **piemontese** *agg*, *m/f* Piedmontese

piena *f* flood; *a teatro* full house; **pieno 1** *agg* full (**di** of); (*non cavo*) solid **2** *m*: AUTO **fare il ~** fill up

pietà *f* pity (**di** for); PITT pietà; **avere ~ di qu** take pity on s.o.

pietanza *f* dish

pietra *f* stone; **pietrina** *f* flint; **pietroso** stony

pigiama *m* pyjamas, *Am* pa-

jamas

pigiare crush

pigliare catch

pigna *f* pinecone

pignolo *m* pedantic

pigrizia *f* laziness; **pigro** lazy

pila *f* EL battery; (*catasta*) pile

pilastro *m* pillar

pillola *f* pill; **prendere la ~** be on the pill

pilone *m* pier; EL pylon

pilota *m/f* AVIA, MAR pilot; AUTO driver; **pilotare** pilot; AUTO drive

pinacoteca *f* art gallery

pineta *f* pine forest

ping-pong *m* ping-pong

pinna *f di pesce* fin; SP flipper

pino *m* pine; **pinolo** *m* pine nut

pinza *f* pliers; **pinzare** staple; **pinzatrice** *f* stapler; **pinzette** *fpl* tweezers

pioggia *f* rain

piombare fall; *precipitarsi* rush (**su** at); **mi è piombato in casa** he dropped in unexpectedly; **piombino** *m* sinker; **piombo** *m* lead

pioppo *m* poplar

piovere rain; **piovigginare** drizzle; **piovoso** rainy

piovra *f* octopus

pipa *f* pipe

pipì *f* F pee F; F **fare la ~** go for a pee F

pipistrello *m* bat

piramide *f* pyramid

pirata *m* pirate

pirofila *f* oven-proof dish

piroscafo *m* steamer

pisciare P piss P

piscina *f* (swimming) pool; ~ **coperta** indoor pool

pisello *m* pea

pisolino *m* nap

pista *f* di atletica track; (*traccia*) trail; ~ **d'atterraggio** runway; ~ **da ballo** dance floor; ~ **da sci** ski slope; ~ **ciclabile** bike path

pistacchio *m* pistachio

pistola *f* pistol

pittore *m*, **-trice** *f* painter; **pittura** *f* painting; **pitturare** paint

più 1 *avv* more (**di**, **che** than); *superlativo* most; MAT plus; ~ **grande** bigger; **il ~ grande** the biggest; **di ~** more; **non** ~ no more; *tempo* no longer; ~ **o meno** more or less; **per di ~** what's more; **mai ~** never again; **al ~ presto** as soon as possible; **al ~ tardi** at the latest 2 *agg* more; *superlativo* most; ~ **volte** several times 3 *m* most; **per lo ~** mainly; **i ~**, **le ~** the majority

piuma *f* feather

piumino *m* down; *giacca* quilted jacket

piumone® *m* Continental quilt, duvet

piuttosto rather

pizza *f* pizza; **pizzaiolo** *m* pizza maker; **pizzeria** *f* pizzeria

pizzicare 1 *v/t braccio*, *persona* pinch; F *ladro* catch (red-handed) 2 *v/i* pinch; **pizzico**

m pinch; **pizzicotto** *m* pinch

pizzo *m* (*merletto*) lace

placare placate; *dolore* ease

placca *f* plate; (*targhetta*) plaque; ~ **dentaria** plaque; placcare plate; *nel rugby* tackle; **placcato d'oro** gold-plated

planetario 1 *agg* planetary 2 *m* planetarium

plasma *m* plasma; ~ **sanguigno** blood plasma; plasma-re mould, *Am* mold

plastica *f* plastic; MED plastic surgery; **plastico 1** *agg* plastic 2 *m* ARCHI scale model; **esplosivo al ~** plastic bomb

plastilina® *f* Plasticine®

platano *m* plane (tree)

platea *f* TEA stalls

platino *m* platinum

plausibile plausible

plenilunio *m* full moon

plettro *m* plectrum

pleurite *f* pleurisy

plico *m* envelope

plurale *m/agg* plural

plutonio *m* plutonium

pneumatico 1 *agg* pneumatic 2 *m* tyre, *Am* tire

po': **un** ~ a little (**di** sth), a little bit (**di** of); **un bel** ~ quite a lot

poco 1 *agg* little; *con nomi plurali* few 2 *avv* not much; *con aggettivi* not very; **senti un po'!** just listen!; **a ~ a ~** little by little, gradually; ~ **fa** a little while ago; **fra ~**

in a little while, soon; **~ do-po** a little while later, soon after; **per ~** cheap; *(quasi)* almost, nearly

podere m farm

podio m podium

podismo m walking

poesia f poetry; *componimento* poem; **poeta** m, **-essa** f poet; **poetico** poetic

poggiare lean; *(posare)* put, place; **poggiatesta** m inv head rest

poi then; **d'ora in ~** from now on

poiché since

polacco 1 m/agg Polish **2** m, **-a** f Pole

polare Polar; **circolo m ~ artico / antartico** Arctic / Antarctic circle

polemica f argument; **polemico** argumentative; **polemizzare** argue

polenta f polenta, *kind of porridge made from cornmeal*

policlinico m general hospital

poliglotta 1 agg multilingual **2** m/f polyglot

poligono m MAT polygon; MIL **~ di tiro** firing range

poliomielite f poliomyelitis

polipo m polyp

politica f politics; *(strategia)* policy; **politico 1** agg political **2** m, **-a** f politician

polizia f police; **poliziesco** police attr; **romanzo m ~** detective story; **poliziotto 1** m

policeman 2 agg: **donna** f **-a** policewoman; **cane** m **~** police dog

polizza f policy

pollame m poultry

pollice m thumb; *unità di misura* inch

polline m pollen

pollo m chicken

polmone m lung; **polmonite** f pneumonia

polo¹ m GEOG pole; **~ nord** North Pole; **~ sud** South Pole

polo² 1 m SP polo **2** f inv polo shirt

Polonia f Poland

polpa f flesh; *di manzo, vitello* meat

polpaccio m calf

polpastrello m fingertip

polpetta f di carne meatball; **polpettone** m meat loaf

polpo m octopus

polsino m cuff; **polso** m ANAT wrist; *di camicia* cuff; *pulsazione* pulse

poltiglia f mush

poltrire laze around

poltrona f armchair; TEA stall (seat)

poltrone m, **-a** f lazybones sg

polvere f dust; *(sostanza polverizzata)* powder; **latte** m **in ~** powdered milk; **polverina** f powder; **polveroso** dusty

pomata f cream

pomello m cheek; *di porta* knob

pomeridiano afternoon *attr*; **pomeriggio** *m* afternoon; **di ~, nel ~** in the afternoon

pomice *f/agg*: (**pietra** *f*) **~** pumice (stone)

pomo *m* knob; **~ d'Adamo** Adam's apple

pomodoro *m* tomato

pompa[1] *f* pomp; **impresa** *f* **di -e funebri** undertaker's, *Am* mortician

pompa[2] *f* TEC pump

pompelmo *m* grapefruit

pompiere *m* fireman; **-i** *pl* fire brigade, *Am* fire department

pone ☞ **porre**

ponente *m* west

pongo ☞ **porre**

ponte *m* bridge; ARCHI scaffolding; MAR deck; **fare il ~** make a long weekend of it

pontefice *m* pontiff

ponteggio *m* scaffolding

pontificio papal; **Stato** *m* **~** Papal States

pontile *m* jetty

pop: **musica** *f* **~** pop (music)

popolare 1 *agg* popular; *quartiere* working-class; **ballo** *m* **~** folk dance 2 *v/t* populate; **popolarità** *f* popularity; **popolato** populated; (*abitato*) inhabited; (*pieno*) crowded; **popolazione** *f* population; **popolo** *m* people

poppa *f* MAR stern

porcellana *f* porcelain, china

porcellino *m* piglet; **~ d'India** guinea-pig

porcheria *f* disgusting thing; **è una ~** it's disgusting; **-e** *pl* junk food; **porchetta** *f* suckling pig, *roasted whole in the oven*

porcile *m* pigsty, *Am* pigpen

porcino *m* cep

porco *m* pig; **porcospino** *m* porcupine

porgere *mano, oggetto* hold out; *aiuto, saluto ecc* offer

porno *m/agg* F porn F; **pornografico** pornographic

poro *m* pore

porre place, put; *domanda* ask; **poniamo che ...** let's suppose that ...

porro *m* leek; MED wart

porta *f* door

portabagagli *m inv* luggage rack; AUTO roof rack; **portacenere** *m inv* ashtray; **portachiavi** *m inv* keyring; **portafinestra** *f* French window; **portafoglio** *m* wallet; **portafortuna** *m inv* good luck charm

portale *m* door; INFOR portal

portamonete *m inv* purse; **portaombrelli** *m inv* umbrella stand; **portapacchi** *m inv* di *macchina* roof rack; *di bicicletta* carrier; **portapenne** *m inv* pencil case

portare (*trasportare*) carry; (*accompagnare*) take; (*avere adosso*) wear; (*condurre*) lead; **~ via** take away; **mi ha portato un regalo** he brought me a present; **por-**

tale un regalo take her a present; *essere portato per qc / per fare qc* have a gift for sth / for doing sth

portasci *m inv* AUTO ski rack

portata *f* GASTR course; *di cannocchiale* range; *alla ~ di film, libro ecc* suitable for; *a ~ di mano* within reach

portatile portable; (*computer m*) *~* portable (computer); (*telefono m*) *~* mobile (phone), *Am* cell(ular) phone

portatore *m*, **-trice** *f* bearer; *di malattia* carrier

portauovo *m inv* eggcup

portavoce *m/f inv* spokesperson

portico *m* porch; *-i pl* arcades

portiera *f* door; **portiere** *m* doorman; (*portinaio*) caretaker; SP goalkeeper

portinaio *m*, **-a** *f* caretaker: **portineria** *f* caretaker's flat, *Am* superintendent's apartment

porto[1] *pp* ☞ *porgere*

porto[2] *m posta* postage; *~ d'armi* gun licence *o Am* license

porto[3] *m* MAR port

Portogallo *m* Portugal; **portoghese** *agg*, *m/f* Portuguese

portone *m* main entrance

porzione *f* share; GASTR portion

posa *f di cavi, tubi* laying; FOT exposure; FOT *mettersi in ~*

pose; **posacenere** *m inv* ashtray; **posare 1** *v/t* put, place **2** *v/i* pose; *~ su* rest on; *fig ~ da intellettuale* pose as an intellectual; **posarsi** alight; **posate** *fpl* cutlery, *Am* flatware

positivo positive

posizione *f* position

possedere own, possess; **possessivo** possessive; **possesso** *m* possession

possiamo ☞ *potere*

possibile 1 *agg* possible; *il più presto ~* as soon as possible **2** *m: fare il ~* do everything one can; **possibilità** *f inv* possibility; (*occasione*) opportunity, chance; **possibilmente** if possible

posso ☞ *potere*

posta *f* mail, *Br* anche post; (*ufficio postale*) post office; *~ aerea* airmail; *per ~* by post; INFOR *~ elettronica* e-mail; *~ lumaca* snail mail; **postale** postal

postdatare postdate

posteggiare park; **posteggio** *m* carpark, *Am* parking lot; *~ dei taxi* taxi rank, *Am* cab stand

posteriore back *attr*, rear *attr*; (*successivo*) later

posticipare postpone; **posticipato:** *pagamento m ~* payment in arrears

postino *m*, **-a** *f* postman, *Am* mailman; *donna* postwoman, *Am* mailwoman

precipitoso

posto¹ *pp* ☞ **porre**; **~ che** supposing that

posto² *m* place; (*lavoro*) job, position; **mettere a ~ stanza** tidy up; **~ macchina** parking space; **~ finestrino / corridoio** window / aisle seat; **~ a sedere** seat; **~ di polizia** police station; **vado io al ~ tuo** I'll go in your place, I'll go instead of you; **fuori ~** out of place

postoperatorio postoperative

postumo posthumous

potabile fit to drink; **acqua** *f* **~** drinking water

potare prune

potente powerful; (*efficace*) potent; **potenza** *f* power; **~ mondiale** world power; **~ del motore** engine power; **potenziare** strengthen

potere 1 *v/i* can, be able to; **non posso andare** I can't go; **non ho potuto farlo** I couldn't do it, I wasn't able to do it; **può darsi** perhaps, maybe **2** *m* power

poveraccio *m* poor thing; **poveretto** *m*, **poverino** *m* poor man; **povero 1** *agg* poor **2** *m* poor man; **donna** poor woman; **i -i** *pl* the poor *pl*; **povertà** *f* poverty

pozzanghera *f* puddle

pozzo *m* well; **~ petrolifero** oil well

PP.TT. (= **Poste e Telecomu-**

nicazioni) Italian Post Office

pranzare have lunch; **la sera** have dinner; **pranzo** *m* lunch; **la sera** dinner

prassi *f inv* standard procedure

pratica *f* practice; (*esperienza*) experience; (*atto*) file; **mettere in ~** put into practice; **-che** *pl* papers; **in ~** in practice; **avere ~ di qc** have experience of sth; **praticabile sport** which can be done; **strada** passable; **praticantato** *m* apprenticeship; **praticare** *profession* practise; **locale** frequent; **~ molto sport** do a lot of sport; **pratico** practical; **essere ~ di conoscere bene** know a lot about

prato *m* meadow

preavviso *m* notice

precauzione *f* caution; **-i** *pl* precautions

precedente 1 *agg* preceding **2** *m* precedent; **avere dei -i penali** have a record; **precedenza** *f* precedence; **avere la ~** AUTO have right of way; **dare la ~** AUTO give way, *Am* yield; **precedere** precede

precipitare 1 *v/t* throw; *fig* rush **2** *v/i* fall, plunge; **precipitarsi** (*affrettarsi*) rush; **precipitazione** *f* (*fretta*) haste; **-i** *pl* **atmosferiche** atmospheric precipitation; **precipitoso** hasty

precipizio m precipice

precisamente precisely; **precisare** specify; **precisione** f precision; **con ~** precisely; **preciso** accurate; *persona* precise

precoce precocious; *pianta* early

precotto m ready-made, pre-cooked

preda f prey

predica f sermon

prediletto 1 pp ☞ **prediligere 2** agg favourite, Am favorite; **prediligere** prefer

predire predict

predisporre draw up in advance; **~ a** encourage; **predisposto** pp ☞ **predisporre**

predominare predominate; **predominio** m predominance

prefabbricato 1 agg prefabricated **2** m prefabricated building

prefazione f preface

preferenza f preference; **preferenziale** preferential; **preferire** prefer

preferito favourite, Am favorite

prefettura f prefecture

prefiggersi set o.s.; **prefisso 1** pp ☞ **prefiggersi 2** m TELEC code

pregare beg (**di fare** to do); *divinità* pray to; **ti prego di ascoltarmi** please listen to me

preghiera f request; REL prayer

pregiato *pietra* precious

pregio m (*qualità*) good point

pregiudicato m, -a f previous offender; **pregiudizio** m prejudice

prego please; **~?** I'm sorry (what did you say)?; **grazie! – ~!** thank you! – you're welcome!, not at all!

preistoria f prehistory; **preistorico** prehistoric

prelavaggio m pre-wash

prelevamento m di sangue, campione taking; FIN withdrawal; **~ in contanti** cash withdrawal; **prelevare** sangue, campione take; denaro withdraw

prelibato exquisite

prelievo m (*prelevamento*) taking; FIN withdrawal; **~ del sangue** blood sample

pre-maman 1 agg maternity attr **2** m inv maternity dress

prematuro premature

premeditato premeditated

premere press

premessa f introduction

premesso pp ☞ **premettere**; **premettere** say first

premiare give an award o prize to; onestà, coraggio reward; **premiazione** f awards ceremony; **premio** m prize, award; FIN premium

premura f (*fretta*) hurry, rush; **mettere ~ a qu** hurry s.o. along; **premuroso** attentive

prenatale prenatal

prendere 1 v/t take; *malattia, treno* catch; **cosa prendi?** what will you have; **andare / venire a ~ qu** fetch s.o.; **~ il sole** sunbathe; **prendersela** get upset (*per* about; **con** with); **che ti prende?** what's got into you? **2** v/i: **~ a destra** turn right; **prendisole** m inv sundress

prenotare book, reserve; **prenotazione** f booking, reservation

preoccupare worry; **preoccuparsi** worry; **preoccupato** worried; **preoccupazione** f worry

preparare prepare; **prepararsi** get ready (**a** to), prepare (**a** to); **preparativi** mpl preparations; **preparazione** f preparation

preposizione f preposition

prepotente domineering; *bisogno* pressing

presa f grip, hold; EL **~ di corrente** socket, *Am* outlet; **essere alle -e con qc** be grappling with sth

presagio m omen

presbite far-sighted

prescindere: ~ da have nothing to do with

prescritto pp ☞ **prescrivere**; **prescrivere** prescribe

presentare *documenti, biglietto* show, present; *domanda* submit; *scuse* make; TEA present; (*contenere*) contain; (*far*

conoscere) introduce (**a** to); **presentarsi** look; (*esporre*) show itself; *occasione* occur; **presentatore** m, **-trice** f presenter; **presentazione** f presentation; *di richiesta* submission; **fare le -i** make the introductions; **presente 1** agg present; **hai ~ il negozio … ?** do you know the shop … ? **2** m present; **i -i** pl those present

presentimento m premonition

presenza f presence; **alla** (*o* **in**) **~ di** in the presence of

presepe m, **presepio** m nativity (scene)

preservare protect, keep (**da** from); **preservativo** m condom

presidente m/f chairman; POL President; **~ del Consiglio (dei ministri)** Prime Minister

preso pp ☞ **prendere**

pressappoco more or less

pressione f pressure; **far ~ su** put pressure on, pressure

presso 1 prp (*vicino a*) near; *nella sede di* on the premises of; *posta care of*; **vive ~ i genitori** he lives with his parents; **lavoro ~ la FIAT** I work for Fiat **2** m: **nei -i di** in the vicinity of; **pressoché** almost

prestare lend; **~ ascolto / aiuto a qu** listen to / help s.o.; **prestarsi** offer

one's services; (*essere adatto*)
lend itself (*a* to); **prestazione** f service; **prestito** m loan;
in ~ on loan; *dare in* ~ lend;
prendere in ~ borrow

presto (*fra poco*) soon; (*in fretta*) quickly; (*di buon'ora*)
early; *a* ~! see you soon!;
far ~ be quick

presumere presume; **pre-suntuoso** presumptuous

prete m priest

pretendere claim; **pretesa** f pretension

pretesto m pretext

pretura f magistrates' court,
Am circuit court

prevalenza f prevalence; *in* ~
prevalently; **prevalere** prevail

prevedere foresee, predict;
tempo forecast; *di legge* provide for; **prevedibile** predictable

prevendita f advance sale

prevenire *domanda*, *desiderio*
anticipate; (*evitare*) prevent;
preventivo 1 *agg* preventive
2 m estimate; **prevenzione** f
prevention

previdenza f foresight; ~ *so-ciale* social security, *Am*
welfare

previsione f forecast; *-i pl del
tempo* weather forecast;
previsto pp ☞ **prevedere**

prezioso precious

prezzemolo m parsley

prezzo m price; *a buon* ~
cheap

prigione f prison; **prigioniero**
m, **-a** f prisoner

prima¹ avv before; (*in primo
luogo*) first; ~ *di* before; ~
di fare qc before doing sth;
~ *o poi* sooner or later; ~
che before; *quanto* ~ as
soon as possible

prima² f FERR first class;
AUTO first; TEA first night

primavera f spring

primitivo primitive; (*iniziale*)
original

primizia f early crop

primo 1 *agg* first **2** m, **-a** f first;
ai -i del mese at the beginning of the month; *sulle -e*
in the beginning, at first **3**
m GASTR first course, starter; **primogenito 1** *agg* firstborn **2** m, **-a** f first-born

principale 1 *agg* main **2** m
boss

principato m principality;
principe m prince; **principessa** f princess

principiante m/f beginner;
principio m start, beginning; (*norma*) principle; *al*
~ at the start, in the beginning; *per* ~ as a matter of
principle

privare deprive (*di* of); **privarsi** deprive o.s. (*di* of)

privatizzare privatize; **privato 1** *agg* private; *in* ~ in private **2** m private citizen

privilegiare *Am* favor, prefer; **privilegiato** privileged; **privilegio** m privilege

privo: *~ di* lacking in; *~ di grassi* fat-free

pro 1 *m inv*: *i ~ e i contro* the pros and cons; *a che ~?* what's the point? **2** *prp* for; *~ capite* per capita, each

probabile probable; **probabilità** *f inv* probability

problema *m* problem

proboscide *f* trunk

procedere carry on; *fig (agire)* proceed; **procedimento** *m* process

procedura *f* procedure; DIR proceedings

processare try

processione *f* procession

processo *m* process; DIR trial

procinto *m*: *essere in ~ di* be about to

proclamare proclaim

procura *f* power of attorney; *Procura di Stato* public prosecutor's office; *per ~* by proxy; **procurare** *(causare)* cause; *~ qc a qu* cause s.o. sth; **procurarsi** get hold of; **procuratore** *m*, **-trice** *f* person with power of attorney; DIR lawyer for the prosecution; *~ generale* Attorney General

prodotto 1 *pp* ☞ **produrre 2** *m* product; **produco** ☞ **produrre**; **produrre** produce; *danni* cause; **produttivo** productive; **produttore** *m*, **-trice** *f* producer; **produzione** *f* production

prof. ssa (= **professoressa**)

Prof. (= **Professor**)

profanare desecrate

professionale professional; *scuola, corso* vocational; **professione** *f* profession; **professionista** *m/f* professional; *libero ~* self-employed person

professore *m*, **-essa** *f* teacher; *d'università* professor

proficuo profitable

profilattico prophylactic

profilo *m* profile

profitto *m (vantaggio)* advantage

profondità *f inv* depth; FOT *~ di campo* depth of field; **profondo** deep

profugo *m*, **-a** *f* refugee

profumare perfume; **profumeria** *f* perfume shop; **profumo** *m* perfume

progettare plan; **progetto** *m* design; *di costruzione* project; *~ di legge* bill

prognosi *f inv* prognosis

programma *m* programme, *Am* program; INFOR program; *~ televisivo* TV programme; *avere in ~* have planned; **programmare** plan; INFOR program; **programmatore** *m*, **-trice** *f* programmer; **programmazione** *f* programming; FIN *~ economica* economic planning; INFOR *linguaggio m di ~* programming language

progredire progress; **progressivo** progressive; **pro-**

gresso *m* progress; *fare -i* make progress

proibire ban, prohibit; ~ *a qu di fare qc* forbid s.o. to do sth

proiettare throw; *film* screen, show; *fig* project; **proiettile** *m* projectile

proiettore *m* projector; ~ *per diapositive* slide projector

proletario 1 *agg* proletariat **2** *m* proletarian

pro loco *f inv* local tourist board

prologo *m* prologue

prolunga *f* EL extension cord; **prolungare** extend; *nel tempo* prolong, extend; **prolungarsi** *di strada* extend; *di riunione* go on

promemoria *m inv* memo

promessa *f* promise; **promesso** *pp* ☞ **promettere**; **promettere** promise; ~ *bene* look promising

promontorio *m* promontory, headland

promosso *pp* ☞ **promuovere**; **promozione** *f* promotion; EDU year; ~ *delle vendite* sales promotion; **promuovere** promote; EDU move up

pronome *m* pronoun

prontezza *f* readiness, promptness; *(rapidità)* speediness, promptness; ~ *di spirito* quick thinking; **pronto** *(preparato)* ready (*a fare qc* to do sth); *per qc*

for sth); TELEC ~*!* hello!; ~ *soccorso* first aid; *in ospedale* accident and emergency, A&E

pronuncia *f* pronunciation; **pronunciare** pronounce; **pronunciarsi** give an opinion (*su* on)

propaganda *f* propaganda; **propagare** propagate; *fig* spread; **propagarsi** spread (*anche fig*)

propenso inclined (*a fare qc* to do sth)

propongo ☞ **proporre**; **proporre** propose; **proporsi** stand (*come* as); ~ *di fare qc* intend to do sth

proporzionato in proportion (*a* to); **proporzione** *f* proportion; *in* ~ in proportion (*a, con* to)

proposito *m* intention; *a* ~ by the way; *a* ~ *di* about, with reference to; *di* ~ on purpose

proposizione *f* GRAM sentence

proposta *f* proposal; **proposto** *pp* ☞ **proporre**

proprietà *f inv* property; *diritto* ownership; **proprietario** *m*, -a *f* owner

proprio 1 *agg* own; *(caratteristico)* typical; *(adatto)* proper; *nome* *m* ~ proper noun; *amor* *m* ~ pride **2** *avv* *(davvero)* really **3** *m* *(beni)* personal property; *lavorare in* ~ be self-employed

propulsore *m* propeller

prora f prow
proroga f postponement; (*prolungamento*) extension; **prorogare** (*rinviare*) postpone; (*prolungare*) extend
prosa f prose
prosciogliere release; DIR acquit
prosciugare drain; *di sole* dry up
prosciutto m ham; ~ **cotto** cooked ham; ~ **crudo** salted air-dried ham
proseguimento m continuation; **proseguire 1** v/t continue **2** v/i continue, carry on
prospettiva f perspective; (*panorama*) view; (*possibilità*) prospect; *fig* point of view
prospetto m *disegno* elevation; (*facciata*) facade; (*tabella*) table
prossimamente shortly, soon; **prossimità** f inv proximity; **in ~ di** near; **prossimo 1** agg close; **la ~a volta** the next time **2** m fellow human being
prostituta f prostitute
protagonista m/f protagonist
proteggere protect (*da* from)
proteina f protein
protesi f inv prosthesis; ~ **dentaria** false teeth
protesta f protest; **protestante** agg, m/f Protestant; **protestare** protest ·
protetto pp ☞ **proteggere**; **protezione** f protection

prova f (*esame*) test; (*tentativo*) attempt; (*testimonianza*) proof; *di abito* fitting; SP heat; TEA **-e** pl rehearsal; TEA **-e** pl **generali** dress rehearsal; **mettere alla ~** put to the test; **provare** test, try out; *vestito* try (on); (*dimostrare*) prove; **provarsi** rehearse; ~ **a fare qc** try to do sth
provengo ☞ **provenire**; **provenienza** f origin; **provenire** come (*da* from); **proventi** mpl income
proverbio m proverb
provetta f test-tube
provincia f province; **provinciale 1** agg provincial **2** m/f provincial **3** f A road, *Am* highway
provino m screen-test; (*campione*) sample
provocante provocative; **provocare** (*causare*) cause; (*sfidare*) provoke; *invidia* arouse
provvedere 1 v/t provide (*di* with) **2** v/i: ~ **a** take care of; **provvedimento** m measure
provvigione f commission
provvisorio provisional
provvista f: **far ~ di qc** stock up on sth; **provvisto 1** pp ☞ **provvedere 2** agg: **essere ~ di** be provided with
prozio m, **-a** f great-uncle; *donna* great-aunt
prua f prow
prudente careful, cautious;

prudenza *f* care, caution
prudere: *mi prude la mano* my hand itches
prugna *f* plum; *~ secca* prune
prurito *m* itch
P.S. (= *Pubblica Sicurezza*) police; (= *post scriptum*) PS (= post scriptum)
pseudo ... pseudo ...
pseudonimo *m* pseudonym
psicanalisi *f* psychoanalysis; **psicanalista** *m/f* psychoanalyst
psiche *f* psyche
psichiatra *m/f* psychiatrist
psicologia *f* psychology; **psicologico** psychological; **psicologo** *m*, **-a** *f* psychologist
psicosi *f inv* psychosis
psicoterapia *f* psychotherapy
P.T.P. (= *Posto Telefonico Pubblico*) public telephone
pubblicare publish; **pubblicazione** *f* publication; **-i** *pl* (*matrimoniali*) banns; **pubblicità** *f inv* publicity; *annuncio* advert; *fare ~ a evento* publicize; *prodotto* advertise; **pubblicitario 1** *agg* advertising **2** *m*, **-a** *f* publicist; **pubblico 1** *agg* public **2** *m* public; (*spettatori*) audience; *in ~* in public
pube *m* pubis
pubertà *f* puberty
pudore *m* modesty
pugilato *m* boxing; **pugile** *m* boxer
pugnalare stab; **pugnale** *m* dagger

pugno *m* fist; (*colpo*) punch; *quantità* handful; *fare a -i* come to blows
pulce *f* flea
pulcino *m* chick
puledro *m*, **-a** *f* colt; *femmina* filly
pulire clean; **pulito** clean; *fig* cleaned-out; **pulitura** *f* cleaning; *~ a secco* dry cleaning; **pulizia** *f* cleanliness; *fare le -e* do the cleaning
pullman *m inv* bus, *Br anche* coach
pullover *m inv* pullover
pullulare: *~ di* be swarming with
pulpito *m* pulpit
pulsante *m* button; **pulsazione** *f* pulsation
pungere prick; *di ape* sting; **pungiglione** *m* sting
punibile punishable (*con* by); **punire** punish; **punizione** *f* punishment; SP (*calcio m di*) *~* free kick
punta *f* di spillo, coltello point; *di dita, lingua* tip; GEOG peak; *fig* touch, trace; **puntare 1** *v/t* pin (*su* to); (*dirigere*) point (*verso* at); (*scommettere*) bet (*su* on); *fig ~ i piedi* dig one's heels in **2** *v/i*: *~ a successo* aspire to; **puntata** *f* instalment, *Am* instalment; (*scommessa*) bet
punteggiatura *f* punctuation; **punteggio** *m* score
puntiglioso punctilious

puntina f di giradischi stylus; ~ **(da disegno)** drawing pin, Am thumbtack; **puntino** m dot; **a** ~ perfectly; **punto 1** pp ☞ **pungere 2** m point; MED, (maglia) stitch; ~ **di vista** point of view; ~ **cardinale** point of the compass; **fino a che** ~ **sei arrivato?** how far have you got?; **alle dieci in** ~ at ten o'clock exactly o on the dot; ~ **(fermo)** full stop, Am period; **due -i** colon; ~ **e virgola** semi-colon; ~ **esclamativo** exclamation mark, Am exclamation point; ~ **interrogativo** question mark; **essere sul** ~ **di fare qc** be on the point of doing sth
puntuale punctual; **puntualità** f punctuality; **puntualizzare** make clear
puntura f di ape sting; di ago prick

punzecchiare prick; fig (provocare) tease
può, puoi ☞ **potere**
pupazzo m puppet; ~ **di neve** snowman
pupilla f pupil
pupillo m pupil
purché provided
pure 1 cong even if; (tuttavia) (and) yet **2** avv too, as well; **pur di** in order to; **venga** ~ **avanti!** do come in!
purè m inv purée
purga f purge; **purgante** m laxative
puro pure
purtroppo unfortunately
pus m pus
pustola f pimple
puttana f P whore
puzza f stink; **puzzare** stink (**di** of); **puzzo** m stink; **puzzola** f ZO polecat; **puzzolente** stinking
p.v. (= **prossimo venturo**) next

Q

q (= **quintale**) 100 kilos
qua here; **passa di** ~ come this way; **al di** ~ **di** on this side of
quaderno m exercise book
quadrante m quadrant; di orologio dial
quadrare di conti balance; fig **i conti non quadrano** there's something fishy going on; **quadrato** m/agg

square
quadrifoglio m four-leaf clover
quadro 1 agg square **2** m painting, picture; MAT square; **a -i** check attr, Am checkered
quadruplo m/agg quadruple
quaggiù down here
quaglia f quail
qualche a few; (un certo)

some; *interrogativo* any; **~ co-sa** something; **~ volta** sometime; *alcune volte* a few times; *a volte* sometimes; **in ~ luogo** somewhere; **in ~ modo** somehow

qualcosa something; *interrogativo* anything, something; **qualcos'altro** something else; **~ da mangiare** something to eat; **~ di bello** something beautiful

qualcuno someone, somebody; *in interrogazioni anche* anyone, anybody; *c'è ~?* is anybody there ?

quale 1 *agg* what; **~ libro vuoi?** which book do you want? **2** *pron: prendi un libro – ~?* take a book – which one?; *il / la ~ persona* who, that; *la persona della ~ stai parlando* the person you're talking about **3** *avv* as

qualifica *f* qualification; **qualificare** qualify; (*definire*) describe; **qualificarsi** give one's name (**come** as); *a esame, gara* qualify; **qualificato** qualified

qualità *f inv* quality; *di prima ~* top quality

qualora in the event that

qualsiasi any; *non importa quale* whatever; **~ persona** anyone; **~ cosa faccia** whatever I do

qualunque any; *uno ~* any one; **~ cosa** anything; **~ co-**

sa faccia whatever I do; **in ~ stagione** whatever the season

qualvolta: *ogni ~* every time that

quando when; *da ~?* how long?; *~ vengo* when I come; *ogni volta che* whenever I come

quantità *f inv* quantity, amount; **quantitativo** *m* quantity, amount

quanto 1 *agg* how much; *con nomi plurali* how many; *tutti -i pl* every single one *sg*; *-i ne abbiamo oggi?* what is the date today? **2** *avv*: *~ dura ancora?* how long will it go on for?; *~ a me* as for me; *~ costa?* how much is it; *in ~* since, because; *per ~ ne sappia* as far as I know

quaranta forty

quarantena *f* quarantine

quarantenne 1 *agg* forty or so **2** *m/f* person in his / her forties; **quarantesimo** fortieth

quaresima *f* Lent

quarta *f* AUTO fourth (gear)

quartiere *m* district; MIL quarters; **~ generale** headquarters

quarto 1 *agg* fourth **2** *m* fourth; (*quarta parte*) quarter; **~ d'ora** quarter of an hour

quarzo *m* quartz

quasi almost; **~ mai** hardly ever

quassù up here

quattordicesimo fourteenth; **quattordici** fourteen

quattrini *mpl* money

quattro four; *farsi in ~ per fare qc* go to a lot of trouble to do sth; **quattrocchi**: *a ~* in private; **quattrocento** 1 *agg* four hundred 2 *m*: *il Quattrocento* the fifteenth century; **quattromila** four thousand

quegli, quei ☞ *quello*

quello 1 *agg* that, *pl* those 2 *pron* that (one), *pl* those (ones); *~ che* the one that; *tutto ~ che* all (that), everything (that)

quercia *f* oak

querela *f* legal action; *sporgere ~ contro qc* take legal action against s.o.

quesito *m* question

questi ☞ *questo*

questionario *m* questionnaire; **questione** *f* question; *è fuori ~* it is out of the question

questo 1 *agg* this, *pl* these 2 *pron* this (one), *pl* these (ones); *~ qui* this one here; *per ~* for that reason; *-a*

poi! well I'm blowed

questore *m* chief of police; **questura** *f* police headquarters

qui here; *~ vicino* near here; *passa di ~!* come this way!; *di ~ a un mese* a month from now

quiete *f* peace and quiet

quindi 1 *avv* then 2 *cong* therefore

quindicesimo fifteenth; **quindici** fifteen; **quindicina** *f*: *una ~* about fifteen; quinta *f* AUTO fifth (gear); TEA *le -e* the wings; **quintale** *m* hundred kilos; **quinto** fifth

quota *f* share, quota; *(altitudine)* altitude; **quotare** *(valutare)* value; FIN *quotate in borsa* listed *o* quoted on the Stock Exchange; **quotato** respected; **quotazione** *f di azioni* value, price; *~ d'acquisto* bid price; *~ di vendita* offer price

quotidianamente daily; **quotidiano** 1 *agg* daily 2 *m* daily (newspaper)

quoziente *m*: *~ d'intelligenza* IQ

R

rabarbaro *m* rhubarb

rabbia *f* rage; *(stizza)* anger; MED rabies *sg*; *fare ~ a qu* make s.o. angry

rabbino *m* rabbi

rabbioso *gesto*, *sguardo* of rage; *cane* rabid

rabbrividire shudder; *per paura* shiver

raccapricciante appalling

raccattare (*tirar su*) pick up
racchetta *f* racquet; ~ *da sci* ski pole
raccogliere (*tirar su*) pick up; (*radunare*) gather; AGR harvest; raccoglitore *m* ring binder; ~ *del vetro* bottle bank; raccolgo ☞ **raccogliere**; raccolta *f* collection; AGR harvest; *fare la ~ di francobolli* collect stamps; raccolto 1 *pp* ☞ **raccogliere** 2 *m* harvest
raccomandabile: *un tipo poco ~* a shady character; raccomandare 1 *v/t* recommend 2 *v/i:* ~ *a qu di fare qc* tell s.o. to do sth; raccomandata *f* recorded delivery (letter), *Am* certified mail; raccomandazione *f* recommendation
raccontare tell; racconto *m* story
raccordo *m* TEC connection; *strada* slip road, *Am* ramp; ~ *anulare* ring road, *Am* beltway
radar *m inv* radar
raddoppiare double; *sforzi* redouble
raddrizzare straighten
radere shave; *sfiorare* skim; ~ *al suolo* raze to the ground; radersi shave
radiare strike off
radiatore *m* radiator
radicale radical; radice *f* root; ~ *quadrata* square root
radio *f inv* radio; (*stazione*) ra-

dio station; radioascoltatore *m*, -trice *f* (radio) listener; radioattività *f* radioactivity; radioattivo radioactive; radiocronaca *f* (radio) commentary; radiofonico radio *attr*; radiografia *f* X-ray; radiosveglia *f* clock radio; radiotaxi *m inv* taxi, cab; radiotelefono *m* radio; radioterapia *f* radiation treatment; radiotrasmittente *f* *apparecchio* radio transmitter; *stazione* radio station
rado *pettine* wide-toothed; *alberi, capelli* sparse; *di ~* seldom
radunare, radunarsi collect, gather; raduno *m* rally
rafano *m* horseradish
raffermo *pane* stale
raffica *f gust*; *di mitragliatrice* burst
raffigurare represent
raffinatezza *f* refinement; raffinato *fig* refined; raffineria *f* refinery
rafforzare strengthen
raffreddare cool; raffreddarsi cool down; MED catch cold; raffreddato: *essere ~* have a cold; raffreddore *m* cold; ~ *da fieno* hay fever
rag. (= *ragioniere*) accountant
ragazza *f* girl; *la mia ~* my girlfriend
ragazzo *m* boy; *il mio ~* my boyfriend
raggio *m* ray; MAT radius; ~

d'azione range; *fig* duties; **-i**
pl **X** X-rays

raggirare fool, take in; **raggiro** *m* trick

raggiungere *luogo* reach, get to; *persona* join; *scopo* achieve

raggomitolarsi curl up

raggrinzito wrinkled

ragionamento *m* reasoning; **ragionare** reason; **ragione** *f* reason; (*diritto*) right; **aver ~** be right; **dare ~ a qu** admit that s.o. is right; **ragioneria** *f* book-keeping; EDU *high school specializing in business studies*; **ragionevole** reasonable; **ragioniere** *m*, **-a** *f* accountant

ragnatela *f* spider's web; **ragno** *m* spider

ragù *m inv* meat sauce for pasta

rallegramenti *mpl* congratulations; **rallegrare** cheer up; **rallegrarsi** cheer up; **~ con qu di qc** congratulate s.o. on sth

rallentare slow down; **rallentatore**: **al ~** in slow motion

ramanzina *f* lecture

rame *m* copper

rammaricarsi be disappointed (*di* at)

rammendare darn

ramo *m* branch; **ramoscello** *m* twig

rampa *f* flight; **~ d'accesso** slip road, *Am* ramp; **rampicante 1** *agg* climbing; **pianta**

f **~** climber **2** *m* climber

rampone *m* crampon

rana *f* frog

rancore *m* rancour, *Am* rancor

randagio stray

rango *m* rank

rannicchiarsi huddle up

rannuvolarsi cloud over

ranocchio *m* frog

rapa *f* turnip

rapace 1 *m* bird of prey **2** *agg fig* predatory

rapida *f* rapids; **rapidità** *f* speed, rapidity; **rapido 1** *agg* quick, fast; *crescita, aumento* rapid **2** *m* (**treno** *m*) **~** intercity train

rapimento *m* abduction, kidnapping

rapina *f* robbery; **rapinare** rob; **rapinatore** *m*, **-trice** *f* robber

rapire abduct, kidnap; **rapitore** *m*, **-trice** *f* abductor, kidnapper

rappacificazione *f* reconciliation

rapporto *m* (*resoconto*) report; (*relazione*) relationship; (*nesso*) connection; **in ~ a** in connection with

rappresentante *m/f* representative; **rappresentanza** *f* agency; **~ esclusiva** sole agency; **rappresentare** represent; TEA perform; **rappresentazione** *f* representation; TEA performance

rarità *f inv* rarity; **raro** rare

rasare shave; **rasatura** f shaving

raschiare scrape; *ruggine, sporco* scrape off; **raschiarsi**: **~ la gola** clear one's throat

rasentare (*sfiorare*) scrape; *fig* (*avvicinarsi*) verge on; **~ il muro** hug the wall; **rasente**: **~ a** very close to

rasoio m razor

rassegna f festival; *di pittura ecc* exhibition; **passare in ~** review; **rassegnarsi** resign o.s (**a** to)

rasserenarsi *di tempo* clear up

rassicurare reassure

rassomigliare: **~ a** look like, resemble; **rassomigliarsi** look like o resemble each other

rastrellare rake; *fig* comb; **rastrelliera** f rack; **~ per biciclette** bike rack; **rastrello** m rake

rata f instalment, *Am* installment; **a-e** in instalments; **rateale**: **pagamento** m **~** payment in instalments o *Am* installments; **vendita** f **~** hire purchase, *Am* installment plan

ratto m ZO rat

rattoppare patch; **rattoppo** m patch

rattrappito stiff

rattristare sadden; **rattristarsi** become sad

raucedine f hoarseness; **rauco** hoarse

ravanello m radish

ravioli mpl ravioli sg

ravvicinare move closer; (*riappacificare*) reconcile

ravvivare revive

razionale rational; **razionare** ration; **razione** f ration

razza f race; *fig* sort, kind; ZO breed

razzia f raid

razziale racial; **razzismo** m racism; **razzista** agg, m/f racist

razzo m rocket

re m inv king; MUS D

reagire react (**a** to)

reale (*vero*) real; (*regale*) royal; **realista** m/f realist

realizzabile feasible; **realizzare** realize; *progetto* carry out; **realizzarsi** di sogno come true; *di persona* find, find fulfilment o *Am* fulfillment

realmente really; **realtà** f inv reality; **in ~** in fact, actually

reato m (criminal) offence o *Am* offense

reattore m AVIA jet engine; *aereo* jet; **~ nucleare** nuclear reactor; **reazione** f reaction

recapitare deliver; **recapito** m delivery; (*indirizzo*) address; **~ telefonico** phone number

recarsi go

recensione f review; **recensire** review

recente recent; **recentemen-**

te recently

recintare enclose; recinto *m* enclosure; *steccato* fence

recipiente *m* container, recipient

reciproco mutual, reciprocal

recita *f* performance; recitare 1 *v/t* recite; TEA play (the part of); *preghiera* say 2 *v/i* act

reclamare 1 *v/i* complain 2 *v/t* claim

réclame *f inv* advert; reclamizzare advertise

reclamo *m* complaint

reclusione *f* seclusion

record *m inv* record

recuperare ☞ *ricuperare*

redatto *pp* ☞ *redigere*; redattore *m*, -trice *f* editor; *di articolo* writer; ~ *capo* editor-in-chief

reddito *m* income

redigere *testo*, *articolo* write; *lista* draw up

redini *fpl* reins

referendum *m inv* referendum

referenza *f* reference

referto *m* (official) report

refettorio *m* refectory

refurtiva *f* stolen property

regalare give; regalino *m* little gift *o* present; regalo *m* gift, present

regata *f* (boat) race

reggere 1 *v/t* (*sostenere*) support; (*tenere in mano*) hold; (*sopportare*) bear 2 *v/i di ragionamento* stand up; reg-

gersi stand

reggia *f* palace

reggipetto *m*, reggiseno *m* bra, *Am* brassiere

regia *f* production; *di film* direction

regime *m* régime; MED diet

regina *f* queen

regionale regional; regione *f* region

regista *m/f* director; TEA producer

registrare record; (*rilevare*) show, register; registratore *m*: ~ (*a cassetta*) cassette recorder; registrazione *f* recording; registro *m* register

regno *m* kingdom; *periodo* reign

regola *f* rule; *in* ~ in order; regolabile adjustable; regolamento *m* regulation; regolare 1 *v/t* regulate; *spese* cut down on; TEC adjust; *questione* settle out; *conto*, *debito* settle 2 *agg* regular

regredire regress

relativo relative (*a* to); (*corrispondente*) relevant; relatore *m*, -trice *f* speaker; relazione *f* relationship; (*esposizione*) report; *avere una* ~ *con qu* have a relationship with s.o.

religione *f* religion; religiosa *f* nun; religioso 1 *agg* religious 2 *m* monk

relitto *m* wreck

remare row; remo *m* oar

remoto remote

remunerare pay; **remunerazione** f payment, remuneration

rendere (restituire) give back, return; (fruttare) yield; senso, idea render; ~ **felice** make happy; **rendimento** m di macchina, impiegato performance; **rendita** f income

rene m kidney

reparto m department

repentaglio: **mettere a ~** risk, endanger

reperibile available; **difficilmente ~** difficult to find; **reperire** find; **reperto** m find; DIR exhibit

replica f replica; TV, TEA repeat; (risposta) answer, reply; **replicare** repeat; (ribattere) reply, answer

reportage m inv report

represso pp ☞ **reprimere; reprimere** repress

repubblica f republic

reputare consider; **reputarsi** consider o.s.; **reputazione** f reputation

requisire requisition; **requisito** m requirement

resa f surrender; (restituzione) return; **~ dei conti** settling of accounts

residence m inv block of service flats o Am apartments; **residente** resident; **residenza** f (official) address; (sede) seat; (soggiorno) stay; **residenziale** residential; **zona** f ~ residential area

residuo m remainder

resina f resin

resistente sturdy, strong; **resistere** al freddo ecc stand up to; (opporsi) resist

reso pp ☞ **rendere**

resoconto m report

respingere richiesta reject, turn down; nemico, attacco repel; **respinto** pp ☞ **respingere**

respirare 1 v/t breathe (in) **2** v/i breathe; fig draw breath; **respiratore** m respirator; per apnea snorkel; **respirazione** f breathing; ~ **artificiale** artificial respiration; **respiro** m breathing; **trattenere il ~** hold one's breath

responsabile responsible (di for); DIR liable (di for); **responsabilità** f inv responsibility; DIR liability

ressa f crowd

restare stay, remain; (avanzare) be left; ~ **indietro** stay behind; ~ **perplesso / vedovo** be puzzled / widowed

restaurare restore; **restauro** m restoration

restituire return; salute restore

resto m rest, remainder; (soldi) change; **~i** pl remains; **del ~** anyway, besides

restringere narrow; vestito take in; **restringersi** di strada narrow; di stoffa shrink

rete f per pescare ecc net; SP goal; INFOR, TELEC, FERR

network

retina *f* ANAT retina

retribuire pay; **retribuzione** *f* payment

retroattivo retroactive

retrobottega *m inv* back shop

retrocedere retreat; *fig* lose ground

retrodatare backdate

retromarcia *f* AUTO reverse (gear)

retroscena *mpl fig* background

retrospettivo *mostra* retrospective

retroterra *m inv* hinterland

retrovisivo: specchietto *m ~* rearview mirror

retta[1] *f somma* fee

retta[2] *f* MAT straight line

retta[3] *f*: **dare ~ a qu** listen to s.o.

rettangolare rectangular; **rettangolo** *m* rectangle

rettificare correct

rettile *m* reptile

rettilineo straight

rettore *m* rector

reumatismo *m* rheumatism

revisionare *conti* audit; *automobile* MOT; *testo* revise; **revisione** *f di conti* audit; *di automobile* MOT; *di testo* revision

revoca *f* repeal; **revocare** repeal

ri- re-

riabilitazione *f* rehabilitation

riacquistare get back, regain; *casa* buy back

riagganciare TELEC hang up

riallacciare refasten; TELEC reconnect

rialzare (*alzare di nuovo*) pick up; (*aumentare*) raise, increase; **rialzo** *m* rise, increase

rianimare *speranze, entusiasmo* revive; (*rallegrare*) cheer up; MED resuscitate; **rianimazione** *f* resuscitation; **centro** *m* **di ~** intensive care unit

riapertura *f* reopening; **riaprire** reopen

riassumere re-employ; (*riepilogare*) summarize; **riassunto 1** *pp* ☞ **riassumere 2** *m* summary

riavere get back, regain

ribaltabile folding; **ribaltare** overturn

ribassare 1 *v/t* lower **2** *v/i* fall, drop; **ribasso** *m* fall, drop; (*sconto*) discount

ribattere (*replicare*) answer back; (*insistere*) insist

ribellarsi rebel (*a* against); **ribelle 1** *agg* rebellious **2** *m/f* rebel; **ribellione** *f* rebellion

ribes *m inv* currant; **~ nero** blackcurrant; **~ rosso** redcurrant

ribrezzo *m* horror; **fare ~ a** disgust

ricadere fall; (*cadere di nuovo*) fall back; *fig* relapse; **ricaduta** *f* relapse

ricamare embroider

ricambiare change; (*contrac-*

cambiare) return, reciprocate; **ricambio** *m* change;
(*sostituzione*) replacement;
pezzo (spare) part
ricamo *m* embroidery
ricapitolare sum up, recapit-
ulate
ricaricare *batteria* recharge
ricattare blackmail; **ricatto** *m*
blackmail
ricavare derive; *denaro* get;
ricavato *m di vendita* proceeds
ricchezza *f* wealth
riccio[1] *m* ZO hedgehog; **~ di
mare** sea urchin
riccio[2] **1** *agg* curly **2** *m* curl
ricciolo *m* curl
ricco 1 *agg* rich; **~ di** rich in **2**
m, **-a** *f* rich man / woman
ricerca *f* research; *di persona
scomparsa, informazione ecc*
search (**di** for); EDU project;
alla ~ di in search of; **ricer-
care** (*cercare di nuovo*) look
again for; (*cercare con cura*)
search for; **ricercato 1** *agg*
oggetto, *artista* sought-after
2 *m* man wanted by the police
ricetta *f* prescription; GASTR
recipe
ricevere receive; *di medico*
see patients; **ricevimento**
m reception; *festa* reception; **ricevitore** *m* receiver; **ricevu-
ta** *f* receipt
richiamare (*chiamare di nuovo*) call again; (*chiamare indietro*) call back; (*attirare*)

draw; *fig* (*rimproverare*) reprimand
richiedere ask for again; (*ne-
cessitare di*) take, require; *documento* apply for; **richiesta**
f request (**di qc** for sth); **a** (*o
su*) **~ di** at the request of; **richiesto** *pp* ☞ **richiedere**
riciclare recycle; **riciclabile**
recyclable
ricompensa *f* reward; **ricompensare** reward (**qu di qc**
s.o. for sth)
riconciliarsi be reconciled
riconoscente grateful; **riconoscenza** *f* gratitude; **riconoscere** recognise; **riconoscimento** *m* recognition
riconquistare reconquer
ricordare remember; (*menzionare*) mention; **~ qc a qu**
remind s.o. of sth; **ricordarsi**
remember (**di qc** sth; **di fare
qc** to do sth); **ricordo** *m*
memory; *oggetto* memento;
~ (di viaggio) souvenir
ricorrenza *f* recurrence; *di
evento* anniversary; **ricorrere** *di date, di festa* take place;
~ a qu turn to s.o.; **~ a qc**
have recourse to sth; **ricorso**
1 *pp* ☞ **ricorrere 2** *m* DIR appeal; **avere ~ a** *avvocato, medico* see
ricostruire rebuild; *fig* reconstruct; **ricostruzione** *f* re-
building; *fig* reconstruction
ricotta *f* ricotta, *soft cheese
made from ewe's milk*
ricoverare admit; **ricovero** *m*

in ospedale admission; (*refugio*) shelter

ricreazione f recreation; *nelle scuole* break, Am recess

ricredersi change one's mind

ricuperare 1 v/t get back, recover; *libertà, fiducia* regain; *spazio* gain; *tempo* make up **2** v/i catch up; *ricupero* m recovery; ~ *del centro storico* development of the old town; ~ *di debiti* debt collection; EDU *corso* m *di* ~ remedial course; *materiale* m *di* ~ scrap; SP *partita* f *di* ~ rescheduled match

ridare (*restituire*) give back, return; *fiducia, forze* restore

ridere laugh (*di* at)

ridicolo 1 agg ridiculous **2** m ridicule

ridimensionare downsize; fig get into perspective

ridotto 1 pp ☞ **ridurre 2** agg: *a prezzi -i* at reduced prices; *riduco* ☞ **ridurre; ridurre** reduce (*a* to); *prezzi* reduce, cut; *personale* reduce, cut back; *ridursi* decrease; ~ *a fare qc* be reduced to doing sth; ~ *male* be in a bad way; ~ *in miseria* ruin o.s.; *riduzione* f reduction, cut

riempire fill (up); *formulario* fill in

rientrare come back; *a casa* come home; *questo non rientrava nei miei piani* that didn't come in to the plan; *rientro* m return; *al tuo* ~

when you get back

rifare do again; (*rinnovare*) do up; *stanza* tidy up; *letto* make; *rifarsi* rebuild; *casa* renovate; *guardaroba* replace; ~ *di qc* make up for sth

riferimento m reference; *riferire* report; *riferirsi*: ~ *a* refer to

rifiutare, rifiutarsi refuse; *rifiuto* m refusal; *-i* pl waste, refuse; (*spazzatura*) rubbish

riflessione f anche FIS reflection; *riflessivo* thoughtful; GRAM reflexive; **riflesso 1** pp ☞ **riflettere 2** m reflection; (*gesto istintivo*) reflex (movement); **riflettere 1** v/t reflect **2** v/i think; ~ *su qc* think about sth, reflect on sth; *riflettersi* be reflected; *riflettore* m floodlight

riforma f reform; **riformare**, (*rifare*) re-shape, re-form; (*cambiare*) reform; MIL declare unfit

rifornimento m AVIA refuelling, Am refueling; *-i* pl supplies; *fare* ~ *di cibo* stock up on food; *fare* ~ *di benzina* fill up; *rifornire macchina* fill up; *frigo* restock, fill (*di* with); ~ *il magazzino* restock; *rifornirsi* stock up (*di* on)

rifugiarsi take refuge; *rifugiato* m, *-a* f refugee; *rifugio* m shelter; ~ *alpino* mountain hut

riga f line; (fila) row; (regolo) rule; in stoffa stripe; nei capelli parting, Am part; **stoffa f a -ghe** striped fabric

rigatoni mpl rigatoni sg

rigenerare regenerate; **rigenerazione** f regeneration

rigetto m MED rejection; fig mental block

rigido (duro) rigid; muscolo, articolazione stiff; clima harsh; fig (severo) strict

rigirare 1 v/i walk around **2** v/t turn over and over; denaro launder; **~ il discorso** change the subject; **rigirarsi** turn around; nel letto toss and turn

rigoglioso lush, luxuriant

rigore m di clima harshness; (severità) strictness; SP (**calcio** m **di**) ~ penalty (kick); rigoroso rigorous

riguardare look at again; (rivedere) review, look at; (riferirsi) be about; **non ti riguarda** it doesn't concern you; **riguardarsi** take care of o.s.; **riguardo** m (attenzione) care; (rispetto) respect; **~ a** as regards

rilasciare release; documento issue; **rilascio** m release; di passaporto issue

rilassare, rilassarsi relax; **rilassato** relaxed

rilegare libro bind

rilevare (ricavare) find; (osservare) notice; ditta buy up

rilievo m relief; fig **dare ~ a**

qc, mettere qc in ~ emphasize o highlight sth

rima f rhyme; **far ~** rhyme

rimandare send again; (restituire) send back; palla return; (rinviare) postpone

rimanente agg remaining **2** m rest, balance; **rimanere** stay, remain; (avanzare) be left (over); **rimanerci male** be hurt; **rimango** ☞ **rimanere**

rimarginare, rimarginarsi heal

rimasto pp ☞ **rimanere**

rimbalzare bounce

rimboccare coperte tuck in; **rimboccarsi le maniche** roll up one's sleeves

rimborsare reimburse, pay back; **rimborso** m reimbursement, repayment; **~ spese** reimbursement of expenses

rimboschire reforest

rimediare 1 v/i: **~ a** make up for, remedy **2** v/t find, scrape together; **rimedio** m remedy; MED medicine

rimescolare mix again; più volte mix thoroughly; caffè stir again

rimessa f di auto garage; degli autobus depot; SP **~ laterale** throw-in

rimettere put back, return; (affidare) refer; (vomitare) bring up; **~ a posto** put back; **ci ho rimesso molti soldi** I lost a lot of money; **rimetter-**

si *di tempo* improve; **~ da qc** get over sth

rimodernare modernize

rimorchiare AUTO tow (away); **rimorchiatore** *m* MAR tug; **rimorchio** *m* AUTO tow; *veicolo* trailer

rimorso *m* remorse

rimozione *f* removal

rimpatriare 1 *v/t* repatriate **2** *v/i* go home

rimpiangere regret (**di avere fatto qc** doing sth); *tempi passati, giovinezza* miss; **rimpianto 1** *pp* ☞ **rimpiangere 2** *m* regret

rimpiazzare replace

rimpicciolire 1 *v/t* make smaller **2** *v/i* become smaller, shrink

rimproverare scold; *impiegato* reprimand; **~ qc a qu** reproach s.o. for sth; **rimprovero** *m* scolding

rimuovere remove; (*muovere di nuovo*) move again

rinascere be born again; *di passione, speranza* be revived; *fig* rejuvenated; **Rinascimento** *m* Renaissance

rincarare 1 *v/t* increase, put up; **~ la dose** make matters worse **2** *v/i* increase in price; **rincaro** *m* price increase

rincasare *venire* come home; *andare* go home

rinchiudere shut up; **rinchiudersi** shut o.s. up

rincorrere run after; **rincorsa**

f run-up; **rincorso** *pp* ☞ **rincorrere**

rincrescere: mi rincresce I'm sorry

rinfacciare: ~ qc a qu cast sth up to s.o.

rinforzare strengthen; **rinforzo** *m* reinforcement; MIL *-i pl* reinforcements

rinfrescare cool down; **rinfrescarsi** freshen up; **rinfresco** *m* buffet (party)

rinfusa: alla ~ any which way, all higgledy-piggledy

ringhiare growl

ringhiera *f* railing

ringiovanire 1 *v/t* make feel younger; *di aspetto* make look younger **2** *v/i* feel younger; *di aspetto* look younger

ringraziamento: un ~ a word of thanks; **i miei -i** *pl* my thanks; **ringraziare** thank (**di** for)

rinnovare renovate; *guardaroba* replace; *abbonamento* renew; (*ripetere*) renew, repeat; **rinnovarsi** renew itself; (*ripetersi*) be repeated; **rinnovo** *m* renovation; *di guardaroba* replacement; *di abbonamento* renewal; *di richiesta* repetition

rintracciare track down

rinuncia *f* renunciation (**a** of); **rinunciare** give up (**a** sth)

rinvenire 1 *v/t* recover; *resti* discover **2** *v/i* regain consciousness, come round

rinviare (*mandare indietro*) return; (*posticipare*) postpone; *a letteratura* refer; **rinvio** *m* return; *di riunione* postponement; *in un testo* cross-reference

rione *m* district

riordinare tidy up

riorganizzare reorganize

riparare 1 *v/t* (*proteggere*) protect (*da* from); (*aggiustare*) repair; (*porre rimedio*) make up for **2** *v/i* escape; **ripararsi dalla pioggia** take shelter (*da* from); **riparato** sheltered; **riparazione** *f* repair; *fig di torto* putting right; **riparo** *m* shelter; **mettersi al ~** take shelter

ripartire¹ *v/i* leave again

ripartire² *v/t* divide up

ripassare 1 *v/i* ☞ **passare 2** *v/t col ferro* iron; *lezione* revise, *Am* review

ripensamento *m*: **avere un ~** have second thoughts; **ripensare**: **~ a qc** think about sth again; **ci ho ripensato** I've changed my mind

ripetere repeat; **ripetizione** *f* repetition; **dare -i a qu** tutor s.o.

ripido steep

ripiegare 1 *v/t* fold up again **2** *v/i* fall back; **ripiego** *m* makeshift (solution)

ripieno 1 *agg* full; GASTR stuffed **2** *m* stuffing

riporre put away; *speranze*

place

riportare take back; (*riferire*) report; *vittoria, successo* achieve; MAT carry over; *danni* sustain

riposarsi rest; **riposo** *m* rest

ripostiglio *m* boxroom, storeroom

riprendere take again; (*prendere indietro*) take back; *lavoro* FOT record; **~ a fare qc** start doing sth again; **riprendersi**: **~ da qc** get over sth; **ripresa** *f* resumption; *di vestito* alteration; *film* shot; AUTO acceleration; **a più -e** several times

riproduco ☞ **riprodurre**; **riprodurre** reproduce; **riprodursi** *di animali* breed, reproduce; *di situazione* happen again; **riproduzione** *f* reproduction; **~ vietata** copyright

riprovare 1 *v/t* feel again; *vestito* try on again **2** *v/i* try again

ripugnante disgusting, repugnant; **ripugnare**: **~ a qu** disgust s.o.

ripulire clean again; (*rimettere in ordine*) tidy (up)

risa *fpl* laughter

risalire 1 *v/t* scale go back up **2** *v/i* (*rincarare*) go up again; **~ a** go back to; **risalita** *f* ascent; **impianti** *mpl di* **~** ski lifts

risaltare stand out; **risalto**:

mettere in ~, **dare ~ a** highlight

risanamento m redevelopment; FIN improvement

risarcimento m compensation; **risarcire persona** compensate (**di** for); **danno** compensate for

risata f laugh

riscaldamento m heating; **~ della temperatura terrestre** global warming

riscaldare heat o warm up; **riscaldarsi** warm o.s.

rischiararsi clear (up); di cielo clear (up); **~ in volto** cheer up

rischiare 1 v/t risk **2** v/i: **~ di sbagliare** risk making a mistake; **rischio** m risk; **rischioso** risky

riscontrare (confrontare) compare; (controllare) check; (incontrare) come up against; errori come across

riscuotere FIN soldi draw; assegno cash; fig earn

risentimento m resentment; **risentire 1** v/t hear again **2** v/i feel the effects; **risentirsi** TELEC talk again; (offendersi) take offence o Am offense

riserva f reserve; fig reservation; AUTO **essere in ~** be running out of fuel; **fare ~ di** stock up on; **riservare** keep; (prenotare) book, reserve; **riservarsi** reserve; **mi riservo di non accettare**

I reserve the right not to accept; **riservato** reserved; (confidenziale) confidential

risiedere be resident, reside

riso[1] **1** pp ☞ **ridere 2** m laughing

riso[2] m rice

risolto pp ☞ **risolvere**; **risoluto** determined; **risoluzione** f resolution; (soluzione) solution; di contratto cancellation; **prendere una ~** make a decision; **risolvere** solve; (decidere) resolve; **risolversi** be solved; (decidersi) decide, resolve; **~ in nulla** come to nothing

risorgere rise; fig: di industria ecc experience a rebirth; **Risorgimento** m Risorgimento, the reunification of Italy

risorsa f resource

risotto m risotto

risparmiare save; fig spare; **risparmio** m saving; **-i** pl savings

rispettare respect; legge, contratto abide by; **rispettivo** respective; **rispetto 1** m respect **2** prp: **~ a** (confronto a) compared with; (in relazione a) as regards

risplendere shine, glitter

rispondere answer (**a** sth), reply (**a** to); (reagire) respond; saluto acknowledge; **~ di qc** be accountable for sth (**a** to); **risposta** f answer, reply; (reazione) response

rissa f brawl

ristabilire *ordine* restore; *re-golamento* re-introduce; **ri-stabilirsi** recover

ristampa *f* reprint

ristorante *m* restaurant

ristretto: *caffè* *m inv* ~ very strong coffee

ristrutturare restructure; **ri-strutturazione** *f* restructuring

risultare result; (*rivelarsi*) turn out; **risultato** *m* result

risurrezione *f* REL Resurrection

risvegliare, risvegliarsi *fig* reawaken

ritardare 1 *v/t* delay **2** *v/i* be late; *di orologio* be slow; **ri-tardatario** *m*, **-a** *f* latecomer; **ritardo** *m* delay; **essere in** ~ be late

ritenere (*credere*) believe; **ri-tenersi**: *si ritiene molto in-telligente* he thinks he is very intelligent; **ritenuta** *f* deduction (*su* from)

ritirare withdraw, pull back; (*tirare di nuovo*) throw again; *proposta* withdraw; (*preleva-re*) collect; **ritirarsi** (*restrin-gersi*) shrink; ~ **da** *gara, esa-me ecc* withdraw from; **ritiro** *m* withdrawal

ritmo *m* rhythm

rito *m* ceremony

ritoccare touch up

ritornare *venire* get back, come back, return; *andare* go back, return; *su argomen-to* go back (*su* over); ~ **verde** turn green again

ritornello *m* refrain

ritorno *m* return; **essere di** ~ be back

ritrarre pull away; PITT paint

ritrattare retract

ritratto *m* portrait

ritrovare find; (*riacquistare*) regain; **ritrovarsi** meet again; (*capitare*) find o.s.; (*orientarsi*) get one's bear-ings; **ritrovo** *m* meeting; *luo-go* meeting place

riunione *f* meeting; *di amici, famiglia* reunion; **riunire** gather; **riunirsi** meet

riuscire succeed; (*essere capa-ce*) manage; **non riesco a ca-pire** I can't understand; ~ **in qc** be successful in sth; **riu-scita** *f* success; **riuscito** suc-cessful

riutilizzare re-use

riva *f* shore

rivale *m/f, agg* rival *attr*; **riva-lità** *f inv* rivalry

rivalutare revalue; *persona* change one's mind about

rivedere see again; (*ripassare*) review, look at again; (*verifi-care*) check

rivelare reveal

rivendere resell

rivendicare demand

rivendita *f negozio* retail out-let; **rivenditore** *m*, **-trice** *f* re-tailer; ~ **specializzato** deal-er

rivestimento *m* covering; **ri-vestire** (*foderare*) cover; *ruo-*

lo play; *carica* fill

rivincita *f* return game; **prendersi la ~** get one's revenge

rivista *f* magazine; TEA revue; MIL review

rivolgere turn; *domanda* address (**a qu** to s.o.); **~ la parola a qu** speak to s.o., address s.o.; **rivolgersi: ~ a qu** apply to s.o. (**per** for)

rivolta *f* revolt; **rivoltare** turn; *(mettere sottosopra)* turn upside down; *(disgustare)* revolt; **rivoltella** *f* revolver; **rivoluzione** *f* revolution

rizzare put up; *bandiera* raise; *orecchie* prick up; **rizzarsi** straighten up; **mi si sono rizzati i capelli in testa** my hair stood on end

roba *f* things, stuff; **~ da matti!** would you believe it!

robot *m inv* robot; *da cucina* food processor

robusto sturdy

rocca *f* fortress

roccia *f* rock; **roccioso** rocky

rock *m inv* MUS rock

roco hoarse

rodaggio *m* running in; *fig* **sono ancora in ~** I'm still finding my feet

rodere gnaw at; **rodersi: ~ dalla gelosia** be eaten up with jealousy; **roditore** *m* rodent

rogna *f* F *di cane* mange; *problema* hassle

rognone *m di animale* kidney

Roma *f* Rome

Romania *f* Romania

romanico Romanesque; **romano 1** *agg* Roman **2** *m*, **-a** *f* Roman

romantico 1 *agg* romantic **2** *m*, **-a** *f* romantic

romanzo 1 *agg* Romance **2** *m* novel; **~ giallo** thriller

rombo[1] *m* rumble

rombo[2] *m* MAT rhombus

romeno 1 *agg* Romanian **2** *m*, **-a** *f* Romanian

rompere 1 *v/t* break; F **~ le scatole a qu** get on s.o.'s nerves F **2** *v/i* F be a pain F; **rompersi** break; **~ un braccio** break one's arm

rompicapo *m inv* puzzle; *(problema)* headache

rondine *f* swallow

ronzare buzz; **ronzio** *m* buzzing

rosa 1 *f* rose **2** *m/agg inv* pink; **rosario** *m* REL rosary; **rosato** *m* rosé; **rosmarino** *m* rosemary

rosolare brown

rosolia *f* German measles *sg*

rosone *m* ARCHI rose window

rospo *m* toad

rossetto *m* lipstick

rosso 1 *agg* red **2** *m* red; **~ d'uovo** egg yolk; **passare col ~** go through a red light

rosticceria *f* rotisserie *(shop selling roast meat)*

rotaia *f* rail

rotatoria *f* roundabout, *Am* traffic circle

rotella *f* castor

rotolare roll; **rotolarsi** roll (around); **rotolino** *m* FOT film; **rotolo** *m* roll; FOT film; **andare a -i** go to rack and ruin

rotondo round

rotta *f* MAR, AVIA course

rottame *m* wreck

rotto 1 *pp* ☞ **rompere** 2 *agg* broken; **rottura** *f* breaking; F *tra innamorati* break-up; F **che ~!** what a pain! F

rotula *f* kneecap

roulotte *f* *inv* caravan, *Am* trailer

routine *f* routine

rovesciare *liquidi* spill; *oggetto* knock over; (*capovolgere*) overturn; *fig* turn upside down; **rovesciarsi** overturn, capsize; **rovescio** reverse; *in tennis* backhand; **mettersi una maglia al ~** put a sweater on inside out

rovina *f* ruin; **andare in ~** go to rack and ruin; **rovinare** ruin; **rovinarsi** ruin o.s.

rovo *m* bramble

rozzo rough and ready

ruba: **andare a ~** sell like hot cakes; **rubare** steal

rubinetto *m* tap, *Am* faucet

rubino *m* ruby

rubrica *f di libro* table of contents; *quaderno* address book; *di giornale* column; TV report

rudere *m* ruin

rudimentale rudimentary

ruga *f* wrinkle, line

ruggine *f* rust

ruggire roar

rugiada *f* dew

rullino *m* FOT film; **rullo** *m* roll

rum *m* rum

rumore *m* noise; **rumoroso** noisy

ruolo *m* role

ruota *f* wheel; **~ di scorta** spare wheel

rupe *f* cliff

rupestre rock *attr*; **arte** *f* ~ wall painting

ruscello *m* stream

russare snore

Russia *f* Russia; **russo** 1 *agg* Russian 2 *m*, **-a** *f* Russian

rustico rural, rustic; *fig* unsophisticated

ruttare belch; **rutto** *m* belch

ruvido rough

ruzzolare fall; **ruzzolone** *m* fall; **fare un ~** fall

S

S. (= *santo*) St (= Saint)

sa ☞ *sapere*

sabato *m* Saturday

sabbia *f* sand; **sabbioso** sandy

sabotaggio *m* sabotage; **sabotare** sabotage

sacca *f* bag; ANAT, BIO sac

saccheggiare raid; *spir* raid

sacchetto *m* bag; **sacco** *m* sack; *fig* F **un ~ di** piles of F; **costa un ~** it costs a fortune; **~ a pelo** sleeping bag; **saccopelista** *m/f* backpacker

sacerdote *m* priest

sacramento *m* sacrament

sacrificare sacrifice; **sacrificarsi** sacrifice o.s.; **sacrificio** *m* sacrifice

sacro sacred

sadico 1 *agg* sadistic **2** *m*, -a *f* sadist

safari *m inv* safari

saggio[1] **1** *agg* wise **2** *m* wise man, sage

saggio[2] *m* test; (*campione*) sample; *scritto* essay; *di danza, musica* end of term show

Sagittario *m* ASTR Sagittarius

sahariana *f* safari jacket

sala *f* room; (*soggiorno*) living room; **~ da pranzo** dining room; **~ giochi** amusement arcade; **~ operatoria** (operating) theatre, *Am* operat-

ing room

salame *m* salami

salamoia *f*: **in ~** in brine

salariale pay *attr*; **salario** *m* salary, wages

salatino *m* savoury, *Am* savory; **salato** savoury, *Am* savory; *acqua* salt; *cibo* salted; F (*caro*) steep F; **troppo ~** salty

saldare weld; *ossa* set; *fattura* pay; **saldo 1** *agg* steady, secure **2** *m* payment; *in svendita* sale item; (*resto*) balance; **-i** *pl* *di fine stagione* end-of-season sales

sale *m* salt

salgo ☞ *salire*

salice *m* willow; **~ piangente** weeping willow

saliera *f* salt cellar; **salina** *f* salt works

salire 1 *v/i* climb; *di livello, prezzi, temperatura* rise; **~ in macchina** get in; **~ su scala** climb; *treno, autobus* get on **2** *v/t* *scale* climb; **salita** *f* climb; *strada* slope; **strada** *f* **in ~** steep street

saliva *f* saliva

salma *f* corpse, body

salmastro 1 *agg* briny **2** *m* salt

salmone *m* salmon; **~ affumicato** smoked salmon

salone *m* living room; (*esposi-*

zione) show
salotto *m* lounge
salpare sail
salsa *f* sauce; **~ di pomodoro** tomato sauce
salsiccia *f* sausage
saltare 1 *v/t* jump; (*omettere*) skip; **~** (*in padella*) sauté **2** *v/i* jump; *di bottone* come off; *di fusibile* blow; F *di impegno* be cancelled *o Am* canceled; **~ fuori** turn up
saltellare hop
salto *m* jump; (*dislivello*) change in level; **~ in alto** high jump; **~ in lungo** jump, *Am* broad jump; **faccio un ~ da te** I'll drop in
saltuariamente occasionally; **saltuario** occasional
salumeria *f* shop that sells '*salumi*'; **salumi** *mpl* cold meat
salutare 1 *agg* healthy **2** *v/t* say hello to, greet; **salute** *f* health; **~!** cheers!; **saluto** *m* wave; **tanti -i** greetings
salvagente *m inv* lifebelt; (*giubbotto*) life jacket; *per bambini* ring; (*isola spartitraffico*) traffic island; **salvaguardare** protect, safeguard; **salvaguardia** *f* protection; **salvare** save, rescue; **salvataggio** *m* salvage; **barca f di ~** lifeboat; **salve!** hello!; **salvezza** *f* salvation
salvia *f* sage
salvietta *f* napkin
salvo 1 *agg* safe **2** *prp* except;

~ che unless; **~ imprevisti** all being well **3** *m*: **mettersi in ~** take shelter
San = Santo
sandalo *m* sandal; BOT sandalwood
sangue *m* blood; **a ~ freddo** in cold blood; GASTR **al ~** rare; **sanguigno: gruppo ~** *m* ~ blood group; **sanguinare** bleed; **sanguinoso** bloody; **sanguisuga** *f* leech
sanità *f* health; **amministrazione** health care; **sanitario** health *attr*; **assistenza f -a** health care
sanno ☞ sapere
sano healthy; **~ e salvo** safe and sound
santo 1 *agg* holy **2** *m*, *-a f* saint; *davanti al nome* St
santuario *m* sanctuary
sanzione *f* sanction
sapere 1 *v/t* know; (*essere capace di*) be able to; (*venire a*) ~ hear; **sai nuotare?** can you swim?; **lo so** I know **2** *v/i*: **far ~ qc a qu** let s.o. know sth; **~ di** (*avere sapore di*) taste of **3** *m* knowledge
sapone *m* soap; **saponetta** *f* toilet soap
sapore *m* taste; **-i** *pl* aromatic herbs; **saporito** tasty
saracinesca *f* roller shutter
sarcastico sarcastic
sarcofago *m* sarcophagus
Sardegna *f* Sardinia
sardina *f* sardine
sardo 1 *agg* Sardinian **2** *m*, *-a*

f Sardinian

sarò ☞ *essere*

sarto *m*, **-a** *f* tailor; *per donne* dressmaker; **sartoria** *f* tailor's; *per donne* dressmaker's

sasso *m* stone

sassofono *m* saxophone

satellite *m* satellite

satira *f* satire; **satirico** satirical

saturo saturated

sauna *f* sauna

sazietà *f*: **mangiare a ~** eat one's fill; **sazio** full (up)

sbadato absent-minded

sbadigliare yawn; **sbadiglio** *m* yawn

sbagliare **1** *v/i e* **sbagliarsi** make a mistake **2** *v/t* make a mistake in; TELEC **sbagliare ~** dial the wrong number; **~ strada** go the wrong way; **sbagliato** wrong; **sbaglio** *m* mistake; **per ~** by mistake

sbalordire amaze; **sbalorditivo** amazing

sbalzare throw; **sbalzo** *m* jump; **~ di temperatura** sudden change in temperature

sbandare AUTO skid; FERR, *fig* go off the rails; **sbandata** *f* AUTO skid; F **prendersi una ~ per qu** get a crush on s.o.

sbarazzare clear; **sbarazzarsi**: **~ di** get rid of

sbarcare **1** *v/t merci* unload; *persone* disembark **2** *v/i* disembark; **sbarco** *m di merci* unloading; *di persone* disem-

barkation

sbarra *f* bar

sbarramento *m* fence; (*ostacolo*) barrier; **sbarrare** bar; *assegno* cross; *occhi* open wide; **sbarrato** assegno crossed; *occhi* wide open

sbattere **1** *v/t porta* slam, bang; (*urtare*) bang; GASTR beat **2** *v/i* bang

sberla *f* F slap

sbiadire fade; **sbiadito** faded

sbilanciarsi lose one's balance; *fig* commit o.s.

sbizzarrirsi indulge o.s.

sbloccare clear; *macchina* unblock; *prezzi* deregulate

sboccare: **~ in** *di fiume* flow into; *di strada* lead to

sbocciare open (out)

sbocco *m di situazione* way out

sbornia *f* F: **prendersi una ~** get drunk

sborsare F cough up F

sbottonare unbutton; **sbottonarsi**: **~ la giacca** unbutton one's jacket

sbraitare shout, yell

sbranare tear apart

sbriciolarsi crumble

sbrigare attend to; **sbrigarsi** hurry up; **sbrigativo** (*rapido*) hurried, rushed; (*brusco*) brusque

sbrinare *frigorifero* defrost; **sbrinatore** *m* defrost control

sbrogliare untangle; **sbrogliarsela** sort things out

sbronza *f* F hangover; sbronzarsi F get drunk; sbronzo F tight F

sbucare emerge; *da dove sei sbucato?* where did you spring from?

sbucciare *frutta, patate* peel; *sbucciarsi le ginocchia* skin one's knees; sbucciatura *f* graze

scabroso rough, uneven; *fig* offensive

scacchiera *f* chessboard

scacciare chase away

scacco *m* (chess) piece; *-cchi pl* chess; *a -cchi* checked, *Am* checkered

scadente 1 ☞ scadere 2 *agg* second-rate; scadenza *f* deadline; *su alimento* best before date; scadere *di passaporto* expire; *di cambiale* fall due; *(perdere valore)* decline (in quality); scaduto expired; *alimento* past its sell-by date

scaffale *m* shelves

scaglia *f* flake; *di legno* chip; *di pesce* scale

scagliare hurl; scagliarsi: ~ *contro* attack

scala *f* staircase; GEOG, MUS scale; ~ *(a pioli)* ladder; ~ *mobile* escalator; *disegno m in* ~ scale drawing; *fare le -e* climb the stairs; scalare climb; scalata *f* climb; ~ *al successo* rise to fame; scalatore *m*, *-trice f* climber

scaldabagno *m* water heater; scaldare heat (up); scaldarsi warm up; *fig* get worked up

scalinata *f* steps; scalino *m* step

scalo *m* AVIA stop; MAR port of call; *fare* ~ *a* call at

scalogna *f* bad luck; *portare* ~ be unlucky; scalognato unlucky

scaloppina *f* escalope

scalpello *m* chisel

scalzo barefoot

scambiare *(confondere)* mistake *(per* for); *(barattare)* exchange, swap F *(con* with); scambio *m* exchange; *di persona* mistake; FERR points; *-i pl commerciali* trade

scampagnata *f* day out in the country

scampanellata *f* ring

scampi *mpl* scampi

scampo *m* escape, way out

scampolo *m* remnant

scandagliare sound; *fig* sound out

scandalistico scandal-mongering; scandalizzare scandalize; scandalizzarsi be scandalized *(di* by); scandalizzato scandalized; scandalo *m* scandal; scandaloso scandalous

scandinavo 1 *agg* Scandinavian 2 *m*, *-a f* Scandinavian

scanner *m inv* INFOR scanner; scannerizzare INFOR scan

scansare *(allontanare)* move;

(*evitare*) avoid; **scansarsi** move out of the way

scansionare scan

scantinato *m* cellar

scapito: **a ~ di** to the detriment of

scapola *f* shoulder blade, ANAT scapula

scapolo 1 *agg* single, unmarried **2** *m* bachelor

scappamento *m* TEC exhaust

scappare (*fuggire*) run away; (*affrettarsi*) rush, run

scappatella *f* di bambino escapade; *fare delle -lle* get into mischief

scappatoia *f* way out

scarabocchiare scribble; **scarabocchio** *m* scribble

scarafaggio *m* cockroach

scaraventare throw, hurl; **scaraventarsi** throw *o* hurl o.s. (*contro* at)

scarcerare release; **scarcerazione** *f* release

scarica *f* discharge; **scaricamento** *m* INFOR download; **scaricare** unload; *batteria* run down; *rifiuti, sostanze nocive* dump; *responsabilità* offload; INFOR download; **scaricarsi** *di batteria* run down; **scarico 1** *agg* camion empty; *batteria* run-down **2** *m* di merci unloading; *luogo* dump; *divieto di ~* no dumping

scarlattina *f* scarlet fever

scarpa *f* shoe

scarpata *f* (*burrone*) escarp-

ment

scarpinata *f* trek

scarpone *m* (heavy) boot; **~ da sci** ski boot

scarseggiare become scarce; **~ di qc** be short of sth; **scarso** scarce, in short supply; *quattro chilometri -si* barely four kilometres

scartare (*svolgere*) unwrap; (*eliminare*) reject; **scarto** *m* rejection; (*cosa scartata*) reject

scassare F break, wreck; **scassarsi** F give up the ghost F; **scassato** F done for F

scassinare force open; **scasso** *m* forced entry; *furto m con ~* breaking and entering

scatenare *fig* unleash; **scatenarsi** *di tempesta* break; *di collera* break out; *di persona* let one's hair down

scatola *f* box; *di tonno, piselli* can, Br *anche* tin; *in ~ cibo* canned, Br *anche* tinned

scattare 1 *v/t* FOT take **2** *v/i* go off; *di serratura* catch; (*arrabbiarsi*) lose one's temper; *di atleta* put on a spurt; **scatto** *m* click; SP spurt; FOT spurt; *di foto* taking; TELEC unit; *uno ~ di rabbia* an angry gesture

scavalcare *muro* climb (over)

scavare *con pala* dig; *con trivella* excavate; **scavi** *mpl* archeologici dig

scegliere choose, select;

scelgo ☞ **scegliere**; **scelta** f choice, selection; **di prima ~** first-rate; **scelto 1** pp ☞ **scegliere 2** agg **scegliere**; merce, pubblico (specially) selected

scemo 1 agg stupid, idiotic **2** m, **-a** f idiot

scena f theatre, Am theater; (scenata) scene; **scenata** f scene

scendere 1 v/i andare go down, descend; venire come down, descend; da cavallo get down, dismount; dal treno, dall' autobus get off; dalla macchina get out; di temperatura, prezzi go down, drop **2** v/t: **~ le scale** andare go down the stairs; venire come down the stairs

sceneggiatura f screenplay

scenografo m, **-a** f set designer

scettico 1 agg sceptical, Am skeptical **2** m, **-a** f sceptic, Am skeptic

scheda f card; (formulario) form; **~ telefonica** phonecard; **schedario** m file; **schedina** f pools coupon

scheggia f sliver

scheletro m skeleton

schema m diagram; (abbozzo) outline; **schematico** general; disegno schematic

scherma f fencing

schermo m screen; (riparo) shield

scherzare play; (burlare) joke; **scherzo** m joke; **-i a parte** joking aside; **per ~** fare, dire qc as a joke

schiaccianoci m inv nutcrackers; **schiacciare 1** v/t crush; noce crack **2** v/i SP smash the ball; **schiacciato** crushed, squashed

schiaffeggiare slap; **schiaffo** m slap

schiamazzo m yell, scream

schiantare, **schiantarsi** crash

schiarire lighten; **schiarirsi** brighten up; **schiarita** f bright spell

schiavitù f slavery; **schiavo 1** agg: **essere ~ di** be a slave to **2** m, **-a** f slave

schiena f back; **mal m di ~** back ache; **schienale** m di sedile back

schiera f group; **a ~** in ranks; **schierarsi**: **~ in favore di qu** come out in favour o Am favor of s.o.

schietto pure; fig frank

schifezza f: **che ~!** how disgusting!; **schifo** m disgust; **fare ~ a qu** disgust s.o.; **schifoso** disgusting; (pessimo) dreadful

schiuma f foam; **~ da bagno** bubble bath; **~ da barba** shaving foam

schivare avoid, dodge F; **schivo** shy

schizzare 1 v/t (spruzzare) squirt; (abbozzare) sketch **2** v/i squirt; (saltare) jump schizzinoso fussy

schizzo m squirt; (abbozzo) (lightning) sketch

sci m inv ski; attività skiing; ~ acquatico water ski / skiing; ~ di fondo cross-country ski / skiing

sciacquare rinse

sciagura f disaster; sciagurato unfortunate

scialle m shawl

scialuppa f dinghy; ~ di salvataggio lifeboat

sciame m swarm

sciare ski

sciarpa f scarf

sciatica f sciatica

sciatore m, -trice f skier

sciatto untidy, sloppy

scientifico scientific; scienza f science; scienziato m, -a f scientist

scimmia f monkey; scimmiottare ape

scimpanzè m inv chimpanzee, chimp F

scintilla f spark; scintillante sparkling; scintillare sparkle

sciocchezza f (idiozia) stupidity; sciocco 1 agg silly 2 m, -a f silly thing

sciogliere untie; capelli let down; neve melt; dubbio, problema clear up; sciogliersi di corda, nodo come undone; di burro, neve melt; scioglilingua m inv tongue-twister

scioltezza f nimbleness; fisica agility

sciolto 1 pp ☞ sciogliere 2 agg ghiaccio melted

scioperare strike; sciopero m strike; fare ~ go on strike

sciovia f ski-lift

scippatore m, -trice f bag-snatcher; scippo m bag-snatching

scirocco m sirocco

sciroppo m syrup

scissione f splitting

sciupare (logorare) wear out; salute ruin; tempo, denaro waste; sciupato persona drawn; cosa worn out

scivolare slide; (cadere) slip; scivolo m slide; gioco chute; scivoloso slippery

sclerosi f inv MED sclerosis; ~ multipla multiple sclerosis, MS

scocciare F bother, hassle F; scocciatore m, -trice f pest F, nuisance; scocciatura F f nuisance

scodella f bowl

scogliera f cliff; scoglio m rock

scoiattolo m squirrel

scolapasta m inv colander; scolare drain

scolaro m, -a f schoolboy; ragazza schoolgirl; scolastico school attr

scoliosi f inv curvature of the spine

scollato low-necked; donna wearing a low neckline; scollatura f neck(line);

scollo *m* neck

scolo *m* drainage

scolorire, scolorirsi fade; **scolorito** faded

scolpire *statua* sculpt; *legno* carve; *fig* engrave

scommessa *f* bet; **scommesso** *pp* ☞ **scommettere**; **scommettere** bet

scomodare disturb; **scomodarsi** put o.s. out; **non si scomodi** please don't go to any bother; **scomodo** uncomfortable; (*non pratico*) inconvenient

scomparire disappear; **scomparsa** *f* disappearance; **scomparso** *pp* ☞ **scomparire**

scompartimento *m* compartment

scompigliare *persona* ruffle the hair of; *capelli* ruffle; **scompiglio** *m* confusion

scomporre break down; **scomporsi: senza~** without showing any emotion

sconcertante disconcerting

sconcio indecent; *parola* filthy

sconclusionato incoherent

sconfiggere defeat

sconfinato vast, boundless

sconfitta *f* defeat; **sconfitto** *pp* ☞ **sconfiggere**

sconforto *m* discouragement

scongelare thaw

scongiurare beg; *pericolo* avert

sconosciuto 1 *agg* unknown

2 *m*, **-a** *f* stranger

sconsigliare advise against; **~ qc a qu** advise s.o. against sth

scontare FIN deduct, discount; *pena* serve; **scontato** discounted; (*previsto*) expected; **~ del 30%** with a 30% discount

scontento 1 *agg* unhappy, not satisfied (*di* with) **2** *m* unhappiness, dissatisfaction

sconto *m* discount

scontrarsi collide (*con* with); *fig* clash (*con* with)

scontrino *m* receipt

scontro *m* AUTO collision; *fig* clash; **scontroso** unpleasant, disagreeable

sconvolgente upsetting, distressing; **di un'intelligenza ~** incredibly intelligent; **sconvolgere** upset; **sconvolto 1** *pp* ☞ **sconvolgere 2** *agg paese* in upheaval

scopa *f* broom; **scopare** sweep; *fig* shag P

scoperchiare *pentola* take the lid off

scoperta *f* discovery; **scoperto 1** *pp* ☞ **scoprire 2** *agg*: **assegno** *m* ~ dud cheque **3** *m*: **allo ~** in the open

scopo *m* aim, purpose; **allo ~ di fare qc** in order to do sth

scoppiare *di bomba* explode; *di palloncino, pneumatico* burst; **~ in lacrime** burst into tears; **~ a ridere** burst out laughing; **scoppio** *m* explosion; *di palloncino* bursting; *fig* outbreak

scoprire *contenitore* take the lid off; (*denudare*) uncover; *piani, verità* discover

scoraggiare discourage; **scoraggiarsi** become discouraged, lose heart; **scoraggiato** discouraged

scorciatoia *f* short cut

scordare, scordarsi di forget; **scordato** MUS out of tune

scoreggia *f* F fart F; **scoreggiare** F fart F

scorgere see, make out

scoria *f* waste

scorpione *m* scorpion; ASTR **Scorpione** Scorpio

scorrere 1 *v/i* flow, run; *di tempo* go past, pass **2** *v/t giornale* skim

scorretto (*errato*) incorrect; (*non onesto*) unfair

scorrevole *porta* sliding; *stile* flowing

scorso 1 *pp* ☞ **scorrere 2** *agg:* **l'anno ~** last year

scorta *f* escort; (*provvista*) supply; **scortare** escort

scortese rude, discourteous; **scortesia** *f* rudeness

scorto *pp* ☞ **scorgere**

scorza *f* peel; *fig* exterior

scossa *f* shake; ~ **di terremoto** (earth) tremor; ~ **elettrica** electric shock; **scosso** *pp* ☞ **scuotere**

scostare move away (**da** from); **scostarsi** move

(aside)

scottare 1 *v/t* burn; GASTR *verdure* blanch **2** *v/i* burn; **scotta!** it's hot!; **scottato** *verdure* blanched; **scottatura** *f* burn

Scozia *f* Scotland; **scozzese 1** *agg* Scottish **2** *m/f* Scot

screditare discredit

scremato skimmed

screpolare, screpolarsi crack; **screpolatura** *f* crack

scricchiolare creak; **scricchiolio** *m* creak

scritta *f* inscription; **scritto 1** *pp* ☞ **scrivere 2** *m* writing; **scrittore** *m*, **-trice** *f* writer; **scrittura** *f* writing; REL scripture

scrivania *f* desk; **scrivere** write; (*annotare*) write down; **come si scrive ... ?** how do you spell ... ?

scroccare F scrounge F

scrollare shake; ~ **le spalle** shrug (one's shoulders)

scrosciare *di pioggia* fall in torrents

scrupolo *m* scruple; **scrupolosità** *f* scrupulousness; **scrupoloso** scrupulous

scrutare look at intently; *orizzonte* scan

scrutinio *m* POL counting; EDU teachers' meeting to discuss pupils' performance

scucire unpick; F **scuci i soldi!** cough up! F; **scucirsi** come apart at the seams

scuderia *f* stable

scudetto *m* SP championship; scudo *m* shield

sculacciare spank

scultore *m*, -trice *f* sculptor; scultura *f* sculpture

scuola *f* school; ~ *media* secondary school; ~ *superiore* high school; ~ *guida* driving school; *andare a* ~ go to school

scuotere shake

scure *f* axe, *Am* ax

scurire darken; scuro dark

scusa *f* excuse; *chiedere* ~ apologize; scusare forgive; (*giustificare*) excuse; *mi scusi* I'm sorry; *scusi, scusa* excuse me; scusarsi apologize

sdebitarsi pay one's debts

sdegno *m* moral indignation

sdentato toothless

sdoganare clear through customs

sdolcinato sloppy

sdraiarsi lie down; sdraiato lying down; sdraio *m*: (*sedia f a*) ~ deck chair

sé oneself; *lui* himself; *lei* herself; *loro* themselves; *esso, essa* itself; *da* ~ (by) himself / herself / themselves

se¹ *cong* if; ~ *mai* if need be; ~ *mai arrivasse* ... should he arrive ...; *come* ~ as if; ~ *no* if not

se² *pron* = *si* in front of *lo, la, li, le, ne*

sebbene even though

secca *f* shallows

seccante *fig* annoying; seccare 1 *v/t* dry; *fig* annoy 2 *v/i* dry; seccarsi dry; *fig* get annoyed; seccatore *m*, -trice *f* nuisance, pest F; seccatura *f* nuisance

secchio *m* bucket

secco dry; *fiori, pomodori* dried; *tono* curt

secolo *m* century

seconda *f* AUTO second (gear); FERR second class; EDU second year; secondario secondary; secondo 1 *agg* second; *di -a mano* second-hand; ~ *fine* ulterior motive 2 *prp* according to; ~ *me* in my opinion 3 *m* second; GASTR main course

sedano *m* celery

sedare calm (down); sedativo *m* sedative

sede *f* headquarters

sedentario sedentary; sedere 1 *m* F rear end F 2 *v/i e* sedersi sit down; sedia *f* chair; ~ *a dondolo* rocking chair; ~ *a rotelle* wheelchair

sedicesimo sixteenth; sedici sixteen

sedile *m* seat

seducente attractive; sedurre seduce; (*attrarre*) attract

seduta *f* session; seduto seated

seduzione *f* seduction

sega *f* saw

segale *f* rye

segare saw; segatura *f* sawdust

seggio m seat; ~ (*elettorale*) polling station; **seggiola** f chair; **seggiolino** m *di bicicletta* child's seat; **seggiolone** m high chair; **seggiovia** f chair lift

segnalare signal; (*annunciare*) report; **segnale** m signal; (*segno*) sign; ~ **d'allarme** alarm; **segnaletica** f signs; **segnalibro** m bookmark; **segnare** (*marcare*) mark; (*annotare*) note down; SP score; **segno** m sign; (*traccia*) mark, trace; (*cenno*) gesture, sign

segretaria f secretary; **segretario** m secretary; **segreteria** f carica secretaryship; *ufficio* administrative office; *attività* secretarial duties; ~ **telefonica** answering machine, voicemail

segreto m/agg secret

seguace m/f disciple, follower; **seguente** next, following; **seguire** 1 v/t follow; *corso* take 2 v/i follow (**a qc** sth); **seguito** m *persone* retinue; (*sostenitori*) followers; *di film* sequel; **di** ~ one after the other, in succession; **in** ~ after that

sei[1] ☞ **essere**

sei[2] six

seicento 1 agg six hundred **2** m: **il Seicento** the seventeenth century

selciato m paving

selezione f selection

self-service m inv self-service (café)

sella f saddle; **sellino** m saddle

seltz m: **acqua** f **di** ~ soda (water)

selvaggina f game; **selvaggio 1** agg animale, *fiori* wild; *tribù, omicidio* savage **2** m, -a f savage; **selvatico** wild

semaforo m traffic lights

sembrare seem; (*assomigliare a*) look like

seme m seed

semestre m six months; EDU term, *Am* semester

semicerchio m semi-circle; **semicircolare** semi-circular

semifinale f semi-final

semifreddo m soft ice cream

seminare sow

seminario m seminar

seminudo half-naked

seminuovo practically new

semolino m semolina

semplice simple; (*non doppio*) single; (*spontaneo*) natural; **semplicità** f simplicity; **semplificare** simplify

sempre always; **per** ~ for ever; ~ **più** more and more; ~ **più vecchio** older and older; **piove** ~ **di più** the rain's getting heavier and heavier; ~ **che** as long as

senape f mustard

senato m senate; **senatore** m, **-trice** f senator

senno m common sense; **uscire di** ~ lose one's mind;

(arrabbiarsi) lose control

seno m breast

sensato sensible

sensazionale sensational; **sensazione** f sensation, feeling; *(impressione)* feeling; **fare ~** cause a sensation

sensibile sensitive; *(evidente)* significant; **sensibilità** f sensitivity; **sensibilizzare** make more aware (**a** of)

senso m sense; *(significato)* meaning; *(direzione)* direction; **buon ~** common sense; **~ unico** one way; **~ vietato** no entry; **in ~ orario** clockwise; **perdere i -i** faint; **sensore** m TEC sensor

sensuale sensual

sentenza f DIR verdict

sentiero m path

sentimentale sentimental; **sentimento** m feeling, sentiment

sentire feel; *(udire)* hear; *(ascoltare)* listen to; *odore* smell; *cibo* taste; **sentirsi** feel; **sentirsela di fare qc** feel up to doing sth

senza without; **senz'altro** definitely; **~ di me** without me; **~ ridere** without laughing; **senzatetto** m/f inv homeless person; **i -i** pl the homeless pl

separare separate; **separarsi** separate, split up F; **separazione** f separation

sepolto pp ☞ **seppellire**; **sepoltura** f burial; **seppellire**

bury

seppia f cuttlefish

seppure even if

sequestrare confiscate; DIR impound, seize; *(rapire)* kidnap; **sequestro** m kidnap(ping); DIR impounding, seizure

sera f evening; **di ~** in the evenings; **serale** evening attr; **serata** f evening; **festa** party

serbatoio m tank

Serbia f Serbia

serbo[1] 1 agg Serbian 2 m, -a f Serb

serbo[2] m: **avere qc in ~** have sth in store

serenata f serenade

sereno serene; fig relaxed, calm

sericoltura f silk-worm farming

serie f inv series sg

serietà f seriousness; **serio 1** agg serious; *(affidabile)* reliable **2** m: **sul ~** seriously

serpe f grass snake; **serpente** m snake

serra f greenhouse

serramanico m: **coltello** m **a ~** flick knife, Am switchblade

serranda f shutter; **serrare** close; **denti, pugni** clench; **serratura** f lock

servire 1 v/i be useful; **non mi serve** I don't need it; **a che serve questo?** what's this for? **2** v/t serve; **~ da bere a qu** pour s.o. a drink; **ser-**

virsi (*usare*) use (*di* sth); **prego, si serva!** a tavola please help yourself!

servizio m service; (*favore*) favour, *Am* favor; (*dipartimento*) department; *in giornale* feature (story); ~ **militare** military service; ~ **da tavola** dinner service; **fuori** ~ out of order; **in** ~ on duty; **-zi** pl (**igienici**) toilets, *Am* rest room

servofreno m servo brake; **servosterzo** m power steering

sesamo m sesame

sessanta sixty; **sessantenne** sixty-year-old; **sessantesimo** sixtieth; **sessantina** f: **una** ~ about sixty (**di** sth)

sesso m sex; **sessuale** sexual

sesto sixth

seta f silk

sete f thirst; **aver** ~ be thirsty

setta f sect

settanta seventy; **settantenne** seventy-year-old; **settantesimo** seventieth; **settantina** f: **una** ~ about seventy (**di** sth)

settare *macchina, computer* set up

sette seven; **settecento 1** agg seven hundred **2** m: **il Settecento** the eighteenth century

settembre m September

settentrionale 1 agg northern **2** m/f northerner; **settentrione** m north

setticemia f septicaemia, *Am* septicemia

settimana f week; ~ **santa** Easter week, Holy week; **settimanale** m/agg weekly

settimo seventh

settore m sector

severo severe

sezione f section

sfacchinata f backbreaking job

sfacciato cheeky, *Am* fresh

sfamare feed

sfarzo m splendour, *Am* splendor

sfarzoso magnificent

sfasciare smash; **sfasciarsi** smash

sfavore m disadvantage; **sfavorevole** unfavourable, *Am* unfavorable

sfera f sphere

sfida f challenge; **sfidare** challenge

sfiducia f distrust

sfigurare 1 v/t disfigure **2** v/i look out of place; **sfigurato** disfigured

sfilare 1 v/t unthread; (*togliere*) take off **2** v/i parade; **sfilata** f: ~ **di moda** fashion show

sfinimento m exhaustion; **sfinito** exhausted

sfiorare brush; *argomento* touch on

sfitto empty, not rented

sfocato *foto* blurred, out of focus

sfociare flow

sfogare *rabbia, frustrazione* vent, get rid of (**con**, **su** on); **sfogarsi** vent one's feelings; ~ **con qu** confide in s.o.

sfoglia: *pasta f* ~ puff pastry; **sfogliare** *libro* leaf through

sfogo *m* outlet; MED rash

sfoltire thin

sfondare break; *porta* break down; *pavimento* break through

sfondo *m* background

sformare stretch out of shape; **sformato** *m* GASTR soufflé

sfortuna *f* bad luck, misfortune; **sfortunatamente** unfortunately; **sfortunato** unlucky, unfortunate

sforzare strain; **sforzarsi** try very hard; **sforzo** *m* effort; *fisico* strain; **fare uno** ~ make an effort

sfrattare evict; **sfratto** *m* eviction

sfregare rub

sfruttamento *m* exploitation; **sfruttare** exploit

sfuggire (*scampare*) escape (*a* from); **mi è sfuggito di mente** it slipped my mind; **sfuggita**: **di** ~ in passing

sfumatura *f* nuance; *di colore* shade

sfuriata *f* (angry) tirade

sfuso loose; *vino* in bulk

sgabello *m* stool

sgabuzzino *m* cupboard

sgambetto *m*: **fare lo** ~ **a qu** trip s.o. up

sganciare unhook; F *soldi* fork out F; **sganciarsi** come unhooked

sgarbato rude

sgobbare slave; **sgobbone** *m*, -**a** *f* F swot F

sgocciolare drip

sgomberare ☞ **sgombrare**; **sgombrare** *strada*, *stanza* clear; *ostacolo* remove

sgombro[1] *agg strada*, *stanza* empty

sgombro[2] *m* mackerel

sgomentare be frightened

sgonfiare 1 *v/t* let the air out of **2** *v/i e* **sgonfiarsi** become deflated; **il braccio si è sgonfiato** the swelling in the arm has gone down; **sgonfio** flat; MED not swollen

sgradevole unpleasant

sgradito unwelcome

sgranchire, **sgranchirsi**: ~ **le gambe** stretch one's legs

sgraziato awkward

sgridare scold, tell off F

sguaiato raucous

sguardo *m* look; (*occhiata*) glance

sguazzare splash about; *fig* F ~ **nei soldi** be rolling in it F

sgusciare 1 *v/t* shell **2** *v/i* slip away; **mi è sgusciato di mano** it slipped out of my hand

shampoo *m inv* shampoo

shock *m inv* shock

sì yes; **dire di** ~ say yes; **penso di** ~ I think so

si[1] *pron* oneself; *lui* himself; *lei* herself; *esso, essa* itself; *loro* themselves; *reciproco* each other; **spazzolarsi i capelli** brush one's hair; **~ dice** they say; **cosa ~ può dire?** what can one say?, what can I say?

si[2] *m* MUS B

sia: ~ ... ~ ... both ... and ...; *(o l'uno o l'altro)* either ... or ...; **~ che ... ~ che ...** whether ... or whether ...

siamo ☞ **essere**

sibilare hiss; *di vento* whistle

sicario *m* hired killer, hit man F

sicché (and) so

siccità *f inv* drought

siccome since

Sicilia *f* Sicily; **siciliano 1** *agg* Sicilian **2** *m*, **-a** *f* Sicilian

sicura *f* safety catch

sicurezza *f* security; *(protezione)* safety; *(certezza)* certainty; **sicuro 1** *agg* safe; *(certo)* sure; **~ di sé** sure of o.s.; **di ~** definitely **2** *m*: **mettere al ~** put in a safe place

sidro *m* cider

siedo ☞ **sedere**

siepe *f* hedge

siero *m* MED serum; **sieropositivo** HIV positive

siesta *f* siesta

siete ☞ **essere**

sig. (= **signore**) Mr (= mister)

sigaretta *f* cigarette; **sigaro** *m* cigar

sigg. (= **signori**) Messrs

sigillare seal; **sigillo** *m* seal

sigla *f* initials *pl*; *musicale* theme (tune)

sig.na (= **signorina**) Miss, Ms

significare mean; **significato** *m* meaning

signora *f* lady; **mi scusi, ~!** excuse me!; **la ~ Rossi** Mrs Rossi; **-e e signori** ladies and gentlemen

signore *m* gentleman; **mi scusi, ~!** excuse me!; **il signor Rossi** Mr Rossi; **i -i Rossi** Mr and Mrs Rossi

signorina *f* young lady; **la ~ Rossi** Miss Rossi

sig.ra (= **signora**) Mrs

silenziatore *m* silencer, *Am* muffler

silenzio *m* silence; **silenzioso** silent

sillaba *f* syllable

siluro *m* MAR torpedo

simboleggiare symbolize; **simbolico** symbolic; **simbolismo** *m* symbolism; **simbolo** *m* symbol

simile similar

simmetria *f* symmetry; **simmetrico** symmetrical

simpatia *f* liking; *(affinità)* sympathy; **simpatico** likeable; **simpatizzare** become friends

simulare feign; TEC simulate; **simulazione** *f* pretence, *Am* pretense; TEC simulation

sinagoga *f* synagogue

sinceramente sincerely; *(in verità)* honestly; **sincerità** *f* sincerity; **sincero** sincere

sindacalista m/f trade unionist, Am labor unionist; **sindacato** m trade union, Am labor union

sindaco m mayor

sinfonia f symphony; **sinfonico** symphonic

singhiozzare sob; **singhiozzo** m: **avere il ~** have hiccups; **-zi** pl sobs

single m/f inv single

singolare 1 agg singular; (insolito) unusual; (strano) strange **2** m singular; SP singles; **singolo 1** agg individual; camera, letto single **2** m individual; SP singles

sinistra f left; **a ~** on the left; andare to the left; **sinistro 1** agg left, left-hand; fig sinister **2** m accident

sino ☞ **fino**

sinonimo 1 agg synonymous **2** m synonym

sintesi f inv synthesis; (riassunto) summary; **sintetico** synthetic; (riassunto) brief; **sintetizzare** synthesize; (riassumere) summarize

sintomo m symptom

sintonia f RAD tuning; fig **essere in ~** be on the same wavelength (**con** as); **sintonizzare** RAD tune; **sintonizzarsi** tune in (**su** to)

sinusite f sinusitis

sipario m curtain

sirena f siren; mitologica mermaid; **~ d'allarme** alarm

siringa f MED syringe

sismico seismic

sistema m system; **sistemare** put; (mettere in ordine) arrange; casa do up; **sistemarsi** tidy o.s. up; (trovare casa, sposarsi) settle down; **sistemazione** f place; (lavoro) job; in albergo accommodation, Am accommodations

sito site; **in ~** on the premises

situato: **essere ~** be situated; **situazione** f situation

sito web m website

slacciare undo

slalom m slalom

slanciato slender

slancio m impulse

slavo 1 agg Slav, Slavonic **2** m, **-a** f Slav

sleale disloyal

slegare untie

slip m inv underpants, Am briefs; da donna panties

slitta f sledge

slittino m sled; SP bobsleigh

slogan m inv slogan

slogare dislocate; **slogarsi**: **~ una caviglia** sprain one's ankle; **slogatura** f sprain

sloggiare move out

Slovacchia f Slovakia; **slovacco 1** agg Slovak(ian) **2** m, **-a** f Slovak(ian)

Slovenia f Slovenia; **sloveno 1** agg Slovene **2** m, **-a** f Slovene

smacchiare take the stains out of; **smacchiatore** m stain remover

smagliatura f ladder, Am run; MED stretch mark

smaltire dispose of

smalto m enamel; per ceramiche glaze; **~ per unghie** nail varnish

smantellare dismantle

smarrimento m loss; **smarrire** lose; **smarrirsi** get lost; **smarrito 1** pp ☞ **smarrire 2** agg lost

smascherare unmask

smemorato forgetful

smentire prove to be wrong; **smentita** f denial

smeraldo m/agg emerald

smesso pp ☞ **smettere**; **smettere 1** v/t stop; abiti stop wearing **2** v/i stop (**di fare qc** doing sth)

smilitarizzare demilitarize

sminuire problema downplay; persona belittle

smisurato boundless

smontabile which can be taken apart, Am knockdown; **smontare 1** v/i da cavallo dismount **2** v/t dismantle

smorfia f grimace; **smorfioso** affected

smorzare colore tone down; luce dim; entusiasmo dampen

SMS m inv text, text message; **mandare un ~ a qc** text s.o., send s.o. a text

smuovere shift, move

snello slim, slender

snervante irritating

snob 1 agg snobbish **2** m/f inv snob

SO (= **sud-ovest**) SW (= southwest)

so ☞ **sapere**

sobborgo m suburb

sobrio sober

Soc. (= **società**) Co (= company); soc. (= society)

socchiudere half-close; **socchiuso 1** pp ☞ **socchiudere 2** agg half-closed; porta ajar

soccorrere help; **soccorritore** m rescue worker; **soccorso 1** pp ☞ **soccorrere 2** m rescue; **pronto ~** first aid; **~ stradale** breakdown service, Am wrecking service

sociale social; **socialismo** m socialism; **socialista** agg, m/f socialist; **socializzare** socialize

società f inv company; (associazione) society; **~ per azioni** joint stock company

socievole sociable

socio m, -a f member; FIN partner

soddisfacente satisfying; **soddisfare** satisfy; **soddisfatto 1** pp ☞ **soddisfare 2** agg satisfied; **essere ~ di qu** be satisfied with s.o.; **soddisfazione** f satisfaction

sodo uovo hard-boiled

sofà m inv sofa

sofferenza f suffering

soffermarsi dwell (**su** on)

sofferto pp ☞ **soffrire**

soffiare blow; F swipe F; **soffiarsi**: **~ il naso** blow one's nose

soffice soft
soffio *m* puff
soffitta *f* attic
soffitto *m* ceiling
soffocante suffocating; **soffocare** suffocate
soffriggere fry gently
soffrire 1 *v/t* suffer; *persone* bear, stand 2 *v/i* suffer (*di* from)
soffritto *pp* ☞ **soffriggere**
sofisticato sophisticated
software *m inv* software
soggettivo subjective; **soggetto** 1 *agg* subject; *essere ~ a qc* suffer from sth 2 *m* GRAM subject; **soggezione** *f* subjection
soggiornare stay; **soggiorno** *m* stay
soglia *f* threshold
sogliola *f* sole
sognare, sognarsi dream (*di* about, of); **sognatore** *m*, **-trice** *f* dreamer; **sogno** *m* dream
soia *f* soya
sol *m inv* MUS G
solaio *m* attic, loft
solamente only
solare solar
solco *m* furrow
soldato *m* soldier
soldi *mpl* money
sole *m* sun; *c'è il ~* it's sunny; *prendere il ~* sunbathe; **soleggiato** sun-dried
solenne solemn
solere: *~ fare* be in the habit

of doing

soletta *f* insole
solidale *fig* in agreement; **solidarietà** *f* solidarity
solido solid; (*robusto*) sturdy
solista *m/f* soloist
solitario 1 *agg* solitary; *luogo* lonely 2 *m* solitaire; *gioco* patience, *Am* solitaire
solito 1 *agg* usual, same 2 *m di ~* usually; *come al ~* as usual
solitudine *f* solitude
sollecitare (*stimolare*) urge; *risposta* ask for
solletico *m* tickling; *fare il ~ a qu* tickle s.o.; *soffrire il ~* be ticklish
sollevamento *m* lifting; (*insurrezione*) rising; *~ pesi* weightlifting; **sollevare** lift; *obiezione* bring up; **sollevarsi** *di popolo* rise up; AVIA climb
sollievo *m* relief
solo 1 *agg* lonely; (*non accompagnato*) alone; (*unico*) only; MUS solo; *da ~* by myself / yourself etc, on my / your *etc* own 2 *avv* only 3 *m* MUS solo
solstizio *m* solstice
soltanto only
solubile soluble; **soluzione** *f* solution; **solvente** 1 *agg* FIN solvent 2 *m* CHIM solvent
somigliante similar; **somiglianza** *f* resemblance; **somigliare**: *~ a qu* resemble s.o.

somma f (*addizione*) addition; (*risultato*) sum; (*importo*) amount, sum; **sommare** add; **sommario 1** agg summary **2** m summary; *di libro* table of contents; **sommato:** **tutto ~** all things considered

sommergere submerge; fig overwhelm (**di** with); **sommergibile** m submarine; **sommerso** pp ☞ **sommergere**

somministrare MED administer

sommossa f uprising

sondaggio m: **~ (d'opinione)** (opinion) poll

sondare sound; fig test

sonnambulo m -a f sleepwalker; **sonnecchiare** doze; **sonnifero** m sleeping pill; **sonno** m sleep; **aver ~** be sleepy; **sonnolenza** f drowsiness

sono ☞ **essere**

sonoro sound attr, risa, applausi loud; **colonna f -a** sound-track

sontuoso sumptuous

soppesare weigh; fig weigh up

sopportabile bearable, tolerable; **sopportare** peso bear; fig bear, stand F

soppressione f deletion; di regola abolition; **soppresso** pp ☞ **sopprimere**; **sopprimere** delete; regola abolish

sopra 1 prp on; (più in alto di) above; **l'uno ~ l'altro** one on

top of the other; **i bambini ~ cinque anni** children over five; **al di ~ di qc** over sth **2** avv on top; (al piano superiore) upstairs; **vedi ~** see above

soprabito m (over)coat

sopracciglio m eyebrow

sopraccoperta f di letto bedspread; di libro dustjacket

sopraffare overwhelm

sopraggiungere di persona turn up; di difficoltà come up

sopralluogo m inspection (of the site)

soprammobile m ornament

soprannaturale supernatural

soprannome m nickname

soprannumero: **in ~** overcrowded

soprano m soprano; **mezzo ~** mezzo(-soprano)

soprappensiero ☞ **sovrappensiero**

soprattassa f surcharge

soprattutto particularly, above all

sopravvalutare overvalue; fig overestimate

sopravvento m: **avere** o **prendere il ~** have the upper hand

sopravvissuto 1 agg surviving **2** m, -a f survivor; **sopravvivenza** f survival; **sopravvivere** survive, outlive (**a qu** s.o.)

soprintendente m/f supervisor

sopruso *m* abuse of power

soqquadro *m*: **mettere a ~** turn upside down

sorbetto *m* sorbet

sorbirsi put up with

sordina *f* mute; **in ~** in secret, on the quiet

sordità *f* deafness; **sordo** deaf; **sordomuto** deaf and dumb

sorella *f* sister; **sorellastra** *f* stepsister

sorgente *f* spring; *fig* source; **sorgere** *di sole* rise, come up; *fig* arise, come up

sorpassare go past; AUTO pass, *Br anche* overtake; *fig* exceed; **sorpassato** out of date; **sorpasso** *m*: **fare un ~** pass, *Br anche* overtake

sorprendente surprising; **sorprendere** surprise; (*cogliere sul fatto*) catch; **sorpresa** *f* surprise; **sorpreso** *pp* ☞ **sorprendere**

sorridere smile; **sorriso 1** *pp* ☞ **sorridere 2** *m* smile

sorseggiare sip

sorso *m* mouthful

sorta *f* sort, kind

sorte *f* fate; **tirare a ~** draw lots; **sorteggiare** draw

sorto *pp* ☞ **sorgere**

sorveglianza *f* supervision; *di edificio* security; **sorvegliare** supervise; **bagagli** ecc look after

sorvolare 1 *v/t* AVIA fly over **2** *v/i fig*: **~ su** skim over; (*omettere*) skip

sosia *m inv* double

sospendere suspend; (*appendere*) hang; **sospensione** *f* suspension; **sospeso 1** *pp* ☞ **sospendere 2** *agg* hanging; *fig*: *questione* pending; **tenere in ~** *persona* keep in suspense

sospettare suspect; **~ qu o di qu** suspect s.o.; **sospetto 1** *agg* suspicious **2** *m*, **-a** *f* suspect; **sospettoso** suspicious

sospirare 1 *v/i* sigh **2** *v/t* long for; **sospiro** *m* sigh

sosta *f* stop; (*pausa*) break, pause; **divieto di ~** no parking

sostantivo *m* noun

sostanza *f* substance

sostare stop

sostegno *m* support

sostenere support; (*affermare*) maintain; **sostengo** ☞ **sostenere**; **sostenitore** *m*, **-trice** *f* supporter

sostituibile replaceable; **sostituire**: **~ X con Y** replace X with Y, substitute Y for X; **sostituto** *m*, **-a** *f* substitute, replacement; **sostituzione** *f* substitution, replacement

sottaceti *mpl* pickles

sottana *f* slip, underskirt; (*gonna*) skirt; REL cassock

sotterraneo 1 *agg* underground *attr* **2** *m* cellar

sotterrare bury

sottile fine; *fig* subtle; *udito* keen

sottintendere imply; **sottinteso 1** *pp* ☞ **sottintendere 2** *m* allusion

sotto 1 *prp* under; **5 gradi ~ zero** 5 degrees below (zero); **al di ~ di qc** under sth **2** *avv* below; *(più in basso)* lower down; *(al di sotto)* underneath; *(al piano di ~)* downstairs

sottobanco under the counter

sottobraccio: *camminare ~* walk arm-in-arm; *prendere qu ~* take s.o.'s arm

sottocchio: *tenere ~ qc* keep an eye on sth

sottoesposto FOT underexposed

sottofondo *m* background

sottolineare *anche fig* underline

sottomarino 1 *agg* underwater *attr* **2** *m* submarine

sottomesso 1 *pp* ☞ **sottomettere 2** *agg* submissive; *popolo* subject *attr*; **sottomettere** submit; *popolo* subdue

sottopassaggio *m* underpass

sottoporre submit; **sottoporsi**: *~ a* undergo

sottoscritto 1 *pp* ☞ **sottoscrivere 2** *agg* undersigned; **sottoscrivere** *documento* sign; *teoria* subscribe to; *abbonamento* take out; **sottoscrizione** *f* signing; *(abbonamento)* subscription

sottosopra *fig* upside-down

sottosuolo *m* subsoil

sottosviluppato underdeveloped

sottovalutare undervalue; *persona* underestimate

sottoveste *f* slip, underskirt

sottovoce quietly, sotto voce

sottrarre MAT subtract; *denaro* embezzle; **sottrarsi**: *~ a qc* avoid sth; **sottratto** *pp* ☞ **sottrarre**; **sottrazione** *f* MAT subtraction; *di denaro* embezzlement

souvenir *m inv* souvenir

sovrabbondante overabundant

sovraccarico 1 *agg* overloaded (*di* with) **2** *m* overload

sovrano 1 *agg* sovereign **2** *m*, **-a** *f* sovereign

sovrappensiero: *essere ~* be lost in thought

sovrappeso 1 *agg* overweight **2** *m* excess weight

sovrappopolato overpopulated

sovrapporre overlap

sovrastare overlook, dominate

sovrintendente *m/f* ☞ **soprintendente**

sovrumano superhuman

sovvenzionare give a grant to; **sovvenzione** *f* grant

sovversivo subversive

S.P. (= **Strada Provinciale**) A road, *Am* highway

S.p.A. *f* (= **Società per Azio-**

ni) joint stock company

spaccare break in two; *legna* split, chop; **spaccarsi** break in two

spacciare *droga* deal in, push F; **spacciarsi: ~ per** pass o.s. off as; **spacciatore** *m*, **-trice** *f di droga* dealer; **spaccio** *m di droga* dealing; *negozio* general store

spacco *m in gonna* slit; *in giacca* vent; **spaccone** *m*, **-a** *f* braggart

spada *f* sword

spaesato disoriented, confused

spaghetti *mpl* spaghetti *sg*

Spagna *f* Spain; **spagnolo 1** *m/agg* Spanish **2** *m*, **-a** *f* Spaniard

spago *m* string

spalancare open wide

spalla *f* shoulder; *era di* **-e** he had his back to me

spalliera *f* wallbars

spallina *f* shoulder pad

spalmare spread

spalti *mpl* terraces

spandere spread; **spandersi** spread; **spanto** *pp* ☞ **spandere**

sparare *v/i* shoot (**a** at) **2** *v/t*: **~ un colpo** fire a shot; **sparatoria** *f* gunfire

sparecchiare clear

spareggio *m* SP play-off

spargere spread; *lacrime, sangue* shed

sparire disappear; **sparizione** *f* disappearance

sparo *m* (gun)shot

sparpagliare scatter

sparso 1 *pp* ☞ **spargere 2** *agg* scattered

spartire divide (up), split; **spartito** *m* score; **spartitraffico** *m* traffic island

spasimante *m/f* admirer

spasmo *m* MED spasm

spasso *m* fun; *andare a* **~** go for a walk; *è uno* **~** he / it's a good laugh; **spassoso** very funny

spavaldo cocky, over-confident

spaventapasseri *m inv* scarecrow; **spaventare** frighten, scare; **spaventarsi** be frightened, be scared; **spavento** *m* fright, scare; **spaventoso** frightening

spaziale space *attr*

spazientirsi get impatient

spazio *m* space; **spazioso** spacious

spazzaneve *m inv* snowplough, *Am* snowplow; **spazzare** sweep; **spazzatura** *f* rubbish, *Am* garbage; **spazzino** *m*, **-a** *f* street sweeper; **spazzola** *f* brush; **spazzolare** brush; **spazzolino** *m* brush; **~ da denti** toothbrush

specchiarsi look at o.s.; (*riflettersi*) be mirrored; **specchietto** *m* mirror; (*prospetto*) table; AUTO **~ retrovisore** rear-view mirror; **specchio** *m* mirror

speciale special; specialista *m/f* specialist; specialità *f inv* speciality, *Am* specialty; specializzarsi specialize; specialmente especially

specie 1 *f inv* species *sg*; *una ~ di* a sort *o* kind of 2 *avv* especially

specificare specify; specifico specific

speculatore *m*, -trice *f* speculator; speculazione *f* speculation

spedire send; spedizione *f* dispatch; *di merce* shipping; (*viaggio*) expedition; spedizioniere *m* courier

spegnere put out; *luce, motore, radio* turn off, switch off; spegnersi *di fuoco* go out; *di motore* stop

spellare skin; spellarsi peel

spendere spend; *fig* invest

spennare *pollo* pluck

spensierato carefree

spento *pp* ☞ spegnere

speranza *f* hope; sperare 1 *v/t* hope for 2 *v/i* trust (*in* in)

sperduto lost; *luogo* isolated

sperimentare try; *in laboratorio* test; *fig*: *fatica, dolore* feel; *droga* experiment with

sperma *m* sperm

sperperare fritter away, squander

spesa *f* expense; *fare la ~* do the shopping; *fare -e* go shopping; *a proprie -e* at one's own expense

spesso 1 *agg* thick 2 *avv* often, frequently; spessore *m* thickness

spett. (= *spettabile*) Messrs; *in lettera* Spett. Ditta Dear Sirs

spettacolare spectacular; spettacolo *m* show; (*panorama*) spectacle, sight; ~ teatrale show

spettare: *questo spetta a te* this is yours; *non spetta a te giudicare* it's not up to you to judge

spettatore *m*, -trice *f* spectator; TEA member of the audience

spettinare: ~ *qu* ruffle s.o.'s hair

spettro *m* ghost; FIS spectrum

spezie *fpl* spices

spezzare break in two; spezzarsi break; spezzatino *m* stew; spezzato 1 *agg* broken (in two) 2 *m* co-ordinated two-piece suit; spezzettare break up

spia *f* spy; TEC pilot light; *fare la ~* tell, sneak

spiacente: *essere ~* be sorry; spiacere: *mi spiace* I am sorry

spiacevole unpleasant

spiaggia *f* beach

spiare spy on

spiazzo *m* empty space

spiccato strong

spicchio *m di frutto* section; ~ *d'aglio* clove of garlic

spicciarsi hurry up

spiccioli *mpl* (small) change

spiedo *m* spit; *allo ~* spit-roasted

spiegare (*stendere*) spread; (*chiarire*) explain; **spiegarsi** explain what one means; **spiegazione** *f* explanation

spiegazzare crease

spietato pitiless

spiga *f di grano* ear; **spigato** herring-bone *attr*

spigliato confident

spigola *f* sea bass

spigolo *m* corner

spilla *f gioiello* brooch; *~ da balia* safety pin

spillo *m* pin

spina *f* BOT thorn; ZO spine; *di pesce* bone; EL plug; ANAT *~ dorsale* spine

spinaci *mpl* spinach

spinale spinal

spinello F *m* joint F

spingere push; *fig* drive

spinoso thorny

spinta *f* push

spinterogeno *m* AUTO distributor

spinto *pp* ☞ **spingere**

spionaggio *m* espionage

spiraglio *m* crack; *di luce, speranza* glimmer

spirale *f* spiral; *contraccettivo* coil

spirare blow; *fig* die

spirito *m* spirit; (*disposizione*) mind; (*umorismo*) wit; **spiritoso** witty; **spirituale** spiritual

splendente bright; **splendere** shine; **splendido** wonder-ful, splendid

spogliare undress; (*rubare*) rob; **spogliarello** *m* strip-tease; **spogliarsi** undress, strip; **spogliatoio** *m* dressing room, locker room; **spoglio bare**

spola *f*: *fare la ~ da un posto all'altro* shuttle backwards and forwards between two places

spolverare dust

sponda *f di letto* edge, side; *di fiume* bank; *nel biliardo* cushion

sponsor *m inv* sponsor; **sponsorizzare** sponsor

spontaneo spontaneous

sporadico sporadic

sporcare dirty; **sporcarsi** get dirty; **sporcizia** *f* dirt; **sporco 1** *agg* dirty **2** *m* dirt

sporgere 1 *v/t* hold out; *denuncia* make **2** *v/i* jut out; **sporgersi** lean out

sport *m inv* sport

sportello *m* door; *~ automatico* ATM, cash dispenser

sportivo 1 *agg* sports *attr*; *persona* sporty **2** *m*, -a *f* sports-man; *donna* sportswoman

sporto *pp* ☞ **sporgere**

sposa *f* bride; **sposare** marry; **sposarsi** get married; **sposato** married; **sposo** *m* bridegroom; *-i pl* newlyweds

spostare (*trasferire*) move, shift; (*rimandare*) postpone; **spostarsi** move

spranga *f* bar; **sprangare** bar

sprecare waste, squander; **spreco** *m* waste

spregevole despicable

spremere squeeze; **spremilimoni** *m inv* lemon squeezer; **spremuta** *f* juice; ~ **d'arancia** orange juice

sprofondare sink

sproporzionato out of proportion (**a** to)

sproposito *m* blunder; **costare uno** ~ cost a fortune; **a** ~ out of turn

sprovveduto inexperienced

sprovvisto: ~ **di** lacking; **alla -a** unexpectedly

spruzzare spray; **spruzzatore** *m* spray; **spruzzo** *m* spray; **di fango** splatter

spudorato shameless

spugna *f* sponge

spuma *f* foam; **spumante:** (**vino** *m*) ~ sparkling wine

spuntare stick out; BOT come up; **di sole** appear; **di giorno** break

spuntino *m* snack

spunto *m* suggestion; **prendere** ~ **da** be inspired by

sputare 1 *v/i* spit 2 *v/t* spit out; **sputo** *m* spittle

squadra *f* strumento set square; (**gruppo**) squad; SP team

squalifica *f* disqualification; **squalificare** disqualify

squallido squalid; **squallore** *m* squalor

squalo *m* shark

squama *f* flake; **di pesce** scale

squarcio *m* **in stoffa** rip, tear; **in nuvole** break

squilibrato 1 *agg* insane 2 *m*, **-a** *f* lunatic; **squilibrio** *m* imbalance

squillare ring; **squillo** *m* ring

squisito *cibo* delicious

sradicare uproot; *fig* (*eliminare*) eradicate; *persona, pianta* uproot

S.r.l. *f* (= **Società a responsabilità limitata**) Ltd (= limited)

SS. (= **santi**) Saints

stabile 1 *agg* steady; (*duraturo*) stable; *tempo* settled 2 *m* building

stabilimento *m* (*fabbrica*) plant, *Br* factory

stabilire *data, obiettivi, record* set; (*decidere*) decide, settle; **stabilirsi** settle; **stabilità** *f* steadiness; *di relazione, moneta* stability

staccare remove, detach; EL unplug

stadio *m* stage; SP stadium

staffa *f* stirrup; **perdere le -e** blow one's top

staffetta *f* SP relay; **corsa** *f* **a** ~ relay race

stage *m inv* training period

stagionale seasonal; **stagionare** age, mature; *legno* season; **stagionato** aged, mature; *legno* seasoned; **stagione** *f* season; **alta** ~ high season; **bassa** ~ low season

stagnante stagnant

stagno 1 *m* pond; TEC tin 2

agg watertight

stalla *f per bovini* cowshed; *per cavalli* stable

stamani, stamattina this morning

stambecco *m* ibex

stampa *f* press; *tecnica* printing; FOT print; *posta* **-e** *pl* printed matter; **stampante** *f* INFOR printer; **~ a getto di inchiostro** ink-jet printer; **stampare tonight; stampatello** *m* block letters; **stampato** *m* INFOR printout, hard copy

stampella *f* crutch

stampo *m* mould, *Am* mold

stancare tire (out); **stancarsi** get tired, tire; **stanchezza** *f* tiredness; **stanco** tired; **~ morto** dead beat

stanghetta *f* leg

stanotte tonight; *(la notte scorsa)* last night

stanza *f* room

stanziare *somma di denaro* allocate, earmark

stanzino *m* boxroom

stappare take the top off

stare be; *(restare)* stay; *(abitare)* live; **~ in piedi** stand; **~ bene** be well; *di vestiti* suit; **~ per fare qc** be about to do sth; **lascialo ~** let him be; **~ telefonando** be making a phonecall; **come sta?** how are you?, how are things?; **ben ti sta!** serves you right!

starnutire sneeze; **starnuto** *m* sneeze

stasera this evening, tonight

statale 1 *agg* state *attr* **2** *m/f* civil servant **3** *f* main road; **Stati Uniti d'America** *mpl* United States of America, USA

statistica *f* statistics

stato 1 *pp* ☞ **essere** *e* **stare 2** *m anche* POL state; **~ civile** marital status

statua *f* statue

statunitense 1 *agg* US *attr*, American **2** *m/f* US citizen

statura *f* height; *fig* stature

stavolta this time

stazionario stationary; **stazione** *f* station; **~ di servizio** service station; **~ balneare** seaside resort; **~ termale** spa

stecca *f di biliardo* cue; *di sigarette* carton; MED splint; MUS wrong note; **stecchino** *m* toothpick

stella *f* star; **~ di mare** starfish

stelo *m* stem, stalk

stemma *m* coat of arms

stendere spread; *braccio* stretch out; *biancheria* hang up; *verbale* draw up; **stendersi** stretch out; **stendibiancheria** *m inv* clothes dryer

stenodattilografa *f* shorthand typist

stentare: **~ a fare qc** find it hard to do sth; **stento**: **a ~** with difficulty

stereo *m inv* stereo

stereotipo 1 *agg* stereotypical **2** *m* stereotype

sterile sterile; **sterilità** *f* sterility; **sterilizzare** sterilize; **sterilizzazione** *f* sterilization

sterlina *f* sterling

sterminare exterminate

sterminato vast

sterminio *m* extermination

sterno *m* breastbone, ANAT sternum

sterzare steer; **sterzata** *f* swerve; **sterzo** *m* AUTO steering

steso *pp* ☞ **stendere**

stesso same; **lo ~, la stessa** the same one; **è lo ~** it's all the same; **oggi ~** this very day; **io ~** myself; **se ~** himself

stile *m* style

stilografica *f* fountain pen

stima *f* (*ammirazione*) esteem; (*valutazione*) estimate; **stimare** *persona* esteem; *oggetto* value; (*ritenere*) consider; **stimato** respected

stimolante 1 *agg* stimulating **2** *m* stimulant; **stimolare** stimulate

stinco *m* shin

stingere, **stingersi** fade; **stinto** *pp* ☞ **stingere**

stipare cram; **stipato** crammed (**di** with)

stipendiato, **-a** *f* salary-earner; **stipendio** *m* salary

stipulare stipulate

stiramento *m* MED pulled muscle

stirare iron; **stirarsi** pull; **stiro**: **ferro** *m* **da ~** iron; **non ~**

non-iron

stirpe *f* (*origine*) birth

stitichezza *f* constipation

stivale *m* boot; **-i** *pl* **di gomma** wellingtons, *Am* rubber boots

sto ☞ **stare**

stoccafisso *m* stockfish (*air-dried cod*)

stoffa *f* material

stomaco *m* stomach

stonare *di cantante* sing out of tune; *fig* be out of place; *di colori* clash; **stonato** *persona* tone deaf; *nota* false; *strumento* out of tune

stop *m inv* AUTO brake light; *cartello* stop sign; **stoppare** stop

storcere twist; **~ il naso** make a face; **storcersi** bend; **~ un piede** twist one's ankle

stordimento *m* dizziness; **stordire** stun; **stordito** stunned

storia *f* history; (*narrazione*) story; **non far -e!** don't make a scene!; **storico 1** *agg* historical; (*memorabile*) historic **2** *m*, **-a** *f* historian

stormo *m di uccelli* flock

storpio 1 *agg* crippled **2** *m* **-a** *f* cripple

storta *f*: **prendere una ~** twist one's ankle; **storto** crooked

stoviglie *fpl* dishes

strabico cross-eyed; **strabismo** *m* strabismus

stracarico overloaded

stracciare tear up

stracciatella f type of soup; *gelato* chocolate chip

stracciato in shreds

straccio m *per pulire* cloth; *per spolverare* duster

strada f road; *per ~* down the road; *sono (già) per ~* I'm on my way; *a metà ~* halfway; **stradale** road *attr*; **stradario** m street-finder, street map

strafare exaggerate

strage f slaughter

stragrande: *la ~ maggioranza* the vast majority

strangolare strangle

straniero 1 *agg* foreign 2 m, -a f foreigner

strano strange

straordinario 1 *agg* special; *(eccezionale)* extraordinary 2 m overtime

strapazzare treat badly; **strapazzarsi** overdo it; **strapazzo** m strain; *essere uno ~* be exhausting; *da ~* third-rate

strapieno crowded

strapiombo: *a ~* overhanging

strappare tear, rip; *(staccare)* tear down; *(togliere)* snatch (*a qu* from s.o.); **strappo** m tear, rip; MED torn ligament

straripare overflow its banks

strascico m train; *fig* after-effects

stratagemma m stratagem

strategia f strategy; **strategico** strategic

strato m layer

stravagante extravagant

stravecchio ancient

stravedere: *~ per qu* worship s.o.

stravolgere change radically; *(travisare)* twist; *(stancare)* exhaust; **stravolto** 1 *pp* ☞ **stravolgere** 2 *agg (stanco)* exhausted

strazio m: *era uno ~* it was painful

strega f witch; **stregone** m wizard

stremare exhaust; **stremato** exhausted

stress m *inv* stress; **stressante** stressful; **stressare** stress

stretta f hold; *~ di mano* handshake; *mettere qu alle -e* put s.o. in a tight corner; **strettamente** closely; **tenere qc ~ (in mano)** clutch sth (in one's hand); **stretto** 1 *pp* ☞ **stringere** 2 *agg* narrow; *(vestito)* too tight; *lo ~ necessario* the bare minimum 3 m GEOG strait; **strettoia** f bottleneck

stridere *di porta* squeak; *di colori* clash

stridulo shrill

strillare scream; **strillo** m scream

striminzito skimpy

strimpellare strum

stringa f lace

stringere 1 *v/t* make narrower; *abito* take in; *vite* tighten; *~ amicizia* become friends 2 *v/i di tempo* press; **stringersi** *intorno a tavolo* squeeze up

striscia f strip; *dipinta* stripe; *-sce pl* **pedonali** zebra crossing, *Am* crosswalk; *a -sce* striped

strisciare 1 *v/t piedi* scrape; *(sfiorare)* brush, smear *(contro* against) **2** *v/i* crawl; **striscio** m MED smear

striscione m banner

strizzare wring; *~ l'occhio a qu* wink at s.o.

strofa f verse

strofinaccio m dish towel; **strofinare** rub

stroncare *vita* snuff out; F *idea* shoot down

stropicciare crush, wrinkle

strozzare strangle

strozzino m, *-a* f loan shark F

strumentalizzare make use of; **strumento** m instrument

strutto m lard

struttura f structure

struzzo m ZO ostrich

stuccare plaster; **stucco** m plaster

studente m, *-essa* f student; **studiare** study; **studio** m study; *di artista,* RAD, TV studio; *di professionista* office; *di medico* surgery, *Am* office

stufa f stove; *~ elettrica / a gas* electric / gas heater

stufare GASTR stew; *fig* bore; **stufarsi** get bored *(di* with); **stufato** m stew; **stufo**: *essere ~ di qc* be bored with sth

stuolo m host

stupefacente 1 *agg* amazing,

stupefying **2** m narcotic; **stupefatto** amazed, stupefied; **stupendo** stupendous

stupidaggine f stupidity; **stupidità** f stupidity; **stupido 1** *agg* stupid **2** m, *-a* f idiot

stupire 1 *v/t* amaze **2** *v/i e* **stupirsi** be amazed; **stupore** m amazement

stuprare rape; **stupro** m rape

sturare clear, unblock

stuzzicadenti m *inv* toothpick

stuzzicare tease; *appetito* whet

su *prp* on; *argomento* about; *(circa)* about; *sul tavolo* on the table; *sul mare* by the sea; *sui trecento euro* about three hundred euros; *nove volte ~ dieci* nine times out of ten **2** *avv* up; *(al piano di sopra)* upstairs; *~!* come on!; *guardare in ~* look up

sub m/f *inv* skin diver

subacqueo 1 *agg* underwater **2** m, *-a* f skin diver

subaffittare sublet; **subaffitto** m sublet

subentrare: *~ a qu* take s.o.'s place

subire *danni, perdita* suffer

subito immediately

suburbano suburban

succedere *(accadere)* happen; *~ a in carica* succeed; **successione** f succession; **successivo** successive

successo 1 *pp* ☞ **succedere** **2** m success; *di ~* successful;

successore *m* successor

succhiare suck; **succo** *m* juice; ~ **d'arancia** orange juice

succursale *f* branch

sud *m* south; **a(l)~ di** (to the) south of; ~ **ovest** south-west; ~ **est** south-east; **a ~ di** (to the) south of

sudare perspire, sweat; **sudato** sweaty

suddividere subdivide

sudicio 1 *agg* dirty **2** *m* dirt; **sudiciume** *m* dirt

sudore *m* perspiration, sweat

sufficiente sufficient; **sufficienza** *f* sufficiency; **a ~** enough

suffragio *m* suffrage

suggerimento *m* suggestion; **suggerire** suggest; TEA prompt; **suggeritore** *m* TEA prompter; **suggestionare** influence; **suggestivo** picturesque

sughero *m* cork

sugli = **su** and *art* **gli**

sugo *m* sauce; **di arrosto** juice

sui = **su** and *art* **i**

suicida *m/f* suicide (victim); **suicidarsi** commit suicide, kill o.s.; **suicidio** *m* suicide

suino pork *attr*

sul = **su** and *art* **il**

sull', **sulla**, **sulle**, **sullo** = **su** and *art* **l'**, **la**, **le**, **lo**

suo 1 *agg* ~ **di lui** his; **di lei** her; **di cosa** its; **il ~ maestro** his / her teacher; **questo libro è ~** this is his / her book ◇ forma di cortesia your; **il ~**, **la sua**, **i suoi**, **le sue** your **2** *pron*: **il ~**, **la sua**, **i suoi**, **le sue** di lui his; di lei hers; di cosa its; *forma di cortesia* yours

suocera *f* mother-in-law; **suocero** *m* father-in-law; *-i pl* mother- and father-in-law, in-laws F

suola *f* sole

suolo *m* ground; *(terreno)* soil

suonare 1 *v/t* play; *campanello* ring **2** *v/i* play; **alla porta** ring; **suono** *m* sound

suora *f* REL nun

super *f inv* F 4-star, *Am* premium

superare go past; *fig* overcome; *esame* pass

superbo haughty

superficiale superficial; **superficie** *f* surface

superfluo superfluous

superiore 1 *agg* top; *qualità* superior **2** *m* superior; **superiorità** *f* superiority

superlativo *m/agg* superlative

supermarket *m inv*, **supermercato** *m* supermarket

superstite 1 *agg* surviving **2** *m/f* survivor

superstizione *f* superstition; **superstizioso** superstitious

superstrada *f* motorway, *Am* highway

suppergiù about

supplementare supplementary; **supplemento** *m* supplement; **supplente** *m/f* replacement; EDU supply teacher

supplicare beg

suppongo ☞ **supporre**; supporre suppose

supporto *m* TEC support

supposizione *f* supposition

supposta *f* MED suppository

supposto *pp* ☞ **supporre**

suppurare MED suppurate

surf *m inv* surfboard; **fare ~** surf, go surfing; **surfista** *m/f* surfer

surgelato 1 *agg* frozen **2** *m: -i pl* frozen food

suscettibile touchy

suscitare arouse

susina *f* plum

sussidio *m* grant, allowance

sussultare start, jump; **sussulto** *m* start, jump

sussurrare whisper

svagarsi take one's mind off things; **svago** *m* distraction

svaligiare burgle, *Am* burglarize

svalutare devalue; **svalutazione** *f* devaluation

svanire vanish

svantaggio *m* disadvantage; **svantaggioso** disadvantageous

svariato varied

svedese 1 *m/agg* Swedish **2** *m/f* Swede

sveglia *f* alarm clock; **sve-** gliare wake (up); **svegliarsi** waken up; **sveglio** awake; *fig* alert

svelare *segreto* reveal

svelto quick; **alla -a** quickly

svendere sell at a reduced price; **svendita** *f* clearance

svenire faint

sventolare wave

svenuto *pp* ☞ **svenire**

svestire undress; **svestirsi** get undressed, undress

Svezia *f* Sweden

sviare deflect; *fig* divert

svignarsela slip away

sviluppare develop; **svilupparsi** develop; **sviluppato** developed; **sviluppo** *m* development

svincolo *m di strada* junction

svista *f* oversight

svitare unscrew; **svitato** unscrewed; *fig* **F essere ~** have a screw loose F

Svizzera *f* Switzerland; **svizzero 1** *agg* Swiss **2** *m, -a f* Swiss

svogliato lazy

svolgere *rotolo* unwrap; *tema* develop; *attività* carry out; **svolgersi** happen; *di film* be set

svolta *f* turning; *fig* turning point; **svoltare:** **~ a destra** turn right; **svolto** *pp* ☞ **svolgere**

svuotare empty

T

tabaccheria *f* tobacconist's, *Am* tobacco store; **tabacco** *m* tobacco

tabella *f* table; **tabellina** *f* multiplication table

tabellone *m* board; *per avvisi* notice board, *Am* bulletin board

tabù *m/agg inv* taboo

tabulato *m* printout

taccagno mean, stingy F

tacchino *m* turkey

tacco *m* heel

taccuino *m* notebook

tacere 1 *v/t* keep quiet about, say nothing about **2** *v/i* not say anything, be silent

tachicardia *f* tachycardia

tachimetro *m* speedometer

taciturno taciturn

tafano *m* ZO horsefly

tafferuglio *m* scuffle

taglia *f* (*misura*) size; **~ unica** one size; **tagliacarte** *m inv* paper-knife; **tagliando** *m* coupon; AUTO service; **tagliare** *v/t* cut down; *legna* chop; **tagliarsi i capelli** have one's hair cut; *fig* **~ la strada a qu** cut in front of s.o.; **tagliarsi** cut o.s.; **mi sono tagliata un dito** I've cut my finger; **tagliatelle** *fpl* tagliatelle *sg*; **tagliente** sharp; **tagliere** *m* chopping board; **taglierini** *mpl* type of noo-

dles; **taglio** *m* cut

tailleur *m inv* suit

talco *m* talcum powder

tale such a; **-i** *pl* such; **~ e quale** just like; **un ~** someone

talento *m* talent

talloncino *m* coupon

tallone *m* heel

talmente so

talora sometimes

talpa *f* mole

talvolta sometimes

tamburo *m* drum

tamponamento *m* AUTO collision; **~ a catena** multi-vehicle pile-up; **tamponare** *falla* plug; AUTO collide with; **tampone** *m* MED swab; *per donne* tampon; *per timbri* (ink) pad

tana *f* den

tandem *m inv* tandem

tangente *f* MAT tangent; F (*bustarella*) bribe; **tangenziale** *f* ring road

tanica *f* container

tanto 1 *agg* so much; **-i** *pl* so many; **-i saluti** best wishes; **-e grazie** thank you so much **2** *pron* many **3** *avv* (*così*) so; *con verbi* so much; **di ~ in ~** from time to time; **~ quanto** as much as; **è da ~ (tempo) che non lo vedo** I haven't seen him for a long time

tappa f stop; *di viaggio* stage; **tappare** plug; *bottiglia* put the cork in; **tapparella** f rolling shutter

tappeto m carpet

tappezzare (wall)paper; **tappezzeria** f wallpaper; *di sedili* upholstery

tappo m cap, top; *di sughero* cork; *di lavandini, vasche* plug

tarchiato stocky

tardare 1 v/t delay 2 v/i be late; **tardi** late; **più ~** later (on); **al più ~** at the latest; **a più ~!** see you!; **far ~** (*arrivare in ritardo*) be late; (*stare alzato*) stay up late; *in ufficio* work late; **tardo** late

targa f nameplate; AUTO numberplate, *Am* license plate; **targhetta** f tag; *su porta* nameplate

tariffa f rate; *nei trasporti* fare

tarlato worm-eaten

tarlo m woodworm

tarma f (clothes) moth

tartaro m tartar

tartaruga f tortoise; *aquatica* turtle

tartina f canapé

tartufo m truffle

tasca f pocket; **tascabile 1** *agg* pocket *attr* **2** m paperback

tassa f tax; **tassametro** m meter; **tassare** tax

tassello m *nel muro* plug

tassista m/f taxi driver, cab driver

tasso m FIN rate; **~ d'interesse** interest rate

tastare feel; *fig* **~ il terreno** see how the land lies

tastiera f keyboard; **tasto** m key

tattica f tactics

tatto m (*senso*) touch; *fig* tact

tatuaggio m tattoo

tavola f table; (*asse*) plank, board; *in libro* plate; **~ calda** snackbar; **mettersi a ~** sit down to eat; **tavoletta** f: **~ di cioccolata** bar of chocolate; **tavolo** m table

taxi m inv taxi, esp Am cab

tazza f cup; **tazzina** f espresso cup

tè m inv tea; **~ freddo** iced tea

te you

teatrale theatre *attr*, *Am* theater *attr*; *fig* theatrical; **rappresentazione** f **~** play; **teatro** m theatre, *Am* theater; **~ lirico** opera (house)

tecnica f technique; (*tecnologia*) technology; **tecnico 1** *agg* technical **2** m technician; **tecnologia** f technology; **alta ~** high tech; **tecnologico** technological

tedesco 1 m/agg German **2** m, -a f German

tegame m (sauce)pan

teglia f baking tin

tegola f tile

teiera f teapot

tela f cloth; PITT canvas; **~ cerata** oilcloth

telaio m loom; *di automobile*

chassis; *di bicicletta, finestra* frame

telecamera *f* television camera

telecomando *m* remote control

telecomunicazioni *fpl* telecommunications, telecomms

teleferica *f* cableway

telefilm *m inv* television film

telefonare (tele)phone, call (*a qu* s.o.); **telefonata** *f* (tele)phone call; **fare una ~** *a qu* phone *o* call s.o.; **telefonico** (tele)phone *attr*; **telefonino** *m* mobile (phone), *Am* cell(ular) phone; **telefono** *m* (tele)phone; **~ a scheda** (**magnetica**) cardphone; **~ cellulare** mobile phone, *Am* cellular phone

telegiornale *m* news *sg*

telelavoro *m* teleworking

teleobiettivo *m* telephoto lens

telepatia *f* telepathy

teleschermo *m* TV screen

telescopio *m* telescope

telespettatore *m*, **-trice** *f* TV viewer

televisione *f* television, TV; **televisivo** television *attr*, TV *attr*; **televisore** *m* television (set), TV (set)

tema *m* theme, subject

temere be afraid *o* frightened of

temperamatite *m inv* pencil sharpener

temperamento *m* temperament

temperare *acciaio* temper; *matita* sharpen; **temperato** *acciaio* tempered; *clima* temperate

temperatura *f* temperature; **~ ambiente** room temperature

tempesta *f* storm

tempia *f* temple

tempio *m* temple

tempo *m* time; *meteorologico* weather; **~ libero** free time; **a ~ pieno** full-time; **in ~** in time; **un ~** once, long ago; **lavora da molto ~** he has been working for a long time; **fa bel / brutto ~** the weather is lovely / nasty

temporale *m* thunderstorm; **temporaneo** temporary

tenace tenacious

tenaglie *fpl* pincers

tenda *f* curtain; *da campeggio* tent

tendenza *f* tendency; **tendere 1** *v/t elastico, muscoli* stretch; *corde del violino* tighten; *mano* hold out; *fig: trappola* lay; **2** *v/i:* **~ a** (*aspirare a*) aim at; (*essere portati a*) tend to; (*avvicinarsi a*) verge on

tendina *f* net curtain

tendine *m* tendon

tenente *m* lieutenant

tenere 1 *v/t* hold; (*conservare, mantenere*) keep; (*gestire*) run; *conferenza* give; **~ d'oc-**

chio keep an eye on **2** *v/i* hold (on); **~ a** (*dare importanza a*) care about; SP support

tenero tender; *pietra, legno* soft

tenersi (*reggersi*) hold on (*a* to); (*mantenersi*) keep o.s.; **~ in piedi** stand (up)

tengo ☞ **tenere**

tennis *m* tennis; **~ da tavolo** table tennis; **tennista** *m/f* tennis player

tenore *m* MUS tenor

tensione *f* voltage; *fig* tension

tentare try, attempt; (*allettare*) tempt; **tentativo** *m* attempt; **tentazione** *f* temptation

tenuta *f* (*capacità*) capacity; (*resistenza*) stamina; (*divisa*) uniform; (*abbigliamento*) outfit; AGR estate

teologo *m*, **-a** *f* theologian

teorema *m* theorem; **teoria** *f* theory; **teorico** theoretical

tepore *m* warmth

teppista *m/f* hooligan

terapia *f* therapy

tergicristallo *m* AUTO windscreen *o Am* windshield wiper

termale thermal; **terme** *fpl* baths

terminal *m inv* AVIA terminal; **terminale** *m/agg* terminal; **terminare** end, terminate; **termine** *m* end; (*confine*) limit; FIN (*scadenza*) deadline; (*parola*) term; **a breve / lungo ~** in the short / long term

termocoperta *f* electric blanket

termometro *m* thermometer

termos *m inv* thermos®

termosifone *m* radiator

termostato *m* thermostat

terra *f* earth; (*regione, proprietà, terreno agricolo*) land; (*superficie del suolo*) ground; (*pavimento*) floor; **a ~** on the ground; AVIA, MAR **scendere a ~** get off; **terracotta** *f* terracotta; **terraferma** *f* dry land, terra firma

terrazza *f*, **terrazzo** *m* balcony, terrace

terremoto *m* earthquake

terreno 1 *agg* earthly; *piano* ground, *Am* first **2** *m* (*superficie*) ground; (*suolo, materiale*) soil; (*appezzamento*) plot of land; *fig* (*settore, tema*) field, area; **terrestre** terrestrial

terribile terrible

terrina *f* bowl

territorio *m* territory

terrore *m* terror; **terrorismo** *m* terrorism; **terrorista** *m/f* terrorist; **terrorizzare** terrorize

terza *f* AUTO third (gear); **terziario** *m* tertiary sector, services; **terzino** *m* SP back; **terzo** third

teschio *m* skull

tesi *f inv*: **~ (di laurea)** thesis

teso 1 *pp* ☞ **tendere 2** *agg* taut; *fig* tense

tesoro *m* treasure; (*tesoreria*)

treasury

tessera f card

tessile 1 agg textile **2 -i** mpl textiles

tessuto m fabric, material

test m inv test

testa f head; **a ~** a head; **essere in ~** lead, be ahead

testamento m will

testardo stubborn

testata f (giornale) newspaper; di letto headboard

teste m/f witness

testicolo m testicle

testimone m/f witness; **testimoniare 1** v/i testify, give evidence **2** v/t fig testify to; DIR **~ il falso** commit perjury

testo m text

tetano m tetanus

tetro gloomy

tetto m roof; **tettoia** f roof

Tevere m Tiber

TG m (= **Telegiornale**) TV news sg

thermos ☞ **termos**

ti you; riflessivo yourself

tibia f shinbone, tibia

tic m inv di orologio tick; MED tic

ticket m inv MED prescription charge

tiene ☞ **tenere**

tiepido lukewarm, tepid

tifo m MED typhus; fig **fare il ~ per** be a fan o supporter of; **tifoso** m, **-a** f fan, supporter

tigre f tiger

timbrare stamp; **timbro** m stamp; MUS timbre; **~ posta-**

le postage stamp

timidezza f shyness, timidity; **timido** shy, timid

timo m BOT thyme

timone m MAR, AVIA rudder

timore m fear

timpano m MUS kettledrum; ANAT eardrum

tingere dye

tinta f (colorante) dye; (colore) colour, Am color; **tintarella** f (sun)tan

tinto pp ☞ **tingere**

tintoria f dry-cleaner's

tintura f dyeing; (colorante) dye; **~ di iodio** iodine

tipico typical

tipo m sort, type; F fig guy

tipografia f printing; stabilimento printer's

tir m heavy goods vehicle, Am truck

tiranno m tyrant

tirare 1 v/t pull; (tendere) stretch; (lanciare) throw; (sparare) fire; (tracciare) draw; **~ fuori** take out; **~ su** da terra pick up; bambino bring up; **~ giù** take down **2** v/i pull; di abito be tight; di vento blow; (sparare) shoot; tirarsi: **~ indietro** back off; fig back out; tiratura f di libro print run; di giornale circulation

tirchio 1 agg mean **2** m, **-a** f miser, skinflint F

tiro m (lancio) throw; (sparo) shot; **~ con l'arco** archery

tirocinante m/f trainee; **tiro-**

cinio m training
tiroide f thyroid
tirolese agg, m/f Tyrolean, Tyrolese; **Tirolo** m Tyrol
tisana f herbal tea, tisane
titolare m/f owner; **titolo** m title; dei giornali headline; FIN security; **~ di studio** qualification
titubare hesitate
tizio m, -a f: **un ~** somebody, some man; **una -a** somebody, some woman
toccare 1 v/t touch; (riguardare) be about 2 v/i happen (**a** to); **tocca a me** it's my turn; **mi tocca partire** I have to go; **tocco** m touch
togliere take (away), remove; (eliminare) take off; (revocare) lift; dente take out, extract; **~ di mezzo** get rid of; **togliersi** giacca take off, remove; (spostarsi) take o.s. off; **~ dai piedi** get out of the way; **tolgo** ☞ **togliere**
tollerante tolerant; **tollerare** tolerate
tolto pp ☞ **togliere**
tomba f grave
tombola f bingo
tonaca f habit
tonalità f inv tonality
tondo round
tonfo m in acqua splash
tonificare tone up
tonnellata f tonne
tonno m tuna
tono m tone
tonsille fpl ANAT tonsils; **ton-**

sillite f tonsillitis
topazio m topaz
topo m mouse; **Topolino** m Mickey Mouse
toppa f (serratura) keyhole; (rattoppo) patch
torace m chest
torbido liquido cloudy
torcere twist; biancheria wring; **torchio** m press
torcia f torch
torcicollo m stiff neck
tordo m thrush
torinese of Turin; **Torino** f Turin
tormenta f snowstorm; **tormentare** torment; **tormentarsi** torment o.s.
tornaconto m benefit
tornante m hairpin bend
tornare venire come back, return; andare go back, return; (quadrare) balance; **~ utile** prove useful
torneo m tournament
tornio m lathe
toro m bull; ASTR **Toro** Taurus
torre f tower
torrefazione f roasting
torrente m stream
torrido torrid
torrone m nougat
torso m torso
torsolo m core
torta f cake; **tortellini** mpl tortellini sg
torto m wrong; **aver ~** be wrong; **a ~** wrongly
tortora f turtledove
tortuoso (sinuoso) winding;

(ambiguo) devious

tortura f torture; **torturare** torture

tosaerba f o m lawnmower; **tosare** *pecore* shear

Toscana f Tuscany; **toscano** Tuscan

tosse f cough; **aver la ~** have a cough

tossico 1 agg toxic **2** m, -a f F druggie F; **tossicodipendente** m/f drug addict; **tossicodipendenza** f drug addiction; **tossicomane** m/f drug addict

tossire cough

tostapane m toaster; **tostare** *pane* toast; *caffè* roast

totale m/agg total; **totalità** f *(interezza)* totality; **nella ~ dei casi** in all cases

totip m competition similar to football pools, based on horse racing

totocalcio m competition similar to football pools

tovaglia f tablecloth; **tovagliolo** m napkin, serviette

tozzo 1 agg stocky **2** m di pane crust

tra ☞ **fra**

traballare stagger; *di mobile* wobble

traboccare overflow *(anche fig)*

traccia f *(orma)* footprint; *di veicolo* track; *(indizio)* clue; *(segno)* trace; *(abbozzo)* sketch; **tracciare** *linea* draw; *(delineare)* outline; *(abbozza-*

re) sketch

trachea f windpipe

tracolla f (shoulder) strap; **a ~** slung over one's shoulder; **borsa f a ~** shoulder bag

tradimento m betrayal; **tradire** betray; *coniuge* be unfaithful to; **tradirsi** give o.s. away; **traditore 1** agg *(infedele)* unfaithful **2** m, -trice f traitor

tradizionale traditional; **tradizione** f tradition

tradotto pp ☞ **tradurre**; **tradurre** translate *(in* into); **traduttore** m, -trice f translator; **traduzione** f translation

trafficante m/f spreg dealer; **~ di droga** drug dealer; **trafficare** deal, trade *(in* in); spreg traffic *(in* in); *(armeggiare)* tinker; *(affaccendarsi)* bustle about; **traffico** m traffic

traforo m tunnel

tragedia f tragedy

traghetto m ferry

tragico tragic

tragitto m journey

traguardo m finishing line

traiettoria f trajectory

trainare *(rimorchiare)* tow; *di animali* pull, draw; **traino** m towing; *veicolo* vehicle on tow; **a ~** on tow

tralasciare *(omettere)* omit, leave out; *(interrompere)* interrupt

traliccio m EL pylon; TEC trellis

tram m inv tram

trama *f fig* plot

tramandare hand down

tramare *fig* plot

trambusto *m* (*confusione*) bustle; (*tumulto*) commotion

tramezzino *m* sandwich

tramite 1 *m* (*collegamento*) link; (*intermediario*) go-between **2** *prp* through

tramontana *f* north wind

tramontare set; **tramonto** *m* sunset; *fig* decline

trampolino *m* diving board; SCI ski jump

tranello *m* trap

tranne except

tranquillante *m* tranquillizer; *Am* tranquilizer; **tranquillità** *f* peacefulness, tranquillity; **tranquillizzare:** ~ **qu** set s.o.'s mind at rest; **tranquillo** calm, peaceful

transatlantico 1 *agg* transatlantic **2** *m* liner

transazione *f* DIR settlement; FIN transaction

transenna *f* barrier

transgenico genetically modified

transitabile strada passable

transitivo GRAM transitive

transito *m* transit; *divieto di* ~ no thoroughfare

trantran *m* F routine

tranviere *m* (*manovratore*) tram driver; (*controllore*) tram conductor

trapanare drill; **trapano** *m* drill

trapezio *m* trapeze; **trapezi-**

sta *m/f* trapeze artist

trapiantare transplant; **trapianto** *m* transplant

trappola *f* trap

trapunta *f* quilt

trarre *conclusioni* draw; *vantaggio* derive

trasalire jump

trasandato scruffy; *lavoro* slipshod

trasbordo *m* transfer

trascinare drag; (*travolgere*) sweep away; *fig* (*entusiasmare*) carry away

trascorrere 1 *v/t* spend **2** *v/i* pass, go by; **trascorso** *pp* ☞ **trascorrere**

trascrivere transcribe

trascurabile unimportant; **trascurare** neglect; (*tralasciare*) ignore; **trascurato** careless, negligent; (*trasandato*) slovenly; (*ignorato*) neglected

trasferibile transferable; **trasferimento** *m* transfer; **trasferire** transfer; **trasferirsi** move; **trasferta** *f* transfer; SP away game

trasformare transform; TEC process; **trasformarsi** change, turn (*in* into); **trasformatore** *m* transformer; **trasformazione** *f* transformation

trasfusione *f* transfusion

trasgredire disobey; **trasgressore** *m* transgressor

traslocare move; **trasloco** *m* move

trasmettere pass on; RAD, TV broadcast, transmit; **trasmissione** f transmission; RAD, TV broadcast, transmission; (*programma*) programme, Am program

trasparente 1 agg transparent **2** m transparency

trasportare transport; **trasporto** m transport; **-i** pl **pubblici** public transport, Am mass transit

trasversale 1 agg transverse **2** f MAT transversal

tratta f trade; FIN draft

trattamento m treatment; **trattare 1** v/t treat; TEC treat, process; FIN deal in; (*negoziare*) negotiate **2** v/i deal; **~ di** be about; **trattarsi**: **di che si tratta?** what's it about?; **trattative** fpl negotiations, talks; **trattato** m treatise; DIR, POL treaty

trattenere (*far restare*) keep, hold; (*far perder tempo*) hold up; (*frenare*) restrain; *fiato, respiro* hold; *lacrime* hold back; *somma* withhold; **trattenersi** (*rimanere*) stay; (*frenarsi*) restrain o.s.; **~ dal fare qc** refrain from doing sth; **trattenuta** f deduction

trattino m dash; *in parole composte* hyphen; **tratto 1** pp ☞ **trarre 2** m *di spazio, tempo* stretch; *di penna* stroke; (*linea*) line; **a un ~** all of a sudden; **-i** pl (*lineamenti*) features

trattore m tractor

trattoria f restaurant

trauma m trauma; **traumatico** traumatic

travaglio m MED labour, Am labor

travasare decant

trave f beam

traversa f crossbeam; **traversare** cross; **traversata** f crossing; **traverso**: **andare di ~ di cibi** go down the wrong way

travestire disguise; **travestirsi** disguise o.s., dress up (*da* as); **travestito** m transvestite

travolgere carry away (*anche fig*); *con un veicolo* run over; **travolto** pp ☞ **travolgere**

trazione f TEC traction; AUTO **~ anteriore / posteriore** front- / rear-wheel drive

tre three

treccia f plait

trecento 1 agg three hundred **2** m: **il Trecento** the fourteenth century; **tredicesimo** thirteenth; **tredici** thirteen

tregua f truce; *fig* break, let-up

trekking m hiking

tremare tremble, shake (*di, per* with)

tremendo terrible, tremendous

tremila three thousand

treno m train; **in ~** by train

trenta thirty; **trentenne** agg, m/f thirty-year-old; **trentesimo** thirtieth; **trentina**: **una ~**

about thirty

treppiedi *m inv* tripod

triangolare triangular; **triangolo** *m* triangle; AUTO warning triangle

tribù *f inv* tribe

tribuna *f* platform; **tribunale** *m* court

tributo *m* tax; *fig* tribute

tricheco *m* walrus

triciclo *m* tricycle

tricolore *m* Italian flag

triennale *contratto* three-year; *mostra* three-yearly; **triennio** *m* three-year period

trifoglio *m* clover

triglia *f* red mullet

trillo *m* trill

trimestrale quarterly

trincea *f* trench

trio *m* trio

trionfare triumph (**su** over); **trionfo** *m* triumph

triplicare triple; **triplo 1** *agg* triple **2** *m*: **il ~** three times as much (**di** as)

trippa *f* tripe

triste sad; **tristezza** *f* sadness

tritare mince, *Am* ground meat; **tritatutto** *m inv* mincer, *Am* meat grinder

trittico *m* triptych

triturare grind

trivella *f* drill

triviale trivial

trofeo *m* trophy

tromba *f* MUS trumpet; **~ d'aria** whirlwind; **~ delle scale** stairwell

trombone *m* trombone

trombosi *f* thrombosis

troncare cut off; *fig* break off

tronco *m* ANAT, BOT trunk; FERR section

trono *m* throne

tropicale tropical; **tropici** *mpl* tropics

troppo 1 *agg* too much; **-i** *pl* too many **2** *avv* too much; **con** *agg* too; **è ~ tardi** it's too late

trota *f* trout

trottare trot; **trotto** *m* trot

trovare find, (*inventare*) find, come up with; **andare a ~ qu** (go and) see s.o.; **trovarsi** be; (*anche fig*); **trovata** *f* good idea

truccare make up; *motore* soup up F; *partita, elezioni* fix; **truccarsi** put on one's make-up; **trucco** *m* make-up; (*inganno, astuzia*) trick

truffa *f* fraud; **truffare** defraud (**di** of); **truffatore** *m*, **-trice** *f* trickster, con artist F

truppa *f* troops

tu you; **dammi del ~** call me 'tu'

tubatura *f*, **tubazione** *f* pipes, piping

tubercolosi *f* tuberculosis

tubetto *m* tube

tubo *m* pipe; *flessibile* hose; AUTO **~ di scappamento** exhaust (pipe)

tuffarsi (*immergersi*) dive; (*buttarsi dentro*) throw o.s.; (*anche fig*); **tuffo** *m* dip; SP dive

tugurio *m* hovel

tulipano *m* tulip

tumore *m* tumour, *Am* tumor

tumulto *m* riot

tunica *f* tunic

Tunisia *f* Tunisia; **tunisino 1** *agg* Tunisian **2** *m*, **-a** *f* Tunisian

tunnel *m inv* tunnel

tuo 1 *agg* your; **il ~ amico** your friend; **un ~ amico** a friend of yours **2** *pron:* **il ~** yours

tuonare thunder; **tuono** *m* thunder

tuorlo *m* yolk

turbante *m* turban

turbare upset, disturb; **turbolenza** *f* turbulence

turchese *m/agg* turquoise

Turchia *f* Turkey; **turco 1** *m/agg* Turkish **2** *m*, **-a** *f* Turk

turismo *m* tourism; **turista** *m/f* tourist; **turistico** tourist *attr*

turno *m* turn; *di lavoro* shift; **a ~** in turn; **~ di riposo** rest day; **darsi il ~** take turns

tuta *f* da lavoro overalls; **~ da ginnastica** track suit, *Am* sweats; **~ da sci** ski suit

tutela *f* protection; DIR guardianship; **tutelare** protect; **tutore** *m*, **-trice** *f* guardian

tuttavia still

tutto 1 *agg* whole; **-i**, **-e** *pl* all; **~ il libro** the whole book; **-i i giorni** every day; **-i e tre** all three; **noi -i** all of us **2** *avv* all; **era ~ solo** he was all alone; **del ~** quite; **in ~** altogether, in all **3** *pron* all; *gente* everybody, everyone; *cose* everything

tuttora still

TV *f inv* TV

U

ubbidiente obedient; **ubbidire** obey

ubriacare: **~ qu** get s.o. drunk; **ubriacarsi** get drunk; **ubriaco 1** *agg* drunk **2** *m*, **-a** *f* drunk

uccello *m* bird

uccidere kill; **uccidersi** kill o.s.; **ucciso** *pp* ☞ **uccidere**

udienza *f* audience; DIR hearing; **udire** hear; **udito** *m* hearing

Ue *f* (= **Unione europea**) EU

(= European Union)

ufficiale 1 *agg* official **2** *m* official; MIL officer; **ufficio** *m* office; **~ cambi** bureau de change; **~ postale** post office; **~ turistico** tourist information office; **ufficioso** unofficial

ufo *m* UFO

uguaglianza *f* equality; **uguagliare** make equal; (*livellare*) level; (*essere pari a*) equal; **uguale** equal; (*lo stes-*

so) the same; *terreno* level
ulcera f ulcer
ulteriore further
ultimamente recently; **ulti-mare** complete; **ultimatum** m inv ultimatum; **ultimo 1** agg last; *(più recente)* latest; **~ piano** top floor **2** m, -a f last; *fino all'~* till the end
ultrasuono m ultrasound
ultravioletto ultraviolet
ululare howl
umanità f humanity; **umani-tario** humanitarian; **umano** human; *trattamento ecc* humane
umidificatore m humidifier; **umidità** f dampness; *di clima* humidity; **umido 1** agg damp **2** m dampness; GASTR *in ~* stewed
umile *(modesto)* humble; *me-stiere* menial; **umiliante** humiliating; **umiliare** humili-ate; **umiliazione** f humilia-tion; **umiltà** f humility
umore m mood; *di buon ~* in a good mood; *di cattivo ~* in a bad mood
umorismo m humour, Am humor
un, una ☞ **uno**
unanime unanimous; **unani-mità** f unanimity; **all'~** unan-imously
uncinetto m crochet hook; **uncino** m hook
undicesimo eleventh; **undici** eleven
ungere grease

ungherese agg, m/f Hunga-rian; **Ungheria** f Hungary
unghia f nail
unico only; *(senza uguali)* unique
unifamiliare: **casa** f **~** de-tached house
unificazione f unification
uniformare standardize; **uni-formarsi**: **~ a** conform to; *re-gole* comply with; **uniforme** f/agg uniform
unione f union; *fig* unity; **Unione europea** European Union; **unire** unite; *(con-giungere)* join; **unirsi** unite; **unità** f inv unit; INFOR **~ di-sco** disk drive; **~ di misura** unit of measurement; **unito** united
universale universal; **univer-sità** f inv university; **univer-sitario 1** agg university attr **2** m, -a f university student; *(professore)* university lec-turer; **universo** m universe
uno **1** art a; *before a vowel or silent h* an; *un uovo* an egg **2** agg a, one **3** m one; *~ e mez-zo* one and a half **4** pron one; *a ~ a ~* one by one; *l'un l'al-tro* each other, one another
unto 1 pp ☞ **ungere 2** agg greasy **3** m grease
uomo m man; *~ d'affari* busi-nessman; *da ~ abbigliamento ecc* for men, men's
uovo m egg; *~ alla coque* soft-boiled egg; *~ di Pasqua* Easter egg; *~ al tegame*

fried egg; **-a** pl **strapazzate** scrambled eggs

uragano m hurricane

uranio m uranium

urbano urban; fig urbane

urgente urgent; **urgenza** f urgency; **in caso d'~** in an emergency

urina f urine

urlare scream; **urlo** m scream

urna f urn; elettorale ballot box

urrà! hooray!

urtare bump into; fig offend

urto m bump; (scontro) collision

usa: **~ e getta** disposable, throw-away

usanza f custom, tradition; **usare** 1 v/t use 2 v/i use; (essere di moda) be in fashion; **usato** used; (di seconda mano) second-hand

uscire come out; (andare fuo-

ri) go out; **uscita** f exit, way out; **~ di sicurezza** emergency exit

usignolo m nightingale

uso m use; (abitudine) custom; **fuori ~** out of use; **per ~ esterno** not to be taken internally

ustionarsi burn o.s.; **ustione** f burn

usuale usual

usufruire: **~ di qc** have the use of sth

usuraio m loan shark

utensile m utensil

utente m/f user

utero m womb

utile 1 agg useful 2 m FIN profit; **utilità** f usefulness; **utilitaria** f economy car; **utilizzare** use; **utilizzazione** f use

utopia f utopia

uva f grapes; **~ passa** raisins pl; **~ spina** gooseberry

V

V. (= **via**) St (= street)

va ☞ **andare**

vacanza f holiday, Am vacation; **andare in ~** go on holiday

vacca f cow

vaccinare vaccinate; **vaccinazione** f vaccination; **vaccino** m vaccine

vado ☞ **andare**

vagabondo 1 agg (girovago) wandering; (fannullone) idle

2 m, **-a** f (giramondo) wanderer; (fannullone) idler, layabout F; (barbone) tramp, Am hobo; **vagare** wander (aimlessly)

vagina f ANAT vagina

vaglia m inv: **~ (postale)** postal order

vago vague

vagone m carriage, car; per merci wagon; **~ letto** sleeper; **~ ristorante** dining car

vai ☞ **andare**

valanga f avalanche

valere be worth; (*essere valido*) be valid; **far ~ diritti, autorità** assert; **valersi: ~ di qc** avail o.s. of sth; **valevole** valid

valgo ☞ **valere**

valico m pass

validità f validity; **valido** valid; *persona* fit

valigia f suitcase; **fare le -e** pack

valle f valley

valore m value; (*coraggio*) bravery, valour, *Am* valor; **-i** pl securities; **di ~** valuable; **valorizzare** increase the value of; (*far risaltare*) show off

valuta f currency; **valutare** value

valvola f valve; EL fuse

valzer m inv waltz

vandalo m vandal

vanga f spade

vangelo m gospel

vaniglia f vanilla

vanità f vanity; **vanitoso** vain

vanno ☞ **andare**

vano 1 agg minacce, promesse empty; (*inutile*) vain **2** m (*spazio vuoto*) hollow; (*stanza*) room

vantaggio m advantage; **in gara** lead; **vantaggioso** advantageous

vantarsi boast (**di** about)

vapore m vapour, *Am* vapor; MAR steamer; **~ (acqueo)** steam; **vaporetto** m water

bus; **vaporoso** floaty; (*vago*) woolly, *Am* wooly

variabile 1 agg changeable **2** f MAT variable; **variare** vary; **variazione** f variation

varice f varicose vein

varicella f chickenpox

varietà 1 f inv variety **2** m inv variety, *Am* vaudeville; (**spettacolo** m **di**) **~** (variety o *Am* vaudeville) show; **vario** varied; **-ri** pl various; **variopinto** multicoloured, *Am* multicolored

vasca f (*serbatoio, cisterna*) tank; (*lunghezza di piscina*) length; **di fontana** basin; **~ (da bagno)** bath, (bath)tub

vaselina f vaseline

vasellame m dishes

vaso m pot; ANAT vessel

vassoio m tray

vasto vast

V.d.F. (= **vigili del fuoco**) fire brigade, *Am* fire department

ve = **vi** (*before* **lo, la, li, le, ne**)

vecchiaia f old age; **vecchio 1** agg old **2** m, **-a** f old man; **donna** old woman

vece f: **fare le -i di qu** take s.o.'s place

vedere see; **far ~** show

vedovo 1 agg widowed **2** m, **-a** f widower; **donna** widow

veduta f view (**su** of)

vegetale agg vegetable attr; **vita** plant attr **2** m vegetable; **vegetariano 1** agg vegetarian attr **2** m, **-a** f vegetarian;

vegetazione *f* vegetation

vegeto *vecchio* spry; *vivo e ~* hale and hearty

veglia *f* (*l'essere svegli*) wakefulness; (*il vegliare*) vigil

veicolo *m* vehicle

vela *f* sail; *attività* sailing

veleno *m* poison; *di animali* venom (*anche fig*); velenoso poisonous; *fig* venomous

veliero *m* sailing ship

velina: *carta f ~ per imballaggio* tissue paper

velista *m/f* sailor

velluto *m* velvet; *~ a coste* corduroy

velo *m* veil

veloce fast, quick; velocemente quickly; velocità *f inv* speed

vena *f* vein

vendemmia *f* (grape) harvest; vendemmiare harvest

vendere sell

vendetta *f* revenge; vendicare avenge; vendicarsi get one's revenge (*di qu* on s.o.; *di qc* for sth)

vendita *f* sale; venditore *m*, -trice *f* salesman; *donna* saleswoman

venerare revere

venerdì *m inv* Friday; *Venerdì Santo* Good Friday

Venere *f* Venus

Venezia *f* Venice; veneziano **1** *agg* Venetian **2** *m*, -a *f* Venetian

vengo ☞ *venire*; venire come; (*riuscire*) turn out; *come ausiliare* be; *mi sta venendo fame* I'm getting hungry

ventaglio *m* fan

ventenne *agg, m/f* twenty-year-old; ventesimo twentieth; venti twenty

ventilatore *m* fan

ventina *f*: *una ~* about twenty; ventiquattrore *f inv* valigetta overnight bag

vento *m* wind; *c'è ~* it's windy; ventoso windy

ventre *m* stomach

venuta *f* arrival; venuto *pp* ☞ *venire*

veramente really

veranda *f* veranda

verbale **1** *agg* verbal **2** *m* record; *di riunione* minutes

verbo *m* GRAM verb

verde **1** *agg* green **2** *m* green; POL *i -i pl* the Greens

verdetto *m* verdict

verdura *f* vegetables

vergine **1** *agg* virgin *attr* **2** *f* virgin; ASTR *Vergine* Virgo

vergogna *f* shame; (*timidezza*) shyness; vergognarsi be ashamed; (*essere timido*) be shy; **vergognoso** ashamed; (*timido*) shy; *azione* shameful

verifica *f* check; verificare check; verificarsi (*accadere*) occur, take place; (*avverarsi*) come true

verità *f inv* truth

verme *m* worm

vermut *m* vermouth

vernice f paint; *trasparente* varnish; *pelle* patent leather; **~ fresca** wet paint; **vernicia- re** paint; *con vernice traspa- rente* varnish

vero 1 *agg* vero; *(autentico)* re- al; *sei contento, ~?* you're happy, aren't you?; *ti piace il gelato, ~?* you like ice cream, don't you? **2** *m* truth

veronese 1 *agg* of Verona **2** *m/f* inhabitant of Verona

verosimile likely

verruca f wart

versamento m payment

versante m slope

versare *vino* pour; *denaro* pay; *(rovesciare)* spill

versione f version; *(traduzio- ne)* translation

verso 1 *prp* towards; *andare ~ casa* head for home; **~ le ot- to** about eight o'clock **2** m *di poesie* verse

vertebra f vertebra; **vertebra- le: *colonna* f ~** spinal col- umn

verticale 1 *agg* vertical **2** f ver- tical (line); *in ginnastica* handstand

vertice m summit

vertigine f vertigo, dizziness; *ho le -i* I feel dizzy; **vertigi- noso** *altezza* dizzy; *prezzi* sky-high; *velocità* breakneck

verza f savoy (cabbage)

vescica f ANAT bladder

vescovo m bishop

vespa f ZO wasp

vestaglia f dressing gown,

Am robe

veste f *fig (capacità, funzione)* capacity; *in ~ ufficiale* in an offical capacity; **vestiario** m wardrobe; **vestire** dress; *(portare)* wear; **vestirsi** get dressed; *in un certo modo* dress; **~ da** *(travestirsi)* dress up as; **vestito** m da uomo suit; *da donna* dress; *(capo di vestiario)* item of clothing, garment; **-i** *pl* clothes; **-i** *pl* **da uomo** menswear

veterinario m, **-a** f veterinary surgeon, vet F

veto m veto; **porre il ~ a** veto

vetrata f *finestra* large win- dow; *porta* glass door; *di chiesa* stained-glass window; **vetrina** f (shop) window; *mobile* display cabinet; *di museo, fig* showcase; **vetrini- sta** m/f window dresser; **ve- tro** m glass; *di finestra, porta* pane; **di ~** glass *attr*

vetta f top; *di montagna* peak

vettura f AUTO car; FERR car- riage, car

vi 1 *pron* you; *riflessivo* your- selves; *reciproco* each other **2** *avv* ☞ **ci**

via 1 f street, road; *fig* way; **per ~ di** by; *(a causa di)* because of **2** m off, starting signal; SP **dare il ~** give the off **3** *avv* away; **andar ~** go away, leave; **e così ~** and so on; **~! per scacciare** go away!; *(suvvia)* come on! **4** *prp* via, by way of

viabilità f road conditions; (*rete stradale*) road network; (*traffico stradale*) road traffic

viadotto m viaduct

viaggiare travel; **viaggiatore** m, **-trice** f traveller, Am traveler; **viaggio** m journey; ~ **di nozze** honeymoon; ~ **d'affari** business trip; ~ **di studio** study trip; **essere in** ~ be away, be travelling

viale m avenue

viavai m inv coming and going

vibrare vibrate; **vibrazione** f vibration

vice m/f inv deputy

vice- prefisso vice-

vicedirettore m assistant manager

vicenda f (*episodio*) event; (*storia*) story; **a** ~ (*a turno*) in turn; (*scambievolmente*) each other, one another

viceversa vice versa

vicinanza f nearness, proximity; **-e** pl neighbourhood, Am neighborhood, vicinity; **vicinato** m neighbourhood, Am neighborhood, (*persone*) neighbours, Am neighbors; **vicino 1** agg near, close; ~ **a** near, close to; (*accanto a*) next to; **da** ~ esaminare closely; **visto** close up **2** avv near-by, close by **3** m, **-a** f neighbour, Am neighbor; **vicolo** m lane; ~ **cieco** dead end

videata f INFOR display

video m video; F (*schermo*) screen; **videocamera** f videocamera, camcorder; **videocassetta** f video (cassette); **videogioco** m video game; **videoregistratore** m video (recorder); **videoteca** f video library; *negozio* video eo shop o Am store; **videotel** m inv Italian Videotex®; **videotelefono** m videophone

vietare forbid; ~ **a qu di fare qc** forbid s.o. to do sth; **vietato** forbidden; ~ **fumare** no smoking

vigilanza f vigilance; **sotto** ~ under surveillance; **vigile 1** agg watchful **2** m/f: ~ (*urbano*) local police officer; ~ **del fuoco** firefighter; **vigilia** f night before, eve; ~ **di Natale** Christmas Eve

vigliacco 1 agg cowardly **2** m, **-a** f coward

vigna f (small) vineyard; **vigneto** m vineyard

vignetta f cartoon

vigore m vigour, Am vigor

vile agg vile; (*codardo*) cowardly **2** m coward

villa f villa

villaggio m village; ~ **turistico** holiday village

villeggiatura f holiday, Am vacation

villino m house

vincere 1 v/t win; *avversario* defeat, beat; *difficoltà* overcome **2** v/i win; **vincita** f win; **vincitore** m, **-trice** f winner

vincolare bind; *capitale* tie up; **vincolo** m bond

vino m wine; ~ **bianco** white wine; ~ **rosso** red wine

vinto pp ☞ **vincere**

viola 1 m/agg inv purple **2** f MUS viola; BOT violet

violare violate; *legge* break; **violazione** f violation; *di leggi, accordi* breach; ~ **di domicilio** unlawful entry

violentare rape; **violento** violent; **violenza** f violence

violino m violin; **violoncello** m cello

vipera f viper

virgola f comma; MAT decimal point

virile manly, virile

virtù f inv virtue

virus m inv virus

vischio m mistletoe

viscido slimy

viscosa f viscose

visibile visible; **visibilità** f visibility

visiera f di berretto peak; di casco visor

visione f sight, vision

visita f visit; ~ **medica** medical (examination); **far** ~ **a qu** visit s.o.; **visitare** visit; MED examine; **visitatore** m, **-trice** f visitor

visivo visual

viso m face

visone m mink

vissuto pp ☞ **vivere**

vista f sight; (*veduta*) view; **a prima** ~ at first sight; **conoscere qu di** ~ know s.o. by sight; *fig* **perdere qu di** ~ lose touch with s.o.; **visto 1** pp ☞ **vedere**; ~ **che** seeing that **2** m visa; **vistoso** eye-catching

visuale 1 agg visual **2** f (*veduta*) view

vita f life; (*durata della vita*) lifetime; ANAT waist; **vitale** vital; *persona* lively

vitamina f vitamin

vite[1] f TEC screw

vite[2] f AGR vine

vitello m calf; GASTR veal

viticoltura f vinegrowing

vitreo *fig: sguardo* glazed

vittima f victim

vitto m diet food; ~ **e alloggio** bed and board

vittoria f victory

viva voce f inv speakerphone, hands-free phone

vivace lively; *colore* bright

vivaio m di pesci tank; di piante nursery; *fig* breeding ground

vivanda f food

vivente living; **vivere 1** v/i live (*di* on) **2** v/t (*passare, provare*) experience; *vita* live, lead; **viveri** mpl food (supplies)

vivisezione f vivisection

vivo 1 agg (*in vita*) alive; (*vivente*) living; *colore* bright; **farsi** ~ get in touch; (*arrivare*) turn up **2** m: **dal** ~ *trasmissione* live; **i -i** pl the living pl

viziare *persona* spoil; **viziato** *persona* spoiled; **aria** *f* **-a** stale air; **vizio** *m* vice; (*cattiva abitudine*) (bad) habit; (*dipendenza*) addiction; **vizioso** *persona* dissolute; **circolo** *m* **~** vicious circle

v.le (= **viale**) St (= street)

vocabolario *m* vocabulary; (*dizionario*) dictionary; **vocabolo** *m* word

vocale 1 *agg* vocal **2** *f* vowel

vocazione *f* vocation

voce *f* voice; *fig* rumour, *Am* rumor; *in dizionario, elenco* entry

voglia *f* (*desiderio*) wish, desire; (*volontà*) will; *sulla pelle* birthmark; **avere ~, di fare qc** feel like doing sth; **contro ~, di mala ~** unwillingly; **voglio** ☞ **volere**

voi you; *riflessivo* yourselves; *reciproco* each other

volano *m* shuttlecock

volante 1 *agg* flying **2** *m* AUTO (steering) wheel; **volantino** *m* leaflet; **volare** fly

volentieri willingly; **~!** with pleasure!

volere 1 *v/t & v/i* want; **vorrei ... I** would *o* I'd like ...; **vorrei partire** I'd like to leave; **vorrei dire** mean; **~ bene a qu** (*amare*) love s.o.; **ci vogliono dieci mesi** it takes ten months; **senza ~** without meaning to **2** *m* will

volgare vulgar

volgere 1 *v/t*: **~ le spalle** turn

one's back **2** *v/i*: **~ al termine** draw to a close

volo *m* flight; (*caduta*) fall; **~ di linea** scheduled flight; *fig* **afferrare qc al ~** be quick to grasp sth

volontà *f* will; **a ~** as much as you like; **buona ~** goodwill; **volontariato** *m* voluntary work; **volontario 1** *agg* voluntary **2** *m*, **-a** *f* volunteer

volpe *f* fox; *femmina* vixen

volt *m inv* volt

volta *f* time; (*turno*) turn; ARCHI vault; **una ~** once; **due ~e** twice; **qualche ~** sometimes; **poco per ~** little by little; **un'altra ~** (*ancora una volta*) one more time; **lo faremo un'altra** we'll do it some other time

voltaggio *m* voltage

voltare turn; **~ a destra** turn right; **voltarsi** turn (round)

volto¹ *m* face

volto² *pp* ☞ **volgere**

volume *m* volume; **voluminoso** bulky

vomitare vomit; **vomito** *m* vomit

vongola *f* ZO, GASTR clam

vortice *m* whirl; *in acqua* whirlpool; *di vento* whirlwind

vostro 1 *agg* your; **i -i amici** your friends **2** *pron*: **il ~** yours; **questi libri sono -i** these books are yours

votare vote; **votazione** *f* vote; **voto** *m* POL vote; EDU mark,

Am grade; REL vow
v.r. (= *vedi retro*) see over
v.s. (= *vedi sopra*) see above
Vs. (= *vostro*) your
V.U. (= *Vigili Urbani*) police
vulcanico volcanic; **vulcano** *m* volcano
vulnerabile vulnerable

vuole ☞ **volere**
vuotare empty; **vuotarsi** empty; **vuoto 1** *agg* empty; (*non occupato*) vacant **2** *m* (*spazio*) empty space; (*recipiente*) empty; FIS vacuum; *fig* void; **andare a ~** fall through

W

W (= *watt*) W (= watt); (= *viva*) long live
walkman *m inv* Walkman®
watt *m inv* watt
WC *m inv* WC
week-end *m inv* weekend

western *m inv* Western
whisky *m inv* whisky
windsurf *m inv* (*tavola*) sailboard; *attività* windsurfing; **fare ~** go windsurfing

X

X, x *f* x; **raggi** *mpl* **~** X-rays
xenofobia *f* xenophobia

xilofono *m* xylophone

Y

yacht *m inv* yacht
yoga *m* yoga

yogurt *m inv* yoghurt

Z

zafferano *m* saffron
zaffiro *m* sapphire
zaino *m* rucksack, backpack
zampa *f* ZO (*piede*) paw; *di uccello* claw; (*arto*) leg; GASTR *di maiale* trotter

zampillare gush; **zampillo** *m* spurt
zampone *m* GASTR stuffed pig's trotter
zanzara *f* mosquito; **zanzariera** *f* mosquito net; *su fine-*

stre insect screen

zappa *f* hoe; **zappare** hoe

zapping *m inv*: *fare lo* ~ zap, channel-punch

zattera *f* raft

zebra *f* zebra

zecca[1] *f* zo tick

zecca[2] *f* Mint

zelo *m* zeal

zenzero *m* ginger

zeppo: *pieno* ~ crammed (*di* with)

zerbino *m* doormat

zero *m* zero; *nel tennis* love; *nel calcio* nil; *2 gradi sotto* ~ 2 degrees below zero

zigomo *m* cheekbone

zigzag *m inv* zigzag

zimbello *m* decoy; *fig* laughing stock

zinco *m* zinc

zingaro *m*, **-a** *f* gipsy

zio *m*, **-a** *f* uncle; *donna* aunt

zitto quiet; *sta* ~*!* be quiet!

zoccolo *m* clog; zo hoof

zodiacale: *segni mpl* **-i** signs of the Zodiac

zolfo *m* sulphur, *Am* sulfur

zona *f* zone, area; ~ *disco* short-stay parking area; ~ *industriale* industrial area; ~ *pedonale* pedestrian precinct

zoo *m inv* zoo

zoppicare limp; *di mobile* wobble

zoppo lame; (*zoppicante*) limping; *mobile* wobbly

zucca *f* marrow; *fig* F (*testa*) nut F

zuccherare sugar; **zucchero** *m* sugar

zucchini *mpl* courgettes, *Am* zucchini(s)

zuffa *f* scuffle

zuppa *f* soup; ~ *inglese* trifle

zuppo soaked

A

a [ə] un *m*, una *f*; *masculine before s + consonant, gn, ps, x, y, z* uno; *feminine before vowel* un'; *five flights ~ day* cinque voli al giorno

aback [əˈbæk]: *taken ~* preso alla sprovvista

abandon [əˈbændən] abbandonare; *scheme* rinunciare a

abate [əˈbeɪt] *of storm* calmarsi

abbey [ˈæbɪ] abbazia *f*

abbreviate [əˈbriːvɪeɪt] abbreviare; **abbreviation** abbreviazione *f*

abdicate [ˈæbdɪkeɪt] abdicare

abdomen [ˈæbdəmən] addome *m*

abduct [əbˈdʌkt] sequestrare ◆ **abide by** [əˈbaɪd] attenersi a

ability [əˈbɪlətɪ] abilità *f inv*

ablaze [əˈbleɪz] in fiamme

able [ˈeɪbl] (*skilful*) capace; *be ~ to do sth* poter fare qc

abnormal [æbˈnɔːml] anormale

aboard [əˈbɔːd] **1** *prep* a bordo di **2** *adv* a bordo

abolish [əˈbɒlɪʃ] abolire; **abolition** abolizione *f*

abort [əˈbɔːt] annullare; *program* interrompere; **abortion** aborto *m*; *have an ~* abortire; **abortive** fallito

about [əˈbaʊt] **1** *prep* (*concerning*) su; *talk ~ sth* parlare di qc; *be angry ~ sth* essere arrabbiato per qc; *what's it ~? of book, film* di cosa parla?; *of complaint, problem* di cosa si tratta? **2** *adv* (*roughly*) intorno a; (*nearly*) quasi; *it's ~ ready* è quasi pronto; *be ~ to ...* (*be going to*) essere sul punto di ...; *be ~* (*somewhere near*) essere nei paraggi; *there are a lot of people ~* c'è un sacco di gente qui

above [əˈbʌv] sopra; *on the floor ~* al piano di sopra; **above-mentioned** suddetto

abrasive [əˈbreɪsɪv] *personality* ruvido

abreast [əˈbrest] fianco a fianco; *keep ~ of* tenere al corrente di

abridge [əˈbrɪdʒ] ridurre

abroad [əˈbrɔːd] all'estero

abrupt [əˈbrʌpt] brusco

abscess [ˈæbsɪs] ascesso *m*

absolute ['æbsəluːt] assoluto; *idiot* totale; **absolutely** (*completely*) assolutamente; **do you agree?** - ~ sei d'accordo? - assolutamente sì; **absolution** REL assoluzione *f*; **absolve** assolvere

absorb [əb'sɔːb] assorbire; **absorbent** assorbente; **absorbent cotton** *Am* cotone *m* idrofilo; **absorbing** avvincente

abstain [əb'steɪn] *from voting* astenersi; **abstention** *in voting* astensione *f*

abstract ['æbstrækt] astratto

absurd [əb'sɜːd] assurdo; **absurdity** assurdità *f inv*

abundance [ə'bʌndəns] abbondanza *f*; **abundant** abbondante

abuse[1] [ə'bjuːs] *n* abuso *m*; (*ill treatment*) maltrattamento *m*; (*insults*) insulti *mpl*

abuse[2] [ə'bjuːz] *v/t* abusare di; (*treat badly*) maltrattare; (*insult*) insultare

abusive [ə'bjuːsɪv] *language* offensivo; **become** ~ diventare aggressivo

abysmal [ə'bɪzml] F (*very bad*) pessimo

academic [ækə'demɪk] **1** *n* docente *m/f* universitario, -a **2** *adj* accademico; *person* portato allo studio; **academy** accademia *f*

accelerate [ək'seləreɪt] accelerare; **acceleration** accelerazione *f*; **accelerator** acce-

lerator *m*

accent ['æksənt] accento *m*; **accentuate** accentuare

accept [ək'sept] accettare; **acceptable** accettabile; **acceptance** accettazione *f*

access ['ækses] **1** *n* accesso *m* **2** *v/t* accedere a; **accessible** accessibile

accessory [ək'sesərɪ] *for wearing* accessorio *m*; LAW complice *m/f*

accident ['æksɪdənt] incidente *m*; **by** ~ per caso; **accidental** accidentale; **accidentally** accidentalmente

acclimatize [ə'klaɪmətaɪz] acclimatarsi

accommodate [ə'kɒmədeɪt] ospitare; *needs* tenere conto di; **accommodation**, *Am* **accommodations** sistemazione *f*

accompaniment [ə'kʌmpənɪmənt] MUS accompagnamento *m*; **accompany** accompagnare

accomplice [ə'kʌmplɪs] complice *m/f*

accomplished [ə'kʌmplɪʃt] dotato; **accomplishment** *of task* realizzazione *f*; (*talent*) talento *m*; (*achievement*) risultato *m*

accord [ə'kɔːd] accordo *m*; **of his own** ~ di sua spontanea volontà

accordance [ə'kɔːdəns]: **in** ~ **with** conformemente a

according [ə'kɔːdɪŋ]: ~ **to** secondo; **accordingly** di conseguenza

accordion [ə'kɔːdɪən] fisarmonica *f*

account [ə'kaʊnt] *financial* conto *m*; (*report, description*) resoconto *m*; **give an ~ of** fare un resoconto di; **on no ~** per nessuna ragione; **on ~ of** a causa di; **take into ~** tenere conto di

◆ **account for** (*explain*) giustificare; (*make up*) ammontare a

accountable [ə'kaʊntəbl] responsabile; **accountant** contabile *m/f*; **running own business** commercialista *m/f*; **account number** numero *m* di conto; **accounts** contabilità *f*

accumulate [ə'kjuːmjʊleɪt] **1** *v/t* accumulare **2** *v/i* accumularsi; **accumulation** accumulazione *f*

accuracy ['ækjʊrəsɪ] precisione *f*; **accurate** preciso; **accurately** con precisione

accusation [ækjuː'zeɪʃn] accusa *f*; **accuse**: ~ **s.o. of sth** accusare qn di qc; **accused** LAW accusato *m*, -a *f*; **accusing** accusatorio

accustom [ə'kʌstəm]: **get ~ed to** abituarsi a

ace [eɪs] *in cards* asso *m*; (*in tennis: shot*) ace *m inv*

ache [eɪk] **1** *n* dolore *m* **2** *v/i* fare male

achieve [ə'tʃiːv] realizzare;

success ottenere; **achievement** *of ambition* realizzazione *f*; (*thing achieved*) successo *m*

acid ['æsɪd] acido *m*

acknowledge [ək'nɒlɪdʒ] riconoscere; ~ **receipt of** accusare ricezione di; **acknowledg(e)ment** riconoscimento *m*; (*letter*) lettera *f* di accusata ricezione

acorn ['eɪkɔːn] ghianda *f*

acoustics [ə'kuːstɪks] acustica *f*

acquaint [ə'kweɪnt]: **be ~ed with** *fml* conoscere; **acquaintance** *person* conoscenza *f*

acquire [ə'kwaɪə(r)] acquisire; **acquisition** acquisizione *f*

acquit [ə'kwɪt] LAW assolvere; **acquittal** LAW assoluzione *f*

acre ['eɪkə(r)] acro *m* (4.047m²)

acrobat ['ækrəbæt] acrobata *m/f*

across [ə'krɒs] **1** *prep on other side of* dall'altro lato di; **walk ~ the street** attraversare la strada; **a bridge ~ the river** un ponte sul fiume; ~ **Europe** *all over* in tutta Europa **2** *adv to other side* dall'altro lato **10 m ~** largo 10 m; **swim ~** attraversare a nuoto

act [ækt] **1** *v/i* agire; THEA recitare **2** *n* (*deed*) atto *m*; *of play* atto *m*; *in variety show* numero *m*; (*pretence*) finta *f;* (*law*) atto *m*

action ['ækʃn] azione *f;* **take ~** agire; **action replay** TV replay *m inv*

active ['æktɪv] attivo; **activist** POL attivista *m/f;* **activity** attività *f inv*

actor ['æktə(r)] attore *m;* **actress** attrice *f*

actual ['æktʃʊəl] reale; *cost* effettivo; **actually** in realtà; *expressing surprise* veramente; *stressing the converse* a dire il vero

acute [ə'kju:t] acuto

ad [æd] ☞ **advertisement**

AD [eɪ'di:] (= **anno domini**) d.C. (= dopo Cristo)

adamant ['ædəmənt] categorico

adapt [ə'dæpt] **1** *v/t* adattare **2** *v/i of person* adattarsi; **adaptability** adattabilità *f;* **adaptable** adattabile; **adaptation** *of play etc* adattamento *m;* **adapter** *electrical* adattatore *m*

add [æd] **1** *v/t* aggiungere; MATH addizionare **2** *v/i of person* fare le somme

◆ **add on** aggiungere

◆ **add up 1** *v/t* sommare **2** *v/i fig* quadrare

addict ['ædɪkt] *to football, chess* maniaco *m*, -a *f;* **drug ~** tossicomane *m/f;* **TV ~** teledipendente *m/f;* **addicted** dipendente; **be ~ to** *drugs, alcohol* essere dedito a; **addiction** dipendenza *f;* **addic-**

tive: **be ~** provocare dipendenza

addition [ə'dɪʃn] MATH addizione *f; to list, company etc* aggiunta *f; in ~ to* in aggiunta a; **additional** aggiuntivo; **additive** additivo *m;* **add- -on** complemento *m*

address [ə'dres] **1** *n* indirizzo *m* **2** *v/t letter* indirizzare; *audience* tenere un discorso a; **address book** indirizzario *m;* **addressee** destinatario *m*, -a *f*

adequate ['ædɪkwət] adeguato; **adequately** adeguatamente

◆ **adhere to** [əd'hɪə(r)] *surface* aderire a; *rules* attenersi a

adhesive [əd'hi:sɪv] adesivo *m*

adjacent [ə'dʒeɪsnt] adiacente

adjective ['ædʒɪktɪv] aggettivo *m*

adjoining [ə'dʒɔɪnɪŋ] adiacente

adjourn [ə'dʒɜ:n] aggiornare; **adjournment** aggiornamento *m*

adjust [ə'dʒʌst] **1** *v/t* regolare **2** *v/i: ~ to* adattarsi a; **adjustable** regolabile; **adjustment** regolazione *f; psychological* adattamento *m*

ad lib [æd'lɪb] **1** *adj* a braccio F **2** *v/i* improvvisare

administer [əd'mɪnɪstə(r)] *country* governare; **adminis-**

tration amministrazione f; (government) governo m; administrative amministrativo; administrator amministratore m, -trice f

admirable ['ædmərəbl] ammirevole

admiral ['ædmərəl] ammiraglio m

admiration ['ædməreɪʃn] ammirazione f; admire ammirare; admirer ammiratore m, -trice f; admiring ammirativo; admiringly con ammirazione

admissible [əd'mɪsəbl] ammissibile; admission (confession) ammissione f; ~ free entrata f libera; admit ammettere; to a place lasciare entrare; to school, club etc ammettere; to hospital ricoverare; admittance: no ~ vietato l'accesso

adolescence [ædə'lesns] adolescenza f; adolescent 1 n adolescente m/f 2 adj adolescenziale

adopt [ə'dɒpt] adottare; adoption adozione f

adorable [ə'dɔːrəbl] adorabile; adoration adorazione f; adore adorare

adrenalin [ə'drenəlɪn] adrenalina f

adrift [ə'drɪft] alla deriva; fig sbandato

adult ['ædʌlt] 1 n adulto m, -a f 2 adj adulto; adultery adulterio m

advance [əd'vɑːns] 1 n (money) anticipo m; in science etc progresso m; MIL avanzata f; in ~ in anticipo; make ~s (progress) fare progressi; sexually fare delle avances 2 v/i MIL avanzare; (make progress) fare progressi 3 v/t theory avanzare; money anticipare; knowledge, cause fare progredire; advanced avanzato; learner di livello avanzato

advantage [əd'vɑːntɪdʒ] vantaggio m; take ~ of opportunity approfittare di; advantageous vantaggioso

adventure [əd'ventʃə(r)] avventura f; adventurous avventuroso

adverb ['ædvɜːb] avverbio m

adversary ['ædvəsərɪ] avversario m, -a f

adverse ['ædvɜːs] avverso

advertise ['ædvətaɪz] 1 v/t job mettere un annuncio per; product reclamizzare 2 v/i for job mettere un annuncio; for product fare pubblicità; advertisement annuncio m; for product pubblicità f inv; advertiser in newspaper etc inserzionista m/f; advertising pubblicità f; advertising agency agenzia f pubblicitaria; advertising campaign campagna f pubblicitaria

advice [əd'vaɪs] consigli mpl; a bit of ~ un consiglio;

advisable consigliabile; advise *person* consigliare a

advocate ['ædvəkeɪt] propugnare

aerial ['eərɪəl] antenna *f*; aerial photograph fotografia *f* aerea

aerobics [eə'rəʊbɪks] aerobica *f*

aerodynamic [eərəʊdaɪ'næmɪk] aerodinamico

aeronautical [eərəʊ'nɔːtɪkl] aeronautico

aeroplane ['eərəpleɪn] aeroplano *m*

aerosol ['eərəsɒl] spray *m inv*

aesthetic [iːs'θetɪk] estetico

affair [ə'feə(r)] (*matter*) affare *m*; (*love*) relazione *f*

affect [ə'fekt] *v/t* colpire; (*influence*) influire su; (*concern*) riguardare

affection [ə'fekʃn] affetto *m*; affectionate affettuoso; affectionately affettuosamente

affirmative [ə'fɜːmətɪv] affermativo

affluence ['æfluəns] benessere *m*; affluent benestante

afford [ə'fɔːd]: be able to ~ sth potersi permettere qc; affordable abbordabile

afloat [ə'fləʊt] *boat* a galla

afraid [ə'freɪd]: be ~ avere paura (of di); I'm ~ *expressing regret* sono spiacente

afresh [ə'freʃ] da capo

Africa ['æfrɪkə] Africa *f*; African 1 *n* africano *m*, -a *f* 2 *adj*

africano; African-American 1 *n* afroamericano *m*, -a *f* 2 *adj* afroamericano

after ['ɑːftə(r)] 1 *prep* dopo; ~ her / me dopo di lei / me; ~ all dopo tutto; ~ that dopo; the day ~ tomorrow dopodomani 2 *adv* dopo; the day ~ il giorno dopo 3 *conj*: after I left, I saw ... dopo essere uscito ho visto ...; after I left, she saw ... dopo che io sono uscito, lei ha visto ...; aftermath: the ~ of war il dopoguerra; in the ~ of nel periodo immediatamente successivo a; afternoon pomeriggio *m*; this ~ oggi pomeriggio; good ~ buon giorno; after sales service servizio *m* dopovendita; aftershave dopobarba *m inv*; afterwards dopo

again [ə'geɪn] di nuovo; I never saw him ~ non l'ho mai più visto

against [ə'geɪnst] contro

age [eɪdʒ] 1 *n* (*also era*) età *f inv*; she's five years of ~ ha cinque anni; I've been waiting for ~s F ho aspettato un secolo F 2 *v/i* invecchiare; aged: a boy ~ 16 un ragazzo di 16 anni; he was ~ 16 aveva 16 anni; age group fascia *f* d'età; age limit limite *m* d'età

agency ['eɪdʒənsɪ] agenzia *f*

agenda [ə'dʒendə] ordine *m* del giorno

agent ['eɪdʒənt] agente *m/f*

aggravate ['ægrəveɪt] aggravare; (*annoy*) seccare

aggression [əˈgreʃn] aggressione *f*; **aggressive** aggressivo; **aggressively** con aggressività

aghast [əˈgɑːst] inorridito

agile ['ædʒaɪl] agile; **agility** agilità *f*

agitated ['ædʒɪteɪtɪd] agitato; **agitation** agitazione *f*; **agitator** agitatore *m*, -trice *f*

agnostic [ægˈnɒstɪk] agnostico *m*, -a *f*

ago [əˈgəʊ]: **2 days** ~ due giorni fa; **long** ~ molto tempo fa

agonize ['ægənaɪz] angosciarsi (**over** per); **agonizing** angosciante; **agony** agonia *f*; *mental* angoscia *f*

agree [əˈgriː] **1** *v/i* essere d'accordo; *of figures* quadrare; (*reach agreement*) mettersi d'accordo; **I** ~ sono d'accordo **2** *v/t price* concordare; **agreeable** (*pleasant*) piacevole; **agreement** accordo *m*

agricultural [ægrɪˈkʌltʃərəl] agricolo; **agriculture** agricoltura *f*

ahead [əˈhed] davanti; (*in advance*) avanti; **be** ~ **of** essere davanti a; **plan** ~ programmare per tempo

aid [eɪd] **1** *n* aiuto *m* **2** *v/t* aiutare

aide [eɪd] assistente *m/f*

Aids [eɪdz] Aids *m*

ailing ['eɪlɪŋ] *economy* malato

ailment ['eɪlmənt] disturbo *m*

aim [eɪm] **1** *n* (*objective*) obiettivo *m* **2** *v/i in shooting* mirare; ~ **to do sth** aspirare a fare qc **3** *v/t*: **be** ~**ed at** *of remark etc* essere rivolto a; *of guns* essere puntato contro; **aimless** senza obiettivi; *wandering* senza meta

air [eə(r)] **1** *n* aria *f*; **by** ~ *travel* in aereo; *send mail* per via aerea; **in the open** ~ all'aperto; **on the** ~ RAD, TV in onda **2** *v/t room* arieggiare; *views* rendere noto; **airbag** airbag *m inv*; **air-conditioned** con aria condizionata; **air-conditioning** aria *f* condizionata; **aircraft** aereo *m*; **aircraft carrier** portaerei *f inv*; **air fare** tariffa *f* aerea; **air force** aeronautica *f* militare; **air hostess** hostess *f inv*; **airline** compagnia *f* aerea; **airliner** aereo *m* di linea; **airmail**: **by** ~ per via aerea; **airplane** *Am* aeroplano *m*; **airport** aeroporto *m*; **air rage** comportamento di estrema irascibilità dei passeggeri di un aereo; **air terminal** terminal *m*; **air-traffic control** controllo *m* del traffico aereo; **air-traffic controller** controllore *m* di volo

aisle [aɪl] corridoio *m*; *in supermarket* corsia *f*; *in church* navata *f* laterale

ajar [əˈdʒɑː(r)]: **be** ~ essere socchiuso

alarm [ə'lɑːm] **1** n allarme m **2**
v/t allarmare; **alarm clock**
sveglia f; **alarming** allarmante; **alarmingly** in modo
allarmante

Albania [æl'beɪnɪə] Albania f;
Albanian 1 adj albanese **2** n
albanese m/f; language albanese m

album ['ælbəm] album m inv

alcohol ['ælkəhɒl] alcol m; **alcoholic 1** n alcolizzato m, -a
f **2** adj alcolico

alert [ə'lɜːt] **1** n (signal) allarme m **2** v/t mettere in guardia **3** adj all'erta m/v

A-level ['eɪlevl] diploma di
scuola media superiore in
Gran Bretagna che permette
di accedere all'università

alibi ['ælɪbaɪ] alibi m inv

alien ['eɪlɪən] **1** n straniero m,
-a f; from space alieno m, -a f
2 adj estraneo; **alienate** alienarsi

align [ə'laɪn] allineare

alike [ə'laɪk] **1** adj simile; **be ~**
assomigliarsi **2** adv: **old and
young ~** vecchi e giovani allo stesso tempo

alimony ['ælɪmənɪ] alimenti
mpl

alive [ə'laɪv]: **be ~** essere vivo

all [ɔːl] **1** adj tutto; (any whatever) qualsiasi; **~ day** tutto il
giorno; **beyond ~ doubt** al
di là di qualsiasi dubbio **2**
pron tutto; **~ of us / them**
tutti noi / loro; **he ate ~ of
it** lo ha mangiato tutto; **for**

~ I know per quel che ne
so; **~ at once** tutto in una
volta; (suddenly) tutt'a un
tratto; **~ but** (nearly) quasi;
~ but John agreed (except)
erano tutti d'accordo tranne
John; **~ the better** molto meglio; **they're not at ~ alike**
non si assomigliano affatto;
not at ~! niente affatto!;
two ~ SP due pari; **~ right**
☞ **alright**

allegation [ælɪ'geɪʃn] accusa
f; **allege** dichiarare; **alleged**
presunto; **allegedly** a quanto si suppone

allegiance [ə'liːdʒəns] fedeltà
f inv

allergic [ə'lɜːdʒɪk] allergico
(**to** a); **allergy** allergia f

alleviate [ə'liːvɪeɪt] alleviare

alley ['ælɪ] vicolo m

alliance [ə'laɪəns] alleanza f

allocate ['æləkeɪt] assegnare;
allocation assegnazione f;
(amount) parte f

allot [ə'lɒt] assegnare

allow [ə'laʊ] permettere; (calculate for) calcolare; **it's not
~ed** è vietato

◆ **allow for** tener conto di

allowance [ə'laʊəns] (money)
sussidio m; (pocket money)
paghetta f

alloy ['ælɔɪ] lega f

'all-purpose multiuso inv;
all-round generale; person
eclettico; **all-time**: **be at an
~ low** aver raggiunto il minimo storico

◆ **allude to** [əˈluːd] alludere a
alluring [əˈlʊərɪŋ] attraente
'all-wheel drive quattro per
   quattro *m inv*
ally [ˈælaɪ] alleato *m*, -a *f*
almond [ˈɑːmənd] mandorla *f*
almost [ˈɔːlməʊst] quasi
alone [əˈləʊn] solo
along [əˈlɒŋ] **1** *prep* lungo;
   walk ~ the street camminare lungo la strada *f* **2** *adv*: ~
   with insieme con; **all ~** (*all
   the time*) per tutto il tempo;
alongside di fianco a; *person* al fianco di
aloof [əˈluːf] in disparte
aloud [əˈlaʊd] ad alta voce
alphabet [ˈælfəbet] alfabeto
   m; **alphabetical** alfabetico
alpine [ˈælpaɪn] alpino; **Alps**
   Alpi *fpl*
already [ɔːlˈredɪ] già
alright [ɔːlˈraɪt]: **I'm ~** (*not
   hurt*) sto bene; (*have got
   enough*) va bene così; **is
   the monitor ~?** (*in working
   order*) funziona il monitor?;
   is it ~ with you if I …? ti va
   bene se …?; **~, you can
   have one!** va bene, puoi
   averne uno!; **that's ~** (*don't
   mention it*) non c'è di che;
   (*I don't mind*) non fa niente;
   ~, that's enough! basta così!
Alsatian [ælˈseɪʃn] pastore *m*
   tedesco
also [ˈɔːlsəʊ] anche
altar [ˈɒltə(r)] altare *m*
alter [ˈɒltə(r)] modificare;
   clothes aggiustare; **altera-**

tion modifica *f*
alternate 1 [ˈɒltəneɪt] *v/i* alternare **2** [ɒltənət] *adj* alternato; **on ~ Mondays** un lunedì su due; **alternative 1**
   n alternativa *f* **2** *adj* alternativo; **alternatively** alternati-
   vamente
although [ɔːlˈðəʊ] benché (+
   subj), sebbene (+ *subj*)
altitude [ˈæltɪtjuːd] altitudine
   f
altogether   [ɔːltəˈɡeðə(r)]
   (*completely*) completamente; (*in all*) complessivamente
altruism [ˈæltruːɪzm] altruismo *m*; **altruistic** altruistico
aluminium   [æljuˈmɪnɪəm],
   Am **aluminum** [əˈluːmɪnəm]
   alluminio *m*
always [ˈɔːlweɪz] sempre
a.m. [eɪˈem] (= *ante meridi-
   em*) di mattina
amass [əˈmæs] accumulare
amateur [ˈæmətə(r)] *n* (*unskilled*) dilettante *m/f*; sP
   non professionista *m/f*; **ama-
   teurish** *pej* dilettantesco
amaze [əˈmeɪz] stupire;
   amazed stupito; **amazement** stupore *m*; **amazing**
   sorprendente; F (*good*) incredibile; **amazingly** incredibilmente
ambassador [æmˈbæsədə(r)]
   ambasciatore *m*, -trice *f*
amber [ˈæmbə(r)] *n* ambra *f*;
   at ~ giallo
ambience [ˈæmbɪəns] atmosfera *f*

ambiguity [æmbɪˈgjuːətɪ] ambiguità *f inv*; **ambiguous** ambiguo

ambition [æmˈbɪʃn] ambizione *f*; **ambitious** ambizioso

ambivalent [æmˈbɪvələnt] ambiguo

amble [ˈæmbl] camminare con calma

ambulance [ˈæmbjʊləns] ambulanza *f*

ambush [ˈæmbʊʃ] **1** *n* agguato *m* **2** *v/t* tendere un agguato a

amend [əˈmend] emendare; **amendment** emendamento *m*; **amends: make~** fare ammenda

amenities [əˈmiːnətɪz] comodità *fpl*

America [əˈmerɪkə] America *f*; **American 1** *n* americano *m*, -a *f* **2** *adj* americano

amicable [ˈæmɪkəbl] amichevole; **amicably** amichevolmente

ammunition [æmjʊˈnɪʃn] munizioni *fpl*

amnesia [æmˈniːzɪə] amnesia *f*

amnesty [ˈæmnəstɪ] amnistia *f*

among(st) [əˈmʌŋ(st)] tra

amoral [eɪˈmɒrəl] amorale

amount [əˈmaʊnt] quantità *f inv*; (*sum of money*) importo *m*

◆ **amount to** ammontare a; (*be equal to*) equivalere a

amphibian [æmˈfɪbɪən] anfibio *m*

ample [ˈæmpl] abbondante

amplifier [ˈæmplɪfaɪə(r)] amplificatore *m*; **amplify** *sound* amplificare

amputate [ˈæmpjʊteɪt] amputare; **amputation** amputazione *f*

amuse [əˈmjuːz] (*make laugh etc*) divertire; (*entertain*) intrattenere; **amusement** (*merriment*) divertimento *m*; (*entertainment*) intrattenimento *m*; **amusement park** parco *m* giochi; **amusing** divertente

an [æn] ☞ **a**

anaemia [əˈniːmɪə] anemia *f*; **anaemic** anemico

anaesthetic [ænəsˈθetɪk] anestetico *m*

analog [ˈænəlɒg] COMPUT analogico; **analogy** analogia *f*

analyse, *Am* analyze [ˈænəlaɪz] analizzare; (*psychoanalyse*) psicanalizzare; **analysis** analisi *f inv*; **analyst** PSYCH analista *m/f*; **analytical** analitico

anarchy [ˈænəkɪ] anarchia *f*

ancestor [ˈænsestə(r)] antenato *m*, -a *f*

anchor [ˈæŋkə(r)] **1** *n* NAUT ancora *f* **2** *v/i* NAUT gettare l'ancora; **anchorman** conduttore *m*; **anchorwoman** conduttrice *f*

ancient [ˈeɪnʃənt] antico

and [ænd] e

anemia *Am* ☞ **anaemia**

anesthetic *Am* ☞ **anaesthetic**

angel ['eɪndʒl] angelo *m*

anger ['æŋgə(r)] **1** *n* rabbia *f* **2** *v/t* fare arrabbiare

angle ['æŋgl] *n* angolo *m*; (*position*, *fig*) angolazione *f*

angry ['æŋgrɪ] arrabbiato

animal ['ænɪml] animale *m*

animated ['ænɪmeɪtɪd] animato; **animated cartoon** cartone *m* animato; **animation** animazione *f*

animosity [ænɪ'mɒsətɪ] animosità *f inv*

ankle ['æŋkl] caviglia *f*

annexe, *Am* annex [ə'neks] *state* annettere

annihilate [ə'naɪəleɪt] annientare; **annihilation** annientamento *m*

anniversary [ænɪ'vɜːsərɪ] anniversario *m*

announce [ə'naʊns] annunciare; **announcement** annuncio *m*; **announcer** TV, RAD annunciatore *m*, -trice *f*

annoy [ə'nɔɪ] infastidire; **annoyance** (*anger*) irritazione *f*; (*nuisance*) fastidio *m*; **annoying** irritante

annual ['ænjʊəl] annuale

annul [ə'nʌl] annullare; **annulment** annullamento *m*

anonymous [ə'nɒnɪməs] anonimo

anorak ['ænəræk] giacca *f* a vento

anorexia [ænə'reksɪə] anores-

sia *f*

another [ə'nʌðə(r)] **1** *adj* un altro *m*, un'altra *f* **2** *pron* un altro *m*, un'altra *f*; **one ~** l'un l'altro; **do they know one ~?** si conoscono?

answer ['ɑːnsə(r)] **1** *n* risposta *f* **2** *v/t* rispondere a; **~ the door** aprire la porta; **answering machine**, **answerphone** segreteria *f* telefonica

ant [ænt] formica *f*

antagonism [æn'tægənɪzm] antagonismo *m*; **antagonistic** ostile; **antagonize** contrariare

Antarctic [ænt'ɑːktɪk] Antartico *m*

antenatal [æntɪ'neɪtl]: **~ classes** corso *m* di preparazione al parto; **~ clinic** clinica *f* per gestanti

antenna [æn'tenə] antenna *f*

antibiotic [æntɪbaɪ'ɒtɪk] antibiotico *m*

anticipate [æn'tɪsɪpeɪt] prevedere; **anticipation** previsione *f*

anticlockwise ['æntɪklɒkwaɪz] **1** *adj* antiorario **2** *adv* in senso antiorario

antics ['æntɪks] buffonate *fpl*

antidote ['æntɪdəʊt] antidoto *m*

antifreeze ['æntɪfriːz] antigelo *m inv*

anti-globalist [æntɪ'gləʊbəlɪst] no-global *m/f inv*

antipathy [æn'tɪpəθɪ] antipatia f

antiquated ['æntɪkweɪtɪd] antiquato

antique [æn'tiːk] n pezzo m d'antiquariato

antiseptic [æntɪ'septɪk] **1** adj antisettico **2** n antisettico m

antisocial [æntɪ'səʊʃl] asociale

antivirus program [æntɪ-'vaɪrəs] COMPUT programma m antivirus

anxiety [æŋ'zaɪətɪ] ansia f; anxious ansioso

any ['enɪ] **1** adj qualche; *are there ~ glasses?* ci sono dei bicchieri?; *is there ~ bread?* c'è del pane?; *is there ~ improvement?* c'è qualche miglioramento?; *there isn't ~ bread* non c'è pane; *take ~ one you like* prendi quello che vuoi **2** pron: *do you have ~?* ne hai?; *there aren't ~ left* non ce ne sono più; *there isn't ~ left* non ce n'è più; *~ of them could be guilty* chiunque di loro potrebbe essere colpevole **3** adv un po'; *is that ~ easier?* è un po' più facile?

anybody ['enɪbɒdɪ] qualcuno; *with negative* nessuno; *(whoever)* chiunque; *there wasn't ~ there* non c'era nessuno; *~ could do it* lo potrebbe fare chiunque

anyhow ['enɪhaʊ] comunque

anyone ['enɪwʌn] ☞ *anybody*

anything ['enɪθɪŋ] qualcosa; *with negatives* niente, nulla; *I didn't hear ~* non ho sentito niente *or* nulla; *~ but* per niente

anyway ['enɪweɪ] ☞ *anyhow*

anywhere ['enɪweə(r)] da qualche parte; *with negative* da nessuna parte; *(wherever)* dovunque; *I can't find it ~* non riesco a trovarlo da nessuna parte

apart [ə'pɑːt] *in distance* distante; *~ from (excepting)* a parte; *(in addition to)* oltre a

apartment [ə'pɑːtmənt] appartamento m; apartment block Am palazzo m (d'appartamenti)

ape [eɪp] scimmia f

Apennines ['æpənaɪnz] Appennini mpl

aperitif [ə'perɪtiːf] aperitivo m

apologize [ə'pɒlədʒaɪz] scusarsi *(to s.o.* con qu); apology scusa f

apostrophe [ə'pɒstrəfɪ] GRAM apostrofo m

appalling [ə'pɔːlɪŋ] sconvolgente

apparatus [æpə'reɪtəs] apparecchio m

apparent [ə'pærənt] evidente; *(seeming)* apparente; apparently apparentemente

appeal [ə'piːl] *(charm)* attrattiva f; *for funds etc,* LAW appello m

◆ appeal for fare un appello per

◆ appeal to (be attractive to) attirare

appealing [əˈpiːlɪŋ] idea, offer allettante

appear [əˈpɪə(r)] apparire; in court comparire; **it ~s that ...** sembra che ...; appearance apparizione f, in court comparizione f; (look) aspetto m

appendicitis [əpendɪˈsaɪtɪs] appendicite f; appendix MED, of book etc appendice f

appetite [ˈæpɪtaɪt] appetito m; appetizer food stuzzichino m; drink aperitivo m; appetizing appetitoso

applaud [əˈplɔːd] applaudire; applause applauso m; (praise) approvazione f

apple [ˈæpl] mela f; apple pie torta f di mele

appliance [əˈplaɪəns] apparecchio m; household elettrodomestico m

applicable [əˈplɪkəbl] applicabile; applicant candidato m, -a f; application for job etc candidatura f; for passport domanda f; for university domanda f di iscrizione; apply 1 v/t applicare 2 v/i of rule applicarsi

◆ apply for job, passport fare domanda per; university fare domanda di iscrizione

◆ apply to (contact) rivolgersi a; (affect) applicarsi a

appoint [əˈpɔɪnt] to position nominare; appointment to position nomina f; (meeting) appuntamento m

appraisal [əˈpreɪz(ə)l] valutazione f

appreciable [əˈpriːʃəbl] notevole; appreciate 1 v/t apprezzare; (acknowledge) rendersi conto di 2 v/i FIN rivalutarsi; appreciative (showing gratitude) riconoscente; (showing pleasure) soddisfatto

apprehensive [æprɪˈhensɪv] apprensivo

approach [əˈprəʊtʃ] 1 n avvicinamento m; (proposal) contatto m; to problem approccio m 2 v/t (get near to) avvicinarsi a; (contact) contattare; problem abbordare; approachable abbordabile

appropriate [əˈprəʊprɪət] appropriato

approval [əˈpruːvl] approvazione f; approve approvare

◆ approve of approvare

approximate [əˈprɒksɪmət] approssimativo; approximately approssimativamente

apricot [ˈeɪprɪkɒt] albicocca f
April [ˈeɪprəl] aprile m
apt [æpt] remark appropriato; aptitude attitudine f
aqualung [ˈækwəlʌŋ] autorespiratore m
aquarium [əˈkweərɪəm] acquario m

Aquarius [ə'kweərɪəs] ASTR Acquario *m*

Arab ['æræb] **1** *n* arabo *m*, -a *f* **2** *adj* arabo; **Arabic 1** *n* arabo *m* **2** *adj* arabo

arbitrary ['ɑːbɪtrərɪ] arbitrario

arbitrate ['ɑːbɪtreɪt] arbitrare; **arbitration** arbitrato *m*

arch [ɑːtʃ] arco *m*

archaeological [ɑːkɪə'lɒdʒɪkl] archeologico; **archaeologist** archeologo *m*, -a *f*; **archaeology** archeologia *f*

archaic [ɑː'keɪɪk] arcaico

archbishop [ɑːtʃ'bɪʃəp] arcivescovo *m*

archeology *Am* ☞ **archaeology**

architect ['ɑːkɪtekt] architetto *m*; **architectural** architettonico; **architecture** architettura *f*

archives ['ɑːkaɪvz] archivi *mpl*

Arctic ['ɑːktɪk] Artico *m*

ardent ['ɑːdənt] ardente

arduous ['ɑːdjʊəs] arduo

area ['eərɪə] area *f*; (*region*) zona *f*; **area code** TELEC prefisso *m* telefonico

arena [ə'riːnə] SP arena *f*

Argentina [ɑːdʒən'tiːnə] Argentina *f*; **Argentinian 1** *adj* argentino **2** *n* argentino *m*, -a *f*

arguably ['ɑːgjʊəblɪ] probabilmente; *it was ~ ...* può dire che ...; **argue** (*quarrel*) litigare; (*reason*) so-

stenere; **argument** (*quarrel*) litigio *m*; (*reasoning*) argomento *m*; **argumentative** polemico

arid ['ærɪd] *land* arido

Aries ['eəriːz] ASTR Ariete *m*

arise [ə'raɪz] *of situation* emergere

aristocracy [ærɪ'stɒkrəsɪ] aristocrazia *f*; **aristocrat** aristocratico *m*, -a *f*; **aristocratic** aristocratico

arithmetic [ə'rɪθmətɪk] aritmetica *f*

arm[1] [ɑːm] *n* braccio *m*; *of chair* bracciolo *m*

arm[2] [ɑːm] *v/t* armare

armaments ['ɑːməmənts] armamenti *mpl*

armchair ['ɑːmtʃeə(r)] poltrona *f*

armed [ɑːmd] armato; **armed forces** forze *fpl* armate; **armed robbery** rapina *f* a mano armata

armour, *Am* **armor** ['ɑːmə(r)] armatura *f*; *metal plates* blindatura *f*

armpit ascella *f*

arms [ɑːmz] (*weapons*) armi *fpl*

army ['ɑːmɪ] esercito *m*

around [ə'raʊnd] **1** *prep* (*in circle, roughly*) intorno a; *room, world* attraverso; *it's ~ the corner* è dietro l'angolo **2** *adv* (*in the area*) qui intorno; (*encircling*) intorno; *he lives ~ here* abita da queste parti; *walk ~* andare in giro; **she has been ~** (*has travelled, is experienced*) ha girato; **he's still ~** (*alive*) è ancora in circolazione

arouse [əˈrauz] suscitare; (*sexually*) eccitare

arrange [əˈreɪndʒ] (*put in order*) sistemare; *music* arrangiare; *meeting, party etc* organizzare; *time and place* combinare; **I've ~d to meet her** ho combinato di incontrarla; **arrangement** (*agreement*) accordo *m*; *of party, meeting* organizzazione *f*; *of furniture etc* disposizione *f*; *of music* arrangiamento *m*; **~s** *for party, meeting* preparativi *mpl*

arrears [əˈrɪəz] arretrati *mpl*

arrest [əˈrest] **1** *n* arresto *m*; **be under ~** essere in arresto **2** *v/t* arrestare

arrival [əˈraɪvl] arrivo *m*; arrive arrivare

◆ **arrive at** arrivare a

arrogance [ˈærəɡəns] arroganza *f*; **arrogant** arrogante

arrow [ˈærəu] freccia *f*

arse [ɑːs] P culo *m* P

arson [ˈɑːsn] incendio *m* doloso

art [ɑːt] arte *f*

artery [ˈɑːtərɪ] arteria *f*

'art gallery galleria *f* d'arte

arthritis [ɑːˈθraɪtɪs] artrite *f*

artichoke [ˈɑːtɪtʃəuk] carciofo *m*

article [ˈɑːtɪkl] articolo *m*

articulate [ɑːˈtɪkjulət] chiaro; **be ~** *of person* esprimersi be-

ne

artificial [ɑːtɪˈfɪʃl] artificiale; (*not sincere*) finto

artillery [ɑːˈtɪlərɪ] artiglieria *f*

artist [ˈɑːtɪst] artista *m/f*; **artistic** artistico

'arts degree laurea *f* in discipline umanistiche

as [æz] **1** *conj* (*while, when*) mentre; (*because*) dato che; (*like*) come; **~ if** come se; **~ usual** come al solito **2** *adv*: **~ high ~ ...** alto come ...; **~ much ~ that?** così tanto?; **run ~ fast ~ you can** corri più veloce che puoi **3** *prep* come; **~ a child** da bambino; **dressed ~ a policeman** vestito da poliziotto; **work ~ a translator** essere traduttore; **~ for** quanto a; **~ Hamlet** nel ruolo di Amleto

Ascension [əˈsenʃn] REL Ascensione *f*; **ascent** *path* salita *f*; *of mountain* ascensione *f*; *fig* ascesa *f*

ash [æʃ] cenere *f*

ashamed [əˈʃeɪmd]: **be ~ of** vergognarsi di

ashore [əˈʃɔː(r)] a terra; **go ~** sbarcare

ashtray [ˈæʃtreɪ] portacenere *m*; **Ash Wednesday** mercoledì *m inv* delle Ceneri

Asia [ˈeɪʒə] Asia *f*; **Asian 1** *n* asiatico *m*, -a *f*; (*Indian, Pakistani*) indiano *m*, -a *f* **2** *adj* asiatico; (*Indian, Pakistani*) indiano; **Asian-American** americano *m*, -a *f* di origine asiatica

aside [əˈsaɪd] da parte; ~ **from** a parte

ask [ɑːsk] **1** v/t person chiedere a; (invite) invitare; question fare; favour chiedere; ~ **s.o. for ...** chiedere a qu ...; ~ **s.o. to ...** chiedere a qu di ... **2** v/i chiedere

◆ **ask after** person chiedere di

◆ **ask for** ~ chiedere; person chiedere di

◆ **ask out** chiedere di uscire a

asleep [əˈsliːp]: **he's** ~ sta dormendo; **fall** ~ addormentarsi

asparagus [əˈspærəgəs] asparagi mpl

aspect [ˈæspekt] aspetto m

aspirations [æspəˈreɪʃnz] aspirazioni fpl

aspirin [ˈæsprɪn] aspirina f

ass[1] [æs] F (idiot) cretino m, -a f

ass[2] [æs] Am P (bum) culo m P

assassin [əˈsæsɪn] assassino m, -a f; **assassinate** assassinare; **assassination** assassinio m

assault [əˈsɔlt] **1** n assalto m **2** v/t aggredire

assemble [əˈsembl] **1** v/t parts assemblare **2** v/i of people radunarsi; **assembly** assemblea f, of parts assemblaggio m; **assembly line** catena f di montaggio

assent [əˈsent] acconsentire

assertive [əˈsɜːtɪv] person si-

curo di sé

assess [əˈses] valutare; **assessment** valutazione f

asset [ˈæset] FIN attivo m; fig: thing vantaggio m; person elemento m prezioso

assign [əˈsaɪn] person destinare; thing assegnare; **assignment** (task) compito m

assimilate [əˈsɪmɪleɪt] assimilare; person into group integrare

assist [əˈsɪst] assistere; **assistance** assistenza f; **assistant** assistente m/f; in shop commesso m, -a f; **assistant manager** vice-responsabile m/f; of hotel, restaurant vice-direttore m

associate **1** [əˈsəʊʃɪeɪt] v/t associare **2** [əˈsəʊʃɪət] n socio m, -a f; **association** associazione f

assortment [əˈsɔːtmənt] assortimento m

assume [əˈsjuːm] (suppose) supporre; **assumption** supposizione f

assurance [əˈʃʊərəns] assicurazione f; (confidence) sicurezza f; **assure** (reassure): ~ **s.o. of sth** assicurare qc a qu

asterisk [ˈæstərɪsk] asterisco m

asthma [ˈæsmə] asma f

astonish [əˈstɒnɪʃ] sbalordire; **astonishing** sbalorditivo; **astonishment** stupore m

astound [əˈstaʊnd] stupefare

astride [əˈstraɪd] a cavalcioni

di
astrology [ə'strɒlədʒɪ] astrologia f
astronaut ['æstrənɔːt] astronauta m/f
astronomer [ə'strɒnəmə(r)] astronomo m, -a f; **astronomical** price etc astronomico; **astronomy** astronomia f
astute [ə'stjuːt] astuto
asylum [ə'saɪləm] mental manicomio m; political asilo m
at [æt] (with places) a; **he works ~ the hospital** lavora in ospedale; **~ the baker's** dal panettiere, in panetteria; **~ Joe's** da Joe; **~ the door** alla porta; **~ 10 pounds** a 10 sterline; **~ the age of 18** all'età di 18 anni; **~ 5 o'clock** alle cinque; **~ night** di notte; **~ 150 km / h** a 150 km/h; **be good / bad ~ sth** essere / non essere bravo in qc
atheist ['eɪθɪɪst] ateo m, -a f
athlete ['æθliːt] atleta m/f; **athletic** atletico; **athletics** atletica f
Atlantic [ət'læntɪk] Atlantico m
atlas ['ætləs] atlante m
ATM [eɪtiː'em] (= **automatic teller machine**) (sportello m) Bancomat® m
atmosphere ['ætməsfɪə(r)] atmosfera f
atom ['ætəm] atomo m; **atom bomb** bomba f atomica; **atomic** atomico
◆ **atone for** [ə'təʊn] scontare

atrocious [ə'trəʊʃəs] atroce; **atrocity** atrocità f inv
attach [ə'tætʃ] attaccare; importance attribuire; document, file allegare; **attachment** to email allegato m
attack [ə'tæk] **1** n aggressione f; MIL attacco m **2** v/t aggredire; MIL attaccare
attempt [ə'tempt] **1** n tentativo m **2** v/t tentare
attend [ə'tend] partecipare a; school frequentare
◆ **attend to** (deal with) sbrigare; customer, patient assistere
attendance [ə'tendəns] partecipazione f; at school frequenza f; **attendant** in museum etc sorvegliante m/f
attention [ə'tenʃn] attenzione f; **pay ~** fare attenzione; attentive attento
attic ['ætɪk] soffitta f
attitude ['ætɪtjuːd] atteggiamento m
attorney [ə'tɜːnɪ] avvocato m
attract [ə'trækt] attirare; attraction attrazione f; attractive attrattivo; person attraente
aubergine ['əʊbəʒiːn] melanzana f
auction ['ɔːkʃn] asta f
audacity [ɔː'dæsətɪ] audacia f
audible ['ɔːdəbl] udibile
audience ['ɔːdɪəns] pubblico m; TV telespettatori mpl; with the Pope etc udienza f
audio ['ɔːdɪəʊ] audio inv;

audiovisual audiovisivo

audit ['ɔ:dɪt] 1 *n* revisione *f* contabile 2 *v/t* verificare

audition [ɔ:'dɪʃn] 1 *n* audizione *f* 2 *v/i* fare un'audizione

auditor ['ɔ:dɪtə(r)] revisore *m* contabile

auditorium [ɔ:dɪ'tɔ:rɪəm] *of theatre* sala *f*

August ['ɔ:ɡəst] agosto *m*

aunt [ɑ:nt] zia *f*

au pair [əu'peə(r)] ragazza *f* alla pari

aura ['ɔ:rə]: **she has an ~ of confidence** emana sicurezza

auspicious [ɔ:'spɪʃəs] propizio

austere [ɔ:'stɪə(r)] austero; austerity austerità *f inv*

Australia [ɒ'streɪlɪə] Australia *f*; Australian 1 *adj* australiano 2 *n* australiano *m*, -a *f*

Austria ['ɒstrɪə] Austria *f*; Austrian 1 *adj* austriaco 2 *n* austriaco *m*, -a *f*

authentic [ɔ:'θentɪk] autentico; authenticity autenticità *f*

author ['ɔ:θə(r)] autore *m*, autrice *f*

authoritarian [ɔ:θɒrɪ'teərɪən] autoritario; authoritative autoritario; *information* autorevole; authority autorità *f inv*; (*permission*) autorizzazione *f*; authorization autorizzazione *f*; authorize autorizzare

autistic [ɔ:'tɪstɪk] autistico

autobiography [ɔ:təbaɪ'ɒɡrə-

fɪ] autobiografia *f*

autocratic [ɔ:tə'krætɪk] autocratico

autograph ['ɔ:təɡrɑ:f] autografo *m*

automate ['ɔ:təmeɪt] automatizzare; automatic 1 *adj* automatico 2 *n car* macchina *f* con il cambio automatico; automatically automaticamente; automation automazione *f*

automobile ['ɔ:təməbi:l] automobile *f*

autonomous [ɔ:'tɒnəməs] autonomo

autopilot ['ɔ:təupaɪlət] pilota *m* automatico

autopsy ['ɔ:tɒpsɪ] autopsia *f*

autumn ['ɔ:təm] autunno *m*

auxiliary [ɔ:ɡ'zɪlɪərɪ] ausiliario

available [ə'veɪləbl] disponibile

avalanche ['ævəlɑ:nʃ] valanga *f*

avenue ['ævənju:] corso *m*; *fig* strada *f*

average ['ævərɪdʒ] 1 *adj* medio; (*mediocre*) mediocre 2 *n* media *f*; **on ~** in media
♦ average out at risultare in media a

averse [ə'vɜ:s]: **not be ~ to** non avere niente contro; aversion avversione *f* (**to** per)

avid ['ævɪd] avido

avocado [ævə'kɑ:dəu] avocado *m inv*

avoid [ə'vɔɪd] evitare

await [ə'weɪt] attendere

awake [ə'weɪk] sveglio; *it's keeping me ~* mi impedisce di dormire

award [ə'wɔːd] **1** n (prize) premio m **2** v/t assegnare; *damages* riconoscere; **awards ceremony** cerimonia f di premiazione

aware [ə'weə(r)] conscio; *become ~ of* rendersi conto di; **awareness** consapevolezza f

away [ə'weɪ] via; SP fuori casa; *be ~ travelling, sick etc* essere via; *run ~* correre via; *look ~*

guardare da un'altra parte; *it's 2 miles ~* dista 2 miglia; **away game** SP partita f fuori casa

awesome ['ɔːsm] F (terrific) fantastico

awful ['ɔːful] tremendo, terribile; **awfully** F (very) da matti F

awkward ['ɔːkwəd] (clumsy) goffo; (difficult) difficile; (embarrassing) scomodo; *feel ~* sentirsi a disagio

axe, Am ax [æks] **1** n scure f, accetta f **2** v/t project, job sopprimere

axle ['æksl] asse f

B

BA [biː'eɪ] (= **Bachelor of Arts**) (degree) laurea f in lettere; (person) laureato m, -a f in lettere

baby ['beɪbɪ] n bambino m, -a f; **baby-sit** fare il / la baby-sitter

bachelor ['bætʃələ(r)] scapolo m

back [bæk] **1** n of person schiena f; of animal, hand dorso m; of car, bus parte f posteriore; of book, house retro m; of clothes rovescio m; of drawer fondo m; of chair schienale m; SP terzino m; *in the ~ (of the car)* (nei sedili) di dietro; *at the ~ of the bus* in fondo all'auto-

bus; *~ to front* al contrario **2** adj door, steps di dietro; *wheels, legs* posteriore; *garden* sul retro **3** adv: *please move ~* indietro, per favore; *give sth ~ to s.o.* restituire qc a qu; *she'll be ~ tomorrow* sarà di ritorno domani **4** v/t (support) appoggiare; *car* guidare in retromarcia; *horse* puntare su

◆ **back down** fare marcia indietro

◆ **back off** spostarsi indietro; *from danger* tirarsi indietro

◆ **back out** of commitment tirarsi indietro

◆ **back up 1** v/t (support) confermare; *claim, argument*

supportare; *file* fare un back-up di **2** *v/i in car* fare retro-marcia

'backache mal *m inv* di schiena; backbone spina *f* dorsale; backdate retrodatare; backdoor porta *f* di dietro; backer FIN finanziatore *m*, -trice *f*; background sfondo *m*; *of person* background *m inv*; *of story* retroscena *mpl*; backhand *in tennis* rovescio *m*; backing *moral* appoggio *m*; MUS accompagnamento *m*; backing group gruppo *m* d'accompagnamento; backlash reazione *f* violenta; backlog: ~ *of work* lavoro *m* arretrato; backpack zaino *m*; backpacker sacco-pelista *m/f*; back seat sedile *m* posteriore; backside *F* sedere *m*; backspace (key) (tasto di) ritorno *m*; back streets vicoli *mpl*; backstroke SP dorso *m*; backtrack tornare indietro; backup (*support*) rinforzi *mpl*; COMPUT backup *m inv*; backup disk COMPUT disco *m* di backup; backward *child* tardivo; *society* arretrato; *glance* all'indietro; backwards indietro; backyard cortile *m*

bacon ['beɪkn] pancetta *f*
bacteria [bæk'tɪərɪə] batteri *mpl*
bad [bæd] *news, manners* cattivo; *weather, headache* brut-

to; *mistake* grave; *food* guasto; **it's not** ~ non è male; **that's too** ~ *shame* peccato!

badge [bædʒ] distintivo *m*
bad 'language parolacce *fpl*; badly male; *injured* gravemente; **he** ~ **needs** ... ha urgente bisogno di ...
badminton ['bædmɪntən] badminton *m*
bad-tempered [bæd'tempəd] irascibile
baffle ['bæfl]: **be** ~**d** essere perplesso
bag [bæg] borsa *f*; *plastic, paper* busta *f*
baggage ['bægɪdʒ] bagagli *mpl*; baggage check *Am* deposito *m* bagagli; baggage trolley carrello *m*
baggy ['bægɪ] senza forma
bail [beɪl] LAW cauzione *f*; **on** ~ su cauzione
bait [beɪt] esca *f*
bake [beɪk] cuocere al forno; baked potatoes patate cotte al forno con la buccia; baker fornaio *m*, -a *f*; bakery panetteria *f*
balance ['bæləns] **1** *n* equilibrio *m*; (*remainder*) resto *m*; *of bank account* saldo *m* **2** *v/t* tenere in equilibrio **3** *v/i* stare in equilibrio; *of accounts* quadrare; balanced (*fair*) obiettivo; *diet, personality* equilibrato; balance sheet bilancio *m* (di esercizio)
balcony ['bælkənɪ] balcone

m; in theatre prima galleria *f*

bald [bɔːld] *man* calvo; **balding** stempiato

Balkans [ˈbɔːlkənz]: **the ~** i Balcani *mpl*

ball [bɔːl] palla *f; football* pallone *m;* **be on the ~** essere sveglio; **play ~** *fig* collaborare; **the ~'s in his court** la prossima mossa è sua

ballad [ˈbæləd] ballata *f*

ballerina [bæləˈriːnə] ballerina *f*

ballet [ˈbæleɪ] *art* danza *f* classica; *dance* balletto *m;* **ballet dancer** ballerino *m* classico, ballerina *f* classica

ball game F: **that's a different ~** è un altro paio di maniche

ballistic missile [bəˈlɪstɪk] missile *m* balistico

balloon [bəˈluːn] *child's* palloncino *m; for flight* mongolfiera *f*

ballot [ˈbælət] **1** *n* votazione *f* **2** *v/t members* consultare tramite votazione; **ballot box** urna *f* elettorale

ballpark F: **be in the right ~** essere nell'ordine corretto di cifre; **ballpark figure** F cifra *f* approssimativa; **ballpoint (pen)** penna *f* a sfera

balls [bɔːlz] V palle *fpl* V

bamboo [bæmˈbuː] bambù *m inv*

ban [bæn] **1** *n* divieto *m* (**on** di) **2** *v/t* proibire

banal [bəˈnɑːl] banale

banana [bəˈnɑːnə] banana *f*

band [bænd] banda *f; pop* gruppo *m; of material* nastro *m*

bandage [ˈbændɪdʒ] **1** *n* benda *f* **2** *v/t* bendare

'Band-Aid® *Am* cerotto *m*

B&B [biːnˈbiː] (= **bed and breakfast**) pensione *f* familiare, bed and breakfast *m inv*

bandit [ˈbændɪt] brigante *m*

bandy [ˈbændɪ] *legs* storto

bang [bæŋ] **1** *n* colpo *m* **2** *v/t door* chiudere violentemente; *(hit)* sbattere

bangle [ˈbæŋgl] braccialetto *m*

bangs [bæŋz] *Am* frangia *f*

banisters [ˈbænɪstəz] ringhiera *fsg*

banjo [ˈbændʒəʊ] banjo *m inv*

bank¹ [bæŋk] *of river* riva *f*

bank² [bæŋk] FIN banca *f*

♦ **bank on** contare su

'bank account conto *m* bancario; **banker** banchiere *m;* **banker's card** carta *f* assegni; **bank holiday** giorno *m* festivo; **banking** professione *f* bancaria; **bank loan** prestito *m* bancario; **bank manager** direttore *m* di banca; **bank rate** tasso *m* ufficiale di sconto; **bankroll** finanziare; **bankrupt** fallito; **go ~** fallire; **bankruptcy** bancarotta *f*

banner [ˈbænə(r)] striscione *m*

banquet ['bæŋkwɪt] banchetto *m*

baptism ['bæptɪzm] battesimo *m*; **baptize** battezzare

bar¹ [bɑː(r)] *n* of iron spranga *f*; of chocolate tavoletta *f*; for drinks bar *m inv*; (counter) bancone *m*

bar² [bɑː(r)] *v/t* vietare l'ingresso a

barbaric [bɑːˈbærɪk] barbaro

barbecue ['bɑːbɪkjuː] **1** *n* barbecue *m inv* **2** *v/t* cuocere al barbecue

barbed 'wire [bɑːbd] filo *m* spinato

barber ['bɑːbə(r)] barbiere *m*

'bar code codice *m* a barre

bare [beə(r)] (naked) nudo; (room) spoglio; **barefoot:** be ~ essere scalzo; **bare-headed** senza cappello; **barely** appena

bargain ['bɑːgɪn] **1** *n* (deal) patto *m*; (good buy) affare *m* **2** *v/i* tirare sul prezzo

barge [bɑːdʒ] NAUT chiatta *f*
♦ **barge into** piombare su

baritone ['bærɪtəʊn] *n* baritono *m*

bark¹ [bɑːk] **1** *n* of dog abbaiare *m* **2** *v/i* abbaiare

bark² [bɑːk] *n* of tree corteccia *f*

'barmaid barista *f*; **barman** barista *m*

barn [bɑːn] granaio *m*

barometer [bəˈrɒmɪtə(r)] also fig barometro *m*

barracks ['bærəks] MIL caserma *fsg*

barrel ['bærəl] (container) barile *m*

barren ['bærən] land arido

barrette [bəˈret] *Am* molletta *f*

barricade [bærɪˈkeɪd] barricata *f*

barrier ['bærɪə(r)] barriera *f*

barrister ['bærɪstə(r)] avvocato *m*

'bar tender barista *m/f*

barter ['bɑːtə(r)] **1** *n* baratto *m* **2** *v/i* barattare

base [beɪs] **1** *n* base *f* **2** *v/t* basare (on su); **baseball** baseball *m*; ball palla *f* da baseball; **baseball cap** berretto *m* da baseball; **baseboard** *Am* battiscopa *m inv*; **basement** seminterrato *m*

basic ['beɪsɪk] (rudimentary) rudimentale; salary di base; beliefs fondamentale; **basically** essenzialmente

basin ['beɪsn] for washing lavandino *m*

basis ['beɪsɪs] base *f*

bask [bɑːsk] crogiolarsi

basket ['bɑːskɪt] cestino *m*; in basketball cesto *m*; **basketball** basket *m*, pallacanestro *f*; ball pallone *m* da pallacanestro

bass [beɪs] (part) voce *f* di basso; (singer, guitar) basso *m*; (double bass) contrabbasso *m*

bastard ['bɑːstəd] F bastardo *m*, -a *f* F

bat¹ [bæt] **1** n mazza f; *for table tennis* racchetta f **2** v/i SP battere

bat² [bæt] *animal* pipistrello m

batch [bætʃ] n *of students* gruppo m; *of goods* lotto m; *of bread* infornata f

bath [bɑːθ] bagno m

bathe [beɪð] (*swim, have bath*) fare il bagno; **bathing costume** costume m da bagno

'**bathrobe** accappatoio m; **bathroom** (stanza f da) bagno m; **bath towel** asciugamano m da bagno; **bathtub** vasca f da bagno

batter ['bætə(r)] pastella f; **battered** maltrattato; *suitcase etc* malridotto

battery ['bætrɪ] pila f, MOT batteria f

battle ['bætl] **1** n *also fig* battaglia f **2** v/i *against illness etc* lottare; **battleship** corazzata f

bawl [bɔːl] (*shout*) urlare; (*weep*) strillare

bay [beɪ] (*inlet*) baia f; **bay window** bovindo m

BC [biːˈsiː] (= *before Christ*) a. C. (= *avanti Cristo*)

be [biː] v/i *it's me* sono io; *how much is* / *are …?* quant'è / quanto sono …?; *there is, there are* c'è, ci sono; *don't ~ sad* non essere triste; *how are you?* come stai?; *he's very well* sta bene; *I'm hot* / *cold* ho freddo / caldo; *it's hot* / *cold* fa

freddo / caldo; *he's seven* ha sette anni ◊ *has the postman been?* è passato il postino?; *I've never been to Japan* non sono mai stato in Giappone; *I've been here for hours* sono qui da tanto ◊ *tags: that's right, isn't it?* giusto, no?; *she's American, isn't she?* è americana, vero? ◊ v/aux: *I am thinking* sto pensando; *he's working in London* lavora a Londra ◊ *obligation: you are to do what I tell you* devi fare quello che ti dico ◊ *passive essere; he was killed* è stato ucciso

beach [biːtʃ] spiaggia f; **beachwear** abbigliamento m da spiaggia

beads [biːdz] perline fpl

beak [biːk] becco m

'**be-all:** *the ~ and end-all* la cosa più importante

beam [biːm] **1** n *in ceiling etc* trave f **2** v/i (*smile*) fare un sorriso radioso **3** v/t (*transmit*) trasmettere

bean [biːn] (*vegetable*) fagiolo m; *of coffee* chicco m; *be full of ~s* F essere particolarmente vivace

bear¹ [beə(r)] n *animal* orso m

bear² [beə(r)] **1** v/t *weight* portare; *costs* sostenere; (*tolerate*) sopportare; *child* dare alla luce **2** v/i: *bring pressure to ~ on* fare pressione su

bearable ['beərəbl] sopportabile

beard [bɪəd] barba *f*

beat [biːt] **1** *n of heart* battito *m*; *of music* ritmo *m* **2** *v/i of heart* battere; *of rain* picchiettare; **~ about the bush** menar il can per l'aia **3** *v/t in competition* battere; (*hit*) picchiare; *drum* suonare; **~ it!** F fila!; **it ~s me** non capisco
◆ **beat up** picchiare

beaten ['biːtən]: **off the ~ track** fuori mano; **beating** *physical* botte *fpl*; **beat-up** F malconcio

beautiful ['bjuːtɪful] bello; **thanks, that's just ~!** grazie, così va bene; **beautifully** stupendamente; **beauty** bellezza *f*; **beauty salon** istituto *m* di bellezza

beaver ['biːvə(r)] castoro *m*

because [bɪ'kɒz] perché; **~ of** a causa di

become [bɪ'kʌm] diventare; **what's ~ of her?** che ne è stato di lei?; **becoming** grazioso

bed [bed] letto *m*; **~ of flowers** aiuola *f*; **go to ~** andare a letto; **bedding** materasso *m* e lenzuola *fpl*; **bedridden** costretto a letto; **bedroom** camera *f* da letto; **bed-sit, bed-sitter** monolocale *m*; **bedtime** ora *f* di andare a letto

bee [biː] ape *f*

beech [biːtʃ] faggio *m*

beef [biːf] manzo *m*; **beefbur-**ger hamburger *m inv*

beep [biːp] **1** *n* bip *m inv* **2** *v/i* suonare

beer [bɪə(r)] birra *f*

beet [biːt] barbabietola *f*

beetle ['biːtl] coleottero *m*

before [bɪ'fɔː(r)] **1** *prep* prima di **2** *adv* prima; **I've seen this film ~** questo film l'ho già visto **3** *conj* prima che (+ *subj*); **I saw him ~ he left** l'ho visto prima che partisse; **I saw him ~ I left** l'ho visto prima di partire; **beforehand** prima

befriend [bɪ'frend] fare amicizia con

beg [beg] **1** *v/i* mendicare **2** *v/t*: **~ s.o. to ...** pregare qu di ...; **beggar** mendicante *m/f*

begin [bɪ'gɪn] cominciare; **beginner** principiante *m/f*; **beginning** inizio *m*; (*origin*) origine *f*

behalf [bɪ'hɑːf]: **on ~ of** a nome di

behave [bɪ'heɪv] comportarsi; **~ (yourself)!** comportati bene!; **behaviour**, *Am* **behavior** comportamento *m*

behind [bɪ'haɪnd] **1** *prep* dietro; *in order* dietro a; **be ~** (*responsible for*) essere dietro a; (*support*) appoggiare **2** *adv* (*at the back*) dietro; **she had to stay ~** è dovuta rimanere; **be ~ in match** essere in svantaggio;

beige [beɪʒ] beige *inv*

being ['bi:ɪŋ] (*existence*) esistenza *f*; (*creature*) essere *m*

belated [bɪ'leɪtɪd] in ritardo

belch [beltʃ] 1 *n* rutto *m* 2 *v/i* ruttare

Belgian ['beldʒən] 1 *adj* belga 2 *n* belga *m/f*; Belgium Belgio *m*

belief [bɪ'li:f] convinzione *f*; *in God* fede *f*; believe credere

◆ believe in *God, person* credere in; *ghost, person* credere a

believer [bɪ'li:və(r)] REL credente *m/f*; I'm a great ~ in ... credo fermamente in ...

bell [bel] *in church, school* campana *f*; *on door, bicycle* campanello *m*; bellhop *Am* fattorino *m* d'albergo

belligerent [bɪ'lɪdʒərənt] bellicoso

bellow ['beləʊ] urlare; *of bull* muggire

belly ['belɪ] pancia *f*

belong [bɪ'lɒŋ] *v/i*: where does this ~? dove va questo?; I don't ~ here mi sento un estraneo

◆ belong to appartenere a

belongings cose *fpl*

beloved [bɪ'lʌvɪd] adorato

below [bɪ'ləʊ] 1 *prep* sotto 2 *adv* di sotto; *in text* sotto 10 degrees ~ 10 gradi sotto zero

belt [belt] cintura *f*

bench [bentʃ] *seat* panchina *f*; benchmark punto *m* di riferi-

rimento

bend [bend] 1 *n* curva *f* 2 *v/t* piegare 3 *v/i* curvarsi; *of person* inchinarsi

◆ bend down chinarsi

beneath [bɪ'ni:θ] 1 *prep* sotto 2 *adv* di sotto

benefactor ['benɪfæktə(r)] benefattore *m*, -trice *f*

beneficial [benɪ'fɪʃl] vantaggioso

benefit ['benɪfɪt] 1 *n* vantaggio *m* 2 *v/t* andare a vantaggio di 3 *v/i* trarre vantaggio (*from* da)

benevolent [bɪ'nevələnt] benevolo

benign [bɪ'naɪn] benevolo; MED benigno

bequeath [bɪ'kwi:ð] *also fig* lasciare in eredità

bequest [bɪ'kwest] lascito *m*

bereaved [bɪ'ri:vd] 1 *adj* addolorato 2 *n*: the ~ i familiari *mpl* del defunto

beret ['bereɪ] berretto *m*

berry ['berɪ] bacca *f*

berth [bɜ:θ] *on ship, train* cuccetta *f*; *for ship* ormeggio *m*

beside [bɪ'saɪd] accanto a; be ~ o.s. essere fuori di sé; that's ~ the point questo non c'entra

besides [bɪ'saɪdz] 1 *adv* inoltre 2 *prep* (*apart from*) oltre a

best [best] 1 *adj* migliore 2 *adv* meglio; it would be ~ if ... sarebbe meglio se ...; I like her ~ lei è quella che mi piace di più 3 *n*: do one's

~ fare del proprio meglio; **the** ~ il meglio; (*outstanding thing or person*) il / la migliore; **they've done the** ~ **they can** hanno fatto tutto il possibile; **make the** ~ **of** cogliere il lato buono di; **all the** ~**!** tanti auguri!; **best before date** scadenza *f*; **best man** *at wedding* testimone *m* dello sposo

bet [bet] **1** *n* scommessa *f* **2** *v/i* scommettere; **you** ~**!** ci puoi scommettere!

betray [bɪ'treɪ] tradire; **betrayal** tradimento *m*

better ['betə(r)] **1** *adj* migliore; **get** ~ migliorare **2** *adv* meglio; **you'd** ~ **ask permission** faresti meglio a chiedere il permesso; **I'd really** ~ **not** sarebbe meglio di no; **all the** ~ **for us** tanto meglio per noi; **I like her** ~ lei mi piace di più; **better off** **be** ~ stare meglio finanziariamente

between [bɪ'twiːn] tra

beware [bɪ'weə(r)]: ~ **of** ...**!** (stai) attento a ...!

bewilder [bɪ'wɪldə(r)] sconcertare; **bewilderment** perplessità *f*

beyond [bɪ'jɒnd] oltre, al di là di

bias ['baɪəs] *against* pregiudizio *m*; *in favour of* preferenza *f*; **bias(s)ed** parziale

Bible ['baɪbl] bibbia *f*; **biblical** biblico

bicentenary [baɪsen'tiːnəri] bicentenario *m*

bicker ['bɪkə(r)] bisticciare

bicycle ['baɪsɪkl] bicicletta *f*

bid [bɪd] **1** *n at auction* offerta *f*; (*attempt*) tentativo *m* **2** *v/t* & *v/i at auction* offrire; **bidder** offerente *m/f*

biennial [baɪ'enɪəl] biennale

big [bɪg] **1** *adj* grande; **my** ~ **brother / sister** mio fratello / mia sorella maggiore **2** *adv*: **talk** ~ sparlare grosse

bigamist ['bɪgəmɪst] bigamo *m*, -a *f*

bighead F pallone *m* gonfiato F

bigot ['bɪgət] fanatico *m*, -a *f*

bike [baɪk] F bici *f inv* F **2** *v/i* andare in bici; **biker** motociclista *m/f*; (*courier*) corriere *m*

bikini [bɪ'kiːni] bikini *m inv*

bilingual [baɪ'lɪŋgwəl] bilingue

bill [bɪl] **1** *n in hotel, restaurant* conto *m*; (*gas / electricity* ~) bolletta *f*; (*invoice*) fattura *f*; *Am: money* banconota *f*; POL disegno *m* di legge; (*poster*) avviso *m*

billboard *Am* tabellone *m* per affissioni pubblicitarie;

billfold *Am* portafoglio *m*

billiards ['bɪljədz] biliardo *m*

billion ['bɪljən] (*1,000,000,000*) miliardo *m*

bin [bɪn] bidone *m*; **bin lorry** camion *m* della nettezza urbana bind [baɪnd] *also fig* legare; LAW obbligare; **binding** *agreement* vincolante

binoculars [bɪˈnɒkjʊləz] binocolo *msg*

biodegradable [baɪəʊdɪˈgreɪdəbl] biodegradabile

biographer [baɪˈɒgrəfə(r)] biografo *m*, -a *f*; **biography** biografia *f*

biological [baɪəˈlɒdʒɪkl] biologico; **biology** biologia *f*; **biotechnology** biotecnologia *f*

bird [bɜːd] uccello *m*

biro® [ˈbaɪrəʊ] biro *f*

birth [bɜːθ] *also fig* nascita *f*; (*labour*) parto *m*; **give ~ to** *child* partorire; **date of ~** data di nascita; **birth certificate** certificato *m* di nascita; **birth control** controllo *m* delle nascite; **birthday** compleanno *m*; **happy ~!** buon compleanno!; **birthplace** luogo *m* di nascita

biscuit [ˈbɪskɪt] biscotto *m*

bisexual [baɪseksjʊəl] bisessuale

bishop [ˈbɪʃəp] vescovo *m*

bit [bɪt] *n* (*piece*) pezzo *m*; (*part*) parte *f*; **a ~** (*a little*) un po'; **a ~ of advice** un consiglio; **a ~ by ~** poco a poco; **I'll be there in a ~** (*in a little while*) sarò lì tra poco

bitch [bɪtʃ] **1** *n dog* cagna *f*; F *woman* bastarda *f* F **2** *v/i* F (*complain*) lamentarsi

bite [baɪt] **1** *n* morso *m* **2** *v/t*

mordere; *one's nails* mangiarsi **3** *v/i* mordere

bitter [ˈbɪtə(r)] *taste* amaro; *person* amareggiato

black [blæk] **1** *adj* nero; *tea* senza latte **2** *n colour* nero *m*; *person* nero *m*, -a *f*
◆ **black out** (*faint*) svenire

blackberry mora *f* di rovo; **blackbird** merlo *m*; **blackboard** lavagna *f*; **black box** scatola *f* nera; **black coffee** caffè *m*; **black economy** economia *f* sommersa; **black eye** occhio *m* nero; **blacklist** lista *f* nera; **blackmail 1** *n* ricatto *m* **2** *v/t* ricattare; **black market** mercato *m* nero; **blackness** oscurità *f*; **blackout** ELEC black-out *m inv*; MED svenimento *m*

bladder [ˈblædə(r)] vescica *f*

blade [bleɪd] *of knife* lama *f*; *of helicopter* pala *f*; *of grass* filo *m*

blame [bleɪm] **1** *n* colpa *f*; (*responsibility*) responsabilità *f* **2** *v/t*: ~ **s.o. for sth** ritenere qu responsabile di qc

bland [blænd] *smile* insulso; *food* insipido

blank [blæŋk] **1** *adj* (*not written on*) bianco; *tape* vergine; *look* vuoto **2** *n* (*empty space*) spazio *m*; **blank cheque**, *Am* **blank check** assegno *m* in bianco

blanket [ˈblæŋkɪt] coperta *f*

blasphemy [ˈblæsfəmɪ] bestemmia *f*

blast [blɑːst] **1** *n* (*explosion*) esplosione *f*; (*gust*) raffica *f* **2** *v/t* far esplodere; *~!* accidenti!; **blast-off** lancio *m*

blatant ['bleɪtənt] palese

blaze [bleɪz] **1** *n* (*fire*) incendio *m* **2** *v/i* *of fire* ardere

blazer ['bleɪzə(r)] blazer *m inv*

bleach [bliːtʃ] **1** *n for clothes* varechina *f*; *for hair* acqua *f* ossigenata **2** *v/t hair* ossigenarsi

bleak [bliːk] *countryside* desolato; *weather* cupo; *future* deprimente

bleary-eyed ['blɪəraɪd]: **be** *~* avere lo sguardo appannato

bleat [bliːt] *of sheep* belare

bleed [bliːd] sanguinare; **bleeding** emorragia *f*

bleep [bliːp] **1** *n* blip *m inv* **2** *v/i* suonare

blemish ['blemɪʃ] *on skin* imperfezione *f*; *on fruit* ammaccatura *f*

blend [blend] **1** *n* miscela *f* **2** *v/t* miscelare; **blender** *machine* frullatore *m*

bless [bles] benedire; *~ you!* (*in response to sneeze*) salute!; **blessing** benedizione *f*

blind [blaɪnd] **1** *adj* cieco **2** *n*: **the** *~* i ciechi **3** *v/t* accecare; **blind alley** vicolo *m* cieco; **blind date** appuntamento *m* al buio; **blindfold 1** *n* benda *f* **2** *v/t* bendare (gli occhi a); **blinding** atroce; *light* accecante; **blindly** a tastoni; *fig* ciecamente; **blind spot** *in*

road punto *m* cieco

blink [blɪŋk] *of person* sbattere le palpebre; *of light* tremolare

blister ['blɪstə(r)] vescichetta *f*

blizzard ['blɪzəd] bufera *f* di neve

bloc [blɒk] POL blocco *m*

block [blɒk] **1** *n* blocco *m*; *in town* isolato *m*; *~ of flats* palazzo *m* (d'appartamenti) **2** *v/t* bloccare

◆ **block out** *light* impedire

blockage ['blɒkɪdʒ] ingorgo *m*; **blockbuster** successone *m*; **block letters** maiuscole *fpl*

bloke [bləuk] F tipo *m* F

blond [blɒnd] biondo; **blonde** *woman* bionda *f*

blood [blʌd] sangue *m*; **blood donor** donatore *m*, -trice *f* di sangue; **blood group** gruppo *m* sanguigno; **blood poisoning** setticemia *f*; **blood pressure** pressione *f* del sangue; **blood sample** prelievo *m* di sangue; **bloodshed** spargimento *m* di sangue; **bloodshot** iniettato di sangue; **bloodstained** macchiato di sangue; **blood test** analisi *f inv* del sangue; **bloodthirsty** assetato di sangue; **bloody 1** *adj hands etc* insanguinato; F maledetto; *~ hell!* porca miseria! F; *you're a ~ genius!* sei un geniaccio! F **2** *adv*: *I'm ~ tired*

bogus

sono stanco morto
bloom [bluːm] *also fig* fiorire
blossom ['blɒsəm] **1** *n* fiori
mpl **2** *v/i also fig* fiorire
blot [blɒt] macchia *f*
♦ **blot out** *memory* cancellare; *view* nascondere
blouse [blauz] camicetta *f*
blow[1] [bləu] *n* colpo *m*
blow[2] [bləu] **1** *v/t of wind* spingere; *smoke* soffiare; ~ *a whistle* fischiare; ~ *one's nose* soffiarsi il naso **2** *v/i of wind, person* soffiare; *of fuse* saltare; *of tyre* scoppiare
♦ **blow out 1** *v/t candle* spegnere **2** *v/i of candle* spegnersi
♦ **blow over 1** *v/t* rovesciarsi; *of storm, argument* calmarsi
♦ **blow up 1** *v/t with explosives* far saltare; *balloon* gonfiare; *photograph* ingrandire **2** *v/i also fig* esplodere
'blow-dry asciugare col phon;
blow-out *of tyre* scoppio *m*
blue [bluː] blu; *film* porno;
blue chip sicuro; *company* di alto livello; **blues** MUS
blues *m inv*; **have the ~** essere giù
bluff [blʌf] **1** *n* (*deception*)
bluff *m inv* **2** *v/i* bluffare
blunder ['blʌndə(r)] **1** *n* errore *m* **2** *v/i* fare un errore
blunt [blʌnt] spuntato; *person* diretto; **bluntly** senza mezzi termini
blur [blɜː(r)] **1** *n* massa *f* indi-

stinta **2** *v/t* offuscare
♦ **blurt out** [blɜːt] spiattellare
blush [blʌʃ] **1** *n* rossore *m* **2** *v/i*
arrossire; **blusher** *cosmetic*
fard *m inv*
blustery ['blʌstəri] ventoso
BO [biː'əu] (= *body odour*)
odori *mpl* corporali
board [bɔːd] **1** *n* asse *f*; *for chess* scacchiera *f*; *for notices* tabellone *m*; ~ (*of directors*)
consiglio *m* (d'amministrazione); **on** ~ a bordo **2** *v/t aeroplane etc* salire a bordo di **3**
v/i of passengers salire a bordo
♦ **board up** chiudere con assi
boarder ['bɔːdə(r)] pensionante *m/f*; EDU convittore *m* , -trice *f*; **board game** gioco *m* da tavolo; **boarding card** carta *f* d'imbarco;
boarding pass carta *f* d'imbarco; **boarding school** collegio *m*; **board meeting** riunione *f* di consiglio; **board room** sala *f* del consiglio
boast [bəust] vantarsi
boat [bəut] (*small, for leisure*)
barca *f*; (*ship*) nave *f*
bodily ['bɒdɪlɪ] **1** *adj* corporale **2** *adv eject* di peso; **body**
corpo *m*; **dead** cadavere *m*;
body double controfigura *f*; **bodyguard** guardia *f* del corpo; **body language** linguaggio *m* del corpo; **bodywork** MOT carrozzeria *f*
bogus ['bəugəs] fasullo

boil[1] [bɔɪl] (*swelling*) foruncolo *m*

boil[2] [bɔɪl] **1** *v/t* far bollire **2** *v/i* bollire

◆ **boil down to** ridursi a

boiler ['bɔɪlə(r)] caldaia *f*

boisterous ['bɔɪstərəs] turbolento

bold [bəʊld] **1** *adj* (*brave*) audace **2** *n print* neretto *m*; **in ~** in neretto

bolster ['bəʊlstə(r)] *confidence* rafforzare

bolt [bəʊlt] **1** *n on door* catenaccio *m*; (*metal pin*) bullone *m* **2** *adv*: **~ upright** diritto come un fuso **3** *v/t* (*fix with bolts*) fissare con bulloni; (*close*) chiudere col catenaccio **4** *v/i* (*run off*) scappare via

bomb [bɒm] **1** *n* bomba *f* **2** *v/t* bombardare; (*blow up*) far saltare; *bombard also fig* bombardare; **bomb attack** attacco *m* dinamitardo; **bomber** *airplane* bombardiere *m*; *terrorist* dinamitardo *m*, -a *f*; **bomb scare** allarme-bomba *m*; **bombshell** *fig: news* bomba *f*

bond [bɒnd] **1** *n* (*tie*) legame *m*; FIN obbligazione *f* **2** *v/i* aderire

bone [bəʊn] osso *m*; *in fish* lisca *f*

bonfire ['bɒnfaɪə(r)] falò *m inv*

bonnet ['bɒnɪt] *of car* cofano *m*

bonus ['bəʊnəs] *money* gratifica *f*; (*something extra*) vantaggio *m* in più

boo [buː] **1** *n* fischio *m* **2** *v/t & v/i* fischiare

boob[1] [buːb] F (*mistake*) errore *m*

boob[2] [buːb] P (*breast*) tetta *f* P

booboo ['buːbuː] F gaffe *m inv*

book [bʊk] **1** *n* libro *m* **2** *v/t* (*reserve*) prenotare; *of policeman* ammonire; SP ammonire; *person* occupatissimo; **bookie** F allibratore *m*; **booking** (*reservation*) prenotazione *f*; **booking office** biglietteria *f*; **bookkeeper** contabile *m/f*; **bookkeeping** contabilità *f*; **booklet** libretto *m*; **bookmaker** allibratore *m*; **books** (*accounts*) libri *mpl* contabili; **bookseller** libraio *m*, -a *f*; **bookshop**, *Am* **bookstore** libreria *f*

boom[1] [buːm] **1** *n* boom *m inv* **2** *v/i of business* andare a gonfie vele

boom[2] [buːm] *n* (*bang*) rimbombo *m*

boost [buːst] **1** *n* spinta *f* **2** *v/t sales* incrementare; *confidence* aumentare

boot[1] [buːt] stivale *m*; (*climbing* ~) scarpone *m*; *for football* scarpetta *m*

◆ **boot up** COMPUT inizializzare

booth [buːð] *at market, fair* bancarella *f*; (*telephone ~*) cabina *f*

booze [buːz] F alcolici *mpl*; **booze-up** F bevuta *f*

border ['bɔːdə(r)] **1** *n* confine *m*; (*edge*) bordo *m* **2** *v/t country* confinare con

◆ **border on** *country* confinare con; (*be almost*) rasentare

bore[1] [bɔː(r)] *v/t hole* praticare

bore[2] [bɔː(r)] **1** *n person* persona *f* noiosa **2** *v/t* annoiare

bored [bɔːd] annoiato; **I'm ~** mi sto annoiando; **boredom** noia *f*; **boring** noioso

born [bɔːn]: **be ~** essere nato

borrow ['bɒrəʊ] prendere in prestito

bosom ['bʊzm] *of woman* seno *m*

boss [bɒs] boss *m inv*

◆ **boss around** dare ordini a

bossy ['bɒsɪ] prepotente

botanical [bə'tænɪkl] botanico; **botany** botanica *f*

botch [bɒtʃ] fare un pasticcio con

both [bəʊθ] **1** *adj pron* entrambi, tutti *mpl* e due, tutte *fpl* e due, tutt'e due; **~ (of the) brothers were there** tutt'e due i fratelli erano lì; **~ of them** entrambi **2** *adv*: **~ my mother and I** sia mia madre che io; **is it business or pleasure? - ~** per piacere o per affari? - tutt'e due

bother ['bɒðə(r)] **1** *n* disturbo *m*; **it's no ~** non c'è problema **2** *v/t* (*disturb*) disturbare; (*worry*) preoccupare **3** *v/i*: **don't ~** (*you needn't do it*) non preoccuparti

bottle ['bɒtl] bottiglia *f*; *for baby* biberon *m*

◆ **bottle up** *feelings* reprimere

'**bottle bank** contenitore *m* per la raccolta del vetro; **bottled water** acqua *f* in bottiglia; **bottleneck** ingorgo *m*; **bottle-opener** apribottiglie *m inv*

bottom ['bɒtəm] **1** *adj* più basso **2** *n* fondo *m*; (*buttocks*) sedere *m*; **at the ~ of the screen** in basso sullo schermo; **at the ~ of the page** in fondo alla pagina

◆ **bottom out** toccare il fondo

bottom 'line *financial* risultato *m* finanziario; **the ~** (*the real issue*) l'essenziale *m*

boulder ['bəʊldə(r)] macigno *m*

bounce [baʊns] **1** *v/t ball* far rimbalzare **2** *v/i of ball* rimbalzare; *on sofa etc* saltare; *of cheque* essere protestato; **bouncer** buttafuori *m inv*

bound[1] [baʊnd] *adj*: **be ~ to do sth** (*sure to*) dover fare per forza qc; (*obliged to*) essere obbligato a fare qc; **the train is ~ to be late** il treno sarà senz'altro in ritardo

bound² [baʊnd] *adj*: **be ~ for of ship** essere diretto a

bound³ [baʊnd] *n* (*jump*) balzo *m*

boundary ['baʊndərɪ] confine *m*

bouquet [bu'keɪ] bouquet *m inv*

bourbon ['bɜːbən] bourbon *m inv*

bout [baʊt] MED attacco *m*; *in boxing* incontro *m*

bow¹ [baʊ] **1** *n as greeting* inchino *m* **2** *v/i* inchinarsi *v/t head* chinare

bow² [bəʊ] *n* (*knot*) fiocco *m*; MUS archetto *m*

bow³ [baʊ] *n of ship* prua *f*

bowels ['baʊəlz] intestino *msg*

bowl¹ [bəʊl] *n container* bacinella *f*; *for soup, cereal* ciotola *f*; *for cooking, salad* terrina *f*

bowl² [bəʊl] **1** *n ball* boccia *f* **2** *v/i in bowling* lanciare

bowling ['bəʊlɪŋ] bowling *m*; **bowling alley** pista *f* da bowling; **bowls** *nsg* (*game*) bocce *fpl*

bow 'tie (cravatta *f* a) farfalla *f*

box¹ [bɒks] *n container* scatola *f*; *on form* casella *f*

box² [bɒks] *v/i* fare pugilato

boxer ['bɒksə(r)] pugile *m*; **boxing** pugilato *m*, boxe *f*; **Boxing Day** Santo Stefano; **boxing glove** guantone *m* da pugile; **boxing match** in-

contro *m* di pugilato

'box number *at post office* casella *f*; **box office** botteghino *m*

boy [bɔɪ] *child* bambino *m*; *youth* ragazzo *m*; *son* figlio *m*

boycott ['bɔɪkɒt] **1** *n* boicottaggio *m* **2** *v/t* boicottare

'boyfriend ragazzo *m*; **boyscout** boy-scout *m inv*

bra [brɑː] reggiseno *m*

bracelet ['breɪslɪt] braccialetto *m*

bracket ['brækɪt] *for shelf* staffa *f*; *in text* parentesi *f inv*

brag [bræg] vantarsi

braid [breɪd] *trimming* passamaneria *f*; *Am in hair* treccia *f*

braille [breɪl] braille *m*

brain [breɪn] cervello *m*; **brainless** F deficiente; **brains** (*intelligence*) cervello *msg*; **brain surgeon** neurochirurgo *m*; **brain tumour**, *Am* **brain tumor** tumore *m* al cervello; **brainwash** fare il lavaggio del cervello a; **brainy** F geniale

brake [breɪk] **1** *n* freno *m* **2** *v/i* frenare; **brake light** MOT fanalino *m* d'arresto; **brake pedal** MOT pedale *m* del freno

branch [brɑːntʃ] *of tree* ramo *m*; *of company* filiale *f*

◆ **branch out** diversificarsi

brand [brænd] **1** *n* marca *f* **2** *v/t*: **be ~ed a traitor** essere tacciato di tradimento;

brand image brand image *f inv*

brandish ['brændɪʃ] brandire

brand 'leader marca *f* leader di mercato; **brand name** marca *f*; **brand-new** nuovo di zecca

brandy ['brændɪ] brandy *m inv*

brass [brɑːs] *(alloy)* ottone *m*; **the ~** MUS gli ottoni; **brass band** fanfara *f*

brassière [brə'zɪə(r)] reggiseno *m*

brat [bræt] *pej* marmocchio *m*

brave [breɪv] coraggioso; **bravery** coraggio *m*

brawl [brɔːl] **1** *n* rissa *f* **2** *v/i* azzuffarsi

Brazil [brə'zɪl] Brasile *m*; Brazilian **1** *adj* brasiliano **2** *n* brasiliano *m*, -a *f*

breach [briːtʃ] *(violation)* violazione *f*; *in party* rottura *f*; **breach of contract** inadempienza *f* di contratto

bread [bred] pane *m*

breadth [bredθ] larghezza *f*

'breadwinner: **be the ~** mantenere la famiglia

break [breɪk] **1** *n also fig* rottura *f*; *(rest)* pausa *f* EDU intervallo *m* **2** *v/t china, egg, bone* rompere; *rules, law* violare; *promise* non mantenere; *news* comunicare; *record* battere **3** *v/i of china, egg, toy* rompersi; *of news* diffondersi; *of storm* scoppiare

◆ **break down 1** *v/i of vehicle,* *machine* avere un guasto; *of talks* arenarsi; *in tears* scoppiare in lacrime; *mentally* avere un esaurimento **2** *v/t door* buttare giù; *figures* analizzare

◆ **break even** coprire le spese

◆ **break in** *(interrupt)* interrompere; *of burglar* entrare con la forza

◆ **break off** **1** *v/t* staccare; *engagement* rompere; **they've broken it off** si sono lasciati **2** *v/i (stop talking)* interrompersi

◆ **break up** **1** *v/t into parts* scomporre; *fight* far cessare **2** *v/i of ice* spaccarsi; *of couple* separarsi; *of band, meeting* sciogliersi

breakable ['breɪkəbl] fragile; **breakage** danni *mpl*; **breakdown** *of vehicle, machine* guasto *m*; *of talks* rottura *f*; *(nervous ~)* esaurimento *m* (nervoso); *of figures* analisi *f inv*; **breakdown lorry** carro *m* attrezzi; **breakdown service** servizio *m* di soccorso stradale; **breakdown truck** carro *m* attrezzi

breakfast ['brekfəst] colazione *f*; **have ~** fare colazione

'break-in furto *m* (con scasso); **breakthrough** *in negotiations* passo *m* avanti; *of technology* scoperta *f*; **breakup** *of partnership* rottura *f*

breast [brest] seno *m*; breast-
feed allattare; breaststroke
nuoto *m* a rana

breath [breθ] respiro *m*; **be
out of** ~ essere senza fiato

breathe [briːð] respirare

◆ breathe in inspirare

◆ breathe out espirare

breathing ['briːðɪŋ] respiro *m*

breathless ['breθlɪs] senza
fiato; breathtaking mozza-
fiato

breed [briːd] **1** *n* razza *f* **2** *v/t*
allevare; *fig* generare **3** *v/i*
of animals riprodursi; breeding allevamento *m*; *of person*
educazione *f*

breeze [briːz] brezza *f*;
breezy ventoso; *fig* brioso

brew [bruː] **1** *v/t beer* produrre
2 *v/i of storm* prepararsi;
there's trouble ~ing ci sono
guai in vista; brewery fabbrica *f* di birra

bribe [braɪb] **1** *n* bustarella *f* **2**
v/t corrompere; bribery corruzione *f*

brick [brɪk] mattone *m*

bride [braɪd] sposa *f*; bridegroom sposo *m*; brides-
maid damigella *f* d'onore

bridge [brɪdʒ] **1** *n* ponte *m*; *of
ship* ponte *m* di comando **2**
v/t gap colmare

◆ brighten up ['braɪtn] **1** *v/t*
ravvivare **2** *v/i of weather*
schiarirsi; *of face, person* rallegrarsi

bridle ['braɪdl] briglia *f*

brief[1] [briːf] *adj* breve

brief[2] [briːf] **1** *n* (*mission*) missione *f* **2** *v/t:* ~ **s.o. on sth** *instruct* dare istruzioni a qu su
qc; *inform* mettere qu al corrente di qc

'briefcase valigetta *f*; briefing briefing *m inv*; briefly
brevemente; (*to sum up*) in
breve; briefs slip *m inv*

bright [braɪt] *colour* vivace;
smile, future radioso; (*sunny*)
luminoso; (*intelligent*) intelligente; ~ **red** rosso vivo;
brightly *smile* in modo radioso; *shine, lit* intensamente; *coloured* in modo sgargiante

brilliance ['brɪljəns] *of person*
genialità *f*; *of colour* vivacità
f; **brilliant** *sunshine etc* sfol-
gorante; (*very good*) eccezionale; (*very intelligent*)
brillante

brim [brɪm] *of container* orlo
m; *of hat* falda *f*

bring [brɪŋ] portare

◆ bring back (*return*) restituire; (*re-introduce*) reintrodur-
re; *memories* risvegliare

◆ bring down *also fig government* abbattere; *price* far
scendere

◆ bring on *illness* provocare

◆ bring out *book* pubblicare;
new product lanciare

◆ bring up *child* allevare;
subject sollevare; (*vomit*) vomitare

brink [brɪŋk] orlo *m*

brisk [brɪsk] *person, tone* spiccio; *walk* svelto; *trade* vivace

bristles ['brislz] peli *mpl*

Brit [brit] F britannico *m*, -a *f*; Britain Gran Bretagna *f*; British 1 *adj* britannico 2 *n*: **the ~** i britannici

brittle ['brit1] fragile

broad [brɔːd] largo; *(general)* generale; **in ~ daylight** in pieno giorno; broadband banda *f* larga; broadcast 1 *n* trasmissione *f* 2 *v/t* trasmettere; broadcaster giornalista *m/f* radiotelevisivo, -a; broad jump *Am* salto *m* in lungo; broadly: **~ speaking** parlando in senso lato; broadminded di larghe vedute

broccoli ['brɒkəlɪ] broccoli *mpl*

brochure ['brəʊʃə(r)] dépliant *m inv*, opuscolo *m*

broil [brɔɪl] *Am* fare alla griglia; broiler *Am* on stove grill *m inv*

broke [brəʊk] al verde; broken 1 *adj* rotto; *English* stentato; *marriage* fallito; **she's from a ~ home** i suoi sono separati; broken-hearted col cuore spezzato; broker mediatore *m*, -trice *f*

bronchitis [brɒŋ'kaɪtɪs] bronchite *f*

bronze [brɒnz] bronzo *m*

brooch [brəʊtʃ] spilla *f*

brothel ['brɒθl] bordello *m*

brother ['brʌðə(r)] fratello *m*; brother-in-law cognato *m*;

brotherly fraterno

brow [braʊ] *(forehead)* fronte *f*; of hill cima *f*

brown [braʊn] 1 *n* marrone *m* 2 *adj* marrone; *eyes, hair* castano; *(tanned)* abbronzato; Brownie giovane esploratrice *f*; brownie *Am* dolcetto *m* al cioccolato con noci; brown sugar zucchero *m* non raffinato

browse [braʊz] *in shop* curiosare; COMPUT navigare; **~ through a book** sfogliare un libro; browser COMPUT browser *m inv*

bruise [bruːz] livido *m*; *on fruit* ammaccatura *f*

brunette [bruː'net] brunetta *f*

brunt [brʌnt]: **bear the ~ of ...** subire il peggio di ...

brush [brʌʃ] 1 *n* spazzola *f*; *(paint~)* pennello *m*; *(tooth~)* spazzolino *m* da denti; *(conflict)* scontro *m* 2 *v/t* spazzolare; *(touch lightly)* sfiorare

◆ brush aside ignorare

◆ brush up ripassare

brusque [bruːsk] brusco

Brussels 'sprout ['brʌslz] cavolino *m* di Bruxelles

brutal ['bruːtl] brutale; brutality brutalità *f inv*; brutally brutalmente; brute bruto *m*

bubble ['bʌbl] bolla *f*

buck[1] [bʌk] *n Am* F *(dollar)* dollaro *m*

buck[2] [bʌk] *v/i of horse* sgroppare

bucket ['bʌkɪt] secchio *m*

buckle¹ ['bʌkl] **1** *n* fibbia *f* **2** *v/t belt* allacciare

buckle² ['bʌkl] *v/i of wood, metal* piegarsi

bud [bʌd] BOT bocciolo *m*

buddy ['bʌdɪ] F amico *m*, -a *f*

budge [bʌdʒ] **1** *v/t* smuovere **2** *v/i* muoversi

budgerigar ['bʌdʒərɪgɑː(r)] pappagallino *m*

budget ['bʌdʒɪt] budget *m inv*; *of company* bilancio *m inv*; *of state* bilancio *m* dello Stato

buff [bʌf] appassionato *m*, -a *f*

buffalo ['bʌfələʊ] bufalo *m*

buffer ['bʌfə(r)] RAIL respingente *m*; COMPUT buffer *m inv*; *fig* cuscinetto *m*

buffet¹ ['bʊfeɪ] *meal* buffet *m inv*

bug [bʌg] **1** *n* (*insect*) insetto *m*; (*virus*) virus *m inv*; (*spying device*) microspia *f*; COMPUT bug *m inv* **2** *v/t room* installare microspie in; *telephone* mettere sotto controllo; F (*annoy*) seccare

buggy ['bʌgɪ] *for baby* passeggino *m*

build [bɪld] **1** *n of person* corporatura *f* **2** *v/t* costruire

◆ **build up 1** *v/t relationship* consolidare; **build up one's strength** rimettersi in forze **2** *v/i of tension, traffic* aumentare

builder ['bɪldə(r)] muratore *m*; *company* impresario *m* edile; **building** edificio *m*,

palazzo *m*; (*activity*) costruzione *f*; **building site** cantiere *m* edile; **building society** istituto *m* di credito immobiliare; **building trade** edilizia *f*; **build-up** *of traffic, pressure* aumento *m*; *of arms, forces* ammassamento *m*; (*publicity*) pubblicità *f inv*; **built-in** *wardrobe* a muro; *flash* incorporato; **built-up area** abitato *m*

bulb [bʌlb] BOT bulbo *m*; (*light ~*) lampadina *f*

bulge [bʌldʒ] **1** *n* rigonfiamento *m* **2** *v/i* sporgere

bulky ['bʌlkɪ] voluminoso

bull [bʊl] toro *m*; **bulldozer** bulldozer *m inv*

bullet ['bʊlɪt] proiettile *m*, pallottola *f*

bulletin ['bʊlɪtɪn] bollettino *m*; **bulletin board** COMPUT bulletin board *m inv*; *Am:* *on wall* bacheca *f*

'bullet-proof a prova di proiettile

'bull's-eye centro *m* del bersaglio; **hit the ~** fare centro; **bullshit** V stronzate *fpl* V

bully ['bʊlɪ] **1** *n* prepotente *m/f* **2** *v/t* tiranneggiare; **bullying** prepotenze *fpl*

bum [bʌm] **1** *n* F *worthless person* mezza calzetta *f* F; (*bottom*) sedere *m*; (*Am: tramp*) barbone *m* **2** *v/t* F *cigarette etc* scroccare

bump [bʌmp] **1** *n* (*swelling*) gonfiore *m*; (*lump*) bernoccolo m; *on road* cunetta f **2** v/t battere

◆ **bump into** *table* battere contro; (*meet*) incontrare

bumper ['bʌmpə(r)] MOT paraurti m inv; **bumpy** *road* accidentato; *flight* movimentato

bunch [bʌntʃ] *of people* gruppo m; *of keys, flowers* mazzo m; *a ~ of grapes* un grappolo d'uva; *thanks a ~ ironic* grazie tante!

bungalow ['bʌŋgələu] bungalow m inv

bungle ['bʌŋgl] pasticciare

bunk [bʌŋk] cuccetta f; **bunk beds** letti mpl a castello

buoy [bɔɪ] NAUT boa f; **buoyant** allegro; *economy* sostenuto

burden ['bɜːdn] **1** n also fig peso m **2** v/t: *~ s.o. with sth* fig opprimere qu con qc

bureau ['bjuərəu] (*office*) ufficio m

bureaucracy [bjuə'rɒkrəsɪ] burocrazia f; **bureaucrat** burocrate m/f; **bureaucratic** burocratico

burger ['bɜːgə(r)] hamburger m inv

burglar ['bɜːglə(r)] ladro m; **burglar alarm** antifurto m; **burglarize** Am svaligiare; **burglary** furto m (con scasso); **burgle** svaligiare

burial ['berɪəl] sepoltura f

burn [bɜːn] **1** n bruciatura f **2** v/t bruciare; *of sun* scottare **3**

v/i ardere; *of house* bruciare; *of toast, get sunburnt* scottarsi, bruciarsi

◆ **burn down 1** v/t dare alle fiamme **2** v/i essere distrutto dal fuoco

burp [bɜːp] **1** n rutto m **2** v/i ruttare

burst [bɜːst] **1** n *in pipe* rottura f **2** adj *tyre* bucato **3** v/t *balloon* far scoppiare **4** v/i *of balloon, tyre* scoppiare; *~ into tears* scoppiare in lacrime; *~ out laughing* scoppiare a ridere

bury ['berɪ] seppellire; *hide* nascondere

bus [bʌs] autobus m inv; (*long distance*) pullman m inv; **bus driver** autista m/f di autobus

bush [buʃ] *plant* cespuglio m; *land* boscaglia f; **bushy** *eyebrows* irsuto

business ['bɪznɪs] (*trade*) affari mpl; (*company*) impresa f; (*work*) lavoro m; (*affair, matter*) faccenda f; (*as subject of study*) economia f aziendale; *on ~ per affari; *mind your own ~!* fatti gli affari tuoi!; **business card** biglietto m da visita (della ditta); **business class** business class f; **business hours** orario msg di apertura; **businesslike** efficiente; **businessman** uomo m d'affari; **business meeting** riunione f d'affari; **business school** istituto m commerciale;

business studies (*course*) economia *f* aziendale; **business trip** viaggio *m* d'affari; **businesswoman** donna *f* d'affari

'**bus station** autostazione *f*; '**bus stop** fermata *f* dell'autobus

bust[1] [bʌst] *n of woman* petto *m*

bust[2] [bʌst] *adj* F (*broken*) scassato

'**bust-up** F rottura *f*; **busty** prosperoso

busy ['bɪzɪ] **1** *adj also* TELEC occupato; *day* intenso; *street* animato; *shop, restaurant* affollato; **busybody** impiccione *m*, -a *f*

but [bʌt] **1** *conj* ma **2** *prep*: *all ~ him* tutti tranne lui; *the last ~ one* il penultimo; *~ for you* se non fosse per te; *nothing ~ the best* solo il meglio

butcher ['bʊtʃə(r)] macellaio *m*, -a *f*; **butcher's** macelleria *f*

butt [bʌt] **1** *n of cigarette* mozzicone *m*; *Am* P (*backside*)

culo *m* P **2** *v/t* dare una testata a

butter ['bʌtə(r)] burro *m*; **buttercup** ranuncolo *m*; **butterfly** *also swimming* farfalla *f*

buttocks ['bʌtəks] natiche *fpl*

button ['bʌtn] bottone *m*; *on machine* pulsante *m*

buy [baɪ] comprare

◆ **buy out** COM rilevare

buyer ['baɪə(r)] acquirente *m/f*

buzz [bʌz] **1** *n* ronzio *m* **2** *v/i of insect* ronzare; **buzzer** cicalino *m*

by [baɪ] *agency as; (near, next to)* vicino a; *(no later than)* entro, per; *(past)* davanti a; *(mode of transport)* in; *~ day* di giorno; *~ bus* in autobus; *~ my watch* secondo il mio orologio; *a book ~ ...* un libro di ...; *~ myself / -herself* da solo

bye(-bye) [baɪ] ciao

'**bypass** circonvallazione *f*; MED by-pass *m inv*; **by-product** sottoprodotto *m*; **bystander** astante *m/f*

C

cab [kæb] taxi *m inv*; *of truck* cabina *f*

cabbage ['kæbɪdʒ] cavolo *m*

'**cab driver** *esp Am* tassista *m/f*

cabin ['kæbɪn] *of plane, ship* cabina *f*; **cabin attendant**

assistente *m/f* di volo; **cabin crew** equipaggio *m*

cabinet ['kæbɪnt] armadietto *m*; POL Consiglio *m* dei ministri; **cabinet minister** membro *m* del Consiglio dei ministri

cable ['keɪbl] ELEC, *for securing* cavo *m*; ~ (*TV*) TV *f* via cavo; **cable car** funivia *f*; **cable television** televisione *f* via cavo

'**cab stand** *Am* stazione *f* dei taxi

cactus ['kæktəs] cactus *m inv*

cadaver [kə'dævə(r)] *Am* cadavere *m*

caddie ['kædɪ] *in golf* portamazze *m inv*

Caesarean [sɪ'zeərɪən] parto *m* cesareo

café ['kæfeɪ] caffè *m inv*, bar *m*; **cafeteria** tavola *f* calda

caffeine ['kæfiːn] caffeina *f*

cage [keɪdʒ] gabbia *f*; **cagey** evasivo

cake [keɪk] **1** *n* dolce *m*, torta *f* **2** *v/i* (*collect*) prendere; (*demand*) reclamare; (*require*) richiedere

calamity [kə'læmɪtɪ] calamità *f inv*

calcium ['kælsɪəm] calcio *m*

calculate ['kælkjʊleɪt] calcolare; **calculating** calcolatore; **calculation** calcolo *m*; **calculator** calcolatrice *f*

calendar ['kælɪndə(r)] calendario *m*

calf[1] [kɑːf] *young cow* vitello *m*

calf[2] [kɑːf] *of leg* polpaccio *m*

calibre, *Am* **caliber** ['kælɪbə(r)] *of gun* calibro *m*

call [kɔːl] **1** *n* (*phone* ~) telefonata *f*; (*shout*) grido *m*; (*demand*) richiesta *f*; (*visit*) visita *f* **2** *v/t on phone*, (*summon*) chiamare; (*shout*) gridare; *meeting* convocare; **be** ~**ed**

chiamarsi **3** *v/i on phone* chiamare; (*shout*) gridare; (*visit*) passare

◆ **call back 1** *v/t also* TELEC richiamare **2** *v/i on phone* richiamare; (*make another visit*) ripassare

◆ **call for** (*collect*) passare a prendere; (*demand*) reclamare; (*require*) richiedere

◆ **call off** *strike* revocare; *wedding* disdire

◆ **call out** (*shout*) chiamare ad alta voce; (*summon*) chiamare

'**call centre**, *Am* **call center** centro *m* chiamate

caller ['kɔːlə(r)] *on phone* persona *f* che ha chiamato; (*visitor*) visitatore *m*, -trice *f*

callous ['kæləs] freddo, insensibile

calm [kɑːm] **1** *adj* calmo **2** *n* calma *f*

◆ **calm down 1** *v/t* calmare **2** *v/i* calmarsi

calmly ['kɑːmlɪ] con calma

calorie ['kælərɪ] caloria *f*

camcorder ['kæmkɔːdə(r)] videocamera *f*

camera ['kæmərə] macchina *f* fotografica; (*video* ~) videocamera *f*; (*television* ~) telecamera *f*; **cameraman** cameraman *m inv*

camouflage ['kæməflɑːʒ] **1** *n* mimetizzazione *f*; *of soldiers* tuta *f* mimetica **2** *v/t* mimetizzare

camp [kæmp] **1** *n* campo *m* **2**

v/i accamparsi

campaign [kæm'peɪn] **1** *n* campagna *f* **2** *v/i* militare

'camp-bed letto *m* da campo; **camper** *person* campeggiatore *m*, -trice *f*; *vehicle* camper *m inv*; **camping** campeggio *m*; **campsite** camping *m inv*, campeggio *m*

campus ['kæmpəs] campus *m inv*

can¹ [kæn] ◇ *(ability)* potere; ~ **you hear me?** mi senti?; **I can't see** non vedo; ~ **you speak French?** sai parlare il francese?; **as well as you** ~ meglio che puoi ◇ *(permission)* potere; ~ **I help you?** posso aiutarla?; ~ **you help me?** mi può aiutare?

can² [kæn] *for drinks* lattina *f*; *for food* scatola *f*

Canada ['kænədə] Canada *m*; **Canadian 1** *adj* canadese **2** *n* canadese *m/f*

canal [kə'næl] *(waterway)* canale *m*

canary [kə'neərɪ] canarino *m*

cancel ['kænsl] annullare; **cancellation** annullamento *m*

cancer ['kænsə(r)] cancro *m*

Cancer ['kænsə(r)] ASTR Cancro *m*

candid ['kændɪd] franco

candidacy ['kændɪdəsɪ] candidatura *f*; **candidate** candidato *m*, -a *f*

candle ['kændl] candela *f*

candour, *Am* **candor**

['kændə(r)] franchezza *f*

candy ['kændɪ] *Am (sweet)* caramella *f*; *(sweets)* dolciumi *mpl*; **candy floss** zucchero *m* filato

cane [keɪn] canna *f*; *for walking* bastone *m*

canister ['kænɪstə(r)] barattolo *m*; *spray* bombola *f*

cannabis ['kænəbɪs] hashish *m*

canned [kænd] in scatola; *(recorded)* registrato

cannot ['kænɒt] ☞ **can not**

canny ['kænɪ] *(astute)* arguto

canoe [kə'nuː] canoa *f*

'can opener apriscatole *m inv*

can't [kɑːnt] = **can not**

canteen [kæn'tiːn] *in factory* mensa *f*

canvas ['kænvəs] tela *f*

canyon ['kænjən] canyon *m inv*

cap [kæp] *hat* berretto *m*; *for lens* coperchio *m*

capability [keɪpə'bɪlətɪ] *of person* capacità *f inv*; **capable** capace

capacity [kə'pæsətɪ] capacità *f inv*; *of engine* potenza *f*

capital ['kæpɪtl] *of country* capitale *f*; *capital letter* maiuscola *f*; *money* capitale *m*; **capitalism** capitalismo *m*; **capitalist 1** *adj* capitalista **2** *n* capitalista *m/f*; **capital letter** lettera *f* maiuscola; **capital punishment** pena *f* capitale

Capricorn ['kæprɪkɔːn] ASTR Capricorno *m*

capsize [kæp'saɪz] ribaltarsi

capsule ['kæpsjul] *of medicine* cachet *m inv*; (*space* ~) capsula *f*

captain ['kæptɪn] capitano *m*

caption ['kæpʃn] didascalia *f*

captivate ['kæptɪveɪt] affascinare; **captive** prigioniero; **captivity** cattività *f*; **capture 1** *n* *of building, city* occupazione *f*; *of city* presa *f*; *of criminal, animal* cattura *f* **2** *v/t person, animal* catturare; *city, building* occupare; *market share* conquistare

car [kɑː(r)] macchina *f*, auto *f inv*; *of train* vagone *m*; **by**~ in macchina

caravan ['kærəvæn] roulotte *f inv*

'**car bomb** autobomba *f*

carbon monoxide [kɑːbən-mɒn'ɒksaɪd] monossido *m* di carbonio

carburetor [kɑːbjuˈretə(r)] carburatore *m*

carcass ['kɑːkəs] carcassa *f*

card [kɑːd] *to mark special occasion* biglietto *m*; (*post*~) cartolina *f*; (*business* ~) biglietto *m* (da visita); (*playing* ~) carta *f*; COMPUT scheda *f*; **cardboard** cartone *m*

cardiac ['kɑːdɪæk] cardiaco; **cardiac arrest** arresto *m* cardiaco

cardinal ['kɑːdɪnl] REL cardi-

nale *m*

care [keə(r)] **1** *n* *of baby, pet* cure *fpl*; *of the elderly* assistenza *f*; *of the sick* cura *f*; (*worry*) preoccupazione *f*; **take** ~ (*be cautious*) fare attenzione; **take** ~ (**of yourself**)**!** (*goodbye*) stammi bene; **take** ~ **of** *baby, dog* prendersi cura di; *tool, house, garden* tenere bene; (*deal with*) occuparsi di **2** *v/i* interessarsi; **I don't** ~! non mi importa

♦ **care about** interessarsi a

♦ **care for** (*look after*) prendersi cura di

career [kə'rɪə(r)] carriera *f*; (*path through life*) vita *f*

careful ['keəful] (**be**) ~**!** (stai) attento!; **carefully** con cautela; **careless** incurante; *driver, worker* sbadato; *work* fatto senza attenzione; **carelessly** senza cura; **carer** accompagnatore *m*, -trice *f*

caress [kə'res] accarezzare

'**car ferry** traghetto *m* (per le macchine)

cargo ['kɑːgəu] carico *m*

'**car hire** autonoleggio *m*

caricature ['kærɪkətjuə(r)] caricatura *f*

carnation [kɑːˈneɪʃn] garofano *m*

carnival ['kɑːnɪvl] carnevale *m*

'**car park** parcheggio *m*

carpenter ['kɑːpɪntə(r)] falegname *m*

carpet ['kɑːpɪt] tappeto *m*;

(fitted ~) moquette *f inv*

'**car phone** telefono *m* da automobile; **car rental** autonoleggio *m*

carrier ['kærɪə(r)] *(company)* compagnia *f* di trasporto; *of disease* portatore *m* sano, portatrice *f* sana

carrot ['kærət] carota *f*

carry ['kærɪ] **1** *v/t* portare; *of ship, bus etc* trasportare **2** *v/i of sound* sentirsi

♦ **carry on 1** *v/i (continue)* andare avanti, continuare **2** *v/t (conduct)* portare avanti

♦ **carry out** *survey etc* effettuare; *orders etc* eseguire

cart [kɑːt] carretto *m*; *Am: in supermarket, at airport* carrello *m*

carton [kɑːtn] cartone *m*; *of cigarettes* stecca *f*

cartoon [kɑːˈtuːn] fumetto *m*; *on TV, film* cartone *m* animato

cartridge [ˈkɑːtrɪdʒ] *for gun, printer* cartuccia *f*

carve [kɑːv] *meat* tagliare; *wood* intagliare

case¹ [keɪs] *for glasses, pen* astuccio *m*; *of wine* cassa *f*; *(suitcase)* valigia *f*

case² [keɪs] *(instance, for police)* caso *m*; LAW causa *f*; **in ~ ...** in caso; **in any ~** in ogni caso

cash [kæʃ] **1** *n* contanti *mpl*; *(money)* soldi *mpl* **2** *v/t cheque* incassare; **cash desk** cassa *f*; **cash flow** flusso *m*

di cassa; **cashier** *in shop etc* cassiere *m*, -a *f*; **cash machine**, **cashpoint** *(sportello m)* Bancomat® *m*; **cash register** cassa *f*

casino [kəˈsiːnəʊ] casinò *m inv*

casket [ˈkæskɪt] *Am (coffin)* bara *f*

casserole [ˈkæsərəʊl] *meal* stufato *m*; *container* casseruola *f*

cassette [kəˈset] cassetta *f*; **cassette recorder** registratore *m* (a cassette)

cast [kɑːst] **1** *n of play* cast *m inv*; *(mould)* stampo *m* **2** *v/t doubt, suspicion* far sorgere (**on** su); *metal* colare (in uno stampo)

cast 'iron ghisa *f*

castle [ˈkɑːsl] castello *m*

casual [ˈkæʒʊəl] *(chance)* casuale; *(offhand)* disinvolto; *remark* poco importante; *clothes* casual *inv*; **casually** *dressed* (in modo) casual; *say* con disinvoltura; **casualty** *dead person* vittima *f*; *injured* ferito *m*

cat [kæt] gatto *m*

catalogue, *Am* **catalog** [ˈkætəlɒg] catalogo *m*

catalyst [ˈkætəlɪst] catalizzatore *m*

catastrophe [kəˈtæstrəfɪ] catastrofe *f*; **catastrophic** catastrofico

catch [kætʃ] **1** *n presa f*; *of fish* pesca *f*; *on bag, box* chiusura

f; *on door, window* fermo m;
(problem) inghippo m **2** v/t
ball, escapee, bus, fish, illness
prendere; *(hear)* afferrare
◆ **catch on** *(become popular)*
fare presa; *(understand)* afferrare
◆ **catch up** recuperare;
catch up with s.o. raggiungere qu; **catch up with sth**
work, studies mettersi in pari
con qc
catching ['kætʃɪŋ] *also fig*
contagioso; **catchy** *tune*
orecchiabile
categoric [kætə'gɒrɪk] categorico; **category** categoria f
caterer ['keɪtərə(r)] ristorato-
re m, -trice f
caterpillar ['kætəpɪlə(r)] bruco m
cathedral [kə'θiːdrl] cattedrale f, duomo m
Catholic ['kæθəlɪk] **1** *adj* cattolico **2** *n* cattolico m, -a f;
Catholicism cattolicesimo
m
cattle ['kætl] bestiame m
cauliflower ['kɒlɪflaʊə(r)] cavolfiore m
cause [kɔːz] **1** *n* causa f;
(grounds) motivo m **2** v/t causare
caution ['kɔːʃn] **1** *n* (*careful-
ness*) cautela f, prudenza f
2 v/t (*warn*) mettere in guardia; **cautious** cauto, prudente; **cautiously** con cautela
cave [keɪv] caverna f, grotta f

caviar ['kævɪɑː(r)] caviale m
cavity ['kævətɪ] cavità f inv; *in
tooth* carie f inv
CD [siː'diː] (= **compact disc**)
CD m inv; **CD player** lettore
m CD; **CD-ROM** CD-ROM
m inv
cease [siːs] cessare; **cease-
-fire** cessate il fuoco m inv
ceiling ['siːlɪŋ] soffitto m;
(limit) tetto m, plafond m inv
celeb ['seleb] vip m/f inv
celebrate ['selɪbreɪt] festeggiare; **celebrated** acclama-
to; **celebration** celebrazione
f, festeggiamento m; **celebrity** celebrità f inv
celibate ['selɪbət] *man* celibe;
woman nubile
cell [sel] *for prisoner* cella f,
BIO cellula f; *in spreadsheet*
casella f, cella f
cellar ['selə(r)] cantina f; *of
wine* collezione f di vini
cellist ['tʃelɪst] violoncellista
m/f; **cello** violoncello m
'cell phone, cellular phone
['seljuːlə(r)] *Am* telefono m
cellulare, cellulare m
cement [sɪ'ment] cemento m
cemetery ['semətrɪ] cimitero
m
censor ['sensə(r)] censurare;
censorship censura f
census ['sensəs] censimento
m
cent [sent] centesimo m
centenary [sen'tiːnərɪ] centenario m
center *Am* ☞ **centre**

centigrade ['sentɪgreɪd] centigrado

centimetre, *Am* **centimeter** ['sentɪmiːtə(r)] centimetro *m*

central ['sentrəl] centrale; **central heating** riscaldamento *m* autonomo; **centralize** accentrare; **central locking** MOT chiusura *f* centralizzata; **central reservation** MOT banchina *f* spartitraffico

centre ['sentə(r)] **1** *n* centro *m* **2** *v/t* centrare

century ['sentʃərɪ] secolo *m*

CEO [siːiːˈəʊ] (= **Chief Executive Officer**) direttore *m* generale

ceramic [sɪˈræmɪk] ceramico

cereal ['sɪərɪəl] cereale *m*; (*breakfast* ~) cereali *mpl*

ceremonial [serɪˈməʊnɪəl] **1** *adj* da cerimonia **2** *n* cerimoniale *m*; **ceremony** cerimonia *f*

certain ['sɜːtn] (*sure, particular*) certo; **certainly** certamente; ~ **not!** certo che no!; **certainty** certezza *f*; **it's a** ~ è una cosa certa

certificate [səˈtɪfɪkət] *qualification* certificazione *f*; *official paper* certificato *m*

certify ['sɜːtɪfaɪ] dichiarare ufficialmente

Cesarean *Am* ☞ **Caesarean**

chain [tʃeɪn] **1** *n* catena *f* **2** *v/t*: ~ **sth to sth** incatenare qc a qc; **chain reaction** reazione *f* a catena

chair [tʃeə(r)] **1** *n* sedia *f*; (*arm* ~) poltrona *f*; *at university* cattedra *f* **2** *v/t meeting* presiedere; **chair lift** seggiovia *f*; **chairman** presidente *m*; **chairmanship** presidenza *f*; **chairperson** presidente *m/f*

chalet ['ʃæleɪ] chalet *m inv*

chalk [tʃɔːk] gesso *m*

challenge ['tʃælɪndʒ] **1** *n* sfida *f* **2** *v/t* sfidare; (*call into question*) mettere alla prova; **challenger** sfidante *m/f*; **challenging** *job, undertaking* stimolante

chambermaid ['tʃeɪmbəmeɪd] cameriera *f*; **Chamber of Commerce** Camera *f* di Commercio

champagne [ʃæmˈpeɪn] champagne *m inv*

champion ['tʃæmpɪən] **1** *n* SP campione *m*, -essa *f* **2** *v/t cause* difendere; **championship** *event* campionato *m*; *title* titolo *m* di campione

chance [tʃɑːns] (*possibility*) probabilità *f inv*; (*opportunity*) opportunità *f inv*; (*luck*) caso *m*; **by** ~ per caso; **take a** ~ correre un rischio

change [tʃeɪndʒ] **1** *n* cambiamento *m*; *small coins* moneta *f*; *from purchase* resto *m*; **for a** ~ per cambiare **2** *v/t* cambiare **3** *v/i* cambiare; (*put on different clothes*) cambiarsi; **changeable** incostante; *weather* variabile; **change-**

over passaggio *m*; *period* fase *f* di transizione; **changing room** SP spogliatoio *m*; *in shop* camerino *m*

channel ['tʃænl] *on TV, in water* canale *m*; **Channel Tunnel** tunnel *m* della Manica

chant [tʃɑːnt] **1** *n* slogan *m inv*; REL canto *m* **2** *v/i* gridare; *of demonstrators* gridare slogan; REL cantare

chaos ['keɪɒs] caos *m*; **chaotic** caotico

chap [tʃæp] *n* F tipo *m* F

chapel ['tʃæpl] cappella *f*

chapter ['tʃæptə(r)] capitolo *m*

character ['kærɪktə(r)] carattere *m*; *(person)* tipo *m*; *in book* personaggio *m*; **characteristic 1** *n* caratteristica *f* **2** *adj* caratteristico; **characterize** caratterizzare

charge [tʃɑːdʒ] **1** *n (fee)* costo *m*; LAW accusa *f*; **free of ~** gratis; **be in ~** essere responsabile **2** *v/t sum of money* far pagare; *Am (put on account)* addebitare; LAW accusare; *battery* caricare **3** *v/i (attack)* attaccare; **charge account** conto *m* (spese); **charge card** carta *f* di addebito

charismatic [kærɪz'mætɪk] carismatico

charitable ['tʃærɪtəbl] *institution* di beneficenza; *person* caritatevole; **charity** carità *f*; *organization* associazione *f* di beneficenza

charm [tʃɑːm] **1** *n* fascino *m*; *on bracelet etc* ciondolo *m* **2** *v/t (delight)* conquistare; **charming** affascinante; *house, village* incantevole

charred [tʃɑːd] carbonizzato

chart [tʃɑːt] diagramma *m*; *(map)* carta *f*

'charter flight volo *m* charter *inv*

chase [tʃeɪs] **1** *n* inseguimento *m* **2** *v/t* inseguire

◆ **chase away** cacciare (via)

chassis ['tʃæsɪ] *of car* telaio *m*

chat [tʃæt] **1** *n* chiacchierata *f* **2** *v/i* chiacchierare

◆ **chat up** F abbordare F

'chatline chat line *f inv*; **chat room** chat room *f inv*; **chat show** talk show *m inv*

chatter ['tʃætə(r)] **1** *n* parlantina *f* **2** *v/i talk* fare chiacchiere; *of teeth* battere; **chatterbox** chiacchierone *m*, -a *f*

chauffeur ['ʃəʊfə(r)] autista *m/f*

chauvinist ['ʃəʊvɪnɪst] *(male ~)* maschilista *m*

cheap [tʃiːp] economico; *(nasty)* cattivo; *(mean)* tirchio

cheat [tʃiːt] **1** *n person* imbroglione *m*, -a *f* **2** *v/t* imbrogliare **3** *v/i* imbrogliare; *in cards* barare

check[1] [tʃek] **1** *adj shirt* a quadri **2** *n* quadro *m*

check[2] [tʃek] *n Am* FIN assegno *m*

check[3] [tʃek] **1** *n to verify sth* verifica *f* **2** *v/t & v/i* verificare

check

◆ check in registrarsi

◆ check out 1 *v/i of hotel* saldare il conto 2 *v/t* (*look into*) verificare; *club, restaurant etc* provare

◆ check up on fare dei controlli su

checked ['tʃekt] *material* a quadri

checkered ['tʃekərd] *Am material* a quadri; **checkers** *Am* dama *f*

'check (counter) banco *m* dell'accettazione; **checking account** conto *m* corrente; **check-in time** check in *m inv*; **checklist** lista *f* di verifica; **checkmark** *Am* segno *m*; **check-mate** *n* scacco *m* matto; **check-out** cassa *f*; **check-point** posto *m* di blocco; **checkroom** *Am for coats* guardaroba *m inv*; **checkup** *medical* check up *m inv*; *dental* visita *f* di controllo

cheek [tʃiːk] guancia *f*; (*impudence*) sfacciataggine *f*; **cheeky** sfacciato

cheer [tʃɪə(r)] 1 *n* acclamazione *f*; **~s!** (*toast*) salute!; **~s!** F (*thanks*) grazie! 2 *v/t* acclamare 3 *v/i* fare acclamazioni

◆ cheer up 1 *v/i* consolarsi; **cheer up!** su con la vita! 2 *v/t* tirare su

cheerful ['tʃəful] allegro; **cheering** acclamazioni *fpl*

cheerio [tʃɪərɪ'əʊ] F ciao F

'cheerleader ragazza *f* pon

pon

cheese [tʃiːz] formaggio *m*; **cheesecake** dolce *m* al formaggio

chef [ʃef] chef *m/f inv*

chemical ['kemɪkl] 1 *adj* chimico 2 *n* sostanza *f* chimica; **chemist** farmacista *m/f*; *in laboratory* chimico *m*, -a *f*; **chemistry** chimica *f*

chemotherapy [kiːməʊ'θerəpɪ] chemioterapia *f*

cheque [tʃek] assegno *m*; **chequebook** libretto *m* degli assegni

cherry ['tʃerɪ] *fruit* ciliegia *f*; *tree* ciliegio *m*

chess [tʃes] scacchi *mpl*

chest [tʃest] *of person* petto *m*; (*box*) cassa *f*

chew [tʃuː] masticare; *of dog, rats* rosicchiare; **chewing gum** gomma *f* da masticare

chic [ʃiːk] chic *inv*

chick [tʃɪk] pulcino *m*; F (*girl*) ragazza *f*

chicken ['tʃɪkɪn] 1 *n* pollo *m*; **chickenpox** varicella *f*

chief [tʃiːf] 1 *n* principale *m/f*; *of tribe* capo *m* 2 *adj* principale; **chiefly** principalmente

child [tʃaɪld] (*pl* **children** ['tʃɪldrən]) *also pej* bambino *m*, -a *f*; **they have two children** hanno due figli; **childhood** infanzia *f*; **childish** *pej* infantile, puerile; **childlike** innocente; **childminder** baby-sitter *m/f inv*

children ['tʃɪldrən] *pl* ☞ **child**

chrysanthemum

Chile ['tʃɪlɪ] Cile *m*; Chilean **1** *adj* cileno **2** *n* cileno *m*, -a *f*

chill [tʃɪl] **1** *n* in air freddo *m*; *illness* colpo *m* di freddo; **there's a ~ in the air** l'aria è fredda **2** *v/t wine* mettere in fresco

◆ chill out rilassarsi

chilli (pepper) ['tʃɪlɪ] peperoncino *m*

chilly ['tʃɪlɪ] *weather, welcome* freddo

chimney ['tʃɪmnɪ] camino *m*

chimpanzee [tʃɪmpæn'ziː] scimpanzé *m* inv

chin [tʃɪn] mento *m*

china ['tʃaɪnə] porcellana *f*

China ['tʃaɪnə] Cina *f*; Chinese **1** *adj* cinese **2** *n language* cinese *m*; *person* cinese *m/f*

chip [tʃɪp] **1** *n fragment* scheggia *f*; *damage* scheggiatura *f*; *in gambling* fiche *f* inv; COMPUT chip *m* inv; **~s** patate *fpl* fritte; *Am* patatine *fpl* **2** *v/t damage* scheggiare

chisel ['tʃɪzl] scalpello *m*

chlorine ['klɔːriːn] cloro *m*

chock-full ['tʃɒkful] F strapieno

chocolate ['tʃɒkələt] cioccolato *m*; *in box* cioccolatino *m*; **chocolate cake** dolce *m* al cioccolato

choice [tʃɔɪs] **1** *n* scelta *f*; **I had no ~** non avevo scelta **2** *adj* (*top quality*) di prima scelta

choir ['kwaɪə(r)] coro *m*

choke [tʃəʊk] **1** *n* MOT starter *m* inv **2** *v/t* & *v/i* soffocare

cholesterol [kə'lestərɒl] colesterolo *m*

choose [tʃuːz] scegliere; **choosey** F selettivo

chop [tʃɒp] **1** *n meat* braciola *f* **2** *v/t wood* spaccare; *meat, vegetables* tagliare a pezzi

◆ chop down *tree* abbattere

chord [kɔːd] MUS accordo *m*

chore [tʃɔː(r)] *household* faccenda *f* domestica

choreographer [kɒrɪ'ɒɡrəfə(r)] coreografo *m*, -a *f*; **choreography** coreografia *f*

chorus ['kɔːrəs] *singers, of song* coro *m*

Christ [kraɪst] Cristo *m*; **~!** Cristo!

christen ['krɪsn] battezzare

Christian ['krɪstʃən] **1** *n* cristiano *m*, -a *f* **2** *adj* cristiano; **Christianity** cristianesimo *m*; **Christian name** nome *m* di battesimo

Christmas ['krɪsməs] Natale *m*; **Merry ~!** Buon Natale!; **Christmas card** biglietto *m* di auguri natalizi; **Christmas Day** giorno *m* di Natale; **Christmas Eve** vigilia *f* di Natale; **Christmas present** regalo *m* di Natale; **Christmas tree** albero *m* di Natale

chrome, chromium [krəʊm, 'krəʊmɪəm] cromo *m*

chronic ['krɒnɪk] cronico

chrysanthemum [krɪ'sænθəməm] crisantemo *m*

chubby ['tʃʌbɪ] paffuto

chuck [tʃʌk] F buttare

chuckle ['tʃʌkl] **1** n risatina f **2** v/i ridacchiare

chunk [tʃʌŋk] pezzo m

church [tʃɜːtʃ] chiesa f; **church service** funzione f religiosa; **churchyard** cimitero m (di una chiesa)

chute [ʃuːt] scivolo m; **for waste disposal** canale m di scarico

cider ['saɪdə(r)] sidro m

cigar [sɪ'gɑː(r)] sigaro m

cigarette [sɪgə'ret] sigaretta f; **cigarette lighter** accendino m

cinema ['sɪnɪmə] cinema m inv; **cinema goer** frequentatore m, -trice f di cinema

cinnamon ['sɪnəmən] canella f

circle ['sɜːkl] **1** n cerchio m; (group) cerchia f **2** v/i of plane girare in tondo; of bird volteggiare

circuit ['sɜːkɪt] ELEC circuito m; (lap) giro m; **circuit board** COMPUT circuito m stampato

circular ['sɜːkjʊlə(r)] **1** n giving information circolare f **2** adj circolare; **circulate 1** v/i circolare **2** v/t memo far circolare; **circulation** BIO circolazione f; of newspaper tiratura f

circumstances ['sɜːkəmstənsɪz] circostanze fpl; (financial) situazione fsg (eco-

nomica)

circus ['sɜːkəs] circo m

cistern ['sɪstən] cisterna f; of WC serbatoio m

citizen ['sɪtɪzn] cittadino m, -a f; **citizenship** cittadinanza f

city ['sɪtɪ] città f inv; **city centre**, Am **city center** centro m (della città); **city hall** sala f municipale

civic ['sɪvɪk] civico

civil ['ʃɪvl] civile; **civil ceremony** cerimonia f civile; **civil engineer** ingegnere m civile; **civilian 1** n civile m/f **2** adj clothes civile; **civilization** civilizzazione f; **civilize** civilizzare; **civil rights** diritti mpl civili; **civil servant** impiegato m, -a f statale; **civil service** pubblica amministrazione f; **civil war** guerra f civile

claim [kleɪm] **1** n (request) richiesta f; (right) diritto m; (assertion) affermazione f **2** v/t (ask for as a right) rivendicare; (damages) richiedere; (assert) affermare; lost property reclamare; **claimant** richiedente m/f

clairvoyant [kleə'vɔɪənt] chiaroveggente m/f

clam [klæm] vongola f

clammy ['klæmɪ] hands appiccicaticcio; weather afoso

clamp [klæmp] fastener morsa f; for wheel ceppo m (bloccaruote)

◆ **clamp down** usare il pu-

gno di ferro
◆ clamp down on mettere un freno a

clandestine [klæn'destɪn] clandestino

clap [klæp] (applaud) applaudire

clarification [klærɪfɪ'keɪʃn] chiarimento m; clarify chiarire

clarinet [klærɪ'net] clarinetto m

clarity ['klærɪtɪ] chiarezza f

clash [klæʃ] 1 n scontro m 2 v/i scontrarsi; of opinions essere in contrasto; of colours stonare; of events coincidere

clasp [klɑːsp] 1 n fastener chiusura f 2 v/t in hand stringere

class [klɑːs] 1 n (lesson) lezione f; (group of people, category) classe f 2 v/t classificare

classic ['klæsɪk] 1 adj classico 2 n classico m; classical classico m; classification classificazione f; classified information riservato; classified ad(vertisement) inserzione f, annuncio m; classify (categorize) classificare

'classroom aula f; classy F d'alta classe

clause [klɔːz] in agreement articolo m; GRAM proposizione f

claustrophobia [klɔːstrə'fəʊbɪə] claustrofobia f

claw [klɔː] 1 n artiglio m; of lobster chela m 2 v/t (scratch)

graffiare

clay [kleɪ] argilla f

clean [kliːn] 1 adj pulito 2 adv F (completely) completamente 3 v/t pulire; teeth lavarsi; car, hands, face lavare; clothes lavare or pulire a secco

cleaner ['kliːnə(r)] male uomo m delle pulizie; female donna f delle pulizie; (dry ~) lavanderia f, tintoria f

cleanse [klenz] skin detergere; cleanser for skin detergente m; cleansing cream latte m detergente

clear [klɪə(r)] 1 adj chiaro; sky sereno; water, eyes limpido; skin uniforme; conscience pulito 2 v/t roads etc sgombe(r)rare; (acquit) scagionare; (authorize) autorizzare 3 v/i of sky schiarirsi; of mist diradarsi
◆ clear off F filarsela F
◆ clear out 1 v/t cupboard sgomb(e)rare 2 v/i sparire
◆ clear up 1 v/i (tidy up) mettere in ordine; of weather schiarirsi; of illness sparire 2 v/t (tidy) mettere in ordine; mystery risolvere

clearance ['klɪərəns] space spazio m libero; (authorization) autorizzazione f; clearance sale liquidazione f; clearing in woods radura f; clearly chiaramente

cleavage ['kliːvɪdʒ] décolleté m inv

clench [klentʃ] serrare

clergy ['klɜːdʒɪ] clero m; clergyman ecclesiastico m

clerk [klɑːk, Am klɜːk] impiegato m, -a f; Am in store commesso m, -a f

clever ['klevə(r)] intelligente; gadget ingegnoso

click [klɪk] 1 n COMPUT click m inv 2 v/i of camera etc scattare

◆ click on COMPUT cliccare su

client ['klaɪənt] cliente m/f; clientele clientela f

cliff [klɪf] scogliera f

climate ['klaɪmət] clima m; climate change mutazione f climatica

climax ['klaɪmæks] punto m culminante

climb [klaɪm] 1 n up mountain scalata f, arrampicata f 2 v/t salire su 3 v/i salire; climber alpinista m/f

clinch [klɪntʃ] deal concludere

cling [klɪŋ] of clothes essere attillato

◆ cling to of child avvinghiarsi a; tradition aggrapparsi a

clingy ['klɪŋɪ] person appiccicoso

clinic ['klɪnɪk] clinica f; clinical] clinico

clip¹ [klɪp] 1 n fastener fermaglio m; for hair molletta f 2 v/t: ~ sth to sth attaccare qc a qc

clip² [klɪp] 1 n from film spez-

zone f 2 v/t hair, grass tagliare

clipping ['klɪpɪŋ] from newspaper ritaglio m

cloakroom ['kləukruːm] for coats guardaroba m inv

clock [klɒk] orologio m; clock radio radiosveglia f; clockwise in senso orario

clone [kləun] 1 n clone m 2 v/t clonare; cloning clonazione f

close¹ [kləus] 1 adj family, friend intimo 2 adv vicino; ~ at hand a portata di mano; ~ by nelle vicinanze

close² [kləuz] 1 v/t chiudere 2 v/i of door, eyes chiudersi; of shop chiudere

closed-circuit 'television televisione f a circuito chiuso; close-knit affiatato; closely listen, watch attentamente; cooperate fianco a fianco

closet ['klɒzɪt] Am armadio m

close-up ['kləusʌp] primo piano m

closing date ['kləuzɪŋ] termine m

closure ['kləuʒə(r)] chiusura f

clot [klɒt] 1 n of blood grumo m 2 v/i of blood coagularsi

cloth [klɒθ] tessuto m; for cleaning straccio m

clothes [kləuðz] vestiti mpl; clothes hanger attaccapanni m inv; clothes peg molletta f per i panni; clothing abbigliamento m

cloud [klaud] *n* nuvola *f*
◆ cloud over rannuvolarsi
cloudless ['klaudlɪs] sereno; cloudy nuvoloso
clout [klaut] *fig (influence)* impatto *m*
clove of 'garlic [kləuv] spicchio *m* d'aglio
clown [klaun] *also pej* pagliaccio *m*
club [klʌb] *weapon* clava *f*; in *golf* mazza *f*; *organization* club *m inv*
clue [kluː] indizio *m*
clumsiness ['klʌmzɪnɪs] goffaggine *f*; clumsy goffo, maldestro
cluster ['klʌstə(r)] gruppo *m*
clutch [klʌtʃ] 1 *n* MOT frizione *f* 2 *v/t* stringere
◆ clutch at cercare di afferrare
Co. (= *Company*) Cia (= compagnia)
c/o (= *care of*) presso
coach [kəutʃ] 1 *n (trainer)* allenatore *m*, -trice *f*; *on train* vagone *m*; *(bus)* pullman *m inv* 2 *v/t* allenare; coaching allenamento *m*; coach station stazione *f* dei pullman
coagulate [kəu'ægjuleɪt] coagularsi
coal [kəul] carbone *m*
coalition [kəuə'lɪʃn] coalizione *f*
'coalmine miniera *f* di carbone
coarse [kɔːs] *skin, fabric* ruvido; *hair* spesso; *(vulgar)*

grossolano; coarsely *(vulgarly)* grossolanamente; *ground* a grani grossi
coast [kəust] costa *f*; coastal costiero
'coastguard *organization*, *person* guardia *f* costiera; coastline costa *f*, litorale *m*
coat [kəut] 1 *n (over~)* cappotto *m*; *of animal* pelliccia *f*; *of paint etc* mano *f* 2 *v/t (cover)* ricoprire; coathanger attaccapanni *m inv*, gruccia *f*; coating strato *m*
coax [kəuks] convincere con le moine
cobweb ['kɒbweb] ragnatela *f*
cocaine [kə'keɪn] cocaina *f*
cock [kɒk] *chicken* gallo *m*; *any male bird* maschio *m* (di uccelli); cockpit *of plane* cabina *f* (di pilotaggio); cockroach scarafaggio *m*; cocktail cocktail *m inv*
cocoa ['kəukəu] *drink* cioccolata *f* calda
coconut ['kəukənʌt] cocco *m*; coconut palm palma *f* di cocco
code [kəud] codice *m*
coeducational [kəuedju'keɪʃnl] misto
coerce [kəu'ɜːs] costringere
coexist [kəuɪg'zɪst] coesistere; coexistence coesistenza *f*
coffee ['kɒfɪ] caffè *m inv*; coffee maker caffettiera *f*; coffee pot caffettiera *f*; coffee

shop caffetteria f
coffin ['kɒfɪn] bara f
cog [kɒg] dente m
cohabit [kəʊ'hæbɪt] convivere
coherent [kəʊ'hɪərənt] coerente
coil [kɔɪl] **1** n of rope rotolo m **2** v/t: ~ (**up**) avvolgere
coin [kɔɪn] moneta f
coincide [kəʊɪn'saɪd] coincidere; **coincidence** coincidenza f
Coke® [kəʊk] Coca® f
cold [kəʊld] **1** adj freddo; **I'm ~** ho freddo; **it's ~** of weather fa freddo **2** n freddo m; MED raffreddore m; **cold-blooded** also murder a sangue freddo; person spietato; **cold calling** porta-a-porta m; by phone televendite fpl; **coldly** freddamente; **coldness** freddezza f; **cold sore** febbre f del labbro
collaborate [kə'læbəreɪt] collaborare; **collaboration** collaborazione f; with enemy collaborazionismo m; **collaborator** collaboratore m, -trice f; with enemy collaborazionista m/f
collapse [kə'læps] crollare; of person accasciarsi; **collapsible** pieghevole
collar ['kɒlə(r)] collo m, colletto m; of dog collare m; **collar-bone** clavicola f
collateral [kə'lætərəl] for loan garanzia f collaterale; collat-

eral damage danni mpl collaterali
colleague ['kɒliːg] collega m/f
collect [kə'lekt] **1** v/t person andare / venire a prendere; tickets, cleaning etc ritirare; as hobby collezionare; (gather) raccogliere **2** v/i (gather together) radunarsi **3** adv Am: **call ~** telefonare a carico del destinatario; **collection** collezione f; in church colletta f; of poems, stories raccolta f; **collective** collettivo; **collector** collezionista m/f
college ['kɒlɪdʒ] istituto m di studi superiori; for professional training scuola f professionale; of British university college m inv; **technical college** istituto m tecnico
collide [kə'laɪd] scontrarsi; **collision** collisione f, scontro m
colon ['kəʊlən] punctuation due punti mpl
colonel ['kɜːnl] colonnello m
colonial [kə'ləʊnɪəl] coloniale; **colonize** colonizzare; **colony** colonia f
color Am → **colour**
colossal [kə'lɒsl] colossale
colour ['kʌlə(r)] colore m; **colour-blind** daltonico; **coloured** person di colore; **colourful** pieno di colori; account pittoresco
colt [kəʊlt] puledro m

column ['kɒləm] colonna *f*; *in newspaper* rubrica *f*; **columnist** giornalista *m/f* che cura una rubrica

coma ['kəʊmə] coma *m inv*

comb [kəʊm] **1** *n* pettine *m* **2** *v/t* pettinare; *area* rastrellare

combat ['kɒmbæt] **1** *n* combattimento *m* **2** *v/t* combattere

combination [kɒmbɪ'neɪʃn] combinazione *f*

combine [kəm'baɪn] **1** *v/t* unire; *ingredients* mescolare **2** *v/i* combinarsi

come [kʌm] venire; *of train, bus* arrivare

◆ **come about** (*happen*) succedere

◆ **come across** (*find*) trovare

◆ **come along** (*come too*) venire; (*turn up*) presentarsi; (*progress*) fare progressi

◆ **come back** ritornare

◆ **come down** venire giù; *in price, amount etc*, (*descend*) scendere; *of rain, snow* cadere

◆ **come for** (*attack*) assalire; (*collect*) venire a prendere

◆ **come forward** farsi avanti

◆ **come from** venire da; *where do you come from?* di dove sei?

◆ **come in** entrare; *of train, in race* arrivare; *of tide* salire

◆ **come in for** attirare; **come in for criticism** attirare delle critiche

◆ **come off** *of handle etc* staccarsi

◆ **come on** (*progress*) fare progressi; *how's the work coming on?* come sta venendo il lavoro?; **come on!** dai!; *in disbelief* ma dai!

◆ **come out** *of person, book, sun* uscire; *of results, product* venir fuori; *of stain* venire via

◆ **come to 1** *v/t place* arrivare a; *that comes to £70* fanno 70 sterline **2** *v/i* (*regain consciousness*) rinvenire

◆ **come up** salire; *of sun* sorgere

◆ **come up with** *new idea etc* venir fuori con

'comeback ritorno *m*; *make a* ~ tornare alla ribalta

comedian [kə'miːdɪən] comico *m*, -a *f*; *pej* buffone *m*; **comedy** commedia *f*

comfort ['kʌmfət] **1** *n* comodità *f inv*; (*consolation*) conforto *m* **2** *v/t* confortare; **comfortable** *chair, room* comodo

comic ['kɒmɪk] **1** *n* to read fumetto *m*; (*comedian*) comico *m*, -a *f* **2** *adj* comico; **comical** comico; **comic book** fumetto *m*; **comic strip** striscia *f* (di fumetti)

comma ['kɒmə] virgola *f*

command [kə'mɑːnd] **1** *n* comando *m* **2** *v/t person* comandare a

commandeer [kɒmən'dɪə(r)]

appropriarsi di

commander [kə'mɑ:ndə(r)] comandante *m*; command-er-in-chief comandante *m* in capo

commemorate [kə'meməreɪt] commemorare

commence [kə'mens] cominciare

commendable [kə'mendəbl] lodevole; **commendation** *for bravery* riconoscimento *m*

comment ['kɒment] **1** *n* commento *m* **2** *v/i* fare commenti; **commentary** cronaca *f*; **commentator** *on TV* telecronista *m/f*; *on radio* radiocronista *m/f*

commerce ['kɒmɜ:s] commercio *m*; **commercial 1** *adj* commerciale **2** *n* (*advert*) pubblicità *f inv*; **commercial break** interruzione *f* pubblicitaria; **commercialize** *Christmas etc* commercializzare

commission [kə'mɪʃn] (*payment*, *committee*) commissione *f*; (*job*) incarico *m*

commit [kə'mɪt] *crime* commettere; *money* assegnare; **~ o.s.** impegnarsi; **commitment** impegno *m*; **committee** comitato *m*

commodity [kə'mɒdətɪ] prodotto *m*

common ['kɒmən] comune; **have sth in ~ with s.o.** avere qc in comune con qu; com-

monly comunemente; **common sense** buon senso *m*

commotion [kə'məʊʃn] confusione *f*

communal ['kɒmjʊnl] comune

communicate [kə'mju:nɪkeɪt] comunicare; **communication** comunicazione *f*; **communications** comunicazioni *fpl*; **communicative** comunicativo

Communion [kə'mju:nɪən] REL comunione *f*

Communism ['kɒmjʊnɪzm] comunismo *m*; **Communist 1** *adj* comunista **2** *n* comunista *m/f*

community [kə'mju:nətɪ] comunità *f inv*

commute [kə'mju:t] **1** *v/i* fare il / la pendolare **2** *v/t* LAW commutare; **commuter** pendolare *m/f*; **commuter traffic** traffico *m* dei pendolari; **commuter train** treno *m* dei pendolari

compact 1 [kəm'pækt] *adj* compatto **2** ['kɒmpækt] *n* MOT compact *m inv*

companion [kəm'pænjən] compagno *m*, -a *f*

company ['kʌmpənɪ] compagnia *f*; COM società *f inv*; **company car** auto *f inv* della ditta

comparable ['kɒmpərəbl] paragonabile; (*similar*) simile; **comparative 1** *adj* (*relative*) relativo; *study*, *method* comparato; **comparatively** relativamente; **compare 1** *v/t* paragonare (**with** a); **~d with** ... rispetto a ... **2** *v/i*: **how did he ~?** com'era rispetto agli altri?; **comparison** paragone *m*, confronto *m*

compartment [kəm'pɑːtmənt] scomparto *m*

compass ['kʌmpəs] bussola *f*; *for geometry* compasso *m*

compassion [kəm'pæʃn] compassione *f*; **compassionate** compassionevole

compatibility [kəmpætə'bɪlɪtɪ] compatibilità *f*; **compatible** compatibile

compel [kəm'pel] costringere

compensate ['kɒmpənseɪt] **1** *v/t with money* risarcire **2** *v/i*: **~ for** compensare; **compensation** *money* risarcimento *m*; *reward* vantaggio *m*; *comfort* consolazione *f*

compete [kəm'piːt] competere; (*take part*) gareggiare; **~ for** contendersi

competence ['kɒmpɪtəns] competenza *f*; **competent** competente

competition [kɒmpə'tɪʃn] (*contest*) concorso *m*; SP gara *f*; (*competing, competitors*) concorrenza *f*; **competitive** competitivo; *sport* agonistico; *price, offer* concorrenziale; **competitiveness** competitività *f*; **competitor** *in contest* concorrente *m/f*; **our ~s** COM la concorrenza

complacent [kəm'pleɪsənt] compiaciuto

complain [kəm'pleɪn] lamentarsi; *to shop* reclamare; **complaint** lamentela *f*; *to shop* reclamo *m*; MED disturbo *m*

complementary [kɒmplɪ'mentərɪ] complementare

complete [kəm'pliːt] **1** (*total*) completo; (*finished*) terminato **2** *v/t task, building etc* completare; *form* compilare; **completely** completamente; **completion** completamento *m*

complex ['kɒmpleks] **1** *adj* complesso **2** *n also* PSYCH complesso *m*; **complexion** *facial* carnagione *f*; **complexity** complessità *f inv*

compliance [kəm'plaɪəns] conformità *f*

complicate ['kɒmplɪkeɪt] complicare; **complicated** complicato; **complication** complicazione *f*

compliment ['kɒmplɪmənt] **1** *n* complimento *m* **2** *v/t* fare i complimenti a; **complimentary** lusinghiero; (*free*) in omaggio

comply [kəm'plaɪ] ubbidire; **~ with** osservare; *of products, equipment* essere conforme a

component [kəm'pəʊnənt] componente *m*

compose [kəm'pəʊz] *also* MUS comporre; **composed**

(calm) calmo; **composer**
MUS compositore *m*, -trice
f; **composition** also MUS
composizione *f*; *(essay)* tema
m; **composure** calma *f*

compound ['kɒmpaʊnd] *n*
CHEM composto *m*

comprehend [kɒmprɪ'hend]
(understand) capire; **com-
prehension** comprensione
f; **comprehensive** esauriente; **comprehensive insurance** polizza *f* casco

compress ['kɒmpres] comprimere; *information* condensare

comprise [kəm'praɪz] comprendere; *(make up)* costituire; **be ⁓d of** essere composto da

compromise ['kɒmprəmaɪz]
1 *n* compromesso *m* **2** *v/i* arrivare a un compromesso **3**
v/t (jeopardize) comprometti-
ere; **⁓ o.s.** compromettersi

compulsion [kəm'pʌlʃn]
PSYCH coazione *f*; **compul-
sive behaviour** patologico;
reading avvincente; **compul-
sory** obbligatorio

computer [kəm'pju:tə(r)]
computer *m inv*; **computer
game** computer game *m
inv*; **computerize** compute-
rizzare; **computer literate**
che ha dimestichezza con il
computer; **computer sci-
ence** informatica *f*; **computer scientist** informatico *m*,
-a *f*; **computing** informatica

f

comrade ['kɒmreɪd] *also* POL
compagno *m*, -a *f*; **comrade-
ship** cameratismo *m*

conceal [kən'si:l] nascondere; **concealment** occultazio-
ne *f*

conceit [kən'si:t] presunzione *f*; **conceited** presuntuoso

conceivable [kən'si:vəbl]
concepibile; **conceive of**
woman concepire

concentrate ['kɒnsəntreɪt] **1**
v/i concentrarsi **2** *v/t energies*
concentrare; **concentration**
concentrazione *f*

concept ['kɒnsept] concetto
m; **conception** *of child* concepimento *m*

concern [kən'sɜːn] **1** *n (anxiety)* preoccupazione *f*; *(care)*
interesse *m*; *(business)* affare
m; *(company)* impresa *f* **2** *v/t
(involve)* riguardare; *(worry)*
preoccupare; **concerned**
(anxious) preoccupato; *(car-
ing)* interessato; *(involved)*
in questione; **as far as I'm
⁓** per quanto mi riguarda;
concerning riguardo a

concert ['kɒnsət] concerto *m*;
concerted congiunto

concession [kən'seʃn] *(compromise)* concessione *f*

concise [kən'saɪs] conciso

conclude [kən'klu:d] concludere **(from** da); **conclusion**
conclusione *f*; **conclusive**
conclusivo

concrete ['kɒŋkri:t] concreto

concussion [kən'kʌʃn] commozione *f* cerebrale

condemn [kən'dem] condannare; **condemnation** condanna *f*

condensation [kɒnden'seɪʃn] *on walls, windows* condensa *f*

condescend [kɒndɪ'send]: **he ~ed to speak to me** si è degnato di rivolgermi la parola; **condescending** borioso

condition [kən'dɪʃn] **1** *n (state, requirement)* condizione *f*; MED malattia *f*; **in / out of ~** in / fuori forma **2** *v/t* PSYCH condizionare; **conditioner** *for hair* balsamo *m*; *for fabric* ammorbidente *m*; **conditioning** PSYCH condizionamento *m*

condo ['kɒndəʊ] *Am* condominio *m*

condolences [kən'dəʊlənsɪz] condoglianze *fpl*

condom ['kɒndəm] preservativo *m*

condominium [kɒndə'mɪnɪəm] *Am* condominio *m*

condone [kən'dəʊn] *actions* scusare

conduct 1 ['kɒndʌkt] *n (behaviour)* condotta *f* **2** [kən'dʌkt] *v/t (carry out)*, ELEC condurre; MUS dirigere; **conducted tour** visita *f* guidata; **conductor** MUS direttore *m* d'orchestra; *on bus* bigliettaio *m*; PHYS conduttore *m*

cone [kəʊn] cono *m*; *of pine tree* pigna *f*

conference ['kɒnfərəns] congresso *m*; **conference room** sala *f* riunioni

confess [kən'fes] **1** *v/t* confessare **2** *v/i* confessarsi; REL confessarsi; **confession** confessione *f*

confide [kən'faɪd] **1** *v/t* confidare **2** *v/i*: **~ in s.o.** confidarsi con qu; **confidence** *(assurance)* sicurezza *f* (di sé); *(trust)* fiducia *f*; **in ~** in confidenza; **confident** sicuro; *person* sicuro di sé; **confidential** riservato, confidenziale; *adviser* di fiducia; **confidently** con sicurezza

confine [kən'faɪn] *(imprison)* richiudere; *(restrict)* limitare; **confined** *space* ristretto

confirm [kən'fɜːm] confermare; **confirmation** conferma *f*

confiscate ['kɒnfɪskeɪt] sequestrare

conflict 1 ['kɒnflɪkt] *n* conflitto *m* **2** [kən'flɪkt] *v/i of statements* essere in conflitto; *of dates* coincidere

conform [kən'fɔːm] conformarsi; **~ to** *of products, acts etc* essere conforme a

confront [kən'frʌnt] *(face)* affrontare; **~ s.o. with sth** mettere qu di fronte a qc; **confrontation** scontro *m*

confuse [kən'fjuːz] confondere; **~ s.o. with s.o.** confondere qu con qu; **confused** confuso; **confusing** che confonde; **confusion** confusione *f*

congested [kənˈdʒestɪd] congestionato; **congestion** congestione *f*

congratulate [kənˈgrætjʊleɪt] congratularsi con; **congratulations** congratulazioni *fpl*

congregate [ˈkɒŋgrɪgeɪt] (*gather*) riunirsi; **congregation** REL fedeli *mpl*

congress [ˈkɒŋgres] (*conference*) congresso *m*; **Congress** in USA il Congress; **Congressional** del Congresso; **Congressman** membro *m* del Congresso

conjecture [kənˈdʒektʃə(r)] (*speculation*) congettura *f*

conjurer, conjuror [ˈkʌndʒərə(r)] (*magician*) prestigiatore *m*, -trice *f*

con man [ˈkɒnmæn] F truffatore *m*

connect [kəˈnekt] (*join, link*) collegare; *to power supply* allacciare; **connected**: *be well-* avere conoscenze influenti; *be ~ with ...* essere collegato con; **connecting flight** coincidenza *f* (volo); **connection** (*link*) collegamento *m*; *when travelling* coincidenza *f*; (*personal contact*) conoscenza *f*; *in ~ with* a proposito di

connoisseur [kɒnəˈsɜː(r)] intenditore *m*, -trice *f*

conquer [ˈkɒŋkə(r)] conqui-

stare; *fear etc* vincere; **conqueror** conquistatore *m*, -trice *f*; **conquest** conquista *f*

conscience [ˈkɒnʃəns] coscienza *f*; **conscientious** coscienzioso; **conscientiousness** coscienziosità *f*

conscious [ˈkɒnʃəs] (*aware*) consapevole; (*deliberate*) conscio; MED cosciente; **consciously** consapevolmente; **consciousness** consapevolezza *f*; *lose / regain ~* perdere / riprendere conoscenza

consecutive [kənˈsekjʊtɪv] consecutivo

consensus [kənˈsensəs] consenso *m*

consent [kənˈsent] **1** *n* consenso *m* **2** *v/i* acconsentire

consequence [ˈkɒnsɪkwəns] conseguenza *f*; **consequently** di conseguenza

conservation [kɒnsəˈveɪʃn] tutela *f*; **conservationist** ambientalista *m/f*; **conservative 1** *adj* (*conventional*) conservatore; *clothes* tradizionale; *estimate* cauto; **Conservative** Br POL conservatore **2** *n* Br POL **Conservative** conservatore *m*, -trice *f*; **conserve 1** *n* (*jam*) marmellata *f* **2** *v/t energy* risparmiare

consider [kənˈsɪdə(r)] considerare; (*show regard for*) tener conto di; (*think about*) pensare a; **considerable** considerevole; **considerably** considerevolmente; **consider** premuroso; *be ~ of* avere riguardo per; **considerately** premurosamente; **consideration** (*thought*) considerazione *f*; (*thoughtfulness, concern*) riguardo *m*; (*factor*) fattore *m*; **take sth into ~** prendere in considerazione qc

consignment [kən'saɪnmənt] COM consegna *f*

♦ **consist of** [kən'sɪst] consistere in

consistency [kən'sɪstənsɪ] (*texture*) consistenza *f*; (*unchangingness*) coerenza *f*; **consistent** coerente

consolidate [kən'sɒlɪdeɪt] consolidare

consonant ['kɒnsənənt] GRAM consonante *f*

conspicuous [kən'spɪkjʊəs]: *be / look ~* spiccare

conspiracy [kən'spɪrəsɪ] cospirazione *f*; **conspirator** cospiratore *m*, -trice *f*; **conspire** cospirare

constant ['kɒnstənt] costante; **constantly** costantemente

constipated ['kɒnstɪpeɪtɪd] stitico; **constipation** stitichezza *f*

constituency [kən'stɪtjʊənsɪ] POL circoscrizione *f* elettorale

constitute ['kɒnstɪtjuːt] costi-

tuire; **constitution** costituzione *f*; **constitutional** POL costituzionale

constraint [kən'streɪnt] restrizione *f*

construct [kən'strʌkt] costruire; **construction** costruzione *f*; **construction industry** edilizia *f*; **construction worker** operaio *m* edile; **constructive** costruttivo

consul ['kɒnsl] console *m*; **consulate** consolato *m*

consult [kən'sʌlt] (*seek advice of*) consultare; **consultancy** (*company*) società *f inv* di consulenza; (*advice*) consulenza *f*; **consultant** consulente *m/f*; **consultation** consultazione *f*

consume [kən'sjuːm] consumare; **consumer** consumatore *m*, -trice *f*; **consumer confidence** fiducia *f* dei consumatori; **consumption** consumo *m*

contact ['kɒntækt] **1** *n* contatto *m*; (*person*) conoscenza *f* **2** *v/t* mettersi in contatto con; **contact lens** lente *f* a contatto

contagious [kən'teɪdʒəs] contagioso

contain [kən'teɪn] contenere; **container** contenitore *m*; COM container *m inv*; **container ship** nave *f* portacontainer

contaminate [kən'tæmɪneɪt]

contaminare; contamination contaminazione *f*

contemporary [kən'tempərərɪ] **1** *adj* contemporaneo **2** *n* coetaneo *m*, -a *f*

contempt [kən'tempt] disprezzo *m*; **contemptible** spregevole; **contemptuous** sprezzante

contender [kən'tendə(r)] concorrente *m/f*; *against champion* sfidante *m/f*; POL candidato *m*, -a *f*

content[1] ['kɒntent] *n* contenuto *m*

content[2] [kən'tent] **1** *adj* contento **2** *v/t*: **~ o.s. with** accontentarsi di

contented [kən'tentɪd] contento; **contentment** soddisfazione *f*

contents ['kɒntents] *of* contenuto *m*

contest[1] ['kɒntest] *n* (*competition*) concorso *m*; (*struggle, for power*) lotta *f*

contest[2] [kən'test] *v/t leadership etc* essere in lizza per; *will* impugnare

contestant [kən'testənt] concorrente *m/f*

context ['kɒntekst] contesto *m*

continent ['kɒntɪnənt] continente *m*; **the ~** l'Europa continentale; **continental** continentale

continual [kən'tɪnjʊəl] continuo; **continually** continuamente; **continuation** segui-

to *m*; **continue** continuare (**doing** a fare); **continuous** ininterrotto; **continuously** ininterrottamente

contort [kən'tɔːt] contorcere

contraception [kɒntrə'sepʃn] contraccezione *f*; **contraceptive** anticoncezionale *m*, contraccettivo *m*

contract[1] ['kɒntrækt] *n* contratto *m*

contract[2] [kən'trækt] **1** *v/i* (*shrink*) contrarsi **2** *v/t illness* contrarre

contractor [kən'træktə(r)] appaltatore *m*, -trice *f*; **building ~** ditta *f* di appalti (edili)

contractual [kən'træktjʊəl] contrattuale

contradict [kɒntrə'dɪkt] contraddire; **contradiction** contraddizione *f*; **contradictory** contraddittorio

contrary[1] ['kɒntrərɪ] **1** *adj* contrario; **~ to** contrariamente a **2** *n*: **on the ~** al contrario

contrary[2] [kən'treərɪ]: **be ~** (*perverse*) essere un bastian contrario

contrast ['kɒntrɑːst] **1** *n* contrasto *m* **2** *v/t* confrontare **3** *v/i* contrastare; **contrasting** contrastante

contravene [kɒntrə'viːn] contravvenire a

contribute [kən'trɪbjuːt] **1** *v/i* contribuire; *to magazine* collaborare (**to** con); *to discus-*

sion intervenire (**to** in) 2 v/t
money contribuire con; contribution: *money* offerta f; to
political party, church donazione f; *of time, effort* contributo m; to *debate* intervento
m; to *magazine* collaborazione f; **contributor** *of money*
finanziatore m, -trice f; to
magazine collaboratore m,
-trice f

control [kən'trəʊl] 1 n controllo m; **be in ~ of sth** tenere qc sotto controllo; **~s** *of
aircraft, vehicle* comandi; **~s**
(*restrictions*) restrizioni 2 v/t
(*govern*) controllare; (*regulate*) regolare; **~ o.s.** control-
larsi

controversial [kɒntrə'vɜːʃl]
controverso; **controversy**
polemica f

convalescence [kɒnvə'lesns]
convalescenza f

convenience [kən'viːnɪəns]
comodità f inv; **at your ~** a
tuo comodo; **convenience
store** negozio m alimentari;
convenient comodo; **whenever it's ~** quando ti va bene

convent ['kɒnvənt] convento
m

convention [kən'venʃn] (*tradition*) convenzione f; (*conference*) congresso m; **conventional** convenzionale;
method tradizionale

conversation [kɒnvə'seɪʃn]
conversazione f; **conversa-
tional** colloquiale

conversely [kən'vɜːslɪ] per
contro

conversion [kən'vɜːʃn] conversione f; *of house* trasformazione f; *in sport* con-
vertito m, -a f 2 v/t converti-
re; **convertible** *car* cabriolet
f inv, decappottabile f

convict 1 ['kɒnvɪkt] n carcerato m, -a f 2 [kən'vɪkt] v/t
LAW condannare; **convic-
tion** LAW condanna f; (*belief*) convinzione f

convince [kən'vɪns] convincere

convoy ['kɒnvɔɪ] convoglio m

cook [kʊk] 1 n cuoco m, -a f 2
v/t *food* cucinare; *meal* preparare 3 v/i *of person* cucinare; *of food* cuocere; **cook-
book** ricettario m; **cooker**
cucina f; **cookery** cucina f;
cookie *Am* biscotto m;
cooking cucina f

cool [kuːl] 1 n F: **keep one's ~**
conservare la calma 2 adj
fresco; (*calm*) calmo; (*unfriendly*) freddo; F (*great*)
grande 3 v/i *of food* raffreddarsi; *of tempers* calmarsi; *of
interest* raffreddarsi 4 v/t F: **~
it!** calmati!
◆ **cool down** 1 v/i raffreddarsi; *of weather* rinfrescare; *fig:
of tempers* calmarsi 2 v/t *food*
raffreddare; *fig* calmare

cooperate [kəʊˈɒpəreɪt] cooperare; **cooperation** cooperazione f; **cooperative** (*helpful*) disponibile (a collaborare)

coordinate [kəʊˈɔːdɪneɪt] coordinare; **coordination** of *activities* coordinamento m; of *body* coordinazione f

cop [kɒp] F poliziotto m

cope [kəʊp] farcela; ~ **with** farcela con

copier [ˈkɒpɪə(r)] *machine* fotocopiatrice f

copper [ˈkɒpə(r)] *metal* rame m

copy [ˈkɒpɪ] **1** n copia f **2** v/t copiare

cord [kɔːd] (*string*) corda f; (*cable*) filo m; **cordless** (*phone*) cordless m inv

cordon [ˈkɔːdn] cordone m

cords [kɔːdz] *trousers* pantaloni mpl di velluto a coste

corduroy [ˈkɔːdərɔɪ] velluto m a coste

core [kɔː(r)] **1** n of *fruit* torsolo m; of *problem* nocciolo m; of *organization, party* cuore m **2** adj *issue* essenziale

cork [kɔːk] *in bottle* tappo m di sughero; (*material*) sughero m; **corkscrew** cavatappi m inv

corn [kɔːn] *grain* frumento m; Am (*maize*) granturco m

corner [ˈkɔːnə(r)] **1** n of *page, room, street* angolo m; of *table* spigolo m; *in football* calcio m d'angolo, corner m

inv; **in the ~** nell'angolo; **on the ~** of *street* all'angolo **2** v/t *person* bloccare; ~ **a market** prendersi il monopolio di un mercato **3** v/i of *driver, car* affrontare una curva

coronary [ˈkɒrənərɪ] **1** adj coronario **2** n infarto m

coroner [ˈkɒrənə(r)] ufficiale pubblico che indaga sui casi di morte sospetta

corporal [ˈkɔːpərəl] caporale m maggiore; **corporal punishment** punizione f corporale

corporate [ˈkɔːpərət] COMM aziendale; **sense of ~ loyalty** corporativismo m; **corporation** (*business*) corporation f inv

corpse [kɔːps] cadavere m

correct [kəˈrekt] **1** adj giusto; **she's ~** ha ragione **2** v/t correggere; **correction** correzione f; **correctly** giustamente

correspond [kɒrɪˈspɒnd] (*match, write*) corrispondere; **correspondence** corrispondenza f; **correspondent** corrispondente m/f

corridor [ˈkɒrɪdɔː(r)] corridoio m

corroborate [kəˈrɒbəreɪt] corroborare

corrosion [kəˈrəʊʒn] corrosione f

corrupt [kəˈrʌpt] **1** adj also COMPUT corrotto **2** v/t morals, *youth* traviare; (*bribe*) corrompere; **corruption** corruzione *f*

Corsica ['kɔːsɪkə] Corsica *f*; **Corsican 1** *adj* corso *2 n* corso *m*, -a *f*

cosmetic [kɒz'metɪk] cosmetico; *surgery* estetico; *fig* di facciata; **cosmetics** cosmetici *mpl*; **cosmetic surgery** chirurgia *f* estetica

cosmopolitan [kɒzmə'pɒlɪtən] cosmopolitan

cost [kɒst] **1** *n also fig* costo *m* **2** *v/t* costare; FIN *proposal* fare il preventivo di; **how much does it ~?** quanto costa?; **cost-effective** conveniente; **cost of living** costo *m* della vita; **cost price** prezzo *m* di costo

costume ['kɒstjuːm] *for actor* costume *m*

cosy ['kəʊzɪ] (*comfortable*) gradevole; (*intimate and friendly*) intimo

cot [kɒt] *for child* lettino *m*; *Am* (*camp-bed*) letto *m* da campo

cottage ['kɒtɪdʒ] cottage *m inv*

cotton ['kɒtn] **1** *n* cotone *m* **2** *adj* di cotone; **cotton candy** *Am* zucchero *m* filato; **cotton wool** ovatta *f*

couch [kaʊtʃ] divano *m*

couchette [kuːʃet] cuccetta *f*

couch po'tato F teledipendente *m/f*

cough [kɒf] **1** *n* tosse *f* **2** *v/i*

tossire; *to get attention* tossicchiare; **cough medicine**, **cough syrup** sciroppo *m* per la tosse

could [kʊd]: **~ I have my key?** mi dà la chiave?; **~ you help me?** mi puoi dare una mano?; **you ~ be right** magari hai ragione; **you ~ have warned me!** avresti potuto avvisarmi!; **I ~n't say for sure** non potrei giurarci

council ['kaʊnsl] (*assembly*) consiglio *m*; (*city* ~) comune *m*; **councillor**, *Am* **councilor** consigliere *m*, -a *f* (comunale)

counsel ['kaʊnsl] **1** *n* (*advice*) consiglio *m*; (*lawyer*) avvocato *m* **2** *v/t action* consigliare; *person* offrire consulenza a; **counselling**, *Am* **counseling** terapia *f*; **counsellor**, *Am* **counselor** (*adviser*) consulente *m/f*

count [kaʊnt] **1** *n* conteggio *m* **2** *v/t & v/i* contare; **~ yourself lucky** considerati fortunato

◆ **count on** contare su

'countdown conto *m* alla rovescia

counter ['kaʊntə(r)] *in shop*, *café* banco *m*; *in game* segnalino *m*

'counteract neutralizzare; **counter-attack 1** *n* contrattacco *m* **2** *v/t* contrattaccare; **counterclockwise** *Am* **1** *adj* antiorario **2** *adv* in senso antiorario; **counterespionage** controspionaggio *m*; **counterfeit 1** *v/t* falsificare **2** *adj* falso; **counterpart** *person* omologo *m*, -a *f*; **counterproductive** controproducente

countess ['kauntes] contessa *f*

countless ['kauntlɪs] innumerevole

country ['kʌntrɪ] paese *m*; *as opposed to town* campagna *f*; **countryside** campagna *f*

county ['kauntɪ] contea *f*

coup [ku:] POL colpo *m* di stato, golpe *m inv*; *fig* colpo *m*

couple ['kʌpl] coppia *f*; *just a* ~ solo un paio; *a* ~ *of* un paio di

coupon ['ku:pɒn] buono *m*

courage ['kʌrɪdʒ] coraggio *m*; **courageous** coraggioso

courgette [kuə'ʒet] zucchino *m*

courier ['kurɪə(r)] (*messenger*) corriere *m*; *with tourist party* accompagnatore *m* turistico, accompagnatrice *f* turistica

course [kɔ:s] *of lessons* corso *m*; *of meal* portata *f*; *of ship, plane* rotta *f*; *for golf* campo *m*; *for race, skiing* pista *f*; *of* ~ (*certainly*) certo; (*naturally*) ovviamente; *of* ~ *not* certo che no; *first* ~ primo *m*

court [kɔ:t] LAW corte *f*; (*courthouse*) tribunale *m*; SP campo *m*; *take s.o. to* ~ fare causa a qu; *out of* ~ in via

amichevole; **court case** caso *m* (giudiziario)

courtesy ['kɜ:təsɪ] cortesia *f*

'courthouse tribunale *m*, palazzo *m* di giustizia; **courtroom** aula *f* del tribunale; **courtyard** cortile *m*

cousin ['kʌzn] cugino *m*, -a *f*

cover ['kʌvə(r)] **1** *n* protective fodera *f*; *of book, magazine* copertina *f*; (*shelter*) riparo *m*; *insurance* copertura *f* **2** *v/t* coprire; *distance* percorrere

◆ **cover up 1** *v/t* coprire; *fig* insabbiare **2** *v/i*: **cover up for s.o.** coprire qu

coverage ['kʌvərɪdʒ] *by media* copertura *f*

covert ['kəʊvɜ:t] segreto

'cover-up insabbiamento *m*

cow [kaʊ] mucca *f*

coward ['kaʊəd] vigliacco *m*, -a *f*; **cowardice** vigliaccheria *f*

'cowboy cow-boy *m inv*

co-worker ['kəʊwɜ:kə(r)] collega *m/f*

cozy *Am* ☞ **cosy**

crab [kræb] granchio *m*

crack [kræk] **1** *n* crepa *f*; (*joke*) battuta *f* **2** *v/t cup, glass* incrinare; *nut* schiacciare; *code* decifrare; F (*solve*) risolvere **3** *v/i* incrinarsi

◆ **crack down on** prendere serie misure contro

cracked [krækt] *cup* incrinato; **cracker** *to eat* cracker *m inv*

cradle ['kreɪdl] *for baby* culla *f*
craft[1] [krɑːft] NAUT imbarcazione *f*
craft[2] [krɑːft] (*skill*) attività *f inv* artigiana; (*trade*) mestiere *m*
'craftsman artigiano *m*
crafty ['krɑːftɪ] astuto
crag [kræg] *rock* rupe *f*
cram [kræm] *papers, food* infilare; *people* stipare
cramps [kræmps] crampo *m*
crane [kreɪn] 1 *n machine* gru *f inv* 2 *v/t*: ~ one's neck allungare il collo
crank [kræŋk] *person* tipo *m* strambo; cranky *Br* (*eccentric*) strampalato; *Am* (*bad-tempered*) irascibile
crap [kræp] P merda *f*; don't talk ~ non dire cazzate
crash [kræʃ] 1 *n noise* fragore *m*; *accident* incidente *m*; COM crollo *m*; COMPUT crash *m inv* 2 *v/i fall noisily* fracassarsi; *of car* schiantarsi; *of two cars* scontrarsi, schiantarsi; *of plane* precipitare; *of market* crollare; COMPUT fare un crash 3 *v/t car* avere un incidente con; crash course corso *m* intensivo; crash diet dieta *f* lampo; crash helmet casco *m* (di protezione); crash-land fare un atterraggio di fortuna
crate [kreɪt] cassetta *f*
crater ['kreɪtə(r)] cratere *m*
crave [kreɪv] smaniare dalla voglia di; craving voglia *f*;

pej smania *f*
crawl [krɔːl] 1 *n in swimming* crawl *m* 2 *v/i on floor* andare (a) carponi; (*move slowly*) avanzare lentamente
crayon ['kreɪən] matita *f* colorata; *wax* pastello *m* a cera
craze [kreɪz] moda *f*; crazy pazzo
creak [kriːk] scricchiolare; creaky che scricchiola
cream [kriːm] 1 *n for skin* crema *f*; *for coffee, cake* panna *f*; *colour* color *m* panna 2 *adj* color panna
crease [kriːs] 1 *n* grinza *f*; *deliberate* piega *f* 2 *v/t accidentally* sgualcire
create [kriːˈeɪt] creare; creation creazione *f*; creative creativo; creator creatore *m*, -trice *f*
creature ['kriːtʃə(r)] creatura *f*
credibility [kredəˈbɪlɪtɪ] credibilità *f*; credible credibile
credit ['kredɪt] 1 *n* FIN credito *m*; (*honour*) merito *m* 2 *v/t amount* accreditare; creditable lodevole; credit card carta *f* di credito; credit limit limite *m* di credito; creditor creditore *m*, -trice *f*; credit-worthy solvibile
creep [kriːp] 1 *n pej* tipo *m* odioso 2 *v/i quietly* avanzare quatto quatto; *slowly* avanzare lentamente; creepy F che dà i brividi
cremate [krɪˈmeɪt] cremare; cremation cremazione *f*

crest [krest] *of hill, bird* cresta *f*

crevasse [krə'væs] voragine *f*

crevice ['krevis] crepa *f*

crew [kru:] *of ship, plane* equipaggio *m*; **crew cut** taglio *m* a spazzola

crib [krib] *Am for baby* lettino *m*

crime [kraim] reato *m*; (*criminality*) criminalità *f*; (*shameful act*) crimine *m*; **criminal 1** *n* delinquente *m/f* **2** *adj* LAW penale; (*shameful*) vergognoso

crimson ['krimzn] cremisi *inv*

cripple ['kripl] **1** *n* invalido *m*, -a *f* **2** *v/t person* rendere invalido; *fig* paralizzare

crisis ['kraisis] crisi *f inv*

crisp [krisp] *weather, lettuce, new shirt* fresco; *bacon, toast* croccante; **crisps** patatine *fpl*

criterion [krai'tiəriən] criterio *m*

critic ['kritik] critico *m*, -a *f*; **critical** critico; **criticism** critica *f*; **criticize** criticare

Croatia [krəʊ'eiʃə] Croazia *f*; **Croatian 1** *adj* croato **2** *n* croato *m/f*; *language* croato *m*

crockery ['krɒkəri] stoviglie *fpl*

crocodile ['krɒkədail] coccodrillo *m*

crony ['krəʊni] F amico *m*, -a *f*

crook [krʊk] truffatore *m*, -trice *f*; **crooked** *streets* tortuoso; *picture* storto; (*dishonest*) disonesto

crop [krɒp] **1** *n* raccolto *m*; *type of grain etc* coltura *f* **2** *v/t hair, photo* tagliare
◆ **crop up** saltar fuori

cross [krɒs] **1** *adj* (*angry*) arrabbiato **2** *n* croce *f* **3** *v/t* (*go across*) attraversare; ~ **o.s.** REL farsi il segno della croce **4** *v/i* (*go across*) attraversare; *of lines* intersecarsi
◆ **cross off, cross out** depennare

'crosscheck **1** *n* controllo *m* incrociato **2** *v/t* fare un controllo incrociato su; **cross--country** (*skiing*) sci *m* di fondo; **cross-examine** LAW interrogare in contraddittorio; **cross-eyed** strabico; **crossing** NAUT traversata *f*; **crossroads** incrocio *m*; *fig* bivio *m*; **crosswalk** *Am* passaggio *m* pedonale; **crossword** (*puzzle*) cruciverba *m inv*

crotch [krɒtʃ] *of person* inguine *m*; *of trousers* cavallo *m*

crouch [krautʃ] accovacciarsi

crow [krəʊ] *bird* corvo *m*; **as the ~ flies** in linea d'aria

crowd [kraud] folla *f*; **crowded** affollato

crown [kraun] corona *f*; *on tooth* capsula *f*

crucial ['kru:ʃl] essenziale

crucifix ['kru:sifiks] crocifisso m; **crucifixion** crocifissione f; **crucify** REL crocifiggere; fig fare a pezzi

crude [kru:d] **1** adj (vulgar) volgare; (unsophisticated) rudimentale **2** n: ~ (oil) (petrolio m) greggio m

cruel ['kru:əl] crudele; **cruelty** crudeltà f inv

cruise [kru:z] **1** n crociera f **2** v/i of people fare una crociera; of car, plane viaggiare a velocità di crociera

crumb [krʌm] briciola f

crumble ['krʌmbl] of bread sbriciolarsi; of stonework sgretolarsi; fig: of opposition etc crollare

crumple ['krʌmpl] **1** v/t (crease) sgualcire **2** v/i (collapse) accasciarsi

crush [krʌʃ] **1** n (crowd) ressa f **2** v/t schiacciare; (crease) sgualcire

crust [krʌst] on bread crosta f

crutch [krʌʃ] for injured person stampella f

cry [kraɪ] **1** n (call) grido m **2** v/t (call) gridare **3** v/i (weep) piangere

♦ **cry out** gridare

cryptic ['krɪptɪk] sibillino

crystal ['krɪstl] cristallo m

cube [kju:b] cubo m; **cubic** cubico

cubicle ['kju:bɪkl] cabina f

cucumber ['kju:kʌmbə(r)] cetriolo m

cuddle ['kʌdl] coccolare

cue [kju:] for actor etc imbec-

cata f; for pool stecca f

cuff [kʌf] of shirt polsino m; (blow) schiaffo m; Am (of trousers) risvolto m

culminate ['kʌlmɪneɪt]: ~ in culminare in; **culmination** culmine m

culprit ['kʌlprɪt] colpevole m/f

cult [kʌlt] culto m

cultivate ['kʌltɪveɪt] land coltivare; person coltivarsi; **cultivated** person colto; **cultivation** of land coltivazione f

cultural ['kʌltʃərəl] culturale; **culture** cultura f; **cultured** colto

cumulative ['kju:mjʊlətɪv] cumulativo

cunning ['kʌnɪŋ] **1** n astuzia f **2** adj astuto

cup [kʌp] tazza f; (trophy) coppa f

cupboard ['kʌbəd] armadio m

'cup final finale f di coppa

curb [kɜ:b] **1** n on powers etc freno m **2** v/t tenere a freno

cure [kjʊə(r)] **1** n MED cura f **2** v/t MED guarire; by drying essiccare; by salting salare; by smoking affumicare

curiosity [kjʊərɪ'ɒsətɪ] curiosità f inv; **curious** (inquisitive) curioso; (strange) strano

curl [kɜ:l] **1** n in hair ricciolo m; of smoke spirale f **2** v/t arricciare **3** v/i of hair arricciarsi; of leaf etc accartocciarsi

♦ **curl up** acciambellarsi

curly ['kɜːlɪ] *hair* riccio; *tail* a ricciolo

currant ['kʌrənt] *uva f* passa

currency ['kʌrənsɪ] *money* valuta *f*; **foreign ~** valuta estera; **current 1** *n* in sea, ELEC corrente *f* **2** *adj* (*present*) attuale; **current account** conto *m* corrente; **current affairs** attualità *f*

curry ['kʌrɪ] *dish* piatto *m* al curry; *spice* curry *m*

curse [kɜːs] **1** *n spell* maledizione *f*; (*swearword*) imprecazione *f* **2** *v/t* maledire; (*swear at*) imprecare contro **3** *v/i* (*swear*) imprecare

cursor ['kɜːsə(r)] COMPUT cursore *m*

cursory ['kɜːsərɪ] di sfuggita

curt [kɜːt] brusco

curtain ['kɜːtn] tenda *f*; THEA sipario *m*

curve [kɜːv] **1** *n* curva *f* **2** *v/i* (*bend*) fare una curva

cushion ['kʊʃn] **1** *n* cuscino *m* **2** *v/t blow, fall* attutire

custody ['kʌstədɪ] *of children* custodia *f*; **in ~** LAW in detenzione preventiva

custom ['kʌstəm] *usanza f*; COM clientela *f*; **customer** cliente *m/f*; **customer service** servizio *m* assistenza al cliente

customs ['kʌstəmz] dogana *f*; **Customs and Excise** Ufficio *m* Dazi e Dogana; **customs officer** doganiere *m*, -a *f*

cut [kʌt] **1** *n with knife, of hair, clothes* taglio *m*; (*reduction*) riduzione *f* **2** *v/t* tagliare; (*reduce*) ridurre; **get one's hair ~** tagliarsi i capelli
◆ **cut down 1** *v/t tree* abbattere **2** *v/i in smoking etc* limitarsi
◆ **cut off** tagliare; (*isolate*) isolare
◆ **cut up** *meat etc* sminuzzare

'cutback *in production* riduzione *f*; *in spending* taglio *m*

cute [kjuːt] (*pretty*) carino; (*smart, clever*) furbo

cutlery ['kʌtlərɪ] posate *fpl*

'cut-off date scadenza *f*; **cut-price** *goods* a prezzo ridotto; *store* di articoli scontati; **cut-throat** *competition* spietato; **cutting 1** *n from newspaper etc* ritaglio *m* **2** *adj remark* tagliente

CV [siː'viː] (= **curriculum vitae**) curriculum vitae *m inv*

cycle ['saɪkl] **1** *n* (*bicycle*) bicicletta *f*; *of events* ciclo *m* **2** *v/i to work* andare in bicicletta; **cycling** ciclismo *m*; **cyclist** ciclista *m/f*

cylinder ['sɪlɪndə(r)] cilindro *m*; **cylindrical** cilindrico

cynic ['sɪnɪk] cinico *m*, -a *f*; **cynical** cinico; **cynicism** cinismo *m*

cypress ['saɪprəs] cipresso *m*

Czech [tʃek] **1** *adj* ceco; **the ~ Republic** la Repubblica Ceca **2** *n person* ceco *m*, -a *f*; *language* ceco *m*

D

DA *Am* (= **district attorney**) procuratore *m* distrettuale
♦ **dabble in** dilettarsi di
dad [dæd] papà *m inv*
daddy ['dædɪ] papà *m inv*; **daddy longlegs** zanzarone *m*
daffodil ['dæfədɪl] trombone *m*
daft [dɑːft] stupido
dagger ['dægə(r)] pugnale *m*
daily ['deɪlɪ] **1** *n* (*paper*) quotidiano *m* **2** *adj* quotidiano
'dairy products latticini *mpl*
daisy ['deɪzɪ] margherita *f*
dam [dæm] *for water* diga *f*
damage ['dæmɪdʒ] **1** *n also fig* danno *m* **2** *v/t* danneggiare; *fig: reputation etc* compromettere; **damages** LAW risarcimento *msg*; **damaging** nocivo
damn [dæm] **1** *int* F accidenti **2** *adj* F maledetto **3** *adv* F incredibilmente; **damning** *of evidence* schiacciante; *report* incriminante
damp [dæmp] umido
dance [dɑːns] **1** *n* ballo *m* **2** *v/i* ballare; *of ballerina* danzare; **dancer** (*performer*) ballerino *m*, -a *f*; **be a good ~** ballare bene; **dancing** ballo *m*, danza *f*
dandelion ['dændɪlaɪən] dente *m* di leone

dandruff ['dændrʌf] forfora *f*
Dane [deɪn] danese *m/f*
danger ['deɪndʒə(r)] pericolo *m*; **dangerous** pericoloso
dangle ['dæŋgl] **1** *v/t* dondolare **2** *v/i* pendere
Danish ['deɪnɪʃ] **1** *adj* danese **2** *n* (*language*) danese *m*; **Danish pastry** dolcetto ripieno
dare [deə(r)] **1** *v/i* osare; **~ to do sth** osare fare qc; **how ~ you!** come osi! **2** *v/t*: **~ s.o. to do sth** sfidare qu a fare qc; **daring** audace
dark [dɑːk] **1** *n* buio *m*, oscurità *f* **2** *adj* room, night buio; *hair, eyes, colour* scuro; **dark glasses** occhiali *mpl* scuri; **darkness** oscurità *f*
darling ['dɑːlɪŋ] tesoro *m*
dart [dɑːt] **1** *n for throwing* freccetta *f* **2** *v/i* scagliarsi; **darts** *game* freccette *fpl*
dash [dæʃ] **1** *n in punctuation* trattino *m*; *of whisky, milk* goccio *m*; *of salt* pizzico *m* **2** *v/i* precipitarsi **3** *v/t hopes* stroncare; **dashboard** cruscotto *m*
data ['deɪtə] dati *mpl*; **database** base *f* dati; **data protection** protezione *f* dati
date¹ [deɪt] (*fruit*) dattero *m*
date² [deɪt] data *f*; (*meeting*) appuntamento *m*; **what's**

the ~ today? quanti ne abbiamo oggi?; *out of ~ clothes* fuori moda; *passport* scaduto; *up to ~* aggiornato; *(fashionable)* attuale; dated superato

daughter ['dɔːtə(r)] figlia *f*; **daughter-in-law** nuora *f*

dawdle ['dɔːdl] ciondolare

dawn [dɔːn] alba *f*; *fig: of new age* albori *mpl*

day [deɪ] giorno *m*; *emphasizing duration* giornata *f*; *the ~ after* il giorno dopo; *the ~ after tomorrow* dopodomani; *the ~ before* il giorno prima; *the ~ before yesterday* l'altro ieri; *in those ~s* a quei tempi; *the other ~* *(recently)* l'altro giorno; daybreak: *at ~* allo spuntare del giorno; **daydream 1** *n* sogno *m* ad occhi aperti **2** *v/i* essere sovrappensiero; daylight luce *f* del giorno; daytime: *in the ~* durante il giorno; day return biglietto *m* di andata e ritorno in giornata; daytrip gita *f* di un giorno

dazed [deɪzd] *by news* sbalordito; *by blow* stordito

dazzle ['dæzl] *of light, fig* abbagliare

dead [ded] **1** *adj* morto; *battery* scarica; *phone* muto **2** *adv* F *(very)* da matti F; *~ beat*, *~ tired* stanco morto **3** *n*: *the ~ (dead people)* i morti; dead end *street* vicolo *m* cieco; dead heat pareggio

m; deadline scadenza *f*; *for newspaper* termine *m* per l'invio in stampa; deadlock *in talks* punto *m* morto; deadly mortale

deaf [def] sordo; deafening assordante; deafness sordità *f*

deal [diːl] **1** *n* accordo *m*; *a great ~ of* un bel po' di **2** *v/t cards* distribuire

◆ **deal in** trattare; *drugs* trafficare

◆ **deal with** *(handle)* occuparsi di; *situation* gestire; *(do business with)* trattare con

dealer ['diːlə(r)] *(merchant)* commerciante *m/f*; *(drug ~)* spacciatore *m*, -trice *f*; dealing *(drug ~)* spaccio *m*; dealings *(business)* rapporti *mpl*

dear [dɪə(r)] caro; *Dear Sir* Egregio Signore

death [deθ] morte *f*; death penalty pena *f* di morte; death toll numero *m* delle vittime

debatable [dɪ'beɪtəbl] discutibile; **debate 1** *n* dibattimento *m*; POL dibattito *m* **2** *v/i* dibattere **3** *v/t* dibattere su

debit ['debɪt] **1** *n* addebito *m* **2** *v/t* addebitare; debit card bancomat *m inv*

debris ['debriː] *of plane* rottami *mpl*; *of building* macerie *fpl*

debt [det] debito *m*; *be in ~*

avere dei debiti; **debtor** debitore *m*, -trice *f*

debug [diːˈbʌg] COMPUT togliere gli errori da

decade [ˈdekeɪd] decennio *m*, decade *f*

decadent [ˈdekədənt] decadente

decaffeinated [diːˈkæfɪneɪtɪd] decaffeinato

decay [dɪˈkeɪ] **1** *n of matter* decomposizione *f*; *of civilization* declino *m*; *(decayed matter)* marciume *m*; *in teeth* carie *f* **2** *v/i of organic matter* decomporsi; *of civilization* declinare; *of teeth* cariarsi

deceased [dɪˈsiːst]: **the ~** il defunto *m*, la defunta *f*

deceit [dɪˈsiːt] falsità *f*, disonestà *f*; **deceitful** falso, disonesto; **deceive** ingannare

December [dɪˈsembə(r)] dicembre *m*

decency [ˈdiːsənsɪ] decenza *f*; **decent** *price, proposition* corretto; *meal, sleep* decente; **a ~ guy** un uomo per bene

decentralize [diːˈsentrəlaɪz] decentralizzare

deception [dɪˈsepʃn] inganno *m*; **deceptive** ingannevole; **deceptively:** *it looks ~ simple* sembra semplice solo all'apparenza

decide [dɪˈsaɪd] decidere (**to do** di fare); **decided** *(definite)* deciso

decimal [ˈdesɪml] decimale

decipher [dɪˈsaɪfə(r)] decifrare

decision [dɪˈsɪʒn] decisione *f*; **decisive** risoluto; *(crucial)* decisivo

deck [dek] *of ship* ponte *m*; *of bus* piano *m*; *of cards* mazzo *m*; **deckchair** sedia *f* a sdraio, sdraio *f inv*

declaration [dekləˈreɪʃn] dichiarazione *f*; **declare** dichiarare

decline [dɪˈklaɪn] **1** *n in number, standards* calo *m*; *in health* peggioramento *m* **2** *v/t invitation* declinare; **~ to comment** esimersi dal commentare **3** *v/i (refuse)* declinare; *(decrease)* diminuire; *of health* peggiorare

decode [diːˈkəʊd] decodificare

decompose [diːkəmˈpəʊz] decomporsi

décor [ˈdeɪkɔː(r)] arredamento *m*

decorate [ˈdekəreɪt] *with paint* imbiancare; *with paper* tappezzare; *(adorn)*, MIL decorare; **decoration** *paint* vernice *f*; *paper* tappezzeria *f*; *(ornament)* addobbi *mpl*; MIL decorazione *f*; **decorator** *(interior ~)* imbianchino *m*

decoy [ˈdiːkɔɪ] *n* esca *f*

decrease [ˈdiːkriːs] **1** *n* diminuzione *f* **2** *v/t* ridurre **3** *v/i* ridursi

dedicate [ˈdedɪkeɪt] *book etc* dedicare; **dedicated** dedito;

dedication *in book* dedica *f*; *to cause, work* dedizione *f*

deduce [dɪ'djuːs] dedurre

deduct [dɪ'dʌkt] detrarre (**from** da); *deduction from salary* trattenuta *f*; *(conclusion)* deduzione *f*

deed [diːd] *(act)* azione *f*; LAW atto *m*

deep [diːp] profondo; *colour* intenso; **deepen 1** *v/t* rendere più profondo **2** *v/i* diventare più profondo; *of crisis* aggravarsi; *of mystery* infittirsi; **deep freeze** congelatore *m*

deer [dɪə(r)] cervo *m*

deface [dɪ'feɪs] vandalizzare

defamation [defə'meɪʃn] diffamazione *f*; **defamatory** diffamatorio

default ['dɪfɒlt] COMPUT di default

defeat [dɪ'fiːt] **1** *n* sconfitta *f* **2** *v/t* sconfiggere

defect ['diːfekt] difetto *m*; **defective** difettoso

defence [dɪ'fens] difesa *f*; **defenceless** indifeso

defend [dɪ'fend] difendere; **defendant** accusato *m*, -a *f*; *in criminal case* imputato *m*, -a *f*; **defense** *Am* ☞ **defence**; **Defense Secretary** *Am* POL ministro *m* della difesa; **defensive 1** *n*: **go on the ~** mettersi sulla difensiva **2** *adj weaponry* difensivo; *person* sulla difensiva

deference ['defərəns] deferenza *f*

defiance [dɪ'faɪəns] sfida *f*; **defiant** provocatorio

deficiency [dɪ'fɪʃənsɪ] carenza *f*

deficit ['defɪsɪt] deficit *m inv*

define [dɪ'faɪn] definire

definite ['defɪnɪt] *date, time, answer* preciso; *improvement* netto; *(certain)* certo; **definite article** GRAM articolo *m* determinativo; **definitely** senza dubbio; *smell, hear* distintamente

definition [defɪ'nɪʃn] definizione *f*

definitive [dɪ'fɪnətɪv] *biography* più completo; *performance* migliore

deformity [dɪ'fɔːmɪtɪ] deformità *f inv*

defrost [diː'frɒst] *food* scongelare; *fridge* sbrinare

defuse [diː'fjuːz] *bomb* disinnescare; *situation* placare

defy [dɪ'faɪ] *(disobey)* disobbedire a

degrading [dɪ'greɪdɪŋ] degradante

degree [dɪ'griː] grado *m*; *from university* laurea *f*

dehydrated [diːhaɪ'dreɪtɪd] disidratato

deign [deɪn]: **~ to ...** degnarsi di ...

dejected [dɪ'dʒektɪd] sconfortato

delay [dɪ'leɪ] **1** *n* ritardo **2** *v/t* ritardare; **be ~ed** (*be late*) essere in ritardo **3** *v/i* tardare

delegate ['delɪgeɪt] **1** *n* delegato *m*, -a *f* **2** *v/t* delegare; **delegation** *of task* delega *f*; *(people)* delegazione *f*

delete [dɪ'liːt] cancellare; **delete key** COMPUT tasto *m* cancella; **deletion** *act* cancellazione *f*; *that deleted* cancellatura *f*

deliberate 1 [dɪ'lɪbərət] *adj* deliberato **2** [dɪ'lɪbəreɪt] *v/i* riflettere; **deliberately** deliberatamente

delicate ['delɪkət] delicato

delicatessen [delɪkə'tesn] gastronomia *f*

delicious [dɪ'lɪʃəs] delizioso, ottimo

delight [dɪ'laɪt] gioia *f*; **delighted** lieto; **delightful** molto piacevole

deliver [dɪ'lɪvə(r)] consegnare; *message* trasmettere; *baby* far nascere; *speech* tenere; **delivery** *of goods, mail* consegna *f*; *of baby* parto *m*; **delivery date** termine *m* di consegna; **delivery van** furgone *m* delle consegne

de luxe [də'lʌks] di lusso

demand [dɪ'mɑːnd] **1** *n* rivendicazione *f*; COM domanda *f*; **in ~** richiesto **2** *v/t* esigere; *(require)* richiedere; **demanding** *job* impegnativo; *person* esigente

demented [dɪ'mentɪd] demente

demo ['deməʊ] *(protest)* manifestazione *f*; *of video etc* di-

mostrazione *f*

democracy [dɪ'mɒkrəsɪ] democrazia *f*; **democrat** democratico *m*, -a *f*; **democratic** democratico

demolish [dɪ'mɒlɪʃ] demolire; **demolition** demolizione *f*

demonstrate ['demənstreɪt] **1** *v/t (prove)* dimostrare; *machine* fare una dimostrazione di **2** *v/i politically* manifestare; **demonstration** *f*; *(protest)* manifestazione *f*; **demonstrator** *(protester)* manifestante *m/f*

demoralized [dɪ'mɒrəlaɪzd] demoralizzato; **demoralizing** demoralizzante

demote [diː'məʊt] retrocedere; MIL degradare

den [den] *(study)* studio *m*

denial [dɪ'naɪəl] negazione *f*

denim ['denɪm] denim *m*; **denims** *(jeans)* jeans *m inv*

Denmark ['denmɑːk] Danimarca *f*

denomination [dɪnɒmɪ'neɪʃn] *of money* banconota *f*; REL confessione *f*

dense [dens] fitto; **density** *of population* densità *f inv*

dent [dent] **1** *n* ammaccatura *f* **2** *v/t* ammaccare

dental ['dentl] *treatment* dentario, dentale; *hospital* dentistico

dented ['dentɪd] ammaccato

dentist ['dentɪst] dentista *m/f*; **dentures** dentiera *f*

Denver boot ['denvə(r)] *Am* ceppo *m* bloccaruote

deny [dɪ'naɪ] negare; *rumour* smentire

deodorant [diː'əʊdərənt] deodorante *m*

depart [dɪ'pɑːt] partire; ~ **from** (*deviate from*) allontanarsi da

department [dɪ'pɑːtmənt] *of university* dipartimento *m*; *of government* ministero *m*; *of store, company* reparto *m*; **Department of State** *Am* Ministero *m* degli esteri; **department store** grande magazzino *m*

departure [dɪ'pɑːtʃə(r)] partenza *f*; (*deviation*) allontanamento *m*; **departure lounge** sala *f* partenze; **departure time** ora *f* di partenza

depend [dɪ'pend] *that* ~**s** dipende; *it* ~**s on the weather** dipende dal tempo; **dependable** affidabile; **dependence, dependency** dipendenza *f*; **dependent 1** *n* persona *f* a carico; *a married man with* ~**s** un uomo sposato con famiglia a carico **2** *adj* dipendente; ~ **children** figli *mpl* a carico

depict [dɪ'pɪkt] raffigurare

deplorable [dɪ'plɔːrəbl] deplorevole; **deplore** deplorare, lamentarsi di

deploy [dɪ'plɔɪ] (*use*) spiegare; (*position*) schierare

deport [dɪ'pɔːt] deportare; **deportation** deportazione *f*

deposit [dɪ'pɒzɪt] **1** *n in bank* versamento *m*, deposito *m*; *of mineral* deposito *m*; *on purchase* acconto *m*; (*against loss, damage*) cauzione *f* **2** *v/t money* versare, depositare; (*put down*) lasciare; *silt, mud* depositare; **deposit account** libretto *m* di risparmio

depot ['depəʊ] (*bus station*) rimessa *f* degli autobus; *for storage* magazzino *m*; *Am* (*train station*) stazione *f* ferroviaria

depreciate [dɪ'priːʃɪeɪt] FIN svalutarsi; **depreciation** FIN svalutazione *f*

depress [dɪ'pres] *person* deprimere; **depressed** depresso; **depressing** deprimente; **depression** depressione *f*

deprivation [deprɪ'veɪʃn] privazione *f*; (*lack: of sleep, food*) carenza *f*; **deprive**: *s.o. of sth* privare qu di qc; **deprived** socialmente svantaggiato

depth [depθ] profondità *f inv*; *in* ~ (*thoroughly*) a fondo

deputy ['depjʊtɪ] vice *m/f inv*; **deputy leader** *of party* vice segretario *m*

derail [dɪ'reɪl]: *be* ~**ed** *of train* essere deragliato

derelict ['derəlɪkt] desolato

deride [dɪ'raɪd] deridere; **derision** derisione *f*; **derisory**

amount irrisorio

derivative [dɪ'rɪvətɪv] derivato; **derive** trarre; *be ~d from of word* derivare da

dermatologist [dɜːmə'tɒlədʒɪst] dermatologo *m*, -a *f*

derogatory [dɪ'rɒgətrɪ] peggiorativo

descend [dɪ'send] **1** *v/t* scendere; *be ~ed from* discendere da **2** *v/i* scendere; *of mood, darkness* calare; **descendant** discendente *m/f*; **descent** discesa *f*; (*ancestry*) discendenza *f*

describe [dɪ'skraɪb] descrivere; **description** descrizione *f*

desegregate [diː'segrəgeɪt] eliminare la segregazione in

desert[1] ['dezət] *n* deserto *m*

desert[2] [dɪ'zɜːt] **1** *v/t* (*abandon*) abbandonare **2** *v/i of soldier* disertare

deserted [dɪ'zɜːtɪd] deserto; **deserter** MIL disertore *m*; **desertion** abbandono *m*; MIL diserzione *f*

deserve [dɪ'zɜːv] meritare

design [dɪ'zaɪn] **1** *n* design *m*; *technical* progettazione *f*; (*pattern*) motivo *m* **2** *v/t house, car* progettare; *clothes* disegnare

designate ['dezɪgneɪt] *person* designare

designer [dɪ'zaɪnə(r)] designer *m/f inv*; *of building, car, ship* progettista *m/f*; **fashion ~** stilista *m/f*; **designer**

clothes abiti *mpl* firmati

desirable [dɪ'zaɪrəbl] desiderabile; (*advisable*) preferibile; **desire** desiderio *m*

desk [desk] scrivania *f*; *in hotel* reception *f inv*; **desk clerk** receptionist *m/f inv*; **desktop publishing** editoria *f* elettronica

desolate ['desələt] *place* desolato

despair [dɪ'speə(r)] **1** *n* disperazione *f*; *in ~* disperato **2** *v/i* disperare; **desperate** disperato; *be ~ for sth* morire dalla voglia di qc; **desperation** disperazione *f*

despicable [dɪs'pɪkəbl] deplorevole; **despise** disprezzare

despite [dɪ'spaɪt] malgrado, nonostante

dessert [dɪ'zɜːt] dolce *m*, dessert *m inv*

destination [destɪ'neɪʃn] destinazione *f*

destiny ['destɪnɪ] destino *m*

destitute ['destɪtjuːt] indigente

destroy [dɪ'strɔɪ] distruggere; **destroyer** NAUT cacciatorpediniere *m*; **destruction** distruzione *f*; **destructive** *child* scalmanato

detach [dɪ'tætʃ] staccare; **detached** (*objective*) distaccato; **detached house** villetta *f*; **detachment** (*objectivity*) distacco *m*

detail ['diːteɪl] dettaglio *m*; **in**

~ dettagliatamente; **detailed** dettagliato

detain [dɪ'teɪn] trattenere; **detainee** detenuto m, -a f

detect [dɪ'tekt] rilevare; *anxiety, irony* cogliere; **detection** *of crime* investigazione f; *of smoke etc* rilevamento m; **detective** agente m/f investigativo; **defector** rilevatore m

détente ['deɪtɒnt] POL distensione f

deter [dɪ'tɜː(r)] dissuadere

detergent [dɪ'tɜːdʒənt] detergente m

deteriorate [dɪ'tɪərɪəreɪt] deteriorarsi

determination [dɪtɜːmɪ'neɪʃn] *(resolution)* determinazione f; **determine** *(establish)* determinare; **determined** determinato, deciso

deterrent [dɪ'terənt] deterrente m

detest [dɪ'test] detestare; **detestable** detestabile

detour ['diːtʊə(r)] deviazione f

♦ **detract from** [dɪ'trækt] *merit, value* sminuire; *enjoyment* rovinare

devaluation [diːvæljuˈeɪʃn] svalutazione f; **devalue** svalutare

devastate ['devəsteɪt] *also fig* devastare

develop [dɪ'veləp] **1** *v/t film, business* sviluppare; *land, site* valorizzare; *(originate)* sco-

prire; *illness* contrarre **2** *v/i (grow)* svilupparsi; ~ **into** diventare; **developing country** paese m in via di sviluppo; **development** sviluppo m; *of land, site* valorizzazione f; *(origination)* scoperta f

device [dɪ'vaɪs] *(tool)* dispositivo m

devil ['devl] diavolo m

devious ['diːvɪəs] *(sly)* subdolo

devise [dɪ'vaɪz] escogitare

devoid [dɪ'vɔɪd]: **be ~ of** essere privo di

devolution [diːvə'luːʃn] POL decentramento m

devote [dɪ'vəʊt] dedicare; **devoted** *son etc* devoto; **devotion** *to a person* attaccamento m; *to one's job* dedizione f

devour [dɪ'vaʊə(r)] *food, book* divorare

devout [dɪ'vaʊt] devoto; **a ~ Catholic** un cattolico fervente

dew [djuː] rugiada f

diabetes [daɪə'biːtiːz] diabete m; **diabetic** diabetico m, -a f

diagnose ['daɪəgnəʊz] diagnosticare; **diagnosis** diagnosi f inv

diagonal [daɪ'ægənl] diagonale; **diagonally** diagonalmente

diagram ['daɪəgræm] diagramma m

dial ['daɪəl] **1** n *of clock, meter* quadrante m **2** v/i TELEC

dining room

comporre il numero **3** *v/t* TELEC comporre

dialect ['daɪəlekt] dialetto *m*

'dialling tone, *Am* **'dial tone** segnale *m* di linea libera

dialogue, *Am* **dialog** ['daɪəlɒg] dialogo *m*

diameter [daɪ'æmɪtə(r)] diametro *m*

diamond ['daɪəmənd] diamante *m*; (*shape*) losanga *f*; **~s** *in cards* quadri *mpl*

diaper ['daɪəpə(r)] *Am* pannolino *m*

diaphragm ['daɪəfræm] diaframma *m*

diarrhoea, *Am* **diarrhea** [daɪə'riːə] diarrea *f*

diary ['daɪərɪ] *for thoughts* diario *m*; *for appointments* agenda *f*

dice [daɪs] dado *m*

dictate [dɪk'teɪt] dettare; **dictator** POL dittatore *m*; **dictatorship** dittatura *f*

dictionary ['dɪkʃənrɪ] dizionario *m*

die [daɪ] morire

◆ **die down** *of noise, fire* estinguersi; *of storm, excitement* placarsi

◆ **die out** *of custom* scomparire; *of species* estinguersi

diesel ['diːzl] (*fuel*) diesel *m*

diet ['daɪət] **1** *n* dieta *f* **2** *v/i to lose weight* essere a dieta

differ ['dɪfə(r)] differire; (*disagree*) non essere d'accordo; **difference** differenza *f*; (*disagreement*) divergenza *f*; **dif-**

ferent diverso, different; **differentiate** distinguere; **~ between** *things* distinguere tra; *people* fare distinzioni tra; **differently** diversamente, differentemente

difficult ['dɪfɪkəlt] difficile; **difficulty** difficoltà *f inv*; **with ~** a fatica

dig [dɪg] scavare

digest [daɪ'dʒest] *also fig* digerire; **digestion** digestione *f*

digit ['dɪdʒɪt] cifra *f*; **digital** digitale

dignified ['dɪgnɪfaɪd] dignitoso; **dignity** dignità *f*

dilapidated [dɪ'læpɪdeɪtɪd] rovinato; *house* cadente

dilemma [dɪ'lemə] dilemma *m*

dilute [daɪ'luːt] diluire

dim [dɪm] **1** *adj room* buio; *light* fioco; *outline* indistinto; (*stupid*) idiota; *prospects* vago **2** *v/i of lights* abbassarsi

dime [daɪm] *Am* moneta *f* da dieci centesimi

dimension [daɪ'menʃn] dimensione *f*

diminish [dɪ'mɪnɪʃ] diminuire

din [dɪn] baccano *m*

dine [daɪn] cenare

dinghy ['dɪŋgɪ] *small yacht* dinghy *m*; *rubber boat* gommone *m*

dining car ['daɪnɪŋ] RAIL vagone *m* ristorante; **dining room** *in house* sala *f* da pranzo; *in hotel* sala *f* ristorante

dinner ['dɪnə(r)] *in the evening* cena *f*; *at midday* pranzo *m*; *formal gathering* ricevimento *m*; **dinner jacket** smoking *m inv*; **dinner party** cena *f*

dinosaur ['daɪnəsɔː(r)] dinosauro *m*

dip [dɪp] **1** *n for food* salsa *f*; *in road* pendenza *f* **2** *v/i of road* scendere

diploma [dɪ'pləʊmə] diploma *m*

diplomacy [dɪ'pləʊməsɪ] diplomazia *f*; **diplomat** diplomatico *m*, -a *f*; **diplomatic** diplomatico

direct [daɪ'rekt] **1** *adj* diretto **2** *v/t play* mettere in scena; *film* curare la regia di; *could you please ~ me to ...?* mi può per favore indicare la strada per ...?; **direction** direzione *f*; *of film, play* regia *f*; **~s** (*instructions*), *to a place* indicazioni *fpl*; *for use* istruzioni *fpl*; **directly** (*straight*) direttamente; (*soon, immediately*) immediatamente; **director** *of company* direttore *m*, -trice *f*; *of play, film* regista *m/f*; **directory** elenco *m*; TELEC guida *f* telefonica

dirt [dɜːt] sporco *m*, sporcizia *f*; **dirty 1** *adj* sporco; (*pornographic*) sconcio **2** *v/t* sporcare

disability [dɪsə'bɪlətɪ] handicap *m inv*, invalidità *f inv*; **disabled** handicappato *m*, -a *f*; *the ~* i disabili

disadvantage [dɪsəd'vɑːntɪdʒ] svantaggio *m*; **disadvantaged** penalizzato

disagree [dɪsə'griː] *of person* non essere d'accordo
♦ **disagree with** *of person* non essere d'accordo con; *of food* fare male a

disagreeable [dɪsə'griːəbl] sgradevole; **disagreement** disaccordo *m*; (*argument*) discussione *f*

disallow [dɪsə'laʊ] *goal* annullare

disappear [dɪsə'pɪə(r)] sparire, scomparire; **disappearance** sparizione *f*, scomparsa *f*

disappoint [dɪsə'pɔɪnt] deludere; **disappointed** deluso; **disappointing** deludente; **disappointment** delusione *f*

disapproval [dɪsə'pruːvl] disapprovazione *f*; **disapprove** disapprovare; **~ of** disapprovare; **disapproving** di disapprovazione

disarm [dɪs'ɑːm] **1** *v/t* disarmare **2** *v/i* disarmarsi; **disarmament** disarmo *m*

disaster [dɪ'zɑːstə(r)] disastro *m*; **disastrous** disastroso

disband [dɪs'bænd] **1** *v/t* sciogliere **2** *v/i* sciogliersi

disbelief [dɪsbə'liːf] incredulità *f*

disc [dɪsk] disco *m*

discard [dɪ'skɑːd] sbarazzarsi di

disciplinary [dɪsɪ'plɪnərɪ] disciplinare; **discipline** disciplina f

'**disc jockey** disc jockey m/f inv

disclaim [dɪs'kleɪm] negare; *responsibility* declinare

disclose [dɪs'kləʊz] svelare, rivelare

disco ['dɪskəʊ] discoteca f

discomfort [dɪs'kʌmfət] disagio m; (*pain*) fastidio m

disconcert [dɪskən'sɜːt] sconcertare

disconnect [dɪskə'nekt] (*detach*) sconnettere; *supply, telephones* staccare

disconsolate [dɪs'kɒnsələt] sconsolato

discontent [dɪskən'tent] malcontento m; **discontented** scontento

discontinue [dɪskən'tɪnjuː] interrompere; **be a ~d line** essere fuori produzione

discotheque ['dɪskətek] discoteca f

discount ['dɪskaʊnt] sconto m

discourage [dɪs'kʌrɪdʒ] (*dissuade*) scoraggiare

discover [dɪs'kʌvə(r)] scoprire; **discovery** scoperta f

discredit [dɪs'kredɪt] screditare

discreet [dɪ'skriːt] discreto

discrepancy [dɪ'skrepənsɪ] incongruenza f

discretion [dɪ'skreʃn] discrezione f

discriminate [dɪ'skrɪmɪneɪt]: **~ against** discriminare; **discriminating** esigente; **discrimination** *sexual, racial etc* discriminazione f

discus ['dɪskəs] SP *object* disco m; *event* lancio m del disco

discuss [dɪ'skʌs] discutere; *of article* trattare di; **discussion** discussione f

disease [dɪ'ziːz] malattia f

disembark [dɪsəm'bɑːk] sbarcare

disentangle [dɪsən'tæŋgl] districare

disfigure [dɪs'fɪgə(r)] sfigurare; *fig* deturpare

disgrace [dɪs'greɪs] **1** n vergogna f **2** v/t disonorare; **disgraceful** vergognoso

disgruntled [dɪs'grʌntld] scontento

disguise [dɪs'gaɪz] **1** n travestimento m **2** v/t *voice etc* camuffare; *fear, anxiety* dissimulare; **~ o.s. as** travestirsi da

disgust [dɪs'gʌst] **1** n disgusto m **2** v/t disgustare; **disgusting** disgustoso

dish [dɪʃ] piatto m; *for cooking* recipiente m

disheartening [dɪs'hɑːtnɪŋ] demoralizzante

disheveled [dɪ'ʃevld] *person, appearance* arruffato; *after effort* scompigliato

dishonest [dɪs'ɒnɪst] disonesto; **dishonesty** disonestà f

dishonor *etc Am* ☞ **dishonour** *etc*

dishonour [dɪsˈɒnə(r)] disonore *m*; **dishonourable** disdicevole

'**dishwasher** *machine* lavastoviglie *f inv*; *person* lavapiatti *m/f inv*; **dishwashing liquid** *Am* detersivo *m* per i piatti

disillusion [dɪsɪˈluːʒn] disilludere; **disillusionment** disillusione *f*

disinfect [dɪsɪnˈfekt] disinfettare; **disinfectant** disinfettante *m*

disinherit [dɪsɪnˈherɪt] diseredare

disintegrate [dɪsˈɪntəgreɪt] disintegrarsi; *of marriage, building* andare in pezzi

disinterested [dɪsˈɪntərestɪd] (*unbiased*) disinteressato

disjointed [dɪsˈdʒɔɪntɪd] sconnesso

disk [dɪsk] disco *m*; (*diskette*) dischetto *m*; **disk drive** COMPUT lettore *m* or drive *m inv* di dischetti; **diskette** dischetto *m*

dislike [dɪsˈlaɪk] **1** *n* antipatia *f* **2** *v/t*: *I ~ cats* non mi piacciono i gatti

dislocate [ˈdɪsləkeɪt] lussare

disloyal [dɪsˈlɔɪəl] sleale; **disloyalty** slealtà *f*

dismal [ˈdɪzməl] *weather, news* deprimente; *person* (*sad*), *failure* triste; *person* (*negative*) ombroso

dismantle [dɪsˈmæntl] smontare; *organization* demolire

dismay [dɪsˈmeɪ] costernazione *f*

dismiss [dɪsˈmɪs] *employee* licenziare; *suggestion* scartare; *idea* accantonare; **dismissal** *of employee* licenziamento *m*

disobedience [dɪsəˈbiːdɪəns] disobbidienza *f*; **disobedient** disobbidiente; **disobey** disobbedire a

disorder [dɪsˈɔːdə(r)] (*untidiness*) disordine *m*; (*unrest*) disordini *mpl*; MED disturbo *m*

disorganized [dɪsˈɔːgənaɪzd] disorganizzato

disoriented [dɪsˈɔːrɪəntɪd], **disorientated** [dɪsˈɔːrɪənteɪtɪd] disorientato

disown [dɪsˈəʊn] disconoscere

disparaging [dɪˈspærɪdʒɪŋ] dispregiativo

disparity [dɪˈspærətɪ] disparità *f inv*

dispassionate [dɪˈspæʃənət] spassionato

dispatch [dɪˈspætʃ] (*send*) spedire

disperse [dɪˈspɜːs] *of crowd* disperdersi; *of mist* dissiparsi

display [dɪˈspleɪ] **1** *n* esposizione *f*, mostra *f*; *in shop window* articoli *mpl* in esposizione; COMPUT visualizzazione *f* **2** *v/t emotion* manifestare; *at exhibition* esporre;

(for sale) esporre in vendita; COMPUT visualizzare

displease [dɪs'pliːz] contrariare; **displeasure** disappunto m

disposable [dɪ'spəʊzəbl] usa e getta inv; **disposable income** reddito m disponibile; **disposal** eliminazione f; of waste smaltimento m; **put sth at s.o.'s ~** mettere qc a disposizione di qu

♦ **dispose of** [dɪ'spəʊz] (get rid of) sbarazzarsi di

disposed [dɪ'spəʊzd]: **be ~ to do sth** (willing) essere disposto a fare qc; **be well ~ towards** essere ben disposto verso

disprove [dɪs'pruːv] smentire

dispute [dɪ'spjuːt] **1** n controversia f; industrial contestazione f **2** v/t contestare; (fight over) contendersi

disqualification [dɪskwɒlɪfɪ'keɪʃn] squalifica f; **disqualify** squalificare

disregard [dɪsrə'gɑːd] **1** n mancanza f di considerazione **2** v/t ignorare

disreputable [dɪs'repjʊtəbl] depravato; area malfamato

disrespect [dɪsrə'spekt] mancanza f di rispetto; **disrespectful** irriverente

disrupt [dɪs'rʌpt] train service creare disagi a; meeting, class disturbare; **disruption** of train service disagio m; of meeting, class disturbo m

dissatisfaction [dɪssætɪs'fækʃn] insoddisfazione f; **dissatisfied** insoddisfatto

dissident ['dɪsɪdənt] dissidente m/f

dissimilar [dɪs'sɪmɪlə(r)] dissimile

dissolute ['dɪsəluːt] adj dissoluto

dissolve [dɪ'sɒlv] **1** v/t substance sciogliere **2** v/i of substance sciogliersi

distance ['dɪstəns] distanza f; **in the ~** in lontananza; **distant** lontano

distaste [dɪs'teɪst] avversione f; **distasteful** spiacevole

distinct [dɪs'tɪŋkt] (clear) netto; (different) distinto; **distinction** (differentiation) distinzione f; **hotel of ~** hotel d'eccezione; **distinctive** caratteristico; **distinctly** distintamente; (decidedly) decisamente

distinguish [dɪs'tɪŋgwɪʃ] (see) distinguere; **~ between X and Y** distinguere tra X e Y; **distinguished** (famous) insigne; (dignified) distinto

distort [dɪs'tɔːt] distorcere

distract [dɪs'trækt] person distrarre; attention distogliere

distraught [dɪs'trɔːt] affranto

distress [dɪs'tres] **1** n sofferenza f **2** v/t (upset) angosciare; **distressing** sconvolgente

distribute [dɪ'strɪbjuːt] distribuire; **distribution** distribuzione *f*; **distributor** COM distributore *m*

district ['dɪstrɪkt] quartiere *m*; **district attorney** *Am* procuratore *m* distrettuale

distrust [dɪs'trʌst] diffidenza *f*

disturb [dɪ'stɜːb] disturbare; **disturbance** (*interruption*) fastidio *m*; **~s** (*civil unrest*) disordini *mpl*; **disturbed** turbato; *psychologically* malato di mente; **disturbing** inquietante

disused [dɪs'juːzd] inutilizzato

ditch [dɪtʃ] **1** *n* fosso **m** **2** *v/t* F *boyfriend* scaricare F; F *car* sbarazzarsi di

dive [daɪv] **1** *n* tuffo *m*; *underwater* immersione *f*; *of plane* picchiata *f*; F *bar etc* bettola *f* F **2** *v/i* tuffarsi; *underwater* fare immersione; *of submarine* immergersi; *of plane* scendere in picchiata; **diver** *off board* tuffatore *m*, -trice *f*; *underwater* sub *m/f inv*, sommozzatore *m*, -trice *f*

diverge [daɪ'vɜːdʒ] divergere

diversification [daɪvɜːsɪfɪ'keɪʃn] COM diversificazione *f*; **diversify** COM diversificare; **diversion** *for traffic* deviazione *f*; *to distract attention* diversivo *m*; **diversity** varietà *f inv*

divert [daɪ'vɜːt] *traffic* deviare; *attention* sviare

divide [dɪ'vaɪd] dividere

dividend ['dɪvɪdend] FIN dividendo *m*

divine [dɪ'vaɪn] REL, F divino

diving ['daɪvɪŋ] *from board* tuffi *mpl*; *underwater* immersione *f*; **diving board** trampolino *m*

division [dɪ'vɪʒn] divisione *f*; *of company* sezione *f*

divorce [dɪ'vɔːs] **1** *n* divorzio *m* **2** *v/t* divorziare da **3** *v/i* divorziare; **divorced** divorziato; **divorcee** divorziato *m*, -a *f*

divulge [daɪ'vʌldʒ] divulgare

DIY [diːaɪ'waɪ] (= **do it yourself**) fai da te *m inv*, bricolage *m*

dizziness ['dɪzɪnɪs] giramento *m* di testa, vertigini *fpl*; **dizzy** stordito; **I feel ~** mi gira la testa

DJ [diː'dʒeɪ] (= **disc jockey**) dj *m/f inv*; (= **dinner jacket**) smoking *m inv*

DNA [diːen'eɪ] (= **deoxyribonucleic acid**) DNA *m inv* (= acido *m* deossiribonucleico)

do [duː] **1** *v/t* fare; *one's hair* farsi; *100mph etc* andare a; **~ the ironing / cooking** stirare / cucinare; **have one's hair done** farsi fare i capelli **2** *v/i* (*be suitable, enough*) andare bene; **that will ~!** basta così!; **~ well** (*do a good job*) essere bravo; (*be in good health*) stare bene; *of busi-*

dormitory

ness andare bene; **well done!** bravo!; **how ~ you ~?** molto piacere

◆ **do away with** abolire

◆ **do up** (*renovate*) restaurare; (*fasten*) allacciare

◆ **do with: I could do with ...** mi ci vorrebbe ...

◆ **do without 1** *v/i* farne a meno **2** *v/t* fare a meno di

docile ['dəʊsaɪl] docile

dock[1] [dɒk] **1** *n* NAUT bacino *m* **2** *v/i* of ship entrare in porto; of spaceship agganciarsi

dock[2] [dɒk] LAW banco *m* degli imputati

doctor ['dɒktə(r)] MED dottore *m*, -essa *f*; **doctorate** dottorato *m*

doctrine ['dɒktrɪn] dottrina *f*

document ['dɒkjʊmənt] documento *m*; **documentary** documentario *m*; **documentation** documentazione *f*

dodge [dɒdʒ] *blow* schivare; *person, issue* evitare; *question* aggirare

dog [dɒg] **1** *n* cane *m* **2** *v/t of bad luck* perseguitare

dogged ['dɒgɪd] accanito

dogma ['dɒgmə] dogma *m*; **dogmatic** dogmatico

'**dog-tired** *F* stravolto

do-it-yourself [duːɪtjə'self] fai da te *m*

doldrums ['dɒldrəmz]: **be in the ~** of *economy* essere in stallo; of *person* essere giù di corda

doll [dɒl] *toy*, *F woman* bam-

bola *f*

dollar ['dɒlə(r)] dollaro *m*

Dolomites ['dɒləmaɪts] Dolomiti *mpl*

dolphin ['dɒlfɪn] delfino *m*

dome [dəʊm] of *building* cupola *f*

domestic [də'mestɪk] domestico; *news, policy* interno; **domestic flight** volo *m* nazionale

dominant ['dɒmɪnənt] dominante; *member* principale; **dominate** dominare; **domination** dominio *m*; **domineering** autoritario

donate [dəʊ'neɪt] donare; **donation** donazione *f*

donkey ['dɒŋkɪ] asino *m*

donor ['dəʊnə(r)] donatore *m*, -trice *f*

donut ['dəʊnʌt] *Am* bombolone *m*, krapfen *m inv*

doodle ['duːdl] scarabocchiare

doom [duːm] (*fate*) destino *f*; (*ruin*) rovina *f*; **doomed** *project* condannato al fallimento

door [dɔː(r)] porta *f*; of *car* portiera *f*; **doorbell** campanello *m*; **doorman** usciere *m*; **doorway** vano *m* della porta

dope [dəʊp] (*drugs*) droga *f* leggera; *F* (*idiot*) cretino *m*, -a *f*

dormant ['dɔːmənt]: **~ volcano** vulcano *m* inattivo

dormitory ['dɔːmɪtrɪ] dormitorio *m*; *Am* casa *f* dello studente

dose [dəʊs] dose *f*

dot [dɒt] puntino *m*; *in email address* punto *m*

double ['dʌbl] **1** *n amount* doppio; (*person*) sosia *m inv*; *of film star* controfigura *f* **2** *adj* doppio **3** *adv*: **~ the amount** il doppio della quantità **4** *v/t & v/i* raddoppiare; **double-bass** contrabbasso *m*; **double bed** letto *m* matrimoniale; **doublecheck** ricontrollare; **double-click** cliccare due volte (**on** su); **doublecross** fare il doppio gioco con; **double glazing** doppi vetri *mpl*; **double park** parcheggiare in doppia fila; **double room** camera *f* doppia; *with double bed* camera *f* matrimoniale; **doubles** *in tennis* doppio *msg*

doubt [daʊt] **1** *n* dubbio *m*; **be in ~** essere in dubbio; **no ~** (*probably*) senz'altro **2** *v/t* dubitare di; **doubtful** *look* dubbio; **be ~** *of person* essere dubbioso; **doubtless** senza dubbio

dough [dəʊ] impasto *m*; **doughnut** bombolone *m*, krapfen *m inv*

dove [dʌv] colomba *f*; *fig* pacifista *m/f*

down [daʊn] **1** *adv* (*downwards*) giù; **~ there** laggiù; **£200 ~** *as deposit* un acconto

di £200; **~ south** a sud; **be ~** *of price, rate* essere diminuito; (*not working*) non funzionare; *F* (*depressed*) essere giù **2** *prep* giù da; (*along*) lungo; **walk ~ a street** percorrere una strada; **down-and-out** senza tetto *m/f inv*; **downhill** in discesa; **go ~** *fig* peggiorare; **downhill skiing** discesa *f* libera; **download** COMPUT **1** *v/t* scaricare **2** *n* scaricamento *m*; **downmarket** di fascia medio-bassa; **down payment** deposito *m*, acconto *m*; **downplay** minimizzare; **downpour** acquazzone *m*; **downright 1** *adj*: **it's a ~ lie** è una bugia bella e buona; **he's a ~ idiot** è un perfetto idiota **2** *adv dangerous etc* assolutamente; **downscale** *Am* di fascia medio-bassa; **downside** (*disadvantage*) contropartita *f*; **downsize** *company* ridimensionare; **the~ed version** *of car* la versione ridotta; **downstairs** al piano di sotto; **downtown** in centro; **downwards** verso il basso

doze [dəʊz] fare un sonnellino

◆ **doze off** assopirsi

dozen ['dʌzn] dozzina *f*

drab [dræb] *adj* scialbo

draft [drɑːft] *of document* bozza *f*; *Am* MIL leva *f*; *Am* ☞ **draught 2** *v/t document* fare una bozza di; *Am* MIL arruo-

dress

lare; **draft dodger** *Am* MIL renitente *m* alla leva

drag [dræg] **1** *v/t (pull)* trascinare; *(search)* dragare **2** *v/i of time* non passare mai; *of show, film* trascinarsi

drain [dreɪn] **1** *n (pipe)* tubo *m* di scarico; *under street* tombino *m* **2** *v/t water* fare colare; *oil* fare uscire; *vegetables* scolare; *land* drenare; *glass, tank* svuotare; *(exhaust: person)* svuotare; **drainage** *(drains)* fognatura *f*; *of water from soil* drenaggio *m*; **drainpipe** tubo *m* di scarico

drama ['drɑːmə] *of air* arte *f* drammatica; *(excitement)* dramma *m*; *(play: on TV)* sceneggiato *m*; **dramatic** drammatico; *(exciting)* sorprendente; *gesture* teatrale; **dramatist** drammaturgo *m*, -a *f*; **dramatize** *story* adattare; *fig* drammatizzare

drapes [dreɪps] *Am* tende *fpl*

drastic ['dræstɪk] drastico

draught [drɑːft] *of air* corrente *f* (d'aria); **~ (beer)** birra *f* alla spina; **draught beer** birra *f* alla spina; **draughts** *game* dama *f*; **draughtsman** disegnatore *m* industriale; *of plan* disegnatore *m*, -trice *f*; **draughty** pieno di correnti d'aria

draw [drɔː] **1** *n in game* pareggio *m*; *in lottery* estrazione *f*; *(attraction)* attrazione *f* **2** *v/t picture* disegnare; *curtain, ti-* rare; *in lottery, gun, knife* estrarre; *(attract)* attirare; *(lead)* tirare; *from bank account* ritirare **3** *v/i* disegnare; *in game* pareggiare

♦ **draw back 1** *v/i (recoil)* tirarsi indietro **2** *v/t hand* ritirare; *curtains* aprire

♦ **draw out** *wallet etc* estrarre; *money from bank* ritirare

♦ **draw up 1** *v/t document* redigere; *chair* accostare **2** *v/i of vehicle* fermarsi

'**drawback** inconveniente *m*

drawer [drɔː(r)] *of desk etc* cassetto *m*

drawing ['drɔːɪŋ] disegno *m*; **drawing pin** puntina *f*

drawl [drɔːl] pronuncia *f* strascicata

dread [dred] aver il terrore di; **dreadful** terribile; **dreadfully** F *(extremely)* terribilmente; *behave* malissimo

dream [driːm] **1** *n* sogno *m* **2** *v/t* sognare; **I ~t about you** ti ho sognato

♦ **dream up** sognare

dreary ['drɪərɪ] deprimente; *(boring)* noioso

dredge [dredʒ] *canal* dragare

♦ **dredge up** *fig* scovare

dregs [dregz] *of coffee* fondi *mpl*; **the ~ of society** la feccia della società

dress [dres] **1** *n for woman* vestito *m*; *(clothing)* abbigliamento *m* **2** *v/t person* vestire; *wound* medicare; *salad* condire; **get ~ed** vestirsi **3** *v/i* vestirsi

◆ **dress up** vestirsi elegante; (*wear a disguise*) travestirsi

'**dress circle** prima galleria *f*; **dresser** *in kitchen* credenza *f*; **dressing** *for salad* condimento *m*; *for wound* medicazione *f*; **dressing gown** vestaglia *f*; **dress rehearsal** prova *f* generale

dribble ['drɪbl] *of person* sbavare; *of water* gocciolare; SP dribblare

dried [draɪd] *fruit etc* essicato

drier ['draɪə(r)] ☞ **dryer**

drift [drɪft] *of snow* accumularsi; *of ship* andare alla deriva; (*go off course*) uscire dalla rotta; *of person* vagabondare

◆ **drift apart** *of couple* allontanarsi (l'uno dall'altro)

drifter ['drɪftə(r)] vagabondo *m*, -a *f*

drill [drɪl] **1** *n* (*tool*) trapano *m*; (*exercise*) MIL esercitazione *f* **2** *v/t tunnel* scavare; **~ a hole** fare un foro col trapano **3** *v/i* for oil trivellare; MIL addestrarsi

drily ['draɪlɪ] *remark* ironicamente

drink [drɪŋk] **1** *n* bevanda *f*; **non-alcoholic ~** bibita *f* (analcolica); **a ~ of ...** un bicchiere di ... **2** *v/t & v/i* bere

◆ **drink up 1** *v/i* (*finish drink*) finire il bicchiere **2** *v/t* (*drink completely*) finire di bere

drinkable ['drɪŋkəbl] potabi-

le; **drinker** bevitore *m*, -trice *f*; **drinking water** acqua *f* potabile

drip [drɪp] **1** *n* goccia *f*; MED flebo *f inv* **2** *v/i* gocciolare

drive [draɪv] **1** *n an outing* giro *m* in macchina; (*driveway*) viale *m*; (*energy*) grinta *f*; COMPUT lettore *m*; (*campaign*) campagna *f* **2** *v/t vehicle* guidare; (*take in car*) portare (in macchina); TECH azionare **3** *v/i* guidare; **I ~ to work** vado al lavoro in macchina

◆ **drive in** *nail* piantare

drivel ['drɪvl] sciocchezze *fpl*

driver ['draɪvə(r)] guidatore *m*, -trice *f*, conducente *m/f*; *of train* macchinista *m/f*; COMPUT driver *m inv*; **driver's license** *Am* patente *f* (di guida); **driveway** viale *m*; **driving 1** *n* guida *f* **2** *adj rain* violento; **driving lesson** lezione *f* di guida; **driving licence** patente *f* (di guida); **driving school** scuola *f* guida; **driving test** esame *m* di guida

drizzle ['drɪzl] **1** *n* pioggerella *f* **2** *v/i* piovviginare

drop [drɒp] **1** *n* of rain goccia *f*; *in price, temperature* calo *m* **2** *v/t* far cadere; *from plane* sganciare; *person from car* lasciare; *person from team* scartare; (*stop seeing*) smettere di frequentare; *charges, demand etc* abbandonare; (*give up*) lasciare perdere **3**

duster

v/i cadere; (*decline*) calare

◆ **drop in** passare

◆ **drop off 1** *v/t person, goods* lasciare **2** *v/i* (*fall asleep*) addormentarsi; (*decline*) calare

◆ **drop out** *from competition, school* ritirarsi

drought [draut] siccità *f inv*

drown [draun] annegare

drowsy ['drauzı] sonnolento

drug [drʌg] **1** *n* droga *f*; **be on ~s** drogarsi **2** *v/t* drogare; **drug addict** tossicodipendente *m/f*; **drug dealer** spacciatore *m*, -trice *f* (di droga); **druggist** *Am* farmacista *m/f*; **drugstore** *Am* negozio-bar che vende articoli vari, inclusi medicinali; **drug trafficking** traffico *m* di droga

drum [drʌm] MUS tamburo *m*; (*container*) bidone *m*; **~s** in pop music batteria *f*; **drummer** batterista *m/f*; *in brass band* percussionista *m/f*; **drumstick** MUS bacchetta *f*

drunk [drʌŋk] **1** *n* ubriacone *m*, -a *f* **2** *adj* ubriaco; **get ~** ubriacarsi; **drunk driving** guida *f* in stato di ebbrezza

dry [draı] **1** *adj* secco **2** *v/t & v/i* asciugare; **dry-clean** pulire *or* lavare a secco; **dry cleaner** tintoria *f*; **dryer** *machine* asciugatrice *f*

dual ['dju:əl] doppio; **dual carriageway** carreggiata *f* a due corsie

dub [dʌb] *movie* doppiare

dubious ['dju:bıəs] equivoco; (*having doubts*) dubbioso

duchess ['dʌtʃıs] duchessa *f*

duck [dʌk] **1** *n* anatra *f* **2** *v/i* piegarsi

dud [dʌd] F (*false bill*) falso *m*

due [dju:] dovuto; **the rent is ~ tomorrow** domani scade la rata dell'affitto

duke [dju:k] duca *m*

dull [dʌl] *weather* grigio; *sound, pain* sordo; (*boring*) noioso

duly ['dju:lı] (*as expected*) come previsto; (*properly*) debitamente

dumb [dʌm] (*mute*) muto; *Am* F (*stupid*) stupido

dummy ['dʌmı] *for clothes* manichino *m*; *for baby* succhiotto *m*

dump [dʌmp] **1** *n for rubbish* discarica *f*; (*unpleasant place*) postaccio *m* **2** *v/t* (*deposit*) lasciare; (*dispose of*) scaricare; *waste* sbarazzarsi di

dune [dju:n] duna *f*

duplex (apartment) ['du:pleks] appartamento *m* su due piani

duplicate ['dju:plıkət] duplicato *m*

durable ['djuərəbl] *material* resistente

during ['djuərıŋ] durante

dusk [dʌsk] crepuscolo *m*

dust [dʌst] **1** *n* polvere *f* **2** *v/t* spolverare; **dustbin** bidone *m* della spazzatura; **duster**

straccio *m* (per spolverare); **dustpan** paletta *f*; **dusty** *table* impolverato; *road* polveroso

Dutch [dʌtʃ] **1** *adj* olandese **2** *n language* olandese *m*; **the ~** gli Olandesi

duty ['dju:tɪ] dovere *m*; *on goods* tassa *f* doganale, dazio *m*; **be on ~** essere di servizio; **duty free** duty free *inv*

DVD [di:vi:'di:] (= *digital versatile disk*) DVD *m inv*

dwarf [dwɔ:f] **1** *n* nano *m*, -a *f*

2 *v/t* fare scomparire

dwindle ['dwɪndl] diminuire

dye [daɪ] **1** *n* tintura *f*; *for food* colorante *m* **2** *v/t* colorare, tingere

dying ['daɪɪŋ] morente; *tradition* in via di disparizione

dynamic [daɪ'næmɪk] dinamico; **dynamism** dinamismo *m*

dynasty ['dɪnəstɪ] dinastia *f*

dyslexic [dɪs'leksɪk] **1** *adj* dislessico **2** *n* dislessico *m*, -a *f*

E

each [i:tʃ] **1** *adj* ogni **2** *adv* ciascuno; **they're £1.50 ~** costano £1,50 ciascuno **3** *pron* ciascuno *m*, -a *f*, ognuno *m*, -a *f*; **~ other** l'un l'altro *m*, l'una l'altra *f*; **we know ~ other** ci conosciamo

eager ['i:gə(r)] entusiasta; **be ~ to do sth** essere ansioso di fare qc; **eagerly** ansiosamente; **eagerness** smania *f*

eagle ['i:gl] aquila *f*; **eagle-eyed**: **be ~ eyed** avere l'occhio di falco

ear¹ [ɪə(r)] orecchio *m*

ear² [ɪə(r)] *of corn* spiga *f*

earache ['ɪəreɪk] mal *m* d'orecchi

early ['ɜ:lɪ] **1** *adj (not late)* primo; *arrival* anticipato; *(farther back in time)* antico; **~ October** inizio ottobre; **at an ~ age** in giovane età; **let's**

have an ~ supper ceniamo presto **2** *adv (not late)* presto; *(ahead of time)* in anticipo; **early bird** *(early riser)* persona *f* mattiniera

earmark ['ɪəmɑ:k] riservare

earn [ɜ:n] guadagnare; *interest* fruttare; *holiday, respect etc* guadagnarsi

earnest ['ɜ:nɪst] serio

earnings ['ɜ:nɪŋz] guadagno *m*

earphones cuffie *fpl (d'ascolto);* **earring** orecchino *m*; **earshot**: **within ~ a** portata d'orecchio; **out of ~** fuori dalla portata d'orecchio

earth [ɜ:θ] **1** *n also* ELEC terra *f* **2** *v/t* ELEC mettere a terra; **earthenware** terracotta *f*; **earthly** terreno; **it's no ~**

use ... F è perfettamente inutile ...; **earthquake** terremoto *m*; **earth-shattering** sconvolgente

ease [iːz] **1** *n* facilità *f*; **feel at ~** sentirsi a proprio agio **2** *v/t* (*relieve*) alleviare; **it will ~ my mind** mi darà sollievo **3** *v/i* of *pain* alleviarsi

◆ **ease off 1** *v/t* (*remove*) togliere con cautela **2** *v/i* of *pain*, *rain* diminuire

easel ['iːzl] cavalletto *m*

easily ['iːzəlɪ] facilmente; (*by far*) di gran lunga

east [iːst] **1** *n* est *m* **2** *adj* orientale **3** *adv travel* a est; **~ of** a est di

Easter ['iːstə(r)] Pasqua *f*; **Easter Day** il giorno *or* la domenica di Pasqua; **Easter egg** uovo *m* di Pasqua

easterly ['iːstəlɪ]: **~ wind** vento *m* dell'est; **in an ~ direction** verso est

Easter 'Monday lunedì *m inv* di Pasqua, Pasquetta *f*

eastern ['iːstən] orientale

Easter 'Sunday il giorno *or* la domenica di Pasqua

eastward ['iːstwəd] verso est

easy ['iːzɪ] facile; (*relaxed*) tranquillo; **easy chair** poltrona *f*; **easy-going**: **he's very ~** gli va bene quasi tutto

eat [iːt] mangiare

◆ **eat out** mangiare fuori

eatable ['iːtəbl] commestibile; *lunch*, *dish* mangiabile

eavesdrop ['iːvzdrɒp]: **~ on**

s.o. origliare qu

ebb [eb] *of tide* rifluire

e-book ['iːbʊk] e-book *m inv*, libro *m* elettronico; **e-business** e-commerce *m*, commercio *m* elettronico

eccentric [ɪk'sentrɪk] **1** *adj* eccentrico **2** *n* eccentrico *m*, -a *f*; **eccentricity** eccentricità *f inv*

echo ['ekəʊ] **1** *n* eco *f* **2** *v/i* risuonare **3** *v/t words* ripetere; *views* condividere

eclipse [ɪ'klɪps] **1** *n* eclissi *f inv* **2** *v/t fig* eclissare

ecofriendly ['iːkəʊfrendlɪ] ecologico

ecological [iːkə'lɒdʒɪkl] ecologico; **ecologically** ecologicamente; **ecologically friendly** ecologico; **ecologist** ecologista *m/f*; **ecology** ecologia *f*

economic [iːkə'nɒmɪk] economico; **economical** (*cheap*) economico; (*thrifty*) parsimonioso; **economics** *science* scienza *f* economica; *financial aspects* aspetti *mpl* economici; **economist** economista *m/f*; **economize** risparmiare, fare economia

◆ **economize on** risparmiare su

economy [ɪ'kɒnəmɪ] economia *f*; **economy class** classe *f* economica

ecosystem ['iːkəʊsɪstm] ecosistema *m*; **ecotourism** agriturismo *m*

ecstasy ['ekstəsɪ] estasi *f inv*; **ecstatic** in estasi

eczema ['eksmə] eczema *m*

edge [edʒ] **1** *n of knife* filo *m*; *of table, seat, lawn* bordo *m*; *of road* ciglio *m*; *of cliff* orlo *m*; **on ~** teso **2** *v/i* (*move slowly*) muoversi con cautela; **edgeways: I couldn't get a word in ~** non sono riuscito a piazzare una parola; **edgy** teso

edible ['edɪbl] commestibile

edit ['edɪt] *text* rivedere; *prepare for publication* curare; *newspaper* dirigere; *TV program, film* montare; COMPUT editare; **edition** edizione *f*; **editor** *of text* revisore *m*; *of publication* curatore *m*, -trice *f*; *of newspaper* direttore *m*, -trice; *of TV program* responsabile *m/f* del montaggio; *of film* tecnico *m* del montaggio; **editorial 1** *adj* editoriale; **the ~ staff** la redazione **2** *n* editoriale *m*

educate ['edjukeɪt] *child* istruire; *consumers* educare; **he was ~d at …** ha studiato a …; **educated** istruito; **education** istruzione *f*; **the ~ system** la pubblica istruzione; **educational** didattico; (*informative*) istruttivo

eerie ['ɪərɪ] inquietante

effect [ɪ'fekt] effetto *m*; **effective** efficace; (*striking*) d'effetto

effeminate [ɪ'femɪnət] effe-

minato

efficiency [ɪ'fɪʃənsɪ] efficienza *f*; *of machine* rendimento *m*; **efficient** efficiente; *machine* ad alto rendimento; **efficiently** con efficienza

effort ['efət] sforzo *m*; **effortless** facile

e.g. [i:'dʒi:] ad *or* per esempio

egg [eg] uovo *m*; **eggcup** portauovo *m inv*; **egghead** F intellettualoide *m/f*; **eggplant** *Am* melanzana *f*

ego ['i:gəu] ego *m*; **egocentric** egocentrico; **egoism** egoismo *m*; **egoist** egoista *m/f*

eiderdown ['aɪdədaun] (*quilt*) piumino *m*

eight [eɪt] otto; **eighteen** diciotto; **eighteenth** diciottesimo; **eighth** ottavo; **eighth note** *Am* MUS croma *f*; **eightieth** ottantesimo; **eighty** ottanta

either ['aɪðə(r)] **1** *adj* l'uno o l'altro; (*both*) entrambi *pl* **2** *pron* l'uno o l'altro *m*, l'una o l'altra *f* **3** *adv* nemmeno, neppure; **I won't go ~** non vado nemmeno *or* neppure io **4** *conj*: **~ my mother or my sister** mia madre o mia sorella; **he doesn't like ~ wine or beer** non gli piacciono né il vino, né la birra

eject [ɪ'dʒekt] **1** *v/t* espellere **2** *v/i from plane* eiettarsi

♦ eke out [i:k] usare con parsimonia; *grant etc* arrotondare; *eke out a living* tirare avanti

el [el] *Am* ferrovia *f* sopraelevata

elaborate 1 [ɪˈlæbərət] *adj* elaborato **2** [ɪˈlæbəreɪt] *v/i* fornire particolari

elapse [ɪˈlæps] trascorrere

elastic [ɪˈlæstɪk] **1** *adj* elastico **2** *n* elastico *m*; **elasticated** elasticizzato; **elastic band** elastico *m*

Elastoplast® [ɪˈlæstəplɑːst] cerotto *m*

elated [ɪˈleɪtɪd] esultante; **elation** esultanza *f*

elbow [ˈelbəʊ] gomito *m*

elder [ˈeldə(r)] **1** *adj* maggiore **2** *n* maggiore *m/f*; **elderly 1** *adj* anziano; **2** *npl* **the ~** gli anziani; **eldest 1** *adj* maggiore **2** *n* maggiore *m/f*

elect [ɪˈlekt] eleggere; **elected** eletto; **election** elezione *f*; **election campaign** campagna *f* elettorale; **election day** giorno *m* delle elezioni; **electorate** elettorato *m*

electric [ɪˈlektrɪk] *also fig* elettrico; **electrical** elettrico; **electric chair** sedia *f* elettrica; **electrician** elettricista *m/f*; **electricity** elettricità *f*; **electrify** elettrificare; *fig* elettrizzare

electrocute [ɪˈlektrəkjuːt] fulminare

electron [ɪˈlektrɒn] elettrone *m*; **electronic** elettronico;

electronics elettronica *f*

elegance [ˈelɪɡəns] eleganza *f*; **elegant** elegante

element [ˈelɪmənt] elemento *m*; **elementary** elementare; **elementary school** *Am* scuola *f* elementare

elephant [ˈelɪfənt] elefante *m*

elevate [ˈelɪveɪt] elevare; **elevated railroad** *Am* ferrovia *f* sopraelevata; **elevation** (*altitude*) altitudine *f*; **elevator** *Am* ascensore *m*

eleven [ɪˈlevn] undici *f*; **eleventh** undicesimo

eligible [ˈelɪdʒəbl]: **be ~ to do sth** avere il diritto di fare qc

eliminate [ɪˈlɪmɪneɪt] eliminare; **elimination** eliminazione *f*

elite [eɪˈliːt] **1** *n* elite *f inv* **2** *adj* elitario

eloquence [ˈeləkwəns] eloquenza *f*; **eloquent** eloquente

else [els]: **anything ~** qualcos'altro; **nothing ~** nient'altro; **nobody ~** nessun altro; **everyone ~ is going** tutti gli altri vanno; **someone ~** qualcun altro; **something ~** qualcos'altro; **let's go somewhere ~** andiamo da qualche altra parte; **or ~** altrimenti; **elsewhere** altrove

elude [ɪˈluːd] sfuggire a; **elusive** *person* difficile da trovare; *quality* raro

emaciated [ɪˈmeɪsɪeɪtɪd] emaciato

e-mail ['iːmeɪl] **1** *n* e-mail *m inv* **2** *v/t person* mandare un e-mail a; *text* mandare per e-mail; **e-mail address** indirizzo *m* e-mail

emancipation [ɪmænsɪ'peɪʃn] emancipazione *f*

embalm [ɪm'bɑːm] imbalsamare

embankment [ɪm'bæŋkmənt] *of river* argine *m*; RAIL massicciata *f*

embargo [em'bɑːgəʊ] embargo *m inv*

embark [ɪm'bɑːk] imbarcarsi

embarrass [ɪm'bærəs] imbarazzare; **embarrassed** imbarazzato; **embarrassing** imbarazzante; **embarrassment** imbarazzo *m*

embassy ['embəsɪ] ambasciata *f*

embezzle [ɪm'bezl] appropriarsi indebitamente di; **embezzlement** appropriazione *f* indebita

emblem ['embləm] emblema *f*

embodiment [ɪm'bɒdɪmənt] incarnazione *f*; **embody** incarnare

embrace [ɪm'breɪs] **1** *n* abbraccio *m* **2** *v/t* (*hug, include*) abbracciare **3** *v/i of two people* abbracciarsi

embroider [ɪm'brɔɪdə(r)] ricamare; *fig* ricamare su

embryo ['embrɪəʊ] embrione *m*; **embryonic** *fig* embrionale

emerald ['emərəld] smeraldo *m*; *colour* verde *m* smeraldo

emerge [ɪ'mɜːdʒ] (*appear*) emergere; **it has ~d that ...** è emerso che ...

emergency [ɪ'mɜːdʒənsɪ] emergenza *f*; **emergency exit** uscita *f* di sicurezza; **emergency landing** atterraggio *m* di fortuna; **emergency services** servizi *mpl* di soccorso

emigrant ['emɪgrənt] emigrante *m/f*; **emigrate** emigrare; **emigration** emigrazione *f*

Eminence ['emɪnəns] REL **His ~** Sua Eminenza; **eminent** eminente

emission [ɪ'mɪʃn] *of gases* emanazione *f*; **emit** *heat, gases* emanare; *light, smoke* emettere; *smell* esalare

emotion [ɪ'məʊʃn] emozione *f*; **emotional** *problems, development* emozionale; (*causing emotion*) commovente; (*showing emotion*) commosso

emperor ['empərə(r)] imperatore *m*

emphasis ['emfəsɪs] enfasi *f*; *on word* rilievo *m*; **emphasize** enfatizzare; *word* dare rilievo a; **emphatic** enfatico

empire ['empaɪə(r)] impero *m*

employ [ɪm'plɔɪ] dare lavoro a; (*take on*) assumere; (*use*) impiegare; **employee** dipendente *m/f*; **employer** datore *m*, -trice *f* di lavoro; **employ-ment** occupazione *f*; (*work*) impiego *m*

emptiness ['emptɪnɪs] vuoto *m*; **empty 1** *adj* vuoto **2** *v/t* vuotare **3** *v/i of room, street* svuotarsi

emulate ['emjʊleɪt] emulare

enable [ɪ'neɪbl] *person* permettere a; *thing* permettere

enchanting [ɪn'tʃɑːntɪŋ] incantevole

encircle [ɪn'sɜːkl] circondare

enclose [ɪn'kləʊz] *in letter* allegare; *area* recintare; **enclo-sure** *with letter* allegato *m*

encore ['ɒŋkɔː(r)] bis *m inv*

encounter [ɪn'kaʊntə(r)] **1** *n* incontro *m* **2** *v/t* incontrare

encourage [ɪn'kʌrɪdʒ] incoraggiare; **encouragement** incoraggiamento *m*; **en-couraging** incoraggiante

encyclopedia [ɪnsaɪklə'piːdɪə] enciclopedia *f*

end [end] **1** *n* (*conclusion, purpose*) fine *m*; (*extremity*) estremità *f inv*; **in the ~** alla fine **2** *v/t* terminare **3** *v/i* finire

◆ **end up** finire

endanger [ɪn'deɪndʒə(r)] mettere in pericolo; **endan-gered species** specie *f* in via d'estinzione

endeavour, *Am* **endeavor** [ɪn'devə(r)] **1** *n* tentativo *m* **2** *v/t* tentare

endemic [ɪn'demɪk] endemico

ending ['endɪŋ] finale *m*; GRAM desinenza *f*; **endless** interminabile

endorse [en'dɔːs] *candidacy* appoggiare; *product* fare pubblicità a; **endorsement** *of candidacy* appoggio *m*; *of product* pubblicità *f*

end 'product prodotto *m* finale

endurance [ɪn'djʊrəns] resistenza *f*; **endure 1** *v/t* sopportare **2** *v/i* (*last*) resistere; **enduring** durevole

end-'user utente *m* finale

enemy ['enəmɪ] nemico *m*, -a *f*

energetic [enə'dʒetɪk] energico; **energy** energia *f*; **energy supply** rifornimento *m* di energia elettrica

enforce [ɪn'fɔːs] far rispettare

engage [ɪn'geɪdʒ] **1** *v/t* (*hire*) ingaggiare **2** *v/i* TECH ingranare; **engaged** *to be married* fidanzato; **get ~** fidanzarsi; TELEC occupato; **engage-ment** (*appointment*) impe-gno *m*; *to be married* fidanzamento *m*; MIL scontro *m*; **en-gagement ring** anello *m* di fidanzamento

engine ['endʒɪn] motore *m*; **engineering** ingegneria *f*; **engineer** ingegnere *m*; *for sound, software* tecnico *m*; NAUT macchinista *m*

England ['ɪŋglənd] Inghilterra *f*; **English 1** *adj* inglese **2** *n* (*language*) inglese *m*;

the ~ gli inglesi; **English Channel** Manica *f*; **Englishman** inglese *m*; **Englishwoman** inglese *f*

engrave [ɪnˈɡreɪv] incidere; **engraving** (*drawing*) stampa *f*; (*design*) incisione *f*

engrossed [ɪnˈɡrəʊst]: ~ *in* assorto in

engulf [ɪnˈɡʌlf] avvolgere

enhance [ɪnˈhɑːns] accrescere; *performance, reputation* migliorare

enigma [ɪˈnɪɡmə] enigma *m*

enjoy [ɪnˈdʒɔɪ]: *did you* ~ *the film?* ti è piaciuto il film?; *I* ~ *reading* mi piace leggere; ~ (*your meal*)*!* buon appetito!; ~ *o.s.* divertirsi; **enjoyable** piacevole; **enjoyment** piacere *m*, divertimento *m*

enlarge [ɪnˈlɑːdʒ] ingrandire; **enlargement** ingrandimento *m*

enlighten [ɪnˈlaɪtn] illuminare

enlist [ɪnˈlɪst] MIL arruolarsi

enmity [ˈenmətɪ] inimicizia *f*

enormous [ɪˈnɔːməs] enorme; **enormously** enormemente

enough [ɪˈnʌf] **1** *adj* sufficiente, abbastanza *inv* **2** *pron* abbastanza; *will £50 be* ~*?* saranno sufficienti £50?; *that's* ~*!* basta! **3** *adv* abbastanza; *strangely* ~ per quanto strano

enquire [ɪnˈkwaɪə(r)] chiedere informazioni, informarsi

enrol, *Am* **enroll** [ɪnˈrəʊl] iscriversi

en suite (**bathroom**) [ˈɒnswiːt] bagno *m* in camera

ensure [ɪnˈʃʊə(r)] assicurare

entail [ɪnˈteɪl] comportare

entangle [ɪnˈtæŋɡl] *in rope* impigliare

enter [ˈentə(r)] **1** *v/t room, house* entrare in; *competition* iscriversi a; COMPUT inserire **2** *v/i* entrare; *in competition* iscriversi **3** *n* COMPUT invio *m*

enterprise [ˈentəpraɪz] (*initiative*) intraprendenza *f*; (*venture*) impresa *f*; **enterprising** intraprendente

entertain [entəˈteɪn] (*amuse*) intrattenere; (*consider: idea*) considerare; **entertainer** artista *m/f*; **entertaining** divertente; **entertainment** divertimento *m*

enthusiasm [ɪnˈθjuːzɪæzm] entusiasmo *m*; **enthusiast** appassionato *m*, -a *f*; **enthusiastic** entusiasta; **enthusiastically** con entusiasmo

entire [ɪnˈtaɪə(r)] intero; **entirely** interamente

entitle [ɪnˈtaɪtl] dare il diritto a; *be ~d to do sth* avere il diritto di fare qc

entrance [ˈentrəns] entrata *f*, ingresso *m*; THEA entrata *f* in scena

entranced [ɪnˈtrɑːnst] incantato

'**entrance exam(ination)**

esame *m* di ammissione

entrant ['entrənt] concorrente *m/f*

entrepreneur [ɒntrəprə'nɜː] imprenditore *m*, -trice *f*; **entrepreneurial** imprenditoriale

entrust [ɪn'trʌst] affidare

entry ['entrɪ] (*way in*) entrata *f*; *in diary* annotazione *f*; *in accounts, dictionary* voce *f*; **entryphone** citofono *m*

envelop [ɪn'veləp] avviluppare

envelope ['envələʊp] busta *f*

enviable ['envɪəbl] invidiabile; **envious** invidioso; **be ~ of s.o.** essere invidioso di qu

environment [ɪn'vaɪərənmənt] ambiente *m*; **environmental** ambientale; **environmentalist** ambientalista *m/f*; **environmentally friendly** ecologico; **environmental protection** tutela *f* dell'ambiente; **environs** dintorni *mpl*

envisage [ɪn'vɪzɪdʒ] prevedere

envoy ['envɔɪ] inviato *m*, -a *f*

envy ['envɪ] **1** *n* invidia *f* **2** *v/t*: **~ s.o. sth** invidiare qc a qu

epic ['epɪk] **1** *n* epopea *f* **2** *adj journey* mitico

epicentre, *Am* **epicenter** ['epɪsentr] epicentro *m*

epidemic [epɪ'demɪk] epidemia *f*

episode ['epɪsəʊd] episodio *m*

epitaph ['epɪtɑːf] epitaffio *m*

epoch ['iːpɒk] epoca *f*

equal ['iːkwl] **1** *adj* uguale **2** *n*: **be the ~ of** essere equivalente a; **treat s.o. as his ~** trattare qualcuno alla pari **3** *v/t* (*be as good as*) uguagliare; **equality** uguaglianza *f*, parità *f*; **equalize 1** *v/t* uniformare **2** *v/i* SP pareggiare; **equalizer** SP gol *m inv* del pareggio; **equally** ugualmente; **equal rights** parità *f* di diritti

equation [ɪ'kweɪʒn] MATH equazione *f*

equator [ɪ'kweɪtə(r)] equatore *m*

equip [ɪ'kwɪp] equipaggiare; **equipment** equipaggiamento *m*; *electrical, electronic* apparecchiature *fpl*

equity ['ekwətɪ] FIN capitale *m* azionario

equivalent [ɪ'kwɪvələnt] **1** *adj* equivalente **2** *n* equivalente *m*

era ['ɪərə] era *f*

eradicate [ɪ'rædɪkeɪt] sradicare

erase [ɪ'reɪz] cancellare; **eraser** gomma *f* (da cancellare)

erect [ɪ'rekt] **1** *adj* eretto **2** *v/t* erigere; **erection** erezione *f*

ergonomic [ɜːɡəʊ'nɒmɪk] ergonomico

erode [ɪ'rəʊd] erodere; *fig* intaccare; **erosion** erosione *f*; *fig* diminuzione *f* erotic [ɪ'rɒtɪk] erotico

errand ['erənd] commissione f

erratic [ɪ'rætɪk] irregolare

error ['erə(r)] errore m; error message COMPUT messaggio m di errore

erupt [ɪ'rʌpt] of volcano eruttare; of violence esplodere; of person dare in escandescenze; eruption of volcano eruzione f; of violence esplosione f

escalate ['eskəleɪt] of costs aumentare; of war intensificarsi; escalation escalation f inv; escalator scala f mobile

escape [ɪ'skeɪp] 1 n of prisoner, animal, gas fuga f 2 v/i of prisoner, animal scappare, fuggire; of gas fuoriuscire

escort 1 ['eskɔːt] n accompagnatore m, -trice f; (guard) scorta f 2 [ɪ'skɔːt] v/t socially accompagnare; act as guard to scortare

especially [ɪ'speʃlɪ] specialmente

espionage ['espɪənɑːʒ] spionaggio m

espresso (coffee) [es'presəu] espresso m

essay ['eseɪ] saggio m; in school tema m

essential [ɪ'senʃl] essenziale

establish [ɪ'stæblɪʃ] company fondare; (create, determine) stabilire; establishment firm azienda f; restaurant lo-

cale m

estate [ɪ'steɪt] land tenuta f; of dead person patrimonio m; estate agent agente m/f immobiliare; estate car giardiniera f

esthetic Am ☞ aesthetic

estimate ['estɪmət] 1 n stima f, valutazione f; COM preventivo m 2 v/t stimare

estuary ['estjʊərɪ] estuario m

etc [et'setrə] (= et cetera) ecc. (= eccetera)

eternal [ɪ'tɜːnl] eterno; eternity eternità f inv

ethical ['eθɪkl] etico; ethics etica f

ethnic ['eθnɪk] etnico; ethnic minority minoranza f etnica

e-ticket ['iːtɪkɪt] biglietto m acquistato su Internet

EU [iː'juː] (= European Union) UE f (= Unione europea)

euphemism ['juːfəmɪzm] eufemismo m

euro ['jʊərəʊ] euro m inv; Euro MP eurodeputato m, -a f

Europe ['jʊərəp] Europa f; European 1 adj europeo 2 n europeo m, -a f; European Parliament Parlamento m europeo; European Union Unione f europea

euthanasia [juːθə'neɪzɪə] eutanasia f

evacuate [ɪ'vækjʊeɪt] evacuare

evade [ɪ'veɪd] eludere; taxes evadere

evaluate [ɪ'væljʊeɪt] valutare; **evaluation** valutazione f

evaporate [ɪ'væpəreɪt] evaporare; *of confidence* svanire; **evaporation** evaporazione f

evasion [ɪ'veɪʒn] elusione f; *of taxes* evasione f; **evasive** evasivo

eve [iːv] vigilia f

even ['iːvn] **1** *adj* (*regular*) omogeneo; *breathing* regolare; *surface* piano; (*number*) pari *inv*; *players, game* alla pari; **get ~ with ...** farla pagare a ... **2** *adv* persino; **~ bigger** ancora più grande; **not ~** nemmeno, neppure; **~ so** nonostante questo; **~ if** anche se **3** *v/t*: **~ the score** pareggiare

evening ['iːvnɪŋ] sera f; **in the ~** di sera; stasera; **good ~** buona sera; **evening class** corso m serale; **evening dress** *for woman* vestito m da sera; *for man* abito m scuro

evenly ['iːvnlɪ] (*regularly*) in modo omogeneo; *breathe* regolarmente

event [ɪ'vent] evento m, avvenimento m; SP prova f; **eventful** movimentato

eventually [ɪ'ventjʊəlɪ] finalmente, alla fine

ever ['evə(r)] mai; **have you ~ been to ...?** sei mai stato in ...?; **for ~** per sempre; **as ~** come sempre; **~ since he**

left da quando è partito; **everlasting** eterno

every ['evrɪ] ogni; **~ other day** un giorno sì, uno no; **~ now and then** ogni tanto; **everybody** tutti; **everyday** di tutti i giorni; **everyone** tutti *pl*; **everything** tutto; **everywhere** dovunque, dappertutto; (*wherever*) dovunque

evict [ɪ'vɪkt] sfrattare

evidence ['evɪdəns] prova f; **give ~** testimoniare; **evident** evidente; **evidently** evidentemente

evil ['iːvl] **1** *adj* cattivo **2** *n* male m

evolution [iːvə'luːʃn] evoluzione f; **evolve** evolvere

ex [eks] F *wife / husband* ex m/f inv F

exact [ɪg'zækt] esatto; *exacting task* impegnativo; *employer* esigente; *standards* rigido; **exactly** esattamente

exaggerate [ɪg'zædʒəreɪt] esagerare; **exaggeration** esagerazione f

exam [ɪg'zæm] esame m; **examination** esame m; *of patient* visita f; **examine** esaminare; *patient* visitare

example [ɪg'zɑːmpl] esempio m; **for ~** ad *or* per esempio

excavate [ɪg'zɑːmpl] (*dig*) scavare; *of archaeologist* riportare alla luce; **excavation** scavo m

exceed [ɪk'siːd] (*be more than*) eccedere, superare;

(*go beyond*) oltrepassare, superare; **exceedingly** estremamente

excel [ɪk'sel] **1** v/i eccellere; ~ **at** eccellere in **2** v/t: ~ **o.s.** superare se stesso; **excellence** eccellenza f; **excellent** eccellente

except [ɪk'sept] eccetto; ~ **for** fatta eccezione per; **exceptional** eccezionale; **exceptionally** (*extremely*) eccezionalmente; **exception** eccezione f

excerpt ['eksɜːpt] estratto m

excess [ɪk'ses] **1** n eccesso m **2** adj in eccesso; **excess baggage** eccedenza f di bagaglio; **excessive** eccessivo

exchange [ɪks'tʃeɪndʒ] **1** n scambio m **2** v/t cambiare (**for** con); **exchange rate** FIN tasso m di cambio

Exchequer [ɪks'tʃekə(r)] tesoro m

excite [ɪk'saɪt] (*make enthusiastic*) eccitare; **excited** eccitato; **get** ~ eccitarsi; **excitement** eccitazione f; **exciting** eccitante, emozionante

exclaim [ɪk'skleɪm] esclamare; **exclamation** esclamazione f; **exclamation mark**, Am **exclamation point** punto m esclamativo

exclude [ɪk'skluːd] escludere; **excluding** ad esclusione di; **exclusive** esclusivo

excuse 1 [ɪk'skjuːs] n scusa f **2** [ɪk'skjuːz] v/t scusare; ~ **me**

to get attention, interrupting scusami; *to get past* permesso

ex-di'rectory: be ~ non comparire sull'elenco telefonico

execute ['eksɪkjuːt] *criminal* giustiziare; *plan* attuare; **execution** *of criminal* esecuzione f; *of plan* attuazione f; **executive** dirigente m/f

exempt [ɪg'zempt]: **be** ~ **from** essere esente da

exercise ['eksəsaɪz] **1** n esercizio m; MIL esercitazione f **2** v/t *muscle* fare esercizio con; *dog* far fare esercizio a; *caution* adoperare **3** v/i fare esercizio; **exercise bike** cyclette f inv; **exercise book** EDU quaderno m di esercizi

exhale [eks'heɪl] esalare

exhaust [ɪg'zɔːst] **1** n *fumes* gas mpl di scarico; *pipe* tubo m di scappamento **2** v/t (*tire*) estenuare; (*use up*) esaurire; **exhausted** (*tired*) esausto; **exhausting** (*tiring*) estenuante; **exhaustion** spossatezza f; **exhaustive** esauriente; **exhaust pipe** tubo m di scappamento

exhibit [ɪg'zɪbɪt] **1** n in *exhibition* oggetto m esposto; LAW prova f **2** v/t *of artist* esporre; (*give evidence of*) manifestare; **exhibition** esposizione f; *of bad behaviour* manifestazione f; *of skill* dimostrazione f

exhilarating [ɪg'zɪləreɪtɪŋ] emozionante

exile ['eksaɪl] **1** n esilio m; *person* esiliato m, -a f **2** v/t esiliare

exist [ɪg'zɪst] esistere; **~ on** vivere di; **existence** esistenza f; **in ~** esistente; **existing** attuale

exit ['eksɪt] **1** n uscita f **2** v/i COMPUT uscire

exonerate [ɪg'zɒnəreɪt] scagionare

exorbitant [ɪg'zɔːbɪtənt] esorbitante

exotic [ɪg'zɒtɪk] esotico

expand [ɪk'spænd] **1** v/t espandere **2** v/i espandersi; *of metal* dilatarsi; **expanse** distesa f; **expansion** espansione f; *of metal* dilatazione f

expect [ɪk'spekt] **1** v/t aspettare; (*suppose, demand*) aspettarsi **2** v/i: **be ~ing** aspettare un bambino; **I ~ so** immagino di sì; **expectant mother** donna f in stato interessante; **expectation** aspettativa f

expedition [ekspɪ'dɪʃn] spedizione f

expel [ɪk'spel] espellere

expendable [ɪk'spendəbl] *person* sacrificabile

expenditure [ɪk'spendɪtʃə(r)] spesa f

expense [ɪk'spens] spesa f; **expenses** spese fpl; **expensive** caro

experience [ɪk'spɪərɪəns] **1** n esperienza f **2** v/t *pain, pleasure* provare; *difficulty* incon-

trare; **experienced** con esperienza

experiment [ɪk'sperɪmənt] **1** n sperimento m **2** v/i fare esperimenti; **experimental** sperimentale

expert ['ekspɜːt] **1** adj esperto **2** n esperto m, -a f; **expertise** competenza f

expiration date [ɪkspɪ'reɪʃn] *Am* data f di scadenza; **expire** scadere; **expiry** scadenza f; **expiry date** data f di scadenza

explain [ɪk'spleɪn] spiegare; **explanation** spiegazione f; **explanatory** esplicativo

explicit [ɪk'splɪsɪt] *instructions* esplicito; **explicitly** *state, forbid* esplicitamente

explode [ɪk'spləʊd] **1** v/i *of bomb* esplodere **2** v/t *bomb* fare esplodere

exploit[1] ['eksplɔɪt] n exploit m inv

exploit[2] [ɪk'splɔɪt] v/t *person, resources* sfruttare

exploitation [eksplɔɪ'teɪʃn] sfruttamento m

exploration [eksplə'reɪʃn] esplorazione f; **exploratory** *surgery* esplorativo; **explore** *country, possibility etc* esplorare; **explorer** esploratore m, -trice f

explosion [ɪk'spləʊʒn] *also in population* esplosione f; **explosive** esplosivo m

export ['ekspɔːt] **1** n esportazione f; *item* prodotto m di esportazione **2** *v/t goods*, COMPUT esportare; **exporter** esportatore *m*, -trice *f*

expose [ɪk'spəʊz] (*uncover*) scoprire; *scandal, person* denunciare; **exposure** esposizione *f*; *to cold weather* esposizione *f* prolungata al freddo; *of dishonest behaviour* denuncia *f*; PHOT posa *f*

express [ɪk'spres] **1** *adj* (*fast, explicit*) espresso **2** *n* (*train*) espresso *m* **3** *v/t* esprimere; **expression** espressione *f*; **expressive** espressivo; **expressly** espressamente; **expressway** autostrada *f*

expulsion [ɪk'spʌlʃn] espulsione *f*

extend [ɪk'stend] **1** *v/t* estendere; *house, repertoire* ampliare; *runway* prolungare; *contract, visa* prorogare **2** *v/i of garden etc* estendersi; **extension** *to house* annesso *m*; *of contract, visa* proroga *f*; TELEC interno *m*; **extension cable** prolunga *f*; **extensive** ampio; **extent** ampiezza *f*; **to a certain ~** fino a un certo punto

exterior [ɪk'stɪərɪə(r)] **1** *adj* esterno **2** *n of building* esterno *m*; *of person* aspetto *m* esteriore

exterminate [ɪk'stɜːmɪneɪt] sterminare

external [ɪk'stɜːnl] (*outside*) esterno

extinct [ɪk'stɪŋkt] *species*

estinto; **extinction** *of species* estinzione *f*; **extinguish** spegnere; **extinguisher** estintore *m*

extortion [ɪk'stɔːʃn] estorsione *f*

extra ['ekstrə] **1** *n* extra *m inv* **2** *adj* in più; **be ~** (*cost more*) essere a parte **3** *adv* particolarmente

extract[1] ['ekstrækt] *n* estratto *m*

extract[2] [ɪk'strækt] *v/t* estrarre; *information* estorcere; **extraction** [ɪk'strækʃn] estrazione *f*

extradite ['ekstrədaɪt] estradare; **extradition** estradizione *f*

extramarital [ekstrə'mærɪtl] extraconiugale

extraordinary [ɪk'strɔːdɪnərɪ] straordinario

extra 'time SP tempi *mpl* supplementari

extravagance [ɪk'strævəgəns] stravaganza *f*; **extravagant** *with money* stravagante

extreme [ɪk'striːm] **1** *n* estremo *m* **2** *adj* estremo; **extremely** estremamente; **extremist** estremista *m/f*

extrovert ['ekstrəvɜːt] estroverso *m*, -a *f*

exuberant [ɪg'zjuːbərənt] esuberante

eye [aɪ] **1** *n* occhio *m* **2** *v/t* scrutare; **eyeball** bulbo *m* oculare; **eyebrow** sopracciglio *m*; **eyecatching** appariscente; **eyeglasses** *Am* occhiali *mpl*; **eyelid** palpebra *f*; **eyeliner** eyeliner *m inv*; **eyeshadow** ombretto *m*;

eyesight vista *f*; **eyesore** pugno *m* in un occhio; **eye-witness** testimone *m/f* oculare

F

fabric ['fæbrɪk] tessuto *m*
fabulous ['fæbjʊləs] fantastico
façade [fə'sɑːd] facciata *f*
face [feɪs] **1** *n* viso *m*, faccia *f*; **~ to ~** faccia a faccia; **lose ~** perdere la faccia **2** *v/t person, sea etc* essere di fronte a; *facts* affrontare
◆ **face up to** affrontare
'**facecloth** guanto *m* di spugna; **facelift** lifting *m inv* del viso; **facial** pulizia *f* del viso
facilitate [fə'sɪlɪteɪt] facilitare; **facilities** strutture *fpl*
fact [fækt] fatto *m*; **in ~, as a matter of ~** in realtà
faction ['fækʃn] fazione *f*
factor ['fæktə(r)] fattore *m*
factory ['fæktərɪ] fabbrica *f*
faculty ['fækəltɪ] facoltà *f inv*
fad [fæd] mania *f* passeggera
fade [feɪd] *of colours* sbiadire; *of light* smorzarsi; *of memories* svanire; **faded** *colour, jeans* sbiadito
fag [fæg] *F Br cigarette* sigaretta *f*; *Am pej homosexual* finocchio *m*
fail [feɪl] **1** *v/i* fallire **2** *v/t test* essere bocciato a; *he never*

~s to write non manca mai di scrivere **2** *n*: **without ~** con certezza; **failing** difetto *m*; **failure** fallimento *m*
faint [feɪnt] **1** *adj* vago **2** *v/i* svenire; **faintly** vagamente
fair[1] [feə(r)] *(fun ~)* luna park *m inv*; COM fiera *f*
fair[2] [feə(r)] **1** *adj hair* biondo; *complexion* chiaro; *(just)* giusto **2** *adv*: **~ enough** e va bene
fairly ['feəlɪ] *treat* giustamente; *(quite)* piuttosto; **fairness** *of treatment* giustizia *f*
fairy ['feərɪ] fata *f*; **fairy tale** fiaba *f*, favola *f*
faith [feɪθ] fede *f*; **faithful** fedele
fake [feɪk] **1** *n* falso *m* **2** *adj* falso **3** *v/t (forge)* falsificare; *(feign)* simulare
fall[1] [fɔːl] *n Am* autunno *m*
fall[2] [fɔːl] **1** *v/i of person, night* cadere; *of prices, temperature* calare; **~ ill** ammalarsi **2** *n of person, government* caduta *f*; *in price, temperature* calo *m*
◆ **fall back on** ricorrere a
◆ **fall behind** *with work* rimanere indietro
◆ **fall for** *(fall in love with)* in-

namorarsi di; *(be deceived by)* abboccare a

◆ **fall through** *of plans* andare a monte

fallible ['fæləbl] fallibile

falling star ['fɔːlɪŋ] stella *f* cadente

false [fɔːls] falso; **false start** *in race* falsa partenza *f*; **false teeth** dentiera *f*; **falsify** falsificare

fame [feɪm] fama *f*

familiar [fəˈmɪljə(r)] familiare; *(intimate)* intimo; **be ~ with sth** conoscere bene qc; **familiarity** *with subject etc* buona conoscenza *f* **(with** di); **familiarize: ~ o.s. with ...** familiarizzarsi con ...

family ['fæməlɪ] famiglia *f*; **family doctor** medico *m* di famiglia; **family name** cognome *m*; **family planning** pianificazione *f* familiare; **family planning clinic** consultorio *m* per la pianificazione familiare; **family tree** albero *m* genealogico

famine ['fæmɪn] fame *f*

famous ['feɪməs] famoso; **be ~ for ...** essere noto per ...

fan[1] [fæn] *n (supporter)* fan *m/f*

fan[2] [fæn] **1** *n for cooling: electric* ventilatore *m*; *handheld* ventaglio *m* **2** *v/t:* **~ o.s.** farsi aria

fanatical [fəˈnætɪkl] fanatico; **fanaticism** fanatismo *m*

'**fan belt** MOT cinghia *f* della ventola

fancy ['fænsɪ] **1** *adj design* stravagante **2** *n:* **as the ~ takes you** quanto ti va; **take a ~ to s.o.** prendere a benvolere qu **3** *v/t* F avere voglia di; **he fancies you** gli piaci; **fancy dress** costume *m*

fantasize ['fæntəsaɪz] fantasticare; **fantastic** *(very good)* fantastico; *(very big)* enorme; **fantasy** fantasia *f*

far [fɑː(r)] lontano; *(much)* molto; **~ away** lontano; **how ~ is it to ...?** quanto dista ...?; **as ~ as the corner** fino all'angolo; **as ~ as I know** per quanto ne so; **you've gone too ~** *in behaviour* sei andato troppo oltre; **so ~ so good** fin qui tutto bene

farce [fɑːs] farsa *f*

fare [feə(r)] *n for travel* tariffa *f*

Far 'East Estremo Oriente *m*

farewell [feəˈwel] addio *m*

farfetched [fɑːˈfetʃt] inverosimile

farm [fɑːm] fattoria *f*

◆ **farm out** dare in appalto

farmer [ˈfɑːmə(r)] agricoltore *m*, -trice *f*; **farmhouse** cascina *f*; **farming** agricoltura *f*; **farmworker** bracciante *m/f*; **farmyard** cortile *m* di una cascina

far-'off lontano; **farsighted** previdente; *optically* presbite

fart [fɑːt] **1** *n* F scoreggia *f* F, peto *m* **2** *v/i* F scoreggiare F, petare

farther ['fɑːðə(r)] più lontano; **farthest** più lontano

fascinate ['fæsɪneɪt] affascinare; **fascinating** affascinante; **fascination** *with subject* fascino *m*

fascism ['fæʃɪzm] fascismo *m*; **fascist 1** *n* fascista *m/f* **2** *adj* fascista

fashion ['fæʃn] moda *f*; (*manner*) maniera *f*, modo *m*; **in ~** alla moda; **out of ~** fuori moda; **fashionable** alla moda; **fashionably** alla moda; **fashion-conscious** fanatico della moda; **fashion designer** stilista *m/f*; **fashion show** sfilata *f* di moda

fast[1] [fɑːst] **1** *adj* veloce, rapido; **be ~** *of clock* essere avanti **2** *adv* velocemente; **~ asleep** profondamente addormentato

fast[2] [fɑːst] *n not eating* digiuno *m*

fasten ['fɑːsn] **1** *v/t* chiudere; *dress, seat-belt* allacciare; **~ sth onto sth** attaccare qc a qc **2** *v/i of dress etc* allacciarsi; **fastener** chiusura *f*

'fast food fast food *m*; **fast forward 1** *n on video etc* riavvolgimento *m* rapido **2** *v/i* riavvolgere rapidamente; **fast lane** *on road* corsia *f* di sorpasso; **in the ~** *fig:* of life a

cento all'ora; **fast train** rapido *m*

fat [fæt] **1** *adj* grasso **2** *n* grasso *m*

fatal ['feɪtl] fatale

fatality [fə'tælətɪ] vittima *f*; **fatally:** **~ injured** ferito a morte

fate [feɪt] fato *m*

'fat free privo di grassi

father ['fɑːðə(r)] padre *m*; **Father Christmas** Babbo *m* Natale; **fatherhood** paternità *f*; **father-in-law** suocero *m*; **fatherly** paterno

fatigue [fə'tiːg] stanchezza *f*

fatten ['fætn] *animal* ingrassare; **fatty 1** *adj* grasso **2** *n* F *person* ciccione *m*, -a *f* F

faucet ['fɔːsɪt] *Am* rubinetto *m*

fault [fɔːlt] *n* (*defect*) difetto *m*; **it's your / my ~** è colpa tua / mia; **find ~ with** criticare; **faultless** impeccabile; **faulty** difettoso

favor *etc Am* ☞ **favour** *etc*

favour ['feɪvə(r)] **1** *n* favore *m*; **do s.o. a ~** fare un favore a qu; **in ~ of ...** a favore di ... **2** *v/t* (*prefer*) preferire, prediligere; **favourable** favorevole; **favourite 1** *n* prediletto *m*, -a *f*; *food* piatto *m* preferito; *in race, competition* favorito *m*, -a *f* **2** *adj* preferito; **favouritism** favoritismo *m*

fax [fæks] **1** *n* fax *m inv* **2** *v/t* *document* inviare per fax

fear [fɪə(r)] **1** *n* paura *f* **2** *v/t*

avere paura di; **fearless** intrepido; **fearlessly** intrepidamente

feasibility study [fiːzə'bɪlətɪ] studio *m* di fattibilità; **feasible** fattibile

feast [fiːst] banchetto *m*

feat [fiːt] prodezza *f*

feather ['feðə(r)] piuma *f*

feature ['fiːtʃə(r)] **1** *n on face* tratto *m*; *of city, building, style* caratteristica *f*; *in newspaper* servizio *m*; *film* lungometraggio *m*; **make a ~ of ...** mettere l'accento su ... **2** *v/t of film* avere come protagonista; **feature film** lungometraggio *m*

February ['februərɪ] febbraio *m*

federal ['fedərəl] federale; **federation** federazione *f*

fed 'up **f**: **be ~ with ...** essere stufo di ... F

fee [fiː] tariffa *f*; *of lawyer, doctor etc* onorario *m*

feeble ['fiːbl] debole

feed [fiːd] nutrire; *family* mantenere; *baby* dare da mangiare a; **feedback** riscontro *m*, feedback *m*

feel [fiːl] **1** *v/t (touch)* toccare; *(sense)* sentire; *pain, pleasure* sentire; *(think)* pensare **2** *v/i* sentirsi; **it ~s like silk** sembra seta; **I ~ tired** sono stanco; **how are you ~ing today?** come ti senti oggi?; **do you ~ like a drink?** hai voglia di bere qualcosa?; **I**

don't ~ like it non ne ho voglia

◆ **feel up to** sentirsi in grado di

feeler ['fiːlə(r)] *of insect* antenna *f*; **feeling** sentimento *m*; *(emotion)* sensazione *f*; *(sensation)* sensibilità *f*

feet [fiːt] *pl* ☞ **foot**

fellow 'citizen concittadino *m*, -a *f*

felony ['felənɪ] delitto *m*

felt [felt] feltro *m*; **felt tip**, **felt-tip(ped) pen** pennarello *m*

female ['fiːmeɪl] **1** *adj femmina*; *typical of women* femminile **2** *n* femmina *f*; F *(woman)* donna *f*

feminine ['femɪnɪn] **1** *adj* femminile **2** *n* GRAM femminile *m*; **feminism** femminismo *m*; **feminist** **1** *n* femminista *f* **2** *adj* femminista

fence [fens] *n* recinto *m*; **sit on the ~** non prendere partito

fender ['fendə(r)] *Am* parafango *m*

fermentation [fɜːmen'teɪʃn] fermentazione *f*

ferocious [fə'rəʊʃəs] feroce

ferry ['ferɪ] traghetto *m*

fertile ['fɜːtaɪl] fertile; **fertility** fertilità *f*; **fertilize** fecondare; **fertilizer** *for soil* fertilizzante *m*

fervent ['fɜːvənt] fervente

fester ['festə(r)] *of wound* fare infezione

festival ['festɪvl] festival *m*

inv; **festive** festivo; **the ~ season** le festività; **festivities** festeggiamenti *mpl*

fetal ['fiːtl] fetale

fetch [fetʃ] andare / venire *a* prendere; *thing* prendere; *price* rendere

fetus ['fiːtəs] feto *m*

feud [fjuːd] **1** *n* faida *f* **2** *v/i* litigare

fever ['fiːvə(r)] febbre *f*; **feverish** *also fig* febbrile

few [fjuː] **1** *adj* pochi; **a ~ people** alcune persone, qualche persona; **a ~ books** alcuni libri, qualche libro; **quite a ~**, **a good ~** (*a lot*) parecchi **2** *pron* (*not many*) pochi; **a ~** (*some*) alcuni; **quite a ~**, **a good ~** (*a lot*) parecchi; **fewer** meno (*than* di)

fiancé [fɪ'ɒnseɪ] fidanzato *m*; **fiancée** fidanzata *f*

fiasco [fɪ'æskəʊ] fiasco *m*

fiber *Am* ☞ **fibre**

fibre ['faɪbə(r)] fibra *f*; **fibre optics** tecnologia *f* delle fibre ottiche; **fibreglass** fibra *f* di vetro

fickle ['fɪkl] incostante

fiction ['fɪkʃn] narrativa *f*; (*made-up story*) storia *f*; **fictional** immaginario; **fictitious** fittizio

fiddle ['fɪdl] **1** *n* F (*violin*) violino *m*; **it's a ~** F (*cheat*) è una fregatura F **2** *v/i*: **~ with ...** giocherellare con ...; **~ around with ...** trafficare con ... **3** *v/t* accounts truccare

fidget ['fɪdʒɪt] agitarsi; **fidgety** in agitazione

field [fiːld] campo *m*; (*competitors in race*) formazione *f*; **fielder** SP esterno *m*

fierce [fɪəs] *animal* feroce; *storm* violento; **fiercely** ferocemente

fiery ['faɪərɪ] focoso

fifteen [fɪf'tiːn] quindici; **fifteenth** quindicesimo; **fifth** quinto; **fiftieth** cinquantesimo; **fifty** cinquanta; **fifty-fifty** metà e metà

fig [fɪg] fico *m*

fight [faɪt] **1** *n* lotta *f*; *in war* combattimento *m*; (*argument*) litigio *m*; *in boxing* incontro *m* **2** *v/t* combattere; *injustice, fire* lottare contro; *in boxing* battersi contro **3** *v/i in war* combattere; *of drunks, schoolkids* azzuffarsi; (*argue*) litigare; **fighter** combattente *m/f*; *aeroplane* caccia *m inv*; (*boxer*) pugile *m*; **she's a ~** è combattiva; **fighting** risse *fpl*; MIL lotta *f*

figurative ['fɪgjərətɪv] *use of word* figurato; *art* figurativo

figure ['fɪgə(r)] *n* (*digit*) cifra *f*; *of person* linea *f*; (*form, shape*) figura *f*
◆ **figure on** F (*plan*) contare (di)
◆ **figure out** (*understand*) capire; *calculation* calcolare

file[1] [faɪl] **1** *n for papers* raccoglitore *m*; *contents* dossier *m inv*; COMPUT file *m inv*; **on ~**

in archivio **2** v/t documents
schedare

file² [faɪl] n for wood, finger-
nails lima f

filing cabinet ['faɪlɪŋ], Am
file cabinet schedario m

fill [fɪl] riempire; tooth otturare

◆ **fill in** form compilare; hole
riempire; **fill s.o. in** mettere
al corrente qu

◆ **fill out 1** v/t form compilare
2 v/i (get fatter) arrotondarsi

fillet ['fɪlɪt] filetto m

filling ['fɪlɪŋ] **1** n in sandwich
ripieno m; in tooth otturazio-
ne f **2** adj food pesante; **filling station** stazione f di rifornimento

film [fɪlm] **1** n for camera pellicola f; at cinema film m inv
2 v/t filmare; scene girare;
film-maker regista m/f; **film
star** stella f del cinema

filter ['fɪltə(r)] **1** n filtro m **2** v/t
filtrare

filth [fɪlθ] sporcizia f; **filthy**
sporco; language etc volgare

final ['faɪnl] **1** adj finale **2** n SP
finale f; **finale** finale m; **finalist** finalista m/f; **finalize**
mettere a punto; **finally** infine; (at last) finalmente

finance ['faɪnæns] **1** n finanza
f **2** v/t finanziare; **financial**
finanziario; **financially** finanziariamente; **financial
year** anno m fiscale; **financier** finanziatore m, -trice f

find [faɪnd] trovare

◆ **find out** scoprire

findings ['faɪndɪŋz] of report
conclusioni fpl

fine¹ [faɪn] day, weather, city
bello; wine, performance
buono; distinction, line sottile; **how's that? – that's ~** co-
m'è? – va benissimo; **that's ~
by me** a me sta bene

fine² [faɪn] **1** n penalty multa f
2 v/t multare

finger ['fɪŋgə(r)] **1** n dito m **2**
v/t passare le dita su; **finger-
nail** unghia f; **fingerprint**
impronta f digitale

finicky ['fɪnɪkɪ] person pignolo; design complicato

finish ['fɪnɪʃ] **1** v/t finire; **~ doing sth** finire di fare qc **2** v/i
finire **3** n of product finitura f

◆ **finish up** food finire; **he
finished up liking London**
Londra ha finito per piacer-
gli

◆ **finish with** boyfriend etc lasciare

'finishing line traguardo m

Finland ['fɪnlənd] Finlandia f;
Finn finlandese m/f; **Finnish 1** adj finlandese, finnico
2 n language finlandese m

fir [fɜː(r)] abete m

fire ['faɪə(r)] **1** n fuoco m;
(blaze) incendio m; bonfire,
campfire etc falò m inv; **be
on ~** essere in fiamme;
catch ~ prendere fuoco;
set sth on ~, set ~ to sth dare fuoco a qc **2** v/i (shoot)
sparare **3** v/t F (dismiss) li-

cenziare; **fire alarm** allarme *m* antincendio; **firearm** arma *f* da fuoco; **fire brigade** vigili *mpl* del fuoco; **firecracker** petardo *m*; **fire department** *Am* vigili *mpl* del fuoco; **fire engine** autopompa *f*; **fire escape** scala *f* antincendio; **fire extinguisher** estintore *m*; **fire fighter** pompiere *m*; **fireman** pompiere *m*; **fireplace** camino *m*; **fire station** caserma *f* dei pompieri; **fire truck** autopompa *f*; **fireworks** fuochi *mpl* d'artificio

firm[1] [fɜːm] *adj* grip, handshake energico; *muscles* sodo; *voice, parents* deciso; *decision* risoluto; *date, offer* definitivo; *control* rigido; *foundations* solido; *believer* convinto

firm[2] [fɜːm] *n* COM azienda *f*

first [fɜːst] **1** *adj* primo **2** *n* primo *m*, -a *f* **3** *adv* arrive, finish per primo; *(beforehand)* prima; **~ of all** *(for one reason)* innanzitutto; **at ~** in un primo tempo, al principio; **first aid** pronto soccorso *m*; **first class 1** *adj* di prima classe **2** *adv* travel in prima classe; **first floor** primo piano *m*; piano *m* terra; **First Lady** First Lady *f inv*; **firstly** in primo luogo; **first name** nome *m* di battesimo; **first night** prima serata *f*; **first-rate** di prima qualità

fiscal ['fɪskl] fiscale; **fiscal year** *Am* anno *m* fiscale

fish [fɪʃ] **1** *n* pesce *m* **2** *v/i* pescare; **fisherman** pescatore *m*; **fish finger** bastoncino *m* di pesce; **fishing** pesca *f*; **fishing boat** peschereccio *m*; **fishing rod** canna *f* da pesca; **fishmonger** pescivendolo *m*; **fish stick** *Am* bastoncino *m* di pesce; **fishy** F *(suspicious)* sospetto

fist [fɪst] pugno *m*

fit[1] [fɪt] *n* MED attacco *m*; **a ~ of jealousy** un accesso di gelosia

fit[2] [fɪt] *adj physically* in forma; *morally* adatto; **keep ~** tenersi in forma

fit[3] [fɪt] **1** *v/t of clothes* andare bene a; *(attach)* installare **2** *v/i of clothes* andare bene; *of piece of furniture etc* starci

fitness ['fɪtnɪs] *physical* forma *f*; **fitting** appropriato; **fittings** equipaggiamento *msg*

five [faɪv] cinque

fix [fɪks] **1** *n (solution)* soluzione *f* **2** *v/t (attach, arrange)* fissare; *(repair)* aggiustare; *lunch* preparare; *dishonestly: match etc* manipolare; **fixed** *in position* fisso; *timescale, exchange rate* stabilito

fizzy ['fɪzɪ] *drink* gassato

flab [flæb] *on body* ciccia *f*; **flabby** *muscles* flaccido

flag[1] [flæg] *n* bandiera *f*

flag[2] [flæg] *v/i (tire)* soccombere

'flagpole asta f

flagrant ['fleɪɡrənt] flagrante

flair [fleə(r)] (talent) talento m; (style) stile m

flake [fleɪk] of snow fiocco m; of paint, plaster scaglia f

flamboyant [flæm'bɔɪənt] personality esuberante; **flamboyantly** in modo vistoso

flame [fleɪm] n fiamma f; **go up in ~s** incendiarsi

flammable ['flæməbl] infiammabile

flank [flæŋk] **1** n fianco m **2** v/t: **be ~ed by** essere affiancato da

flannel ['flænl] guanto m di spugna

flap [flæp] **1** n of envelope, pocket falda f; of table ribalta f; **be in a ~** F essere in fibrillazione F **2** v/t wings sbattere **3** v/i of flag etc sventolare

◆ **flare up** [fler] of violence, illness esplodere; of fire divampare

flash [flæʃ] **1** n of light lampo m; PHOT flash m inv; **in a ~** F in un istante; **~ of lightning** lampo m **2** v/i of light lampeggiare **3** v/t: **~ one's headlights** lampeggiare; **flashback** in film flashback m inv; **flashlight** pila f; PHOT flash m inv; **flashy** pej appariscente

flask [flɑːsk] (vacuum ~) termos m inv

flat¹ [flæt] **1** adj piatto; beer sgassato; battery, tyre a terra;

shoes basso; **A / B ~** MUS la / si bemolle; **and that's ~** F punto e basta F **2** adv MUS sotto tonalità; **~ out** work, run a tutto gas **3** n gomma f a terra

flat² [flæt] n (apartment) appartamento m

flatly ['flætlɪ] refuse, deny risolutamente; **flatmate** compagno m, -a f di appartamento; **flat rate** tariffa f forfettaria; **flat screen monitor** schermo m piatto; **flatten** land, road livellare; by bombing, demolition radere al suolo

flatter ['flætə(r)] adulare; **flatterer** adulatore m, -trice f; **flattering** comments lusinghiero; **Jane's dress is very ~** il vestito di Jane le dona molto; **flattery** adulazione f

flavor Am ☞ **flavour**

flavour ['fleɪvə(r)] **1** n gusto m **2** v/t food insaporire; **flavouring** aroma m

flaw [flɔː] difetto m; **flawless** perfetto

flea [fliː] pulce f

flee [fliː] scappare

fleet [fliːt] NAUT flotta f; of taxis, trucks parco m macchine

fleeting ['fliːtɪŋ] visit etc di sfuggita

flesh [fleʃ] carne f; of fruit polpa f

flex [fleks] **1** v/t muscles flettere **2** n ELEC cavo m; **flex(i)-time** orario m flessibile

flush

flexibility flessibilità *f*; **flexible** flessibile

flicker ['flɪkə(r)] *of light* tremolare

flier ['flaɪə(r)] (*circular*) volantino *m*

flight [flaɪt] volo *m*; (*fleeing*) fuga *f*; ~ (**of stairs**) rampa *f* (di scale); **flight attendant** assistente *m/f* di volo; **flight deck** *in plane* cabina *f* di pilotaggio; *of aircraft carrier* ponte *m* di decollo; **flight number** numero *m* di volo; **flight path** rotta *f* (di volo); **flight recorder** registratore *m* di volo; **flight time** *departure* orario *m* di volo; *duration* durata *f* di volo; **flighty** volubile

flimsy ['flɪmzɪ] *furniture* leggero; *dress, material* sottile; *excuse* debole

flinch [flɪntʃ] sobbalzare

flipper ['flɪpə(r)] *for swimming* pinna *f*

flirt [flɜːt] **1** *v/i* flirtare **2** *n* flirt *m inv*; **flirtatious** civettuolo

float [fləʊt] galleggiare; FIN fluttuare

flock [flɒk] **1** *n of sheep* gregge *m* **2** *v/i* accorrere in massa

flood [flʌd] **1** *n* inondazione *f* **2** *v/t of river* inondare; **flooding** inondazione *f*; **floodlight** riflettore *m*; **flood waters** acque *fpl* di inondazione

floor [flɔː(r)] pavimento *m*; (*story*) piano *m*; **floorboard**

asse *f* del pavimento; **floorlamp** *Am* lampada *f* a stelo

flop [flɒp] **1** *v/i* crollare; F (*fail*) fare fiasco **2** *n* F (*failure*) fiasco *m*; **floppy** (**disk**) floppy *m inv*, floppy disk *m inv*

Florence ['flɒrəns] Firenze *f*; **Florentine 1** *adj* fiorentino **2** *n* fiorentino *m*, -a *f*

florist ['flɒrɪst] fiorista *m/f*

flour ['flaʊə(r)] farina *f*

flourish ['flʌrɪʃ] fiorire; *of business, civilization* prosperare; **flourishing** *business, trade* prospero

flow [fləʊ] *v/i of river, traffic, current* scorrere; *of work* procedere **2** *n of river, ideas* flusso *m*; **flowchart** diagramma *m* (di flusso)

flower ['flaʊə(r)] **1** *n* fiore *m* **2** *v/i* fiorire; **flowerpot** vaso *m* per fiori

flu [fluː] influenza *f*

fluctuate ['flʌktjʊeɪt] oscillare; **fluctuation** oscillazione *f*

fluency ['fluːənsɪ] *in a language* scioltezza *f*; **fluent** fluente; **he speaks ~ Spanish** parla correntemente lo spagnolo; **fluently** *speak, write* correntemente

fluid ['fluːɪd] fluido *m*

flunk [flʌŋk] *Am* F essere bocciato a

flush [flʌʃ] **1** *v/t toilet* tirare l'acqua di **2** *v/i* (*go red*) diventare rosso **3** *adj* (*level*) a filo; ~ **with ...** a filo con ...

flute [fluːt] MUS flauto m traverso

flutter ['flʌtə(r)] of wings sbattere; of flag sventolare; of heart battere forte

fly[1] [flaɪ] n insect mosca f

fly[2] [flaɪ] n on trousers patta f

fly[3] [flaɪ] 1 v/i volare; of flag sventolare; (rush) precipitarsi; ~ **into a rage** perdere le staffe 2 v/t aeroplane pilotare; airline volare con; (transport by air) spedire per via aerea

♦ **fly away** of bird, plane volare via

♦ **fly back** (travel back) ritornare (in aereo)

♦ **fly past** of time volare

flying ['flaɪɪŋ] volare m; **flyover** MOT cavalcavia m inv

foam [fəʊm] on liquid schiuma f; **foam rubber** gommapiuma® f

focus ['fəʊkəs] of attention centro m; PHOT fuoco m; **be in** ~ / **be out of** ~ PHOT essere a fuoco / non essere a fuoco

♦ **focus on** issue focalizzare l'attenzione su; PHOT mettere a fuoco

fodder ['fɒdə(r)] foraggio m

fog [fɒg] nebbia f; **foggy** nebbioso

foil[1] [fɔɪl] n carta f stagnola

foil[2] [fɔɪl] v/t (thwart) sventare

fold [fəʊld] v/t paper etc piegare; ~ **one's arms** incrociare le braccia 2 v/i of business

chiudere i battenti 3 n in cloth etc piega f

♦ **fold up** v/t chairs etc chiudere; clothes piegare 2 v/i of chair, table chiudere

folder ['fəʊldə(r)] for documents cartellina f; COMPUT directory f inv; **folding** pieghevole

foliage ['fəʊlɪɪdʒ] fogliame m

folk [fəʊk] (people) gente f; **my** ~ (family) i miei parenti; **come in, ~s** F entrate, gente F; **folk music** musica f folk; **folk singer** cantante m/f folk; **folk song** canzone f popolare

follow ['fɒləʊ] 1 v/t (also understand) seguire 2 v/i seguire; logically quadrare; **as ~s** quanto segue

♦ **follow up** inquiry dare seguito a

follower ['fɒləʊə(r)] of politician etc seguace m/f; of football team tifoso m, -a f; **following** 1 adj seguente 2 n people seguito m; **the ~** quanto segue

fond [fɒnd] (loving) affezionato; memory caro; **he is ~ of travel** gli piace viaggiare; **I'm very ~ of him** gli voglio molto

fondle ['fɒndl] accarezzare

fondness ['fɒndnɪs] for person affetto m; for wine, food gusto m

font [fɒnt] for printing carattere m; in church fonte f battesimale

food [fuːd] cibo *m*; *Italian ~* la cucina italiana; *there's no ~ in the house* non c'è niente da mangiare in casa; **foodie** buongustaio *m*, -a *f*; **food poisoning** intossicazione *f* alimentare

fool [fuːl] **1** *n* pazzo *m*, -a *f*; *make a ~ of o.s.* rendersi ridicolo **2** *v/t* ingannare; **foolhardy** temerario; **foolish** sciocco; **foolproof** a prova di idiota

foot [fut] (*pl feet* [fiːt]) *also measurement* piede *m*; *on ~* a piedi; *at the ~ of the page* a piè di pagina; *put one's ~ in it* F fare una gaffe; **footage** pellicola *f* cinematografica; **football** (*soccer*) calcio *m*; *American* football *m* americano; (*ball*) pallone *m* da calcio; *for American football* pallone *m* da football americano; **footballer** calciatore *m*, -trice *f*; **football pitch** campo *m* da calcio; **football player** *soccer* calciatore *m*, -trice *f*; *American style* giocatore *m* di football americano; **foothills** colline *fpl* pedemontane; **footnote** nota *f* a piè di pagina; **footpath** sentiero *m*; **footprint** impronta *f* di piede; **footstep** passo *m*

for [fɔː(r)] per; *a train ~ ...* un treno per ...; *what is this ~?* a cosa serve?; *what ~?* a che

scopo?, perché?; *~ three days* per tre giorni; *I am ~ the idea* sono a favore dell'idea; *how much did you sell it ~?* a quanto l'hai venduto?

forbid [fəˈbɪd] vietare, proibire (*to do* di fare); **forbidden** vietato, proibito; *smoking ~* vietato fumare; *parking ~* divieto di sosta; **forbidding** ostile

force [fɔːs] **1** *n* forza *f*; *come into ~ of law etc* entrare in vigore; *the ~s* MIL le forze armate **2** *v/t* forzare, lock forzare; *~ s.o. to do sth* forzare *or* costringere qu a fare qc; **forced** forzato; **forced landing** atterraggio *m* d'emergenza; **forceful** *argument*, *speaker* convincente; *character* energico

forceps [ˈfɔːseps] MED forcipe *f*

forcibly [ˈfɔːsəblɪ] *restrain* con la forza

foreboding [fəˈbəʊdɪŋ] presentimento *m*; **forecast 1** *n* previsione *f* **2** *v/t* prevedere; **forefathers** antenati *mpl*; **forefinger** indice *m*; **foregone**: *that's a ~ conclusion* è una conclusione scontata; **foreground** primo piano *m*; **forehand** *in tennis* diritto *m*; **forehead** fronte *f*

foreign [ˈfɒrən] straniero; *trade, policy* estero; **foreign affairs** affari *mpl* esteri; **foreign body** corpo *m* estraneo; **foreign currency** valuta f estera; **foreigner** straniero m, -a f; **foreign exchange** cambio m valutario; **Foreign Office** Ministero m degli esteri; **Foreign Secretary** in UK ministro m degli esteri

'foreman caposquadra m; **foremost 1** adv (uppermost) soprattutto **2** adj (leading) principale

forensic 'medicine [fə'rɛnzɪk] medicina f legale; **forensic scientist** medico m legale

'forerunner precursore m; **foresee** prevedere; **foresight** lungimiranza f

forest ['fɒrɪst] foresta f; **forestry** scienze fpl forestali

fore'tell predire

forever [fə'revə(r)] per sempre

foreword ['fɔːwɜːd] prefazione f

forfeit ['fɔːfɪt] right, privilege etc perdere

forge [fɔːdʒ] (counterfeit) contraffare; signature falsificare; **forgery** (banknote) falsificazione f; (document) falso m

forget [fə'get] dimenticare; **forgetful** smemorato

forgive [fə'gɪv] perdonare; **forgiveness** perdono m

fork [fɔːk] for eating forchetta f; for gardening forca f; in road biforcazione f; **forklift truck** muletto m

form [fɔːm] **1** n (shape) forma

f; (document) modulo m; in school classe f; **be on / off** ~ essere in / fuori forma **2** v/t in clay etc modellare; friendship creare; opinion formarsi; past tense etc formare; (constitute) costituire **3** v/i (take shape, develop) formarsi; **formal** formale; **formality** formalità f inv; **formally** formalmente

format ['fɔːmæt] **1** v/t diskette formattare; document impaginare **2** n (size: of magazine etc) formato m; (makeup: of programme) formula f

formation [fɔː'meɪʃn] formazione f

former ['fɔːmə(r)] wife, president ex inv; statement, arrangement precedente; **the** ~ quest'ultimo; **formerly** precedentemente

formidable ['fɔːmɪdəbl] imponente

formula ['fɔːmjʊlə] formula f

fort [fɔːt] MIL forte m

forthcoming ['fɔːθkʌmɪŋ] (future) prossimo; personality comunicativo

forthright schietto

fortieth ['fɔːtɪɪθ] quarantesimo, -a

fortnight ['fɔːtnaɪt] due settimane

fortress ['fɔːtrɪs] MIL fortezza f

fortunate ['fɔːtʃʊnət] fortunato; **fortunately** fortunatamente; **fortune** sorte f; (lot

of money) fortuna f; **tell
s.o.'s** ~ predire il futuro a
qu; **fortune-teller** chiromante m/f

forty ['fɔːtɪ] quaranta

Forum ['fɔːrəm] *Roman* foro
m

forward ['fɔːwəd] **1** *adv* avanti
2 *adj pej: person* diretto **3** *n*
SP attaccante m **4** *v/t letter*
inoltrare; **forwarding agent**
COM spedizioniere m; **for-
ward-looking** progressista

fossil ['fɒsəl] fossile m

foster ['fɒstə(r)] *child* avere in
affidamento; *attitude, belief*
incoraggiare; **foster parents**
genitori mpl con affidamento

foul [faʊl] **1** *n* SP fallo m **2** *adj
smell* pessimo; *weather* orri-
bile **3** *v/t* SP fare un fallo contro

found [faʊnd] *school etc* fondare; **foundation** *of theory
etc* fondamenta fpl; *(organization)* fondazione f; *make-
up* fondotinta m; **foundations** *of building* fondamenta fpl; **founder** fondatore m,
-trice f

fountain ['faʊntɪn] fontana f

four [fɔː(r)] quattro; **four-star
hotel** etc a quattro stelle;
fourteen quattordici; **fourteenth** quattordicesimo;
fourth quarto; **four-wheel
drive** MOT quattro per quattro m inv

fox [fɒks] **1** *n* volpe f **2** *v/t (puz-*

zle) mettere in difficoltà

foyer ['fɔɪeɪ] atrio m

fraction ['frækʃn] frazione f;
fractionally lievemente

fracture ['fræktʃə(r)] **1** *n* frattura f **2** *v/t* fratturare

fragile ['frædʒaɪl] fragile

fragment ['frægmənt] frammento m

fragrance ['freɪgrəns] fra-
granza f; **fragrant** profuma-
to

frail [freɪl] gracile

frame [freɪm] **1** *n of picture,
window* cornice f; *of glasses*
montatura f; *of bicycle* telaio
m; **~ of mind** stato m d'animo **2** *v/t picture* incorniciare;
F *person* incastrare F;
framework struttura f

France [frɑːns] Francia f

franchise ['fræntʃaɪz] *for business* concessione f

frank [fræŋk] franco; **frankly**
francamente; **frankness**
franchezza f

frantic ['fræntɪk] *attempt* frenetico; *(worried)* agitatissi-
mo

fraternal [frə'tɜːnl] fraterno

fraud [frɔːd] frode f; *person*
impostore m, -trice f; **fraud-
ulent** fraudolento

frayed [freɪd] *cuffs* liso

freak [friːk] **1** *n unusual event*
fenomeno m anomalo; *two-
-headed person etc* scherzo
m di natura; F *strange person*
tipo m, -a f strambo, -a;
movie ~ F *(fanatic)* fanatico

m, -a *f* del cinema **2** *adj* wind, storm violento

freckle ['frekl] lentiggine *f*

free [fri:] **1** *adj* libero; (*no cost*) gratuito; **for ~** *travel, get sth* gratis **2** *v/t prisoners* liberare; **freedom** libertà *f*; **free enterprise** liberalismo *m* economico; **freefone number** numero *m* verde; **free kick** *in soccer* calcio *m* di punizione; **freelance** free lance *inv*; **freely** *admit* apertamente; **free sample** campione *m* gratuito; **free speech** libertà *f* di espressione; **freeway** *Am* autostrada *f*

freeze [fri:z] **1** *v/t* gelare; *wages, account* congelare; *video* bloccare **2** *v/i of water* gelare; **freeze-dried** liofilizzato; **freezer** freezer *m inv*, congelatore *m*; **freezing 1** *adj* gelato: **it's ~ (cold)** *of weather* si gela; *of water* è gelata; **I'm ~** sono congelato **2** *n*: **10 below ~** 10 gradi sotto zero

freight [freit] carico *m*; *costs* trasporto *m*; **freighter** *ship* nave *f* da carico; *plane* aereo *f* da carico

French [frentʃ] **1** *adj* francese **2** *n* (*language*) francese *m*; **the ~** i francesi; **French fries** patate *fpl* fritte; **Frenchman** francese *m*; **French windows** vetrata *f*; **Frenchwoman** francese *f*

frenzied ['frenzid] *attack, activity* frenetico; *mob* impaz-

zito; **frenzy** frenesia *f*

frequency ['fri:kwənsɪ] frequenza *f*

frequent[1] ['fri:kwənt] *adj* frequente

frequent[2] [fri'kwent] *v/t bar etc* frequentare

frequently ['fri:kwəntlɪ] frequentemente

fresh [freʃ] fresco; *start* nuovo; *Am* (*impertinent*) sfacciato; **fresh air** aria *f* fresca

♦ **freshen up** ['freʃn] **1** *v/i* rinfrescarsi **2** *v/t room, paintwork* rinfrescare

freshly ['freʃlɪ] appena; **freshman** studente *m* del primo anno, matricola *f*; **freshwater** d'acqua dolce

friction ['frɪkʃn] PHYS frizione *f*; *between people* attrito *m*

Friday ['fraɪdeɪ] venerdì *m inv*

fridge [frɪdʒ] frigo *m*

fried egg [fraɪd] uovo *m* fritto

friend [frend] amico *m*, -a *f*; **make ~** fare amicizia; **friendliness** amichevolezza *f*; **friendly 1** *adj* amichevole; (*easy to use*) facile da usare; **be ~ with s.o.** (*be friends*) essere amico di qu **2** *n* SP amichevole *f*; **friendship** amicizia *f*

fries [fraɪz] patate *fpl* fritte

fright [fraɪt] paura *f*; **frighten** spaventare; **be ~ed (of)** aver paura (di); **frightening** spaventoso

frill [frɪl] *on dress etc* volant *m inv*; **~s** (*fancy extras*) fronzoli

full

mpl

fringe [frɪndʒ] frangia *f*; (*edge*) margini *mpl*; **fringe benefits** benefici *mpl* accessori

frisk [frɪsk] frugare F

◆ **fritter away** ['frɪtə(r)] *time, fortune* sprecare

frivolity [frɪ'vɒlətɪ] frivolezza *f*; **frivolous** frivolo

frizzy ['frɪzɪ] *hair* crespo

frog [frɒg] rana *f*; **frogman** sommozzatore *m*

from [frɒm] ◊ *in time* da; **~ 9 to 5 (o'clock)** dalle 9 alle 5; **~ today on** da oggi in poi ◊ *in space* da; **~ here to there** da qui a lì ◊ *origin* di; **a letter ~ Jo** una lettera di Jo; **I am ~ Liverpool** sono di Liverpool ◊ (*because of*) di; **tired ~ the journey** stanco del viaggio; **it's ~ overeating** è a causa del troppo mangiare

front [frʌnt] **1** *n of building* lato *m* principale; *of car, statue* davanti *m inv*; *of book* copertina *f*; (*cover organization*) facciata *f*; MIL, *of weather* fronte *m*; **in ~** davanti; **in ~ of** davanti a **2** *adj wheel, seat* anteriore **3** *v/t TV programme* presentare; **front door** porta *f* principale

frontier ['frʌntɪə(r)] *also fig* frontiera *f*

'**front line** MIL fronte *m*; **front page** *of newspaper* prima pagina *f*; **front-wheel drive** trazione *f* anteriore

frost [frɒst] brina *f*; **frostbite**

congelamento *m*; **frosting** *Am on cake* glassatura *f*; **frosty** *also fig* gelido

froth [frɒθ] spuma *f*

frown [fraʊn] **1** *n* cipiglio *m* **2** *v/i* aggrottare le sopracciglia

frozen ['frəʊzn] *gelato; wastes* gelido; *food* surgelato; **I'm ~** F sono congelato F

fruit [fruːt] frutto *m*; *collective* frutta *f*; **fruitful** *discussions etc* fruttuoso; **fruit juice** succo *m* di frutta; **fruit machine** slot machine *f inv*; **fruit salad** macedonia *f*

frustrate [frʌ'streɪt] *person* frustrare; *plans* scombussolare; **frustrating** frustrante; **frustration** frustrazione *f*; **sexual ~** insoddisfazione *f* sessuale

fry [fraɪ] friggere; **frying pan** padella *f*

fuck [fʌk] V scopare V; **~!** cazzo! V

fuel ['fjuːəl] **1** *n* carburante *m* **2** *v/t fig* alimentare

fugitive ['fjuːdʒətɪv] *n* fuggiasco *m*, -a *f*

fulfil, *Am* **fulfill** [fʊl'fɪl] *dreams* realizzare; *contract* eseguire; *requirements* corrispondere a; **feel ~led** *in job, life* sentirsi soddisfatto; **fulfilment**, *Am* **fulfillment** *of contract* esecuzione *f*; *of dreams* realizzazione *f*; *moral, spiritual* soddisfazione *f*

full [fʊl] pieno (**of** di); *account* esauriente; *life* intenso; **~ up**

hotel, with food pieno; **in ~ write** per intero; **pay in ~** saldare il conto; **full moon** luna *f* piena; **full stop** punto *m* fermo; **full-time** a tempo pieno; **fully booked, recovered** completamente; *understand,* explain perfettamente; *describe* ampiamente

fumble ['fʌmbl] *catch* farsi sfuggire

fumes [fju:mz] esalazioni *fpl*

fun [fʌn] **1** *n* divertimento *m*; **it was great ~** era molto divertente; **have ~!** divertiti!; **for ~** per divertirsi; *(joking)* per scherzo; **make ~ of** prendere in giro **2** *adj* F divertente

function ['fʌŋkʃn] **1** *n (purpose)* funzione *f*; *(reception etc)* cerimonia *f* **2** *v/i* funzionare; **~ as** servire da; **functional** funzionale

fund [fʌnd] **1** *n* fondo *m* **2** *v/t project etc* finanziare

fundamental [fʌndə'mentl] fondamentale; **fundamentalist** fondamentalista *m/f*; **fundamentally** fondamentalmente

funding ['fʌndɪŋ] *money* fondi *mpl*

funeral ['fju:nərəl] funerale *m*; **funeral home, funeral parlour** obitorio *m*

fungus ['fʌŋgəs] fungo *m*

funicular ('railway) [fju:'nɪkjʊlə(r)] funicolare *f*

funnily ['fʌnɪlɪ] *(oddly)* stra-

namente; *(comically)* in modo divertente; **~ enough** per quanto strano; **funny** *(comical)* divertente; *(odd)* strano

fur [fɜː(r)] pelliccia *f*; *on animal* pelo *m*

furious ['fjʊərɪəs] *(angry)* furioso; *(intense)* spaventoso

furnace ['fɜːnɪs] forno *m*

furnish ['fɜːnɪʃ] *room* arredare; *(supply)* fornire; **furniture** mobili *mpl*; **a piece of ~** un mobile

further ['fɜːðə(r)] **1** *adj (additional)* ulteriore; *(more distant)* più lontano; **have you anything ~ to say?** ha qualcosa da aggiungere? **2** *adv walk, drive* oltre; **~, I want to say ...** inoltre, volevo dire ...; **two miles ~ (on)** due miglia più avanti **3** *v/t cause etc* favorire; **furthermore** inoltre; **furthest 1** *adj* più lontano **2** *adv* **this is the ~ north** è il punto più a nord

furtive ['fɜːtɪv] *glance* furtivo

fury ['fjʊərɪ] furore *m*

fuse [fju:z] ELEC **1** *n* fusibile *m* **2** *v/i* bruciarsi **3** *v/t* bruciare; **fusebox** scatola *f* dei fusibili

fusion ['fju:ʒn] fusione *f*

fuss [fʌs] agitazione *f*; *about film, event* scalpore *m*; **make a ~ complain** fare storie; **make a ~ of** be very attentive to colmare qu di attenzioni; **fussy** *person* difficile; *design* *etc* complicato; **be a ~ eater** essere schizzinoso nel mangiare

futile ['fju:taɪl] futile; **futility** futilità *f*

future ['fju:tʃə(r)] **1** *n* futuro *m* **2** *adj* futuro; **futuristic** futuristico

fuzzy ['fʌzɪ] *hair* crespo; (*out of focus*) sfuocato

G

gadget ['gædʒɪt] congegno *m*

gag [gæg] **1** *n* bavaglio *m*; (*joke*) battuta *f* **2** *v/t person* imbavagliare; **the press** azzittire

gain [geɪn] (*acquire*) acquisire, acquistare; **~ 10 pounds** aumentare di 10 libbre

gala ['gɑ:lə] *concert etc* serata *f* di gala

galaxy ['gæləksɪ] galassia *f*

gale [geɪl] bufera *f*

gallery ['gælərɪ] galleria *f*

gallon ['gælən] gallone *m*; (*0,546l, in USA 0,785l,*)

gallop ['gæləp] galoppare

gamble ['gæmbl] giocare (d'azzardo); **gambler** giocatore *m*, -trice *f* (d'azzardo); **gambling** gioco *m* (d'azzardo)

game [geɪm] gioco *m*; (*match, in tennis*) partita *f*

gang [gæŋ] banda *f*; **gangster** malvivente *m*, gangster *m inv*; **gangway** passaggio *m*; *for ship* passerella *f*

gap [gæp] *in wall, for parking* buco *m*; *in conversation* vuoto *m*; *in time* intervallo *m*; *in story, education* lacuna *f*; *be-*

tween personalities scarto *m*

gape [geɪp] *of person* rimanere a bocca aperta; **gaping** *hole* spalancato

'gap year *anno tra la fine del liceo e l'inizio dell'università dedicato ad altre attività*

garage ['gærɪdʒ] *for parking* garage *m inv*; *for repairs* officina *f*; *for petrol* stazione *f* di servizio

garbage ['gɑ:bɪdʒ] rifiuti *mpl*; (*fig: nonsense*) idiozie *fpl*; **garbage can** *Am* bidone *m* della spazzatura; **garbage truck** *Am* camion *m* della nettezza urbana

garbled ['gɑ:bld] *message* ingarbugliato

garden ['gɑ:dn] giardino *m*; *for vegetables* orto *m*; **gardening** giardinaggio *m*

garish ['geərɪʃ] sgargiante

garlic ['gɑ:lɪk] aglio *m*

garment ['gɑ:mənt] *fml* capo *m* d'abbigliamento

garnish ['gɑ:nɪʃ] guarnire

gas [gæs] gas *m inv*; *Am* (*gasoline*) benzina *f*

gash [gæʃ] taglio *m*

gasket ['gæskɪt] guarnizione f

gasoline ['gæsəliːn] Am benzina f

gasp [gɑːsp] **1** n sussulto m **2** v/i rimanere senza fiato; ~ **for breath** essere senza fiato

'gas pedal Am acceleratore m; **gas pump** Am pompa f della benzina; **gas station** Am stazione f di rifornimento; **gas stove** cucina f a gas

gate [geɪt] cancello m; of city, castle, at airport porta f; **gateway** ingresso m; fig via f d'accesso

gather ['gæðə(r)] **1** v/t facts raccogliere; ~ **speed** acquistare velocità **2** v/i (understand) dedurre; **gathering** (group of people) raduno m

gaudy ['ɡɔːdɪ] pacchiano

gauge [ɡeɪdʒ] **1** n indicatore m **2** v/t pressure misurare; opinion valutare

gaunt [ɡɔːnt] smunto

gawky ['ɡɔːkɪ] impacciato

gawp [ɡɔːp] F fissare come un ebete

gay [ɡeɪ] gay inv; **gay marriage** matrimonio m gay

gaze [ɡeɪz] **1** n sguardo m **2** v/i fissare

gear [ɡɪə(r)] (equipment) equipaggiamento m; in vehicles marcia f; **gearbox** MOT scatola f del cambio; **gear lever**, **gear shift** MOT leva f del cambio

geese [ɡiːs] pl ☞ **goose**

gel [dʒel] for hair, shower gel m inv

gem [dʒem] gemma f; fig: book etc capolavoro m; person perla f rara

Gemini ['dʒemɪnaɪ] ASTR Gemelli mpl

gender ['dʒendə(r)] genere m

gene [dʒiːn] gene m

general ['dʒenrəl] **1** n MIL generale m **2** adj generale; **generalization** generalizzazione f; **generalize** generalizzare; **generally** generalmente; ~ **speaking** in generale

generate ['dʒenəreɪt] generare; in linguistics formare; **generation** generazione f; **generator** ELEC generatore m

generosity [dʒenə'rɒsɪtɪ] generosità f; **generous** generoso

genetic [dʒɪ'netɪk] genetico; **genetically** geneticamente; ~ **modified** transgenico; **genetic engineering** ingegneria f genetica; **genetic fingerprint** esame m del DNA; **genetics** genetica f

genial ['dʒiːnɪəl] gioviale

genitals ['dʒenɪtlz] genitali mpl

genius ['dʒiːnɪəs] genio m

Genoa ['dʒenəʊə] Genova f

genocide ['dʒenəsaɪd] genocidio m

gentle ['dʒentl] delicato; breeze, slope dolce; **gentle-**

man signore *m*; **he's a real ~** è un vero gentleman; **gentleness** delicatezza *f*; *of breeze, slope* dolcezza *f*; **gently** delicatamente; *blow, slope* dolcemente

gents [dʒents] *toilet* bagno *m* degli uomini

genuine ['dʒenjuɪn] autentico; (*sincere*) sincero; **genuinely** sinceramente

geographical [dʒɪə'græfɪkl] geografico; **geography** geografia *f*

geological [dʒɪə'lɒdʒɪkl] geologico; **geologist** geologo *m*, -a *f*; **geology** geologia *f*

geometric, geometrical [dʒɪə'metrɪk(l)] geometrico; **geometry** geometria *f*

geriatric [dʒerɪ'ætrɪk] **1** *adj* geriatrico **2** *n* anziano *m*, -a *f*

germ [dʒɜːm] *also fig* germe *m*

German ['dʒɜːmən] **1** *adj* tedesco **2** *n person* tedesco *m*, -a *f*; *language* tedesco *m*; **German measles** rosolia *f*; **German shepherd** pastore *m* tedesco; **Germany** Germania *f*

gesture ['dʒestʃə(r)] *also fig* gesto *m*

get [get] prendere; (*fetch*) andare a prendere; (*receive: letter*) ricevere; (*receive: knowledge, respect etc*) ottenere; (*become*) diventare; (*understand*) afferrare; **~ sth done** *causative* farsi fare qc; **~**

s.o. to do sth far fare qc a qu; **I'll ~ him to do it** glielo faccio fare; **~ to do sth** have opportunity avere occasione di fare qc; **~ one's hair cut** tagliarsi i capelli; **~ sth ready** preparare qc; **~ going** (*leave*) andare via; **have got** avere; **I have got to study** devo studiare

◆ **get at** (*criticize*) prendersela con; (*imply, mean*) volere arrivare a

◆ **get back 1** *v/i* (*return*) ritornare; **I'll get back to you on that** ti faccio sapere **2** *v/t* (*obtain again*) recuperare

◆ **get by** (*pass*) passare; *financially* tirare avanti

◆ **get down 1** *v/i from ladder etc* scendere; (*duck etc*) abbassarsi **2** *v/t* (*depress*) buttare giù

◆ **get in 1** *v/i of train, plane* arrivare; (*come home*) arrivare a casa; *to car* salire; **how did they get in?** *of thieves, mice etc* come sono entrati? **2** *v/t to suitcase etc* far entrare

◆ **get into** *house* entrare in; *car* salire in

◆ **get off 1** *v/i from bus etc* scendere; (*finish work*) finire; (*not be punished*) cavarsela **2** *v/t* (*remove*) togliere; *clothes* togliersi

◆ **get off with** F *sexually* rimorchiare F; **get off with a small fine** cavarsela con una piccola multa

◆ **get on 1** *v/i to bike, bus, train* salire; *(be friendly)* andare d'accordo; *(advance: of time)* farsi tardi; *(become old)* invecchiare; *(make progress)* procedere; *he's getting on well at school* se la sta cavando bene a scuola **2** *v/t:* **get on the bus** salire sull'autobus

◆ **get out 1** *v/i of car etc* scendere; *of prison* uscire; *get out!* fuori!; *let's get out of here* usciamo da qui **2** *v/t nail, something jammed* tirare fuori; *stain* mandare via; *gun, pen* tirare fuori

◆ **get over** *fence, disappointment etc* superare; *lover etc* dimenticare

◆ **get through** *on telephone* prendere la linea; *(make self understood)* farsi capire

◆ **get up 1** *v/i of person, wind* alzarsi **2** *v/t (climb: hill)* salire su

'**getaway car** macchina *f* per la fuga; **get-together** ritrovo *m*

ghastly ['gɑːstlɪ] orrendo

ghetto ['getəʊ] ghetto *m*

ghost [gəʊst] fantasma *m*, spettro *m*; **ghostly** spettrale

ghoul [guːl] persona *f* morbosa

giant ['dʒaɪənt] **1** *n* gigante *m* **2** *adj* gigante

gibberish ['dʒɪbərɪʃ] F bestialità *fpl* F

gibe [dʒaɪb] frecciatina *f*

giddiness ['gɪdɪnɪs] giramenti *mpl* di testa; **giddy:** *I feel ~* mi gira la testa

gift [gɪft] regalo *m*; *(talent)* dono *m*; **gifted** dotato; **gift token**, **gift voucher** buono *m* d'acquisto; **giftwrap:** *~ sth* fare un pacco regalo

gig [gɪg] F concerto *m*

gigabyte ['gɪgəbaɪt] COMPUT gigabyte *m inv*

gigantic [dʒaɪ'gæntɪk] gigante

giggle ['gɪgl] **1** *v/i* ridacchiare **2** *n* risatina *f*

gimmick ['gɪmɪk] trovata *f*

gin [dʒɪn] gin *m inv*; *~ and tonic* gin and tonic *m inv*

ginger ['dʒɪndʒə(r)] **1** *n spice* zenzero *m* **2** *adj hair* rosso carota; *cat* rosso

gipsy ['dʒɪpsɪ] zingaro *m*, -a *f*

giraffe [dʒɪ'rɑːf] giraffa *f*

girder ['gɜːdə(r)] *n* trave *f*

girl [gɜːl] ragazza *f*; **girlfriend** *of boy* ragazza *f*; *of girl* amica *f*; **girl guide** giovane esploratrice *f*; **girlish** tipicamente femminile

gist [dʒɪst] sostanza *f*

give [gɪv] dare; *present* fare; *(supply: electricity etc)* fornire; *talk, groan* fare; *party* dare; *pain, appetite* far venire

◆ **give away** *as present* regalare; *(betray)* tradire

◆ **give back** restituire

◆ **give in 1** *v/i (surrender)* arrendersi **2** *v/t (hand in)* consegnare

◆ **give onto** (*open onto*) dare su

◆ **give out 1** *v/t leaflets etc* distribuire **2** *v/i of supplies, strength* esaurirsi

◆ **give up 1** *v/t smoking etc* rinunciare a; **give o.s. up to the police** consegnarsi alla polizia **2** *v/i* (*cease habit*) smettere; (*stop making effort*) lasciar perdere

◆ **give way** *of bridge etc* cedere; MOT dare la precedenza

give-and-'take concessioni *fpl* reciproche

gizmo ['gɪzməʊ] *Am* aggeggio *m*

glad [glæd] contento; **gladly** volentieri

glamor ['glæmə(r)] *Am* ☞ **glamour**, **glamorize** esaltare; **glamorous** affascinante; **glamour** fascino *m*

glance [glɑːns] **1** *n* sguardo *m*; **at first ~** a prima vista **2** *v/i* dare un'occhiata *or* uno sguardo

gland [glænd] ghiandola *f*

glare [gleə(r)] **1** *n of sun, lights* luce *f* abbagliante **2** *v/i of sun, lights* splendere di luce abbagliante

◆ **glare at** guardare di storto

glaring ['gleərɪŋ] *mistake* lampante

glass [glɑːs] *material* vetro *m*; *for drink* bicchiere *m*; **glasses** occhiali *mpl*

glazed [gleɪzd] *expression* assente

gleam [gliːm] **1** *n* luccichio *m* **2** *v/i* luccicare

glee [gliː] allegria *f*; **gleeful** allegro

glib [glɪb] poco convincente; **glibly** in modo poco convincente

glide [glaɪd] *of skier, boat* scivolare; *of bird, plane* planare; **glider** aliante *m*; **gliding** SP volo *m* planato

glimpse [glɪmps] **1** *n* occhiata *f*; **catch a ~ of** intravedere **2** *v/t* intravedere

glint [glɪnt] **1** *n* luccichio *m* **2** *v/i of light, eyes* luccicare

glisten ['glɪsn] scintillare

glitter ['glɪtə(r)] brillare

gloat [gləʊt] gongolare

◆ **gloat over** compiacersi di

global ['gləʊbl] (*worldwide*) mondiale; *without exceptions* globale; **globalization** globalizzazione *f*; **globalize** globalizzare; **global warming** effetto *m* serra; **globe** globo *m*; *model of earth* mappamondo *m*

gloom [gluːm] (*darkness*) penombra *f*; *mood* tristezza *f*; **gloomy** *room* buio; *mood, person* triste; *day* grigio

glorious ['glɔːrɪəs] *weather, day* splendido; *victory* glorioso; **glory** gloria *f*; (*beauty*) splendore *m*

gloss [glɒs] (*shine*) lucido *m*; **glossary** glossario *m*; **gloss paint** vernice *f* lucida;

glossy 1 *adj paper* patinato **2** *n magazine* rivista *f* su carta patinata

glove [glʌv] guanto *m*; **glove compartment** cruscotto *m*

glow [gləʊ] **1** *n of light, fire* bagliore *m*; *in cheeks* colorito *m* vivo; *of candle* luce *f* fioca **2** *v/i of light* brillare; *her cheeks ~ed* è diventata rossa; **glowing** *description* entusiastico

glucose ['glu:kəʊs] glucosio *m*

glue [glu:] **1** *n* colla *f* **2** *v/t:* **~ sth to sth** incollare qc a qc

glum [glʌm] triste

glut [glʌt] eccesso *m*

glutton ['glʌtən] ghiottone *m*, -a *f*

gnaw [nɔ:] *bone* rosicchiare

go [gəʊ] **1** *n (try)* tentativo *m*; *it's my ~* tocca a me; **have a ~ at sth** *(try)* fare un tentativo in qc; **be on the ~** essere indaffarato; *in one ~ drink, write etc* tutto in una volta **2** *v/i* andare; *(leave: of train, plane)* partire; *(leave: of people)* andare via; *(work, function)* funzionare; *(become)* diventare; *(come out: of stain etc)* andare via; *(cease: of pain etc)* sparire; *(match: of colours etc)* stare bene insieme; **let's ~!** andiamo!; **how's the work ~ing?** come va il lavoro?; **be all gone** *(finished)* essere finito; **to ~** *Am food* da asporto

◆ **go along with** *suggestion* concordare con

◆ **go away** *of person, pain* andare via; *of rain* smettere

◆ **go back** *(return)* ritornare; *(date back)* rimontare; **go back to sleep** tornare a dormire

◆ **go by** *of car, people, time* passare

◆ **go down** scendere; *of sun, ship* tramontare; *of ship* affondare; *of swelling* diminuire

◆ **go in** *to room, house* entrare; *of sun* andare via; *(fit: of part etc)* andare

◆ **go off 1** *v/i (leave)* andarsene; *of bomb* esplodere; *of gun* sparare; *of alarm* scattare; *of light* spegnersi; *of milk etc* andare a male **2** *v/t (stop liking)* stufarsi di

◆ **go on** *(continue)* andare avanti; *(happen)* succedere

◆ **go out** *of person* uscire; *of light, fire* spegnersi

◆ **go out with** *romantically* uscire con

◆ **go over** *(check)* esaminare

◆ **go through** *hard times* passare; *(check)* controllare; *(read through)* leggere

◆ **go under** *(sink)* affondare; *of company* fallire

◆ **go up** salire

◆ **go without 1** *v/t food etc* fare a meno di **2** *v/i* farne a meno

'go-ahead 1 *n* via libera *m*;

get the ~ avere il via libera **2** *adj* (*enterprising, dynamic*) intraprendente

goal [gəʊl] (*sport: target*) rete *f*; (*sport: points*) gol *m inv*; (*objective*) obiettivo *m*; **goalie** F portiere *m*; **goalkeeper** portiere *m*; **goal kick** rimessa *f*; **goalpost** palo *m*

goat [gəʊt] capra *f*

gobble ['gɒbl] tranguggiare

gobbledygook ['gɒbldɪguːk] F linguaggio *m* incomprensibile

'go-between mediatore *m*, -trice *f*

god [gɒd] dio *m*; **thank God!** grazie a Dio!; **godchild** figlioccio *m*, -a *f*; **goddess** dea *f*; **godfather** *also in mafia* padrino *m*; **godmother** madrina *f*

gofer ['gəʊfə(r)] F galoppino *m*, -a *f*

goggles ['gɒglz] occhialini *mpl*

goings-on [gəʊɪŋz'ɒn] vicende *fpl*

gold [gəʊld] **1** *n* oro *m* **2** *adj* d'oro; **golden** dorato; **golden wedding** (*anniversary*) nozze *fpl* d'oro; **goldfish** pesce *m* rosso; **gold mine** *fig* miniera *f* d'oro

golf [gɒlf] golf *m*; **golf ball** palla *f* da golf; **golf club** *organization* club *m inv* di golf; *stick* mazza *f* da golf; **golf course** campo *m* da golf; **golfer** giocatore *m*, -trice di golf

gondola ['gɒndələ] gondola *f*; **gondolier** gondoliere *m*

good [gʊd] **1** *adj* buono; *weather, film* bello; *actor, child* bravo; **a ~ many** un bel po (di); **be ~ at** essere bravo in; **be ~ for s.o.** fare bene a qu; **be ~ for sth** andare bene per qc; **~! bene!**; **it's ~ to see you** è bello vederti **2** *n* bene *m*; **it did him no ~** non gli ha fatto bene; **goodbye** arrivederci; **say ~ to s.o.** salutare qu; **good-for-nothing** buono *m*, -a *f* a nulla; **Good Friday** venerdì *m inv* santo; **good-humoured**, *Am* **good-humored** di buon umore; **good-looking** attraente; **good-natured** di buon cuore; **goodness** bontà *f*; **thank ~!** grazie al cielo!; **goods** COM merce *fsg*; **goodwill** buona volontà *f*

goof [guːf] F fare una gaffe

goose [guːs] (*pl* **geese** [giːs]) oca *f*; **gooseberry** uva *f* spina; **goose bumps** pelle *f* d'oca

gorgeous ['gɔːdʒəs] stupendo; *smell* ottimo

gorilla [gə'rɪlə] gorilla *m*

Gospel ['gɒspl] vangelo *m*

gossip ['gɒsɪp] **1** *n* pettegolezzo *m*; *person* pettegolo *m*, -a *f* **2** *v/i* spettegolare; **gossip column** cronaca *f* rosa

gourmet ['gʊəmeɪ] *n* buongustaio *m*, -a *f*

govern ['gʌvn] governare; **government** governo *m*; **governor** governatore *m*

gown [gaʊn] *long dress* abito *m* lungo; *wedding dress* abito *m* da sposa; *of academic, judge* toga *f*; *of surgeon* camice *m*

grab [græb] afferrare; **~ some sleep** farsi una dormita

grace [greɪs] *of dancer etc* grazia *f*; *before meals* preghiera *f* (prima di un pasto); **graceful** aggraziato; **gracious** *person* cortese; *style* elegante

grade [greɪd] **1** *n* (*quality*) qualità *f inv*; EDU voto *m* **2** *v/t* classificare; **grade crossing** *Am* passaggio *m* a livello; **grade school** *Am* scuola *f* elementare

gradient ['greɪdɪənt] pendenza *f*

gradual ['grædʒʊəl] graduale; **gradually** gradualmente

graduate ['grædʒʊət] **1** *n* laureato *m*, -a *f* **2** *v/i from university* laurearsi; **graduation** laurea *f*; *ceremony* cerimonia *f* di laurea

graffiti [grə'fiːtiː] graffiti *mpl*

graft [grɑːft] **1** *n* BOT innesto *m*; MED trapianto *m*; F (*hard work*) duro lavoro *m*; *Am* F corruzione *f* **2** *v/t* BOT innestare; MED trapiantare

grain [greɪn] cereali *mpl*; *seed* granello *m*; *of rice, wheat* chicco *m*; *in wood* venatura *f*

gram [græm] grammo *m*

grammar ['græmə(r)] grammatica *f*; **grammar school** liceo *m*; **grammatical** grammaticale

grand [grænd] **1** *adj* grandioso; F (*very good*) eccezionale **2** *n* F (*£1000*) mille sterline *fpl*; **grandchild** nipote *m/f*; **granddaughter** nipote *f*; **grandeur** grandiosità *f*; **grandfather** nonno *m*; **grand jury** *Am* gran giurì *m*; **grandmother** nonna *f*; **grandparents** nonni *mpl*; **grand piano** pianoforte *m* a coda; **grandson** nipote *m*

granite ['grænɪt] granito *m*

granny ['grænɪ] F nonna *f*

grant [grɑːnt] **1** *n money* sussidio *m*; *for university* borsa *f* di studio **2** *v/t* visa assegnare; *permission* concedere; *wish* esaudire; **take sth for ~ed** dare qc per scontato; **he takes his wife for ~ed** considera quello che fa sua moglie come dovuto

granule ['grænjuːl] granello *m*

grape [greɪp] acino *m* d'uva; **~s** uva *fsg*; **grapefruit** pompelmo *m*; **grapefruit juice** succo *m* di pompelmo

graph [grɑːf] grafico *m*; **graphic** **1** *adj* grafico; (*vivid*) vivido **2** *n* COMPUT grafico *m*; **~s** grafica *f*

♦ **grapple with** ['græpl] *attacker* lottare con; *problem* *etc* essere alle prese con

grasp [grɑ:sp] **1** *n physical* presa *f*; *mental* comprensione *f* **2** *v/t physically, mentally* afferrare

grass [grɑ:s] erba *f*; **grasshopper** cavalletta *f*; **grass roots** *people* massa *f* popolare; **grassy** erboso

grate[1] [greɪt] *n metal* grata *f*

grate[2] [greɪt] **1** *v/t in cooking* grattugiare **2** *v/i of sounds* stridere

grateful ['greɪtfʊl] grato (**to** a); **gratefully** con gratitudine

gratify ['grætɪfaɪ] soddisfare

grating ['greɪtɪŋ] **1** *n* grata *f* **2** *adj sound, voice* stridente

gratitude ['grætɪtjuːd] gratitudine *f*

grave[1] [greɪv] *n* tomba *f*

grave[2] [greɪv] *adj* grave

gravel ['grævl] ghiaia *f*

'**gravestone** lapide *f*; **graveyard** cimitero *m*

gravity ['grævətɪ] PHYS forza *f* di gravità

gravy ['greɪvɪ] sugo *m* della carne

gray *Am* ☞ **grey**

graze[1] [greɪz] *v/i of cow, horse* brucare

graze[2] [greɪz] **1** *v/t arm etc* graffiare **2** *n* graffio *m*

grease [griːs] *n* grasso *m*; **greasy** *food, hair* grasso; *hands, plate* unto

great [greɪt] grande; F (*very good*) fantastico; **Great Britain** Gran Bretagna *f*; **greatly** molto; **greatness** grandezza *f*

Greece [griːs] Grecia *f*

greed [griːd] avidità *f*; *for food* ingordigia *f*; **greedily** con avidità; *eat* con ingordigia; **greedy** avido; *for food* ingordo

Greek [griːk] **1** *n* greco *m*, -a *f*; *language* greco *m* **2** *adj* greco

green [griːn] verde; *environmentally* ecologico; *the* **Greens** POL i verdi; **green beans** fagiolini *mpl*; **green belt** *zona f* verde tutt'intorno *ad una città*; **green card** *driving insurance* carta *f* verde; *Am* (*work permit*) permesso *m* di lavoro; **greenhouse** serra *f*; **greenhouse effect** effetto *m* serra; **greens** verdura *f*

greet [griːt] salutare; **greeting** saluto *m*

grenade [grɪ'neɪd] granata *f*

grey [greɪ] grigio; *hair* bianco; **grey-haired** con i capelli bianchi; **greyhound** levriero *m*

grid [grɪd] grata *f*; *on map* reticolato *m*; **gridiron** *Am* SP campo *m* da calcio; **gridlock** *in traffic* ingorgo *m*

grief [griːf] dolore *m*; **grief-stricken** addolorato; **grievance** rimostranza *f*; **grieve** essere addolorato (**for** per)

grill [grɪl] **1** *n for cooking* grill *m inv*; *metal frame* griglia *f*;

dish grigliata *f*; *on window* grata *f* 2 *v/t food* fare alla griglia; *(interrogate)* mettere sotto torchio

grille [grɪl] grata *f*

grim [grɪm] cupo; *determination* accanito

grimace ['grɪməs] smorfia *f*

grime [graɪm] sporcizia *f*; **grimy** sudicio

grin [grɪn] 1 *n* sorriso *m* 2 *v/i* sorridere

grind [graɪnd] *coffee, meat* macinare; ~ **one's teeth** digrignare i denti

grip [grɪp] 1 *n on rope etc* presa *f* 2 *v/t* afferrare; *of brakes* fare presa su; **be~ped by sth** *by panic* essere preso da qc; **gripping** avvincente

gristle ['grɪsl] cartilagine *f*

grit [grɪt] 1 *n (dirt)* granelli *mpl*; *for roads* sabbia *f* 2 *v/t*: ~ **one's teeth** stringere i denti; **gritty** F *book, film etc* realistico

groan [grəʊn] 1 *n* gemito *m* 2 *v/i* gemere

grocer ['grəʊsə(r)] droghiere *m*; **at the ~'s** *(shop)* dal droghiere; **groceries** generi *mpl* alimentari; **grocery store** drogheria *f*

groggy ['grɒgɪ] F intontito

groin [grɔɪn] ANAT inguine *m*

groom [gruːm] 1 *n for bride* sposo *m*; *for horse* stalliere *m* 2 *v/t horse* strigliare; *(train, prepare)* preparare; **well ~ed** *in appearance* ben curato

groove [gruːv] scanalatura *f*

grope [grəʊp] 1 *v/i in the dark* brancolare 2 *v/t sexually* palpeggiare

gross [grəʊs] *(coarse, vulgar)* volgare; *exaggeration* madornale; FIN lordo

grotty ['grɒtɪ] F *street, flat* squallido; **I feel ~** sto da schifo F

ground [graʊnd] 1 *n* suolo *m*; *(area, for sport)* terreno *m*; *(reason)* motivo *m*, ragione *f*; *Am* ELEC terra *f*; **on the ~** per terra; **on the ~s of** a causa di 2 *v/t Am* ELEC mettere a terra; **ground floor** pianoterra *m inv*; **grounding** *in subject* basi *fpl*; **groundless** infondato; **ground meat** *Am* carne *f* tritata; **groundwork** lavoro *m* di preparazione

group [gruːp] 1 *n* gruppo *m* 2 *v/t* raggruppare; **groupie** *ragazza che segue un gruppo o cantante rock in tutti i concerti*

grouse [graʊs] F 1 *n* lamentela *f* 2 *v/i* brontolare

grovel ['grɒvl] *fig* umiliarsi

grow [grəʊ] 1 *v/i* crescere; *of number* aumentare; *of business* svilupparsi; ~ **old / tired** invecchiare / stancarsi; ~ **into sth** diventare qc 2 *v/t flowers* coltivare

◆ **grow up** *of person* crescere; *of city* svilupparsi

growl [graʊl] 1 *n* grugnito *m* 2 *v/i* ringhiare

'**grown-up 1** n adulto m, -a f **2** adj adulto

growth [grəʊθ] of person crescita f; of company sviluppo m; (increase) aumento m; MED tumore m

grudge [grʌdʒ] **1** n rancore m; **bear s.o. a ~** portare rancore a qu **2** v/t: **~ s.o. sth** invidiare qc a qu; **grudging** riluttante; **grudgingly** a malincuore

gruelling, Am **grueling** ['gru:əlɪŋ] estenuante

gruff [grʌf] burbero

grumble ['grʌmbl] brontolare; **grumbler** brontolone m, -a f

grunt [grʌnt] **1** n grugnito m **2** v/i grugnire

guarantee [gærən'ti:] **1** n garanzia f; **~ period** periodo m di garanzia **2** v/t garantire; **guarantor** garante m

guard [gɑːd] **1** n guardia m; **be on one's ~ against** stare in guardia contro **2** v/t fare la guardia a; **guard dog** cane m da guardia; **guarded** reply cauto; **guardian** LAW tutore m, -trice f

guerrilla [gə'rɪlə] guerrigliero m, -a f; **guerrilla warfare** guerriglia f

guess [ges] **1** n supposizione f **2** v/t the answer indovinare; **I ~ so** suppongo di sì **3** v/i indovinare; **guesswork** congettura f

guest [gest] ospite m/f; **guesthouse** pensione f;

guestroom camera f degli ospiti

guidance ['gaɪdəns] consigli mpl; **guide 1** n person, book guida f **2** v/t guidare; **guidebook** guida f turistica; **guided missile** missile m guidato; **guide dog** cane m per ciechi; **guided tour** visita f guidata; **guidelines** direttive fpl

guilt [gɪlt] colpa f; LAW colpevolezza f; **guilty** also LAW colpevole; **have a ~ conscience** avere la coscienza sporca

guinea pig ['gɪnɪpɪg] porcellino m d'india; for experiments, fig cavia f

guitar [gɪ'tɑ:(r)] chitarra f; **guitarist** chitarrista m/f

gulf [gʌlf] golfo m; fig divario m

gull [gʌl] bird gabbiano m

gullet ['gʌlɪt] ANAT esofago m

gullible ['gʌlɪbl] credulone m

gulp [gʌlp] **1** n of water sorso m; of air boccata f **2** v/i in surprise deglutire

◆ **gulp down** drink ingoiare; food inghiottire

gum[1] [gʌm] in mouth gengiva f

gum[2] [gʌm] (glue) colla f; (chewing gum) gomma f

gun [gʌn] pistol, revolver, rifle arma f da fuoco; (cannon) cannone m

◆ **gun down** sparare a morte

'**gunfire** spari mpl; **gunman**

uomo m armato; **robber** rapinatore m; **gunshot** sparo m; **gunshot wound** ferita f da arma da fuoco

gurgle ['gɜːgl] of baby, drain gorgogliare

guru ['guru] fig guru m inv

gush [gʌʃ] of liquid sgorgare

gust [gʌst] raffica f

gusto ['gʌstəʊ]: **with ~** con slancio

gusty ['gʌsti] of weather ventoso; **~ wind** vento a raffiche

gut [gʌt] **1** n intestino m; F (stomach) pancia f **2** v/t (destroy) sventrare; **guts** F (courage) fegato m F; **gutsy**

F **person** che ha fegato; F **thing to do** che richiede fegato

gutter ['gʌtə(r)] on pavement canaletto m di scolo; on roof grondaia f

guy [gaɪ] F tipo m F; **hey, you ~s** ei, gente

guzzle ['gʌzl] ingozzarsi di

gym [dʒɪm] palestra f; activity ginnastica f; **gymnast** ginnasta m/f; **gymnastics** ginnastica f

gynaecologist [gaɪnɪ'kɒlədʒɪst] ginecologo m, -a f; **gynaecology**, Am **gynecology** ginecologia f

gypsy ['dʒɪpsɪ] zingaro m, -a f

H

habit ['hæbɪt] abitudine f

habitable ['hæbɪtəbl] abitabile; **habitat** habitat m inv

habitual [hə'bɪtjʊəl] solito; smoker, drinker incallito

hacker ['hækə(r)] COMPUT hacker m/f inv

hackneyed ['hæknɪd] trito

haemorrhage ['hemərɪdʒ] **1** n emorragia f **2** v/i avere un'emorragia

haggard ['hægəd] tirato

haggle ['hægl] contrattare

hail [heɪl] grandine f

hair [heə(r)] capelli mpl; single capello m; on body, of animal pelo m; **hairbrush** spazzola f per capelli; **haircut** taglio m

di capelli; **hairdo** pettinatura f; **hairdresser** parrucchiere m, -a f; **at the ~'s** dal parrucchiere; **hairdryer** fon m inv; **hairpin** forcina f; **hairpin bend** tornante m; **hair-raising** terrificante; **hair remover** crema f depilatoria; **hair-splitting** pedanteria f; **hairstyle** acconciatura f; **hairstylist** parrucchiere m, -a f; **hairy** arm, animal peloso; F (frightening) preoccupante

half [hɑːf] **1** n metà f inv, mezzo m; **~ past ten** le dieci e mezza; **~ an hour** mezz'ora **2** adj mezzo **3** adv a metà;

half-hearted poco convinto;
half time SP intervallo *m*;
halfway 1 *adj stage, point* intermedio **2** *adv also fig* a metà strada; **~ finished** fatto a metà
hall [hɔːl] *large room* sala *f*; *hallway in house* ingresso *m*
Hallowe'en [hæləʊ'iːn] vigilia *f* d'Ognissanti
halo ['heɪləʊ] aureola *f*
halt [hɔːlt] **1** *v/i* fermarsi **2** *v/t* fermare
halve [hɑːv] dimezzare
ham [hæm] prosciutto *m*; **hamburger** hamburger *m inv*
hammer ['hæmə(r)] **1** *n* martello *m* **2** *v/i* martellare; **~ at the door** picchiare alla porta
hammock ['hæmək] amaca *f*
hamper[1] ['hæmpə(r)] *n for food* cestino *m*
hamper[2] ['hæmpə(r)] *v/t (obstruct)* ostacolare
hamster ['hæmstə(r)] criceto *m*
hand [hænd] *n* mano *m*; *of clock* lancetta *f*; *(worker)* operaio *m*; **at ~, to ~** a portata di mano; **by ~** a mano; **on the one ~ ..., on the other ~ ...** da un lato ..., dall'altro ...; **in ~** *(being done)* in corso; **on your right ~** sulla tua destra; **change ~s** cambiare di mano; **give s.o. a ~** dare una mano a qu

◆ **hand down** passare

◆ **hand out** distribuire
◆ **hand over** consegnare; *child to parent etc* dare
'handbag borsetta *f*; **hand baggage** bagaglio *m* a mano; **handbrake** freno *m* a mano; **handcuff** ammanettare; **handcuffs** manette *fpl*; **handheld** COMPUT palmare *m*, PDA *m inv*
handicap ['hændɪkæp] handicap *m inv*; **handicapped** handicappato
handkerchief ['hæŋkətʃɪf] fazzoletto *m*
handle ['hændl] **1** *n* maniglia *f* **2** *v/t goods* maneggiare; *case, deal* trattare; *difficult person* prendere; **let me ~ this** lascia fare a me; **handlebars** manubrio *msg*
'hand luggage bagaglio *m* a mano; **handmade** fatto a mano; **hands-free** vivavoce *m inv*; **handshake** stretta *f* di mano; **hands-off** *approach* teorico; **he has a ~ style of management** non partecipa direttamente agli aspetti pratici della gestione
handsome ['hænsəm] bello
hands-'on *experience* pratico; **he has a ~ style of management** partecipa direttamente agli aspetti pratici della gestione
'handwriting calligrafia *f*; **handwritten** scritto a mano; **handy** *tool, device* pratico; **it's ~ for the shops** è como-

do per i negozi

hang [hæŋ] **1** *v/t picture* appendere; *person* impiccare **2** *v/i of dress, hair* cadere **3** *n*: **get the ~ of** F capire

◆ **hang on** (*wait*) aspettare

◆ **hang up** TELEC riattaccare

hangar ['hæŋə(r)] hangar *m inv*

hanger ['hæŋə(r)] *for clothes* gruccia *f*

hang glider ['hæŋglaɪdə(r)] deltaplano *m*; **hang gliding** deltaplano *m*; **hangover** postumi *mpl* della sbornia

hankie, hanky ['hæŋkɪ] F fazzoletto *m*

haphazard [hæp'hæzəd] a casaccio

happen ['hæpn] succedere

happily ['hæpɪlɪ] allegramente; (*gladly*) volentieri; (*luckily*) per fortuna; **happiness** felicità *f*; **happy** felice; **happy-go-lucky** spensierato

harass [hə'ræs] tormentare; *sexually* molestare; **harassed** stressato; **harassment** persecuzione *f*; **sexual ~** molestie *fpl* sessuali

harbour, *Am* **harbor** ['hɑːbə(r)] **1** *n* porto *m* **2** *v/t criminal* dar rifugio a; *grudge* covare

hard [hɑːd] **1** *adj* duro; (*difficult*) difficile; *facts, evidence* concreto; *drug* pesante; **~ of hearing** duro d'orecchio **2** *adv work* con impegno; *rain, pull, push* forte; **try ~**

impegnarsi; **hardback** libro *m* con copertina rigida; **hard-boiled** *egg* sodo; **hard copy** copia *f* stampata; **hard core** *pornography* pornografia *f* hard-core; **hard currency** valuta *f* forte; **hard disk** disco *m* rigido, hard disk *m inv*; **harden 1** *v/t* indurire **2** *v/i of glue* indurirsi; *of attitude* irrigidirsi; **hard hat** casco *m*; (*construction worker*) muratore *m*; **hardheaded** pratico; **hardhearted** dal cuore duro; **hard line** linea *f* dura; **hardliner** sostenitore *m*, -trice *f* della linea dura

hardly ['hɑːdlɪ] a malapena; **~ ever** quasi mai; **you can ~ expect him to ...** non puoi certo aspettarti che lui ...

hardness ['hɑːdnɪs] durezza *f*; (*difficulty*) difficoltà *f*; **hardship** difficoltà *fpl* economiche; **hard up** al verde; **hardware** ferramenta *fpl*; COMPUT hardware *m*; **hardware store** negozio *m* di ferramenta; **hard-working** che lavora duro; **hardy** resistente

harm [hɑːm] **1** *n* danno *m* **2** *v/t* danneggiare; **harmful** dannoso; **harmless** innocuo

harmonious [hɑː'məʊnɪəs] armonioso; **harmonize** armonizzare; **harmony** armonia *f*

harp [hɑːp] arpa *f*

harsh [hɑːʃ] *criticism, words*

duro; *colour, light* troppo forte; *harshly* duramente

harvest ['hɑːvɪst] raccolto *m*

hash mark [hæʃ] cancelletto *m*

haste [heɪst]fretta *f*; **hastily** in fretta; **hasty** frettoloso

hat [hæt] cappello *m*

hatch [hætʃ] *for serving food* passavivande *m inv*; *on ship* boccaporto *m*

◆ **hatch out** *of eggs* schiudersi

hatchet ['hætʃɪt] ascia *f*; *bury the* ∼ seppellire l'ascia di guerra

hate [heɪt] **1** *n* odio *m* **2** *v/t* odiare; **hatred** odio *m*

haughty ['hɔːtɪ] altezzoso

haul [hɔːl] **1** *n of fish* pescata *f* **2** *v/t* (*pull*) trascinare; **haulage** autotrasporto *m*

haunch [hɔːntʃ] anca *f*

haunt [hɔːnt] **1** *v/t*: *this place is* ∼*ed* qui c'è un fantasma / ci sono i fantasmi **2** *n* ritrovo *m*

have [hæv] **1** *v/t* ◇ avere; *breakfast, shower* fare; *I'll* ∼ *a coffee* prendo un caffè; ∼ *lunch / dinner* pranzare / cenare ◇ *must*: ∼ (*got*) *to* dovere; *I* ∼ (*got*) *to go* devo andare ◇ *causative*: *I had the printer fixed* ho fatto riparare la stampante **2** *v/aux* avere; *with verbs of motion* essere; ∼ *you seen her?* l'hai vista?; *I* ∼ *come* sono venuto

◆ **have on** (*wear*) portare, indossare; *do you have anything on tonight?* (*have planned*) hai programmi per stasera?

haven ['heɪvn] *fig* oasi *f inv*

hawk [hɔːk] *also fig* falco *m*

hay [heɪ] fieno *m*; **hay fever** raffreddore *m* da fieno

hazard ['hæzəd] *n* rischio *m*; **hazard lights** MOT luci *fpl* di emergenza; **hazardous** rischioso

haze [heɪz] foschia *f*

hazelnut ['heɪzlnʌt] nocciola *f*

hazy ['heɪzɪ] *view* indistinto; *memories* vago

he [hiː] lui; ∼*'s French* è francese; *there* ∼ *is* eccolo

head [hed] **1** *n* testa *f*; (*boss, leader*) capo *m*; *of primary school* direttore *m*, -trice *f*; *of secondary school* preside *m/f*; *of beer* schiuma *f*; ∼*s or tails?* testa o croce?; *at the* ∼ *of the list* in cima alla lista *f* di; (*lead*) essere a capo di; *ball* colpire di testa

◆ **head for** *place* dirigersi verso; (*be destined for*) andare incontro a

'**headache** mal *m* di testa; **headband** fascia *f* per i capelli; **header** *in soccer* colpo *m* di testa; *in document* intestazione *f*; **headhunter** COM cacciatore *m* di teste; **heading** *in list* titolo *m*; **headlamp** fanale *m*; **headline** *in* *newspaper* titolo *m*; **make the ~s** fare titolo; **headmaster** *in primary school* direttore *m*; *in secondary school* preside *m*; **headmistress** *in primary school* direttrice *f*; *in secondary school* preside *f*; **head office** *of company* sede *f* centrale; **head-on 1** *adv crash* frontalmente **2** *adj crash* frontale; **headphones** cuffie *fpl*; **headquarters** sede *fsg*; MIL quartiere *msg* generale; **headrest** poggiatesta *m inv*; **headroom** *for vehicle under bridge* altezza *f* utile; *in car* altezza *f* dell'abitacolo; **headscarf** foulard *m inv*; **headstrong** testardo; **head waiter** capocameriere *m*; **heady** *wine etc* inebriante

heal [hiːl] guarire

health [helθ] salute *f*; *(public ~)* sanità *f*; **your ~!** (alla) salute!; **health care** assistenza *f* sanitaria; **health food** alimenti *mpl* naturali; **health food store** negozio *m* di alimenti naturali; **health insurance** assicurazione *f* contro le malattie; **health resort** stazione *f* termale; **healthy** *also fig* sano

heap [hiːp] *n* mucchio *m*

hear [hɪə(r)] sentire

◆ **hear from** *(have news from)* avere notizie di

hearing [ˈhɪərɪŋ] udito *m*; LAW udienza *f*; **be within / out of**

~ essere / non essere a portata di voce; **hearing aid** apparecchio *m* acustico

hearse [hɜːs] carro *m* funebre

heart [hɑːt] cuore *m*; *of problem etc* nocciolo *m*; **know sth by ~** sapere qc a memoria; **heart attack** infarto *m*; **heartbreaking** straziante; **heartbroken** affranto; **heartburn** bruciore *m* di stomaco; **heart failure** infarto *m*

hearth [hɑːθ] focolare *m*

heartless [ˈhɑːtlɪs] spietato; **heart throb** F idolo *m*; **hearty** *appetite* robusto; *meal* sostanzioso; *person* gioviale

heat [hiːt] calore *m*; *(hot weather)* caldo *m*

◆ **heat up** riscaldare

heated [ˈhiːtɪd] *pool* riscaldato; *discussion* acceso; **heater** *radiator* termosifone *m*; *electric, gas* stufa *f*; *in car* riscaldamento *m*; **heating** riscaldamento *m*; **heatproof, heat-resistant** termoresistente; **heatwave** ondata *f* di caldo

heave [hiːv] *(lift)* sollevare

heaven [ˈhevn] paradiso *m*; **good ~s!** santo cielo!; **heavenly** F divino

heavy [ˈhevɪ] pesante; *cold, rain, accent* forte; *traffic* intenso; *food* pesante; *smoker* accanito; *drinker* forte; *loss, casualties* ingente; **heavy-duty** resistente; **heavy-**

weight SP di pesi massimi

hectic ['hektɪk] frenetico

hedge [hedʒ] siepe f; **hedgehog** riccio m

heel [hiːl] of foot tallone m, calcagno m; of shoe tacco m; **heel bar** calzoleria f istantanea

hefty ['heftɪ] massiccio

height [haɪt] altezza f; of aeroplane altitudine f; **at the ~ of summer** nel pieno dell'estate; **heighten** effect, tension aumentare

heir [eə(r)] erede m; **heiress** ereditiera f

helicopter ['helɪkɒptə(r)] elicottero m

hell [hel] inferno m; **what the ~ are you doing** F che diavolo fai? F; **go to ~!** F va' all'inferno! F

hello [hə'ləʊ] informal ciao; more formal buongiorno; buona sera; TELEC pronto; **say ~ to s.o.** salutare qu

helmet ['helmɪt] of motorcyclist casco m; of soldier elmetto m

help [help] **1** n aiuto m **2** v/t aiutare; **I can't ~ it** non ci posso far niente; **helper** aiutante m/f; **helpful** person di aiuto; advice utile; **he was very ~** mi è stato di grande aiuto; **helping** of food porzione f; **helpless** (unable to cope) indifeso; (powerless) impotente; **helplessness** impotenza

f; **help menu** COMPUT menu m inv della guida in linea

hem [hem] of dress etc orlo m

hemisphere ['hemɪsfɪə(r)] emisfero m

'hemline orlo m

hemorrhage Am ☞ **haemorrhage**

hen [hen] gallina f

'hen party equivalente al femminile della festa d'addio al celibato

hepatitis [hepə'taɪtɪs] epatite f

her [hɜː(r)] **1** adj il suo m, la sua f, i suoi mpl, le sue fpl; **~ sister / brother** sua sorella / suo fratello **2** pron direct object la; indirect object le; after prep lei; **I know ~** la conosco; **I gave ~ the keys** le ho dato le chiavi; **this is for ~** questo è per lei; **who? – ~** chi? – lei

herb [hɜːb] for medicines erba f medicinale; for flavouring erba f aromatica; **herb(al) tea** tisana f

herd [hɜːd] mandria f

here [hɪə(r)] qui, qua; **~'s to you!** as toast salute!; **~ you are** giving sth ecco qui

hereditary [hə'redɪtərɪ] ereditario; **heredity** ereditarietà f inv; **heritage** patrimonio m

hernia ['hɜːnɪə] MED ernia f

hero ['hɪərəʊ] eroe m; **heroic** eroico; **heroically** eroicamente

heroin ['herəʊɪn] eroina f

heroine ['herəʊɪn] eroina f

heroism ['herəʊɪzm] eroismo m

herpes ['hɜːpiːz] MED herpes m

hers [hɜːz] il suo m, la sua f, i suoi mpl, le sue fpl; **a friend of ~** un suo amico

herself [hɜː'self] reflexive si; emphatic se stessa; after prep sé, se stessa; **she hurt ~** si è fatta male

hesitant ['hezɪtənt] esitante; hesitantly con esitazione; hesitate esitare; hesitation esitazione f

heterosexual [hetərəʊ'seksjʊəl] eterosessuale

hi [haɪ] ciao

hibernate ['haɪbəneɪt] andare in letargo

hiccup ['hɪkʌp] singhiozzo m; (minor problem) intoppo m

hidden ['hɪdn] nascosto

hide¹ [haɪd] 1 v/t nascondere 2 v/i nascondersi

hide² [haɪd] n of animal pelle f

hide-and-'seek nascondino m; hideaway rifugio m

hideous ['hɪdɪəs] orrendo; crime atroce

hiding ['haɪdɪŋ] (beating) batosta f; hiding place nascondiglio m

hierarchy ['haɪərɑːkɪ] gerarchia f

high [haɪ] 1 adj alto; wind, speed forte; quality, hopes buono; (on drugs) fatto F 2 n in statistics livello m record

3 adv in alto; highbrow intellettuale; highchair seggiolone m; highclass di (prima) classe; High Court Corte f Suprema; high-frequency ad alta frequenza; high-grade di buona qualità; high-handed autoritario; high-heeled col tacco alto; high jump salto m in alto; high-level ad alto livello; highlight 1 n (main event) clou m inv; in hair colpo m di sole 2 v/t with pen evidenziare; COMPUT selezionare; highlighter evidenziatore m; highly desirable, likely molto; **think ~ of s.o.** stimare molto qu; highly strung nervoso; high performance drill, battery ad alto rendimento; high-pitched acuto; high point clou m inv; high-powered engine potente; intellectual di prestigio; high-pressure TECH ad alta pressione; salesman aggressivo; high pressure weather alta pressione f; high school scuola f superiore; high street via f principale; high tech 1 n high-tech m 2 adj high tech; highway Am autostrada f

hijack ['haɪdʒæk] v/t dirottare 2 n dirottamento m; hijacker dirottatore m, -trice f

hike¹ [haɪk] 1 n camminata f 2 v/i fare camminate

hike² [haɪk] n in prices aumento m

hiker ['haɪkə(r)] escursionista m/f; hiking escursionismo m

hilarious [hɪ'leərɪəs] divertentissimo

hill [hɪl] collina f; (slope) altura f; hillside pendio m; hilltop cima f della collina; hilly collinoso

hilt [hɪlt] impugnatura f

him [hɪm] direct object lo; indirect object gli; after prep lui; I know ~ lo conosco; I gave ~ the keys gli ho dato le chiavi; this is for ~ questo è per lui; who? - ~ chi? - lui

himself [hɪm'self] se stesso; after prep sé, se stesso; he hurt ~ si è fatto male

hinder ['hɪndə(r)] intralciare; hindrance intralcio m

hinge [hɪndʒ] cardine m

hint [hɪnt] (clue) accenno m; (piece of advice) consiglio m; (implied suggestion) allusione f; of red, sadness etc punta f

hip [hɪp] fianco m; hip pocket tasca f posteriore

hippopotamus [hɪpə'pɒtəməs] ippopotamo m

hire ['haɪə(r)] room, hall affittare; workers, staff assumere; conjuror etc ingaggiare; hire car macchina f a noleggio; hire purchase acquisto m rateale

his [hɪz] 1 adj il suo m, la sua f, i suoi mpl, le sue fpl; ~ sis-

ter / brother sua sorella / suo fratello 2 pron il suo m, la sua f, i suoi mpl, le sue fpl; a friend of ~ un suo amico

hiss [hɪs] sibilare

historian [hɪ'stɔːrɪən] storico m, -a f; historic storico; historical storico; history storia f

hit [hɪt] 1 v/t colpire; (collide with) sbattere contro; I ~ my knee ho battuto il ginocchio; it suddenly ~ me (I realized) improvvisamente ho realizzato 2 n (blow) colpo m; (success) successo m; on website visita f

◆ hit out at (criticize) attaccare

hitch [hɪtʃ] 1 n (problem) contrattempo m 2 v/t: ~ sth to sth legare qc a qc; ~ a lift chiedere un passaggio 3 v/i (hitchhike) fare l'autostop; hitchhike fare l'autostop; hitchhiker autostoppista m/f; hitchhiking autostop m

hi-'tech 1 n high-tech m 2 adj high tech

'hitlist libro m nero; hitman sicario m; hit-or-miss: on a ~ basis affidandosi al caso; hit squad commando m

HIV [eɪtʃaɪ'viː] (= human immunodeficiency virus) HIV m

hive [haɪv] for bees alveare m

HIV-'positive sieropositivo

hoard [hɔːd] 1 n provvista f; ~

of money gruzzolo *m* **2** *v/t*
accumulare; **hoarding** tabellone *m* per affissioni pubblicitarie

hoarse [hɔːs] rauco

hoax [həʊks] scherzo *m*; *malicious* falso allarme *m*

hobble ['hɒbl] zoppicare

hobby ['hɒbɪ] hobby *m inv*

hobo ['həʊbəʊ] *Am* barbone
m, -a *f*

hockey ['hɒkɪ] hockey *m* (su
prato); *Am* hockey *m* sul
ghiaccio

hog [hɒg] *esp Am* maiale *m*

hoist [hɔɪst] **1** *n* montacarichi
m inv **2** *v/t* (*lift*) sollevare; *flag*
issare

hold [həʊld] **1** *v/t in hand* tenere; (*support, keep in place*)
reggere; *passport* avere; *prisoner, suspect* trattenere; (*contain*) contenere; *job, post* occupare; ~ **hands** tenersi per
mano; ~ **one's breath** trattenere il fiato; ~ **that …** (*believe, maintain*) sostenere
che …; ~ **the line** TELEC resti
in linea **2** *n in ship, plane* stiva *f*; *catch* ~ *of sth* afferrare
qc; *lose one's* ~ *on sth on
rope etc* perdere la presa su
qc

◆ **hold back 1** *v/t crowds* contenere; *facts* nascondere **2** *v/i*
(*hesitate*) esitare

◆ **hold out 1** *v/t hand* tendere; *prospect* offrire **2** *v/i of
supplies* durare; (*survive*) resistere

◆ **hold up** *hand* alzare; *bank
etc* rapinare; (*make late*) trattenere

holder ['həʊldə(r)] (*container*)
contenitore *m*; *of passport* titolare *m*; *of ticket* possessore
m; *of record* detentore *m*,
-trice *f*; **holding company**
holding *f inv*; **holdup** (*robbery*) rapina *f*; (*delay*) ritardo
m

hole [həʊl] buco *m*

holiday ['hɒlɪdeɪ] vacanza *f*;
public giorno *m* festivo;
(*day off*) giorno *m* di ferie;
go on ~ andare in vacanza

Holland ['hɒlənd] Olanda *f*

hollow ['hɒləʊ] cavo, vuoto;
cheeks infossato

holocaust ['hɒləkɔːst] olocausto *m*

hologram ['hɒləgræm] ologramma *m*

holster ['həʊlstə(r)] fondina *f*

holy ['həʊlɪ] santo; **Holy Spirit** Spirito *m* Santo; **Holy
Week** settimana *f* santa

home [həʊm] **1** *n* casa *f*; (*native country*) patria *f*; *for old
people* casa *f* di riposo; *for
children* istituto *m*; *at* ~ *a casa*; SP in casa; *make yourself
at* ~ fai come a casa tua;
work from ~ lavorare da casa **2** *adv* a casa; *go* ~ andare
a casa; *is she* ~ *yet?* è tornata?; **home address** indirizzo *m* di casa; **home banking**
home-banking *m*; **homecoming** ritorno *m*; **home**

computer computer *m inv* (per casa); **home game** incontro *m*; **homeless** senza tetto; **the ~** i senzacasa; **homeloving** casalingo; **homely** semplice; (*welcoming*) accogliente; **homemade** fatto in casa, casalingo; **home match** incontro *m* casalingo; **Home Office** Ministero *m* degli Interni; **home page** home page *f*; **Home Secretary** Ministro *m* degli Interni; **homesick**: **be ~** avere nostalgia di casa; **home town** città *f inv* natale; **homeward** verso casa; **homework** EDU compiti *mpl* a casa

homicide ['hɒmɪsaɪd] *crime* omicidio *m*; *Am: police department* (squadra *f*) omicidi *f*

homophobia [hɒmə'fəʊbɪə] omofobia *f*

homosexual [hɒmə'seksjʊəl] **1** *adj* omosessuale **2** *n* omosessuale *m/f*

honest ['ɒnɪst] onesto; **honestly** onestamente; **~!** ma insomma!; **honesty** onestà *f*

honey ['hʌnɪ] miele *m*; F (*darling*) tesoro *m*; **honeymoon** luna *f* di miele

honk [hɒŋk] *horn* suonare

honor *Am* ☞ **honour**

honour ['ɒnə(r)] **1** *n* onore *m* **2** *v/t* onorare; **honourable** onorevole

hood [hʊd] *over head* cappuc-

cio *m*; *over cooker* cappa *f*; MOT *on convertible* capote *f inv*; *Am* MOT cofano *m*

hoodlum ['huːdləm] gangster *m inv*

hook [hʊk] gancio *m*; *for fishing* amo *m*; **off the ~** TELEC staccato; **hooked**: **be ~ on s.o. / sth** essere fanatico di qu / qc; **be ~ on sth** *on drugs* essere assuefatto a qc; **hooker** F prostituta *f*; *in rugby* tallonatore *m*

hooligan ['huːlɪgən] teppista *m/f*; **hooliganism** teppismo *m*

hoot [huːt] **1** *v/t horn* suonare **2** *v/i of car* suonare il clacson; *of owl* gufare

hop [hɒp] saltare

hope [həʊp] **1** *n* speranza *f* **2** *v/i* sperare; **~ for sth** augurarsi qc; **I ~ so** spero di sì **3** *v/t*: **~ that ...** sperare che; **hopeful** ottimista; (*promising*) promettente; **hopefully** *say, wait* con ottimismo; (*I / we hope*) si spera; **hopeless** *position, prospect* senza speranza; (*useless: person*) negato F

horizon [hə'raɪzn] orizzonte *m*; **horizontal** orizzontale

hormone ['hɔːməʊn] ormone *m*

horn [hɔːn] *of animal* corno *m*; MOT clacson *m inv*

hornet ['hɔːnɪt] calabrone *m*

horny ['hɔːnɪ] *Am* F *sexually* arrapato P

horrible ['hɒrɪbl] orribile;
horrify inorridire; **I was horrified** ero scioccato; horrify-
ing experience terrificante;
idea, prices allucinante; horror orrore m; **the ~s of war**
le atrocità della guerra

horse [hɔːs] cavallo m; horse
race corsa f di cavalli;
horseshoe ferro m di cavallo

horticulture ['hɔːtɪkʌltʃə(r)]
orticoltura f

hose [hǝʊz] tubo m di gomma

hospitable [hɒ'spɪtǝbl] ospitale

hospital ['hɒspɪtl] ospedale
m; hospitality ospitalità f

host [hǝʊst] at party, reception
padrone m di casa; of TV
programme presentatore m,
-trice f

hostage ['hɒstɪdʒ] ostaggio
m; **be taken ~** essere preso
in ostaggio; hostage taker
sequestratore m

hostel ['hɒstl] for students
pensionato m; (youth ~)
ostello m (della gioventù)

hostess ['hǝʊstɪs] at party, reception padrona f di casa; on
aeroplane hostess f inv

hostile ['hɒstaɪl] ostile; hostility ostilità f inv

hot [hɒt] weather, water caldo;
(spicy) piccante; F (good)
bravo (**at sth** in qc); **it's ~**
fa caldo; **I'm ~** ho caldo;
hot dog hot dog m inv

hotel [hǝʊ'tel] albergo m

hour ['aʊǝ(r)] ora f

house 1 [haʊs] n casa f; POL
camera f; THEA sala f; **at
your ~** a casa tua, da te 2
[haʊz] v/t alloggiare; house-
breaking furto m con scasso; household famiglia f;
household name nome m
conosciuto; housekeeper
governante f; House of
Representatives la camera
f dei rappresentanti; house-
warming (party) festa per inaugurare la nuova casa;
housewife casalinga f;
housework lavori mpl do-
mestici; housing alloggi
mpl; TECH alloggiamento m

hovel ['hɒvl] tugurio m

hover ['hɒvǝ(r)] librarsi

how [haʊ] come; ~ **are you?**
come stai?; ~ **about ...?**
che ne dici di ...?; ~ **much?**
quanto?; ~ **much is it?** of
cost quant'è?; ~ **many?**
quanti?; ~ **odd / lovely!**
che strano / bello!; **however**
comunque; ~ **big they are**
per quanto grandi siano

howl [haʊl] of dog ululare; of
person in pain urlare; ~ **with
laughter** sbellicarsi dalle risate; howler mistake strafal-
cione m

hub [hʌb] of wheel mozzo m;
hubcap coprimozzo m

◆ huddle together ['hʌdl]
stringersi l'un l'altro

hug [hʌg] 1 v/t abbracciare 2 n
abbraccio m

huge [hju:dʒ] enorme
hull [hʌl] scafo *m*
hum [hʌm] canticchiare; *of
machine* ronzare
human ['hju:mən] 1 *n* essere
m umano 2 *adj* umano; **human being** essere *m* umano
humane [hju:'meɪn] umano
humanitarian [hju:mænɪ-
'teərɪən] umanitario
humanity [hju:'mænətɪ] umanità *f*; **human race** genere *m*
umano; **human resources**
risorse *fpl* umane
humble ['hʌmbl] umile; *house*
modesto
humdrum ['hʌmdrʌm] mono-
tono
humid ['hju:mɪd] umido; humidifier umidificatore *m*;
humidity umidità *f*
humiliate [hju:'mɪlɪeɪt] umiliare; humiliating umiliante;
humiliation umiliazione *f*;
humility umiltà *f*
humor Am ☞ **humour**
humorous ['hju:mərəs] *person* spiritoso; *story* umoristi-
co; humour umorismo *m*;
(*mood*) umore *m*; **sense of**
~ senso dell'umorismo
hunch [hʌntʃ] (*idea*) impressione *f*; *of detective* intuizione *f*
hundred ['hʌndrəd] cento *m*;
a ~ ... cento ...; hundredth
centesimo
Hungarian [hʌŋ'geərɪən] 1
adj ungherese 2 *n person* ungherese *m*/*f*; *language* un-

gherese *m*; **Hungary** Ungheria *f*
hunger ['hʌŋgə(r)] fame *f*
hung-'over: **feel** ~ avere i postumi della sbornia
hungry ['hʌŋgrɪ] affamato;
I'm ~ ho fame
hunk [hʌŋk] *n* tocco *m*; F
(*man*) fusto *m* F
hunt [hʌnt] 1 *n for animals*
caccia *f*; *for job, house,
missing child* ricerca *f* 2 *v/t
animal* cacciare; hunter cacciatore *m*, -trice *f*; hunting
caccia *f*
hurdle ['hɜ:dl] *also fig* ostacolo *m*
hurl [hɜ:l] scagliare
hurray [hʊ'reɪ] urrà!
hurricane ['hʌrɪkən] uragano
m
hurried ['hʌrɪd] frettoloso;
hurry 1 *n* fretta *f*; **be in a** ~
avere fretta 2 *v/i* sbrigarsi
◆ hurry up 1 *v/i* sbrigarsi;
hurry up! sbrigati! 2 *v/t* fare
fretta a
hurt [hɜ:t] 1 *v/i far male*; **does
it** ~? ti fa male? 2 *v/t physically* far male a; *emotionally*
ferire
husband ['hʌzbənd] marito
m
hush [hʌʃ] silenzio *m*
◆ hush up *scandal etc* mettere a tacere
husky ['hʌskɪ] *voice* roco
hut [hʌt] capanno *m*
hybrid ['haɪbrɪd] ibrido *m*
hydrant ['haɪdrənt] idrante *m*

hydraulic [haɪˈdrɔːlɪk] idraulico

hydroelectric [haɪdrəʊˈlektrɪk] idroelettrico

hydrogen [ˈhaɪdrədʒən] idrogeno *m*

hygiene [ˈhaɪdʒiːn] igiene *f*; **hygienic** igienico

hymn [hɪm] inno *m* (sacro)

hype [haɪp] pubblicità *f*

hyperactive [haɪpərˈæktɪv] iperattivo; **hypermarket** ipermercato *m*; **hypersensitive** ipersensibile; **hypertext** COMPUT ipertesto *m*

hyphen [ˈhaɪfn] trattino *m*

hypnosis [hɪpˈnəʊsɪs] ipnosi

f; **hypnotize** ipnotizzare

hypocrisy [hɪˈpɒkrəsɪ] ipocrisia *f*; **hypocrite** ipocrita *m/f*; **hypocritical** ipocrita

hypothermia [haɪpəʊˈθɜːmɪə] ipotermia *f*

hypothesis [haɪˈpɒθəsɪs] ipotesi *f inv*; **hypothetical** ipotetico

hysterectomy [hɪstəˈrektəmɪ] isterectomia *f*

hysteria [hɪˈstɪərɪə] isteria *f*; **hysterical** isterico; F (*very funny*) buffissimo; **become** ~ avere una crisi isterica; **hysterics** *laughter* attacco *m* di risa; MED crisi *f* isterica

I

I [aɪ] io; ~ **am English** sono inglese; *here* ~ *am* eccomi

ice [aɪs] ghiaccio *m*; **iceberg** iceberg *m inv*; **icebox** *Am* frigo *m*; **ice cream** gelato *m*; **ice cube** cubetto *m* di ghiaccio; **iced** *drink* ghiacciato; *cake* glassato; **ice hockey** hockey *m* sul ghiaccio; **ice lolly** ghiacciolo *m*; **ice rink** pista *f* di pattinaggio; **ice skate** pattinare (sul ghiaccio); **ice skating** pattinaggio *m* (sul ghiaccio)

icicle [ˈaɪsɪkl] ghiacciolo *m*

icing [ˈaɪsɪŋ] glassa *f*

icon [ˈaɪkɒn] *cultural* mito *m*; COMPUT icona *f*

icy [ˈaɪsɪ] *road, surface* ghiac-

ciato; *welcome* glaciale

ID [aɪˈdiː] (= *identity*): **have you got any ~ on you?** ha un documento d'identità?

idea [aɪˈdɪə] idea *f*; *good* ~! ottima idea!; *I have no* ~ non ne ho la minima idea; **ideal** ideale; **idealistic** *person* idealista; *views* idealistico

identical [aɪˈdentɪkl] identico; ~ **twins** gemelli *mpl* monozigotici; **identification** identificazione *f*, riconoscimento *m*; *papers etc* documento *m* di riconoscimento *or* d'identità; **identify** (*recognize*) identificare, riconoscere; (*point out*) individuare;

identity identità f inv; ~ **card** carta f d'identità

ideological [aɪdɪə'lɒdʒɪkl] ideologico; **ideology** ideologia f

idiomatic [ɪdɪə'mætɪk] naturale

idiot ['ɪdɪət] idiota m/f; **idiotic** idiota

idle ['aɪdl] **1** adj person disoccupato; threat vuoto; machinery inattivo **2** v/i of engine girare al minimo

idol ['aɪdl] idolo m; **idolize** idolatrare

idyllic [ɪ'dɪlɪk] idilli(a)co

if [ɪf] se

ignite [ɪg'naɪt] dar fuoco a; **ignition** in car accensione f; ~ **key** chiave f dell'accensione

ignorance ['ɪgnərəns] ignoranza f; **ignorant** (rude) cafone; **be ~ of sth** ignorare qc; **ignore** ignorare

ill [ɪl] ammalato; **fall ~, be taken ~** ammalarsi; **feel ~** sentirsi male

illegal [ɪ'liːgl] illegale

illegible [ɪ'ledʒəbl] illeggibile

illegitimate [ɪlɪ'dʒɪtɪmət] child illegittimo

illicit [ɪ'lɪsɪt] copy, imports illegale; pleasure, relationship illecito

illiterate [ɪ'lɪtərət] analfabeta

illness ['ɪlnɪs] malattia f

illogical [ɪ'lɒdʒɪkl] illogico

ill'treat maltrattare

illuminating [ɪ'luːmɪneɪtɪŋ] remarks etc chiarificatore

illusion [ɪ'luːʒn] illusione f

illustrate ['ɪləstreɪt] illustrare; **illustration** illustrazione f; with examples esemplificazione f; **illustrator** illustratore m, -trice f

image ['ɪmɪdʒ] immagine f; (exact likeness) ritratto; **image-conscious** attento all'immagine

imaginary [ɪ'mædʒɪnərɪ] immaginario; **imagination** immaginazione f, fantasia f; **imaginative** fantasioso; **imagine** immaginare; **you're imagining things** è frutto della tua immaginazione

IMF [aɪem'ef] (= **International Monetary Fund**) FMI **m** (= Fondo **m** Monetario Internazionale)

imitate ['ɪmɪteɪt] imitare; **imitation** imitazione f

immaculate [ɪ'mækjʊlət] immacolato

immature [ɪmə'tʃʊə(r)] immaturo

immediate [ɪ'miːdɪət] immediato; **the ~ family** i familiari più stretti; **immediately** immediatamente; ~ **after the bank** subito dopo la banca

immense [ɪ'mens] immenso

immerse [ɪ'mɜːs] immergere

immigrant ['ɪmɪgrənt] immigrato m, -a f; **immigrate** immigrare; **immigration** immigrazione f

imminent ['ɪmɪnənt] imminente

immobilize [ɪ'məʊbɪlaɪz] immobilizzare; **immobilizer
on car** immobilizzatore *m*
immoderate   [ɪ'mɒdərət]
smodato
immoral [ɪ'mɒrəl] immorale;
immorality immoralità *f inv*
immortal [ɪ'mɔːtl] immortale;
immortality immortalità *f*
immune [ɪ'mjuːn] *to illness,
infection* immune; *from ruling, requirement* esente; **immune system** MED sistema
m immunitario; **immunity**
immunità *f inv*; *from ruling*
esenzione *f*
impact ['ɪmpækt] *of meteorite,
vehicle* urto *m*; *of new manager etc* impatto *m*; *(effect)*
effetto *m*
impair [ɪm'peə(r)] danneggiare
impartial [ɪm'pɑːʃl] imparziale
impassable [ɪm'pɑːsəbl] *road*
impraticabile
impassioned   [ɪm'pæʃnd]
speech, plea appassionato
impatience [ɪm'peɪʃəns] impazienza *f*; **impatient** impaziente; **impatiently** con impazienza
impeach [ɪm'piːtʃ] *President*
mettere in stato d'accusa
impeccable [ɪm'pekəbl] impeccabile
impede [ɪm'piːd] ostacolare;
impediment *in speech* difetto *m*
impending [ɪm'pendɪŋ] im-

minente
imperative [ɪm'perətɪv] **1** *adj*
essenziale **2** *n* GRAM imperativo *m*
imperfect [ɪm'pɜːfekt] **1** *adj*
imperfetto **2** *n* GRAM imperfetto *m*
impersonal [ɪm'pɜːsənl] impersonale; **impersonate** *as
a joke* imitare; *illegally* fingersi
impertinence [ɪm'pɜːtɪnəns]
impertinenza *f*; **impertinent**
impertinente
impervious [ɪm'pɜːvɪəs]: **~ to**
indifferente a
impetuous [ɪm'petjʊəs] impetuoso
impetus ['ɪmpɪtəs] *of campaign etc* impeto *m*
implement ['ɪmplɪmənt] **1** *n*
utensile *m* **2** *v/t* implementa-
re
implicate ['ɪmplɪkeɪt] implicare; **implication** conseguenza *f* possibile; **by ~** im-
plicitamente
implicit [ɪm'plɪsɪt] implicito;
trust assoluto
implore [ɪm'plɔː(r)] implorare
imply [ɪm'plaɪ] implicare;
(suggest) insinuare
impolite [ɪmpə'laɪt] maleducato
import ['ɪmpɔːt] **1** *n* importazione *f*; *item* articolo *m* d'importazione **2** *v/t* importare
importance [ɪm'pɔːtəns] importanza *f*; **important** importante

importer [ɪm'pɔːtə(r)] importatore *m*, -trice *f*

impose [ɪm'pəʊz] *tax* imporre; ~ **o.s. on s.o.** disturbare qu; **imposing** imponente

impossibility [ɪmpɒsɪ'bɪlɪti] impossibilità *f inv*; **impossible** impossibile

impotence ['ɪmpətəns] impotenza *f*; **impotent** impotente

impractical [ɪm'præktɪkəl] *person* senza senso pratico; *suggestion* poco pratico

impress [ɪm'pres] fare colpo su; **be ~ed by s.o. / sth** essere colpito da qu / qc; **impression** impressione *f*; (*impersonation*) imitazione *f*; **impressionable** impressionabile; **impressive** notevole

imprint ['ɪmprɪnt] *of credit card* impressione *f*

imprison [ɪm'prɪzn] incarcerare; **imprisonment** carcerazione *f*

improbable [ɪm'prɒbəbəl] improbabile

improve [ɪm'pruːv] migliorare; **improvement** miglioramento *m*

improvise ['ɪmprəvaɪz] improvvisare

impudent ['ɪmpjʊdənt] impudente

impulse ['ɪmpʌls] impulso *m*; **do sth on an ~** fare qc d'impulso; **impulsive** impulsivo

in [ɪn] **1** *prep* ◇ *place*: ~ **Milan** a Milano; ~ **the street** per strada; ~ **the box** nella scato-

la; **wounded ~ the leg** ferito alla gamba ◇ *time*: ~ **1999** nel 1999; ~ **two hours** *from now* tra due ore; *over period of* in due ore; ~ **the morning** la mattina; ~ **the summer** d'estate; ◇ **September** a or in settembre ◇ *manner*: ~ **English** in inglese; ~ **a loud voice** a voce alta; ~ **yellow** di giallo ◇ (*while*): ~ **crossing the road** mentre attraversava la strada ◇: **one ~ ten** uno su dieci **2** *adv*: **be ~ at home** essere a casa; *in the building etc* esserci; *arrived*: *of train* essere arrivato; *in its position* essere dentro; **is she ~?** c'è?; ~ **here / there** qui / lì (dentro) **3** *adj* (*fashionable, popular*), in, di moda

inability [ɪnə'bɪlɪti] incapacità *f inv*

inaccurate [ɪn'ækjʊrət] inaccurato

inactive [ɪn'æktɪv] inattivo

inadequate [ɪn'ædɪkwət] inadeguato

inadvisable [ɪnəd'vaɪzəbl] sconsigliabile

inanimate [ɪn'ænɪmət] inanimato

inappropriate [ɪnə'prəʊprɪət] inappropriato

inaudible [ɪn'ɔːdɪbl] impercettibile

inaugural [ɪ'nɔːgjʊrəl] *speech* inaugurale; **inaugurate** inaugurare

inborn ['ɪnbɔːn] innato

Inc. [ɪŋk] (= **incorporated**)
Inc.

incalculable [ɪn'kælkjʊləbl]
incalcolabile

incapable [ɪn'keɪpəbl] incapace (**of doing** di fare)

incense ['ɪnsens] *in church* incenso *m*

incentive [ɪn'sentɪv] incentivo *m*

incessant [ɪn'sesnt] incessante; **incessantly** incessantemente

incest ['ɪnsest] incesto *m*

inch [ɪntʃ] pollice *m*

incident ['ɪnsɪdənt] incidente *m*; **incidental** casuale; ~ **expenses** spese accessorie; **incidentally** a proposito

incision [ɪn'sɪʒn] incisione *f*; **incisive** acuto

incite [ɪn'saɪt] incitare; ~ **s.o. to do sth** istigare qu a fare qc

inclination [ɪnklɪ'neɪʃə] inclinazione *f*

inclose, inclosure ☞ **enclose, enclosure**

include [ɪn'kluːd] includere, comprendere; **including** compreso, incluso; **inclusive 1** *adj price* tutto compreso **2** *prep*: ~ **of VAT** IVA compresa **3** *adv*: **from Monday to Thursday** ~ dal lunedì al giovedì compreso

incoherent [ɪnkəʊ'hɪrənt] incoerente

income ['ɪnkəm] reddito *m*; **income tax** imposta *f* sul

reddito

incoming ['ɪnkʌmɪŋ] *adj flight, phonecall, mail* in arrivo; *tide* montante; *president* entrante

incomparable [ɪn'kɒmprəbl] incomparabile

incompatibility [ɪnkəmpætɪ'bɪlɪtɪ] incompatibilità *f inv*; **incompatible** incompatibile

incompetence [ɪn'kɒmpɪtəns] incompetenza *f*; **incompetent** incompetente

incomplete [ɪnkəm'pliːt] incompleto

incomprehensible [ɪnkɒmprɪ'hensɪbl] incomprensibile

inconceivable [ɪnkən'siːvəbl] inconcepibile

inconsiderate [ɪnkən'sɪdərət] poco gentile

inconsistent [ɪnkən'sɪstənt] incoerente

inconsolable [ɪnkən'səʊləbl] *adj* inconsolabile

inconspicuous [ɪnkən'spɪkjʊəs] poco visibile; **make o.s.** ~ passare inosservato

inconvenience [ɪnkən'viːnɪəns] inconveniente *m*; **inconvenient** scomodo; *time* poco opportuno

incorporate [ɪn'kɔːpəreɪt] includere

incorrect [ɪnkə'rekt] *answer* errato; *behaviour* scorretto; **am I** ~ **in thinking ...?** sbaglio a pensare che ...?

increase 1 [ɪn'kriːs] *v/t & v/i* aumentare **2** ['ɪnkriːs] *n* aumento *m*; **on the~** in aumento; **increasing** crescente; **increasingly** sempre più

incredible [ɪnˈkredɪbl] incredibile

incur [ɪnˈkɜː(r)] *costs* affrontare; *debts* contrarre; *s.o.'s anger* esporsi a

incurable [ɪnˈkjʊrəbl] incurabile

indecent [ɪnˈdiːsnt] indecente

indecisive [ɪndɪˈsaɪsɪv] indeciso; **indecisiveness** indecisione *f*

indeed [ɪnˈdiːd] (*in fact*) in effetti; (*yes, agreeing*) esatto; **very much ~** moltissimo

indefinable [ɪndɪˈfaɪnəbl] indefinibile

indefinite [ɪnˈdefɪnɪt] indeterminato; **~ article** GRAM articolo *m* indeterminativo; **indefinitely** a tempo indeterminato

indelicate [ɪnˈdelɪkət] indelicato

independence [ɪndɪˈpendəns] indipendenza *f*; **Independence Day** in USA festa *f* dell'indipendenza americana (*4 luglio*); **independent** indipendente; **independently** indipendentemente; **~ of** indipendentemente da

indescribable [ɪndɪˈskraɪbəbl] indescrivibile

index [ˈɪndeks] indice *m*

India [ˈɪndɪə] India *f*; **Indian 1** *adj* indiano **2** *n person* india-

no *m*, -a *f*; *American* indiano *m*, -a *f* d'america

indicate [ˈɪndɪkeɪt] **1** *v/t* indicare **2** *v/i when driving* segnalare (il cambiamento di direzione); **indication** indicazione *f*; **indicator** MOT freccia *f*

indict [ɪnˈdaɪt] incriminare

indifference [ɪnˈdɪfrəns] indifferenza *f*; **indifferent** indifferente; (*mediocre*) mediocre

indigestion [ɪndɪˈdʒestʃn] indigestione *f*

indignant [ɪnˈdɪgnənt] indignato; **indignation** indignazione *f*

indirect [ɪndɪˈrekt] indiretto; **indirectly** indirettamente

indiscreet [ɪndɪˈskriːt] indiscreto

indiscriminate [ɪndɪˈskrɪmɪnət] indiscriminato

indispensable [ɪndɪˈspensəbl] indispensabile

indisposed [ɪndɪˈspəʊzd] (*not well*) indisposto

indisputable [ɪndɪˈspjuːtəbl] indiscutibile

indistinct [ɪndɪˈstɪŋkt] indistinto

indistinguishable [ɪndɪˈstɪŋgwɪʃəbl] indistinguibile

individual [ɪndɪˈvɪdjʊəl] **1** *n* individuo **m 2** *adj* (*separate*) singolo; (*personal*) individuale; **individually** individualmente

indoctrinate [ɪnˈdɒktrɪneɪt]

indottrinare

Indonesia [ɪndə'niːʒə] Indonesia f; **Indonesian 1** adj indonesiano **2** n person indonesiano m, -a f

indoor ['ɪndɔː(r)] activities, games al coperto; arena, pool coperto; **indoors** in building all'interno; at home in casa

indorse ☞ **endorse**

indulgent [ɪn'dʌldʒənt] indulgente

industrial [ɪn'dʌstrɪəl] industriale; **industrial dispute** vertenza f sindacale; **industrialist** industriale m; **industrious** diligente; **industry** industria f

ineffective [ɪnɪ'fektɪv] inefficace

inefficient [ɪnɪ'fɪʃənt] inefficiente

inept [ɪ'nept] inetto

inequality [ɪnɪ'kwɒlɪtɪ] disuguaglianza f

inescapable [ɪnɪ'skeɪpəbl] inevitabile

inevitable [ɪn'evɪtəbl] inevitabile; **inevitably** inevitabilmente

inexcusable [ɪnɪk'skjuːzəbl] imperdonabile

inexhaustible [ɪnɪg'zɔːstəbl] supply inesauribile

inexpensive [ɪnɪk'spensɪv] poco costoso, economico

inexperienced [ɪnɪk'spɪərɪənst] inesperto

inexplicable [ɪnɪk'splɪkəbl] inspiegabile

infallible [ɪn'fælɪbl] infallibile

infamous ['ɪnfəməs] famigerato

infancy ['ɪnfənsɪ] of person infanzia f; of state, institution stadio m iniziale; **infant** bambino m piccolo, bambina f piccola; **infantile** pej infantile

infantry ['ɪnfəntrɪ] fanteria f

infatuated [ɪn'fætʃʊeɪtɪd]: **be ~ with s.o.** essere infatuato di qu

infect [ɪn'fekt] of person contagiare; food, water contaminare; **become ~ed** of wound infettarsi; of person contagiarsi; **infection** infezione f; **infectious** disease infettivo, contagioso; laughter contagioso

infer [ɪn'fɜː(r)]: **~ sth from sth** dedurre qc da qc

inferior [ɪn'fɪərɪə(r)] inferiore; **inferiority** inferiorità f; **inferiority complex** complesso m d'inferiorità

infertile [ɪn'fɜːtaɪl] sterile; **infertility** sterilità f

infidelity [ɪnfɪ'delɪtɪ] infedeltà f inv

infinite ['ɪnfɪnət] infinito; **infinitive** infinito m

infinity [ɪn'fɪnətɪ] infinito m

inflammable [ɪn'flæməbl] infiammabile; **inflammation** MED infiammazione f

inflatable [ɪn'fleɪtəbl] dinghy gonfiabile; **inflate** tyre, dinghy gonfiare; economy inflazionare; **inflation** inflazione f; **inflationary** inflazionistico

inflexible [ɪn'fleksɪbl] inflessibile

inflict [ɪn'flɪkt]: ~ *sth on s.o. punishment* infliggere qc a qu; *suffering* procurare qc a qu

'**in-flight**: ~ *entertainment* intrattenimento a bordo

influence ['ɪnfluəns] **1** n influenza f **2** v/t s.o.'s thinking esercitare un'influenza su; *decision* influenzare; **influential** *writer, film-maker* autorevole; **she knows ~ people** conosce gente influente

inform [ɪn'fɔːm] **1** v/t informare **2** v/i: ~ *on s.o.* denunciare qu

informal [ɪn'fɔːml] informale; **informality** informalità f

informant [ɪn'fɔːmənt] informatore m, -trice f; **information** informazione f; *a bit of* ~ un'informazione; **information science** informatica f; **information technology** informatica f; **informative** *article etc* istruttivo; **he wasn't very ~** non è stato di grande aiuto; **informer** informatore m, -trice f

infra-red [ɪnfrə'red] infrarosso

infrastructure ['ɪnfrəstrʌktʃə(r)] infrastruttura f

infrequent [ɪn'friːkwənt] raro

infuriate [ɪn'fjʊərɪeɪt] far infuriare; **infuriating** esasperante

ingenious [ɪn'dʒiːnɪəs] ingegnoso

ingot ['ɪŋgət] lingotto m

ingratitude [ɪn'grætɪtjuːd] ingratitudine f

ingredient [ɪn'griːdɪənt] *for cooking* ingrediente m; *for success* elemento m

inhabit [ɪn'hæbɪt] abitare; **inhabitant** abitante m/f

inhale [ɪn'heɪl] **1** v/t inalare **2** v/i when smoking aspirare

inherit [ɪn'herɪt] ereditare; **inheritance** eredità f inv

inhibited [ɪn'hɪbɪtɪd] inibito; **inhibition** inibizione f

inhospitable [ɪnhɒ'spɪtəbl] inospitale

'**in-house 1** adj aziendale **2** adv work all'interno dell'azienda

inhuman [ɪn'hjuːmən] disumano

initial [ɪ'nɪʃl] **1** adj iniziale **2** n iniziale f **3** v/t (write initials on) siglare (con le iniziali); **initially** inizialmente; **initiate** avviare; **initiation** avviamento m; **initiative** iniziativa f; *do sth on one's own* ~ fare qc di propria iniziativa; *take the* ~ prendere l'iniziativa

inject [ɪn'dʒekt] iniettare; *capital* investire; **injection** iniezione f; *of capital* investimento m

injure ['ɪndʒə(r)] ferire; **in-**

jured 1 adj leg ferito; feelings offeso 2 npl feriti mpl; injury ferita f

injustice [ɪnˈdʒʌstɪs] ingiustizia f

ink [ɪŋk] inchiostro m; inkjet (printer) stampante f a getto d'inchiostro

inland [ˈɪnlənd] areas dell'interno; mail nazionale; Inland Revenue fisco m

in-laws [ˈɪnlɔːz] famiglia della moglie / del marito; (wife's / husband's parents) suoceri mpl

inmate [ˈɪnmeɪt] of prison detenuto m, -a f; of mental hospital ricoverato m, -a f

inn [ɪn] locanda f

innate [ɪˈneɪt] innato

inner [ˈɪnə(r)] interno; inner city centro in degrado di una zona urbana; ~ decay degrado del centro urbano

innocence [ˈɪnəsəns] innocenza f; innocent innocente

innocuous [ɪˈnɒkjʊəs] innocuo

innovation [ɪnəˈveɪʃn] innovazione f; innovative innovativo; innovator innovatore m, -trice f

inoculate [ɪˈnɒkjʊleɪt] vaccinare; inoculation vaccinazione f

inoffensive [ɪnəˈfensɪv] inoffensivo

'in-patient degente m/f

input [ˈɪnpʊt] 1 n contributo m; COMPUT input m inv 2

v/t into project contribuire con; COMPUT inserire

inquest [ˈɪnkwest] inchiesta f giudiziaria

inquire [ɪnˈkwaɪə(r)] domandare; ~ into sth svolgere indagini su qc; inquiry richiesta f di informazioni; (public ~) indagine f

inquisitive [ɪnˈkwɪzətɪv] curioso

insane [ɪnˈseɪn] pazzo

insanitary [ɪnˈsænɪtrɪ] antigienico

insanity [ɪnˈsænɪtɪ] infermità f mentale

inscription [ɪnˈskrɪpʃn] iscrizione f

insect [ˈɪnsekt] insetto m; insecticide insetticida m

insecure [ɪnsɪˈkjʊə(r)] insicuro; insecurity insicurezza f

insensitive [ɪnˈsensɪtɪv] insensibile

insert 1 [ˈɪnsɜːt] n in magazine etc inserto m 2 [ɪnˈsɜːt] v/t inserire

inside [ɪnˈsaɪd] 1 n interno m; of road destra f; sinistra f; ~ out a rovescio; turn sth ~ out rivoltare qc; know sth ~ out sapere qc a menadito 2 prep dentro; ~ of 2 hours in meno di due ore 3 adv stay, go dentro 4 adj interno; ~ information informazioni riservate; ~ lane SP corsia f interna; on road corsia f di marcia

inside 'pocket tasca f interna; insider: **an ~ from the Department** un impiegato del Ministero; insider trading FIN insider trading m; insides pancia fsg; intestines budella fpl

insignificant [ɪnsɪg'nɪfɪkənt] insignificante

insincere [ɪnsɪn'sɪə(r)] falso; insincerity falsità f

insinuate [ɪn'sɪnjueɪt] (imply) insinuare

insist [ɪn'sɪst] insistere; **please keep it, I ~** tienilo, ci tengo!

♦ insist on esigere; **insist on doing sth** insistere per fare qc

insistent [ɪn'sɪstənt] insistente

insolent ['ɪnsələnt] insolente

insoluble [ɪn'sɒljʊbl] problem insolvibile; substance insolubile

insolvent [ɪn'sɒlvənt] insolvente

insomnia [ɪn'sɒmnɪə] insonnia f

inspect [ɪn'spekt] work, tickets, baggage controllare; factory, school ispezionare; inspection of work, tickets, baggage controllo m; of factory, school ispezione f; inspector in factory ispettore m, -trice f; on buses controllore m; of police ispettore m

inspiration [ɪnspə'reɪʃn] ispirazione f; (very good idea) lampo m di genio; inspire

respect etc suscitare; **be ~d by s.o. / sth** essere ispirato da qu / qc

instability [ɪnstə'bɪlɪtɪ] instabilità f inv

install [ɪn'stɔːl] installare; installation installazione f; military ~ struttura f militare; instalment, Am installment of story, TV drama etc puntata f; (payment) rata f; installment plan Am acquisto m rateale

instance ['ɪnstəns] (example) esempio m; for ~ per esempio

instant ['ɪnstənt] 1 adj immediato 2 n istante m; in an ~ in un attimo; instantaneous immediato; instant coffee caffè m inv istantaneo or solubile; instantly istantaneamente

instead [ɪn'sted] invece; ~ of invece di

instinct ['ɪnstɪŋkt] istinto m; instinctive istintivo

institute ['ɪnstɪtjuːt] 1 n istituto m 2 v/t new law introdurre; enquiry avviare; institution istituto m; sth traditional istituzione f; (setting up) avviamento m

instruct [ɪn'strʌkt] (order) dare istruzioni a; (teach) istruire; instruction istruzione f; ~s for use istruzioni per l'uso; instructive istruttivo; instructor istruttore m, -trice f

instrument ['ɪnstrʊmənt] strumento *m*

insubordinate [ɪnsə'bɔːdɪnət] insubordinato

insufficient [ɪnsə'fɪʃnt] insufficiente

insulate ['ɪnsjʊleɪt] ELEC isolare; *against cold* isolare termicamente; **insulation** ELEC isolamento *m*; *against cold* isolamento *m* termico

insulin ['ɪnsjʊlɪn] insulina *f*

insult 1 ['ɪnsʌlt] *n* insulto *m* **2** [ɪn'sʌlt] *v/t* insultare

insurance [ɪn'ʃʊərəns] assicurazione *f*; **insurance company** compagnia *f* di assicurazioni; **insurance policy** polizza *f* di assicurazione; **insurance premium** premio *m* assicurativo; **insure** assicurare

insurmountable [ɪnsə'maʊntəbl] insormontabile

intact [ɪn'tækt] intatto

integrate ['ɪntɪgreɪt] integrare; **integrity** integrità *f*

intellect ['ɪntəlekt] intelletto *m*; **intellectual 1** *adj* intellettuale **2** *n* intellettuale *m/f*

intelligence [ɪn'telɪdʒəns] intelligenza *f*; (*information*) informazioni *fpl*; **intelligent** intelligente

intelligible [ɪn'telɪdʒəbl] intelligibile

intend [ɪn'tend]: ~ *to do sth* (*do on purpose*) volere fare qc; (*plan to do*) avere intenzione di fare qc

intense [ɪn'tens] intenso; *concentration* profondo; *personality* serio; **intensify 1** *v/t effect, pressure* intensificare **2** *v/i of pain* acuirsi; *of fighting* intensificarsi; **intensity** intensità *f inv*; **intensive** intensivo; **intensive care (unit)** MED (reparto *m* di) terapia *f* intensiva

intention [ɪn'tenʃn] intenzione *f*; **intentional** intenzionale; **intentionally** intenzionalmente

interaction [ɪntər'ækʃn] interazione *f*; **interactive** interattivo

intercept [ɪntə'sept] intercettare

interchange ['ɪntətʃeɪndʒ] MOT interscambio *m*; **interchangeable** interscambiabile

intercom ['ɪntəkɒm] citofono *m*

intercourse ['ɪntəkɔːs] *sexual* rapporto *m* sessuale

interdependent [ɪntədɪ'pendənt] interdipendente

interest ['ɪntrɪst] **1** *n* interesse *m*; *money paid l received* interessi *mpl*; *take an ~ in sth* interessarsi di qc **2** *v/t* interessare; **interested** interessato; *be ~ in sth* interessarsi di qc; **interesting** interessante; **interest rate** FIN tasso *m* d'interesse

interface ['ɪntəfeɪs] **1** *n* interfaccia *f* **2** *v/i* interfacciarsi

interfere [ɪntəˈfɪə(r)] interfe-
rire; **interference** interferenza f; *on radio* interferenze fpl

interior [ɪnˈtɪərɪə(r)] **1** *adj* interno **2** *n of house* interno m; *of country* entroterra m; **interior decorator** arredatore m, -trice f; **interior design** architettura f d'interni; **interior designer** architetto m d'interni

interlude [ˈɪntəluːd] *at theatre, concert* intervallo m; *(period)* parentesi f inv

intermediary [ɪntəˈmiːdɪərɪ] intermediario m, -a f; **intermediate** intermedio

intermission [ɪntəˈmɪʃn] *in theatre, cinema* intervallo m

internal [ɪnˈtɜːnl] interno; **internally: he's bleeding ~** ha un'emorragia interna; **not to be taken ~** per uso esterno; **Internal Revenue (Service)** *Am* fisco m

international [ɪntəˈnæʃnl] **1** *adj* internazionale **2** *n match* partita f internazionale; *player* giocatore m, -trice f della nazionale; **internationally** a livello internazionale

Internet [ˈɪntənet] Internet m; **on the ~** su Internet; **~ service provider** m inv di servizi Internet

interpret [ɪnˈtɜːprɪt] **1** *v/t* tradurre; *piece of music, comment etc* interpretare **2** *v/i* fa-

re da interprete; **interpretation** traduzione f; *of piece of music, meaning* interpretazione f; **interpreter** interprete m/f

interrogate [ɪnˈterəgeɪt] interrogare; **interrogation** interrogatorio m; **interrogator** interrogante m/f

interrupt [ɪntəˈrʌpt] interrompere; **interruption** interruzione f

intersect [ɪntəˈsekt] **1** *v/t* intersecare **2** *v/i* intersecarsi; **intersection** *of roads* incrocio m

interstate [ˈɪntəsteɪt] *Am* autostrada f interstatale

interval [ˈɪntəvl] intervallo m; **sunny ~s** schiarite

intervene [ɪntəˈviːn] *of person, police etc* intervenire; *of time* trascorrere; **intervention** intervento m

interview [ˈɪntəvjuː] **1** *n on TV, in paper* intervista f; *for job* intervista f d'assunzione, colloquio m di lavoro **2** *v/t on TV, for paper* intervistare; *for job* sottoporre a intervista; **interviewer** *on TV, for paper* intervistatore m, -trice f; *(for job)* persona che conduce un'intervista d'assunzione

intimate [ˈɪntɪmət] intimo; **be ~ with s.o.** *sexually* avere rapporti intimi con qu

intimidate [ɪnˈtɪmɪdeɪt] intimidire; **intimidation** intimidazione *f*

into ['ɪntʊ] in; **be ~ sth** F (*like*) amare qc; (*be involved with*) interessarsi di qc; **be ~ drugs** fare uso di droga; **when you're ~ the job** quando sei pratico del lavoro

intolerable [ɪn'tɒlərəbl] intollerabile; **intolerant** intollerante

intoxicated [ɪn'tɒksɪkeɪtɪd] ubriaco

intravenous [ɪntrə'viːnəs] endovenoso

intricate ['ɪntrɪkət] complicato

intrigue 1 ['ɪntriːg] *n* intrigo *m* **2** [ɪn'triːg] *v/t* intrigare; **I would be ~d to know ...** m'interesserebbe molto sapere ...; **intriguing** intrigante

introduce [ɪntrə'djuːs] *person* presentare; *new technique etc* introdurre; **may I ~ ...?** permette che le presenti ...?; **introduction** *to person* presentazione *f*; *to new food, sport etc* approccio *m*; *in book, of new technique* introduzione *f*

introvert ['ɪntrəvɜːt] introverso *m*, -a *f*

intrude [ɪn'truːd] importunare; **intruder** intruso *m*, -a *f*; **intrusion** intrusione *f*

intuition [ɪntjuː'ɪʃn] intuito *m*

invade [ɪn'veɪd] invadere

invalid¹ [ɪn'vælɪd] *adj* non valido

invalid² ['ɪnvəlɪd] *n* MED invalido *m*, -a *f*

invalidate [ɪn'vælɪdeɪt] invalidare

invaluable [ɪn'væljʊbl] prezioso

invariably [ɪn'veɪrɪəblɪ] (*always*) invariabilmente

invasion [ɪn'veɪʒn] invasione *f*

invent [ɪn'vent] inventare; **invention** invenzione *f*; **inventive** fantasioso; **inventor** inventore *m*, -trice *f*

inventory ['ɪnvəntrɪ] inventario *m*

invert [ɪn'vɜːt] invertire; **inverted commas** virgolette *fpl*

invest [ɪn'vest] investire

investigate [ɪn'vestɪgeɪt] indagare su; **investigation** indagine *f*; **investigative journalism** giornalismo *m* investigativo

investment [ɪn'vestmənt] investimento *m*; **investor** investitore *m*, -trice

invigorating [ɪn'vɪgəreɪtɪŋ] *climate* tonificante

invincible [ɪn'vɪnsəbl] invincibile

invisible [ɪn'vɪzɪbl] invisibile

invitation [ɪnvɪ'teɪʃn] invito *m*; **invite** invitare

invoice ['ɪnvɔɪs] **1** *n* fattura *f* **2** *v/t customer* fatturare

involuntary [ɪn'vɒləntrɪ] involontario

involve [ɪn'vɒlv] *hard work, expense* comportare; (*con-*

cern) riguardare; **what does it ~?** che cosa comporta?; **get ~d with sth** entrare a far parte di qc; **get ~d with s.o.** *emotionally, romantically* legarsi a qu; **involved** (*complex*) complesso; **involvement** *in a project etc* partecipazione *f*; *in crime, accident* coinvolgimento *m*

invulnerable [ɪn'vʌlnərəbl] invulnerabile

inward ['ɪnwəd] **1** *adj feeling, thoughts* intimo **2** *adv* verso l'interno; **inwardly** dentro di sé

IQ [aɪ'kjuː] (= **intelligence quotient**) quoziente *m* d'intelligenza

Iran [ɪ'rɑːn] Iran *m*; **Iranian 1** *adj* iraniano **2** *n* iraniano *m*, -a *f*

Iraq [ɪ'ræːk] Iraq *m*; **Iraqi 1** *adj* iracheno **2** *n* iracheno *m*, -a *f*

Ireland ['aɪələnd] Irlanda *f*; **Irish** irlandese; **Irishman** irlandese *m*; **Irishwoman** irlandese *f*

iron ['aɪən] **1** *n* ferro *m*; *for clothes* ferro *m* da stiro **2** *v/t shirts etc* stirare

ironic(al) [aɪ'rɒnɪk(l)] ironico

'ironing board asse *m* da stiro

irony ['aɪərənɪ] ironia *f*

irrational [ɪ'ræʃənl] irrazionale

irreconcilable [ɪrekən'saɪləbl] inconciliabile

irregular [ɪ'regjulə(r)] irrego-

lare

irrelevant [ɪ'reləvənt] non pertinente

irreplaceable [ɪrɪ'pleɪsəbl] insostituibile

irrepressible [ɪrɪ'presbl] *sense of humour* incontenibile; *person* che non si lascia abbattere

irresistible [ɪrɪ'zɪstəbl] irresistibile

irresponsible [ɪrɪ'spɒnsəbl] irresponsabile

irreverent [ɪ'revərənt] irriverente

irrevocable [ɪ'revəkəbl] irrevocabile

irrigate ['ɪrɪgeɪt] irrigare; **irrigation** irrigazione *f*

irritable ['ɪrɪtəbl] irritabile; **irritate** irritare; **irritating** irritante; **irritation** irritazione *f*

Islam ['ɪzlɑːm] Islam *m*; **Islamic** islamico

island ['aɪlənd] isola *f*; **islander** isolano *m*, -a *f*

isolate ['aɪsəleɪt] isolare; **isolated** isolato; **isolation** isolamento *m*; **in ~** *taken etc* da solo

ISP [aɪes'piː] (= **Internet service provider**) provider *m inv* di servizi Internet

Israel ['ɪzreɪl] Israele *m*; **Israeli 1** *adj* israeliano **2** *n person* israeliano *m*, -a *f*

issue ['ɪʃuː] **1** *n* (*matter*) questione *f*; (*result*) risultato *m*; *of magazine* numero *m*; **take ~ with s.o. / sth** prendere posizione contro qu / qc **2** *v/t passports* rilasciare; *supplies* distribuire; *coins* emettere; *warning* dare

IT [ar'tiː] (= *information technology*) IT *f*

it [ɪt] ◇ *as subject: what colour is* ~? - ~ *is red* di che colore è? - è rosso; ~*'s raining* piove; ~*'s me / him* sono io / è lui; ~*'s Charlie here* TELEC sono Charlie; ~*!* *(that's right)* proprio così!; *(finished)* finito! ◇ *as object* lo *m*, la *f*; *I broke* ~ l'ho rotto, -a

Italian [ɪ'tæljən] **1** *adj* italiano **2** *n person* italiano *m*, -a *f*; *language* italiano *m*

italic [ɪ'tælɪk] in corsivo

Italy ['ɪtəlɪ] Italia *f*

itch [ɪtʃ] **1** *n* prurito *m* **2** *v/i* prudere

item ['aɪtəm] *on agenda* punto *m* (all'ordine del giorno); *on shopping list* articolo *m*; *in accounts* voce *f*; *news* ~ notizia *f*; **itemize** *invoice* dettagliare

itinerary [aɪ'tɪnərərɪ] itinerario *m*

its [ɪts] il suo *m*, la sua *f*, i suoi *mpl*, le sue *fpl*

it's [ɪts] ☞ *it is, it has*

itself [ɪt'self] *reflexive* si; *emphatic* di per sé; *by* ~ *(alone)* da solo; *(automatically)* da sé

J

jab [dʒæb] conficcare

jack [dʒæk] MOT cric *m inv*; *in cards* fante *m*

jacket ['dʒækɪt] *n* giacca *f*; *of book* copertina *f*

jackpot primo premio *m*; *hit the* ~ vincere il primo premio; *fig* fare un terno al lotto

jagged ['dʒægɪd] frastagliato

jail [dʒeɪl] prigione *f*

jam¹ [dʒæm] *for bread* marmellata *f*

jam² [dʒæm] **1** *n* MOT ingorgo *m*; *be in a* ~ F *(difficulty)* essere in difficoltà **2** *v/t (ram)* ficcare; *(cause to stick)* bloc-

care; *be* ~*med of roads* essere congestionato; *of door, window* essere bloccato **3** *v/i (stick)* bloccarsi

janitor ['dʒænɪtə(r)] custode *m*

January ['dʒænjuərɪ] gennaio *m*

Japan [dʒə'pæn] Giappone *m*; **Japanese** **1** *adj* giapponese **2** *n person* giapponese *m/f*; *language* giapponese *m*

jar¹ [dʒɑː(r)] *container* barattolo *m*

jargon ['dʒɑːgən] gergo *m*

javelin ['dʒævlɪn] giavellotto *m*

jaw [dʒɔ:] mascella *m*

jaywalker ['dʒeɪwɔ:kə(r)] pedone *m* indisciplinato

jazz [dʒæz] jazz *m*

jealous ['dʒeləs] geloso; **jealousy** gelosia *f*

jeans [dʒi:nz] jeans *mpl*

jeep [dʒi:p] jeep *f inv*

jeer [dʒɪə(r)] **1** *n* scherno *m* **2** *v/i* schernire; **~ at** schernire

Jello® ['dʒeləʊ] *Am* gelatina *f*

jelly ['dʒelɪ] *Br* gelatina *f*; *Am* marmellata *f*; **jellyfish** medusa *f*

jeopardize ['dʒepədaɪz] mettere in pericolo

jerk¹ [dʒɜ:k] **1** *n* scherno *m* **2** *v/t* dare uno strattone

jerk² [dʒɜ:k] *n* F idiota *m/f*

jerky ['dʒɜ:kɪ] *movement* a scatti

Jesus ['dʒi:zəs] Gesù *m*

jet [dʒet] **1** *n of water* zampillo *m*; *(nozzle)* becco *m*; *airplane* jet *m inv* **2** *v/i travel* volare; **jetlag** jet-lag *m*

jettison ['dʒetɪsn] gettare; *fig* abbandonare

jetty ['dʒetɪ] molo *m*

Jew [dʒu:] ebreo *m*, -a *f*

jewel ['dʒu:əl] gioiello *m*; *fig*: *person* perla *f*; **jeweller**, *Am* **jeweler** gioielliere *m*

Jewish ['dʒu:ɪʃ] ebraico; *people* ebreo

jigsaw (puzzle) ['dʒɪgsɔ:] puzzle *m inv*

jilt [dʒɪlt] piantare F

jingle ['dʒɪŋgl] **1** *n song* jingle *m inv* **2** *v/i of keys, coins* tin-

tinnare

jinx [dʒɪŋks] *person* iettatore *m*, -trice *f*; **there's a ~ on this project** questo progetto è iellato

jittery ['dʒɪtərɪ] F nervoso

job [dʒɒb] *(employment)* lavoro *m*; *(task)* compito *m*; **it's a good ~ you ...** meno male che tu ...; **job description** elenco *m* delle mansioni; **jobless** disoccupato

jockey ['dʒɒkɪ] fantino *m*

jog [dʒɒg] **1** *n* corsa *f*; **go for a ~** andare a fare footing **2** *v/i as exercise* fare footing **3** *v/t elbow etc* urtare; **~ s.o.'s memory** rinfrescare la memoria a qu; **jogger** *person* persona *f* che fa footing; *Am shoe* scarpa *f* da ginnastica; **jogging** footing *m*; **go ~** fare footing

john [dʒɒn] *Am* F gabinetto *m*

join [dʒɔɪn] **1** *n* giuntura *f* **2** *v/i of roads, rivers* unirsi; *(become a member)* iscriversi **3** *v/t (connect)* unire; *person* unirsi a; *club* iscriversi a; *(go to work for)* entrare in; *of road* congiungersi a

◆ **join in** partecipare

joint [dʒɔɪnt] **1** *n* ANAT articolazione *f*; *in woodwork* giunto *m*; *of meat* arrosto *m*; *of cannabis* spinello *m* **2** *adj (shared)* comune; **joint account** conto *m* comune; **joint venture** joint venture *f inv*

436

joke [dʒəʊk] **1** *n story* barzelletta *f*; (*practical* ~) scherzo *m* **2** *v/i* (*pretend*) scherzare; **joker** *in cards* jolly *m inv*; F burlone *m*, -a *f*; **jokingly** scherzosamente

jostle [dʒɒsl] spintonare

journal [dʒɜːnl] *magazine* rivista *f*; *diary* diario *m*; **journalism** giornalismo *m*; **journalist** giornalista *m/f*

journey [dʒɜːnɪ] viaggio *m*

joy [dʒɔɪ] gioia *f*

jubilant [dʒuːbɪlənt] esultante; **jubilation** giubilo *m*

judge [dʒʌdʒ] **1** *n* giudice *m* **2** *v/t* giudicare; *competition* fare da giudice a **3** *v/i* giudicare; **judg(e)ment** giudizio *m*; *an error of* ~ un errore di valutazione; **Judg(e)ment Day** il giorno *m* del giudizio

judicial [dʒuːdɪʃl] giudiziario

jug [dʒʌg] brocca *f*

juggle [dʒʌgl] fare giochi di destrezza con; *fig*: *conflicting demands* destreggiarsi fra; *figures* manipolare; **juggler** giocoliere *m*

juice [dʒuːs] succo *m*; **juicy** succoso; *news, gossip* piccante

July [dʒuˈlaɪ] luglio *m*

jumbo (jet) [dʒʌmbəʊ] jumbo *m* (jet); **jumbo-sized** gigante

jump [dʒʌmp] **1** *n* salto *m*; (*increase*) impennata *f* **2** *v/i* saltare; (*increase*) aumentare rapidamente, avere un'im-

pennata; *in surprise* sobbalzare; ~ *to conclusions* arrivare a conclusioni affrettate **3** *v/t fence etc* saltare; F (*attack*) aggredire; ~ *the queue* non rispettare la fila; ~ *the lights* passare col rosso

◆ **jump at** *opportunity* prendere al balzo

jumper [dʒʌmpə(r)] *Br* golf *m inv*; *Am dress* scamiciato *m*; **jumpy** nervoso

junction [dʒʌŋkʃn] *of roads* incrocio *m*

June [dʒuːn] giugno *m*

jungle [dʒʌŋgl] giungla *f*

junior [dʒuːnɪə(r)] **1** *adj* (*subordinate*) subalterno; (*younger*) giovane **2** *n in rank* subalterno *m*, -a *f*; *she is ten years my* ~ ha dieci anni meno di me; **junior high** *Am* scuola *f per ragazzi dai 12 ai 15 anni*

junk [dʒʌŋk] robaccia *f*; **junk food** alimenti *mpl* poco sani, porcherie *fpl*; **junkie** F tossico *m*, -a *f* F; **junk mail** posta *f* spazzatura

jurisdiction [dʒʊərɪsˈdɪkʃn] LAW giurisdizione *f*

juror [dʒʊərə(r)] giurato *m*, -a *f*; **jury** giuria *f*

just [dʒʌst] **1** *adj* giusto **2** *adv* (*barely*) appena; (*exactly*) proprio; (*only*) solo; *I've* ~ *seen her* l'ho appena vista; ~ *about* (*almost*) quasi; *I was* ~ *about to leave when* ... stavo proprio per andarmene quando ...; **~ now** (*a few moments ago*) proprio ora; (*at the moment*) al momento; **~ you wait!** aspetta un po'!; **~ be quiet!** fai silenzio!; **~ as rich** altrettanto ricco

justice ['dʒʌstɪs] giustizia *f*
justifiable [dʒʌstɪ'faɪəbl] giustificabile; **justifiably** a ra-

gione; **justification** giustificazione *f*; **justify** *also text* giustificare

justly ['dʒʌstlɪ] giustamente
◆ **jut out** [dʒʌt] sporgere

juvenile ['dʒuːvənaɪl] **1** *adj* minorile; *pej* puerile **2** *n fml* minore *m/f*; **juvenile delinquent** delinquente *m/f* minorile

K

k [keɪ] (= *kilobyte*) k (= kilobyte *m inv*); (= *thousand*) mille
kangaroo [kæŋgə'ruː] canguro *m*
keel [kiːl] NAUT chiglia *f*
keen [kiːn] *person* entusiasta; *interest, competition* vivo; **be ~ on sth** essere appassionato di qc; **be ~ to do sth** aver molta voglia di fare qc
keep [kiːp] **1** *v/t* tenere; (*not lose*) mantenere; (*detain*) trattenere; (*family*) mantenere; *animals* allevare; **~ a promise** mantenere una promessa; **~ s.o. company** tenere compagnia a qu; **~ s.o. waiting** far aspettare qu; **~ sth to o.s.** (*not tell*) tenere qc per sé; **~ sth from s.o.** nascondere qc a qu; **~ s.o. from doing sth** impedire a qu di fare qc; **~ trying!** continua a provare! **2** *v/i* (*remain*) rimanere; *of food, milk*

conservarsi; **~ left** tenere la sinistra; **~ straight on** vai sempre dritto; **~ still** stare fermo
◆ **keep away 1** *v/i* stare alla larga; *keep away from ...* stai alla larga da ... **2** *v/t* tenere lontano; **keep s.o. away from sth** tenere qu lontano da qc
◆ **keep back** (*hold in check*) trattenere; *information* nascondere
◆ **keep down** *voice* abbassare; *costs, inflation* contenere; *food* trattenere
◆ **keep off 1** *v/t* (*avoid*) evitare; **keep off the grass** non calpestare l'erba **2** *v/i*: **if the rain keeps off** se non piove
◆ **keep on 1** *v/i* continuare; **keep on doing sth** continuare a fare qc **2** *v/t employee, coat* tenere
◆ **keep out 1** *v/t the cold* pro-

teggere da; *person* escludere
2 *v/i* of room non entrare (*of*
in); *of argument etc* non immischiarsi (*of* in); *keep out*
as sign vietato l'ingresso

◆ **keep to** *path, rules* seguire;
keep to the point non divagare

◆ **keep up 1** *v/i when running*
etc tener dietro 2 *v/t pace,*
payments stare dietro a;
bridge, pants reggere

◆ **keep up with** stare al passo con; (*stay in touch with*)
mantenere i rapporti con

keeping ['ki:pɪŋ]: *be in ~ with*
essere in armonia con;
keepsake ricordo *m*

kennel ['kenl] canile *m*; **ken-**
nels canile *m*

kerb [kɜːb] orlo *m* del marciapiede

ketchup ['ketʃʌp] ketchup *m*
inv

kettle ['ketl] bollitore *m*

key [ki:] 1 *n to door, drawer,*
MUS chiave *f*; *on keyboard*
tasto *m* 2 *adj* (*vital*) chiave
3 *v/t* COMPUT battere

◆ **key in** *data* immettere

'keyboard COMPUT, MUS tastiera *f*; **keyboarder** COM-
PUT, MUS tastierista *m/f*;
keycard tessera *f* magnetica;
keyed-up agitato; **keyhole**
buco *m* della serratura;
keyring portachiavi *m inv*;
keyword parola *f* chiave

khaki ['kɑːkɪ] cachi *inv*

kick [kɪk] 1 *n* calcio *m*; (*just*

for ~s F (solo) per il gusto di
farlo 2 *v/t* dare un calcio a; F
habit liberarsi da 3 *v/i* dare
calci; SP calciare; *of horse*
scalciare

◆ **kick around** (*treat harshly*)
maltrattare; F (*discuss*) discutere di; *kick a ball*
around giocare a pallone

◆ **kick off** *of player* dare il
calcio d'inizio; F (*start*) iniziare;

◆ **kick out** buttar fuori

'kickback F (*bribe*) tangente
f; **kickoff** SP calcio *m* d'inizio

kid [kɪd] 1 *n* F (*child*) bambino
m, -a *f*; F (*young person*)
ragazzo *m*, -a *f*; *~ brother*
fratello minore 2 *v/t* F prendere in giro 3 *v/i* F scherzare

kidnap ['kɪdnæp] rapire, sequestrare; **kidnapper** rapitore *m*, -trice *f*, sequestratore *m*, -trice *f*; **kidnapping** rapimento *m*, sequestro *m* (di
persona)

kidney ['kɪdnɪ] ANAT rene *m*;
in cooking rognone *m*

kill [kɪl] uccidere; *plant, time*
ammazzare; *be ~ed in an*
accident morire in un incidente; *~ o.s.* suicidarsi; **killer**
(*murderer*) assassino *m*, -a *f*;
(*hired ~*) killer *m/f inv*; **kill-**
ing omicidio *m*; *make a ~*
F (*lots of money*) fare un pacco di soldi F

kiln [kɪln] fornace *f*

kilo ['ki:ləʊ] chilo *m*; **kilobyte**

kilobyte m inv; **kilogram** chilogrammo m; **kilometre,** Am **kilometer** chilometro m

kind¹ [kaɪnd] adj gentile

kind² [kaɪnd] n (sort) tipo m; (make, brand) marca f; **nothing of the ~!** niente affatto!; **~ of sad** / **strange** F un po' triste / strano

kind-hearted [kaɪnd'hɑːtɪd] di buon cuore; **kindly** gentile; **kindness** gentilezza f

king [kɪŋ] re m inv; **kingdom** regno m

kinky ['kɪŋkɪ] F particolare F

kiosk ['kiːɒsk] edicola f

kiss [kɪs] **1** n bacio m **2** v/t baciare **3** v/i baciarsi

kit [kɪt] kit m inv; (equipment) attrezzatura f

kitchen ['kɪtʃɪn] cucina f

kite [kaɪt] aquilone m

kitten ['kɪtn] gattino m

kitty ['kɪtɪ] money cassa f comune

knack [næk] capacità f; **there's a ~ to it** bisogna saperlo fare

knee [niː] ginocchio m; **kneecap** rotula f

kneel [niːl] inginocchiarsi

'knee-length al ginocchio

knife [naɪf] **1** n coltello m **2** v/t accoltellare

knight [naɪt] n cavaliere m

knit [nɪt] **1** v/t fare a maglia **2** v/i lavorare a maglia; **knitwear** maglieria f

knob [nɒb] on door pomello m; of butter noce f

knock [nɒk] **1** n on door colpo m; (blow) botta f **2** v/t (hit) colpire; head, knee battere; F (criticize) criticare **3** v/i **at** the door bussare (at a); **I ~ed my head** ho battuto la testa

◆ **knock down** of car investire; object, building etc buttar giù; F (reduce the price of) scontare

◆ **knock out** (make unconscious) mettere K.O. f; power lines etc mettere fuori uso; (eliminate) eliminare

◆ **knock over** far cadere; of car investire

'knockout in boxing K.O. m inv

knot [nɒt] **1** n nodo m **2** v/t annodare

know [nəʊ] **1** v/t sapere; person, place conoscere; (recognize) riconoscere; **2** v/i sapere; **I don't ~** non so **3** n: **be in the ~** F essere beninformato; **know-all** F sapientone m, -a f; **knowhow** F know-how m; **knowing** d'intesa; **knowingly** (wittingly) deliberatamente; smile etc con aria d'intesa; **know-it-all** Am F sapientone m, -a f; **knowledge** conoscenza f; **to the best of my ~** per quanto ne sappia

knuckle ['nʌkl] nocca f

Koran [kə'rɑːn] Corano m

Korea [kə'ri:ə] Corea f; **Korean 1** adj coreano **2** n coreano m, -a f; language coreano m

kosher ['kəʊʃə(r)] REL kasher; F a posto
kudos ['kju:dɒs] gloria f

L

lab [læb] laboratorio m
label ['leɪbl] **1** n etichetta f **2** v/t baggage mettere l'etichetta su
labor Am ☞ **labour**
laboratory [lə'bɒrətrɪ] laboratorio m
laborious [lə'bɔ:rɪəs] laborioso
'labor union Am sindacato m
labour ['leɪbə(r)] lavoro m; in pregnancy travaglio m; **be in ∼** avere le doglie fpl; **laboured** style, speech pesante; **labourer** manovale m
lace [leɪs] material pizzo m; for shoe laccio m
lack [læk] **1** n mancanza f **2** v/t mancare di **3** v/i: **be ∼ing** mancare
lacquer ['lækə(r)] lacca f
ladder ['lædə(r)] scala f (a pioli); in tights sfilatura f
laden ['leɪdn] carico
ladies room ['leɪdi:z] bagno m per donne
lady ['leɪdɪ] signora f; **ladybird**, Am **ladybug** coccinella f; **ladylike** da signora; **she's not very ∼** non è certo una signora
lager ['lɑ:gə(r)] birra f (bionda)

kosher ['kəʊʃə(r)] REL kasher; F a posto
kudos ['kju:dɒs] gloria f

laidback [leɪd'bæk] rilassato
lake [leɪk] lago m
lamb [læm] agnello m
lame [leɪm] person zoppo; excuse zoppicante
laminated ['læmɪneɪtɪd] surface laminato; paper plastificato
lamp [læmp] lampada f; **lamppost** lampione m; **lampshade** paralume m
land [lænd] **1** n terreno m; (shore) terra f; (country) paese m; **by ∼** per via di terra; **on ∼** sulla terraferma **2** v/t aeroplane far atterrare; job accaparrarsi **3** v/i of aeroplane atterrare; of ball, sth thrown cadere; **landing** of aeroplane atterraggio m; top of staircase pianerottolo m; **landing strip** pista f d'atterraggio; **landlady** of bar proprietaria f; of rented room padrona f di casa; **landlord** of bar proprietario m; of rented room padrone m di casa; **landmark** punto m di riferimento; fig pietra f miliare; **land owner** proprietario m, -a f terriero, -a; **landscape 1** n paesaggio m **2** adv print landscape, orizzontale;

landslide frana f; **landslide victory** vittoria f schiacciante

lane [leɪn] in country viottolo m; (alley) vicolo m; MOT corsia f

language ['læŋgwɪdʒ] lingua f; (speech, style) linguaggio m; **language lab** laboratorio m linguistico

lap¹ [læp] of track giro m (di pista)

lap² [læp] of water sciabordio m

lap³ [læp] of person grembo m

lapel [lə'pel] bavero m

lapse [læps] **1** n (mistake, slip) mancanza f; of time intervallo m; **~ of memory** vuoto m di memoria **2** v/i scadere; **~ into** cadere in

'laptop COMPUT laptop m inv

larceny ['lɑːsənɪ] furto m

larder ['lɑːdə(r)] dispensa f

large [lɑːdʒ] grande; **at ~** in libertà; **largely** (mainly) in gran parte

laryngitis [lærɪn'dʒaɪtɪs] laringite f

laser ['leɪzə(r)] laser m inv; **laser printer** stampante f laser

lash¹ [læʃ] with whip frustare

lash² [læʃ] (eyelash) ciglio m

last¹ [lɑːst] **1** adj in series ultimo; (preceding) precedente; **~ night** ieri sera; **~ year** l'anno scorso **2** adv **he finished ~** ha finito per ultimo; in race è arrivato ultimo; **when I ~ saw him** l'ultima volta che

l'ho visto; **at ~** finalmente

last² [lɑːst] v/i durare

lasting ['lɑːstɪŋ] duraturo; **lastly** per finire

late [leɪt] **1** adj (behind time) in ritardo; in day tardi; **it's getting ~** si sta facendo tardi; **the ~ 19th century** il tardo XIX secolo **2** adv tardi; **lately** recentemente; **later** più tardi; **see you ~!** a più tardi; **~ on** più tardi; **latest 1** adj l'ultimo, più recente **2** n: **at the ~** al più tardi

Latin ['lætɪn] **1** adj latino **2** n latino m; **Latin America** America f Latina; **Latin American 1** n latino-americano m, -a f **2** adj latino--americano

latitude ['lætɪtjuːd] latitudine f; (freedom to act) libertà f d'azione

latter ['lætə(r)]: **the ~** quest'ultimo

laugh [lɑːf] **1** n risata f; **it was a ~** F ci siamo divertiti **2** v/i ridere

◆ **laugh at** ridere di

laughter ['lɑːftə(r)] risata f

launch [lɔːntʃ] **1** n of boat lancia f; of rocket, product lancio m; of ship varo m **2** v/t rocket, product lanciare; ship varare

launder ['lɔːndə(r)] lavare e stirare; **~ money** riciclare denaro sporco; **laundrette** lavanderia f automatica; **laundromat®** Am lavanderia f automatica; **laundry**

place lavanderia *f*; *clothes* bucato *m*

lavatory ['lævətrɪ] gabinetto *m*

lavish ['lævɪʃ] *meal* lauto; *reception, lifestyle* sontuoso

law [lɔː] legge *f*; **criminal** / *civil* ~ diritto *m* penale / civile; **against the** ~ contro la legge; **forbidden by** ~ vietato dalla legge; **law-abiding** che rispetta la legge; **law court** tribunale *m*; **lawful** legale; **lawless** senza legge

lawn [lɔːn] prato *m* (all'inglese); **lawn mower** tagliaerba *m inv*

'lawsuit azione *f* legale; **lawyer** avvocato *m*

lax [læks] permissivo

laxative ['læksətɪv] lassativo *m*

lay [leɪ] (*put down*) posare; *eggs* deporre; V (*sexually*) scopare V

♦ **lay off** *workers* licenziare; *temporarily* mettere in cassa integrazione

♦ **lay out** *objects* disporre; *page* impaginare

layer ['leɪə(r)] strato *m*

'layman laico *m*

'lay-out *of page* impaginazione *f*; *of garden, room* disposizione *f*

lazy ['leɪzɪ] *person* pigro; *day* passato a oziare

lb (= *pound*) libbra *f*

lead¹ [liːd] **1** *v/t procession, race* essere in testa a; *compa-*

ny, team essere a capo di; (*guide, take*) condurre **2** *v/i in race, competition* essere in testa; (*provide leadership*) dirigere; **a street** ~**ing off the square** una strada che parte dalla piazza; **a street** ~**ing into the square** una strada che sbocca sulla piazza **3** *n in race* posizione *f* di testa; **be in the** ~ essere in testa; **take the** ~ passare in testa

lead² [liːd] *for dog* guinzaglio *m*

lead³ [led] *substance* piombo *m*

leaded ['ledɪd] *petrol* con piombo

leader ['liːdə(r)] capo *m*; *in race, on market* leader *m/f inv*; *in newspaper* editoriale *m*; **leadership** *of party etc* direzione *f*, leadership *f*; ~ **contest** lotta *f* per la direzione

lead-free ['ledfriː] *petrol* senza piombo

leading ['liːdɪŋ] *runner* in testa; *company, product* leader *inv*; **leading-edge** *company, technology* all'avanguardia

leaf [liːf] foglia *f*

♦ **leaf through** sfogliare

leaflet ['liːflət] dépliant *m inv*

league [liːg] lega *f*; SP campionato *m*

leak [liːk] **1** *n of water* perdita *f*; *of gas* fuga *f*; **there's been a** ~ *of information* c'è stata

una fuga di notizie **2** v/i of
pipe perdere; *of boat* far acqua
lean¹ [li:n] **1** v/i be at an angle
pendere; ~ **against sth** appoggiarsi a qc **2** v/t appoggiare
lean² [li:n] adj *meat* magro
leap [li:p] **1** n salto m **2** v/i saltare; **leap year** anno m bise-
stile
learn [lɜːn] imparare; *(hear)*
apprendere; **learner** principiante m/f; **learning** *(knowledge)* sapere m; *act* apprendi-
mento m
lease [li:s] **1** n (contratto m
di) affitto m **2** v/t *flat, equipment* affittare
◆ **lease out** dare in affitto
leash [li:ʃ] *for dog* guinzaglio
m
least [li:st] **1** adj *(slightest)* minimo **2** adv meno **3** n mini-
mo m; **not in the ~ suprised**
per niente sorpreso; **at ~** almeno
leather ['leðə(r)] **1** n pelle f,
cuoio m **2** adj di pelle, di
cuoio
leave [li:v] **1** n *(holiday)* congedo m; MIL licenza f **2** v/t lasciare; *room, house, office*
uscire da; *station, airport* partire da; *(forget)* dimenticare;
~ **school** finire gli studi; ~
s.o. / **sth alone** lasciare stare qu / qc; **be left** rimanere **3**
v/i of person, plane, bus partire

◆ **leave behind** *intentionally*
lasciare; *(forget)* dimenticare
◆ **leave out** omettere; *(not
put away)* lasciare in giro;
leave me out of this non
mi immischiare in questa
faccenda
'leaving party festa f d'addio
lecture ['lektʃə(r)] **1** n lezione
f **2** v/i at university insegnare;
lecture hall aula f magna;
lecturer professore m, -essa
universitario, -a
ledge [ledʒ] *of window* davan-
zale m; *on rock face* sporgenza f; **ledger** COM libro m ma-
stro
left¹ [left] **1** adj sinistro; POL di
sinistra **2** n sinistra f; **on / to
the** ~ a sinistra **3** adv a sinistra; **left-hand** sinistro; **left-
-handed** mancino; **left luggage (office)** deposito m bagagli; **left-overs** *food* avanzi
mpl; **left-wing** POL di sinistra
leg [leg] *of person, table* gamba f; *of animal* zampa f; *of
turkey, chicken* coscia f; *of
lamb* cosciotto m; **pull
s.o.'s** ~ prendere in giro qu
legacy ['legəsɪ] eredità f inv
legal ['li:gl] legale; **legal adviser** consulente m/f legale;
legality legalità f inv; **legalize** legalizzare
legend ['ledʒənd] leggenda f;
legendary leggendario
legible ['ledʒəbl] leggibile
legislate ['ledʒɪsleɪt] legifera-
re; **legislation** legislazione f;

legislative legislativo; **legislature** POL legislatura *f*

legitimate [lɪ'dʒɪtɪmət] legittimo

'leg room spazio *m* per le gambe

leisure ['leʒə(r)] svago *m*; **at your ~** con comodo; **leisurely** tranquillo

lemon ['lemən] limone *m*; **lemonade** *fizzy* gazzosa *f*; *made from lemon juice* limonata *f*

lend [lend] prestare; **~ s.o. sth** prestare qc a qu

length [leŋθ] lunghezza *f*; *piece: of material* taglio *m*; **at ~** *explain* a lungo; *(eventually)* alla fine; **lengthen** allungare; **lengthy** lungo

lenient ['liːnɪənt] indulgente

lens [lenz] *of camera* obiettivo *m*; *of spectacles* lente *f*; *of eye* cristallino *m*

Lent [lent] REL Quaresima *f*

Leo ['liːəʊ] ASTR Leone *m*

leopard ['lepəd] leopardo *m*

leotard ['liːətɑːd] body *m inv*

lesbian ['lezbɪən] **1** *n* lesbica *f* **2** *adj* di / per lesbiche

less [les] *(di)* meno; **~ interesting** meno interessante; **~ than £200** meno di £200; **lessen** diminuire

lesson ['lesn] lezione *f*

let [let] *(allow)* lasciare; *(rent)* affittare; **~ s.o. do sth** lasciar fare qc a qu; **~ me go!** lasciami andare!; **~'s go / stay** andiamo / restia-

mo; **~ alone** tanto meno; **~ go of sth** *of rope, handle* mollare qc

◆ **let down** *hair* sciogliersi; *blinds* abbassare; *(disappoint)* deludere; *dress, trousers* allungare

◆ **let in** *to house* far entrare

◆ **let out** *from room* far uscire; *jacket etc* allargare; *groan, yell* emettere

◆ **let up** *(stop)* smettere

lethal ['liːθl] mortale

lethargic [lɪ'θɑːdʒɪk] fiacco; **lethargy** fiacchezza *f*

letter ['letə(r)] lettera *f*; **letterbox** *on street* buca *f* delle lettere; *in door* cassetta *f* della posta; **letterhead** *heading* intestazione *f*; *(headed paper)* carta *f* intestata

lettuce ['letɪs] lattuga *f*

leukemia [luː'kiːmɪə] leucemia *f*

level ['levl] **1** *adj surface* piano; *in competition, scores* pari; **draw ~ with s.o.** *in match* pareggiare **2** *n* livello *m*; **on the ~** F *(honest)* onesto; **level crossing** passaggio *m* a livello; **level-headed** posato

lever ['liːvə(r), *Am* 'levər] **1** *n* leva *f* **2** *v/t:* **~ sth open** aprire qc facendo leva; **leverage** forza *f*; *(influence)* influenza *f*

levy ['levɪ] *taxes* imporre

liability [laɪə'bɪlɪtɪ] *(responsibility)* responsabilità *f inv*; *liable responsabile*; **it's ~ to** *f*

break (*likely*) è probabile che si rompa
♦ **liaise with** [lɪ'eɪz] tenere i contatti con
liaison [lɪ'eɪzɒn] (*contacts*) contatti *mpl*
liar ['laɪə(r)] bugiardo *m*, -a *f*
libel ['laɪbl] **1** *n* diffamazione *f* **2** *v/t* diffamare
liberal ['lɪbərəl] (*broad-minded*), POL liberale; *portion etc* abbondante
liberate ['lɪbəreɪt] liberare; **liberated** emancipato; **liberation** liberazione *f*; **liberty** libertà *f inv*; *of prisoner etc* in libertà; **be at ~ to do sth** poter fare qc
Libra ['liːbrə] ASTR Bilancia *f*
librarian [laɪ'breərɪən] bibliotecario *m*, -a *f*; **library** biblioteca *f*
Libya ['lɪbɪə] Libia *f*; **Libyan 1** *adj* libico **2** *n person* libico *m*, -a *f*
lice [laɪs] *pl* ☞ **louse**
licence ['laɪsns] (*driving ~*) patente *f*; (*road tax ~*) bollo *m* (auto); *for TV* canone *m* (televisivo); *for imports / exports* licenza *f*; *for dog* tassa *f*
license ['laɪsns] **1** *v/t* (*issue ~ to*) rilasciare la licenza a; **the car isn't ~d** la macchina non ha il bollo **2** *n Am* ☞ **licence**; **license number** numero *m* di targa; **license plate** *Am* targa *f*
lick [lɪk] **1** *n* leccata *f* **2** *v/t* leccare; **~ one's lips** leccarsi i

baffi
lid [lɪd] coperchio *m*
lie[1] [laɪ] **1** *n* bugia *f*; **tell ~s** dire bugie **2** *v/i* mentire
lie[2] *v/i of person* sdraiarsi; *of object* stare; (*be situated*) trovarsi
♦ **lie down** sdraiarsi
lieutenant [lef'tenənt, *Am* luː'tenənt] tenente *m*
life [laɪf] vita *f*; *of machine* durata *f*; *of battery* autonomia *f*; **that's ~!** così è la vita!; **life belt** salvagente *m inv*; **lifeboat** lancia *f* di salvataggio; **life expectancy** aspettativa *f* di vita; **lifeguard** bagnino *m*, -a *f*; **life imprisonment** ergastolo *m*; **life insurance** assicurazione *f* sulla vita; **life jacket** giubbotto *m* di salvataggio; **lifeless** senza vita; **lifelike** fedele; **lifelong** di vecchia data; **lifesized** a grandezza naturale; **life-threatening** mortale; **lifetime**: **in my ~** in vita mia
lift [lɪft] **1** *v/t* sollevare **2** *v/i of fog* diradarsi **3** *n in building* ascensore *m*; *in car* passaggio *m*; **give s.o. a ~** dare un passaggio a qu; **lift-off** *of rocket* decollo *m*
ligament ['lɪgəmənt] legamento *m*
light[1] [laɪt] **1** *n* luce *f*; **have you got a ~?** hai da accendere? **2** *v/t* accendere; (*illuminate*) illuminare **3** *adj not dark* chiaro

◆ **light up 1** v/t (*illuminate*) illuminare **2** v/i (*start to smoke*) accendersi una sigaretta

light² [laɪt] **1** *adj not heavy* leggero **2** *adv*: **travel ~** viaggiare leggero

'**light bulb** lampadina f

lighten¹ ['laɪtn] *colour* schiarire

lighten² ['laɪtn] *load* alleggerire

lighter ['laɪtə(r)] *for cigarettes* accendino m; **light-headed** stordito; **lighting** illuminazione f; **lightness** leggerezza f; **lightning** fulmine m; **lightweight** *in boxing* peso m leggero; **light year** anno m luce

like¹ [laɪk] **1** *prep* come; **~ this / that** così; **what is she ~?** *in looks, character* com'è?; **it's not ~ him** not his character non è da lui; *look* **~ s.o.** assomigliare a qu **2** *conj* (*as*) come; **~ I said** come ho già detto

like² [laɪk] v/t: **I ~ it / her** mi piace; **I would ~ ...** vorrei ...; **I would ~ to ...** vorrei ...; **would you ~ ...?** ti va ...?; **would you ~ to ...?** ti va di ...?; **he ~s swimming** gli piace nuotare; **if you ~** se vuoi

likeable ['laɪkəbl] simpatico; **likelihood** probabilità f; **likely** probabile; **not ~!** difficile!; **likeness** (*resemblance*) somiglianza f; **likewise** al-

trettanto; **liking** predilezione f; **take a ~ to s.o.** prendere qu in simpatia

lily ['lɪlɪ] giglio m

limb [lɪm] arto m

lime¹ [laɪm] *fruit* limetta f

lime² [laɪm] *substance* calce f

limit ['lɪmɪt] **1** n limite m; **that's the ~!** F è il colmo! **2** v/t limitare; **limitation** limite m; **limited company** società f inv a responsabilità limitata

limousine ['lɪməziːn] limousine f inv

limp¹ [lɪmp] *adj* floscio

limp² [lɪmp] **1** n: **he has a ~** zoppica **2** v/i zoppicare

line¹ [laɪn] n linea f; *of people, trees* fila f; *of text* riga f; *of business* settore m; **the ~ is busy** è occupato; **hold the ~** rimanga in linea; **draw the ~ at sth** non tollerare qc; **~ of inquiry** pista f; **~ of reasoning** filo m del ragionamento; **stand in ~** Am fare la fila; **in ~ with ...** (*conforming with*) in linea con ...

line² [laɪn] v/t foderare

linear ['lɪnɪə(r)] lineare

linen ['lɪnɪn] *material* lino m; *sheets etc* biancheria f

liner ['laɪnə(r)] *ship* transatlantico m

linesman ['laɪnzmən] SP guardalinee m inv

linger ['lɪŋgə(r)] *of person* attardarsi; *of smell, pain* persistere

lingerie ['læŋʒərɪ] lingerie f

linguist ['lɪŋgwɪst] linguista m/f; *person good at languages* poliglotta m/f; **linguistic** linguistico

lining ['laɪnɪŋ] *of clothes* fodera f; *of brakes* guarnizione f

link [lɪŋk] **1** n legame m; *in chain* anello m **2** v/t collegare

lion ['laɪən] leone m

lip [lɪp] labbro m; **~s** labbra

liposuction ['lɪpəʊsʌkʃən] liposuzione f

'**lipread** leggere le labbra; **lipstick** rossetto m

liqueur [lɪˈkjʊə(r)] liquore m

liquid ['lɪkwɪd] **1** n liquido m **2** adj liquido; **liquidate** liquidare; **liquidation** liquidazione f; **go into ~** andare in liquidazione; **liquidity** FIN liquidità f; **liquidize** frullare; **liquidizer** frullatore m

liquor ['lɪkə(r)] superalcolici mpl; **liquor store** Am negozio m di alcolici

lisp [lɪsp] **1** n lisca f **2** v/i parlare con la lisca

list [lɪst] **1** n elenco m, lista f **2** v/t elencare

listen ['lɪsn] ascoltare

◆ **listen to** ascoltare

listener ['lɪsnə(r)] *to radio* ascoltatore m, -trice f; **he's a good ~** sa ascoltare

listings magazine ['lɪstɪŋz] guida f dei programmi radio / TV

listless ['lɪstlɪs] apatico

liter Am ☞ **litre**

literal ['lɪtərəl] letterale; **literally** letteralmente

literary ['lɪtərərɪ] letterario; **literature** letteratura f; (*leaflets*) opuscoli mpl

litre ['liːtə(r)] litro m

litter ['lɪtə(r)] rifiuti mpl; *of animal* cucciolata f; **litter bin** bidone m dei rifiuti

little ['lɪtl] **1** adj piccolo **2** n: **the ~ I know** il poco che so; **a ~** un po'; **a ~ wine** un po' di vino **3** adv: **~ by** (a) poco a poco; **a ~ bigger** un po' più grande

live¹ [lɪv] v/i (*reside*) abitare; (*be alive*) vivere

◆ **live up**: **live it up** fare la bella vita

◆ **live up to** essere all'altezza di

live² [laɪv] **1** adj *broadcast* dal vivo; *ammunition* carico **2** adv *broadcast* in diretta; *record* dal vivo

livelihood ['laɪvlɪhʊd] mezzi mpl di sostentamento; **earn one's ~** guadagnarsi da vivere; **liveliness** vivacità f; **lively** vivace

liver ['lɪvə(r)] fegato m

livestock ['laɪvstɒk] bestiame m

livid ['lɪvɪd] (*angry*) furibondo

living ['lɪvɪŋ] **1** adj in vita **2** n: **earn one's ~** guadagnarsi da vivere; **what do you do for a ~?** che lavoro fai?; **living room** salotto m, soggiorno m

lizard ['lɪzəd] lucertola f

load [ləʊd] **1** n carico m; ~**s of**
F un sacco di **2** v/t caricare

loaf [ləʊf]: **a ~ of bread** una
pagnotta

◆ **loaf around** F oziare

loafer ['ləʊfə(r)] shoe mocassino m

loan [ləʊn] **1** n prestito m; **on**
~ in prestito **2** v/t: ~ **s.o. sth**
prestare qc a qu

loathe [ləʊð] detestare; **loathing** disgusto m

lobby ['lɒbɪ] in hotel, theatre
atrio m; POL lobby f inv

lobe [ləʊb] of ear lobo m

lobster ['lɒbstə(r)] aragosta f

local ['ləʊkl] **1** adj people, bar
del posto; produce locale **2** n
persona f del posto; POL local
call TELEC telefonata f urbana; **local elections** elezioni
fpl amministrative; **local
government** amministrazione f locale; **locality** località f inv; **localize** localizzare; **locally** live, work nella
zona; local time ora f locale

locate [ləʊ'keɪt] new factory
etc situare; identify position
of localizzare; **be ~d** essere
situato; **location** (siting) ubicazione f; identifying position
of localizzazione f; **on ~** film
in esterni

lock¹ [lɒk] of hair ciocca f

lock² [lɒk] **1** n on door serratura f **2** v/t door chiudere a
chiave

◆ **lock up** in prison mettere
dentro

locker ['lɒkə(r)] armadietto
m; **locker room** spogliatoio
m

locust ['ləʊkəst] locusta f

lodge [lɒdʒ] **1** v/t complaint
presentare **2** v/i of bullet conficcarsi

lofty ['lɒftɪ] peak alto; ideals
nobile

log [lɒg] wood ceppo m; written record giornale m

◆ **log in** fare il log in

◆ **log off** disconnettersi
(from da)

◆ **log on** fare il log on, connettersi (to a)

◆ **log out** fare il log out

log **'cabin** casetta f di legno

logic ['lɒdʒɪk] logica f; **logical**
logico; **logically** a rigor di
logica; arrange in modo logico

logistics [lə'dʒɪstɪks] npl logistica f

logo ['ləʊgəʊ] logo m inv

loiter ['lɔɪtə(r)] gironzolare

lollipop ['lɒlɪpɒp] lecca lecca
m inv

London ['lʌndən] Londra f

loneliness ['ləʊnlɪnɪs] solitudine f; **lonely** person solo;
place isolato; **loner** persona f
solitaria

long¹ [lɒŋ] **1** adj lungo; it's a ~
way è lontano **2** adv: don't
be ~ torna presto **5 weeks
is too** ~ 5 settimane è troppo; will it take ~? ci vorrà

tanto?; *that was ~ ago* è stato tanto tempo fa; *~ before then* molto tempo di allora; *before ~* poco tempo dopo; *we can't wait any ~er* non possiamo attendere oltre; *he no ~er works here* non lavora più qui; *so ~ as (provided)* sempre che; *so ~!* arrivederci!

long² [lɒŋ] *v/i:* *~ for sth* desiderare ardentemente qc; *be ~ing to do sth* desiderare ardentemente fare qc; *long-distance phonecall* interurbano; *race* di fondo; *flight* intercontinentale; **longevity** longevità *f*; **longing** desiderio *m*; **longitude** longitudine *f*; **long jump** salto *m* in lungo; **long-range** *missile* a lunga gittata; *forecast* a lungo termine; **long-sleeved** a maniche lunghe; **long--standing** di vecchia data; **long-term** *plans, investment* a lunga scadenza; *relationship* stabile; **long wave** RAD onde *fpl* lunghe

loo [lu:] F gabinetto *m*

look [lʊk] **1** *n* (*appearance*) aspetto *m*; (*glance*) sguardo *m*; *have a ~ at sth examine* dare un'occhiata a qc; *can I have a ~ around? in shop etc* posso dare un'occhiata?; *~s (beauty)* bellezza *f* **2** *v/i* guardare; (*search*) cercare; (*seem*) sembrare

♦ **look after** badare a

♦ **look ahead** *fig* pensare al futuro

♦ **look around** *in shop etc* dare un'occhiata in giro; (*look back*) guardarsi indietro

♦ **look at** guardare; (*consider*) considerare

♦ **look back** guardare indietro

♦ **look down on** disprezzare

♦ **look for** cercare

♦ **look forward to**: *I'm looking forward to the holidays* non vedo l'ora che arrivino le vacanze

♦ **look into** (*investigate*) esaminare

♦ **look onto** *garden, street* dare su

♦ **look out** *of window etc* guardare fuori; (*pay attention*) fare attenzione; *look out!* attento!

♦ **look over** *house, translation* esaminare

♦ **look through** *magazine, notes* scorrere

♦ **look to** (*rely on*) contare su

♦ **look up 1** *v/i from paper etc* sollevare lo sguardo; (*improve*) migliorare **2** *v/t word, phone number* cercare; (*visit*) andare a trovare

♦ **look up to** (*respect*) avere rispetto per

'lookout *person* sentinella *f*; *be on the ~ for accommodation etc* cercare di trovare; *new staff etc* essere alla ricer-

ca di
loop [luːp] cappio *m*; **loophole** *in law etc* scappatoia *f*
loose [luːs] *wire, button* allentato; *clothes* ampio; *tooth* che tentenna; *morals* dissoluto; *wording* vago; **~ change** spiccioli *mpl*; **loosely** *tied* senza stringere; *worded* vagamente; **loosen** allentare
loot [luːt] **1** *n* bottino *m* **2** *v/t & v/i* saccheggiare; **looter** saccheggiatore *m*, *-trice f*
lop-sided [lɒpˈsaɪdɪd] sbilencó
Lord [lɔːd] (*God*) Signore *m*; **the (House of) ~s** la camera dei Lord
lorry [ˈlɒrɪ] camion *m inv*; **lorry driver** camionista *m*
lose [luːz] **1** *v/t object* perdere **2** *v/i* SP perdere; *of clock* andare indietro; **I'm lost** mi sono perso; **get lost!** F sparisci!; **loser** *in contest* perdente *m/f*; F *in life* sfigato *m*, *-a f* F
loss [lɒs] perdita *f*; **make a ~** subire una perdita; **be at a ~** essere perplesso
lost [lɒst] perso; **lost property office**, *Am* **lost and found** ufficio *m* oggetti smarriti
lot [lɒt]: **a ~ (of)**, **~s (of)** molto; **~s of ice creams** molti gelati; **the ~** tutto
lotion [ˈləʊʃn] lozione *f*
lottery [ˈlɒtərɪ] lotteria *f*
loud [laʊd] *music, voice, noise*

forte; *colour* sgargiante; **loudspeaker** altoparlante *m*; *for stereo* cassa *f* dello stereo
lounge [laʊndʒ] *in house* soggiorno *m*; *in hotel* salone *m*; *at airport* sala *f* partenze
louse [laʊs] (*pl* **lice** [laɪs]) pidocchio *m*; **lousy** F schifoso F
lout [laʊt] teppista *m/f*
lovable [ˈlʌvəbl] adorabile; **love 1** *n* amore *m*; *in tennis* zero *m*; **be in ~** essere innamorato; **fall in ~** innamorarsi; **make ~** fare l'amore (**to** con) **2** *v/t* amare; **~ doing sth** amare fare qc; **love affair** relazione *f*; **lovely** *face, colour, holiday* bello; *meal, smell* buono; **we had a ~ time** siamo stati benissimo; **lover** amante *m/f*; **loving** affettuoso; **lovingly** amorosamente
low [ləʊ] **1** *adj* basso; *quality* scarso; **be feeling ~** sentirsi giù; **be ~ on petrol** avere poca benzina **2** *n in weather* depressione *f*; *in sales, statistics* minimo *m*; **lowbrow** *di* scarso spessore culturale; **low-calorie** ipocalorico; **low-cut** *dress* scollato; **lower** *boat, sth to the ground* calare; *flag, hemline* ammainare; *pressure, price* abbassare; **low-fat** a basso contenuto lipidico; **lowkey** discreto
loyal [ˈlɔɪəl] leale; **loyally** leal-

mente; **loyalty** lealtà *f inv*

lozenge ['lɒzɪndʒ] rombo *m*; *(swelling)* nodulo *m*; *tablet* pastiglia *f*

Ltd (= ***limited***) s.r.l. (= società a responsabilità limitata)

lubricant ['luːbrɪkənt] lubrificante *m*; **lubricate** lubrificare; **lubrication** lubrificazione *f*

lucid ['luːsɪd] *(clear)* chiaro; *(sane)* lucido

luck [lʌk] fortuna *f*; **bad ~** sfortuna; **hard ~!** che sfortuna!; **good ~** fortuna *f*; **good ~!** buona fortuna!; **luckily** fortunatamente; **lucky** fortunato; **you were ~** hai avuto fortuna; **that's ~!** che fortuna!

lucrative ['luːkrətɪv] redditizio

ludicrous ['luːdɪkrəs] ridicolo

lug [lʌg] **F** trascinare

luggage ['lʌgɪdʒ] bagagli *mpl*

lukewarm ['luːkwɔːm] tiepido

lull [lʌl] *in fighting* momento *m* di calma; *in conversation* pausa *f*

lumber ['lʌmbə(r)] *(timber)* legname *m*

luminous ['luːmɪnəs] luminoso

lump [lʌmp] *of sugar* zolletta *f*; *(swelling)* nodulo *m*; **lump sum** pagamento *m* unico; **lumpy** *sauce* grumoso; *mattress* pieno di buchi

lunacy ['luːnəsɪ] pazzia *f*

lunar ['luːnə(r)] lunare

lunatic ['luːnətɪk] pazzo *m*, -a *f*

lunch [lʌntʃ] pranzo *m*; **have ~** pranzare; **lunch box** cestino *m* del pranzo; **lunch break** pausa *f* pranzo; **lunch hour** pausa *f* pranzo; **lunchtime** ora *f* di pranzo

lung [lʌŋ] polmone *m*

lurch [lɜːtʃ] barcollare

lure [lʊə(r)] **1** *n* attrattiva *f* **2** *v/t* attirare

lurid ['lʊərɪd] *colour* sgargiante; *details* scandaloso

lurk [lɜːk] *of person* appostarsi; *of doubt* persistere

lush [lʌʃ] *vegetation* lussureggiante

lust [lʌst] libidine *f*

luxurious [lʌgˈʒʊərɪəs] lussuoso; **luxuriously** lussuosamente; **luxury 1** *n* lusso *m* **2** *adj* di lusso

lynch [lɪntʃ] linciare

lyrics ['lɪrɪks] parole *fpl*, testi *mpl*

M

MA [em'eɪ] (= *Master of Arts*) master *m inv*

ma'am [mæm] *Am* signora *f*

machine [mə'ʃiːn] macchina *f*; **machine gun** mitragliatrice *f*; **machinery** macchinario *m*

machismo [mə'kɪzməʊ] machismo *m*

macho ['mætʃəʊ] macho *m*

macro ['mækrəʊ] COMPUT macro *f*

mad [mæd] pazzo *m*; F (*angry*) furioso; **be ~ about** F (*keen on*) andar matto per; **drive s.o. ~** far impazzire qu; **madden** (*infuriate*) esasperare; **maddening** esasperante

made-to-'measure su misura

'madhouse *fig* manicomio *m*; **madly** come un matto; **~ in love** pazzamente innamorato; **madman** pazzo *m*; **madness** pazzia *f*

Madonna [mə'dɒnə] Madonna *f*

Mafia ['mæfɪə] Mafia *f*

magazine [mægə'ziːn] *printed* rivista *f*

Magi ['meɪdʒaɪ] REL Re Magi *mpl*

magic ['mædʒɪk] **1** *n* magia *f*; *tricks* giochi *mpl* di prestigio **2** *adj* magico; **magical** magico; **magician** *performer* mago *m*, -a *f*; **magic spell** in-

cantesimo *m*

magnanimous [mæg'nænɪməs] magnanimo

magnet ['mægnɪt] calamita *f*, magnete *m*; **magnetic** calamitato; *also fig* magnetico; **magnetism** *of person* magnetismo *m*

magnificence [mæg'nɪfɪsəns] magnificenza *f*; **magnificent** magnifico

magnify ['mægnɪfaɪ] ingrandire; *difficulties* ingigantire; **magnifying glass** lente *f* d'ingrandimento

magnitude ['mægnɪtjuːd] *of problem* portata *f*

maid [meɪd] *servant* domestica *f*; *in hotel* cameriera *f*; **maiden name** ['meɪdn] nome *m* da ragazza; **maiden voyage** viaggio *m* inaugurale

mail [meɪl] **1** *n* posta *f* **2** *v/t letter* spedire per posta; *person* spedire a; **mailbox** *Am* buca *f* delle lettere; *of house* cassetta *f* delle lettere; COMPUT *(not Am)* casella *f* postale; **mailing list** mailing list *m inv*; **mailman** *Am* postino *m*; **mail-order firm** ditta *f* di vendita per corrispondenza; **mailshot** mailing *m inv*

maim [meɪm] mutilare

main [meɪn] principale; **main course** piatto *m* principale;

mainframe mainframe *m inv*; **mainland** terraferma *f*, continente *m*; **on the ~** sul continente; **mainly** principalmente; **main road** strada *f* principale; **main street** corso *m*

maintain [meɪn'teɪn] *pace*, *speed*, *relationship* mantenere; *innocence*, *guilt* sostenere; **~ that** sostenere che; **maintenance** *of machine*, *house* manutenzione *f*; *money* alimenti *mpl*; *of law and order* mantenimento *m*

majestic [mə'dʒestɪk] maestoso

major ['meɪdʒə(r)] **1** *adj* (*significant*) importante, principale; **in C ~** MUS in Do maggiore **2** *n* MIL maggiore *m*

◆ **major in** *Am* specializzarsi in

majority [mə'dʒɒrɪtɪ] *also* POL maggioranza *f*; **be in the ~** essere in maggioranza

make [meɪk] **1** *n* (*brand*) marca *f* **2** *v/t* fare; *decision* prendere; (*earn*) guadagnare; MATH fare; **~** *it catch bus*, *train*, *come*, *succeed* farcela; **what time do you ~ it?** che ore fai?; **~** *believe* far finta; **~ do with** arrangiarsi con; **what do you ~ of it?** cosa ne pensi?; **~ s.o. do sth** (*force to*) far fare qc a qu; (*cause to*) spingere qu a fare qc; **~ s.o. happy** far felice qu, rendere felice qu

◆ **make off with** (*steal*) svignarsela con

◆ **make out** *list* fare; *cheque* compilare; (*see*) distinguere; (*imply*) far capire

◆ **make up 1** *v/i of woman*, *actor* truccarsi; *after quarrel* fare la pace **2** *v/t story*, *excuse* inventare; *face* truccare; (*constitute*) costituire; **be made up of** essere composto da; **make it up** *after quarrel* fare la pace

◆ **make up for** compensare

'make-believe finta *f*

maker ['meɪkə(r)] *manufacturer* fabbricante *m/f*; **makeshift** improvvisato; **make-up** (*cosmetics*) trucco *m*

maladjusted [mælə'dʒʌstɪd] disadattato

male [meɪl] **1** *adj* maschile; *animal* maschio **2** *n man* uomo *m*; *animal*, *bird* maschio *m*; **male chauvinism** maschilismo *m*; **male chauvinist pig** maschilista *m*

malevolent [mə'levələnt] malevolo

malfunction [mæl'fʌŋkʃn] **1** *n* cattivo *m* funzionamento **2** *v/i* funzionare male

malice ['mælɪs] cattiveria *f*, malvagità *f*; **malicious** cattivo, malvagio

malignant [mə'lɪgnənt] *tumour* maligno

mall [mæl] (*shopping ~*) centro *m* commerciale

malnutrition [mælnjuː'trɪʃn]

denutrizione f
maltreat [mæl'triːt] maltrattare; **maltreatment** maltrattamento m

mammal ['mæml] mammifero m

man [mæn] **1** n (pl **men** [men]) uomo m; humanity umanità f; in draughts pedina f **2** v/t telephones, front desk essere di servizio a; it was ~ned by a crew of three aveva un equipaggio di tre persone

manage ['mænɪdʒ] **1** v/t business, money gestire; can you ~ the suitcase? ce la fai a portare la valigia?; ~ to ... riuscire a ... **2** v/i cope, financially tirare avanti; (financially); can you ~? ce la fai?; **manageable** suitcase etc maneggevole; hair docile; able to be done fattibile; **management** (managing) gestione f; (managers) direzione f; **management consultant** consulente m/f di gestione aziendale; **manager** manager m/f inv, direttore m, -trice f; **managerial** manageriale; **managing director** direttore m generale

mandate ['mændeɪt] (authority, task) mandato m; **mandatory** obbligatorio

maneuver Am ☞ **manoeuvre**

mangle ['mæŋgl] (crush) stritolare

manhandle ['mænhændl] person malmenare; object caricare

manhood ['mænhʊd] maturity età f adulta; (virility) virilità f; **manhunt** caccia f all'uomo

mania ['meɪnɪə] (craze) mania f; **maniac** F pazzo m, -a f

manicure ['mænɪkjʊə(r)] manicure f inv

manifest ['mænɪfest] **1** adj palese **2** v/t manifestare

manipulate [mə'nɪpjʊleɪt] manipolare; **manipulation** manipolazione f; **manipulative** manipolatore

man'kind umanità f; **manly** virile; **man-made** sintetico

manner ['mænə(r)] of doing sth maniera f, modo m; (attitude) modo m di fare; **manners**: good / bad ~ buone / cattive maniere fpl; have no ~ essere maleducato

manoeuvre [mə'nuːvə(r)] **1** n manovra f **2** v/t manovrare

'**manpower** manodopera f, personale m; **manslaughter** omicidio m colposo

manual ['mænjʊəl] **1** adj manuale **2** n manuale m; **manually** manualmente

manufacture [mænjʊ-'fæktʃə(r)] **1** n manifattura f **2** v/t equipment fabbricare; **manufacturer** fabbricante m/f; **manufacturing** industry manifatturiero

manure [mə'njʊə(r)] letame

m

manuscript ['mænjʊskrɪpt] manoscritto *m*; *typed* dattiloscritto *m*

many ['menɪ] **1** *adj* molti; ~ *times* molte volte; *not* ~ *people* / *taxis* poche persone / pochi taxi; *too* ~ *problems* / *beers* troppi problemi / troppe birre **2** *pron* molti *m*, molte *f*; *a great* ~, *a good* ~ moltissimi; *how* ~ *do you need?* quanti ve ne servono?; *as* ~ *as 200* ben 200

map [mæp] cartina *f*; (*street* ~) pianta *f*, piantina *f*

maple ['meɪpl] acero *m*

mar [mɑː(r)] guastare

marathon ['mærəθən] *race* maratona *f*

marble ['mɑːbl] *material* marmo *m*

March [mɑːtʃ] marzo *m*

march [mɑːtʃ] **1** *n* marcia *f*; (*demonstration*) dimostrazione *f*, manifestazione *f* **2** *v/i* marciare; *in protest* dimostrare, manifestare; **marcher** dimostrante *m/f*, manifestante *m/f*

Mardi Gras ['mɑːdɪgrɑː] *Am* martedì *m* grasso

margin ['mɑːdʒɪn] *of page* margine *m*; COM margine *m* di guadagno; *by a narrow* ~ di stretta misura; **marginal** (*slight*) leggero; **marginally** (*slightly*) leggermente

marihuana, **marijuana** [mærɪ'hwɑːnə] marijuana *f*

marina [mə'riːnə] porticciolo *m*

marine [mə'riːn] **1** *adj* marino **2** *n* MIL marina *f* militare

marital ['mærɪtl] coniugale; **marital status** stato *m* civile

maritime ['mærɪtaɪm] marittimo

mark [mɑːk] **1** *n* (*stain*) macchia *f*; (*sign, token*) segno *m*; (*trace*) EDU voto *m* **2** *v/t* (*stain*) macchiare; EDU correggere; (*indicate*) indicare; (*commemorate*) celebrare **3** *v/i of fabric* macchiarsi; **marked** (*definite*) spiccato; **marker** (*highlighter*) evidenziatore *m*

market ['mɑːkɪt] **1** *n* mercato *m* **2** *v/t* vendere; **marketable** commercializzabile; **market economy** ·economia *f* di mercato; **marketing** marketing *m*; **market leader** leader *m inv* del mercato; **marketplace** *in town* piazza *f* del mercato; *for commodities* piazza *f*, mercato *m*; **market research** ricerca *f* di mercato; **market share** quota *f* di mercato

'mark-up ricarico *m*

marmalade ['mɑːməleɪd] marmellata *f* d'arance

marriage ['mærɪdʒ] matrimonio *m*; *event* nozze *fpl*; **marriage certificate** certificato *m* di matrimonio; **married** sposato; *be* ~ *to ...* essere sposato con ...; **married life** vita f coniugale; **marry** sposare; *of priest* unire in matrimonio; **get married** sposarsi

marsh [mɑːʃ] palude f

marshal ['mɑːʃl] *official* membro m del servizio d'ordine

martial arts [mɑːʃl'ɑːts] arti fpl marziali; **martial law** legge f marziale

martyr ['mɑːtə(r)] martire m/f

marvel ['mɑːvl] meraviglia f; **marvellous**, Am **marvelous** meraviglioso

Marxism ['mɑːksɪzm] marxismo m; **Marxist 1** adj marxista **2** n marxista m/f

mascara [mæ'skɑːrə] mascara m inv

mascot ['mæskət] mascotte f inv

masculine ['mæskjʊlɪn] maschile; **masculinity** (virility) virilità f

mash [mæʃ] passare, schiacciare; **mashed potatoes** purè m di patate

mask [mɑːsk] **1** n maschera f **2** v/t feelings mascherare

masochism ['mæsəkɪzm] masochismo m; **masochist** masochista m/f

mass¹ [mæs] **1** n great amount massa f; **~es of** F un sacco di F **2** v/i radunarsi

mass² [mæs] REL messa f

massacre ['mæsəkə(r)] **1** n also fig massacro m **2** v/t also fig massacrare

massage ['mæsɑːʒ] **1** n massaggio m **2** v/t massaggiare; figures manipolare

massive ['mæsɪv] enorme; heart attack grave

mass 'media mass media mpl; **mass-produce** produrre in serie; **mass production** produzione f in serie; **mass transit** Am i trasporti pubblici

mast [mɑːst] of ship albero m; for radio signal palo m dell'antenna

master ['mɑːstə(r)] **1** n of dog padrone m; of ship capitano m **2** v/t skill, language avere completa padronanza di; situation dominare; **master bedroom** camera f da letto principale; **master key** passe-partout m inv; **masterly** magistrale; **mastermind 1** n fig cervello m **2** v/t ideare; **masterpiece** capolavoro m; **master's (degree)** master m inv; **mastery** padronanza f

mat [mæt] for floor tappetino m; for table tovaglietta f all'americana

match¹ [mætʃ] n for cigarette fiammifero m; made of wax cerino m

match² [mætʃ] **1** n (competition) partita f; **be no ~ for s.o.** non poter competere con qu **2** v/t (be the same as) abbinare; (equal) uguagliare **3** v/i of colours, pat-

terns intonarsi

matching ['mætʃɪŋ] abbinato

mate [meɪt] **1** *n of animal* compagno *m*, -a *f*; NAUT secondo *m*; F *friend* amico *m*, -a *f* **2** *v/i* accoppiarsi

material [mə'tɪərɪəl] **1** *n fabric* stoffa *f*, tessuto *m*; *substance* materia *f*; **∼s** occorrente *m* **2** *adj* materiale; **materialism** materialismo *m*; **materialist** materialista *m/f*; **materialistic** materialistico; **materialize** materializzarsi

maternal [mə'tɜːnl] materno; **maternity** maternità *f*; **maternity leave** congedo *m* per maternità; **maternity ward** reparto *m* maternità

math [mæθ] *Am* ☞ **maths**; **mathematical** matematico; **mathematician** matematico *m*, -a *f*; **mathematics** matematica *f*; **maths** matematica *f*

matinée ['mætɪneɪ] matinée *f inv*

matriarch ['meɪtrɪɑːk] matriarca *f*

matrimony ['mætrɪmənɪ] matrimonio *m*

matt [mæt] opaco

matter ['mætə(r)] **1** *n (affair)* questione *f*, faccenda *f*; PHYS materia *f*; **as a ∼ of fact** a dir la verità; **what's the ∼?** cosa c'è?; **no ∼ what she says** qualsiasi cosa dica **2** *v/i* importare; **it doesn't ∼** non importa; **matter-of-fact**

distaccato

mattress ['mætrɪs] materasso *m*

mature [mə'tjʊə(r)] **1** *adj* maturo **2** *v/i of person, insurance policy etc* maturare; *of wine* invecchiare; **maturity** maturità *f*

maximize ['mæksɪmaɪz] massimizzare; **maximum 1** *adj* massimo **2** *n* massimo *m*

May [meɪ] maggio *m*

may [meɪ] ◇ *(possibility)*: **it ∼ rain** potrebbe piovere, può darsi che piova; **it ∼ not happen** può darsi che non succeda ◇ *(permission)*: **∼ I help?** posso aiutare?

maybe ['meɪbiː] forse

mayonnaise [meɪə'neɪz] maionese *f*

mayor ['meə(r)] sindaco *m*

maze [meɪz] *also fig* dedalo *m*, labirinto *m*

MB (= **megabyte**) MB *m* (= megabyte *m inv*)

MBA [embiː'eɪ] (= **master of business administration**) master in amministrazione aziendale

MD [em'diː] (= **Doctor of Medicine**) dottore in medicina

me [miː] mi; *after prep, stressed* me; **she knows ∼** mi conosce; **she spoke to ∼** mi ha parlato; **it's ∼** sono io; **who? - ∼?** chi? - io?

meadow ['medəʊ] prato *m*

meagre, *Am* **meager** ['miːgə(r)] scarso

meal [mi:l] pranzo *m*, pasto *m*;
enjoy your ~! buon appetito!

mean¹ [mi:n] *adj* with money
avaro; (*nasty*) cattivo

mean² [mi:n] **1** *v/t* (*signify*) significare, voler dire; ***do you
~ it?*** dici sul serio?; ***~ to do
sth*** avere l'intenzione di fare qc; ***be ~t for*** essere destinato a; *of remark* essere diretto a **2** *v/i*: ***~ well*** avere
buone intenzioni

meaning ['mi:nɪŋ] *of word* significato *m*; meaningful
(*comprehensible*) comprensibile; (*constructive*) costruttivo; *glance* eloquente; mean-
ingless *sentence etc* senza
senso; *gesture* vuoto

means [mi:nz] *financial* mezzi
mpl; (*nsg: way*) modo *m*; ***~ of
transport*** mezzo *m* di trasporto; ***by all ~*** (*certainly*)
certamente; ***by no ~ rich***
lungi dall'essere ricco; ***by ~
of*** per mezzo di

meantime ['mi:ntaɪm] intanto

measles ['mi:zlz] morbillo *m*

measure ['meʒə(r)] **1** *n* (*step*)
misura *f* **2** *v/t* prendere le misure di **3** *v/i* misurare
♦ measure up to dimostrarsi all'altezza di

measurement ['meʒəmənt]
action misurazione *f*; (*dimension*) misura *f*; measuring
tape metro *m* a nastro

meat [mi:t] carne *f*; meatball

polpetta *f*

mechanic [mɪ'kænɪk] meccanico *m*; mechanical meccanico; *also fig* meccanico; mechanical engineer ingegnere *m* meccanico; mechanically *also fig*
meccanicamente; mecha-
nism meccanismo *m*; mech-
anize meccanizzare

medal ['medl] medaglia *f*;
medallist, *Am* medalist vincitore *m*,-trice *f* di una medaglia

meddle ['medl] (*interfere*) immischiarsi; ***~ with*** (*tinker*)
mettere le mani in

media ['mi:dɪə] (*interfere*): ***the ~*** i mass
media *mpl*; media cover-
age: ***it was given a lot of
~*** gli è stato dato molto spazio in TV e sui giornali

mediaeval ☞ medieval

median strip [mi:dɪən'strɪp]
Am banchina *f* spartitraffico

'media studies scienze *fpl*
delle comunicazioni

mediate ['mi:dɪeɪt] fare da
mediatore *m*, -trice *f*; mediation mediazione *f*; mediator mediatore *m*, -trice *f*

medical ['medɪkl] **1** *adj* medico **2** *n* visita *f* medica; medi-
cated medicato; medica-
tion medicina *f*; medicinal
medicinale; medicine medicina *f*

medieval [medɪ'i:vl] medievale

mediocre [mi:dɪ'əʊkə(r)] mediocre; mediocrity medio-

crità *f*

meditate ['mediteit] *meditare*; **meditation** *meditazione f*

Mediterranean [meditə'reiniən] **1** *adj* mediterraneo **2** *n*: **the ~** il Mar Mediterraneo; *area* i paesi Mediterranei

medium ['mi:diəm] **1** *adj* (*average*) medio; *steak* cotto al punto giusto **2** *n in size* media *f*; (*vehicle*) strumento *m*; (*spiritualist*) medium *m/f inv*; **medium-sized** di grandezza media; **medium wave** RAD onde *fpl* media

medley ['medli] (*assortment*) misto *m*

meet [mi:t] **1** *v/t* incontrare; (*get to know*) conoscere; (*collect*) andare *or* venire a prendere; *in competition* affrontare; *of eyes* incrociare; (*satisfy*) soddisfare; **I'll ~ you there** ci vediamo lì **2** *v/i* incontrarsi; *in competition* affrontarsi; *of eyes* incrociarsi; *of committee etc* riunirsi; **have you two met?** (*do you know each other?*) vi conoscete? **3** *n* SP raduno *m* sportivo

◆ **meet with** *person* avere un incontro con; *opposition, approval etc* incontrare; **it met with success / failure** ha avuto successo / è fallito

meeting ['mi:tiŋ] incontro *m*; *of committee, in business* riu-

nione *f*; **he's in a ~** è in riunione

megabyte ['megabait] COMPUT megabyte *m inv*

mellow ['meləʊ] **1** *adj* maturo **2** *v/i of person* addolcirsi

melodious [mɪ'ləʊdɪəs] melodioso

melodramatic [melədrə'mætɪk] melodrammatico

melody ['melədɪ] melodia *f*

melon ['melən] melone *m*

melt [melt] **1** *v/i* sciogliersi **2** *v/t* sciogliere; **melting pot** *fig* crogiolo *m* fig

member ['membə(r)] *of family* componente *m/f*; *of club* socio *m*; *of organization* membro *m*; **Member of Congress** membro *m* del Congresso; **Member of Parliament** membro *m* del Parlamento, deputato *m*; **membership** iscrizione *f*; *number of members* numero *m* dei soci

membrane ['membrein] membrana *f*

memento [me'mentəʊ] souvenir *m inv*

memo ['meməʊ] circolare *f*

memoirs ['memwɑːz] memorie *fpl*

memorable ['memərəbl] memorabile

memorial [mɪ'mɔːrɪəl] **1** *adj* commemorativo **2** *n also fig* memorial *m inv*

memorize ['meməraiz] memorizzare; **memory** (*recol-*

lection) ricordo m; *power of recollection* memoria f; COMPUT memoria f; **memory stick** memory stick f inv

men [men] pl ☞ **man**

menace ['menɪs] **1** n *(threat)* minaccia f; *person* pericolo m pubblico; *(nuisance)* peste f **2** v/t minacciare; **menacing** minaccioso

mend [mend] riparare

menial ['miːnɪəl] umile

menopause ['menəpɔːz] menopausa f

'men's room bagno m (degli uomini)

menstruate ['menstrueɪt] avere le mestruazioni; **menstruation** mestruazione f

mental [mentl] mentale; F *(crazy)* pazzo; **mental hospital** ospedale m psichiatrico; **mental illness** malattia f mentale; **mentality** mentalità f inv; **mentally** *inwardly* mentalmente; *calculate etc* a mente; **mentally ill** malato di mente

mention ['menʃn] **1** n cenno m **2** v/t accennare a; **don't ~ it** *(you're welcome)* non c'è di che

mentor ['mentɔː(r)] guida f spirituale

menu ['menjuː] *also* COMPUT menu m inv

mercenary ['mɜːsɪnərɪ] **1** adj mercenario **2** n MIL mercenario m

merchandise ['mɜːtʃəndaɪz]

merce f

merchant ['mɜːtʃənt] commerciante m/f; **merchant bank** banca f d'affari

merciful ['mɜːsɪful] misericordioso; **mercifully** *(thankfully)* per fortuna; **merciless** spietato; **mercy** misericordia f; **be at s.o.'s ~** essere alla mercé di qu

mere [mɪə(r)] semplice; **merely** soltanto

merge [mɜːdʒ] *of two lines etc* unirsi; *of companies* fondersi; **merger** COM fusione f

merit ['merɪt] **1** n *(worth)* merito m; *(advantage)* vantaggio m **2** v/t meritare

mesh [meʃ] in net maglia f

mess [mes] *(untidiness)* disordine m; *(trouble)* pasticcio m; **be a ~** *of room, desk, hair* essere in disordine; *of situation, s.o.'s life* essere un pasticcio

message ['mesɪdʒ] *also fig* messaggio m

messenger ['mesɪndʒə(r)] *(courier)* fattorino m, -a f

messy ['mesɪ] *room* in disordine; *person* disordinato; *job* sporco; *divorce, situation* antipatico

metabolism [mətæ'bəlɪzm] metabolismo m

metal ['metl] **1** adj in or di metallo **2** n metallo m; **metallic** metallico

metaphor ['metəfə(r)] metafora f

meteor ['mi:tɪə(r)] meteora *f*; **meteoric** *fig* fulmineo; **meteorite** meteorite *m* or *f*

meteorological [mi:tɪərə'lɒdʒɪkl] meteorologico; **meteorologist** meteorologo *m*, -a *f*; **meteorology** meteorologia *f*

meter[1] ['mi:tə(r)] *for gas etc* contatore *m*; (*parking* ~) parchimetro *m*

meter[2] *Am* ☞ **metre**

method ['meθəd] metodo *m*; **methodical** metodico

meticulous [mɪ'tɪkjʊləs] meticoloso

metre ['mi:tə(r)] metro *m*

metropolis [mɪ'trɒpəlɪs] metropoli *f inv*; **metropolitan** metropolitano

mew [mju:] ☞ **miaow**

Mexican ['meksɪkən] **1** *adj* messicano **2** *n* messicano *m*, -a *f*; **Mexico** Messico *m*

miaow [mɪaʊ] **1** *n* miao *m* **2** *v/i* miagolare

mice [maɪs] *pl* ☞ **mouse**

'**microchip** microchip *m inv*; **microclimate** microclima *m*; **microcosm** microcosmo *m*; **microorganism** microrganismo *m*; **microphone** microfono *m*; **microprocessor** microprocessore *m*; **microscope** microscopio *m*; **microscopic** microscopico; **microwave** *oven* forno *m* a microonde

midday [mɪd'deɪ] mezzogiorno *m*

middle ['mɪdl] **1** *adj* di mezzo **2** *n* mezzo *m*; **in the ~ of** *of floor, room* nel centro di, in mezzo a; *of period of time* a metà di; **be in the ~ of doing sth** stare facendo qc; **middle-aged** di mezz'età; **Middle Ages** Medioevo *m*; **middle class** borghese; **middle class(es)** la borghesia *f*; **Middle East** Medio Oriente *m*; **middleman** intermediario *m*; **middle name** secondo nome *m*; **middleweight** *boxer* peso *m* medio

midfielder [mɪd'fi:ldə(r)] centrocampista *m*

midnight ['mɪdnaɪt] mezzanotte *f*; **midsummer** piena estate *f*; **midweek** a metà settimana; **Midwest** *regione f medio-occidentale degli USA*; **midwife** ostetrica *f*; **midwinter** pieno inverno *m*

might[1] [maɪt] *I ~ be late* potrei far tardi; *it ~ rain* magari piove; *you ~ have told me!* potevi dirmelo!

might[2] [maɪt] (*power*) forze *fpl*

mighty ['maɪtɪ] **1** *adj* potente **2** *adv* F (*extremely*) molto

migraine ['mi:greɪn] emicrania *f*

migrant worker ['maɪgrənt] emigrante *m/f*; **migrate** emigrare; *of birds* migrare; **migration** emigrazione *f*; *of birds* migrazione *f*

mike [maɪk] F microfono *m*

Milan [mɪ'læn] Milano *f*

mild [maɪld] *weather* mite; *cheese, person* dolce; *curry* poco piccante; *punishment, sedative* leggero; **mildly** gentilmente; *(slightly)* moderatamente; **to put it ~** a dir poco; **mildness** *of weather* mitezza *f*; *of person, voice* dolcezza *f*

mile [maɪl] miglio *m*; **~s better** F molto meglio; **mileage** chilometraggio *m*; **mileometer** contachilometri *m*; **milestone** *also fig* pietra *f* miliare

militant ['mɪlɪtənt] **1** *adj* militante **2** *n* militante *m/f*

military ['mɪlɪtrɪ] **1** *adj* militare **2** *n:* **the~** l'esercito *m*; **military service** servizio *m* militare

militia [mɪ'lɪʃə] milizia *f*

milk [mɪlk] **1** *n* latte *m* **2** *v/t* mungere; **milk chocolate** cioccolato *m* al latte; **milkman** lattaio *m*; **milkshake** frappé *m inv*

mill [mɪl] *for grain* mulino *m*; *for textiles* fabbrica *f*

millennium [mɪ'lenɪəm] millennio *m*

milligram ['mɪlɪgræm] milligrammo *m*

millimetre, *Am* **millimeter** ['mɪlɪmiːtə(r)] millimetro *m*

million ['mɪljən] milione *m*; **millionaire** miliardario *m*, -a *f*

mime [maɪm] mimare

mimic ['mɪmɪk] **1** *n* imitatore *m*, -trice *f* **2** *v/t* imitare

mince [mɪns] *meat* carne *f* tritata

mind [maɪnd] **1** *n* mente *f*; **it's all in your~** è solo la tua immaginazione; **be out of one's ~** essere matto; **keep sth in ~** tenere presente qc; **change one's ~** cambiare idea; **it didn't enter my ~** non mi è passato per la testa; **make up one's ~** decidersi; **have sth on one's ~** essere preoccupato per qc; **keep one's ~ on sth** concentrarsi su qc; **speak one's ~** dire quello che si pensa **2** *v/t* *(look after)* tenere d'occhio; *children* badare a; *(heed)* fare attenzione a; **I don't ~ what we do** non importa cosa facciamo; **do you ~ if I smoke?** le dispiace se fumo?; **~ the step!** attento al gradino!; **~ your own business!** fatti gli affari tuoi! **3** *v/i:* **~!** *(be careful)* attenzione!; **never ~!** non farci caso!; **I don't ~** è uguale or indifferente; **mind-boggling** incredibile; **mindless** *violence* insensato

mine¹ [maɪn] *pron* il mio *m*, la mia *f*; i miei *mpl*, le mie *fpl*; **a cousin of ~** un mio cugino

mine² [maɪn] *n for coal etc* miniera *f*

mine³ [maɪn] **1** *n explosive* mina *f* **2** *v/t* minare 'minefield *also fig* campo *m* minato; miner minatore *m*

mineral ['mɪnərəl] minerale *m*; mineral water acqua *f* minerale

'minesweeper NAUT dragamine *m inv*

mingle ['mɪŋgl] *of sounds* mischiarsi; *at party* mescolarsi

mini ['mɪnɪ] *skirt* mini *f inv*

miniature ['mɪnɪtʃə(r)] in miniatura

minimal ['mɪnɪməl] minimo; minimalism minimalismo *m*; minimize minimizzare; minimum 1 *adj* minimo 2 *n* minimo *m*; minimum wage salario *m* minimo garantito

mining ['maɪnɪŋ] industria *f* mineraria

'miniskirt minigonna *f*

minister ['mɪnɪstə(r)] POL ministro *m*; REL pastore *m*; ministerial ministeriale; Minister of Defence ministro *m* della difesa; ministry POL ministero *m*

mink [mɪŋk] visone *m*

minor ['maɪnə(r)] 1 *adj* piccolo; in D~MUS in Re minore 2 *n* LAW minorenne *m/f*; minority minoranza *f*

mint [mɪnt] *herb* menta *f*; *chocolate* cioccolato *m* alla menta; *sweet* mentina *f*

minus ['maɪnəs] 1 *n* (~ *sign*) meno *m* 2 *prep* meno; ~ *10 degrees* 10 gradi sotto zero

minuscule ['mɪnəskjuːl] minuscolo

minute¹ ['mɪnɪt] *n of time* minuto *m*; in a ~ (*soon*) in un attimo; *just a* ~ un attimo

minute² [maɪ'njuːt] *adj* (*tiny*) piccolissimo; (*detailed*) minuzioso; in ~ detail minuziosamente

minute hand ['mɪnɪt] lancetta *f* dei minuti

minutely [maɪ'njuːtlɪ] (*in detail*) minuziosamente; (*very slightly*) appena

minutes ['mɪnɪts] *of meeting* verbale *m*

miracle ['mɪrəkl] miracolo *m*; miraculous miracoloso; miraculously miracolosamente

mirror ['mɪrə(r)] 1 *n* specchio *m*; MOT specchietto *m* 2 *v/t* riflettere

misanthropist [mɪ'zænθrəpɪst] misantropo *m*

misbehave [mɪsbə'heɪv] comportarsi male; misbehaviour, Am misbehavior comportamento *m* scorretto

miscalculate [mɪs'kælkjuleɪt] calcolare male; miscalculation errore *m* di calcolo

miscarriage ['mɪskærɪdʒ] MED aborto *m* spontaneo; ~ *of justice* errore *m* giudiziario

miscellaneous [mɪsə'leɪnɪəs] eterogeneo

mischief ['mɪstʃɪf] (*naughtiness*) birichinate *fpl*; mischievous (*naughty*) birichino; (*malicious*) perfido

misconception [mɪskən-'sepʃn] idea *f* sbagliata

misconduct [mɪs'kɒndʌkt] reato *m* professionale

misconstrue [mɪskən'struː] interpretare male

misdemeanour, *Am* **misde-meanor** [mɪsdə'miːnə(r)] infrazione *f*

miser ['maɪzə(r)] avaro *m*, -a *f*

miserable ['mɪzrəbl] (*unhappy*) infelice; *weather, performance* deprimente

miserly ['maɪzəlɪ] *person* avaro; *amount* misero

misery ['mɪzərɪ] (*unhappiness*) tristezza *f*; (*wretchedness*) miseria *f*

misfire [mɪs'faɪə(r)] *of scheme* far cilecca; *of engine* perdere colpi

misfit ['mɪsfɪt] *in society* disadattato *m*, -a *f*

misfortune [mɪs'fɔːtʃən] sfortuna *f*

misgivings [mɪs'gɪvɪŋz] dubbi *mpl*

misguided [mɪs'gaɪdɪd] *attempts, theory* sbagliato

mishandle [mɪs'hændl] *situation* gestire male

misinform [mɪsɪn'fɔːm] informare male

misinterpret [mɪsɪn'tɜːprɪt] interpretare male; **misinter-pretation** interpretazione *f* errata

misjudge [mɪs'dʒʌdʒ] giudicare male

mislay [mɪs'leɪ] smarrire

mislead [mɪs'liːd] trarre in inganno; **misleading** fuorviante

mismanage [mɪs'mænɪdʒ] gestire male; **mismanagement** cattiva gestione *f*

misprint ['mɪsprɪnt] refuso *m*

mispronounce [mɪs-prə'naʊns] pronunciare male; **mispronunciation** errore *m* di pronuncia

misread [mɪs'riːd] *word, figures* leggere male; *situation* interpretare male

misrepresent [mɪsreprɪ'zent] *facts, truth* travisare

miss¹ [mɪs]: **Miss Smith** signorina Smith; *...!* signorina!

miss² [mɪs] **1** *n*: **give the meeting a ~** non andare alla riunione **2** *v/t* (*not hit*) mancare; *emotionally* sentire la mancanza di; *bus, train, plane* perdere; (*not be present at*) mancare a; *I ~ you* mi manchi **3** *v/i* fallire

misshapen [mɪs'ʃeɪpən] deforme

missile ['mɪsaɪl] (*rocket*) missile *m*

missing ['mɪsɪŋ] scomparso; **be ~** *of person, plane* essere disperso; **there's a piece ~** manca un pezzo

mission ['mɪʃn] (*task, people*) missione *f*

misspell [mɪs'spel] scrivere male

mist [mɪst] foschia *f*

mistake [mɪˈsteɪk] **1** *n* errore *m*, sbaglio *m*; **make a ~** fare un errore, sbagliarsi; **by ~** per errore **2** *v/t* sbagliare; **~ sth for sth** scambiare qc per qc; **mistaken** sbagliato; **be ~** sbagliarsi

mister [ˈmɪstə(r)] ☞ **Mr**

mistress [ˈmɪstrɪs] *lover* amante *f*; *of dog* padrona *f*

mistrust [mɪsˈtrʌst] **1** *n* diffidenza *f* **2** *v/t* diffidare di

misty [ˈmɪstɪ] *weather* nebbioso; *eyes* velato

misunderstand [mɪsʌndə-ˈstænd] fraintendere; **misunderstanding** *mistake* malinteso *m*, equivoco *m*; *argument* dissapore *m*

misuse **1** [mɪsˈjuːs] *n* uso improprio **2** [mɪsˈjuːz] *v/t* usare impropriamente

mitigating circumstances [ˈmɪtɪɡeɪtɪŋ] circostanze *fpl* attenuanti

mitt [mɪt] *in baseball* guantone *m*; **mitten** muffola *f*

mix [mɪks] **1** *n* (*mixture*) mescolanza *f*; *in cooking: ready to use* preparato *m* **2** *v/t* mescolare **3** *v/i socially* socializzare

◆ **mix up** confondere; **mix sth up with sth** scambiare qc per qc; **be mixed up** *emotionally* avere disturbi emotivi; *of figures, papers* essere in disordine; **be mixed up in** essere coinvolto in

mixed [mɪkst] misto; *reactions, reviews* contrastante; **I've got ~ feelings** sono combattuto; **mixer** *for food* mixer *m inv*; *drink* bibita da mischiare a un superalcolico; **mixture** miscuglio *m*; *medicine* sciroppo *m*; **mix-up** confusione *f*

moan [məʊn] **1** *n of pain* lamento *m*, gemito *m*; (*complaint*) lamentela *f* **2** *v/i in pain* lamentarsi, gemere; (*complain*) lamentarsi

mob [mɒb] **1** *n* folla *f* **2** *v/t* prendere d'assalto

mobile [ˈməʊbaɪl] **1** *adj that can be moved* mobile; **she's less ~ now** riesce a muoversi tanto, ora **2** *n for decoration* mobile *m inv*; *phone* telefonino *m*; **mobile home** casamobile *f*; **mobile phone** telefono *m* cellulare; **mobility** mobilità *f*

mobster [ˈmɒbstə(r)] gangster *m inv*

mock [mɒk] **1** *adj exam, election* simulato **2** *v/t* deridere; **mockery** (*derision*) scherno *m*; (*travesty*) farsa *f*

mode [məʊd] *form* mezzo *m*; COMPUT modalità *f inv*

model [ˈmɒdl] **1** *adj employee, husband* modello; *boat, plane* in miniatura **2** *n* (*miniature*) modellino *m*; (*pattern*) modello *m*; (*fashion ~*) indossatrice *f*; **male ~** indossatore *m* **3** *v/t* indossare **4** *v/i for designer* fare l'indossatore /

-trice; *for artist* posare

modem ['məʊdem] modem *m inv*

moderate 1 ['mɒdərət] *adj* moderato **2** ['mɒdərət] *n* POL moderato *m*, -a *f* **3** ['mɒdəreɪt] *v/t* moderare; **moderately** abbastanza; **moderation** (*restraint*) moderazione *f*

modern ['mɒdn] moderno; **modernization** modernizzazione *f*; **modernize 1** *v/t* modernizzare **2** *v/i* modernizzarsi

modest ['mɒdɪst] modesto; **modesty** modestia *f*

modification [mɒdɪfɪ'keɪʃn] modifica *f*; **modify** modificare

module ['mɒdjuːl] modulo *m*

moist [mɔɪst] umido; **moisten** inumidire; **moisture** umidità *f*; **moisturizer** *for skin* idratante *m*

molasses [mə'læsɪz] melassa *f*

mold *etc Am* ☞ **mould** *etc*

molecule ['mɒlɪkjuːl(r)] molecola *f*

molest [mə'lest] *child, woman* molestare

mollycoddle ['mɒlɪkɒdl] F coccolare

molten ['məʊltən] fuso

mom [mɒm] F mamma *f*

moment ['məʊmənt] attimo *m*, istante *m*; **at the ~** per il momento; **for the ~** per il momento; **momentarily** (*for a*

moment) per un momento; *Am* (*in a moment*) da un momento all'altro; **momentary** momentaneo; **momentous** importante

momentum [mə'mentəm] impeto *m*

monarch ['mɒnək] monarca *m*

monastery ['mɒnəstrɪ] monastero *m*; **monastic** monastico

Monday ['mʌndeɪ] lunedì *m inv*

monetary ['mʌnɪtrɪ] monetario

money ['mʌnɪ] denaro *m*, soldi *mpl*; **money belt** marsupio *m*; **money market** mercato *m* monetario; **money order** vaglia *m*

mongrel ['mʌngrəl] cane *m* bastardo

monitor ['mɒnɪtə(r)] **1** *n* COMPUT monitor *m inv* **2** *v/t* osservare

monk [mʌnk] frate *m*, monaco *m*

monkey ['mʌnkɪ] scimmia *f*; F (*child*) diavoletto *m*; **monkey wrench** chiave *f* a rullino

monologue, *Am* **monolog** ['mɒnəlɒg] monologo *m*

monopolize [mə'nɒpəlaɪz] *also fig* monopolizzare; **monopoly** monopolio *m*

monotonous [mə'nɒtənəs] monotono; **monotony** monotonia *f*

monster ['mɒnstə(r)] mostro *m*; **monstrosity** obbrobio *m*
month [mʌnθ] mese *m*; **monthly 1** *adj* mensile **2** *adv* mensilmente **3** *n* maga-*zine* mensile *m*
monument ['mɒnjumənt] monumento *m*
mood [muːd] (*frame of mind*) umore *m*; (*bad ~*) malumore *m*; *of meeting, country* clima *m*; **be in a good / bad ~** essere di cattivo / buon umore; **moody** lunatico; (*bad-tempered*) di cattivo umore
moon [muːn] luna *f*; **moonlight 1** *n* chiaro *m* di luna **2** *v/i* F lavorare in nero; **moonlit** *night* di luna piena
moor [mʊə(r)] *boat* ormeggiare
moose [muːs] alce *m*
mop [mɒp] **1** *n for floor* mocio® *m*; *for dishes* spazzolino per i piatti **2** *v/t floor* lavare; *eyes, face* asciugare
◆ **mop up** raccogliere; MIL eliminare
moped ['məʊped] motorino *m*
moral ['mɒrəl] **1** *adj* morale; *person* di saldi principi morali **2** *n of story* morale *f*; **~s** principi *mpl* morali
morale [mə'rɑːl] morale *m*
morality [mə'rælətɪ] moralità *f inv*
morbid ['mɔːbɪd] morboso
more [mɔː(r)] **1** *adj* più, altro; **some ~ tea?** dell'altro tè?; *a few ~ sandwiches* qualche

altro tramezzino; *for ~ information* per maggiori informazioni; *~ and ~ students / time* sempre più studenti / tempo; *there's no ~ ...* non c'è più ... **2** *adv* più; *with verbs* di più; *~ important* più importante; *~ and ~* sempre di più; *~ or less* più o meno; *once ~* ancora una volta; *~ than 100* oltre 100; *I don't live there any~* non abito più lì **3** *pron*: *do you want some ~?* ne vuoi ancora?, ne vuoi dell'altro; *a little ~* un altro po'; *moreover* inoltre
morgue [mɔːg] obitorio *m*
morning ['mɔːnɪŋ] mattino *m*, mattina *f*; *in the ~* di mattina; (*tomorrow*) domattina; *this ~* stamattina; *tomorrow ~* domani mattina; *good ~* buongiorno
moron ['mɔːrɒn] F idiota *m/f*
morphine ['mɔːfiːn] morfina *f*
mortal ['mɔːtl] **1** *adj* mortale **2** *n* mortale *m/f*; **mortality** mortalità *f*
mortar ['mɔːtə(r)] MIL mortaio *m*; *cement* malta *f*
mortgage ['mɔːgɪdʒ] **1** *n* mutuo *m* ipotecario **2** *v/t* ipotecare
mortuary ['mɔːtjʊərɪ] camera *f* mortuaria
mosaic [məʊ'zeɪɪk] mosaico *m*
Moscow ['mɒskəʊ] Mosca *f*
Moslem ☞ *Muslim*

mosque [mɒsk] moschea f

mosquito [mɒsˈkiːtəʊ] zanzara f

moss [mɒs] muschio m

most [məʊst] **1** *adj* la maggior parte di; **~ Saturdays** quasi tutti i sabati **2** *adv* (*very*) estremamente; **the ~ beautiful** il più bello; **the one I like ~** quello che mi piace di più; **~ of all** soprattutto **3** *pron* la maggior parte (**of** di); **at (the) ~** al massimo; **make the ~ of** approfittare (al massimo) di; mostly per lo più

MOT [eməʊˈtiː] revisione annuale obbligatoria dei veicoli

motel [məʊˈtel] motel m inv

moth [mɒθ] falena f; (*clothes ~*) tarma f

mother [ˈmʌðə(r)] **1** n madre f **2** v/t fare da mamma a; **motherhood** maternità f; **Mothering Sunday** ☞ **Mother's Day**; **mother-in-law** suocera f; **motherly** materno; **Mother's Day** Festa f della mamma; **mother tongue** madrelingua f

motif [məʊˈtiːf] motivo m

motion [ˈməʊʃn] (*movement*) moto m; (*proposal*) mozione f; **motionless** immobile

motivate [ˈməʊtɪveɪt] *person* motivare; **motivation** motivazione f; **motive** motivo m

motor [ˈməʊtə(r)] motore m; F *car* macchina f; **motorbike** moto f; **motorboat** motoscafo m; **motorcycle** motoci-

cletta f; **motorcyclist** motociclista m/f; **motor home** casamobile f; **motorist** automobilista m/f; **motor mechanic** meccanico m; **motor racing** automobilismo m; **motor vehicle** autoveicolo m; **motorway** autostrada f

motto [ˈmɒtəʊ] motto m

mould[1] [məʊld] n on food muffa f

mould[2] [məʊld] **1** n stampo m **2** v/t also fig plasmare

mouldy [ˈməʊldɪ] food ammuffito

mound [maʊnd] (*hillock*) collinetta f; (*pile*) mucchio m; Am: in baseball pedana f del lanciatore

mount [maʊnt] **1** n (*horse*) cavalcatura f; **Mount McKinlay** il Monte McKinlay **2** v/t steps salire; horse montare a; bicycle montare in; campaign organizzare; jewel montare **3** v/i (*increase*) aumentare

♦ **mount up** accumularsi

mountain [ˈmaʊntɪn] montagna f; **mountain bike** mountain bike f inv; **mountaineer** alpinista m/f; **mountaineering** alpinismo m; **mountainous** montuoso

mourn [mɔːn] **1** v/t piangere **2** v/i: ~ **for** piangere la morte di; **mourner** persona che partecipa a un corteo funebre; **mournful** triste; **mourning** lutto m; **be in ~** essere in lutto; **wear** ~ portare il lutto

mouse [maʊs] (*pl* **mice** [maɪs]) topo *m*; COMPUT mouse *m inv*; **mouse mat** COMPUT tappetino *m* del mouse

moustache [mə'stɑːʃ] baffi *mpl*

mouth [maʊθ] bocca *f*; *of river* foce *f*; **mouthful** *of food* boccone *m*; *of drink* sorsata *f*; **mouthorgan** armonica *f* a bocca; **mouthpiece** *of instrument* bocchino *m*; (*spokesperson*) portavoce *m/f*; **mouthwash** collutorio *m*; **mouthwatering** che fa venire l'acquolina

move [muːv] **1** *n* (*step, action, in game*) mossa *f*; *change of house* trasloco *m*; **get a** ~ **on!** F spicciati! **2** *v/t object* spostare, muovere; (*transfer*) trasferire; *emotionally* commuovere; ~ **house** traslocare **3** *v/i* muoversi, spostarsi; (*transfer*) trasferirsi

♦ **move around** *in room* muoversi; *from place to place* spostarsi

♦ **move in** trasferirsi

movement ['muːvmənt] movimento *m*; **movers** *Am firm* ditta *f* di traslochi

movie ['muːvɪ] film *m inv*; **go to a** ~ / **the** ~**s** andare al cinema; **moviegoer** frequentatore *m*, -trice *f* di cinema; **movie theater** *Am* cinema *m inv*

moving ['muːvɪŋ] *which can move* mobile; *emotionally* commovente

mow [məʊ] *grass* tagliare, falciare; **mower** tosaerba *m inv*

MP [em'piː] (= **Member of Parliament**) deputato *m*; (= **Military Policeman**) polizia *f* militare

mph [empiː'eɪtʃ] (= **miles per hour**) miglia orarie

Mr ['mɪstə(r)] signor

Mrs ['mɪsɪz] signora

Ms [mɪz] signora *appellativo usato sia per donne sposate che nubili*

much [mʌtʃ] **1** *adj* molto; **so** ~ **money** tanti soldi; **how** ~ **sugar?** quanto zucchero?; **as** ~ ... **as** ... tanto ... quanto ... **2** *adv* molto; **very** ~ moltissimo; **too** ~ troppo; **as** ~ **as** ... tanto quanto ... **3** *pron* molto; **nothing** ~ niente di particolare

mud [mʌd] fango *m*

muddle ['mʌdl] **1** *n* disordine *m*; **I'm in a** ~ sono confuso **2** *v/t* confondere

muddy ['mʌdɪ] fangoso; *hands, boots* sporco di fango

muesli ['muːzlɪ] müsli *m*

muffin ['mʌfɪn] pasticcino *m*

muffle ['mʌfl] *sound* attutire; *voice* camuffare; **muffler** *Am* MOT marmitta *f*

mug[1] [mʌg] *n for tea, coffee* tazzone *m*; F (*face*) faccia *f*

mug[2] [mʌg] *v/t attack* aggredire

mugger ['mʌgə(r)] aggressore m; mugging aggressione f; muggy afoso

mule [mju:l] animal mulo m; Am (slipper) mule f inv

multicultural [mʌltɪ'kʌltʃərəl] multiculturale

multilateral [mʌltɪ'lætərəl] POL multilaterale

multimedia [mʌltɪ'mi:dɪə] 1 adj multimediale 2 n multimedialità f

multinational [mʌltɪ'næʃnl] 1 adj multinazionale 2 n COM multinazionale f

multiple ['mʌltɪpl] multiplo; multiple sclerosis sclerosi f multipla

multiplex (cinema) ['mʌltɪpleks] cinema m inv multisale

multiplication [mʌltɪplɪ'keɪʃn] moltiplicazione f; multiply 1 v/t moltiplicare 2 v/i moltiplicarsi

multi-storey (car park) [mʌltɪ'stɔːrɪ] parcheggio m a più piani

mum [mʌm] mamma f

mumble ['mʌmbl] 1 n borbottio m 2 v/t & v/i borbottare

mummy ['mʌmɪ] mamma f

mumps [mʌmps] orecchioni mpl

munch [mʌntʃ] sgranocchiare

municipal [mju:'nɪsɪpl] municipale

mural ['mjuərəl] murale m

murder ['mɜːdə(r)] 1 n omicidio m 2 v/t uccidere; song ro-

vinare; murderer omicida m/f

murky ['mɜːkɪ] also fig torbido

murmur ['mɜːmə(r)] 1 n mormorio m 2 v/t mormorare

muscle ['mʌsl] muscolo m; muscular pain, strain muscolare; person muscoloso

museum [mju:'zɪəm] museo m

mushroom ['mʌʃrum] 1 n fungo m 2 v/i crescere rapidamente

music ['mju:zɪk] musica f; in written form spartito m; musical 1 adj musicale; person portato per la musica; voice melodioso 2 n musical m inv; musical instrument strumento m musicale; musician musicista m/f

Muslim ['muzlɪm] 1 adj islamico 2 n musulmano m, -a f

mussel ['mʌsl] cozza f

must [mʌst] ◇ (necessity): I ~ be on time devo arrivare in orario; I ~n't be late non devo far tardi ◇ (probability): it ~ be about 6 o'clock devono essere circa le sei

mustache Am ☞ moustache

mustard ['mʌstəd] senape f

musty ['mʌstɪ] smell di stantio; room che sa di stantio

mutilate ['mju:tɪleɪt] mutilare

mutiny ['mju:tɪnɪ] 1 n ammutinamento m 2 v/i ammutinarsi

mutter ['mʌtə(r)] farfugliare

mutual [ˈmjuːtjʊəl] *admiration* reciproco; *friend* in comune

muzzle [ˈmʌzl] **1** *n of animal* muso *m; for dog* museruola *f* **2** *v/t:* ~ **the press** imbavagliare la stampa

my [maɪ] il mio *m*, la mia *f*, i miei *mpl*, le mie *fpl;* ~ **sister / brother** mia sorella / mio fratello

myself [maɪˈself] mi; *emphatic* io stesso; *after prep* me stesso; **I've hurt** ~ mi sono fatto male

mysterious [mɪˈstɪərɪəs] misterioso; **mysteriously** misteriosamente; **mystery** mistero *m;* **mystify** lasciare perplesso

myth [mɪθ] *also fig* mito *m;* **mythical** mitico

N

nag [næg] **1** *v/i of person* brontolare di continuo **2** *v/t* assillare; **nagging** *person* brontolone; *doubt, pain* assillante

nail [neɪl] *for wood* chiodo *m; on finger, toe* unghia *f;* **nail clippers** *npl* tagliaunghie *m inv;* **nail file** limetta *f* per unghie; **nail polish** smalto *m* per unghie; **nail polish remover** solvente *m* per unghie

naive [naɪˈiːv] ingenuo

naked [ˈneɪkɪd] nudo

name [neɪm] **1** *n* nome *m;* **what's your** ~**?** come ti chiami? **2** *v/t* chiamare; **namely** cioè; **namesake** omonimo *m*, -a *f*

nanny [ˈnænɪ] bambinaia *f*

nap [næp] sonnellino *m;* **have a** ~ farsi un sonnellino

napkin [ˈnæpkɪn] *(table* ~*)* tovagliolo *m;* *(sanitary* ~*)* assorbente *m*

Naples [ˈneɪplz] Napoli *f*

nappy [ˈnæpɪ] pannolino *m*

narcotic [nɑːˈkɒtɪk] narcotico *m*

narrate [nəˈreɪt] raccontare, narrare; **narrative 1** *n story* racconto **2** *adj poem, style* narrativo; **narrator** narratore *m*, -trice *f*

narrow [ˈnærəʊ] stretto; *views, mind* ristretto; *victory* di stretta misura; **narrowly** *win* di stretta misura; ~ **escape sth** scampare a qc per un pelo F; **narrow-minded** di idee ristrette

nasty [ˈnɑːstɪ] *person, remark, smell, weather* cattivo; *cut, wound, disease* brutto

nation [ˈneɪʃn] nazione *f;* **national 1** *adj* nazionale **2** *n* cittadino *m*, -a *f;* **national anthem** inno *m* nazionale; **national debt** debito *m* pubblico; **nationalism** nazionalismo *m*; **nationality** nazionalità *f inv*; **nationalize** *industry etc* nazionalizzare

native ['neɪtɪv] **1** *adj* indigeno; **~ language** madrelingua *f* **2** *n* (*tribesman*) indigeno *m*, -a *f*; **she's a ~ of New York** è originaria di New York; **Native American** indiano *m*, -a *f* d'america; **native speaker: English ~** persona *f* di madrelingua inglese

NATO ['neɪtəʊ] (= **North Atlantic Treaty Organization**) NATO *f*

natural ['nætʃrəl] naturale; **naturalist** naturalista *m/f*; **naturalize: become ~d** naturalizzarsi; **naturally** (*of course*) naturalmente; *behave, speak* con naturalezza; (*by nature*) per natura; **nature** natura *f*; **nature reserve** riserva *f* naturale

naughty ['nɔːtɪ] cattivo; *photograph, word etc* spinto

nausea ['nɔːzɪə] nausea *f*; **nauseate** (*fig: disgust*) disgustare; **nauseating** *smell, taste* nauseante; *person* disgustoso; **nauseous: feel ~** avere la nausea

nautical ['nɔːtɪkl] nautico

naval ['neɪvl] navale; *officer, uniform* della marina

navel ['neɪvl] ombelico *m*

navigate ['nævɪgeɪt] *also* COMPUT navigare; *in car* fare da navigatore / -trice; **navigation** navigazione *f*; **navi-**

gator *on ship, in aeroplane* ufficiale *m* di rotta; *in car* navigatore *m*, -trice *f*

navy ['neɪvɪ] marina *f* militare; **navy blue 1** *n* blu *m inv* scuro **2** *adj* blu scuro

near [nɪə(r)] **1** *adv* vicino **2** *prep* vicino a; **do you go ~ the bank?** va dalle parti della banca? **3** *adj* vicino; **in the ~ future** nel prossimo futuro; **nearby** *live* vicino; **nearly** quasi; **near-sighted** miope

neat [niːt] *room, desk, person* ordinato; *whisky* liscio; *solution* efficace; F (*terrific*) fantastico

necessarily ['nesəserəlɪ] necessariamente; **necessary** necessario; **it is ~ to ...** è necessario ...; bisogna ...; **necessity** necessità *f inv*

neck [nek] collo *m*; **necklace** collana *f*; **neckline** *of dress* scollo *m*; **necktie** cravatta *f*

née [neɪ] nata

need [niːd] **1** *n* bisogno *m*; **if ~ be** se necessario; **be in ~** (*be needy*) essere bisognoso; **be in ~ of sth** aver bisogno di qc; **you don't ~ to wait** non c'è bisogno che aspetti; **I ~ to talk to you** ti devo parlare

needle ['niːdl] *for sewing, on dial* ago *m*; **needlework** cucito *m*

needy ['niːdɪ] bisognoso

negative ['negətɪv] negativo

neglect [nɪ'glekt] **1** *n* trascuratezza *f* **2** *v/t* trascurare; **ne-**

glected *gardens*, *author* tra-scurato

negligence ['neglɪdʒəns] ne-gligenza *f*; **negligent** negli-gente; **negligible** *quantity* trascurabile

negotiable [nɪ'gəʊʃəbl] nego-ziabile; **negotiate 1** *v/i* trat-tare **2** *v/t deal*, *settlement* ne-goziare; *obstacles* superare; *bend in road* affrontare; **ne-gotiation** negoziato *m*; **ne-gotiator** negoziatore *m*, -tri-ce *f*

neighbor *etc Am* ☞ **neigh-bour** *etc*

neighbour ['neɪbə(r)] vicino *m*, -a *f*; **neighbourhood** *in town* quartiere *m*; **in the ~ of** *fig* intorno a; **neighbour-ing** *house*, *state* confinante; **neighbourly** amichevole

neither ['naɪðə(r)] **1** *adj*: **~ player** nessuno dei due gio-catori **2** *pron* nessuno *m* dei due, nessuna *f* delle due **3** *adv*: **~ ... nor ...** né ... né ... **4** *conj* neanche; **~ do I** neanch'io

neon light ['niːɒn] luce *f* al neon

nephew ['nevjuː] nipote *m* (di zii)

nerve [nɜːv] nervo *m*; (*cour-age*) coraggio *m*; (*impudence*) faccia *f* tosta; **get on s.o.'s ~s** dare sui nervi a qu; **nerve-racking** snervante; **nervous** nervoso; **be ~ about doing sth** essere an-

sioso all'idea di fare qc; **nervous breakdown** esauri-mento *m* nervoso; **nervous-ness** nervosismo *m*; **nerv-ous wreck: be a ~** avere i nervi a pezzi; **nervy** *Am* (*cheeky*) sfacciato

nest [nest] nido *m*

net¹ [net] *n for fishing* retino *m*; *for tennis* rete *f*; COMPUT Internet *f*; **on the ~** su Inter-net

net² [net] *adj* COM netto

nettle ['netl] ortica *f*

'network *of contacts, cells* rete *f*; COMPUT network *m inv*; **networking** presa *f* di contat-ti professionali in situazioni informali

neurologist [njʊə'rɒlədʒɪst] neurologo *m*, -a *f*

neurosis [njʊə'rəʊsɪs] nevro-si *f inv*; **neurotic** nevrotico

neuter ['njuːtə(r)] *animal* ste-rilizzare

neutral ['njuːtrəl] **1** *adj coun-try* neutrale; *colour* neutro **2** *n gear* folle *m*; **neutrality** neutralità *f*; **neutralize** neu-tralizzare

never ['nevə(r)] mai; **~!** *in dis-belief* ma va'!; **you're ~ go-ing to believe this** non ci crederesti mai; **neverthe-less** comunque, tuttavia

new [njuː] nuovo; **that's noth-ing ~** non è una novità; **new-born** neonato; **newcomer** nuovo arrivato *m*, nuova ar-rivata *f*; **newly** (*recently*) recentemente; **newly weds** sposini *mpl*

news [njuːz] notizia *f*; *on TV, radio* notiziario *m*; novità *f inv*; **any ~?** ci sono novità?; **that's ~ to me** mi giunge nuovo; **newsagent** giornalaio *m*; **newscast** telegiornale *m*; **newscaster** giornalista *m/f* televisivo, -a; **news flash** notizia *f* flash; **newspaper** giornale *m*; **newsreader** giornalista *m/f* radiotelevisivo, -a; **news report** notiziario *m*; **newsstand** edicola *f*; **newsvendor** edicolante *m/f*

New 'Year anno *m* nuovo; **Happy New Year!** buon anno!; **New Year's Day** Capodanno *m*; **New Year's Eve** San Silvestro *m*

next [nekst] **1** *adj in time* prossimo; *in space* vicino; **the ~ month** il mese dopo; **who's ~?** a chi tocca? **2** *adv* dopo; **~ to** (*beside*) accanto a; (*in comparison with*) a paragone di; **next door 1** *adj*: **~ neighbour** vicino *m*, -a *f* di casa **2** *adv* live nella casa accanto; **next of kin** parente *m/f* prossimo

nibble ['nɪbl] mordicchiare

nice [naɪs] *person* carino, gentile; *day, weather, party* bello; *meal, food* buono; **that's very ~ of you** molto gentile da parte tua!; **nicely** *written, presented* bene

niche [niːʃ] nicchia *f*

nick [nɪk] *cut* taglietto *m*; **in the ~ of time** appena in tempo

nickel ['nɪkl] *material* nichel *m*; *Am coin* moneta *f* da 5 centesimi di dollaro

'nickname soprannome *m*

niece [niːs] nipote *f* (di zii)

night [naɪt] notte *f*; (*evening*) sera *f*; **at ~** di notte / di sera; **last ~** ieri notte / ieri sera; **stay the ~** rimanere a dormire; **work ~s** fare il turno di notte; **good ~** buona notte; **nightcap** (*drink*) bicchierino bevuto prima di andare a letto; **nightclub** night(-club) *m inv*; **nightdress** camicia *f* da notte; **night flight** volo *m* notturno; **nightlife** vita *f* notturna; **nightly** ogni sera; *late at night* ogni notte; **nightmare** *also fig* incubo *m*; **night porter** portiere *m* notturno; **night school** scuola *f* serale; **night shift** turno *m* di notte; **nightshirt** camicia *f* da notte (*da uomo*); **nightspot** locale *m* notturno; **nighttime**: **at ~** di notte, la notte

nimble ['nɪmbl] agile

nine [naɪn] nove; **nineteen** diciannove; **nineteenth** diciannovesimo; **ninetieth** novantesimo; **ninety** novanta; **ninth** nono

nip [nɪp] (*pinch*) pizzico *m*; (*bite*) morso *m*

nipple ['nɪpl] capezzolo *m*

nitrogen ['naɪtrədʒn] azoto *m*

no [nəʊ] **1** *adv* no **2** *adj* nessuno; **there's ~ coffee left** non c'è più caffè; **I have ~ money** non ho soldi; **~ smoking** vietato fumare

noble ['nəʊbl] nobile

nobody ['nəʊbədɪ] nessuno; **~ knows** nessuno lo sa; **there was ~ at home** non c'era nessuno in casa

no-brainer [nəʊ'breɪnə(r)] F cretinata *f*; **a real ~ of a decision** una decisione semplicissima

nod [nɒd] **1** *n* cenno *m* del capo **2** *v/i* fare un cenno col capo; **~ in agreement** annuire ◆ **nod off** (*fall asleep*) appisolarsi

noise [nɔɪz] (*sound*) rumore *m*; *loud, unpleasant* chiasso *m*; **noisy** rumoroso; *children, party* chiassoso; **don't be so ~** non fate tanto rumore

nominal ['nɒmɪnl] *amount* simbolico

nominate ['nɒmɪneɪt] (*appoint*) designare; **nomination** (*appointing*) nomina *f*; *person proposed* candidato *m*, -a *f*; **nominee** candidato *m*, -a *f*

nonalco'holic analcolico

nonchalant ['nɒnʃələnt] noncurante

noncommissioned 'officer ['nɒnkəmɪʃnd] sottufficiale *m*

noncommittal [nɒnkə'mɪtl] *person, response* evasivo

nondescript ['nɒndɪskrɪpt] ordinario

none [nʌn] nessuno *m*, -a *f*; **there are ~ left** non ne sono rimasti; **there is ~ left** non ne è rimasto, non è rimasto niente

nonentity [nɒn'entətɪ] nullità *f inv*

nonetheless [nʌnðə'les] nondimeno

non'existent inesistente

non'fiction opere *fpl* non di narrativa

noninter'ference, noninter'vention non intervento *m*

no-'nonsense *approach* pragmatico

non'payment mancato pagamento *m*

nonpol'luting non inquinante

non'resident *in country* non residente *m/f*; (*in hotel*) persona chi non è cliente di un albergo

nonre'turnable a fondo perduto

nonsense ['nɒnsəns] sciocchezze *fpl*; **don't talk ~** non dire sciocchezze

non'smoker non fumatore *m*, -trice *f*

non'standard fuori standard, non di serie; *use of a word* che fa eccezione

non'stick *pans* antiaderente

non'stop **1** *adj flight, train* di-

retto; *chatter* continuo **2** *adv*
fly, *travel* senza scalo; *chatter*,
argue di continuo
non'union non appartenente
al sindacato
non'violence non violenza *f*;
nonviolent non violento
noodles ['nuːdlz] spaghetti
mpl cinesi
noon [nuːn] mezzogiorno *m*
'no-one ☞ **nobody**
noose [nuːs] cappio *m*
nor [nɔː(r)] né; **~ do I** neanch'io, neanche a me
norm [nɔːm] norma *f*; **normal**
normale; **normality** normalità *f*; **normally** (*usually*) di
solito; *in a normal way* normalmente
north [nɔːθ] **1** *n* nord *m* **2** *adj*
settentrionale, nord *inv* **3**
adv travel verso nord; **~ of**
a nord di; **North America**
America *f* del Nord; **North
American 1** *n* nordamerica-
no *m*, -a *f* **2** *adj* nordamerica-
no; **northeast** nordest;
northerly *wind* settentrionale; *direction* nord *inv*; **northern** settentrionale; **northerner** settentrionale *m/f*;
North Korea Corea *f* del
Nord; **North Korean 1** *adj*
nordcoreano **2** *n* nordcoreano *m*, -a *f*; **North Pole** polo
m nord; **northward** *travel*
verso nord; **northwest** nordovest *m*
Norway ['nɔːweɪ] Norvegia *f*;
Norwegian 1 *adj* norvegese

2 *n person* norvegese *m/f*;
language norvegese *m*
nose [nəuz] naso *m*; **right under my ~!** proprio sotto il naso!
◆ **nose around** F curiosare
nostalgia [nɒˈstældʒɪə] nostalgia *f*; **nostalgic** nostalgi-
co
nostril ['nɒstrəl] narice *f*
nosy ['nəuzɪ] F curioso
not [nɒt] non; *I hope* **~** spero
di no; *I don't know* non so;
he didn't help non ha aiuta-
to; **~ me** io no
notable ['nəutəbl] notevole
notch [nɒtʃ] tacca *f*
note [nəut] MUS, *comment on
text* nota *f*; *short letter* biglietto *m*; *memo to self* appunto
m; *money* banconota *f*; **take
~s** prendere appunti; **take ~
of sth** prendere nota di qc;
notebook taccuino *m*; COM-
PUT notebook *m inv*; **noted**
noto; **notepad** bloc-notes
m inv; **notepaper** carta *f*
da lettere
nothing ['nʌθɪŋ] niente; **~ but**
nient'altro che; **~ much**
niente di speciale; **for ~**
(*for free*) gratis; (*for no reason*) per un niente
notice ['nəutɪs] **1** *n* on notice
board, in street avviso *m*; (*advance warning*) preavviso *m*;
in newspaper annuncio *m*; to
leave job preavviso *m*; to
leave house disdetta *f*; **at
short ~** con un breve preav-

viso; *until further* ~ fino a nuovo avviso; *hand in one's* ~ *to employer* presentare le dimissioni; *take no* ~ *of s.o.* / *sth* non fare caso a qu / qc **2** *v/t* notare; **notice board** bacheca *f*; **noticeable** sensibile

notify ['nəʊtɪfaɪ] informare

notion ['nəʊʃn] idea *f*

notorious [nəʊ'tɔːrɪəs] famigerato

nought [nɔːt] zero *m*

noun [naʊn] nome *m*, sostantivo *m*

nourishing ['nʌrɪʃɪŋ] nutriente; **nourishment** nutrimento *m*

novel ['nɒvl] romanzo *m*; **novelist** romanziere *m*, -a *f*

novelty ['nɒvəltɪ] novità *f inv*

November [nəʊ'vembə(r)] novembre *m*

novice ['nɒvɪs] principiante *m/f*

now [naʊ] ora, adesso; ~ *and again*, ~ *and then* ogni tanto; *by* ~ ormai; *from* ~ *on* d'ora in poi; *right* ~ subito; *just* ~ (proprio) adesso; ~, ~! su, su!; **nowadays** oggigiorno

nowhere ['nəʊweə(r)] da nessuna parte; *it's* ~ *near finished* è ben lontano dall'essere terminato

nuclear ['njuːklɪə(r)] nucleare; **nuclear energy** energia *f* nucleare; **nuclear physics** fisica *f* nucleare; **nuclear**

power energia *f* nucleare; POL potenza *f* nucleare; **nuclear power station** centrale *f* nucleare; **nuclear reactor** reattore *m* nucleare; **nuclear waste** scorie *fpl* radioattive; **nuclear weapon** arma *f* nucleare

nude [njuːd] **1** *adj* nudo **2** *n painting* nudo *m*; *in the* ~ nudo

nudge [nʌdʒ] dare un colpetto di gomito a; *parked car* spostare leggermente

nudist ['njuːdɪst] nudista *m/f*

nuisance ['njuːsns] seccatura *f*; *make a* ~ *of o.s.* dare fastidio

null and 'void [nʌl] nullo

numb [nʌm] intirizzito; *emotionally* impietrito

number ['nʌmbə(r)] **1** *n* numero *m*; *(quantity)* quantità *f inv* **2** *v/t put a number on* numerare; **number plate** *of vehicle* targa *f*

numeral ['njuːmərəl] numero *m*

numerate ['njuːmərət] *adj*: *be* ~ avere buone basi in matematica; *of children* saper contare

numerous ['njuːmərəs] numeroso

nun [nʌn] suora *f*

nurse [nɜːs] infermiere *m*, -a *f*; **nursery school** asilo *m*; *in house* stanza *f* dei bambini; *for plants* vivaio *m*; **nursery rhyme** filastrocca *f*;

nursery school scuola *f* materna; **nursing** professione *f* d'infermiere; **nursing home** *for old people* casa *f* di riposo
nut [nʌt] noce *f*; *for bolt* dado *m*; **nutcrackers** schiaccianoci *m inv*
nutrient ['njuːtrɪənt] sostanza *f* nutritiva; **nutrition** alimen-

tazione *f*; **nutritious** nutriente
nuts [nʌts] F (*crazy*) svitato; **be ~ about s.o.** essere pazzo di qu
'nutshell: in a ~ in poche parole
nutty ['nʌtɪ] *taste* di noce; F (*crazy*) pazzo

O

oak [əʊk] *tree* quercia *f*; *wood* rovere *m*
oar [ɔː(r)] remo *m*
oasis [əʊ'eɪsɪs] *also fig* oasi *f inv*
oath [əʊθ] LAW giuramento *m*; (*swearword*) imprecazione *f*
'oatmeal farina *f* d'avena
obedience [ə'biːdɪəns] ubbidienza *f*; **obedient** ubbidiente; **obediently** docilmente
obese [əʊ'biːs] obeso; **obesity** obesità *f*
obey [ə'beɪ] *parents* ubbidire a; *law* osservare
obituary [ə'bɪtjʊərɪ] necrologio *m*
object[1] ['ɒbdʒɪkt] *n* (*thing*) oggetto *m*; (*aim*) scopo *m*; GRAM complemento *m*
object[2] [əb'dʒekt] *v/i* avere da obiettare
objection [əb'dʒekʃn] obiezione *f*; **objectionable** (*unpleasant*) antipatico; **objective 1** *adj* obiettivo **2** *n* obiet-

tivo *m*; **objectively** obiettivamente; **objectivity** obiettività *f*
obligation [ɒblɪ'geɪʃn] obbligo *m*; **obligatory** obbligatorio; **obliging** servizievole
oblique [ə'bliːk] **1** *adj* *reference* indiretto **2** *n* *in punctuation* barra *f*
obliterate [ə'blɪtəreɪt] *city* annientare; *memory* cancellare
oblivion [ə'blɪvɪən] oblio *m*; **fall into ~** cadere in oblio
oblong ['ɒblɒŋ] **1** *adj* rettangolare **2** *n* rettangolo *m*
obnoxious [əb'nɒkʃəs] offensivo; *smell* sgradevole; *person* odioso; *dog*, *child* insopportabile
obscene [əb'siːn] osceno; *salary*, *poverty* vergognoso; **obscenity** oscenità *f inv*
obscure [əb'skjʊə(r)] oscuro; **obscurity** oscurità *f inv*
observant [əb'zɜːvnt] osservante; **observation** osservazione *f*; **observatory** osser-

vatorio *m*; **observe** osservare; **observer** osservatore *m*, -trice *f*

obsess [əb'ses]: **be ~ed with** essere fissato con; **obsession** fissazione *f*; **obsessive** ossessivo

obsolete ['ɒbsəli:t] *model* obsoleto; *word* disusato

obstacle ['ɒbstəkl] *also fig* ostacolo

obstetrician [ɒbstə'trɪʃn] ostetrico *m*, -a *f*; **obstetrics** ostetricia *f*

obstinacy ['ɒbstɪnəsɪ] ostinazione *f*; **obstinate** ostinato

obstruct [əb'strʌkt] *road* ostruire; *investigation, police* ostacolare; **obstruction** *on road etc* ostruzione *f*; **obstructive** *behaviour, tactics* ostruzionista

obtain [əb'teɪn] ottenere; **obtainable** *products* reperibile

obtuse [əb'tju:s] *fig* ottuso

obvious ['ɒbvɪəs] ovvio, evidente; **obviously** ovviamente, evidentemente

occasion [ə'keɪʒn] occasione *f*; **occasional** sporadico; **I like the ~ whisky** bevo un whisky ogni tanto; **occasionally** ogni tanto

occupant ['ɒkjupənt] *of vehicle* occupante *m/f*; *of building* abitante *m/f*; **occupation** (*job*) professione *f*; *of country* occupazione *f*; **occupy** occupare

occur [ə'kɜ:(r)] accadere; **it**

~red to me that ... mi è venuto in mente che ...; **occurrence** evento *m*

ocean ['əuʃn] oceano *m*

o'clock [ə'klɒk]: **at five ~** alle cinque; **it's one ~** è l'una; **it's three ~** sono le tre

October [ɒk'təubə(r)] ottobre *m*

octopus ['ɒktəpəs] polpo *m*

odd [ɒd] (*strange*) strano; (*not even*) dispari; **the ~ one out** l'eccezione *f*; **50 ~** 50 e rotti; **oddball** F persona *f* stramba; **odds and ends** *objects* cianfrusaglie *fpl*; *things to do* cose *fpl*; **odds-on: the ~ favourite** il favorito; **it's ~ that ...** è praticamente scontato che ...

odometer [əu'dɒmətə(r)] *Am* contachilometri *m*

odour, *Am* **odor** ['əudə(r)] odore *m*

of [ɒv] di; **the name ~ the street / hotel** il nome della strada / dell'albergo; **it's made ~ steel** è di acciaio; **die ~ cancer** morire di cancro; **a friend ~ mine** un mio amico; **very nice ~ him** molto gentile da parte sua

off [ɒf] **1** *prep*: **a lane ~ the main road** *not far from* un sentiero poco lontano dalla strada principale; *leading off* un sentiero che parte dalla strada principale; **£20 ~ the price** 20 sterline di sconto **2** *adv*: **be ~** *of light*,

TV etc essere spento; *of gas, tap* essere chiuso; (*cancelled*) essere annullato; *of food* essere finito; **she was ~ today** not at work oggi non era al lavoro; **we're ~ tomorrow** *leaving* partiamo domani; **take a day ~** prendere un giorno libero; **it's 3 miles ~** dista 3 miglia; **it's a long way ~** è molto lontano **3** *adj food* andato a male; **~ switch** interruttore *m* di spegnimento

offence ['ǝfens] LAW reato *m*; **take ~ at sth** offendersi per qc; **offend** (*insult*) offendere; **offender** LAW delinquente *m/f*; **offense** *Am* ☞ **offence**; **offensive 1** *adj behaviour, remark,* offensivo; *smell* sgradevole **2** *n* (MIL: *attack*) offensiva *f*

offer ['ǝfǝ(r)] **1** *n* offerta *f* **2** *v/t* offrire; **~ s.o. sth** offrire qc a qu

off'hand *attitude* disinvolto

office ['ɒfɪs] ufficio *m*; (*position*) carica *f*; **office hours** orario *m* d'ufficio; **officer** MIL ufficiale *m*; *in police* agente *m/f*; **official 1** *adj* ufficiale **2** *n* funzionario *m*, -a *f*; **officially** ufficialmente; **officious** invadente

'off-licence negozio *m* di alcolici

'off-line disconnesso, off-line *inv*; **go ~** disconnettersi

'off-peak *rates* ridotto; **~ elec-**

tricity elettricità *f* a tariffa ridotta

'off-season bassa stagione *f*

'offset *losses* compensare

'offshore *drilling rig, investment* off-shore *inv*

'offside **1** *adj wheel etc* destro; *on the left* sinistro **2** *adv* SP in fuorigioco

'offspring figli *mpl*; *of animal* piccoli *mpl*

off-the-'record ufficioso

often ['ɒfn] spesso; **how ~ do you go there?** ogni quanto tempo ci vai?

oil [ɔɪl] **1** *n* olio *m*; *petroleum* petrolio *m*; *for central heating* nafta *f* **2** *v/t* oliare; **oil change** cambio *m* dell'olio; **oil company** compagnia *f* petrolifera; **oilfield** giacimento *m* petrolifero; **oil painting** quadro *m* a olio; **oil refinery** raffineria *f* di petrolio; **oil rig** piattaforma *f* petrolifera; **oil slick** chiazza *f* di petrolio; **oil tanker** petroliera *f*; **oil well** pozzo *m* petrolifero; **oily** unto

ointment ['ɔɪntmǝnt] pomata *f*

ok [ǝʊ'keɪ]: **can I? - ~** posso? - va bene!; **is it ~ with you if ...?** ti va bene se ...?; **does that look ~?** ti sembra che vada bene?; **that's ~ by me** per me va bene; **are you ~?** well, *not hurt* stai bene?; **he's ~** (*is a good guy*) è in gamba

old [əʊld] vecchio; (previous) precedente; **how ~ is he?** quanti anni ha?; old age vecchiaia f; old-age pensioner pensionato m, -a f; old-fashioned antiquato

olive ['ɒlɪv] oliva f; olive oil olio m d'oliva

Olympic 'Games [ə'lɪmpɪk] Olimpiadi fpl, giochi mpl olimpici

omelette, Am omelet ['ɒmlɪt] frittata f

ominous ['ɒmɪnəs] sinistro

omission [ə'mɪʃn] omissione f; on purpose esclusione f; omit omettere; on purpose escludere; **~ to do sth** tralasciare di fare qc

on [ɒn] 1 prep su; **~ the table** sul tavolo; **~ the bus** in autobus; **~ TV** alla TV; **~ Sunday** domenica; **~ Sundays** di domenica; **~ the 1st of June** il primo (di) giugno; **I'm ~ antibiotics** sto prendendo antibiotici; **this is ~ me** (I'm paying) offro io; **have you any money ~ you?** hai dei soldi con te?; **~ his arrival** al suo arrivo; **~ hearing this** al sentire queste parole 2 adv: **be ~** of light, TV etc essere acceso; of gas, tap essere aperto; of machine essere in funzione; of handbrake essere inserito; **it's ~ after the news** of programme è dopo il notiziario; **the meeting is ~** scheduled to happen la riunione si fa; **with his jacket ~** con la giacca; **what's ~ tonight?** on TV etc cosa c'è stasera?; **I've got something ~ tonight** planned stasera ho un impegno; **you're ~** I accept your offer etc d'accordo; **that's not ~** (not allowed, not fair) non è giusto; **~ you go** (go ahead) fai pure; **talk ~** continuare a parlare; **and so ~** e così via; **~ and ~** talk etc senza sosta 3 adj: **the ~ switch** l'interruttore m d'accensione

once [wʌns] 1 adv (one time) una volta; (formerly) un tempo; **~ again, ~ more** ancora una volta; **at ~** (immediately) subito; **all at ~** (suddenly) improvvisamente; (all) **at ~** (together) contemporaneamente; **~ upon a time there was …** c'era una volta … 2 conj non appena; **~ you have finished** non appena hai finito

one [wʌn] 1 n number uno m 2 adj uno, -a; **~ day** un giorno 3 pron uno m, -a f; **which ~?** quale?; **that ~** quello m, -a f; **this ~** questo m, -a f; **by ~, ~ by ~** enter, deal with uno alla volta; **~ another** l'un l'altro, a vicenda; **what can ~ say?** cosa si può dire?; **the little ~s** i piccoli; one-off n fatto m eccezionale; person persona f eccezionale 2 adj unico; one-parent family famiglia *f* monogenitore; **oneself** si; *after prep* se stesso *m*, -a *f*, sé; **cut ~** tagliarsi; **do sth ~** fare qc da sé; **one-way street** strada *f* a senso unico; **one-way ticket** biglietto *m* di sola andata

onion ['ʌnjən] cipolla *f*

'on-line connesso, on-line *inv*; **go ~** connettersi; **on-line banking** telebanking *m*; **on-line shopping** shopping *m* in Rete

onlooker ['ɒnlʊkə(r)] astante *m*

only ['əʊnlɪ] **1** *adv* solo; **not ~ X but also Y** non solo X ma anche Y; **~ just** a malapena **2** *adj* unico; **~ son** unico figlio maschio

'onset inizio *m*

'onside SP non in fuorigioco

on-the-job 'training training *m inv* sul lavoro

onto ['ɒntuː]: **put sth ~ sth** mettere qc sopra qc

onwards ['ɒnwədz] in avanti; **from ... ~** da ... in poi

opaque [əʊ'peɪk] *glass* opaco

open ['əʊpən] **1** *adj* aperto; **in the ~ air** all'aria aperta **2** *v/t* aprire **3** *v/i* of door, shop aprirsi; *of flower* sbocciare; **open-air** *meeting, concert* all'aperto; *pool* scoperto; **open day** giornata *f* di apertura al pubblico; **open-ended** *contract etc* aperto; **opening** *in wall etc* apertura *f*; *of film, novel etc* inizio *m*; (*job going*) posto *m* vacante; **openly** (*honestly, frankly*) apertamente; **open-minded** aperto; **open ticket** biglietto *m* aperto

opera ['ɒpərə] lirica *f*, opera *f*; **opera house** teatro *m* dell'opera; **opera singer** cantante lirico *m*, -a *f*

operate ['ɒpəreɪt] **1** *v/i* of company operare; *of airline, bus service* essere in servizio; *of machine* funzionare; MED operare, intervenire **2** *v/t machine* far funzionare

♦ **operate on** MED operare

'operating room *Am* MED sala *f* operatoria; **operating system** COMPUT sistema *m* operativo; **operation** operazione *f*; MED intervento *m* (chirurgico), operazione *f*; *of machine* funzionamento *m*; **have an ~** MED subire un intervento (chirurgico); **operator** TELEC centralinista *m/f*; *of machine* operatore *m*, -trice *f*; (*tour ~*) operatore *m* turistico

opinion [ə'pɪnjən] opinione *f*, parere *m*; **in my ~** a mio parere; **opinion poll** sondaggio *m* d'opinione

opponent [ə'pəʊnənt] avversario *m*, -a *f*

opportunist [ɒpə'tjuːnɪst] opportunista *m/f*; **opportunity** opportunità *f inv*

oppose [ə'pəʊz] opporsi a; **be ~d to ...** essere contrario a

...; **as ~d to** ... piuttosto che ...

opposite ['ɒpəzɪt] **1** *adj direction* opposto; *meaning, views* contrario; *house* di fronte; **the ~ side of the road** l'altro lato della strada **2** *n* contrario *m*; **opposite number** omologo *m*

opposition [ɒpə'zɪʃn] opposizione *f*

oppress [ə'pres] *people* opprimere; **oppressive** *rule* oppressivo; *weather* opprimente

optical illusion ['ɒptɪkl] illusione *f* ottica

optician [ɒp'tɪʃn] *dispensing* ottico *m*, -a *f*; **ophthalmic** optometrista *m/f*

optimism ['ɒptɪmɪzm] ottimismo *m*; **optimist** ottimista *m/f*; **optimistic** *view* ottimistico; *person* ottimista; **optimistically** ottimisticamente

optimum ['ɒptɪməm] **1** *adj* ottimale **2** *n* optimum *m inv*

option ['ɒpʃn] possibilità *f inv*, opzione *f*; **he had no other ~** non ha avuto scelta; **optional** facoltativo

or [ɔː(r)] o; **he can't hear – see** non può né sentire né vedere; **~ else!** o guai a te!

oral ['ɔːrəl] orale

orange ['ɒrɪndʒ] **1** *adj colour* arancione **2** *n fruit* arancia *f*; *colour* arancione *m*; **orange juice** succo *m* d'arancia

orator ['ɒrətə(r)] oratore *m*, -trice *f*

orbit ['ɔːbɪt] **1** *n of earth* orbita *f* **2** *v/t the earth* orbitare intorno a

orchard ['ɔːtʃəd] frutteto *m*

orchestra ['ɔːkɪstrə] orchestra *f*

orchid ['ɔːkɪd] orchidea *f*

ordain [ɔː'deɪn] *priest* ordinare

ordeal [ɔː'diːl] esperienza *f* traumatizzante

order ['ɔːdə(r)] **1** *n* ordine *m*; *for goods, in restaurant* ordinazione *f*; **in ~ to do sth** così da fare qc; **out of ~** (*not functioning*) fuori servizio; (*not in sequence*) fuori posto **2** *v/t* ordinare; **~ s.o. to do sth** ordinare a qu di fare qc **3** *v/i* ordinare

orderly ['ɔːdəlɪ] **1** *adj room, mind* ordinato; *crowd* disciplinato **2** *n in hospital* inserviente *m/f*

ordinarily [ɔːdɪ'neərɪlɪ] (*as a rule*) normalmente; **ordinary** normale; *pej* ordinario

ore [ɔː(r)] minerale *m* grezzo

organ ['ɔːɡən] ANAT, MUS organo *m*; **organic** *food, fertilizer* biologico; **organically grown** biologicamente; **organism** organismo *m*

organization [ɔːɡənaɪ'zeɪʃn] organizzazione *f*; **organize** organizzare; **organizer** *person* organizzatore *m*, -trice *f*

orgasm ['ɔːɡæzm] orgasmo *m*

orient ['ɔːrɪənt] *Am* orientare;
Oriental 1 *adj* orientale **2** *n*
orientale *m/f*; **orientate**
orientare

origin ['ɒrɪdʒɪn] origine *f*;
original 1 *adj* originale **2** *n
painting etc* originale *m*;
originality originalità *f*;
originally (*at first*) in origine;
~ he comes from France è
di origini francesi; **originate
1** *v/t scheme, idea* dare origine a **2** *v/i of idea, belief* avere
origine

ornamental [ɔːnə'mentl] ornamentale

ornate [ɔː'neɪt] *style* ornato

orphan ['ɔːfn] orfano *m*, -a *f*

orthodox ['ɔːθədɒks] *also fig*
ortodosso

orthopedic [ɔːθə'piːdɪk] ortopedico

ostensibly [ɒ'stensəblɪ] apparentemente

ostentatious [ɒsten'teɪʃəs]
ostentato

ostracize ['ɒstrəsaɪz] ostra-
cizzare

other ['ʌðə(r)] **1** *adj* altro; **the
~ day** l'altro giorno; **every ~
day** a giorni alterni; **every ~
person** una persona su due
2 *n* l'altro *m*, -a *f*; **the ~s**
gli altri; **otherwise** diversamente; (*differently*) diversamente

ought [ɔːt]: *I* / *you ~ to know*
dovrei / dovresti saperlo;
you ~ to have done it avresti
dovuto farlo

ounce [aʊns] oncia *f*

our ['aʊə(r)] il nostro *m*, la nostra *f*, i nostri *mpl*, le nostre
fpl; **~ brother / sister** nostro
fratello / nostra sorella;
ours il nostro *m*, la nostra
f, i nostri *mpl*, le nostre *fpl*;
ourselves ci; *emphatic* noi
stessi / noi stesse; *after prep*
noi

oust [aʊst] *from office* esauto-
rare

out [aʊt]: **be ~** *of light, fire* essere spento; *of flower* essere
sbocciato; *of sun* splendere;
not at home, not in building
essere fuori; *of calculations*
essere sbagliato; (*be pub-
lished*) essere uscito; *of secret*
essere svelato; *no longer in
competition* essere elimina-
to; (*no longer in fashion*) essere out; **he's ~** *in the garden* è in giardino; (*get*) **~!**
fuori!; **that's ~!** (*out of the
question*) è fuori discussione!; **he's ~ to win** *fully in-
tends to* è deciso a vincere

outboard 'motor motore *m*
fuoribordo

'outbreak scoppio *m*

'outcast emarginato *m*, -a *f*

'outcome risultato *m*

'outcry protesta *f*

out'dated sorpassato

out'do superare

out'door *toilet, activities, life*
all'aperto; *pool* scoperto;
outdoors all'aperto

outer ['aʊtə(r)] *wall etc*

esterno

'**outfit** (*clothes*) completo *m*; (*company, organization*) organizzazione *f*

'**outgoing** *flight, mail* in partenza; *personality* estroverso

out'**grow** *habits, interests* perdere

outing ['autɪŋ] (*trip*) gita *f*

out'**last** durare più di

'**outlet** *of pipe* scarico *m*; *for sales* punto *m* di vendita; *Am* ELEC presa *f* (di corrente)

'**outline 1** *n of person, building etc* profilo *m*; *of plan, novel* abbozzo *m* **2** *v/t plans etc* abbozzare

out'**live** sopravvivere a

'**outlook** (*prospects*) prospettiva *f*

out'**number** superare numericamente

out of ◇ *motion* fuori; **fall ~ the window** cadere fuori dalla finestra ◇ *position* da **20 miles ~ Newcastle** 20 miglia da Newcastle ◇ *cause* per; **~ jealousy** per gelosia ◇ (*without*) senza; **we're ~ petrol** siamo senza benzina ◇ *from a group* su **5 ~ 10** 5 su 10

out-of-'date *passport* scaduto; *values* superato

'**output 1** *n of factory* produzione *f*; COMPUT output *m inv* **2** *v/t* (*produce*) produrre

'**outrage 1** *n feeling* sdegno *m*; *act* atrocità *f inv* **2** *v/t* indignare; **outrageous** *acts* scioccante; *prices* scandaloso

'**outright 1** *adj winner* assoluto **2** *adv win* nettamente; *kill* sul colpo

'**outset**: **at / from the ~** all' / **-** dall'inizio

out'**shine** eclissare

'**outside 1** *adj* esterno **2** *adv sit, go* fuori **3** *prep* fuori da; (*apart from*) al di fuori di **4** *n of building, case etc* esterno *m*; **at the ~** al massimo; **out-sider** estraneo *m, -a f*; *in election, race* outsider *m inv*

'**outsize** *clothing* di taglia forte

'**outskirts** periferia *f*

out'**smart** ☞ **outwit**

'**outsource** dare in appalto a terzi

out'**standing** eccezionale; FIN da saldare

outstretched ['autstretʃt] *hands* teso

outward ['autwəd] *appearance* esteriore; **~ journey** viaggio *m* d'andata; **out-wardly** esteriormente

out'**weigh** contare più di

out'**wit** riuscire a gabbare

oval ['əuvl] ovale

oven ['ʌvn] forno *m*

over ['əuvə(r)] **1** *prep* (*above*) sopra, su; (*across*) dall'altra parte di; (*more than*) oltre; (*during*) nel corso di; **travel all ~ Brazil** girare tutto il Brasile; **you find them**

all ~ Brazil si trovano dappertutto in Brasile; *we're ~ the worst* il peggio è passato; *~ and above* oltre a **2** *adv*: *be ~* (*finished*) essere finito; *~here / there* qui / lì; *it hurts all ~* mi fa male dappertutto; *painted white all ~* tutto dipinto di bianco; *I've told you ~ and ~ again* te l'ho detto mille volte; *do sth ~ again* rifare qc

'overall *length* totale; **overalls** tuta *f* da lavoro

over'awe intimidire

over'balance perdere l'equilibrio

over'bearing autoritario

'overcast *sky* nuvoloso

over'charge *customer* far pagare più del dovuto a

'overcoat cappotto *m*

over'come *difficulties* superare; *~ by emotion* essere sopraffatto dall'emozione

over'crowded sovraffollato

over'do (*exaggerate*) esagerare; *in cooking* stracuocere; **overdone** *meat* stracotto

'overdose overdose *f inv*

'overdraft scoperto *m* (di conto); *have an ~* avere il conto scoperto; **overdraw**: *be £800 ~n* essere (allo) scoperto di 800 sterline

over'dressed troppo elegante

'overdrive MOT overdrive *m*

inv

over'estimate sovrastimare

over'expose sovraesporre

'overflow[1] *n pipe* troppopieno *m*

over'flow[2] *v/i of water* traboccare; *of river* strairpare

over'haul *engine* revisionare; *plans* rivedere

'overhead *lights, cables* in alto, aereo; *railway* sopraelevato; **overheads** FIN costi *mpl* di gestione

over'hear sentire per caso

over'heated *room, engine* surriscaldato

over'joyed [əʊvə'dʒɔɪd] felicissimo

'overland via terra

over'lap (*partly cover*) sovrapporsi; (*partly coincide*) coincidere

over'load sovraccaricare

over'look *of tall building etc* dominare, dare su; *deliberately* chiudere un occhio su; *accidentally* non notare

overly ['əʊvəlɪ] troppo; *not ~ ...* non particolarmente ...

'overnight *travel* di notte; *stay* per la notte; *fig change etc* da un giorno all'altro

'overpass cavalcavia *m inv*

over'power *physically* sopraffare

overpriced [əʊvə'praɪst] troppo caro

overrated [əʊvə'reɪtɪd] sopravvalutato

over'ride *decision etc* annullare; (*be more important than*) prevalere su; **overriding** *concern* principale

over'rule *decision* annullare

over'seas all'estero

over'see sorvegliare

over'shadow fig eclissare

'oversight svista *f*

oversimplifi'cation semplificazione *f* eccessiva

over'sleep non svegliarsi in tempo

over'state esagerare; **over'statement** esagerazione *f*

over'take in *work, development* superare; MOT sorpassare

over'throw[1] *v/t government* rovesciare

'overthrow[2] *n of government* rovesciamento *m*

'overtime 1 *n* straordinario *m* **2** *adv:* **work ~** fare lo straordinario

over'turn 1 *v/t vehicle, object* ribaltare; *government* rovesciare **2** *v/i of vehicle* ribaltar-

si

'overview visione *f* d'insieme

overwhelming [əʊvə'welmɪŋ] *feeling* profondo; *majority* schiacciante

over'work 1 *n* lavoro *m* eccessivo **2** *v/i* lavorare troppo

owe [əʊ] *v/t* dovere (**s.o.** a qu); **owing to** a causa di

owl [aʊl] gufo *m*

own[1] [əʊn] *v/t* possedere

own[2] [əʊn] **1** *adj* proprio; **my ~ car** la mia macchina; **my very ~ mother** proprio mia madre **2** *pron:* **a car of my ~** un'auto tutta mia; **on my / his ~** da solo

♦ **own up** confessare

owner ['əʊnə(r)] proprietario *m*, -a *f*; **ownership** proprietà *f*

oxygen ['ɒksɪdʒən] ossigeno *m*

oyster ['ɔɪstə(r)] ostrica *f*

ozone ['əʊzəʊn] ozono *m*; **ozone layer** fascia *f* or strato *m* d'ozono

P

PA [piː'eɪ] (= **personal assistant**) assistente personale

pace [peɪs] (*step*) passo *m*; (*speed*) ritmo *m*; **pacemaker** MED pacemaker *m inv*; SP battistrada *m inv*

Pacific [pə'sɪfɪk]: **the ~ (Ocean)** il Pacifico

pacifier ['pæsɪfaɪə(r)] *Am for*

baby succhiotto *m*; **pacifism** pacifismo *m*; **pacifist** pacifista *m/f*; **pacify** placare

pack [pæk] **1** *n* (*back~*) zaino *m*; *of cereal, food* confezione *f*; *of cigarettes* pacchetto *m*; *of peas etc* confezione *f*; *of cards* mazzo *m* *v/t bag* fare; *item of clothing etc* mettere in valigia; *goods* imballare; *groceries* imbustare **3** *v/i* fare la valigia / le valigie; **package 1** *n* (*parcel*) pacco *m*; *of offers etc* pacchetto *m* **2** *v/t* confezionare; **packaging** *also fig* confezione *f*; **packed** (*crowded*) affollato; **packet** confezione *f*; *of cigarettes*, *crisps* pacchetto *m*

pact [pækt] patto *m*

pad[1] [pæd] **1** *n* piece of cloth etc tampone *m*; for writing blocchetto *m* **2** *v/t* with material imbottire; speech, report farcire

pad[2] [pæd] *v/i* (move quietly) camminare a passi felpati

padding ['pædɪŋ] material imbottitura *f*; in speech etc riempitivo *m*

paddle ['pædl] **1** *n* for canoe pagaia *f* **2** *v/i* in canoe pagaiare

paddock ['pædək] paddock *m inv*

padlock ['pædlɒk] lucchetto *m*

page[1] [peɪdʒ] *n* of book etc pagina *f*

page[2] [peɪdʒ] *v/t* (call) chiamare con l'altoparlante

pager ['peɪdʒə(r)] cercapersone *m inv*

paid em'ployment occupazione *f* rimunerata

pain [peɪn] dolore *m*; **be in ~** soffrire; **a ~ in the neck** F una rottura *f* di scatole;

so; (*laborious*) difficile; **painfully** (*extremely*, *acutely*) estremamente; **painkiller** analgesico *m*; **painstaking** accurato

paint [peɪnt] **1** *n* for wall, car vernice *f*; for artist colore *m* **2** *v/t* wall etc pitturare; picture dipingere; **paintbrush** pennello *m*; **painter** decorator imbianchino *m*; artist pittore *m*, -trice *f*; **painting** activity pittura *f*; (picture) quadro *m*; **paintwork** vernice *f*

pair [peə(r)] of objects paio *m*; of animals, people coppia *f*; **a ~ of shoes** un paio di scarpe

pajamas Am ☞ **pyjamas**

Pakistan [pɑːkɪˈstɑːn] Pakistan *m*; **Pakistani 1** *n* pakistano *m*, -a *f* **2** *adj* pakistano

pal [pæl] F (friend) amico *m*, -a *f*

palace ['pælɪs] palazzo *m* signorile

palate ['pælət] palato *m*

palatial [pəˈleɪʃl] sfarzoso

pale [peɪl] pallido

Palestine ['pæləstaɪn] Palestina *f*; **Palestinian 1** *n* palestinese *m/f* **2** *adj* palestinese

pallet ['pælɪt] pallet *m inv*

pallor ['pælə(r)] pallore *m*

palm [pɑːm] of hand palma *f*; **palm tree** palma *f*

paltry ['pɔːltrɪ] irrisorio

pamper ['pæmpə(r)] viziare

pamphlet ['pæmflɪt] volantino *m*

pan [pæn] for cooking pentola

f; *for frying* padella *f*; **pancake** crêpe *f inv*

pandemonium [pændɪ'məʊnɪəm] pandemonio *m*

pane [peɪn]: ~ **(of glass)** vetro *m*

panel ['pænl] pannello *m*; *of experts* gruppo *m*; *of judges* giuria *f*; **panelling**, *Am* **paneling** rivestimento *m* a pannelli

panic ['pænɪk] **1** *n* panico *m* **2** *v/i*: **don't**~ non farti prendere dal panico; **panic-stricken** in preda al panico

panorama [pænə'rɑːmə] panorama *m*; **panoramic** panoramico

pant [pænt] ansimare

panties ['pæntɪz] mutandine *fpl*

pantihose ☞ **pantyhose**

pants [pænts] pantaloni *mpl*

pantyhose ['pæntɪhəʊz] collant *mpl*

papal ['peɪpəl] pontificio

paper ['peɪpə(r)] **1** *n material* carta *f*; *(news~)* giornale *m*; *(wall~)* carta *f* da parati; *academic* relazione *f*; *(examination ~)* esame *m*; **~s** *(identity ~s, documents)* documenti *mpl* **2** *adj* di carta **3** *v/t room, walls* tappezzare; **paperback** tascabile *m*; **paper clip** graffetta *f*; **paperwork** *disbrigo delle pratiche*

parachute ['pærəʃuːt] **1** *n* paracadute *m inv* **2** *v/i* paracadutarsi **3** *v/t troops, supplies*

paracadutare

parade [pə'reɪd] **1** *n (procession)* sfilata *f* **2** *v/i* sfilare

paradise ['pærədaɪs] paradiso *m*

paradox ['pærədɒks] paradosso *m*; **paradoxical** paradossale; **paradoxically** paradossalmente

paragraph ['pærəgrɑːf] paragrafo *m*

parallel ['pærəlel] **1** *n (in geometry)* parallela *f*; GEOG, *fig* parallelo *m*; **do two things in** ~ fare due cose in parallelo **2** *adj also fig* parallelo **3** *v/t (match)* uguagliare

paralysis [pə'rælɪsɪs] *also fig* paralisi *f inv*; **paralyze** *also fig* paralizzare

paramedic [pærə'medɪk] paramedico *m*, -a *f*

parameter [pə'ræmɪtə(r)] parametro *m*

paramilitary [pærə'mɪlɪtrɪ] **1** *adj* paramilitare **2** *n* appartenente ad un'organizzazione paramilitare

paranoia [pærə'nɔɪə] paranoia *f*; **paranoid** paranoico

paraphrase ['pærəfreɪz] parafrasare

parasite ['pærəsaɪt] *also fig* parassita *m*

parasol ['pærəsɒl] parasole *m*

paratrooper ['pærətruːpə(r)] MIL paracadutista *m*

parcel ['pɑːsl] pacco *m*

pardon ['pɑːdn] **1** *n* LAW grazia *f*; **I beg your ~?** (*what did you say*) prego?; **I beg your ~** (*I'm sorry*) scusi **2** *v/t* scusare; LAW graziare

parent ['peərənt] genitore *m*; **parental** dei genitori; **parent company** società *f inv* madre; **parent-teacher association** *organizzazione composta da genitori e insegnanti*

parish ['pærɪʃ] parrocchia *f*

park[1] [pɑːk] *n* parco *m*

park[2] [pɑːk] *v/t & v/i* MOT parcheggiare

parking ['pɑːkɪŋ] MOT parcheggio *m*; **no ~** sosta *f* vietata; **parking brake** *Am* freno *m* a mano; **parking garage** *Am* parcheggio *m* coperto; **parking lot** *Am* parcheggio *m*; **parking meter** parchimetro *m*; **parking ticket** multa *f* per sosta vietata

parliament ['pɑːləmənt] parlamento *m*

parole [pə'rəʊl] **1** *n* libertà *f* vigilata **2** *v/t* concedere la libertà vigilata a

parrot ['pærət] pappagallo *m*

part [pɑːt] **1** *n* parte *f*; *of machine* pezzo *m*; *Am*: *in hair* riga *f*; **take ~ in** prendere parte in **2** *adv* (*partly*) in parte **3** *v/i* separarsi **4** *v/t*: **~ one's hair** farsi la riga; **partial** (*incomplete*) parziale; **be ~ to** avere un debole per; **partially** parzialmente

participant [pɑː'tɪsɪpənt] partecipante *m/f*; **participate** partecipare (**in** a); **participation** partecipazione *f*

particular [pə'tɪkjʊlə(r)] (*specific*) particolare; (*fussy*) pignolo; **in ~** in particolare; **particularly** particolarmente

parting ['pɑːtɪŋ] *of people* separazione *f*; *in hair* riga *f*

partition [pɑː'tɪʃn] (*screen*) tramezzo *m*; (*of country*) suddivisione *f*

partly ['pɑːtlɪ] in parte

partner ['pɑːtnə(r)] COM socio *m*, -a *f*; *in relationship* partner *m/f inv*; *in particular activity* compagno *m*, -a *f*; **partnership** COM società *f inv*; *in particular activity* sodalizio *m*

'part-time part-time

party ['pɑːtɪ] **1** *n* (*celebration*) festa *f*; POL partito *m*; (*group*) gruppo *m* **2** *v/i* F far baldoria; **party-pooper** F guastafeste *m/f inv*

pass [pɑːs] **1** *n* for entry passi *m inv*; SP passaggio *m*; *in mountains* passo *m*; **make a ~ at** fare avances a **2** *v/t* (*hand*) passare; (*go past*) passare davanti a; (*overtake*) sorpassare; (*go beyond*) superare; (*approve*) approvare; SP passare; **~ an exam** superare un esame; **~ sentence** LAW emanare la sentenza; **~ the time** passare il tempo **3** *v/i* passare; *in exam* essere pro-

pathetic

mosso

◆ **pass away** *euph* spegnersi
◆ **pass on 1** *v/t information, book, savings* passare (**to** a) **2** *v/i (euph: die)* mancare
◆ **pass out** *(faint)* svenire
◆ **pass up** *opportunity* lasciarsi sfuggire

passable ['pɑːsəbl] *road* transitabile; *(acceptable)* passabile

passage ['pæsɪdʒ] *(corridor)* passaggio *m*; *from book* passo *m*; **the ~ of time** il passare del tempo

passenger ['pæsɪndʒə(r)] passeggero *m*, -a *f*

passer-by [pɑːsə'baɪ] passante *m/f*

passion ['pæʃn] passione *f*; **passionate** appassionato

passive ['pæsɪv] **1** *adj* passivo **2** *n* GRAM passivo *m*; **passive smoking** fumo *m* passivo

'**passport** passaporto *m*; **passport control** controllo *m* passaporti; **password** parola *f* d'ordine; COMPUT password *f inv*

past [pɑːst] **1** *adj (former)* precedente; **in the ~ few days** nei giorni scorsi **2** *n* passato *m*; **in the ~** nel passato **3** *prep in position* oltre; **it's half ~ two** sono le due e mezza; **it's ~ seven o'clock** sono le sette passate **4** *adv*: **run ~** passare di corsa

pasta ['pæstə] pasta *f*

paste [peɪst] **1** *n (adhesive)* colla *f* **2** *v/t (stick)* incollare

pastime ['pɑːstaɪm] passatempo *m*

pastry ['peɪstrɪ] *for pie* pasta *f* (sfoglia); *(small cake)* pasticcino *m*

'**past tense** GRAM passato *m*

pasty ['peɪstɪ] *complexion* smorto

pat [pæt] **1** *n* colpetto *m*; *affectionate* buffetto *m* **2** *v/t* dare un colpetto a; *affectionately* dare un buffetto a

patch [pætʃ] **1** *n on clothing* pezza *f*; *(period of time)* periodo *m*; *(area)* zona *f*; **go through a bad ~** attraversare un brutto periodo; **be not a ~ on** *fig* non essere niente a paragone di **2** *v/t clothing* rattoppare

◆ **patch up** *(repair)* riparare alla meglio; *quarrel* risolvere

patchy ['pætʃɪ] *quality* irregolare; *work* discontinuo, disuguale

patent ['peɪtnt] **1** *adj* palese **2** *n for invention* brevetto *m* **3** *v/t invention* brevettare

paternal [pə'tɜːnl] paterno; **paternalism** paternalismo *m*; **paternalistic** paternalistico; **paternity** paternità *f inv*; **paternity leave** congedo *m* di paternità

path [pɑːθ] sentiero *m*; *fig* strada *f*

pathetic [pə'θetɪk] patetico; F *(very bad)* penoso

pathological [pæθə'lɒdʒɪkl] patologico

patience ['peɪʃns] pazienza *f*; *card game* solitario *m*; **patient 1** *n* paziente *m/f* **2** *adj* paziente; **be ~!** abbi pazienza!; **patiently** pazientemente

patio ['pætɪəʊ] terrazza *f*

patriot ['peɪtrɪət] patriota *m/f*; **patriotic** patriottico; **patriotism** patriottismo *m*

patrol [pə'trəʊl] **1** *n* pattuglia *f* **2** *v/t streets, border* pattugliare; **patrol car** autopattuglia *f*; **patrolman** agente *m/f* di pattuglia; **patrol wagon** *Am* furgone *m* cellulare

patron ['peɪtrən] *of artist* patrocinatore *m*, -trice *f*; *of charity* patrono *m*, -essa *f*; *of shop, cinema* cliente *m/f*; **patronize** *person* trattare con condiscendenza; **patronizing** condiscendente; **patron saint** patrono *m*, -a *f*

pattern ['pætn] *on fabric* motivo *m*, disegno *m*; *for sewing* (carta) modello *m*; *in behaviour, events* schema *m*

paunch [pɔːntʃ] pancia *f*

pause [pɔːz] **1** *n* pausa *f* **2** *v/i* fermarsi **3** *v/t tape* fermare

pave [peɪv] pavimentare; **~ the way for** *fig* aprire la strada a; **pavement** *Br* marciapiede *m*; *Am* manto *m* stradale

paw [pɔː] **1** *n of animal, F (hand)* zampa *f* **2** *v/t* F palpa-

re

pawn [pɔːn] *in chess* pedone *m*; *fig* pedina *f*

pay [peɪ] **1** *n* paga *f* **2** *v/t* pagare; **~ s.o. a compliment** fare un complimento a qu **3** *v/i* pagare; *(be profitable)* rendere; **it doesn't ~ to ...** non conviene ...; **~ for** *purchase* pagare

♦ **pay back** *person* restituire i soldi a; *loan* restituire; *(get revenge on)* farla pagare a

♦ **pay off** *v/t debt* estinguere; *corrupt official* comprare **2** *v/i (be profitable)* dare frutti

♦ **pay up** pagare

payable ['peɪəbl] pagabile; **pay cheque**, *Am* **pay check** assegno *m* paga; **payday** giorno *m* di paga; **payee** beneficiario *m*, -a *f*; **payment** pagamento *m*; **pay phone** telefono *m* pubblico

PC [piː'siː] (= **personal computer**) PC *m inv*; (= **politically correct**) politicamente corretto; (= **police constable**) agente *m/f* di polizia

PDA [piːdiː'eɪ] (= **personal digital assistant**) PDA *m inv*

pea [piː] pisello *m*

peace [piːs] pace *f*; **peaceful** tranquillo; *demonstration* pacifico; **peacefully** tranquillamente; *demonstrate* pacificamente

peach [piːtʃ] pesca *f*; *tree* pesco *m*

peak [pi:k] **1** *n* vetta *f*; *fig* apice *m* **2** *v/i* raggiungere il livello massimo; **peak hours** ore *fpl* di punta

peanut ['pi:nʌt] arachide *f*; **get paid** ~**s** F essere pagati una miseria F; **peanut butter** burro *m* d'arachidi

pear [peə(r)] pera *f*; *tree* pero *m*

pearl [pɜ:l] perla *f*

pebble ['pebl] ciottolo *m*

pecan ['pi:kən] noce *f* pecan

peck [pek] **1** *n* (*bite*) beccata *f*; (*kiss*) bacetto *m* **2** *v/t* (*bite*) beccare; (*kiss*) dare un bacetto a

peculiar [pɪ'kju:lɪə(r)] (*strange*) strano; ~ **to** (*special*) caratteristico di; **peculiarity** (*strangeness*) stranezza *f*; (*special feature*) caratteristica *f*

pedal ['pedl] **1** *n* of bike pedale *m* **2** *v/i* pedalare; (*cycle*) andare in bicicletta

pedantic [pɪ'dæntɪk] pedante

peddle ['pedl] *drugs* spacciare

pedestrian [pɪ'destrɪən] pedone *m*; **pedestrian crossing** passaggio *m* pedonale; **pedestrian precinct** zona *f* pedonale

pediatric [pi:dɪ'ætrɪk] pediatrico; **pediatrician** pediatra *m/f*; **pediatrics** pediatria *f*

pedicure ['pedɪkjuə(r)] pedicure *f inv*

pedigree ['pedɪgri:] **1** *n* pedigree *m inv* **2** *adj* di razza pura

pee [pi:] F fare pipì F

peek [pi:k] **1** *n* sbirciata F **2** *v/i* sbirciare F

peel [pi:l] **1** *n* buccia *f*; *of citrus fruit* scorza *f* **2** *v/t fruit, vegetables* sbucciare **3** *v/i of nose, shoulders* spellarsi; *of paint* scrostarsi

peep [pi:p] ☞ **peek**; **peephole** spioncino *m*

peer[1] [pɪə(r)] *n* (*equal*) pari *m/f inv*

peer[2] [pɪə(r)] *v/i* guardare; ~ **at** scrutare

peg [peg] *for coat* attaccapanni *m inv*; *for tent* picchetto *m*; **off the** ~ prêt-à-porter

pejorative [pɪ'dʒɒrətɪv] peggiorativo

pellet ['pelɪt] pallina *f*; (*bullet*) pallino *m*

pen[1] [pen] penna *f*

pen[2] [pen] (*enclosure*) recinto *m*

pen[3] [pen] *Am* ☞ **penitentiary**

penalize ['pi:nəlaɪz] penalizzare

penalty ['penltɪ] ammenda *f*; *in soccer* rigore *m*; *in rugby* punizione *f*; **take the** ~ battere il rigore / la punizione; **penalty area** SP area *f* di rigore; **penalty clause** LAW penale *f*; **penalty kick** *in soccer* calcio *m* di rigore; *in rugby* calcio *m* di punizione; **penalty shoot-out** rigori *mpl*; **penalty spot** dischetto *m* di rigore

pencil ['pensɪl] matita *f*; **pencil sharpener** temperamatite *m inv*

pendant ['pendənt] *necklace* pendaglio *m*

penetrate ['penɪtreɪt] penetrare in; **penetration** penetrazione *f*

penguin ['peŋgwɪn] pinguino *m*

penicillin [penɪ'sɪlɪn] penicillina *f*

peninsula [pə'nɪnsjʊlə] penisola *f*

penis ['pi:nɪs] pene *m*

penitence ['penɪtəns] penitenza *f*; **penitentiary** *Am* prigione *f*

'**pen name** pseudonimo *m*

pennant ['penənt] gagliardetto *m*

penniless ['penɪlɪs] al verde

'**pen pal** amico *m*, -a *f* di penna

pension ['penʃn] pensione *f*
♦ **pension off** mandare in pensione

'**pension scheme** schema *m* pensionistico

pensive ['pensɪv] pensieroso

Pentagon ['pentəgɒn]: **the ~** il Pentagono

pentathlon [pen'tæθlən] pentathlon *m inv*

penthouse ['penthaʊs] attico *m*

pent-up ['pentʌp] represso

penultimate [pe'nʌltɪmət] penultimo

people ['pi:pl] gente *f*, persone *fpl*; (*nsg: race, tribe*) popolazione *f*; **the ~** (*the citizens*) il popolo; **the American ~** gli americani; **~ say** ... si dice che ...

pepper ['pepə(r)] *spice* pepe *m*; *vegetable* peperone *m*; **peppermint** *sweet* mentina *f*; *flavouring* menta *f*

per [pɜː(r)] a **100 km ~ hour** 100 km all'ora; **£50 ~ night** 50 sterline a notte; **~ annum** all'anno

perceive [pə'siːv] percepire; (*view, interpret*) interpretare

percent [pə'sent] per cento; **percentage** percentuale *f*

perceptible [pə'septəbl] percettibile; **perceptibly** percettibilmente; **perception** percezione *f*; (*insightfulness*) sensibilità *f*; **perceptive** perspicace

percolate ['pɜːkəleɪt] *of coffee* filtrare; **percolator** caffettiera *f* a filtro

perfect 1 ['pɜːfɪkt] *adj* perfetto **2** ['pɜːfɪkt] *n* GRAM passato *m* prossimo **3** [pə'fekt] *v/t* perfezionare; **perfection** perfezione *f*; **perfectionist** perfezionista *m/f*; **perfectly** perfettamente

perforated ['pɜːfəreɪtɪd] *line* perforato

perform [pə'fɔːm] **1** *v/t* (*carry out*) eseguire; *of actors* interpretare **2** *v/i* of actor, musi-

cian, dancer esibirsi; **the car ~s well** la macchina dà ottime prestazioni; **performance** *by actor* interpretazione *f; by musician* esecuzione *f;* (*show*) spettacolo *m; of employee, company etc* rendimento *m; of machine* prestazioni *fpl;* **performer** artista *m/f*

perfume ['pɜ:fju:m] profumo *m*

perfunctory [pə'fʌŋktərɪ] superficiale

perhaps [pə'hæps] forse

peril ['perəl] pericolo *m*

perimeter [pə'rɪmɪtə(r)] perimetro *m*

period ['pɪərɪəd] *time* periodo *m;* (*menstruation*) mestruazioni *fpl; Am punctuation mark* punto *m* fermo; **I don't want to, ~!** *Am* non voglio, punto e basta!; **periodic** periodico; **periodical** periodico *m*

peripheral [pə'rɪfərəl] **1** *adj not crucial* marginale **2** *n* COMPUT periferica *f;* **periphery** periferia *f*

perish ['perɪʃ] *of rubber* deteriorarsi; *of person* perire; **perishable** *food* deteriorabile

perjure ['pɜ:dʒə(r)]: **~ o.s.** spergiurare; **perjury** falso giuramento *m*

perk [pɜ:k] *of job* vantaggio *m*

perm [pɜ:m] **1** *n* permanente *f* **2** *v/t:* **have one's hair ~ed**

farsi fare la permanente; **permanent** permanente; *job, address* fisso; **permanently** permanentemente

permeate ['pɜ:mɪeɪt] permeare

permissible [pə'mɪsəbl] permesso, ammissibile; **permission** permesso *m;* **permissive** permissivo

permit 1 ['pɜ:mɪt] *n* permesso *m* **2** [pə'mɪt] *v/t* permettere (**s.o. to do** a qu di fare)

perpendicular [pɜ:pən'dɪkjʊlə(r)] perpendicolare

perpetual [pər'petʃʊəl] perenne; **perpetually** perennemente

perplex [pə'pleks] lasciare perplesso; **perplexity** perplessità *f inv*

persecute ['pɜ:sɪkju:t] perseguitare; **persecution** persecuzione *f;* **persecutor** persecutore *m,* -trice *f*

perseverance [pɜ:sɪ'vɪərəns] perseveranza *f;* **persevere** perseverare

persist [pə'sɪst] persistere; **persistent** *person, questions* insistente; *rain, unemployment etc* continuo; **persistently** (*continually*) continuamente

person ['pɜ:sn] persona *f; in ~* di persona; **personal** personale; **personal computer** personal computer *m inv;* **personality** personalità *f inv;* **personally** personalmente; **don't take it ~** non offenderti; **personal organizer** agenda *f* elettronica; **personal stereo** Walkman® *m inv*; **personify** *of person* personificare

personnel [pɜːsə'nel] *employees* personale *m*; *department* ufficio *m* del personale

perspective [pə'spektɪv] *in art* prospettiva *f*; **get sth into ~** vedere qc nella giusta prospettiva

perspiration [pɜːspɪ'reɪʃn] traspirazione *f*; **perspire** sudare

persuade [pə'sweɪd] persuadere; **~ s.o. to do sth** persuadere qu a fare qc; **persuasion** persuasione *f*; **persuasive** persuasivo

perturb [pə'tɜːb] inquietare; **perturbing** inquietante

pervasive [pə'veɪsɪv] *influence, ideas* diffuso

perversion [pə'vɜːʃn] *sexual* perversione *f*; **pervert** *sexual* pervertito *m*, -a *f*

pessimism ['pesɪmɪzm] pessimismo *m*; **pessimist** pessimista *m/f*; **pessimistic** *view* pessimistico; *person* pessimista

pest [pest] animale / insetto *m* nocivo; F *person* peste *f*

pester ['pestə(r)] assillare; **~ s.o. to do sth** assillare qu perché faccia qc

pesticide ['pestɪsaɪd] pesticida *m*

pet [pet] **1** *n animal* animale *m* domestico; *(favourite)* favorito *m*, -a *f* **2** *adj* preferito **3** *v/t animal* accarezzare **4** *v/i of couple* pomiciare F

petite [pə'tiːt] minuta

petition [pə'tɪʃn] petizione *f*

petrify ['petrɪfaɪ] terrorizzare

petrochemical [petrəʊ'kemɪkl] petrolchimico

petrol ['petrl] benzina *f*

petroleum [pɪ'trəʊlɪəm] petrolio *m*

'petrol pump pompa *f* della benzina; **petrol station** stazione *f* di rifornimento

petting ['petɪŋ] petting *m*

petty ['petɪ] *person, behaviour* meschino; *details* insignificante; **petty cash** piccola cassa *f*

pew [pjuː] banco *m* (di chiesa)

pharmaceutical [fɑːmə'sjuːtɪkl] farmaceutico; **pharmaceuticals** farmaceutici *mpl*

pharmacist ['fɑːməsɪst] farmacista *m/f*; **pharmacy** *shop* farmacia *f*

phase [feɪz] fase *f*
◆ **phase in** introdurre gradualmente
◆ **phase out** eliminare gradualmente

PhD [piːeɪtʃ'diː] (= *Doctor of Philosophy*) dottorato *m* di ricerca

phenomenal [fɪ'nɒmɪnl] fenomenale; **phenomenon** fenomeno *m*

philanthropic [fɪlən'θrɒpɪk] filantropico; **philanthropist** filantropo *m*, -a *f*; **philanthropy** filantropia *f*

Philippines ['fɪlɪpiːnz]: *the ~* le Filippine *fpl*

philosopher [fɪ'lɒsəfə(r)] filosofo *m*, -a *f*; **philosophical** filosofico; **philosophy** filosofia *f*

phobia ['fəʊbɪə] fobia *f*

phon(e)y ['fəʊnɪ] F falso

phone [fəʊn] **1** *n* telefono *m*; *be on the ~* be talking essere al telefono **2** *v/t* telefonare a **3** *v/i* telefonare; **phone book** guida *f* telefonica, elenco telefonico *m*; **phone booth** cabina *f* telefonica; **phone call** telefonata *f*; **phone card** scheda *f* telefonica; **phone number** numero *m* di telefono

photo ['fəʊtəʊ] foto *f*; **photocopier** fotocopiatrice *f*; **photocopy 1** *n* fotocopia *f* **2** *v/t* fotocopiare; **photogenic** fotogenico; **photograph 1** *n* fotografia *f* **2** *v/t* fotografare; **photographer** fotografo *m*, -a *f*; **photography** fotografia *f*

phrase [freɪz] **1** *n* frase *f* **2** *v/t* esprimere

physical ['fɪzɪkl] **1** *adj* fisico **2** *n* MED visita *f* medica; **physically** fisicamente

physician [fɪ'zɪʃn] medico *m*

physicist ['fɪzɪsɪst] fisico *m*, -a *f*; **physics** fisica *f*

physiotherapist [fɪzɪəʊ'θerəpɪst] fisioterapeuta *m/f*; **physiotherapy** fisioterapia *f*

physique [fɪ'ziːk] fisico *m*

pianist ['pɪənɪst] pianista *m/f*; **piano** piano *m*

pick [pɪk] (*choose*) scegliere; *flowers*, *fruit* raccogliere; *~ one's nose* mettersi le dita nel naso

♦ **pick up 1** *v/t* prendere; *phone* sollevare; *baby* prendere in braccio; *from ground* raccogliere; (*collect*) andare / venire a prendere; *information* raccogliere; *in car* far salire; *man*, *woman* rimorchiare F; *language*, *skill* imparare; *habit*, *illness* prendere; (*buy*) trovare **2** *v/i* (*improve*) migliorare

picket ['pɪkɪt] **1** *n of strikers* picchetto *m* **2** *v/t* picchettare

pickpocket borseggiatore *m*, -trice *f*; **pick-up** (*truck*) *Am* furgone *m* (aperto), pick up *m inv*; **picky** F difficile (da accontentare)

picnic ['pɪknɪk] **1** *n* picnic *m inv* **2** *v/i* fare un picnic

picture ['pɪktʃə(r)] **1** *n photo* foto *f*; *painting* quadro *m*; *illustration* figura *f*; *film* film *m inv*; *put* / *keep s.o. in the ~* mettere / tenere al corrente qu **2** *v/t* immaginare; *pictures* cinema *m*; **picturesque** pittoresco

pie [paɪ] *sweet* torta *f*; *savoury* pasticcio *m*

piece [piːs] pezzo m; *a ~ of pie / bread* una fetta di torta / pane; *a ~ of advice* un consiglio; *take to ~s* smontare

◆ **piece together** *broken plate* rimettere insieme; *evidence* ricostruire

piecemeal ['piːsmiːl] poco alla volta

pier [pɪə(r)] *at seaside* pontile m

pierce [pɪəs] (*penetrate*) trapassare; *ears* farsi i buchi in; *piercing noise* lacerante; *eyes* penetrante; *wind* pungente

pig [pɪg] *also fig* maiale m

pigeon ['pɪdʒɪn] piccione m; **pigeonhole** casella f

pigheaded [pɪg'hedɪd] testardo; **pigsty** *also fig* porcile m; **pile** [paɪl] mucchio m; F *a ~ of work* un sacco di lavoro F

◆ **pile up** *v/i of work, bills* accumularsi **2** *v/t* ammucchiare

pile-up ['paɪlʌp] MOT tamponamento m a catena

pilfering ['pɪlfərɪŋ] piccoli furti mpl

pilgrim ['pɪlgrɪm] pellegrino m, -a f

pill [pɪl] pastiglia f; *be on the ~* prendere la pillola

pillar ['pɪlə(r)] colonna f; **pillarbox** buca f delle lettere

pillow ['pɪləʊ] guanciale m; **pillowcase**, **pillowslip** federa f

pilot ['paɪlət] **1** n *of plane* pilota m/f **2** v/t *plane* pilotare

pimp [pɪmp] ruffiano m

pimple ['pɪmpl] brufolo m

PIN [pɪn] (= *personal identification number*) numero m di codice segreto

pin [pɪn] **1** n *for sewing* spillo m; *in bowling* birillo m; (*badge*) spilla f; ELEC spinotto m **2** v/t (*hold down*) immobilizzare; (*attach*) attaccare; *on lapel* appuntare

◆ **pin up** *notice* appuntare

pinafore dress ['pɪnəfɔ:r] scamiciato m

pincers ['pɪnsəz] *tool* tenaglie fpl; *of crab* chele fpl

pinch [pɪntʃ] **1** n pizzico m **2** v/t pizzicare **3** v/i *of shoes* stringere

pine [paɪn] pino m; *~ furniture* mobili mpl di pino; **pineapple** ananas m inv

pink [pɪŋk] rosa inv

pinnacle ['pɪnəkl] *fig* apice m

pinpoint indicare con esattezza; **pins and needles** formicolio m

pint [paɪnt] pinta f

pin-up (girl) pin-up f inv

pioneer [paɪə'nɪə(r)] **1** n *fig* pioniere m, -a f **2** v/t essere il / la pioniere di; **pioneering** *work* pionieristico

pious ['paɪəs] pio

pip [pɪp] *of fruit* seme m

pipe [paɪp] **1** n tubo m; *for smoking* pipa f **2** v/t trasportare con condutture; **pipe-**

line conduttura f; **in the ~** fig in arrivo

pirate ['paɪərət] **1** n pirata m **2** v/t software piratare

Pisces ['paɪsiːz] ASTR Pesci m/f inv

piss [pɪs] **1** v/i P (urinate) pisciare P **2** n (urine) piscio m P; **take the ~out of s.o.** P prendere qu per il culo P
♦ **piss off** P **1** v/i sparire; **piss off!** levati dalle palle! P **2** v/t: **it pisses me off** mi fa incazzare

pissed [pɪst] P (drunk) sbronzo F; Am (annoyed) seccato F

pistol ['pɪstl] pistola f

piston ['pɪstən] pistone m

pit [pɪt] n (hole) buca f; (coal mine) miniera f

pitch¹ [pɪtʃ] n MUS intonazione f

pitch² [pɪtʃ] v/t tent piantare; ball lanciare

pitcher¹ ['pɪtʃə(r)] in baseball lanciatore m

pitcher² ['pɪtʃə(r)] container brocca f

pitfall ['pɪtfɔːl] tranello m

pitiful ['pɪtɪful] sight pietoso; excuse, attempt penoso; pitiless spietato

pittance ['pɪtns] miseria f

pity ['pɪtɪ] **1** n pietà f; **it's a ~ that** è un peccato che; **what a ~!** che peccato!; **take ~ on** avere pietà di **2** v/t person avere pietà di

pizza ['piːtsə] pizza f

placard ['plækɑːd] cartello m

place [pleɪs] **1** n posto m; flat, house casa f; **at my / his ~** a casa mia / sua; **in ~ of** invece di; **feel out of ~** sentirsi fuori posto; **take ~** aver luogo; **in the first ~** (firstly) in primo luogo **2** v/t (put) piazzare; **I can't quite ~ you** non mi ricordo dove ci siamo conosciuti; **~ an order** fare un'ordinazione

placid ['plæsɪd] placido

plagiarism ['pleɪdʒərɪzm] plagio m; **plagiarize** plagiare

plague [pleɪg] **1** n peste f **2** v/t (bother) tormentare

plain¹ [pleɪn] n pianura f

plain² [pleɪn] **1** adj (clear, obvious) chiaro; not fancy semplice; not pretty scialbo; not patterned in tinta unita; (blunt) franco; **~ chocolate** cioccolato m fondente **2** adv semplicemente; plainly (clearly) chiaramente; (bluntly) francamente; (simply) semplicemente; plain-spoken franco

plaintive ['pleɪntɪv] lamentoso

plait [plæt] treccia f

plan [plæn] **1** n (project, intention) piano m; (drawing) progetto m **2** v/t (prepare) organizzare; (design) progettare; **~ to do** avere in programma di **3** v/i pianificare

plane¹ [pleɪn] (aeroplane) aereo m

plane² [pleɪn] *tool* pialla *f*

planet [ˈplænɪt] pianeta *m*

plank [plæŋk] *of wood* asse *f*; *fig: of policy* punto *m*

planning [ˈplænɪŋ] pianificazione *f*

plant¹ [plɑːnt] **1** *n* pianta *f* **2** *v/t* piantare

plant² [plɑːnt] *(factory)* stabilimento *m*; *(equipment)* impianto *m*

plantation [plænˈteɪʃn] piantagione *f*

plaque [plæk] *on wall, teeth* placca *f*

plaster [ˈplɑːstə(r)] **1** *n on wall* intonaco *m*; *sticking* cerotto *m* **2** *v/t wall* intonacare

plastic [ˈplæstɪk] **1** *n* plastica *f* **2** *adj* di plastica; **plastic money** carte *fpl* di credito; **plastic surgeon** chirurgo *m* plastico; **plastic surgery** chirurgia *f* plastica

plate [pleɪt] *for food* piatto *m*; *sheet of metal* lastra *f*

plateau [ˈplætəʊ] altopiano *m*

platform [ˈplætfɔːm] *(stage)* palco *m*; *of railway station* binario *m*; *fig: political* piattaforma *f*

platinum [ˈplætɪnəm] **1** *n* platino *m* **2** *adj* di platino

platonic [pləˈtɒnɪk] platonico

platoon [pləˈtuːn] *of soldiers* plotone *m*

plausible [ˈplɔːzəbl] plausibile

play [pleɪ] **1** *n* gioco *m*; *in theatre, on TV* commedia *f* **2** *v/i*

of children, SP giocare; *of musician* suonare **3** *v/t* MUS suonare; *game* giocare a; *opponent* giocare contro; *(perform: Macbeth etc)* rappresentare; *particular role* interpretare; **~ a joke on** fare uno scherzo a

◆ **play around** F *(be unfaithful)*: **his wife's been playing around** sua moglie lo ha tradito

◆ **play down** minimizzare

◆ **play up** *of machine* dare noie; *of child* fare i capricci; *of tooth, bad back etc* fare male

player [ˈpleɪə(r)] SP giocatore *m*, -trice *f*; *musician* musicista *m/f*; *actor* attore *m*, -trice *f*; **playful** *punch, mood* scherzoso; *puppy* giocherellone; **playground** *in school* cortile *m* per la ricreazione; *in park* parco *m* giochi; **playing card** carta *f* da gioco; **playwright** commediografo *m*, -a *f*

plaza [ˈplɑːzə] *for shopping* centro *m* commerciale

plc [piːelˈsiː] (= **public limited company**) società *f inv* a responsabilità limitata quotata in borsa

plea [pliː] appello *m*

plead [pliːd]: **~ guilty / not guilty** dichiararsi colpevole / innocente; **~ with** supplicare

pleasant [ˈpleznt] piacevole

please [pli:z] **1** *adv* per favore; **more tea? – yes, ~** ancora tè? – sì, grazie; **~ do** fai pure, prego **2** *v/t* far piacere; **~ yourself** fai come ti pare; **pleased** contento; **~ to meet you** piacere!; **pleasing** piacevole; **pleasure** (*happiness, satisfaction*) contentezza *f*; (*as opposed to work*) piacere *m*; (*delight*) gioia *f*; **it's a ~** (*you're welcome*) è un piacere; **with ~** con vero piacere

pleat [pli:t] *in skirt* piega *f*

pledge [pledʒ] **1** *n* (*promise*) promessa *f* **2** *v/t* (*promise*) promettere

plentiful ['plentɪful] abbondante; **plenty** abbondanza *f*; **~ of** molto; **that's ~** basta così; **there's ~ for everyone** ce n'è per tutti

pliable ['plaɪəbl] flessibile

pliers ['plaɪəz] pinze *fpl*

plight [plaɪt] situazione *f* critica

plod [plɒd] *walk* trascinarsi

plook [plu:k] brufolo *m*

plot¹ [plɒt] *n land* appezzamento *m*

plot² [plɒt] **1** *n* (*conspiracy*) complotto *m*; *of novel* trama *f* **2** *v/t* & *v/i* complottare

plotter ['plɒtə(r)] cospiratore *m*, -trice *f*; COMPUT plotter *m inv*

plough, *Am* **plow** [plaʊ] **1** *n* aratro *m* **2** *v/t* & *v/i* arare

◆ **plough back** *profits* reinvestire

pluck [plʌk] *eyebrows* pinzare; *chicken* spennare

plug [plʌg] **1** *n for sink, bath* tappo *m*; *electrical* spina *f*; (*spark ~*) candela *f*; *for new book etc* pubblicità *f inv* **2** *v/t hole* tappare; *new book etc* fare pubblicità a

◆ **plug in** attaccare (alla presa)

plumage ['plu:mɪdʒ] piumaggio *m*

plumber ['plʌmə(r)] idraulico *m*; **plumbing** *pipes* impianto *m* idraulico

plummet ['plʌmɪt] *of aeroplane* precipitare; *of share prices* crollare

plump [plʌmp] *person, chicken in carne*; *hands, feet, face* paffuto

plunge [plʌndʒ] **1** *n* caduta *f*; *in prices* crollo *m*; **take the ~** fare il gran passo **2** *v/i* precipitare; *of prices* crollare **3** *v/t knife* conficcare; **plunging** *neckline* profondo

plural ['plʊərəl] plurale *m*

plus [plʌs] **1** *prep* più **2** *adj*: **£500 ~** oltre 500 sterline **3** *n symbol* più *m inv*; (*advantage*) vantaggio *m* **4** *conj* (*moreover, in addition*) per di più

plush [plʌʃ] di lusso

plywood ['plaɪwʊd] compensato *m*

PM [pi:'em] (= **Prime Minister**) primo ministro *m*

p.m. [pi:'em] (= **post meridi-**

em): **at 2 ~** alle 2 del pomeriggio; **at 10.30 ~** alle 10.30 di sera

pneumonia [njuːˈməʊnɪə] polmonite *f*

poach[1] [pəʊtʃ] *cook* bollire; *egg* fare in camicia

poach[2] [pəʊtʃ] *game* cacciare di frodo; *fish* pescare di frodo

poached egg [pəʊtʃt'eg] uovo *m* in camicia

P.O. Box [piːˈəʊbɒks] casella *f* postale

pocket [ˈpɒkɪt] **1** *n* tasca *f* **2** *adj* (*miniature*) in miniatura **3** *v/t* intascare; **pocket book** *Am* (*wallet*) portafoglio *m*; (*purse*) borsetta *f*; **pocket calculator** calcolatrice *f* tascabile

podium [ˈpəʊdɪəm] podio *m*

poem [ˈpəʊɪm] poesia *f*; **poet** poeta *m*, -essa *f*; **poetic** poetico; **poetic justice** giustizia *f* divina; **poetry** poesia *f*

poignant [ˈpɔɪnjənt] commovente

point [pɔɪnt] **1** *n of pencil, knife* punta *f*; *in competition* punto *m*; (*purpose*) senso *m*; (*moment*) punto *m*; *in argument, discussion* punto *m*; *in decimals* virgola *f*; **that's beside the ~** non c'entra; **be on the ~ of** stare giusto per; **get to the ~** venire al dunque; **that's a ~** questo, in effetti, è vero; **the ~ is** … il fatto è che …; **there's**

no ~ in waiting non ha senso aspettare **2** *v/i* indicare **3** *v/t gun* puntare (**at** contro)

◆ **point out** *sights, advantages* indicare

◆ **point to** *with finger* additare; (*fig: indicate*) far presupporre

pointed [ˈpɔɪntɪd] *remark* significativo; **pointer** *for teacher* bacchetta *f*; (*hint*) consiglio *m*; (*sign, indication*) indizio *m*; **pointless** inutile; **point of view** punto *m* di vista

poise [pɔɪz] padronanza *f* di sé; **poised** *person* posato

poison [ˈpɔɪzn] **1** *n* veleno *m* **2** *v/t* avvelenare; **poisonous** velenoso

poke [pəʊk] **1** *n* colpetto *m* **2** *v/t* (*prod*) dare un colpetto a; (*stick*) ficcare

◆ **poke around** F curiosare

poker [ˈpəʊkə(r)] *card game* poker *m*

Poland [ˈpəʊlənd] Polonia *f*

polar [ˈpəʊlə(r)] polare

Pole [pəʊl] polacco *m*, -a *f*

pole[1] [pəʊl] *of wood, metal* paletto *m*

pole[2] [pəʊl] *of earth* polo *m*

'pole vault salto *m* con l'asta

police [pəˈliːs] polizia *f*; **police car** auto *f* della polizia; **policeman** poliziotto *m*; **police state** stato *m* di polizia; **police station** commissariato *m* di polizia; **policewoman** donna *f* poliziotto policy¹ ['pɒlɪsɪ] politica f

policy² ['pɒlɪsɪ] (insurance ~) polizza f

polio ['pəʊlɪəʊ] polio f

Polish ['pəʊlɪʃ] 1 adj polacco 2 n language polacco m

polish ['pɒlɪʃ] 1 n product lucido m; (nail ~) smalto m 2 v/t lucidare; speech rifinire; polished performance impeccabile

polite [pə'laɪt] cortese; politely cortesemente; politeness cortesia f

political [pə'lɪtɪkl] politico; politically correct politicamente corretto; politician uomo m politico, donna f politica; politics politica f

poll [pəʊl] 1 n (survey) sondaggio m; go to the ~s (vote) andare alle urne 2 v/t people fare un sondaggio tra; votes guadagnare

pollen ['pɒlən] polline m

'polling station seggio m elettorale

pollster ['pɒlstə(r)] esperto m, -a f di sondaggi

pollutant [pə'luːtənt] sostanza f inquinante; pollute inquinare; pollution inquinamento m

'polo shirt polo f inv

polyester [pɒlɪ'estə(r)] poliestere m

polystyrene [pɒlɪ'staɪriːn] polistirolo m

polyunsaturated [pɒlɪʌn'sætʃəreɪtɪd] polinsa-

turo

pompous ['pɒmpəs] pomposo

pond [pɒnd] stagno m

pontiff ['pɒntɪf] pontefice m

pony ['pəʊnɪ] pony m inv; ponytail coda f (di cavallo)

poo(h) [puː] F (faeces) popò f inv

poodle ['puːdl] barboncino m

pool¹ [puːl] n (swimming ~) piscina f; of water, blood pozza f

pool² [puːl] n game biliardo m

pool³ [puːl] 1 n common fund cassa f comune 2 v/t resources mettere insieme

'pool hall sala f da biliardo; pool table tavolo m da biliardo

poop [puːp] Am F (faeces) popò f inv

pooped [puːpt] F stanco morto

poor [pʊə(r)] 1 adj povero; not good misero; be in ~ health essere in cattiva salute 2 n: the ~ i poveri; poorly 1 adv male 2 adj (unwell) indisposto

pop¹ [pɒp] 1 n noise schiocco m 2 v/i of balloon etc scoppiare 3 v/t cork stappare; balloon far scoppiare

pop² [pɒp] 1 n MUS pop m 2 adj pop inv

pop³ [pɒp] Am F papà m inv

◆ pop out F (go out for a short time) fare un salto fuori

◆ pop up F (appear suddenly)

saltare fuori

'popcorn popcorn *m*

pope [pəʊp] papa *m*

Popsicle® ['pɒpsɪkl] *Am* ghiacciolo *m*

popular ['pɒpjʊlə(r)] popolare; *belief, support* diffuso; **popularity** popolarità *f*

populate ['pɒpjʊleɪt] popolare; **population** popolazione *f*

porch [pɔːtʃ] porticato *m*; *Am: outside house* veranda *f*

◆ **pore over** studiare attentamente

pork [pɔːk] maiale *m*

porn [pɔːn] F porno *m* F; **pornographic** pornografico; **pornography** pornografia *f*

port[1] [pɔːt] *n* (*harbour, drink*) porto *m*

port[2] [pɔːt] *adj* (*left-hand*) babordo

portable ['pɔːtəbl] **1** *adj* portatile *m* **2** *n* portatile *m*

porter ['pɔːtə(r)] portiere *m*

porthole ['pɔːthəʊl] NAUT oblò *m inv*

portion ['pɔːʃn] parte *f*; *of food* porzione *f*

portrait ['pɔːtreɪt] **1** *n* ritratto *m* **2** *adv print* verticale; **portray** *of artist* ritrarre; *of actor* interpretare; *of author* descrivere

Portugal ['pɔːtjʊgl] Portogallo *m*; **Portuguese 1** *adj* portoghese **2** *n person* portoghese *m/f*; *language* portoghese *m*

pose [pəʊz] **1** *n* (*pretence*) posa *f* **2** *v/i for artist* posare; **~ as** farsi passare per **3** *v/t problem, threat* creare

posh [pɒʃ] F elegante; *pej* snob

position [pə'zɪʃn] **1** *n* posizione *f*; **what would you do in my ~?** cosa faresti al mio posto? **2** *v/t* sistemare, piazzare

positive ['pɒzɪtɪv] positivo; **be ~** (*sure*) essere certo; **positively** (*downright*) decisamente; (*definitely*) assolutamente; **think** in modo positivo

possess [pə'zes] possedere; **possession** (*ownership*) possesso *m*; *thing owned* bene *m*; **~s** averi *mpl*; **possessive** *also* GRAM possessivo

possibility [pɒsə'bɪlətɪ] possibilità *f inv*; **possible** possibile; **the best ~** ... la miglior ... possibile; **possibly** (*perhaps*) forse; **that can't ~ be right** non è possibile che sia giusto

post[1] [pəʊst] **1** *n of wood, metal* palo *m* **2** *v/t notice* affiggere; *profits* annunciare; **keep s.o. ~ed** tenere informato qu

post[2] [pəʊst] **1** *n* (*place of duty*) posto *m* **2** *v/t soldier, employee* assegnare; *guards* piazzare

post[3] [pəʊst] **1** *n* (*mail*) posta *f* **2** *v/t letter* spedire (per posta); (*put in the mail*) imbucare

postage ['pəʊstɪdʒ] affrancatura *f*; **postage stamp** *fml* francobollo *m*; **postal** postale; **postbox** buca *f* delle lettere; **postcard** cartolina *f*; **postcode** codice *m* di avviamento postale; **postdate** postdatare

poster ['pəʊstə(r)] manifesto *m*; *for decoration* poster *m inv*

postgraduate ['pəʊstɡrædjʊɪt] **1** *n* studente *m* / studentessa *f* di un corso post-universitario **2** *adj* post-universitario

posthumous ['pɒstjʊməs] postumo

posting ['pəʊstɪŋ] (*assignment*) incarico *m*

'**postman** postino *m*; **postmark** timbro *m* postale

postmortem [pəʊst'mɔːtəm] autopsia *f*

'**post office** ufficio *m* postale

postpone [pəʊst'pəʊn] rinviare; **postponement** rinvio *m*

pot[1] [pɒt] *for cooking* pentola *f*; *for coffee* caffettiera *f*; *for tea* teiera *f*; *for plant* vaso *m*

pot[2] [pɒt] F (*marijuana*) erba *f* F

potato [pə'teɪtəʊ] patata *f*; **potato crisps**, *Am* **potato chips** patatine *fpl*

potent ['pəʊtənt] potente

potential [pə'tenʃl] **1** *adj* potenziale **2** *n* potenziale *m*

potentially *adv* potenzialmente

pothole ['pɒthəʊl] *in road* buca *f*

potter ['pɒtə(r)] vasaio *m*, -a *f*

pottery ['pɒtərɪ] ceramica *f*; *items* vasellame *m*; *place* laboratorio *m* di ceramica

potty ['pɒtɪ] *for baby* vasino *m*

pouch [paʊtʃ] (*bag*) borsa *f*

poultry ['pəʊltrɪ] *birds* volatili *mpl*; *meat* pollame *m*

pound[1] [paʊnd] *n weight* libbra *f*; FIN sterlina *f*

pound[2] [paʊnd] *n for strays* canile *m* municipale; *for cars* deposito *m* auto

pound[3] [paʊnd] *v/i of heart* battere forte; **~ on** (*hammer on*) picchiare su

pour [pɔː(r)] **1** *v/t liquid* versare **2** *v/i*: **it's ~ing (with rain)** sta diluviando

◆ **pour out** *liquid* versare; *troubles* sfogarsi raccontando

pout [paʊt] fare il broncio

poverty ['pɒvətɪ] povertà *f*

powder ['paʊdə(r)] **1** *n* polvere *f*; *for face* cipria *f* **2** *v/t*: **~ one's face** mettersi la cipria

power ['paʊə(r)] **1** *n* (*strength*) forza *f*; *of engine* potenza *f*; (*authority*) potere *m*; (*energy*) energia *f*; (*electricity*) elettricità *f*; **in ~** POL al potere; **~ed by atomic energy** a propulsione atomica; **power cut** interruzione *f* di corrente; **power failure** guasto *m* alla linea elettrica; **powerful** potente; **powerless** impotente; *be ~ to ...* non poter far niente per ...; **power line** linea *f* elettrica; **power outage** *Am* interruzione *f* di corrente; **power station** centrale *f* elettrica; **power steering** servosterzo *m*

PR [piːˈɑː(r)] (= *public relations*) relazioni *fpl* pubbliche

practical [ˈpræktɪkl] pratico; **practically** *behave, think* in modo pratico; (*almost*) praticamente

practice [ˈpræktɪs] **1** *n* pratica *f*; (*training*) esercizio *m*; (*rehearsal*) prove *fpl*; (*custom*) consuetudine *f*; *in ~* (*in reality*) in pratica; *be out of ~* essere fuori allenamento **2** *v/t & v/i Am ➙ practise*

practise [ˈpræktɪs] **1** *v/t* esercitarsi in; *law, medicine* esercitare **2** *v/i* esercitarsi

pragmatic [prægˈmætɪk] pragmatico

prairie [ˈpreərɪ] prateria *f*

praise [preɪz] **1** *n* lode *f* **2** *v/t* lodare; **praiseworthy** lodevole

prawn [prɔːn] gamberetto *m*

pray [preɪ] pregare; **prayer** preghiera *f*

preach [priːtʃ] predicare; **preacher** predicatore *m*, -trice *f*

precarious [prɪˈkeərɪəs] precario

precaution [prɪˈkɔːʃn] precauzione *f*; **precautionary** *measure* di precauzione

precede [prɪˈsiːd] precedere; **precedent** precedente *m*; **preceding** precedente

precious [ˈpreʃəs] prezioso

precise [prɪˈsaɪs] preciso; **precisely** precisamente; **precision** precisione *f*

precocious [prɪˈkəʊʃəs] *child* precoce

preconceived [priːkənˈsiːvd] *idea* preconcetto

precondition [priːkənˈdɪʃn] condizione *f* indispensabile

predator [ˈpredətə(r)] *animal* predatore *m*, -trice *f*; **predatory** rapace

predecessor [ˈpriːdɪsesə(r)] predecessore *m*

predicament [prɪˈdɪkəmənt] situazione *f* difficile

predict [prɪˈdɪkt] predire; **predictable** prevedibile; **prediction** predizione *f*

predominant [prɪˈdɒmɪnənt] predominante; **predominantly** prevalentemente

prefabricated [priːˈfæbrɪkeɪtɪd] prefabbricato

preface [ˈprefɪs] prefazione *f*

prefer [prɪˈfɜː(r)] preferire (*to* a); **preferable** preferibile; **preferably** preferibilmente; **preference** preferenza *f*; **preferential** preferenziale

pregnancy [ˈpregnənsɪ] gravidanza *f*; **pregnant** incinta; *get ~* restare incinta

prehistoric [priːhɪsˈtɒrɪk] preistorico

prejudice [ˈpredʒʊdɪs] **1** *n* pregiudizio *m* **2** *v/t person* influenzare; *chances* pregiudicare; **prejudiced** prevenuto

preliminary [prɪˈlɪmɪnərɪ] preliminare

premarital [priːˈmærɪtl] prematrimoniale

premature [ˈpremətjʊə(r)] prematuro

premeditated [priːˈmedɪteɪtɪd] premeditato

premier [ˈpremɪə(r)] (*Prime Minister*) premier *m inv*

première [ˈpremɪeə(r)] première *f inv*, prima *f*

premises [ˈpremɪsɪz] locali *mpl*

premium [ˈpriːmɪəm] *in insurance* premio *m*

prenatal [priːˈneɪtl] prenatale

preoccupied [prɪˈɒkjʊpaɪd] preoccupato

preparation [prepəˈreɪʃn] preparazione *f*; **in ~ for** in vista di; **~s** preparativi *mpl*; **prepare 1** *v/t* preparare; **be ~d to do sth** (*willing*) essere preparato a fare qc; **be ~d for sth** (*be expecting*) essere preparato per qc **2** *v/i* prepararsi

preposition [prepəˈzɪʃn] preposizione *f*

preposterous [prɪˈpɒstərəs] ridicolo

prerequisite [priːˈrekwɪzɪt] condizione *f* indispensabile

prescribe [prɪˈskraɪb] *of doctor* prescrivere; **prescription** MED ricetta *f* medica

presence [ˈprezns] presenza *f*; **in the ~ of** in presenza di

present[1] [ˈpreznt] **1** *adj* (*current*) attuale; **be ~** essere presente **2** *n*: **the ~** *also* GRAM il presente; **at ~** al momento

present[2] [ˈpreznt] *n* (*gift*) regalo *m*

present[3] [prɪˈzent] *v/t award* consegnare; *bouquet* offrire; *programme* presentare; **~ s.o. with sth, ~ sth to s.o.** offrire qc a qu

presentation [preznˈteɪʃn] presentazione *f*; **present-day** di oggi; **presenter** presentatore *m*, -trice *f*; **presently** (*at the moment*) attualmente; (*soon*) tra breve

preservative [prɪˈzɜːvətɪv] conservante *m*; **preserve 1** *n* (*domain*) dominio *m* **2** *v/t standards, peace etc* mantenere; *wood etc* proteggere; *food* conservare

preside [prɪˈzaɪd] *at meeting* presiedere; **presidency** presidenza *f*; **president** presidente *m*; **presidential** presidenziale

press [pres] **1** *n*: **the ~** la stampa **2** *v/t button* premere; (*urge*) fare pressione su; (*squeeze*) stringere; *clothes* stirare; *grapes, olives* spremere **3** *v/i*: **~ for** fare pressioni per ottenere; **press con-**

ference conferenza f stampa; **pressing** urgente; **press-up** flessione f sulle braccia

pressure ['preʃə(r)] **1** n pressione f **2** v/t fare delle pressioni su

prestige [pre'stiːʒ] prestigio m; **prestigious** prestigioso

presumably [prɪ'zjuːməblɪ] presumibilmente; **presume** presumere; **presumption of innocence, guilt** presunzione f

presuppose [priːsə'pəʊs] presupporre

pre-tax ['priːtæks] al lordo d'imposta

pretence [prɪ'tens] finta f; **pretend 1** v/t fingere **2** v/i fare finta; **pretense** Am ☞ **pretence; pretentious** pretenzioso

pretext ['priːtekst] pretesto m

pretty ['prɪtɪ] **1** adj carino **2** adv (quite) piuttosto

prevail [prɪ'veɪl] (triumph) prevalere; **prevailing** prevalente

prevent [prɪ'vent] prevenire; ~ **s.o. from (from) doing sth** impedire a qu di fare qc; **prevention** prevenzione f; **preventive** preventivo

preview ['priːvjuː] of film, exhibition anteprima f

previous ['priːvɪəs] precedente; ~ **to** prima di; **previously** precedentemente

prey [preɪ] preda f

price [praɪs] **1** n prezzo m **2** v/t COM fissare il prezzo di; **priceless** di valore inestimabile; **price war** guerra f dei prezzi; **pricey** F caro

prick¹ [prɪk] **1** n pain puntura f **2** v/t (jab) pungere

prick² [prɪk] n V (penis) cazzo m V; person testa f di cazzo V

prickle ['prɪkl] on plant spina f; **prickly** plant spinoso; beard ispido; (irritable) permaloso

pride [praɪd] **1** n in person, achievement orgoglio m; (self-respect) amor m proprio **2** v/t: ~ **o.s. on** vantarsi di

priest [priːst] prete m

primarily [praɪ'meərɪlɪ] principalmente; **primary 1** adj principale **2** n Am POL (election f) primaria f; **primary school** scuola f elementare

prime 'minister primo ministro m

primitive ['prɪmɪtɪv] primitivo

prince [prɪns] principe m; **princess** principessa f

principal ['prɪnsəpl] **1** adj principale **2** n of school preside m/f; **principally** principalmente

principle ['prɪnsəpl] principio m; **on ~** per principio; **in ~** in linea di principio

print [prɪnt] **1** n in book etc caratteri mpl; photograph stampa f; mark impronta f; **out of ~** esaurito **2** v/t stampare; (*use block capitals*) scrivere in stampatello; **printer** *person* tipografo *m*; *machine* stampante *f*; **printout** stampato *m*

prior ['praɪə(r)] **1** *adj* precedente **2** *prep*: ~ **to** prima di

prioritize [praɪ'ɒrətaɪz] (*put in order of priority*) classificare in ordine d'importanza; (*give priority to*) dare precedenza a; **priority** priorità *f inv*; **have** ~ avere la precedenza

prison ['prɪzn] prigione *f*; **prisoner** prigioniero *m*, -a *f*; **take s.o.** ~ fare prigioniero qu; **prisoner of war** prigioniero *m* di guerra

privacy ['prɪvəsɪ] privacy *f*; **private 1** *adj* privato **2** *n* MIL soldato *m* semplice; **in** ~ in privato; **privately** (*in private*) in privato; (*inwardly*) dentro di sé; ~ **owned** privato; **private sector** settore *m* privato; **privatize** privatizzare

privilege ['prɪvɪlɪdʒ] privilegio *m*; (*honour*) onore *m*; **privileged** privilegiato; (*honoured*) onorato

prize [praɪz] **1** *n* premio *m* **2** *v/t* dare molto valore a; **prizewinner** vincitore *m*, -trice *f*; **prizewinning** vincente

pro[1] [prəʊ] *n*: **the** ~**s and cons** i pro e i contro

pro[2] [prəʊ] ☞ **professional**

pro[3] [prəʊ] *prep*: **be** ~ ... (*in favour of*) essere a favore di ...

probability [prɒbə'bɪlətɪ] probabilità *f inv*; **probable** probabile; **probably** probabilmente

probation [prə'beɪʃn] *in job* periodo *m* di prova; LAW libertà *f* vigilata; **on** ~ *in job* in prova

probe [prəʊb] **1** *n* (*investigation*) indagine *f*; *scientific* sonda *f* **2** *v/t* esplorare; (*investigate*) investigare

problem ['prɒbləm] problema *m*; **no** ~ non c'è problema

procedure [prə'siːdʒə(r)] procedura *f*

proceed [prə'siːd] *of people* proseguire; *of work etc* procedere; **proceedings** (*events*) avvenimento *mpl*; **proceeds** ['prəʊsiːdz] ricavato *m*

process ['prəʊses] **1** *n* processo *m* **2** *v/t food, raw materials* trattare; *data* elaborare; *application etc* sbrigare; ~**ed cheese** formaggio *m* fuso; **procession** processione *f*; **processor** processore *m*

prod [prɒd] **1** *n* colpetto *m* **2** *v/t* dare un colpetto a

prodigy ['prɒdɪdʒɪ] (*infant*) ~ bambino *m* -a *f* prodigio

produce[1] ['prɒdjuːs] *n* prodotti *mpl*

produce[2] [prə'djuːs] *v/t* produrre; (*bring about*) dare origine a; (*bring out*) tirar fuori; *play* mettere in scena

producer [prə'dju:sə(r)] produttore *m*, -trice *f*; *of play* regista *m/f*; *product* prodotto *m*; *(result)* risultato *m*; **production** produzione *f*; *of play* regia *f*; **a new ~ of ...** una nuova messa in scena di ...; **productive** produttivo; **productivity** produttività *f*

profess [prə'fes] dichiarare; **profession** professione *f*; **professional 1** *adj* professionale; *advice, help* di un esperto; *piece of work* da professionista; **turn ~** passare al professionismo **2** *n* professionista *m/f*; **professionally** *play sport* a livello professionistico; *(well, skilfully)* in modo professionale

professor [prə'fesə(r)] professore *m* (universitario)

proficiency [prə'fɪʃnsɪ] competenza *f*; **proficient** competente

profile ['prəʊfaɪl] profilo *m*

profit ['prɒfɪt] **1** *n* profitto *m* **2** *v/i*: **~ from** trarre profitto da; **profitability** redditività *f*; **profitable** redditizio

profound [prə'faʊnd] profondo

prognosis [prɒg'nəʊsɪs] prognosi *f inv*

programme, *Am and Br* COMPUT **program** ['prəʊgræm] **1** *n* programma *m* **2** *v/t* programmare; **programmer** COMPUT programmato-

re *m*, -trice *f*

progress 1 ['prəʊgres] *n* progresso *m*; **in ~** in corso **2** [prə'gres] *v/i (advance in time)* procedere; *(move on)* avanzare; *(make progress)* fare progressi; **progressive** *(enlightened)* progressista; *which progresses* progressivo; **progressively** progressivamente

prohibit [prə'hɪbɪt] proibire; **prohibitive** *prices* proibitivo

project[1] ['prɒdʒekt] *n (plan)* piano *m*; *(undertaking)* progetto *m*; EDU ricerca *f*

project[2] [prə'dʒekt] **1** *v/t figures, sales* fare una proiezione di; *film* proiettare **2** *v/i (stick out)* sporgere in fuori

projection [prə'dʒekʃn] *(forecast)* proiezione *f*; **projector** *for slides* proiettore *m*

prologue, *Am* **prolog** ['prəʊlɒg] prologo *m*

prolong [prə'lɒŋ] prolungare

prominent ['prɒmɪnənt] *nose, chin* sporgente; *(significant)* prominente

promiscuity [prɒmɪ'skju:ətɪ] promiscuità *f*; **promiscuous** promiscuo

promise ['prɒmɪs] **1** *n* promessa *f* **2** *v/t & v/i* promettere; **promising** promettente

promote [prə'məʊt] promuovere; *promoter of event* promoter *m/f inv*; **promotion** promozione *f*; **get ~ in job** essere promosso

prompt [prɒmpt] **1** *adj* (*on time*) puntuale; (*speedy*) tempestivo **2** *adv*: **at two o'clock ~** alle due in punto **3** *v/t* (*cause*) causare; *actor* dare l'imbeccata a; **promptly** (*on time*) puntualmente; (*immediately*) prontamente

prone [prəʊn]: **be ~ to** essere soggetto a

pronoun ['prəʊnaʊn] pronome *m*

pronounce [prə'naʊns] pronunciare; (*declare*) dichiarare

pronto ['prɒntəʊ] F immediatamente

pronunciation [prənʌnsɪ'eɪʃn] pronuncia *f*

proof [pruːf] prova *f*; *of book* bozza *f*

prop [prɒp] **1** *v/t* appoggiare **2** *n*THEA materiale *m* di scena
♦ **prop up** *also fig* sostenere

propaganda [prɒpə'gændə] propaganda *f*

propel [prə'pel] spingere; *of engine, fuel* azionare; **propeller** elica *f*

proper ['prɒpə(r)] (*real*) vero e proprio; (*correct*) giusto; (*fitting*) appropriato; **properly** (*correctly*) correttamente; (*fittingly*) in modo appropriato

property ['prɒpətɪ] proprietà *f inv*; **property developer** impresario *m* edile

proportion [prə'pɔːʃn] proporzione *f*; **proportional** proporzionale; **proportional representation** POL rappresentanza *f* proporzionale

proposal [prə'pəʊzl] proposta *f*; **propose 1** *v/t* (*suggest*) proporre; **~ to do sth** (*plan*) proporsi di fare qc **2** *v/i make offer of marriage* fare una proposta di matrimonio; **proposition 1** *n* proposta *f* **2** *v/t woman* fare proposte sessuali a

proprietor [prə'praɪətə(r)] proprietario *m*, -a *f*

prose [prəʊz] prosa *f*

prosecute ['prɒsɪkjuːt] LAW intentare azione legale contro; *of lawyer* sostenere l'accusa contro; **prosecution** LAW azione *f* giudiziaria; (*lawyers*) accusa *f*

prospect ['prɒspekt] (*chance, likelihood*) probabilità *f inv*; *thought of something in the future* prospettiva *f*; **~s** prospettive *fpl*; **prospective** potenziale

prosper ['prɒspə(r)] prosperare; **prosperity** prosperità *f*; **prosperous** prospero

prostitute ['prɒstɪtjuːt] prostituta *f*; **male ~** prostituto *m*; **prostitution** prostituzione *f*

protect [prə'tekt] proteggere; **protection** protezione *f*; **protective** protettivo; **protector** protettore *m*, -trice *f*

protein ['prəʊtiːn] proteina *f*

protest 1 ['prəʊtest] *n* prote-

sta *f* **2** [prə'test] *v/t* protestare
3 [prə'test] *v/i* protestare;
POL manifestare, protestare
Protestant ['protɪstənt] **1** *n*
protestante *m/f* **2** *adj* protestante
protester [prə'testə(r)] dimostrante *m/f*, manifestante
m/f
prototype ['prəʊtətaɪp] pro-
totipo *m*
protrude [prə'truːd] sporgere;
protruding sporgente
proud [praʊd] orgoglioso, fiero; **be ~ of** essere fiero di;
proudly con orgoglio
prove [pruːv] dimostrare
proverb ['provɜːb] proverbio
m
provide [prə'vaɪd] *money,
food* fornire; *opportunity* offrire; **~ s.o. with sth** fornire
qu di qc; **~d that** (*on condition that*) a condizione che
province ['provɪns] provincia
f; **provincial** *also pej* provinciale
provision [prə'vɪʒn] (*supply*)
fornitura *f*; *of law, contract*
disposizione *f*; **provisional**
provvisorio
provocation [provə'keɪʃn]
provocazione *f*; **provocative**
provocatorio; *sexually* provocante; **provoke** (*cause*)
causare; (*annoy*) provocare
prowl [praʊl] aggirarsi; **prowl-
er** tipo *m* sospetto
proximity [prok'sɪmətɪ] prossimità *f*

proxy ['proksɪ] (*authority*)
procura *f*; *person* procuratore *m*, -trice *f*, mandatario *m*,
-a *f*
prudence ['pruːdns] prudenza *f*; **prudent** prudente
prudish ['pruːdɪʃ] che si scan-
dalizza facilmente
pry [praɪ] essere indiscreto
PS ['piːes] (= **postscript**) P.S.
(= post scriptum *m*)
pseudonym ['sjuːdənɪm]
pseudonimo *m*
psychiatric [saɪkɪ'ætrɪk] psichiatrico; **psychiatrist** psichiatra *m/f*; **psychiatry** psi-
chiatria *f*
psychoanalysis [saɪkəʊ-
ən'æləsɪs] psicanalisi *f*;
psychoanalyst psicanalista
m/f; **psychoanalyze** psicanalizzare
psychological [saɪkə'lodʒɪkl]
psicologico; **psychologically** psicologicamente;
psychologist psicologo *m*,
-a *f*; **psychology** psicologia
f
psychopath ['saɪkəpæθ] psi-
copatico *m*, -a *f*
psychosomatic [saɪkəʊsə-
'mætɪk] psicosomatico
pub [pʌb] pub *m inv*
pubic hair [pjuː'bɪk'heə(r)]
peli *mpl* del pube
public ['pʌblɪk] **1** *adj* pubblico
2 *n*: **the ~** il pubblico; **in ~** in
pubblico; **public transport**
mezzi *mpl* pubblici
publication [pʌblɪ'keɪʃn]

pubblicazione f

public 'holiday giorno m festivo

publicity [pʌb'lɪsətɪ] pubblicità f; **publicize** make known far sapere in giro; COM reclamizzare

publicly ['pʌblɪklɪ] pubblicamente

'public school Br scuola f privata; Am scuola pubblica

publish ['pʌblɪʃ] pubblicare; **publisher** editore m; **publishing** editoria f; **publishing company** casa f editrice

pudding ['pʊdɪŋ] dish budino m; part of meal dolce m

puddle ['pʌdl] n pozzanghera f

puff [pʌf] **1** n of wind, smoke soffio m **2** v/i (pant) ansimare; **puffy** eyes, face gonfio

puke [pjuːk] F vomitare

pull [pʊl] **1** n on rope tirata f; F (appeal) attrattiva f; F (influence) influenza f **2** v/t (drag) tirare; tooth togliere; ~ **a muscle** farsi uno strappo muscolare **3** v/i tirare

♦ **pull ahead** in race, competition portarsi in testa

♦ **pull down** (lower) tirar giù; (demolish) demolire

♦ **pull in** of bus, train arrivare

♦ **pull out 1** v/t tirar fuori; troops (far) ritirare **2** v/i of agreement, competition, MIL ritirarsi; of ship partire

♦ **pull over** of driver accostarsi

♦ **pull through** from an illness farcela F

♦ **pull up 1** v/t (raise) tirar su; plant, weeds strappare **2** v/i of car etc fermarsi

pulley ['pʊlɪ] puleggia f

pulsate [pʌl'seɪt] of heart, blood pulsare; of rhythm vibrare

pulse [pʌls] polso m

pulverize ['pʌlvəraɪz] polverizzare

pump [pʌmp] **1** n pompa f **2** v/t pompare

pumpkin ['pʌmpkɪn] zucca f

pun [pʌn] gioco m di parole

punch [pʌntʃ] **1** n blow pugno m; implement punzonatrice f **2** v/t with fist dare un pugno a; hole perforare; ticket forare

punctual ['pʌŋktjʊəl] puntuale; **punctuality** puntualità f

punctuation ['pʌŋktjʊ'eɪʃn] punteggiatura f

puncture ['pʌŋktʃə(r)] **1** n foratura f **2** v/t forare

punish ['pʌnɪʃ] punire; **punishing** pace, schedule estenuante; **punishment** punizione f

puny ['pjuːnɪ] person gracile

pup [pʌp] cucciolo m

pupil[1] ['pjuːpl] of eye pupilla f

pupil[2] ['pjuːpl] (student) allievo m, -a f

puppet ['pʌpɪt] burattino m; with strings marionetta f

puppy ['pʌpɪ] cucciolo m

purchase[1] ['pɜːtʃəs] **1** n acquisto m **2** v/t acquistare

purchase[2] ['pɜːtʃəs] n (grip) presa f

purchaser ['pɜːtʃəsə(r)] acquirente m/f

pure [pjʊə(r)] puro; ~ **new wool** pura lana f vergine; **purely** puramente

purge [pɜːdʒ] **1** n of political party epurazione f **2** v/t epurare

purify ['pjʊərɪfaɪ] purificare

puritan ['pjʊərɪtən] puritano m, -a f

purity ['pjʊərɪtɪ] purezza f

purple ['pɜːpl] viola inv

purpose ['pɜːpəs] (aim, object) scopo m; **on** ~ di proposito; **purposely** di proposito

purr [pɜː(r)] of cat far le fusa

purse [pɜːs] for money borsellino m; Am handbag borsetta f

pursue [pə'sjuː] person inseguire; career intraprendere; course of action proseguire; **pursuer** inseguitore m, -trice f; **pursuit** (chase) inseguimento m; of happiness etc ricerca f; activity occupazione f

push [pʊʃ] **1** n (shove) spinta f **2** v/t (shove) spingere; button premere; (pressurize) fare pressioni su; F drugs spacciare; **be** ~**ed for** F essere a corto di **3** v/i spingere

◆ **push on** (continue) continuare

'**pushchair** passeggino m; **pusher** F of drugs spacciatore m, -trice f; **push-up** flessione f sulle braccia; **pushy** F troppo intraprendente

puss, pussy (cat) [pʊs, 'pʊsɪ (kæt)] F micio m, -a f

put [pʊt] mettere; question porre; ~ **the cost at** stimare il costo intorno a

◆ **put across** ideas etc trasmettere

◆ **put aside** mettere da parte

◆ **put away** in cupboard etc mettere via; in institution rinchiudere; (consume) far fuori; money mettere da parte; Am animal abbattere

◆ **put back** (replace) rimettere a posto

◆ **put down** mettere giù; deposit versare; rebellion reprimere; animal abbattere; (belittle) sminuire; in writing scrivere; **put X down to Y** (attribute) attribuire X a Y

◆ **put forward** idea etc avanzare

◆ **put in** inserire; overtime fare; time, effort dedicare; request, claim presentare

◆ **put off** light, TV spegnere; (postpone) rimandare; (deter) scoraggiare; (repel) disgustare

◆ **put on** light, TV accendere; music mettere su; jacket, shoes, glasses mettersi; make-up mettere; (perform) mettere in scena; (assume) affettare; *she's just putting it on* sta solo fingendo

♦ **put out** *hand* allungare; *fire light* spegnere

♦ **put together** (*assemble*) montare; (*organize*) organizzare

♦ **put up** *hand* alzare; *person* ospitare; (*erect*) costruire; *prices* aumentare; *poster* affiggere; *money* fornire; *put up for sale* mettere in vendita

♦ **put up with** sopportare

putty ['pʌtɪ] mastice *m*

puzzle ['pʌzl] **1** *n* (*mystery*) mistero *m*; *game* rebus *m inv*; *jigsaw* puzzle *m inv* **2** *v/t* lasciar perplesso; **puzzling** inspiegabile

PVC [piːviː'siː] (= *polyvinyl chloride*) PVC *m* (= polivinilcloruro *m*)

pyjamas [pə'dʒɑːməz] pigiama *m*

pylon ['paɪlən] pilone *m*

Q

quack [kwæk] *of duck* fare qua qua

quadrangle ['kwɒdræŋgl] *figure* quadrilatero *m*; *courtyard* cortile *m*

quadruped ['kwɒdruped] quadrupede *m*

quail [kweɪl] perdersi d'animo

quaint [kweɪnt] *pretty* pittoresco; *eccentric*: *ideas etc* curioso

quake [kweɪk] **1** *n* (*earthquake*) terremoto *m* **2** *v/i also fig* tremare

qualification [kwɒlɪfɪ'keɪʃn] *from university etc* titolo *m* di studio; **qualified** *doctor, engineer etc* abilitato; (*restricted*) con riserva; **qualify 1** *v/t of degree, course etc* abilitare; *remark etc* precisare **2** *v/i* (*get certificate etc*) ottene-

re la qualifica (*as* di); *in competition* qualificarsi

quality ['kwɒlətɪ] qualità *f inv*; **quality control** controllo *m* (di) qualità; **quality time** tempo *m* di qualità

qualm [kwɑːm]: *have no ~s about ...* non aver scrupoli a ...

quandary ['kwɒndərɪ] dilemma *m*; *be in a ~* avere un dilemma

quantify ['kwɒntɪfaɪ] quantificare

quantity ['kwɒntətɪ] quantità *f inv*

quarantine ['kwɒrəntiːn] quarantena *f*

quarrel ['kwɒrəl] **1** *n* litigio *m* **2** *v/i* litigare

quarry¹ ['kwɒrɪ] *in hunt* preda *f*

quarry² ['kwɒrɪ] *for mining*

quart 516

cava f

quart [kwɔːt] quarto m di gallone (*Br 1,136 l, Am 0,946 l*)

quarter ['kwɔːtə(r)] quarto m; *part of town* quartiere m; **a ~ of an hour** un quarto d'ora; **(a) ~ to 5** le cinque meno un quarto; **(a) ~ past 5** le cinque e un quarto; **quarter-final** partita f dei quarti mpl di finale; **quarter-finalist** concorrente m/f dei quarti di finale; **quarterly 1** adj trimestrale **2** adv trimestralmente; **quarters** MIL quartieri mpl; **quartet** MUS quartetto m

quartz [kwɔːts] quarzo m

quash [kwɒʃ] *rebellion* reprimere; *court decision* annullare

quaver ['kweɪvə(r)] **1** n in voice tremolo m; MUS croma f **2** v/i of voice tremolare

quay [kiː] banchina f

queasy ['kwiːzɪ] nauseato

queen [kwiːn] regina f

queer [kwɪə(r)] F (*peculiar*) strano

quell [kwel] soffocare

quench [kwenʧ] *also fig* spegnere

query ['kwɪərɪ] **1** n interrogativo m **2** v/t express doubt about contestare; check controllare

quest [kwest] ricerca f

question ['kwesʧn] **1** n domanda f; *matter* questione f; **it's a ~ of money** è questione di soldi; **that's out**

of the ~ è fuori discussione **2** v/t person interrogare; (*doubt*) dubitare di; **questionable** discutibile; (*dubious*) dubbio; **questioning 1** adj look, tone interrogativo **2** n interrogatorio m; **question mark** punto m interrogativo; **questionnaire** questionario m

queue [kjuː] **1** n coda f, fila f **2** v/i fare la fila or la coda

quibble ['kwɪbl] cavillare

quick [kwɪk] person svelto; reply, change veloce; **be ~!** fai presto!, fai in fretta!; **let's have a ~ drink** beviamo qualcosina?; **quickly** rapidamente, in fretta; **quick-witted** sveglio

quid [kwɪd] F sterlina f; **50 ~** 50 sterline

quiet ['kwaɪət] voice, music basso; engine silenzioso; street, life, town tranquillo; **keep ~ about sth** tenere segreto qc; **~!** silenzio!; **quietly** not loudly silenziosamente; (*without fuss*) semplicemente; (*peacefully*) tranquillamente; **quietness** of night, street tranquillità f, calma f; of voice dolcezza f

quilt [kwɪlt] on bed piumino m

quinine [kwɪniːn] chinino m

quip [kwɪp] **1** n battuta f (di spirito) **2** v/i scherzare

quirk [kwɜːk] bizzarria f; **quirky** bizzarro

quit [kwɪt] **1** v/t job mollare F
2 v/i (leave job) licenziarsi;
COMPUT uscire
quite [kwaɪt] (fairly) abbastanza; (completely) completamente; **is that right? – not
~ giusto? -** non esattamente;
~! esatto!; ~ a lot drink,
change parecchio; **~ a lot
better** molto meglio; **~ a
few** un bel po'; **it was ~ a
surprise** è stata una bella
sorpresa

quiver ['kwɪvə(r)] tremare
quiz [kwɪz] **1** n quiz m inv **2** v/t
interrogare
quota ['kwəʊtə] quota f
quotation [kwəʊ'teɪʃn] from
author citazione f; price preventivo m; **quotation marks**
virgolette fpl; **quote 1** n from
author citazione f; price preventivo m; (quotation mark)
virgoletta f; **in ~s** tra virgolette **2** v/t text citare; price stimare

R

rabbit ['ræbɪt] coniglio m
rabble ['ræbl] marmaglia f;
rabble-rouser agitatore m,
-trice f
rabies ['reɪbiːz] rabbia f, idro-
fobia f
raccoon [rə'kuːn] procione m
race¹ [reɪs] n of people razza f
race² [reɪs] **1** n SP gara f; **the
~s** (horse races) le corse **2**
v/i (run fast) correre **3** v/t:
I'll ~ you facciamo una gara
'**racecourse** ippodromo m;
'**racehorse** cavallo m da corsa; '**race riot** scontri mpl raz-
ziali; '**racetrack** pista f; for
horses ippodromo m
racial ['reɪʃl] razziale
racing ['reɪsɪŋ] corse fpl; racing car auto f inv da corsa;
racing driver pilota m auto-
mobilistico
racism ['reɪsɪzm] razzismo m;

racist 1 n razzista m/f **2** adj
razzista
rack [ræk] **1** n for parking
bikes rastrelliera f; for bags
on train portabagagli m inv;
for CDs porta-CD m inv **2**
v/t: **~ one's brains** scervel-
larsi
racket¹ ['rækɪt] SP racchetta f
racket² ['rækɪt] (noise) baccano m; criminal activity racket
m inv
radar ['reɪdɑː(r)] radar m inv
radiance ['reɪdɪəns] splendore m; **radiant** smile splendente; appearance raggiante;
radiate of heat, light diffondersi; **radiation** PHYS radia-
zione f; **radiator** in room termosifone m; in car radiatore
m
radical ['rædɪkl] **1** adj radicale
2 n radicale m/f; **radicalism**

POL radicalismo *m*; **radically** radicalmente

radio ['reɪdɪəʊ] radio *f inv*; **on the** ~ alla radio; **radioactive** radioattivo; **radioactivity** radioattività *f*; **radio alarm** radiosveglia *f*; **radiographer** radiologo *m*, -a *f*; **radiography** radiografia *f*; **radio station** stazione *f* radiofonica, radio *f inv*

radius ['reɪdɪəs] raggio *m*

raft [rɑːft] zattera *f*

rafter ['rɑːftə(r)] travicello *m*

rag [ræg] *for cleaning etc* straccio *m*

rage [reɪdʒ] **1** *n* rabbia *f*, collera *f*; **be all the** ~ F essere di moda **2** *v/i of person* infierire; *of storm* infuriare

ragged ['rægɪd] stracciato

raid [reɪd] **1** *n* raid *m inv* **2** *v/t of police, robbers* fare un raid in; *fridge, orchard* fare razzia in; **raider** *on bank etc* rapinatore *m*, -trice *f*

rail [reɪl] *on track* rotaia *f*; *(hand*~*)* corrimano *m*; *(barrier)* parapetto *m*; *towel* ~ portasciugamano *m inv*; **by** ~ in treno; **railings** *around park etc* inferriata *f*; **railroad** Am ferrovia *f*; **railway** ferrovia *f*; **railway station** stazione *f* ferroviaria

rain [reɪn] **1** *n* pioggia *f*; **in the** ~ sotto la pioggia **2** *v/i* piovere; **it's** ~**ing** sta piovendo; **rainbow** arcobaleno *m*; **raincheck**: **can I take a** ~

on that? Am F posso riservarmi di farlo in seguito?; **raincoat** impermeabile *m*; **raindrop** goccia *f* di pioggia; **rainfall** piovosità *f*; **rain forest** foresta *f* pluviale; **rainproof** *fabric* impermeabile; **rainstorm** temporale *m*; **rainy** *day* di pioggia; *weather* piovoso; **it's** ~ piove molto

raise [reɪz] **1** *n in salary* aumento *m* **2** *v/t shelf, question* sollevare; *offer* aumentare; *children* allevare; *money* raccogliere

raisin ['reɪzn] uva *f* passa

rake [reɪk] *for garden* rastrello *m*

rally ['rælɪ] *meeting* raduno *m*; MOT rally *m inv*; *in tennis* scambio *m*

RAM [ræm] COMPUT (= *random access memory*) RAM *f inv*

ram [ræm] **1** *n* montone *m* **2** *v/t ship, car* sbattere contro

ramble ['ræmbl] **1** *n walk* escursione *f* **2** *v/i walk* fare passeggiate; *in speaking* divagare; *talk incoherently* vaneggiare; **rambling** *speech* sconnesso

ramp [ræmp] rampa *f*; *for raising vehicle* ponte *m* idraulico

rampant ['ræmpənt] *inflation* dilagante

rampart ['ræmpɑːt] bastione *m*

ramshackle ['ræmʃækl] sganherato

ranch [rɑːntʃ] ranch *m inv*;
rancher (*owner*) proprietario *m* di un ranch; **ranch-
hand** lavoratore *m*, -trice *f*
di un ranch

rancid ['rænsɪd] rancido

rancour, *Am* **rancor**
['ræŋkə(r)] rancore *m*

R&D [ɑːrənˈdiː] (= ***research
and development***) ricerca
f e sviluppo *m*

random ['rændəm] **1** *adj* casuale; **~ sample** campione
m casuale **2** *n*: **at ~** a caso

randy ['rændɪ] F arrapato P

range [reɪndʒ] **1** *n of products*
gamma *f*; *of missile*, *gun* gittata *f*; *of salary* scala *f*; *of
voice* estensione *f*; *of mountains* catena *f*; **at close ~** a distanza ravvicinata **2** *v/i*: **~
from X to Y** variare da X a
Y; **ranger** *Am* guardia *f* forestale

rank [ræŋk] **1** *n* MIL grado *m*;
in society rango *m*; **the ~s**
MIL la truppa **2** *v/t* classificare

◆ **rank among** classificarsi
tra

ransack ['rænsæk] saccheggiare

ransom ['rænsəm] riscatto *m*;
ransom money ((soldi *mpl*
del) riscatto *m*

rap [ræp] **1** *n at door* etc colpo
m; MUS rap *m* **2** *v/t table* etc
battere

rape[1] [reɪp] **1** *n* stupro *m* **2** *v/t*
violentare

rape[2] [reɪp] *n* BOT colza *f*

rapid ['ræpɪd] rapido; **rapidity**
rapidità *f*; **rapidly** rapidamente; **rapids** rapide *fpl*

rapist ['reɪpɪst] violentatore
m

rare [reə(r)] raro; *steak* al sangue; **rarely** raramente; **rarity**
rarità *f inv*

rascal ['rɑːskl] birbante *m/f*

rash[1] [ræʃ] *n* MED orticaria *f*

rash[2] [ræʃ] *adj action* avventato

rashly ['ræʃlɪ] avventatamente

raspberry ['rɑːzbərɪ] lampone *m*

rat [ræt] ratto *m*

rate [reɪt] *of exchange* tasso *m*;
of pay, *pricing* tariffa *f*;
(*speed*) ritmo *m*; **at this ~**
(*at this speed*, *carrying on like
this*)di questo passo; **at any ~**
in ogni modo

rather ['rɑːðə(r)] piuttosto; *I
would ~ stay here* preferirei
stare qui

ratification [rætɪfɪˈkeɪʃn] rati-
fica *f*; **ratify** ratificare

ratings ['reɪtɪŋz] indice *m*
d'ascolto

ratio ['reɪʃɪəʊ] proporzione *f*

ration ['ræʃn] **1** *n* razione *f* **2**
v/t supplies razionare

rational ['ræʃənl] razionale;
rationality razionalità *f*; **ra-
tionalization** razionalizza-
zione *f*; **rationalize** raziona-
lizzare; **rationally** razional-
mente

rattle ['rætl] **1** n noise rumore m; toy sonaglio m **2** v/t scuotere **3** v/i far rumore; **rattlesnake** serpente m a sonagli

raucous ['rɔːkəs] sguaiato

rave [reɪv] **1** v/i delirare; ~ **about sth** be very enthusiastic entusiasmarsi per qc **2** n party rave m inv

ravenous ['rævənəs] famelico

'**rave review** recensione f entusiastica

ravine [rə'viːn] burrone m

ravishing ['rævɪʃɪŋ] incantevole

raw [rɔː] meat, vegetable crudo; sugar, iron grezzo; **raw materials** materia f prima

ray [reɪ] raggio m

razor ['reɪzə(r)] rasoio m; **razor blade** lametta f da barba

re [riː] COM con riferimento a

reach [riːtʃ] **1** n: **within** ~ vicino (**of** a); **within arm's reach** a portata (di mano); **out of** ~ non a portata (**of** di); **keep out of** ~ **of children** tenere lontano dalla portata dei bambini **2** v/t arrivare a; decision, agreement raggiungere; **can you** ~ **it?** ci arrivi?

react [rɪ'ækt] reagire; **reaction** reazione f; **reactionary 1** n POL reazionario m, -a f **2** adj POL reazionario; **reactor** nuclear reattore m

read [riːd] leggere

◆ **read out** aloud leggere a

voce alta

◆ **read up on** documentarsi su

readable ['riːdəbl] leggibile; **reader** person lettore m, -trice f

readily ['redɪlɪ] (willingly) volentieri; (easily) facilmente

reading ['riːdɪŋ] also from meter lettura f

readjust [riːə'dʒʌst] **1** v/t regolare **2** v/i to conditions riadattarsi

ready ['redɪ] pronto; **get (o.s.)** ~ prepararsi; **get sth** ~ preparare qc; **ready cash** contanti mpl; **ready-made stew** etc precotto; **solution** bell'e pronto; **ready-to-wear** confezionato

real [riːl] vero; **real estate** proprietà fpl immobiliari; **real estate agent** agente m/f immobiliare; **realism** realismo m; **realist** realista m/f; **realistic** realistico; **realistically** realisticamente; **reality** realtà f inv; **reality show** TV reality show m inv; **realize** rendersi conto di, realizzare; FIN realizzare; **I** ~ **now that ...** ora capisco che ...; **really** veramente; ~? davvero?; **not** ~ (not much) non proprio; **real-time** COMPUT in tempo reale; **real time** COMPUT tempo m reale

realtor ['rɪəltə(r)] Am agente m/f immobiliare; **realty** Am proprietà *fpl* immobiliari

reappear [riːəˈpɪə(r)] riappa-
rire; **reappearance** ricom-
parsa *f*

rear [rɪə(r)] **1** *n of building* retro *m*; *of train* parte *f* posteriore **2** *adj* posteriore

rearm [riːˈɑːm] **1** *v/t* riarmare
2 *v/i* riarmarsi

rearrange [riːəˈreɪnʒ] *furniture* spostare; *schedule, meet-
ings* cambiare

rear-view ˈmirror specchietto
m retrovisore

reason [ˈriːzn] **1** *n faculty* ragione *f*; *(cause)* motivo *m*;
listen to ~ ascoltare ragione
2 *v/i*: **~ with s.o.** far ragionare con qu; **reasonable** *person, price* ragionevole;
weather, health discreto; **a ~
number of people** un di-
screto numero di persone;
reasonably *act, behave* ra-
gionevolmente; *(quite)* abbastanza; **reasoning** ragionamento *m*

reassure [riːəˈʃʊə(r)] rassicurare; **reassuring** rassicuran-
te

rebate [ˈriːbeɪt] *money back*
rimborso *m*

rebel 1 [ˈrebl] *n* ribelle *m/f* **2**
[rɪˈbel] *v/i* ribellarsi; **rebellion** ribellione *f*; **rebellious**
ribelle; **rebelliousness** spirito *m* di ribellione

rebound [rɪˈbaʊnd] *of ball etc*
rimbalzare

rebuild [ˈriːbɪld] ricostruire

recall [rɪˈkɔːl] richiamare; *(remember)* ricordare

recap [ˈriːkæp] F ricapitolare

recapture [riːˈkæptʃə(r)] *criminal* ricatturare; *town* riconquistare

recede [rɪˈsiːd] *of flood waters*
abbassarsi; **receding** *forehead, chin* sfuggente; **have
a ~ hairline** essere stempiato

receipt [rɪˈsiːt] *for purchase* ri-
cevuta *f*, scontrino *m*; **~s** FIN
introiti *mpl*; **receive** ricevere; **receiver** TELEC ricevitore
m; *for radio* apparecchio *m*
ricevente; **receivership**: **be
in ~** essere in amministrazione controllata

recent [ˈriːsnt] recente; **recently** recentemente

reception [rɪˈsepʃn] reception *f inv*; *formal party* ricevimento *m*; *(welcome)* accoglienza *f*; *on radio, mobile* ricezione *f*; **reception desk**
banco *m* della reception; **receptionist** receptionist *m/f
inv*; **receptive**: **be ~ to sth**
essere ricettivo verso qc

recess [ˈriːses] *in wall etc* ri-
entranza *f*; *of parliament* vacanza *f*; *Am* EDU intervallo
m; **recession** *economic* re-
cessione *f*

recharge [riːˈtʃɑːdʒ] *battery* ricaricare

recipe [ˈresəpɪ] ricetta *f*

recipient [rɪˈsɪpɪənt] destinatario *m*, -a *f*

reciprocal [rɪˈsɪprəkl] reciproco

recite [rɪ'saɪt] *poem* recitare; *details, facts* enumerare

reckless ['reklɪs] spericolato; **recklessly** in modo spericolato; *spend* avventatamente

reckon ['rekən] (*think, consider*) pensare

◆ **reckon on** contare su

reclaim [rɪ'kleɪm] *land* bonificare; *lost property* recuperare

recline [rɪ'klaɪn] sdraiarsi; **recliner chair** poltrona *f* reclinabile

recluse [rɪ'kluːs] eremita *m/f*

recognition [rekəg'nɪʃn] *of state, s.o.'s achievements* riconoscimento *m*; **recognizable** riconoscibile; **recognize** riconoscere

recoil [rɪ'kɔɪl] indietreggiare

recollect [rekə'lekt] rammentare; **recollection** ricordo *m*

recommend [rekə'mend] consigliare; **recommendation** consiglio *m*

recompense ['rekəmpens] ricompensa *f*; LAW risarcimento *m*

reconcile ['rekənsaɪl] *people, differences* riconciliare; *facts* conciliare; **~ o.s. to ...** rassegnarsi a ...; **reconciliation** *of people, differences* riconciliazione *f*; *of facts* conciliazione *f*

recondition [riːkən'dɪʃn] ricondizionare

reconnaissance [rɪ'kɒnɪsns] MIL ricognizione *f*

reconsider [riːkən'sɪdə(r)] **1** *v/t offer* riconsiderare **2** *v/i* ripensare

reconstruct [riːkən'strʌkt] *city, crime, life* ricostruire

record¹ ['rekɔːd] *n* MUS disco *m*; SP etc record *m inv*, primato *m*; *written document etc* nota *f*; *in database* record *m inv*; **~s** archivio *m*; **say sth off the ~** dire qc ufficiosamente; **have a criminal ~** avere precedenti penali

record² [rɪ'kɔːd] *v/t electronically* registrare; *in writing* annotare

'record-breaking da record;

recorder [rɪ'kɔːdə(r)] MUS flauto *m* dolce

'record holder primatista *m/f*

recording [rɪ'kɔːdɪŋ] registrazione *f*; **recording studio** sala *f* di registrazione

'record player giradischi *m inv*

re-count ['riːkaʊnt] **1** *n of votes* nuovo conteggio *m* **2** *v/t* (*count again*) ricontare

recount [rɪ'kaʊnt] (*tell*) raccontare

recoup [rɪ'kuːp] *financial losses* rifarsi di

recover [rɪ'kʌvə(r)] **1** *v/t stolen goods* recuperare **2** *v/i from illness* rimettersi; *of business* riprendersi; **recovery** *of stolen goods* recupero *m*; *from illness* guarigione *f*

recreation [rekrɪ'eɪʃn] ricreazione *f*; **recreational** *done* *for pleasure* ricreativo

recruit [rɪ'kruːt] **1** *n* MIL recluta *f*; *to company* neoassunto *m*, -a *f* **2** *v/t new staff* assumere; *members* arruolare; **recruitment** assunzione *f*; MIL, POL reclutamento *m*

rectangle ['rektæŋgl] rettangolo *m*; **rectangular** rettangolare

rectify ['rektɪfaɪ] rettificare

recuperate [rɪ'kjuːpəreɪt] recuperare

recur [rɪ'kɜː(r)] *of error, event* ripetersi; *of symptoms* ripresentarsi; **recurrent** ricorrente

recyclable [riː'saɪkləbl] riciclabile; **recycle** riciclare; **recycling** riciclo *m*

red [red] rosso; ***in the* ~** FIN in rosso; **Red Cross** Croce *f* Rossa

redecorate [riː'dekəreɪt] ritinteggiare; *change wallpaper* ritappezzare

redeem [rɪ'diːm] *debt* estinguere; *sinners* redimere; **redeeming feature** aspetto *m* positivo

redevelop [riːdɪ'veləp] *part of town* risanare

red-handed [red'hændɪd]: ***catch s.o.* ~** cogliere qu in flagrante; **redhead** rosso *m*, -a *f*; **red light** *at traffic lights* rosso *m*; **red light district** quartiere *m* a luci rosse; **red meat** carni *fpl* rosse; **redneck** *Am* F reazionario

m, -a *f*; **red tape** F burocrazia *f*

reduce [rɪ'djuːs] ridurre; **reduction** riduzione *f*

redundancy [rɪ'dʌndənsɪ] *at work* licenziamento *m*; **redundant** (*unnecessary*) superfluo; ***be made* ~** *at work* essere licenziato

reef [riːf] *in sea* scogliera *f*; **reef knot** nodo *m* piano

reek [riːk] puzzare (*of* di)

reel [riːl] *of film* rullino *m*; *of thread* rocchetto *m*; *of tape* bobina *f*; *of fishing line* mulinello *m*

re-e'lect rieleggere; **re-election** rielezione *f*

re-'entry *of spacecraft* rientro *m*

ref [ref] F arbitro *m*

♦ **refer to** [rɪ'fɜː(r)] riferirsi a; *dictionary etc* consultare

referee [refə'riː] SP arbitro *m*; *for job* referenza *f*; **reference** (*allusion*) allusione *f*; *for job* referenza *f*; (*~ number*) (numero *m* di) riferimento *m*; **reference book** opera *f* di consultazione; **reference number** numero *m* di riferimento

referendum [refə'rendəm] referendum *m inv*

refill ['riːfɪl] riempire

refine [rɪ'faɪn] raffinare; **refinement** *to process, machine* miglioramento *m*; **refinery** raffineria *f*

reflect [rɪ'flekt] **1** *v/t light* riflettere; **be ~ed in** riflettersi in 2 *v/i* (*think*) riflettere; re-flection *in water, glass etc* riflesso *m*; (*consideration*) riflessione *f*; **on ~** dopo aver riflettuto

reflex ['riːfleks] *in body* riflesso *m*

reform [rɪ'fɔːm] **1** *n* riforma *f* **2** *v/t* riformare; **reformer** riformatore *m*, -trice *f*

refrain [rɪ'freɪn] *fml*: **please ~ from smoking** si prega di non fumare

refresh [rɪ'freʃ] *person* rinfrescare; **feel ~ed** sentirsi ristorato; **refreshing** *drink* rinfrescante; *experience* piacevole; **refreshments** rinfreschi *mpl*

refrigerate [rɪ'frɪdʒəreɪt] **keep ~d** conservare in frigo; **refrigerator** frigorifero *m*

refuel [riːf'juːəl] **1** *v/t aeroplane* rifornire di carburante **2** *v/i of aeroplane, car* fare rifornimento

refuge ['refjuːdʒ] rifugio *m*; **take ~ from** *storm etc* ripararsi; **refugee** rifugiato *m*, -a *f*, profugo *m*, -a *f*

refund 1 ['riːfʌnd] *n* rimborso *m* **2** [rɪ'fʌnd] *v/t* rimborsare

refusal [rɪ'fjuːzl] rifiuto *m*

refuse[1] [rɪ'fjuːz] rifiutare; **~ to do sth** rifiutare di fare qc

refuse[2] ['refjuːs] *n* rifiuti *mpl*

regain [rɪ'geɪn] *control, lost territory, the lead* riconquistare

regard [rɪ'gɑːd] **1** *n*: **have great ~ for s.o.** avere molta stima di qu; **with ~ to** riguardo a; (*kind*) **~s** cordiali saluti; **with no ~ for** senza alcun riguardo per **2** *v/t*: **~ as** considerare come qc; **regarding** riguardo a; **regardless** lo stesso; **~ of** senza tener conto di

regime [reɪ'ʒiːm] (*government*) regime *m*

regiment ['redʒmənt] reggimento *m*

region ['riːdʒən] regione *f*; **in the ~ of** intorno a; **regional** regionale

register ['redʒɪstə(r)] **1** *n* registro *m* **2** *v/t birth, death: by individual* denunciare; *by authorities* registrare; *vehicle* iscrivere; *letter* assicurare; *emotion* mostrare **3** *v/i at university* iscriversi; **registered letter** (lettera *f*) assicurata *f*; **registration** *at university* iscrizione *f*; **registration number** MOT numero *m* di targa; **registry office** ufficio *m* di stato civile

regret [rɪ'gret] **1** *v/t* rammaricarsi di; *missed opportunity* rimpiangere **2** *n* rammarico *m*; **regretful** di rammarico; **regrettable** deplorevole; **regrettably** purtroppo

regular ['regjʊlə(r)] **1** *adj* regolare; (*ordinary*) normale **2** *n at bar etc* cliente *m/f* abituale; **regularity** regolarità *f* *inv;* **regularly** regolarmente

regulate ['regjuleɪt] regolare; **regulation** *(rule)* regolamento *m; control* controllo *m*

rehabilitate [riːhə'bɪlɪteɪt] *ex--criminal* riabilitare; *disabled person* rieducare

rehearsal [rɪ'hɜːsl] prova *f;* **rehearse** provare

reign [reɪn] **1** *n* regno *m* **2** *v/i* regnare

reimburse [riːɪm'bɜːs] rimborsare

reinforce [riːɪn'fɔːs] rinforzare; **reinforced concrete** cemento *m* armato; **reinforcements** MIL rinforzi *mpl*

reinstate [riːɪn'steɪt] reintegrare

reiterate [riː'ɪtəreɪt] *fml* ripetere

reject [rɪ'dʒekt] respingere; **rejection** rifiuto *m*

relapse ['riːlæps] MED ricaduta *f*

relate [rɪ'leɪt] **1** *v/t story* raccontare **2** *v/i:* ~ **to** ... *be connected with* riferirsi a ...; **he doesn't ~ to people** non sa stabilire un rapporto con gli altri; **related** *by family* imparentato; *events, ideas etc* collegato; **relation** *in family* parente *m/f; (connection)* rapporto *m;* **business ~s** rapporti d'affari; **relationship** rapporto *m;* **relative 1** *n* parente *m/f* **2** *adj* relativo; **relatively** relativa-

mente

relax [rɪ'læks] **1** *v/i* rilassarsi; **~!** rilassati! **2** *v/t* rilassare; **relaxation** relax *m inv; of rules etc* rilassamento *m;* **relaxed** rilassato; **relaxing** rilassante

relay [rɪ'leɪ] **1** *v/t* trasmettere **2** *n:* ~ *(race)* (corsa *f* a) staffetta *f*

release [rɪ'liːs] **1** *n from prison* rilascio *m; of CD etc* uscita *f; of software* versione *f* **2** *v/t prisoner* rilasciare; *handbrake* togliere; *film, record* far uscire; *information* rendere noto

relegate ['relɪgeɪt] relegare; **be ~d** SP essere retrocesso; **relegation** SP retrocessione *f*

relent [rɪ'lent] cedere; **relentless** incessante, implacabile

relevance ['reləvəns] pertinenza *f*

relevant ['reləvənt] pertinente

reliability [rɪlaɪə'bɪlətɪ] affidabilità *f;* **reliable** affidabile; **reliance** dipendenza *f* *(on* da); **reliant:** *be ~ on* dipendere da

relic ['relɪk] reliquia *f*

relief [rɪ'liːf] sollievo *m;* **relieve** *pressure, pain* alleviare; *(take over from)* dare il cambio a; *be ~d at news etc* essere sollevato

religion [rɪ'lɪdʒən] religione *f;* **religious** religioso; **religiously** religiosamente

relinquish [rɪ'lɪŋkwɪʃ] rinunciare a

relish ['relɪʃ] **1** n sauce salsa f; (enjoyment) gusto m **2** v/t idea, prospect gradire

relive [riː'lɪv] rivivere

relocate [riːlə'keɪt] of business, employee trasferirsi

reluctance [rɪ'lʌktəns] riluttanza f; **reluctant** riluttante; **be ~ to do sth** essere restio a fare qc; **reluctantly** a malincuore

◆ **rely on** [rɪ'laɪ] contare su; **rely on s.o. to do sth** contare su qu perché faccia qc

remain [rɪ'meɪn] rimanere; **remainder** also MATH resto m; **remaining** restante; **remains** of body resti mpl

remake ['riːmeɪk] of film remake m inv

remand [rɪ'mɑːnd] **1** v/t: **~ s.o. in custody** ordinare la custodia cautelare di qu **2** n: **be on ~** essere in attesa di giudizio

remark [rɪ'mɑːk] **1** n commento m **2** v/t osservare; **remarkable** notevole; **remarkably** notevolmente

remarry [riː'mærɪ] risposarsi

remedy ['remədɪ] rimedio m

remember [rɪ'membə(r)] **1** v/t ricordare **2** v/i ricordare, ricordarsi

remind [rɪ'maɪnd]: **~ s.o. of s.o. / sth** ricordare qu / qc a qu; **~ s.o. to do sth** ricordare a qu di fare qc; **reminder** promemoria m; COM for

payment sollecito m

reminisce [remɪ'nɪs] rievocare il passato

remission [rɪ'mɪʃn] REL MED remissione f

remnant ['remnənt] resto m; of fabric scampolo m

remorse [rɪ'mɔːs] rimorso m; **remorseless** spietato

remote [rɪ'məʊt] village isolato; possibility remoto; (aloof) distante; ancestor lontano; **remote control** for TV telecomando m; **remotely** related, connected lontanamente; **just ~ possible** vagamente possibile

removable [rɪ'muːvəbl] staccabile; **removal** rimozione f; from home trasloco m; **removal firm** ditta f di traslochi; **remove** togliere; MED asportare; doubt, suspicion eliminare

remuneration [rɪmjuːnə-'reɪʃn] rimunerazione f

Renaissance [rɪ'neɪsəns] Rinascimento m

rename [riː'neɪm] ribattezzare; file rinominare

rendez-vous ['rɒndeɪvuː] (meeting) incontro m

renew [rɪ'njuː] contract rinnovare; **feel ~ed** sentirsi rinato; **renewal** of contract etc rinnovo m

renounce [rɪ'naʊns] rinunciare a

renovate ['renəveɪt] ristrutturare; **renovation** ristrutturazione *f*

rent [rent] **1** *n* affitto *m*; **for ~** affittasi **2** *v/t apartment* affittare; *car, equipment*, noleggiare; (*~ out*) affittare; **rental for apartment** affitto *m*; **for car** noleggio *m*; **for TV, phone** canone *m*; **rental car** macchina *f* a noleggio; **rent-free** gratis

reopen [riː'əupn] riaprire

reorganization [riːɔːgənaɪ'zeɪʃn] riorganizzazione *f*; **reorganize** riorganizzare

repaint [riː'peɪnt] ridipingere

repair [rɪ'peə(r)] **1** *v/t* riparare **2** *n*: **in a bad state of ~** in cattivo stato; **~s** riparazioni *fpl*; **repairman** tecnico *m*

repatriate [riː'pætrɪeɪt] rimpatriare; **repatriation** rimpatrio *m*

repay [riː'peɪ] *money* restituire; *person* ripagare; **repayment** pagamento *m*

repeal [rɪ'piːl] *law* abrogare

repeat [rɪ'piːt] **1** *v/t* ripetere **2** *n programme* replica *f*; **repeatedly** ripetutamente

repel [rɪ'pel] *invaders, attack* respingere; (*disgust*) ripugnare; **repellent 1** *n* (*insect ~*) insettifugo *m* **2** *adj* ripugnante

repercussions [riːpə'kʌʃnz] ripercussioni *fpl*

repertoire ['repətwɑː(r)] repertorio *m*

repetition [repɪ'tɪʃn] ripetizione *f*; **repetitive** ripetitivo

replace [rɪ'pleɪs] (*put back*) mettere a posto; (*take the place of*) sostituire; **replacement person** sostituto *m*, -a *f*; *act* sostituzione *f*; **replacement part** pezzo *m* di ricambio

replay ['riːpleɪ] **1** *n recording* replay *m inv*; *match* spareggio *m* **2** *v/t match* rigiocare

replenish [rɪ'plenɪʃ] *container* riempire; *supplies* rifornire

replica ['replɪkə] copia *f*

reply [rɪ'plaɪ] **1** *n* risposta *f* **2** *v/t* & *v/i* rispondere

report [rɪ'pɔːt] **1** *n* (*account*) resoconto *m*; *by journalist* servizio *m*; *EDU* pagella *f* **2** *v/t facts* fare un servizio su; *to authorities* denunciare **3** *v/i of journalist* fare un reportage; (*present o.s.*) presentarsi

◆ **report to** *in business* rendere conto a

reporter [rɪ'pɔːtə(r)] giornalista *m/f*

repossess [riːpə'zes] COM riprendere possesso di

represent [reprɪ'zent] rappresentare; **representative 1** *n* rappresentante *m/f* **2** *adj* (*typical*) rappresentativo

repress [rɪ'pres] reprimere; **repression** POL repressione *f*; **repressive** POL repressivo

reprieve [rɪ'priːv] **1** *n* LAW sospensione *f* della pena capitale; *fig* proroga *f* **2** *v/t prisoner* sospendere l'esecuzione di

reprimand ['reprimɑːnd] ammonire

reprint ['riːprɪnt] **1** n ristampa f **2** v/t ristampare

reprisal [rɪ'praɪzl] rappresaglia f; **take ~s** fare delle rappresaglie

reproach [rɪ'prəʊtʃ] **1** n rimprovero m; **be beyond ~** essere irreprensibile **2** v/t rimproverare; **reproachful** di rimprovero

reproduce [riːprə'djuːs] **1** v/t riprodurre m **2** v/i riprodursi; **reproduction** riproduzione f; **reproductive** riproduttivo

reptile ['reptaɪl] rettile m

republic [rɪ'pʌblɪk] repubblica f; **republican 1** n repubblicano m, -a **2** adj repubblicano

repulsive [rɪ'pʌlsɪv] ripugnante

reputable ['repjʊtəbl] rispettabile; **reputation** reputazione f; **reputedly** a quanto si dice

request [rɪ'kwest] **1** n richiesta f; **on ~** su richiesta **2** v/t richiedere

require [rɪ'kwaɪə(r)] (*need*) aver bisogno di; **it ~s great care** richiede molta cura; **as ~d by law** come prescritto dalla legge; **required** (*necessary*) necessario; **requirement** (*need*) esigenza f; (*condition*) requisito m

requisition [rekwɪ'zɪʃn] re-

quisire

reroute [riː'ruːt] *aeroplane etc* deviare

rerun ['riːrʌn] **1** n of programme replica f **2** v/t of programme replicare

reschedule [riː'ʃedjuːl] stabilire di nuovo

rescue ['reskjuː] **1** n salvataggio m; **come to s.o.'s ~** andare in aiuto a qu **2** v/t salvare

research [rɪ'sɜːtʃ] ricerca f; **research and development** ricerca f e sviluppo m; **research assistant** assistente ricercatore m, -trice f; **researcher** ricercatore m, -trice f

resemblance [rɪ'zembləns] somiglianza f; **resemble** (as)somigliare a

resent [rɪ'zent] risentirsi per; **resentful** pieno di risentimento; **resentfully** con risentimento; **resentment** risentimento m

reservation [rezə'veɪʃn] of room, table prenotazione f; mental, special area riserva f; **I have a ~** in hotel, restaurant ho prenotato; **reserve 1** n (store) riserva f; (aloofness) riserbo m; SP riserva f; **~s** FIN riserve fpl; **keep sth in ~** tenere qc di riserva **2** v/t seat, table prenotare; judgment riservarsi; **reserved** person, manner riservato; table, seat prenotato

reservoir ['rezəvwɑː(r)] *for water* bacino *m* idrico

residence ['rezɪdəns] *fml: house etc* residenza *f*; (*stay*) permanenza *f*; **residence permit** permesso *m* di residenza; **resident** residente *m/f*; **residential** residenziale

residue ['rezɪdjuː] residuo *m*

resign [rɪˈzaɪn] **1** *v/t position* dimettersi da; **~ o.s. to** rassegnarsi a **2** *v/i from job* dimettersi; **resignation** *from job* dimissioni *fpl*; *mental* rassegnazione *f*

resilient [rɪˈzɪlɪənt] *personality* che ha molte risorse; *material* resistente

resist [rɪˈzɪst] **1** *v/t* resistere a **2** *v/i* resistere; **resistance** resistenza *f*; **resistant** *material* resistente

resolute ['rezəluːt] risoluto; **resolution** (*decision*) risoluzione *f*; *made at New Year etc* proposito *m*; (*determination*) risolutezza *f*; *of problem* soluzione *f*; *of image* risoluzione *f*

resort [rɪˈzɔːt] *place* località *f inv*; **holiday ~** luogo *m* di villeggiatura; **ski ~** stazione *f* sciistica; **as a last ~** come ultima risorsa

◆ **resort to** far ricorso a

◆ **resound with** [rɪˈzaʊnd] risuonare di

resounding [rɪˈzaʊndɪŋ] *success, victory* clamoroso

resource [rɪˈsɔːs] risorsa *f*; **fi-**

nancial ~s mezzi *mpl* economici; **leave s.o. to his own ~s** lasciare qu in balia di se stesso; **resourceful** pieno di risorse

respect [rɪˈspekt] **1** *n* rispetto *m*; **with ~ to** riguardo a; **in this / that ~** quanto a questo; **in many ~s** sotto molti aspetti; **pay one's last ~s to s.o.** rendere omaggio a qu **2** *v/t* rispettare; **respectability** rispettabilità *f*; **respectable** rispettabile; **respectful** rispettoso; **respective** rispettivo; **respectively** rispettivamente

respiration [respɪˈreɪʃn] respirazione *f*; **respirator** MED respiratore *m*

respite ['respaɪt] tregua *f*; **without ~** senza tregua

respond [rɪˈspɒnd] rispondere; **response** risposta *f*

responsibility [rɪspɒnsɪˈbɪlɪtɪ] responsabilità *f*; **responsible** responsabile (**for** di); *job, position* di responsabilità

rest[1] [rest] **1** *n* riposo *m*; **set s.o.'s mind at ~** tranquillizzare qu **2** *v/i* riposare; **~ on ...** (*be based on*) basarsi su ...; (*lean against*) poggiare su ... **3** *v/t* (*lean, balance*) appoggiare

rest[2] [rest]: **the ~** il resto *m*

restaurant ['restrɒnt] ristorante *m*

restful ['restfʊl] riposante;

rest home casa *f* di riposo;
restless irrequieto; *have a
~ night* passare una notte
agitata; **restlessly** nervosamente

restoration [restə'reɪʃn] restauro *m*; **restore** *building
etc* restaurare; *(bring back)*
restituire

restrain [rɪ'streɪn] *dog, troops*
frenare; *emotions* reprimere;
~ o.s. trattenersi; **restraint**
(self-control) autocontrollo
m

restrict [rɪ'strɪkt] limitare; **restricted** *view* limitato; **restriction** restrizione *f*

'rest room *Am* gabinetto *m*

result [rɪ'zʌlt] risultato *m*; **as
a ~ of this** in conseguenza a
ciò

◆ **result from** risultare da,
derivare da

◆ **result in** dare luogo a

résumé ['rezʊmeɪ] *Am* curriculum vitae *m inv*

resume [rɪ'zju:m] riprendere

resumption [rɪ'zʌmpʃn] ripresa *f*

resurface [ri:'sɜ:fɪs] **1** *v/t
roads* asfaltare **2** *v/i (reappear)* riaffiorare

Resurrection [rezə'rekʃn]
REL resurrezione *f*

retail ['ri:teɪl] **1** *adv* al dettaglio **2** *v/i:* **~ at** essere in vendita a; **retailer** dettagliante
m/f; **retail price** prezzo *m*
al dettaglio

retain [rɪ'teɪn] conservare; **re-**

tainer FIN onorario *m*

retaliate [rɪ'tælɪeɪt] vendicarsi; **retaliation** rappresaglia *f*

rethink [ri:'θɪŋk] riconsiderare

reticence ['retɪsns] riservatezza *f*; **reticent** riservato

retire [rɪ'taɪə(r)] *from work*
andare in pensione; **retired**
in pensione; **retirement** pensione *f*; *act* pensionamento
m; **retirement age** età *f inv*
pensionabile; **retiring** riservato

retort [rɪ'tɔ:t] **1** *n* replica *f* **2** *v/t*
replicare

retract [rɪ'trækt] *claws* ritrarre; *undercarriage* far rientrare; *statement* ritrattare

re-'train riqualificarsi

retreat [rɪ'tri:t] **1** *v/i* ritirarsi **2**
n MIL ritirata *f*; *place* rifugio
m

retrieve [rɪ'tri:v] recuperare;
retriever *dog* cane *m* da riporto

retroactive [retrəʊ'æktɪv] retroattivo; **retroactively** retroattivamente

retrograde ['retrəgreɪd] retrogrado

retrospective [retrə'spekt ɪv]
retrospettiva *f*

return [rɪ'tɜ:n] **1** *n* ritorno *m*;
(giving back) restituzione *f*;
COMPUT *(tasto m)* invio *m*;
in tennis risposta *f* al servizio; *(~ ticket)* andata e ritorno *m inv*; *by ~ (of post)* a
stretto giro di posta; **~s**

(*profit*) rendimento *m*; **many happy ~s (of the day)** cento di questi giorni; **in ~ for** in cambio di **2** *v/t* (*give back*) restituire; (*put back*) rimettere; *favour, invitation* ricambiare **3** *v/i* (*go back, come back*) ritornare; *of symptoms, doubts etc* ricomparire; **return flight** volo *m* di ritorno; **return ticket** biglietto *m* (di) andata e ritorno

reunification [riːjuːnɪfɪ'keɪʃn] riunificazione *f*

reunion [riː'juːnɪən] riunione *f*; **reunite** riunire

reusable [riː'juːzəbl] riutilizzabile; **reuse** riutilizzare

◆ **rev up** [rev] *engine* far andare su di giri

revaluation [riːvæljʊ'eɪʃn] rivalutazione *f*

reveal [rɪ'viːl] (*make visible*) mostrare; (*make known*) rivelare; **revealing** *remark* rivelatore; *dress* scollato; **revelation** rivelazione *f*

revenge [rɪ'vendʒ] vendetta *f*; **take one's ~** vendicarsi

revenue ['revənjuː] reddito *m*

reverberate [rɪ'vɜːbəreɪt] *of sound* rimbombare

revere [rɪ'vɪə(r)] riverire; **reverence** rispetto *m*; **Reverend** REL reverendo *m*; **reverent** riverente

reverse [rɪ'vɜːs] **1** *adj sequence* opposto; **in ~ order** in ordine inverso **2** *n* (*opposite*) contrario *m*; (*back*) ro-

vescio *m*; MOT retromarcia *f* **3** *v/t* *sequence* invertire; ~ **the charges** TELEC telefonare a carico del destinatario **4** *v/i* MOT fare marcia indietro

review [rɪ'vjuː] **1** *n* *of book, film* recensione *f*; *of troops* rivista *f*; *of situation etc* revisione *f* **2** *v/t* *book, film* recensire; *troops* passare in rivista; *situation etc* riesaminare; **reviewer** *of book, film* critico *m*, -a *f*

revise [rɪ'vaɪz] **1** *v/t* *opinion, text* rivedere; EDU ripassare **2** *v/i* EDU ripassare; **revision** *of opinion, text* revisione *f*; *for exam* ripasso *m*

revival [rɪ'vaɪvl] *of custom, style etc* revival *m inv*; *of patient* ripresa *f*; **revive 1** *v/t* *custom, style etc* riportare alla moda; *patient* rianimare **2** *v/i* *of business etc* riprendersi

revoke [rɪ'vəʊk] *licence* revocare

revolt [rɪ'vəʊlt] **1** *n* rivolta *f* **2** *v/i* ribellarsi; **revolting** schifoso; **revolution** rivoluzione *f*; **revolutionary 1** *n* POL rivoluzionario *m*, -a *f* **2** *adj* rivoluzionario; **revolutionize** rivoluzionare

revolve [rɪ'vɒlv] ruotare; **revolver** revolver *m inv*

revulsion [rɪ'vʌlʃn] ribrezzo *m*

reward [rɪ'wɔːd] **1** *n* *financial* ricompensa *f*; *benefit derived* vantaggio m **2** v/t financially ricompensare; **rewarding** experience gratificante

rewind [riːˈwaɪnd] film, tape riavvolgere

rewrite [riːˈraɪt] riscrivere

rhetoric [ˈretərɪk] retorica f

rheumatism [ˈruːmətɪzm] reumatismo m

rhinoceros [raɪˈnɒsərəs] rinoceronte m

rhubarb [ˈruːbɑːb] rabarbaro m

rhyme [raɪm] **1** n rima f **2** v/i rimare; **~ with** fare rima con

rhythm [ˈrɪðm] ritmo m

rib [rɪb] ANAT costola f

ribbon [ˈrɪbən] nastro m

rice [raɪs] riso m

rich [rɪtʃ] **1** adj ricco; food pesante **2** n: **the ~** i ricchi mpl; **richly** deserved pienamente

ricochet [ˈrɪkəʃeɪ] rimbalzare

rid [rɪd]: **get ~ of** sbarazzarsi di; **riddance**: **good ~!** che liberazione!

ride [raɪd] **1** n on horse cavalcata f; in vehicle giro m; (journey) viaggio m; **do you want a ~ into town?** vuoi uno strappo in città? **2** v/t ~ **a horse** andare a cavallo; ~ **a bike** andare in bicicletta **3** v/i on horse andare a cavallo; on bike andare; in vehicle viaggiare; **rider** on horse cavallerizzo m, -a f; on bike ciclista m/f

ridge [rɪdʒ] raised strip sporgenza f; of mountain cresta

f; of roof punta f

ridicule [ˈrɪdɪkjuːl] **1** n ridicolo m **2** v/t ridicolizzare; **ridiculous** ridicolo; **ridiculously** incredibilmente

riding [ˈraɪdɪŋ] on horseback equitazione f

rifle [ˈraɪfl] fucile m

rift [rɪft] in earth crepa f; in party etc spaccatura f

rig [rɪg] **1** n (oil ~) piattaforma f petrolifera **2** v/t elections manipolare

right [raɪt] **1** adj (correct) esatto; (proper, just) giusto; (suitable) adatto; not left destro; **be ~** of answer essere esatto; of person avere ragione; of clock essere giusto; **put things ~** sistemare le cose **2** adv (directly) proprio; (correctly) bene; (completely) completamente; not left a destra; ~ **now** (immediately) subito; (at the moment) adesso **3** n civil, legal etc diritto m; not left, POL destra f; **on the ~** a destra; **turn to the ~**, **take a ~** girare a destra; **be in the ~** avere ragione; **know ~ from wrong** saper distinguere il bene dal male; **right-angle** angolo m retto; **rightful** owner etc legittimo; **right-hand drive** MOT guida f a destra; car auto f inv con guida a destra; **righthanded**: **be ~** usare la (mano) destra; **righthand man** braccio m destro; **right of way** in traffic (diritto *m* di) precedenza *f*; **across land** diritto *m* di accesso; **right wing** POL destra *f*; SP esterno *m* destro; **right-wing** POL di destra; **right winger** POL persona *f* di destra; **right-wing extremism** POL estremismo *m* di destra

rigid ['rɪdʒɪd] *material, principles* rigido; *attitude* inflessibile

rigor *Am* ☞ **rigour**

rigorous ['rɪgərəs] rigoroso; **rigorously** *check* rigorosamente; **rigour** rigore *m*

rile [raɪl] F irritare

rim [rɪm] *of wheel* cerchione *m*; *of cup* orlo *m*; *of spectacles* montatura *f*

ring[1] [rɪŋ] *(circle)* cerchio *m*; *on finger* anello *m*; *in boxing* ring *m inv*, quadrato *m*; *at circus* pista *f*

ring[2] [rɪŋ] **1** *n of bell* trillo *m*; *of voice* suono *m* **2** *v/t bell* suonare; TELEC chiamare **3** *v/i of bell* suonare

'ringleader capobanda *m inv*; **ring-pull** linguetta *f*

rink [rɪŋk] pista *f* di pattinaggio su ghiaccio

rinse [rɪns] **1** *n for hair colour* cachet *m inv* **2** *v/t* sciacquare

riot ['raɪət] **1** *n* sommossa *f* **2** *v/i* causare disordini; **rioter** dimostrante *m/f*; **riot police** reparti *mpl* (di polizia) antisommossa

rip [rɪp] *n in cloth etc* strappo

m **2** *v/t cloth etc* strappare

◆ **rip off** F *customers* fregare F

ripe [raɪp] *fruit* maturo; **ripen** *of fruit* maturare; **ripeness** *of fruit* maturazione *f*

'rip-off F fregatura *f* F

ripple ['rɪpl] *on water* increspatura *f*

rise [raɪz] **1** *v/i from chair etc* alzarsi; *of sun* sorgere; *of price, temperature* aumentare; *of water level* salire **2** *n* aumento *m*; **give ~ to** dare origine a; **riser**: **be an early / be a late ~** essere mattiniero / alzarsi sempre tardi

risk [rɪsk] **1** *n* rischio *m*; **take a ~** correre un rischio **2** *v/t* rischiare; **risky** rischioso

ritual ['rɪtjʊəl] **1** *n* rituale *m* **2** *adj* rituale

rival ['raɪvl] **1** *n* rivale *m/f*; *in business* concorrente *m/f* **2** *v/t* competere con; **rivalry** rivalità *f inv*

river ['rɪvə(r)] fiume *m*; **riverbank** sponda *f* del fiume; **riverbed** letto *m* del fiume; **riverside 1** *adj* sul fiume **2** *n* riva *f* del fiume

riveting ['rɪvɪtɪŋ] avvincente

Riviera [rɪvɪ'eərə]: **the Italian ~** la riviera (ligure)

road [rəʊd] strada *f*; **it's just down the ~** è qui vicino; **roadblock** posto *m* di blocco; **road hog** pirata *m* della strada; **road holding** *of vehicle* tenuta *f* di strada; **road**

map carta *f* automobilistica; **road rage** comportamento *m* di estrema aggressività da parte di automobilisti; **road safety** sicurezza *f* sulle strade; **roadsign** cartello *m* stradale; **roadway** carreggiata *f*; **road works** *npl* lavori *mpl* stradali; **roadworthy** in buono stato di marcia

roam [rəʊm] vagabondare

roar [rɔː(r)] **1** *n* of engine rombo *m*; of lion ruggito *m*; of traffic fragore *m* **2** *v/i* of engine rombare; of lion ruggire; of person gridare; **~ with laughter** ridere fragorosamente

roast [rəʊst] **1** *n* in beef etc arrosto *m* **2** *v/t* arrostire; coffee beans, peanuts tostare **3** *v/i* of food arrostire; in hot room, climate scoppiare di caldo; **roast beef** arrosto *m* di manzo; **roast pork** arrosto *m* di maiale

rob [rɒb] person, bank rapinare; **robber** rapinatore *m*, -trice *f*; **robbery** rapina *f*

robe [rəʊb] of judge toga *f*; of priest tonaca *f*; Am (dressing gown) vestaglia *f*

robin ['rɒbɪn] pettirosso *m*

robot ['rəʊbɒt] robot *m inv*

robust [rəʊ'bʌst] robusto

rock [rɒk] **1** *n* roccia *f*; MUS rock *m*; **on the ~s** drink con ghiaccio; marriage in crisi **2** *v/t* baby cullare; cradle far dondolare; (surprise) scon-

volgere **3** *v/i* on chair dondolarsi; **rock and roll** rock and roll *m*; **rock band** gruppo *m* rock; **rock-bottom** prices bassissimo; **rock bottom**: **reach ~** toccare il fondo; **rock climber** rocciatore *m*, -trice *f*; **rock climbing** roccia *f*

rocket ['rɒkɪt] **1** *n* razzo *m* **2** *v/i* of prices etc salire alle stelle

rocking chair ['rɒkɪŋ] sedia *f* a dondolo; **rocking horse** cavallo *m* a dondolo

'rock star rockstar *f inv*

rocky ['rɒkɪ] shore roccioso; (shaky) instabile

rod [rɒd] sbarra *f*; for fishing canna *f*

rodent ['rəʊdnt] roditore *m*

rogue [rəʊg] briccone *m*, -a *f*

role [rəʊl] ruolo *m*; **role model** modello *m* di comportamento

roll [rəʊl] **1** *n* of bread panino *m*; of film rullino *m*; (list, register) lista *f* **2** *v/t* of ball etc rotolare; of boat dondolare

◆ **roll over** *v/i* rigirarsi **2** *v/t* person, object girare; loan, agreement rinnovare

'roll call appello *m*; **roller for hair** bigodino *m*; **roller blade®** roller blade *m inv*; **roller coaster** montagne *fpl* russe; **roller skate** pattino *m* a rotelle

ROM [rɒm] COMPUT (= **read only memory**) ROM *f inv*

Roman ['rəʊmən] **1** *adj* romano **2** *n* Romano *m*, -a *f*; **Roman Catholic 1** *n* REL cattolico *m*, -a *f* **2** *adj* cattolico

romance [rə'mæns] *(affair)* storia *f* d'amore; *novel* romanzo *m* rosa; *film* film *m inv* d'amore; **romantic** romantico

Rome [rəʊm] Roma *f*

roof [ruːf] tetto *m*; **roof box** MOT box portabagagli *m inv*; **roof rack** MOT portabagagli *m inv*

rookie ['rʊkɪ] *Am* F pivello *m*

room [ruːm] stanza *f*; *(bedroom)* camera *f* (da letto); *(space)* posto *m*; **room clerk** *Am* receptionist *m/f inv*; **room mate** *Am* compagno *m*, -a *f* di stanza; *in apartment* compagno *m*, -a *f* di appartamento; **room service** servizio *m* in camera; **room temperature** temperatura *f* ambiente; **roomy** *house, car etc* spazioso; *clothes* ampio

root [ruːt] radice *f*

rope [rəʊp] corda *f*, fune *f*

rosary ['rəʊzərɪ] REL rosario *m*

rose [rəʊz] BOT rosa *f*

roster ['rɒstə(r)] turni *mpl*; *actual document* tabella *f* dei turni

rostrum ['rɒstrəm] podio *m*

rosy ['rəʊzɪ] roseo

rot [rɒt] **1** *n* marciume *m* **2** *v/i* marcire

rotate [rəʊ'teɪt] **1** *v/i of blades,* *earth* ruotare **2** *v/t* girare; *crops* avvicendare; **rotation** rotazione *f*; **in ~** a turno

rotten ['rɒtn] *food, wood etc* marcio; F *(very bad)* schifoso F

rough [rʌf] **1** *adj hands, skin,* *surface* ruvido; *ground* accidentato; *(coarse)* rozzo; *(violent)* violento; *crossing* movimentato; *seas* grosso; *(approximate)* approssimativo; **~ draft** abbozzo *m* 2 *adv*: **sleep ~** dormire all'addiaccio **3** *n in golf* erba *f* alta; **roughage** *in food* fibre *fpl*; **roughly** *(approximately)* circa; *(harshly)* bruscamente; **~ speaking** grosso modo

roulette [ruː'let] roulette *f inv*

round [raʊnd] **1** *adj* rotondo **2** *n of postman, doctor* giro *m*; *of toast* fetta *f*; *of drinks* giro *m*; *of competition* girone *m*; *in boxing match* round *m inv* **3** *v/t corner* girare **4** *adv* & *prep* ☞ **around**

◆ **round up** *figure* arrotondare; *suspects, criminals* radunare

roundabout ['raʊndəbaʊt] **1** *adj* indiretto **2** *n on road* rotatoria *f*; **round-the-world** intorno al mondo; **round trip ticket** *Am* biglietto *m* (di) andata e ritorno; **round-up** *of cattle* raduno *m*; *of suspects, criminals* retata *f*; *of news* riepilogo *m*

rouse [raʊz] *from sleep* svegliare; *emotions* risvegliare; **rousing** entusiasmante

route [ruːt] *of car* itinerario *m*; *of plane, ship* rotta *f*; *of bus* percorso *m*

routine [ruːˈtiːn] **1** *adj* abituale **2** *n* routine *f*; *as a matter of* ~ d'abitudine

row[1] [rəʊ] *n* (*line*) fila *f*; *5 days in a* ~ 5 giorni di fila

row[2] [rəʊ] *v/t boat* remare

row[3] [raʊ] *n* (*quarrel*) litigio *m*; (*noise*) baccano *m*

'rowboat *Am* barca *f* a remi

rowdy ['raʊdɪ] turbolento

'rowing boat barca *f* a remi

royal ['rɔɪəl] reale; **royalty** (*royal persons*) reali *mpl*; *on book, recording* royalty *f inv*

rub [rʌb] sfregare, strofinare

rubber ['rʌbə(r)] **1** *n* gomma *f* **2** *adj* di gomma; **rubber band** elastico *m*

rubbish ['rʌbɪʃ] immondizia *f*; (*poor quality*) porcheria *f*; (*nonsense*) sciocchezza *f*; **rubbish bin** pattumiera *f*

rubble ['rʌbl] macerie *fpl*

ruby ['ruːbɪ] *jewel* rubino *m*

rucksack ['rʌksæk] zaino *m*

rudder ['rʌdə(r)] timone *m*

ruddy ['rʌdɪ] *complexion* rubicondo

rude [ruːd] maleducato; *language* volgare; *it's* ~ *to* ... è cattiva educazione ...; **rudely** (*impolitely*) scortesemente; **rudeness** maleducazione *f*

rudimentary [ruːdɪˈmentərɪ]

rudimentale; **rudiments** rudimenti *mpl*

rueful ['ruːful] rassegnato; **ruefully** con aria rassegnata

ruffian ['rʌfɪən] delinquente *m/f*

ruffle ['rʌfl] **1** *n* (*on dress*) gala *f* **2** *v/t hair* scompigliare; *person* turbare; *get* ~*d* agitarsi

rug [rʌg] tappeto *m*; (*blanket*) coperta *f* (da viaggio)

rugby ['rʌgbɪ] rugby *m*; **rugby league** rugby *m* a tredici; **rugby player** giocatore *m* di rugby; **rugby union** rugby *m* a quindici

rugged ['rʌgɪd] *coastline* frastagliato; *face, features* marcato

ruin ['ruːɪn] **1** *n* rovina *f* **2** *v/t* rovinare

rule [ruːl] **1** *n of club, game* regola *f*; (*authority*) dominio *m*; *for measuring* metro *m* (a stecche); *as a* ~ generalmente **2** *v/t country* governare; *the judge* ~*d that* ... il giudice ha stabilito che ... **3** *v/i of monarch* regnare
◆ **rule out** escludere

ruler ['ruːlə(r)] *for measuring* righello *m*; *of state* capo *m*; **ruling 1** *n* decisione *f* **2** *adj party* di governo

rum [rʌm] *drink* rum *m inv*

rumble ['rʌmbl] *of stomach* brontolare; *of thunder* rimbombare

rumour, *Am* **rumor** ['ruː-

mə(r)] **1** *n* voce *f* **2** *v/t*: *it is ~ed that ...* corre voce che ...

rump [rʌmp] *of animal* groppa *f*

rumple ['rʌmpl] *clothes, paper* spiegazzare

'rumpsteak bistecca *f* di girello

run [rʌn] **1** *n on foot* corsa *f*; *Am in tights* sfilatura *f*; *go for a ~* andare a correre; *go for a ~ in the car* andare a fare un giro in macchina; *make a ~ for it* scappare; *a criminal on the ~* un evaso, un'evasa; *in the short ~ / in the long ~* sulle prime / alla lunga; *a ~ on the dollar* una forte richiesta di dollari **2** *v/i of person, animal* correre; *of river* scorrere; *of trains, buses* viaggiare; *of paint, makeup* sbavare; *of nose* colare; *of play* tenere il cartellone; *of software* girare; *of engine, machine* funzionare; *~ for President* in election candidarsi alla presidenza **3** *v/t* (*take part in: race*) correre; (*take part in: race*) partecipare a; *business, hotel, project etc* gestire; *software* lanciare; *car* usare; *risk* correre; *can I ~ you to the station?* ti porto alla stazione?

◆ **run across** (*meet*) imbattersi in

◆ **run away** scappare

◆ **run down 1** *v/t* (*knock down*) investire; (*criticize*) parlare male di; *stocks* ridurre **2** *v/i of battery* scaricarsi

◆ **run into** (*meet*) imbattersi in; *difficulties* trovare

◆ **run off 1** *v/i* scappare **2** *v/t* (*print off*) stampare

◆ **run out** *of contract, time* scadere; *of supplies* esaurirsi

◆ **run out of** *patience* perdere; *supplies* rimanere senza; *I ran out of petrol* ho finito la benzina

◆ **run over 1** *v/t* (*knock down*) investire; *details* rivedere **2** *v/i of water etc* traboccare

◆ **run up** *debts, bill* accumulare

'runaway ragazzo *m*, -a *f* scappato di casa; **run-down** *person* debilitato; *area, building* fatiscente

rung [rʌŋ] *of ladder* piolo *m*

runner ['rʌnə(r)] *athlete* velocista *m/f*; **runner beans** fagiolini *mpl*; **runner-up** secondo *m*, -a *f* classificato (-a); **running 1** *n* SP corsa *f*; *of business* gestione *f* **2** *adj*: *for two days ~* per due giorni di seguito; **running water** acqua *f* corrente; **runny** *substance* liquido; *nose* che cola; **run-up** SP rincorsa *f*; *in the ~ to* nel periodo che precede; **runway** pista *f*

rupture ['rʌptʃə(r)] **1** *n* rottura *f*; MED lacerazione *f*; (*hernia*) ernia *f* **2** *v/i of pipe etc* scoppiare

rural ['ruərəl] rurale

ruse [ruːz] stratagemma *m*

rush [rʌʃ] **1** *n* corsa *f*; **do sth in a ~** fare qc di corsa; **be in a ~** andare di corsa **2** *v/t person* mettere fretta a; *meal* mangiare in fretta; **~ s.o. to hospital** portare qu di corsa all'ospedale **3** *v/i* affrettarsi; **rush hour** ora *f* di punta

Russia [ˈrʌʃə] Russia *f*; **Russian 1** *adj* russo **2** *n* russo *m*, -a *f*; *language* russo *m*

rust [rʌst] **1** *n* ruggine *f* **2** *v/i* arrugginirsi; **rust-proof** a prova di ruggine

rusty [ˈrʌstɪ] *also fig* arrugginito

rut [rʌt] *in road* solco *m*; **be in a ~** *fig* essersi fossilizzato

ruthless [ˈruːθlɪs] spietato; **ruthlessly** spietatamente; **ruthlessness** spietatezza *f*

rye [raɪ] segale *f*; **rye bread** pane *m* di segale

S

sabotage [ˈsæbətɑːʒ] **1** *n* sabotaggio *m* **2** *v/t* sabotare; **saboteur** sabotatore *m*, -trice *f*

sachet [ˈsæʃeɪ] bustina *f*

sack [sæk] **1** *n* bag sacco *m* **2** *v/t* F licenziare

sacred [ˈseɪkrɪd] sacro

sacrifice [ˈsækrɪfaɪs] **1** *n* also *fig* sacrificio *m* **2** *v/t* sacrificare

sacrilege [ˈsækrɪlɪdʒ] sacrilegio *m*

sad [sæd] triste; *state of affairs* deplorevole

saddle [ˈsædl] **1** *n* sella *f* **2** *v/t horse* sellare; **~ s.o. with sth** *fig* affibbiare qc a qu

sadism [ˈseɪdɪzm] sadismo *m*; **sadist** sadista *m/f*; **sadistic** sadistico

sadly [ˈsædlɪ] tristemente; (*regrettably*) purtroppo; **sadness** tristezza *f*

safe [seɪf] **1** *adj not dangerous* sicuro; *not in danger* al sicuro; *driver* prudente **2** *n* cassaforte *f*; **safeguard 1** *n* protezione *f*, salvaguardia *f*; **as a ~ against** per proteggersi contro **2** *v/t* proteggere; **safely arrive, complete test etc** senza problemi; *drive* prudentemente; *assume* tranquillamente; **safety** sicurezza *f*; **safety pin** spilla *f* di sicurezza

sag [sæg] *of ceiling* incurvarsi; *of rope* allentarsi

saga [ˈsɑːgə] saga *f*

sage [seɪdʒ] *herb* salvia *f*

Sagittarius [sædʒɪˈteərɪəs] ASTR Sagittario *m*

sail [seɪl] **1** *n of boat* vela *f*; *trip* veleggiata *f*; **go for a ~** fare un giro in barca (a vela) **2** *v/t yacht* pilotare **3** *v/i* fare vela; (*depart*) salpare; **sail-**

board 1 *n* windsurf *m inv* **2** *v/i* fare windsurf; **sailboarding** windsurf *m*; **sailboat** *Am* barca *f* a vela; **sailing** SP vela *f*; **sailing boat** barca *f* a vela; **sailor** marinaio *m*

saint [seɪnt] santo *m*, -a *f*

sake [seɪk]: **for my ~** per il mio bene; **for the ~ of** per

salad ['sæləd] insalata *f*; **salad dressing** condimento *m* per l'insalata

salary ['sælərɪ] stipendio *m*

sale [seɪl] vendita *f*; *at reduced prices* svendita *f*, saldi *mpl*; **for ~** *sign* in vendita; **be on ~** essere in vendita; **sales department** reparto *m* vendite; **sales clerk** *Am in store* commesso *m*, -a *f*; **sales figures** fatturato *m*; **salesman** venditore *m*; **sales manager** direttore *m*, -trice *f* delle vendite; **saleswoman** venditrice *f*

salient ['seɪlɪənt] saliente

saliva [sə'laɪvə] saliva *f*

salmon ['sæmən] salmone *m*

saloon [sə'luːn] (*bar*) bar *m inv*; MOT berlina *f*

salt [sɒlt] sale *m*; **salty** salato

salute [sə'luːt] **1** *n* MIL saluto *m* **2** *v/t & v/i* salutare

salvage ['sælvɪdʒ] *from wreck* ricuperare

salvation [sæl'veɪʃn] salvezza *f*

same [seɪm] **1** *adj* stesso **2** *pron* stesso; **the ~** lo stesso, la stessa; *Happy New Year*

– the ~ to you Buon anno! – grazie e altrettanto!; *it's all the ~ to me* per me è uguale **3** *adv*: *the ~* allo stesso modo; *look / sound the ~* sembrare uguale

sample ['sɑːmpl] campione *m*

sanction ['sæŋkʃn] **1** *n* (*approval*) approvazione *f*; (*penalty*) sanzione *f* **2** *v/t* (*approve*) sancire

sanctity ['sæŋktətɪ] santità *f*

sand [sænd] **1** *n* sabbia *f* **2** *v/t with sandpaper* smerigliare

sandal ['sændl] sandalo *m*

'sandbag sacchetto *m* di sabbia; **sand dune** duna *f*; **sander** *tool* smerigliatrice *f*; **sandpaper 1** *n* carta *f* smerigliata **2** *v/t* smerigliare

sandwich ['sænwɪdʒ] tramezzino *m*

sandy ['sændɪ] *beach* sabbioso; *full of sand* pieno di sabbia; *hair* rossiccio

sane [seɪn] sano di mente

sanitarium [sænɪ'terɪəm] casa *f* di cura

sanitary ['sænɪtərɪ] *conditions* igienico; *installations* sanitario; **sanitary towel** assorbente *m* (igienico); **sanitation** impianti *mpl* igienici; (*removal of waste*) fognature *fpl*

sanity ['sænətɪ] sanità *f* mentale

Santa Claus ['sæntəklɔːz] Babbo *m* Natale

sap [sæp] **1** *n in tree* linfa *f* **2** *v/t*

s.o.'s energy indebolire

sapphire ['sæfaɪə(r)] zaffiro *m*

sarcasm ['sɑːkæzm] sarcasmo *m*; **sarcastic** sarcastico; **sarcastically** sarcasticamente

sardine [sɑːˈdiːn] sardina *f*

Sardinia [sɑːˈdɪnɪə] Sardegna *f*; **Sardinian 1** *adj* sardo **2** *n* sardo *m*, -a *f*

sardonic [sɑːˈdɒnɪk] sardonico

Satan ['seɪtn] Satana *m*

satellite ['sætəlaɪt] satellite *m*; **satellite dish** antenna *f* parabolica; **satellite TV** TV *f inv* satellitare

satin ['sætɪn] satin *m*

satire ['sætaɪə(r)] satira *f*; **satirical** satirico; **satirize** satireggiare

satisfaction [sætɪsˈfækʃn] soddisfazione *f*; **satisfactory** soddisfacente; *just good enough* sufficiente; **satisfy** soddisfare; *requirement* rispondere a; *I am satisfied that ...* (*convinced*) sono convinto che ...

Saturday ['sætədeɪ] sabato *m*

sauce [sɔːs] salsa *f*, sugo *m*; **saucepan** pentola *f*; **saucer** piattino *m*

Saudi Arabia [saʊdɪəˈreɪbɪə] Arabia *f* Saudita; **Saudi Arabian 1** *adj* saudita **2** *n person* saudita *m/f*

sauna ['sɔːnə] sauna *f*

sausage ['sɒsɪdʒ] salsiccia *f*

savage ['sævɪdʒ] **1** *adj animal* selvaggio; *criticism* feroce **2** *n* selvaggio *m*, -a *f*; **savagery** ferocia *f*

save [seɪv] **1** *v/t* (*rescue*) salvare; *money, time, effort* risparmiare; (*collect*) raccogliere; COMPUT salvare; *goal* parare **2** *v/i* (*put money aside*) risparmiare; SP parare **3** *n* SP parata *f*; **saver** *person* risparmiatore *m*, -trice *f*; **savings** risparmi *mpl*; **savings account** libretto *m* di risparmio; **savings and loan** *Am* istituto *m* di credito immobiliare; **savings bank** cassa *f* di risparmio

saviour, *Am* **savior** ['seɪvjə(r)] REL salvatore *m*

savor *etc Am* ☞ **savour** *etc*

savour ['seɪvə(r)] assaporare; **savoury** *not sweet* salato (*non dolce*)

saw [sɔː] **1** *n tool* sega *f* **2** *v/t* segare; **sawdust** segatura *f*

saxophone ['sæksəfəʊn] sassofono *m*

say [seɪ] dire; *that is to ~* sarebbe a dire; *saying* detto *m*

scab [skæb] *on skin* crosta *f*

scaffolding ['skæfəldɪŋ] impalcature *fpl*

scald [skɔːld] scottare; *~ o.s.* scottarsi

scale¹ [skeɪl] *on fish* scaglia *f*

scale² [skeɪl] **1** *n of map,* MUS scala *f*; *of project* portata *f* **2** *v/t cliffs etc* scalare

scales [skeɪlz] *for weighing*

bilancia *fsg*
scallop ['skɒləp] capasanta *f*
scalp [skælp] cuoio *m* capelluto
scalpel ['skælpl] bisturi *m*
scam [skæm] F truffa *f*
scampi ['skæmpɪ] gamberoni *mpl* in pastella fritti
scan [skæn] **1** *v/t* *horizon* scrutare; *page* scorrere; *foetus* fare l'ecografia di; *brain* fare la TAC di; COMPUT scannerizzare **2** *n* (*brain ~*) TAC *f inv*; *of foetus* ecografia *f*
♦ **scan in** COMPUT scannerizzare
scandal ['skændl] scandalo *m*; **scandalize** scandalizzare; **scandalous** scandaloso *m*
scanner ['skænə(r)] scanner *m inv*
scanty ['skæntɪ] *clothes* succinto
scapegoat ['skeɪpɡəut] capro *m* espiatorio
scar [skɑː(r)] **1** *n* cicatrice *f* **2** *v/t* *face* lasciare cicatrici su; *fig* segnare
scarce [skeəs] *in short supply* scarso; **scarcely** appena; **there was ~ anything left** non rimaneva quasi più niente; **scarcity** scarsità *f inv*
scare [skeə(r)] **1** *v/t* spaventare; **be ~d of** avere paura di **2** *n* (*panic, alarm*) panico *m*; **scaremonger** allarmista *m/f*
scarf [skɑːf] *around neck*

sciarpa *f*; *over head* foulard *m inv*
scarlet ['skɑːlət] scarlatto
scary ['skeərɪ] che fa paura
scathing ['skeɪðɪŋ] caustico
scatter ['skætə(r)] **1** *v/t* *leaflets, seeds* spargere; *crowd* disperdere **2** *v/i* *of people* sperdersi; **scatterbrained** sventato; **scattered** *family, villages* sparpagliato; ~ **showers** precipitazioni sparse
scavenge ['skævɪndʒ] frugare tra i rifiuti; **scavenger** animale *m* necrofago; *person* persona che fruga tra i rifiuti
scenario [sɪ'nɑːrɪəu] scenario *m*
scene [siːn] scena *f*; (*argument*) scenata *f*; **make a ~** fare una scenata; ~**s** THEA scenografia *f*; **behind the ~s** dietro le quinte; **scenery** paesaggio *m*; THEA scenario *m*
scent [sent] profumo *m*; *of animal* odore *m*
sceptic ['skeptɪk] scettico *m*, -a *f*; **sceptical** scettico *m*; **scepticism** scetticismo *m*
schedule ['ʃedjuːl] **1** *n* *of events, work* programma *m*; *for trains* orario *m*; **be on ~** *of work, of train etc* essere in orario; **be behind ~** *of work, of train etc* essere in ritardo **2** *v/t put on schedule* programmare; **scheduled flight** volo *m* di linea
scheme [skiːm] **1** *n* (*plan*) pia-

no *m*; (*plot*) complotto *m* **2**
v/i (*plot*) complottare, tramare; **scheming** intrigante
schizophrenia [skɪtsə'fri:-
nɪə] schizofrenia *f*; **schizo-
phrenic 1** *n* schizofrenico
m, -a *f* **2** *adj* schizofrenico
scholar ['skɒlə(r)] studioso
m, -a *f*; **scholarly** dotto;
scholarship (*scholarly
work*) erudizione *f*; (*financial award*) borsa *f* di studio
school [sku:l] scuola *f*; *Am*
(*university*) università *f inv*;
school bag cartella *f*;
schoolboy scolaro *m*;
schoolchildren scolari
mpl; **school days** tempi
mpl della scuola; **schoolgirl**
scolara *f*; **schoolteacher** insegnante *m/f*
science ['saɪəns] scienza *f*;
science fiction fantascienza
f; **scientific** scientifico; **scientist** scienziato *m*, -a *f*
scissors ['sɪzəz] forbici *fpl*
scoff[1] [skɒf] *v/t food* sbafare
scoff[2] [skɒf] *v/i* (*mock*) canzonare
scold [skəʊld] sgridare
scoop [sku:p] *for grain, flour*
paletta *f*; *for ice cream* cucchiaio *m* dosatore; *of ice
cream* pallina *f*; (*story*) scoop
m inv
scooter ['sku:tə(r)] *with motor* scooter *m inv*; *child's* monopattino *m*
scope [skəʊp] portata *f*; (*freedom, opportunity*) possibilità

f
scorch [skɔ:tʃ] bruciare;
scorching torrido
score [skɔ:(r)] **1** *n* SP punteggio *m*; (*written music*) spartito *m*; *of film etc* colonna *f* sonora; **what's the ~?** SP a
quanto sono / siamo? **2** *v/t
goal, point* segnare; (*cut*) incidere **3** *v/i* segnare; (*keep
the score*) tenere il puntteg-
gio; **scoreboard** segnapunti
m inv; **scorer** *of goal, point*
marcatore *m*, -trice *f*
scorn [skɔ:n] **1** *n* disprezzo *m*
2 *v/t idea* disprezzare; **scornful** sprezzante; **scornfully**
sprezzantemente
Scorpio ['skɔ:pɪəʊ] ASTR
Scorpione *m*
Scot [skɒt] scozzese *m/f*;
Scotch (**whisky**) scotch *m
inv*; **Scotch tape**® *Am*
scotch® *m*; **Scotland** Scozia
f; **Scotsman** scozzese *m*;
Scotswoman scozzese *f*;
Scottish scozzese
scoundrel ['skaʊndrəl] birbante *m/f*
scour ['skaʊə(r)] (*search*) setacciare
scowl [skaʊl] **1** *n* sguardo *m*
torvo **2** *v/i* guardare storto
scramble ['skræmbl] **1** *n*
(*rush*) corsa *f* **2** *v/t message*
rendere indecifrabile **3** *v/i*:
he ~d to his feet si rialzò
in fretta; **scrambled eggs**
uova *fpl* strapazzate
scrap [skræp] **1** *n metal* rotta-

me *m*; (*fight*) zuffa *f*; (*little bit*) briciolo *m* **2** *v/t plan, project* abbandonare

scrape [skreɪp] **1** *n on paintwork* graffio *m* **2** *v/t paintwork, arm etc* graffiare; **~ a living** sbarcare il lunario

'**scrap metal** rottami *mpl*

scrappy ['skræpɪ] *work, writing* senza capo né coda

scratch [skrætʃ] **1** *n mark* graffio *m*; **start from ~** ricominciare da zero; **not up to ~** non all'altezza **2** *v/t* (*mark*) graffiare; *because of itch* grattare **3** *v/i of cat, nails* graffiare

scrawl [skrɔːl] **1** *n* scarabocchio *m* **2** *v/t* scarabocchiare

scrawny ['skrɔːnɪ] scheletrico

scream [skriːm] **1** *n* urlo *m* **2** *v/i* urlare

screech [skriːtʃ] **1** *n of tyres* stridio *m*; (*scream*) strillo *m* **2** *v/i of tyres* stridere; (*scream*) strillare

screen [skriːn] **1** *n in room, hospital* paravento *m*; *of smoke* cortina *f*; *cinema,* COMPUT, *of television* schermo *m* **2** *v/t* (*protect, hide*) riparare; *film* proiettare; *for security reasons* vagliare; **screenplay** sceneggiatura *f*; **screen saver** COMPUT salvaschermo *m inv*; **screen test** *for movie* provino *m*

screw [skruː] **1** *n* vite *f* (metallica) **2** *v/t* avvitare (**to** a); V scopare V; F (*cheat*) fregare

F; **screwdriver** cacciavite *m*; **screwed up** F *psychologically* complessato; **screw top** *on bottle* tappo *m* a vite; **screwy** F svitato

scribble ['skrɪbl] **1** *n* scarabocchio *m* **2** *v/t & v/i* (*write quickly*) scarabocchiare

script [skrɪpt] *for film, play* copione *m*; (*form of writing*) scrittura *f*; **scripture: the (Holy) Scriptures** le Sacre Scritture *fpl*; **scriptwriter** sceneggiatore *m*, -trice *f*

◆ **scroll down** [skrəʊl] COMPUT far scorrere il testo in avanti

◆ **scroll up** COMPUT far scorrere il testo indietro

scrounge [skraʊndʒ] scroccare; **scrounger** scroccone *m*, -a *f*

scrub [skrʌb] *floors, hands* sfregare (con spazzola)

scrum [skrʌm] *in rugby* mischia *f*

scruples ['skruːplz] scrupoli *mpl*; **scrupulous** scrupoloso; **scrupulously** (*meticulously*) scrupolosamente

scrutinize ['skruːtɪnaɪz] *text* esaminare attentamente; *face* scrutare; **scrutiny** attento esame *m*

scuba diving ['skuːbə] immersione *f* subacquea

scuffle ['skʌfl] tafferuglio *m*

sculptor ['skʌlptə(r)] scultore *m*, -trice *f*; **sculpture** scultura *f*

scum [skʌm] *on liquid* schiuma *f*; *(pej: people)* feccia *f*
sea [siː] *n* mare *m*; **by the ~** al mare; **seabird** uccello *m* marino; **seafood** frutti *mpl* di mare; **seafront** lungomare *m inv*; **seagull** gabbiano *m*
seal¹ [siːl] *n animal* foca *f*
seal² [siːl] **1** *n on document* sigillo *m*; TECH chiusura *f* ermetica **2** *v/t container* chiudere ermeticamente
'sea level: above / below ~ sopra / sotto il livello del mare
seam [siːm] *on garment* cucitura *f*; *of ore* filone *m*
'seaman marinaio *m*; **seaport** porto *m* marittimo
search [sɜːtʃ] **1** *n for s.o. / sth* ricerca *f*; *of person, building* perquisizione *f* **2** *v/t person, building, baggage* perquisire; *area* perlustrare
◆ **search for** cercare
searching [ˈsɜːtʃɪŋ] *look* penetrante; **searchlight** riflettore *m*
'seashore riva *f* (del mare); **seasick:** **be ~** avere il mal di mare; **get ~** soffrire il mal di mare; **seaside:** **at the ~** al mare; **~ resort** località *f inv* balneare
season [ˈsiːzn] stagione *f*; **in / out of ~** in / fuori stagione; **seasonal** stagionale; **seasoned** *wood* stagionato; *traveller, campaigner etc*

esperto; **seasoning** condimento *m*; **season ticket** abbonamento *m*
seat [siːt] **1** *n* posto *m*; *of trousers* fondo *m*; POL seggio *m*; **please take a ~** si accomodi **2** *v/t (have seating for)* avere posti a sedere per; **seat belt** cintura *f* di sicurezza
'sea urchin riccio *m* di mare; **seaweed** alga *f*
secluded [sɪˈkluːdɪd] appartato
second [ˈsekənd] **1** *n of time* secondo *m*; **just a ~** un attimo **2** *adj* secondo **3** *adv come in* secondo **4** *v/t motion* appoggiare; **secondary** secondario; **second floor** secondo piano; *Am* primo piano *m*; **second hand** *on clock* lancetta *f* dei secondi; **second-hand** di seconda mano; **secondly** in secondo luogo; **second-rate** di second'ordine; **second thoughts: I've had ~ thoughts** ci ho ripensato
secrecy [ˈsiːkrəsɪ] segretezza *f*; **secret 1** *n* segreto *m* **2** *adj* segreto; **secret agent** agente *m* segreto
secretarial [sekrəˈteərɪəl] *tasks, job* di segretaria; **secretary** segretario *m*, -a *f*; POL ministro *m*; **Secretary of State** *in USA* Segretario *m* di Stato
secretive [ˈsiːkrətɪv] riservato; **secretly** segretamente;

secret service servizio *m* segreto

sect [sekt] setta *f*

section ['sekʃn] sezione *f*

sector ['sektə(r)] settore *m*

secular ['sekjʊlə(r)] laico

secure [sɪ'kjʊə(r)] **1** *adj shelf etc* saldo *feeling* sicuro; *job* stabile **2** *v/t shelf etc* assicurare; *s.o.'s help, finances* assicurarsi; **securities market** FIN mercato *m* dei titoli; **security** sicurezza *f; in relationship* stabilità *f; for investment* garanzia *f*; **security alert** stato *m* di allarme; **security-conscious** attento alla sicurezza; **security forces** forze *fpl* di sicurezza; **security guard** guardia *f* giurata; **security risk** minaccia *f* per la sicurezza

sedan [sɪ'dæn] *Am* MOT berlina *f*

sedate [sɪ'deɪt] *patient* somministrare sedativi a; **sedation: be under ~** essere sotto l'effetto di sedativi; **sedative** sedativo *m*

sedentary ['sedəntərɪ] *job* sedentario

sediment ['sedɪmənt] sedimento *m*

seduce [sɪ'djuːs] sedurre; **seduction** seduzione *f*; **seductive** *smile, look* seducente; *offer* allettante

see [siː] vedere; *(understand)* capire; **I'll ~ you to the door** t'accompagno alla porta; **~**

you! F ciao! F

♦ **see off** *at airport etc* salutare; *(chase away)* scacciare

seed [siːd] *single* seme *m; collective* semi *mpl; in tennis* testa *f* di serie; **seedy** *bar, district* squallido

seeing ⟨**that**⟩ ['siːɪŋ] visto che; **'seeing eye dog®** *Am* cane *m* per ciechi

seek [siːk] cercare

seem [siːm] sembrare; **seemingly** apparentemente

seesaw ['siːsɔː] altalena *f* (a bilico)

'see-through trasparente

segment ['segmənt] segmento *m; of orange* spicchio *m*

segregate ['segrɪgeɪt] separare; **segregation** segregazione *f*

seismology [saɪz'mɒlədʒɪ] sismologia *f*

seize [siːz] *s.o., s.o.'s arm* afferrare; *power* prendere; *opportunity* cogliere; *of police etc* sequestrare

♦ **seize up** *of engine* grippare

seizure ['siːʒə(r)] MED attacco *m; of drugs etc* sequestro *m*

seldom ['seldəm] raramente

select [sɪ'lekt] **1** *v/t* selezionare **2** *adj (exclusive)* scelto; **selection** scelta *f; that / those chosen* selezione *f*; **selective** selettivo

self [self] io *m*; **self-assurance** sicurezza *f* di sé; **self-assured** sicuro di sé; **self-**

-catering apartment appartamento *m* indipendente con cucina; **self-centred,** *Am* **self-centered** egocentrico; **self-confessed** dichiarato; **self-confidence** fiducia *f* in se stessi; **self-confident** sicuro di sé; **self-conscious** insicuro; *smile* imbarazzato; **feel ~** sentirsi a disagio; **self-consciousness** disagio *m*; **self-control** autocontrollo *m*; **self-defence,** *Am* **self-defense** *personal* legittima difesa *f*; *of state* autodifesa *f*; **self-doubt** dubbi *mpl* personali; **self-employed** autonomo; **self-evident** evidente; **self-expression** espressione *f* di sé; **self-government** autogoverno *m*; **self-interest** interesse *m* personale; **selfish** egoista; **selfless** *person* altruista; *attitude* altruistico; **self-made man** self-made man *m inv*; **self-pity** autocommiserazione *f*; **self-portrait** autoritratto *m*; **self-reliant** indipendente; **self-respect** dignità *f*; **self-satisfied** *pej* soddisfatto di sé; **self-service** self-service; **self-service restaurant** self-service *m inv*; **self-taught** autodidatta

sell [sel] **1** *v/t* vendere **2** *v/i of products* vendere; **sell-by date** data *f* di scadenza; **be past its ~** essere scaduto;

seller venditore *m*, -trice *f*; **selling** COM vendita *f*; **selling point** COM punto *m* forte (che fa vendere il prodotto) **Sellotape®** ['seləteɪp] scotch® *m*

semester [sɪ'mestə(r)] semestre *m*

semi ['semɪ, *Am* 'semaɪ] *Br* villa *f* bifamiliare; *Am truck* autoarticolato *m*; **semicircle** semicerchio *m*; **semi-colon** punto e virgola *m*; **semiconductor** ELEC semiconduttore *m*; **semidetached (house)** villa *f* bifamiliare; **semifinal** semifinale *f*; **semifinalist** semifinalista *m/f*

seminar ['semɪnɑː(r)] seminario *m*

semi-skilled parzialmente qualificato

senate ['senət] senato *m*; **senator** senatore *m*, -trice *f*

send [send] mandare (**to** a)

♦ **send back** mandare indietro

♦ **send for** *doctor, help* (mandare a) chiamare

♦ **send off** *letter, fax etc* spedire; *footballer* espellere

♦ **send up** (*mock*) prendere in giro

sender ['sendə(r)] *of letter* mittente *m/f*

senile ['siːnaɪl] *pej* rimbambito; **senility** *pej* rimbambimento *m*

senior ['siːnɪə(r)] (*older*) più

anziano; *in rank* di grado superiore; **senior citizen** anziano *m*, -a *f*; **seniority** *in job* anzianità *f*

sensation [sen'seɪʃn] (*feeling*) sensazione *f*; (*surprise event*) scalpore *m*; **be a ~** essere sensazionale; **sensational** sensazionale

sense [sens] **1** *n* (*meaning*) significato *m*; (*purpose, point, sight, smell etc*) senso *m*; (*common sense*) buonsenso *m*; (*feeling*) sensazione *f*; **come to one's ~s** tornare in sé; **it doesn't make ~** non ha senso; **there's no ~ in trying** non ha senso provare **2** *v/t* sentire; **senseless** (*pointless*) assurdo

sensible ['sensəbl] *person, decision* assennato; *advice* sensato; *clothes, shoes* pratico; **sensibly** assennatamente

sensitive ['sensətɪv] sensibile; **sensitivity** sensibilità *f inv*

sensor ['sensə(r)] sensore *m*

sensual ['sensjʊəl] sensuale; **sensuality** sensualità *f*

sensuous ['sensjʊəs] sensuale

sentence ['sentəns] **1** *n* GRAM frase *m*; LAW condanna *f* **2** *v/t* LAW condannare

sentiment ['sentɪmənt] (*sentimentality*) sentimentalismo *m*; (*opinion*) opinione *f*; **sentimental** sentimentale; **sentimentality** sentimentalismo

m

sentry ['sentrɪ] sentinella *f*

separate 1 ['sepərət] *adj* separato **2** ['sepəreɪt] *v/t* separare (**from** da) **3** ['sepəreɪt] *v/i of couple* separarsi; **separated** *couple* separato; **separately** separatamente; **separation** separazione *f*

September [sep'tembə(r)] settembre *m*

septic ['septɪk] infetto; **go ~** *of wound* infettarsi

sequel ['siːkwəl] seguito *m*

sequence ['siːkwəns] sequenza *f*; **in ~** di seguito

Serbia ['sɜːbɪə] Serbia *f*; **Serbian 1** *adj* serbo **2** *n* serbo *m*, -a *f*; *language* serbo *m*

serene [sɪ'riːn] sereno

sergeant ['sɑːdʒənt] sergente *m*

serial ['sɪərɪəl] serial *m inv*; **serialize** *novel on TV* trasmettere a puntate; **serial killer** serial killer *m/f inv*; **serial number** *of product* numero *m* di serie

series ['sɪəriːz] serie *f inv*

serious ['sɪərɪəs] *illness, situation* grave; *person, company* serio; **I'm ~** dico sul serio; **seriously** *injured* gravemente; (*extremely*) estremamente; **take s.o. ~** prendere sul serio qu; **seriousness** *of situation, illness etc* gravità *f*; *of person* serietà *f*

sermon ['sɜːmən] predica *f*

servant ['sɜːvənt] domestico

m, -a *f*

serve [sɜːv] **1** *n in tennis* servizio *m* **2** *v/t food, customer, one's country* servire; **it ~s you right** ti sta bene **3** *v/i* servire; *as politician etc* prestare servizio; **server** COMPUT server *m inv*; **service 1** *n also in tennis* servizio *m*; *for machine* manutenzione *f*; *for vehicle* revisione *f*; **~s** servizi; **the ~s** MIL le forze armate **2** *v/t vehicle* revisionare; *machine* fare la manutenzione di; **service charge** servizio *m*; **serviceman** MIL militare *m*; **service provider** COMPUT fornitore *m* di servizi; **service sector** settore *m* terziario; **service station** stazione *f* di servizio; **serving** *of food* porzione *f*

session ['seʃn] *of parliament* sessione *f*; *with consultant etc* seduta *f*

set [set] **1** *n of tools* serie *m inv*; *of dishes, knives* servizio *m*; *of books* raccolta *f*; *group of people* cerchia *f*; MATH insieme *m*; (THEA: *scenery*) scenografia *f*; *where a film is made, in tennis* set *m inv* **2** *v/t* (*place*) mettere; *film, novel etc* ambientare; *date, time, limit* fissare; *alarm clock* mettere; *broken limb* ingessare; *jewel* montare; **~ the table** apparecchiare (la tavola); **~ a task for s.o.** assegnare un compito a qu **3**

v/i of sun tramontare; *of glue* indurirsi **4** *adj ideas* rigido; (*ready*) pronto; **be very ~ in one's ways** essere abitudinario; **~ meal** menù *m inv* fisso

◆ **set off 1** *v/i on journey* partire **2** *v/t explosion* causare; *alarm* far scattare

◆ **set out 1** *v/i on journey* partire **2** *v/t ideas, goods* esporre; **set out to do sth** (*intend*) proporsi di fare qc

◆ **set up 1** *v/t company* fondare; *system* mettere in opera; *equipment, machine* piazzare; F (*frame*) incastrare F **2** *v/i in business* mettersi in affari

'setback contrattempo *m*

settee [se'tiː] divano *m*

setting ['setɪŋ] *of novel etc* ambientazione *f*; *of house* posizione *f*

settle ['setl] **1** *v/i of bird, dust, beer* posarsi; *of building* sestarsi; *to live* stabilirsi **2** *v/t dispute* comporre; *issue, uncertainty* risolvere; *debts, bill* saldare; *nerves, stomach* calmare; **that ~s it!** è deciso!

◆ **settle down** (*stop being noisy*) calmarsi; (*stop wild living*) mettere la testa a posto; *in an area* stabilirsi

◆ **settle for** (*accept*) accontentarsi di

◆ **settle up** (*pay*) regolare i conti; *in hotel etc* pagare il conto

settled ['setld] *weather* stabile; **settlement** *of dispute* composizione *f*; *(payment)* pagamento *m*; **settler** *in new country* colonizzatore *m*, -trice *f*

'**set-up** *(structure)* organizzazione *f*; *(relationship)* relazione *f*; F *(frameup)* montatura *f*

seven ['sevn] sette; **seventeen** diciassette; **seventeenth** diciassettesimo; **seventh** settimo; **seventieth** settantesimo; **seventy** settanta

sever ['sevə(r)] *arm, cable etc* recidere; *relations* troncare

several ['sevrl] **1** *adj* parecchi **2** *pron* parecchi *m*, -ie *f*

severe [sɪ'vɪə(r)] *illness* grave; *penalty, teacher, face* severo; *winter, weather* rigido; **severely** *punish* severamente; *speak* duramente; *injured, disrupted* gravemente; **severity** *of illness* gravità *f*; *of look etc* durezza *f*; *of penalty* severità *f*; *of winter* rigidità *f*

sew [səʊ] cucire

sewage ['suːɪdʒ] acque *fpl* di scolo; **sewer** fogna *f*

sewing ['səʊɪŋ] cucito *m*

sex [seks] sesso *m*; **have ~ with** avere rapporti sessuali con; **sexist 1** *adj* sessista **2** *n* sessista *m/f*; **sexual** sessuale; **sexual intercourse** rapporti *mpl* sessuali; **sexuality** sessualità *f*; **sexually ses-**

sualmente; **sexually transmitted disease** malattia *f* venerea; **sexy** sexy *inv*

shabbily ['ʃæbɪlɪ] *dressed* in modo trasandato; *treat* in modo meschino; **shabby** *coat etc* trasandato; *treatment* meschino

shack [ʃæk] baracca *f*

shade [ʃeɪd] **1** *n for lamp* paralume *m*; *of colour* tonalità *f inv*; **in the ~** all'ombra **2** *v/t from sun, light* riparare

shadow ['ʃædəʊ] ombra *f*

shady ['ʃeɪdɪ] *spot* all'ombra; *character* losco

shaft [ʃɑːft] *of axle* albero *m*; *of mine* pozzo *m*

shake [ʃeɪk] **1** *n*: **give sth a good ~** dare una scrollata a qc **2** *v/t* scuotere; *emotionally* sconvolgere; **~ one's head** *in refusal* scuotere la testa; **~ hands with s.o.** stringere la mano a qu **3** *v/i of hands, voice, building* tremare; **shaken** *emotionally* scosso; **shake-up** rimpasto *m*; **shaky** *table etc* traballante; *after illness, shock* debole; *grasp of sth, grammar etc* incerto; *voice, hand* tremante

shall [ʃæl] ◊ *future*: **I ~ do my best** farò del mio meglio ◊ *suggesting*: **~ we go now?** andiamo?

shallow ['ʃæləʊ] *water* poco profondo; *person* superficiale

shambles ['ʃæmblz] casino m F

shame [ʃeɪm] **1** n vergogna f; **what a ~!** che peccato!; **~ on you!** vergognati! **2** v/t family etc svergognare; **shameful** vergognoso; **shameless** svergognato

shampoo [ʃæm'puː] shampoo m inv

shape [ʃeɪp] **1** n forma f **2** v/t clay dar forma a; character forgiare; the future determinare; **shapeless** dress etc informe; **shapely** figure ben fatto

share [ʃeə(r)] **1** n parte f; FIN azione f **2** v/t dividere; s.o.'s feelings condividere **3** v/i dividere; **shareholder** azionista m/f

shark [ʃɑːk] squalo m

sharp [ʃɑːp] **1** adj knife affilato; mind, pain acuto; taste aspro **2** adv MUS in diesis; **at 3 o'clock ~** alle 3 precise; **sharpen** knife affilare; skills raffinare; **sharp practice** pratiche fpl poco oneste

shatter ['ʃætə(r)] **1** v/t glass frantumare; illusions distruggere **2** v/i of glass frantumarsi; **shattered** F (exhausted) esausto; (very upset) sconvolto; **shattering** news, experience sconvolgente

shave [ʃeɪv] **1** v/t radere **2** v/i farsi la barba **3** n: **have a ~** farsi la barba; **that was a close ~** ce l'abbiamo fatta

per un pelo; **shaven** head rasato; **shaver** electric rasoio m

shawl [ʃɔːl] scialle m

she [ʃiː] lei; **~ has three children** ha tre figli; **there ~ is** eccola

shears [ʃɪəz] for gardening cesoie fpl; for sewing forbici fpl

sheath [ʃiːθ] for knife guaina f; contraceptive preservativo m

shed[1] [ʃed] v/t blood spargere; tears versare; leaves perdere

shed[2] [ʃed] n baracca f

sheep [ʃiːp] pecora f; **sheepdog** cane m pastore; **sheepish** imbarazzato

sheer [ʃɪə(r)] madness, luxury puro; cliffs ripido

sheet [ʃiːt] for bed lenzuolo m; of paper foglio m; of metal, glass lastra f

shelf [ʃelf] mensola f; **shelves** scaffale msg, ripiani mpl

shell [ʃel] **1** n of mussel etc conchiglia f; of egg guscio m; of tortoise corazza f; MIL granata f **2** v/t peas sbucciare; MIL bombardare; **shellfire** bombardamento m; **shellfish** crostacei mpl

shelter ['ʃeltə(r)] **1** n (refuge) riparo m; construction rifugio m **2** v/i ripararsi **3** v/t (protect) proteggere; **sheltered** place riparato; **lead a ~ life** vivere nella bambagia

shelve [ʃelv] fig plans accantonare

shepherd ['ʃepəd] pastore *m*

sherry ['ʃerɪ] sherry *m inv*

shield [ʃiːld] **1** *n* scudo *m*; *sports trophy* scudetto *m*; TECH schermo *m* di protezione *f*; *Am badge of policeman* distintivo *m* **2** *v/t (protect)* proteggere

shift [ʃɪft] **1** *n (change)* cambiamento *m*; *period of work* turno *m* **2** *v/t (move)* spostare; *stains etc* togliere **3** *v/i (move)* spostarsi; *of wind* cambiare direzione; **shift key** COMPUT tasto *m* shift; **shifty** *pej* losco

shimmer ['ʃɪmə(r)] luccicare

shin [ʃɪn] stinco *m*

shine [ʃaɪn] **1** *v/i* splendere; *fig: of student etc* brillare **2** *n on shoes etc* lucentezza *f*

shingle ['ʃɪŋgl] *on beach* ciottoli *mpl*

shiny ['ʃaɪnɪ] lucido

ship [ʃɪp] **1** *n* nave *f* **2** *v/t (send)* spedire; *(send by sea)* spedire via mare **3** *v/i of new product* essere spedito; **shipment** carico *m*; **shipowner** armatore *m*; **shipping** *(sea traffic)* navigazione *f*; *(sending)* trasporto *m*; **shipping company** compagnia *f* di navigazione; **shipshape** in perfetto ordine; **shipwreck 1** *n* naufragio *m* **2** *v/t*: **be ~ed** naufragare; **shipyard** cantiere *m* navale

shirker ['ʃɜːkə(r)] scansafatiche *m/f inv*

shirt [ʃɜːt] camicia *f*

shit [ʃɪt] **1** *n* P merda *f* P; *bad quality goods, work* stronzata *f* P **2** *v/i* cagare P **3** *int* merda P; **shitty** F di merda P

shiver ['ʃɪvə(r)] rabbrividire

shock [ʃɒk] **1** *n* shock *m inv*; ELEC scossa *f*; **be in ~** MED essere in stato di shock **2** *v/t* scioccare; **shock absorber** MOT ammortizzatore *m*; **shocking** scandaloso; F *(very bad)* allucinante F

shoddy ['ʃɒdɪ] *goods* scadente; *behaviour* meschino

shoe [ʃuː] scarpa *f*; **shoe-lace** laccio *m* di scarpa; **shoemaker** calzolaio *m*; **shoe mender** calzolaio *m*; **shoeshop**, *Am* **shoestore** negozio *m* di scarpe

shoot [ʃuːt] **1** *n* BOT germoglio *m* **2** *v/t* sparare; *film* girare; **~ s.o. in the leg** colpire qu alla gamba

◆ **shoot down** *plane* abbattere

◆ **shoot up** *of prices* salire alle stelle; *of children* crescere molto; *of new buildings etc* spuntare

shooting star ['ʃuːtɪŋ] stella *f* cadente

shop [ʃɒp] **1** *n* negozio *m*; **talk ~** parlare di lavoro **2** *v/i* fare acquisti; **go ~ping** andare a fare spese; **shop assistant** commesso *m*, -a *f*; **shopkeeper** negoziante *m/f*;

shoplifter taccheggiatore *m*, -trice *f*; **shoplifting** taccheggio *m*; **shopper** acquirente *m/f*; **shopping** *items* spesa *f*; **go ~** andare a fare spese; **do one's ~** fare la spesa; **shopping bag** borsa *f* per la spesa; **shopping list** lista *f* della spesa; **shopping mall** centro *m* commerciale; **shop window** vetrina *f*

shore [ʃɔː(r)] riva *f*; **on ~** *not at sea* a terra

short [ʃɔːt] **1** *adj* corto; *in height* basso; *in time* breve; **be ~ of** essere a corto di 2 *adv*: **cut ~** interrompere; **go ~ of** fare a meno di; **in ~** in breve; **shortage** mancanza *f*; **shortcoming** difetto *m*; **shortcut** scorciatoia *f*; **shorten 1** *v/t* accorciare **2** *v/i* accorciarsi; **shortfall** deficit *m inv*; *in hours etc* mancanza *f*; **shortlist** *of candidates* rosa *f* dei candidati; **short-lived** di breve durata; **shortly** (*soon*) tra breve; **~ before / after** poco prima / dopo; **shortness** *of vis-it* brevità *f*; *in height* bassa statura *f*; **shorts** calzoncini *mpl*; **shortsighted** *also fig* miope; **short-sleeved** a maniche corte; **short-staffed** a corto di personale; **short-tempered** irascibile; **short-term** a breve termine; **short wave** RAD onde *fpl* corte

shot [ʃɒt] *from gun* sparo *m*; (*photograph*) foto *f*; (*injection*) puntura *f*; **like a ~** *accept, run off* come un razzo; **shotgun** fucile *m* da caccia

should [ʃud]: **what ~ I do?** cosa devo fare?; **you ~n't do that** non dovresti farlo; **you ~ have heard him!** avresti dovuto sentirlo!

shoulder ['ʃəʊldə(r)] ANAT spalla *f*

shout [ʃaʊt] **1** *n* grido *m*, urlo *m* **2** *v/t* & *v/i* gridare, urlare; **shouting** urla *fpl*

shove [ʃʌv] **1** *n* spinta *f* **2** *v/t* & *v/i* spingere

shovel ['ʃʌvl] **1** *n* pala *f* **2** *v/t* spalare

show [ʃəʊ] **1** *n* THEA, TV spettacolo *m*; (*display*) manifestazione *f*; **on ~** *at exhibition* esposto; **it's all done for ~** *pej* è tutta una scena **2** *v/t* passport etc mostrare; *interest, emotion* dimostrare; *at exhibition* esporre; *film* proiettare **3** *v/i* (*be visible*) vedersi; **does it ~?** si vede?; **what's ~ing at the cinema?** cosa danno al cinema?

◆ **show in** far entrare

◆ **show off 1** *v/t skills* mettere in risalto **2** *v/i pej* mettersi in mostra

◆ **show up 1** *v/t shortcomings etc* far risaltare **2** *v/i* F (*arrive, turn up*) farsi vedere F; (*be visible*) notarsi

'**show business** il mondo dello spettacolo; **showcase**

vetrinetta f; fig vetrina f;
showdown regolamento m
di conti

shower ['ʃaʊə(r)] **1** n of rain
acquazzone m; to wash doc-
cia f; **take a ~** fare una doccia
2 v/i fare la doccia; **shower-
proof** impermeabile

'**showjumping** concorso m
ippico; **show-off** pej esibizionista m/f; **showroom**
show-room m inv; **showy**
appariscente

shred [ʃred] **1** n of paper stri-
sciolina f; of cloth brandello
m; of evidence etc briciolo m
2 v/t paper stracciare; in
cooking sminuzzare; **shred-
der** for documents distrutto-
re m di documenti

shrewd [ʃruːd] scaltro; investment oculato; **shrewdness**
oculatezza f

shriek [ʃriːk] **1** n strillo m **2** v/i
strillare

shrill [ʃrɪl] stridulo

shrimp [ʃrɪmp] gamberetto m

shrine [ʃraɪn] santuario m

shrink¹ [ʃrɪŋk] v/i of material
restringersi; of support etc diminuire

shrink² [ʃrɪŋk] n F (psychiatrist) strizzacervelli m/f inv

'**shrink-wrapping** process
cellofanatura f; material cel-
lophane® m

shrivel ['ʃrɪvl] avvizzire

Shrove Tuesday [ʃrəʊv]
martedì m grasso

shrub [ʃrʌb] arbusto m;

shrubbery arboreto m

shrug [ʃrʌg]: **~ one's
shoulders** alzare le spalle

shudder ['ʃʌdə(r)] **1** n of fear,
disgust brivido m; of earth etc
tremore m **2** v/i with fear, disgust rabbrividire; of earth,
building tremere; **I ~ to think**
non oso immaginare

shuffle ['ʃʌfl] **1** v/t cards mescolare **2** v/i in walking stra-
scicare i piedi

shun [ʃʌn] evitare

shut [ʃʌt] **1** v/t chiudere **2** v/i
of door, box chiudersi; of
shop, bank chiudere; **they
were ~** era chiuso

◆ **shut down 1** v/t business
chiudere; computer spegnere
2 v/i of business chiudere i
battenti; of computer spegnersi

◆ **shut up** F (be quiet) star
zitto; **shut up!** zitto!

shutter ['ʃʌtə(r)] on window
battente m; PHOT otturatore
m

'**shuttlebus** bus m inv navetta

shy [ʃaɪ] timido; **shyness** timidezza f

Sicilian [sɪ'sɪliən] **1** adj siciliano **2** n siciliano m, -a f; **Sicily**
Sicilia f

sick [sɪk] malato; sense of humour crudele; **I feel ~ about**
to vomit ho la nausea; **be ~**
(vomit) vomitare; **be ~ of**
(fed up with) essere stufo di

sicken ['sɪkn] **1** v/t (disgust) disgustare; Am (make ill) fare

ammalare **2** v/i: **be ~ing for sth** covare qc; **sickening** disgustoso; **sick leave: be on ~** essere in (congedo per) malattia; **sickness** malattia f; (vomiting) nausea f

side [saɪd] of box, house lato m; of person, mountain fianco m; of page, record facciata f; SP squadra f; **take ~s** (favour one side) prendere posizione; **I'm on your ~** sono dalla tua (parte); **~ by ~** fianco a fianco; **at the ~ of the road** sul ciglio della strada; **on the small ~** piuttosto piccolo; **sideboard** furniture credenza f; **side effect** effetto m collaterale; **sideline 1** n attività f inv collaterale **2** v/t: **feel ~d** sentirsi sminuito; **sidestep** scansare; fig schivare; **side street** via f laterale; **sidewalk** Am marciapiede m; **sideways** di lato

siege [siːdʒ] assedio m; **lay ~ to** assediare

sieve [sɪv] setaccio m

sift [sɪft] setacciare

sigh [saɪ] **1** n sospiro m **2** v/i sospirare

sight [saɪt] vista f; **~s** of city luoghi mpl da visitare; **catch ~ of** intravedere; **know by ~** conoscere di vista; **be within ~ of** essere visibile da; **out of ~** non visibile; **lose ~ of** main objective etc perdere di vista; **sightseeing** visita f turistica; **go ~** fare un giro turisti-

co; **sightseer** turista m/f

sign [saɪn] **1** n (indication) segno m; (road ~) segnale m; outside shop insegna f **2** v/t & v/i document firmare

signal ['sɪɡnl] **1** n segnale m **2** v/i of driver segnalare

signatory ['sɪɡnətrɪ] firmatario m, -a f

signature ['sɪɡnətʃə(r)] firma f

significance [sɪɡ'nɪfɪkəns] importanza f; (meaning) significato m; **significant** event etc significativo; (quite large) notevole; **significantly** larger, more expensive notevolmente

signify ['sɪɡnɪfaɪ] significare

'sign language linguaggio m dei segni; **signpost** cartello m stradale

silence ['saɪləns] **1** n silenzio m **2** v/t mettere a tacere; **silencer** MOT marmitta f; **silent** silenzioso; film muto; **stay ~** not comment tacere

silhouette [sɪluː'et] sagoma f

silicon ['sɪlɪkən] silicio m

silicone ['sɪlɪkəʊn] silicone m

silk [sɪlk] **1** n seta f **2** adj shirt etc di seta; **silky** setoso

silliness ['sɪlɪnɪs] stupidità f; **silly** stupido

silo ['saɪləʊ] silo m

silver ['sɪlvə(r)] **1** n argento m; objects argenteria f **2** adj ring d'argento; colour argentato; **silverware** argenteria f

similar ['sɪmɪlə(r)] simile (**to**

a); **similarity** rassomiglianza
f; **similarly** allo stesso modo
simple ['sɪmpl] semplice; *person* semplicrotto; **simple-
-minded** *pej* semplicotto;
simplicity semplicità f; **simplify** semplificare; **simplis-
tic** semplicistico; **simply** (*absolutely*) assolutamente; *in a
simple way* semplicemente
simultaneous [sɪml'teɪnɪəs]
simultaneo; **simulta-
neously** simultaneamente
sin [sɪn] **1** n peccato m **2** v/i
peccare
since [sɪns] **1** *prep* da; **~ last
week** dalla scorsa settimana
2 *adv* da allora; **I haven't
seen him ~** non lo vedo da
allora **3** *conj in expressions
of time* da quando; (*seeing
that*) visto che
sincere [sɪn'sɪə(r)] sincero;
sincerely con sincerità;
hope sinceramente; *Yours
~* Distinti saluti; **sincerity**
sincerità f
sinful ['sɪnful] peccaminoso
sing [sɪŋ] cantare
singe [sɪndʒ] bruciacchiare
singer ['sɪŋə(r)] cantante m/f
single ['sɪŋɡl] **1** *adj* (*sole*) solo;
(*not double*) singolo; *bed,
sheet* a una piazza; (*not married*) single; *with reference to
Europe* unico; **there wasn't
a ~ ...** non c'era nemmeno
un ...; **in ~ file** in fila indiana
2 *n* MUS singolo m; (*~ room*)
(camera f) singola f; *ticket*

biglietto m di sola andata;
person single m/f *inv*; **~s** *in
tennis* singolo; **single-hand-
ed** da solo; **single-minded**
determinato; **single mother**
ragazza f madre; **single parent** genitore m single; **single
parent family** famiglia f mo-
noparentale; **single room**
(camera f) singola f
singular ['sɪŋɡjʊlə(r)] GRAM
1 *adj* singolare **2** *n* singolare
m
sinister ['sɪnɪstə(r)] sinistro
sink [sɪŋk] **1** n lavandino m **2**
v/i *of ship* affondare; *of object* andare a fondo; *of sun*
calare; *of interest rates etc*
scendere **3** v/t *ship* (far) affondare; *funds* investire
◆ **sink in** *of liquid* penetrare;
it still hasn't really sunk in
of realization ancora non mi
rendo conto
sinner ['sɪnə(r)] peccatore m,
-trice f
sinusitis [saɪnə'saɪtɪs] MED
sinusite f
sip [sɪp] **1** n sorso m **2** v/t sorseggiare
sir [sɜː(r)] signore m; *Sir
Charles* Sir Charles
siren ['saɪrən] sirena f
sirloin ['sɜːlɔɪn] controfiletto
m
sister ['sɪstə(r)] sorella f; *in
hospital* (infermiera f) caposala f; **sister-in-law** cognata
f
sit [sɪt] **1** v/i sedere; (*sit down*)

sedersi 2 v/t exam dare

♦ sit down sedersi

sitcom ['sɪtkɒm] sitcom f inv

site [saɪt] 1 n luogo m 2 v/t new offices etc situare

sitting ['sɪtɪŋ] of committee, court sessione f; for artist seduta f; for meals turno m; **sitting room** salotto m

situated ['sɪtjueɪtɪd] situato; **be ~** trovarsi; **situation** situazione f; of building etc posizione f

six [sɪks] sei; **sixteen** sedici; **sixteenth** sedicesimo; **sixth** sesto; **sixtieth** sessantesimo; **sixty** sessanta

size [saɪz] dimensioni fpl; of clothes taglia f, misura f; of shoes numero m; **sizeable** considerevole

skate [skeɪt] 1 n pattino m 2 v/i pattinare; **skateboard** skateboard m inv; **skateboarding** skateboard m; **skater** pattinatore m, -trice f; **skating** pattinaggio m; **skating rink** pista f di pattinaggio

skeleton ['skelɪtn] scheletro m

skeptic Am ☞ **sceptic**

sketch [sketʃ] 1 n abbozzo m; THEA sketch m inv 2 v/t abbozzare; **sketchy** knowledge etc lacunoso

ski [skiː] 1 n sci m inv 2 v/i sciare

skid [skɪd] 1 n sbandata f 2 v/i sbandare

skier ['skiːə(r)] sciatore m, -trice f; **skiing** sci m; **go ~** andare a sciare; **ski instructor** maestro m, -a f di sci

skilful, Am **skillful** ['skɪlful] abile; **skilfully**, Am **skillfully** abilmente

'ski lift impianto m di risalita

skill [skɪl] abilità f inv; **what ~s do you have?** quali capacità possiede?; **skilled** abile; **skillful** Am ☞ **skilful**

skim [skɪm] surface sfiorare; milk scremare

skimpy ['skɪmpɪ] account etc scarso; dress succinto

skin [skɪn] 1 n of pelle f; of fruit buccia f 2 v/t scoiare; **skin diving** immersioni fpl subacquee

skinny ['skɪnɪ] magro; **skin-tight** aderente

skip [skɪp] 1 n little jump salto m 2 v/i saltellare; with skipping rope saltare 3 v/t (omit) saltare

'ski pole racchetta f da sci

skipper ['skɪpə(r)] NAUT skipper m inv; of team capitano m

'ski resort stazione f sciistica

skirt [skɜːt] gonna f; **skirting board** battiscopa m inv

'ski run pista f da sci; **ski tow** sciovia f

skull [skʌl] cranio m

skunk [skʌŋk] moffetta f

sky [skaɪ] cielo m; **skylight** lucernario m; **skyline** profilo m (contro il cielo); **sky-**

scraper grattacielo *m*
slab [slæb] *of stone* lastra *f*; *of cake etc* fetta *f*
slack [slæk] *rope* allentato; *person, work* negligente; *period* lento; **slacken** *rope* allentare; *pace* rallentare; **slacks** pantaloni *mpl* casual
♦ **slag off** [slæg] P parlare male di
slam [slæm] *door* sbattere
slander ['slɑːndə(r)] 1 *n* diffamazione *f* 2 *v/t* diffamare; **slanderous** diffamatorio
slang [slæŋ] slang *m inv*; *of a specific group* gergo *m*
slant [slɑːnt] 1 *v/i* pendere 2 *n* pendenza *f*; *given to a story* angolazione *f*; **slanting** *roof* spiovente
slap [slæp] 1 *n blow* schiaffo *m* 2 *v/t* schiaffeggiare; **slapdash** *work* frettoloso; *person* pressapochista; **slap-up** *meal* F pranzo *m* coi fiocchi
slash [slæʃ] 1 *n cut* taglio *m*; *in punctuation* barra *f* 2 *v/t skin, painting* squarciare; *prices* abbattere
slaughter ['slɔːtə(r)] 1 *n of animals* macellazione *f*; *of people, troops* massacro *m* 2 *v/t animals* macellare; *people, troops* massacrare; **slaughterhouse** macello *m*
slave [sleɪv] schiavo *m*, -a *f*
slay [sleɪ] ammazzare; **slaying** *Am* (*murder*) omicidio *m*
sleaze [sliːz] POL corruzione *f*; **sleazy** *bar, characters* sordido

dido
sleep [sliːp] 1 *n* sonno *m*; **go to** ~ addormentarsi; **I couldn't get to** ~ non sono riuscito a dormire 2 *v/i* dormire
♦ **sleep in** (*have a long lie*) dormire fino a tardi
♦ **sleep on** *proposal, decision* dormire su; **sleep on it** dormirci su
♦ **sleep with** (*have sex with*) andare a letto con
sleeping bag ['sliːpɪŋ] sacco *m* a pelo; **sleeping car** RAIL vagone *m* letto; **sleeping pill** sonnifero *m*; **sleepless** *night* in bianco; **sleepwalker** sonnambulo *m*, -a *f*; **sleepwalking** sonnambulismo *m*; **sleepy** *child* assonnato; *town* addormentato; **I'm** ~ ho sonno
sleet [sliːt] nevischio *m*
sleeve [sliːv] *of jacket etc* manica *f*; **sleeveless** senza maniche
sleight of hand [slaɪt] gioco *m* di prestigio
slender ['slendə(r)] snello; *chance, margin* piccolo
slice [slaɪs] 1 *n also fig* fetta *f* 2 *v/t loaf etc* affettare
slick [slɪk] 1 *adj performance* brillante; (*pej: cunning*) scaltro 2 *n of oil* chiazza *f* di petrolio
slide [slaɪd] 1 *n for kids* scivolo *m*; PHOT diapositiva *f* 2 *v/i* scivolare; *of exchange rate etc*

calare **3** *v/t* far scivolare

slight [slaɪt] **1** *adj person, figure* gracile; (*small*) leggero;
no, not in the ~est no, per nulla **2** *n* (*insult*) offesa *f*;
slightly leggermente

slim [slɪm] **1** *adj* slanciato;
chance scarso **2** *v/i* dimagrire; **I'm ~ming** sono a dieta

slime [slaɪm] melma *f*; *slimy liquid* melmoso; *person* viscido

sling [slɪŋ] **1** *n for arm* fascia *f* a tracolla **2** *v/t* (*throw*) lanciare

slip [slɪp] **1** *n* (*mistake*) errore *m* **2** *v/i on ice etc* scivolare; *of quality etc* peggiorare; **he ~ped out of the room** è sgattaiolato fuori dalla stanza **3** *v/t* (*put*) far scivolare; **it ~ped my mind** mi è passato di mente

♦ **slip up** (*make a mistake*) sbagliarsi

slipped disc [slɪpt] ernia *f* del disco

slipper ['slɪpə(r)] pantofola *f*

slippery ['slɪpərɪ] scivoloso

'**slip road** rampa *f* di accesso;
slip-up (*mistake*) errore *m*

slit [slɪt] **1** *n* (*tear*) strappo *m*;
(*hole*) fessura *f*; *in skirt* spacco *m* **2** *v/t envelope, packet* aprire (tagliando); *throat* tagliare

sliver ['slɪvə(r)] scheggia *f*

slob [slɒb] *pej* sudicione *m*, -a *f*

slog [slɒg] faticata *f*

slogan ['sləʊgən] slogan *m inv*

slop [slɒp] rovesciare, versare

slope [sləʊp] **1** *n* pendenza *f*;
of mountain pendio *m* **2** *v/i* essere inclinato; **the road ~s down to the sea** la strada scende fino al mare

sloppy ['slɒpɪ] *work, editing* trascurato; *in dressing* sciatto; (*too sentimental*) sdolcinato

slot [slɒt] fessura *f*; *in schedule* spazio *m*; **slot machine** *for vending* distributore *m* automatico; *for gambling* slot-machine *f inv*

Slovak ['sləʊvæk] **1** *adj* slovacco **2** *n* slovacco *m*, -a *f*;
language slovacco *m*; **Slovakia** Slovacchia *f*

Slovene ['sləʊviːn] **1** *adj* sloveno **2** *n* sloveno *m*, -a *f*; *language* sloveno *m*; **Slovenia** Slovenia *f*

slovenly ['slʌvnlɪ] sciatto

slow [sləʊ] lento; **be ~** *of clock* essere indietro

♦ **slow down** rallentare

'**slowcoach** F lumaca *f* F;
slowdown *in production* rallentamento *m*; **slowly** lentamente; **slow motion: in ~** al rallentatore; **slowness** lentezza *f*; **slowpoke** *Am* F lumaca *f* F

sluggish ['slʌgɪʃ] lento

slum [slʌm] slum *m inv*

slump [slʌmp] **1** *n in trade* crollo *m* **2** *v/i economically* crollare; *of person* accasciarsi

slur [slɜː(r)] **1** *n* calunnia *f* **2** *v/t words* biascicare

slush [slʌʃ] fanghiglia *f*; *(pej: sentimental stuff)* smancerie *fpl*; **slush fund** fondi *mpl* neri

slut [slʌt] *pej* sgualdrina *f*

sly [slaɪ] scaltro

smack [smæk] **1** *n on the bottom* sculacciata *f*; *in the face* schiaffo *m* **2** *v/t child* picchiare; *bottom* sculacciare

small [smɔːl] **1** *adj* piccolo **2** *n:* **the ~ of the back** le reni; **small change** spiccioli *mpl*; **the ~ hours** le ore *fpl* piccole; **small talk** conversazione *f* di circostanza

smart¹ [smɑːt] *adj (elegant)* elegante; *(intelligent)* intelligente; *pace* svelto; **get ~ with** fare il furbo con F

smart² [smɑːt] *v/i (hurt)* bruciare

'smart card smart card *f inv*; **smartly** *dressed* elegantemente

smash [smæʃ] **1** *n noise* fracasso *m*; *(car crash)* scontro *m*; *in tennis* schiacciata *f* **2** *v/t break* spaccare; *hit hard* sbattere; **~ sth to pieces** mandare in frantumi qc **3** *v/i break* frantumarsi

smattering ['smætərɪŋ] *of a language* infarinatura *f*

smear [smɪə(r)] **1** *n of ink etc*

macchia *f*; MED striscio *m*; *on character* calunnia *f* **2** *v/t character* calunniare

smell [smel] **1** *n* odore *m*; **sense of ~** olfatto *m*, odorato *m* **2** *v/t* sentire odore di; *test by smelling* sentire **3** *v/i (sniff)* odorare; **what does it ~ of?** che odore ha?; **you ~ of beer** puzzi di birra; **smelly** puzzolente

smile [smaɪl] **1** *n* sorriso *m* **2** *v/i* sorridere

smirk [smɜːk] sorriso *m* compiaciuto

smoke [sməʊk] **1** *n* fumo *m*; **have a ~** fumare **2** *v/t cigarettes etc* fumare; *bacon* affumicare **3** *v/i* fumare; **smoke-free** totalmente non smoking; **smoker** fumatore *m*, -trice *f*; **smoking** fumo *m*; **no ~** vietato fumare; **smoky** *room, air* pieno di fumo

smolder *Am* ☞ **smoulder**

smooth [smuːð] **1** *adj surface, skin, sea* liscio; *sea* calmo; *transition* senza problemi; *pej: person* mellifluo **2** *v/t hair* lisciare; **smoothly** *without problems* senza problemi

smother ['smʌðə(r)] *flames, person* soffocare

smoulder ['sməʊldə(r)] covare sotto la cenere

smudge [smʌdʒ] **1** *n* sbavatura *f* **2** *v/t* sbavare

smug [smʌg] compiaciuto

smuggle ['smʌgl] contrabbandare; **smuggler** contrabbandiere *m*, -a *f*; **smuggling** contrabbando *m*

smutty ['smʌtɪ] *joke* sconcio

snack [snæk] spuntino *m*

snag [snæg] (*problem*) problema *m*

snail [sneɪl] chiocciola *f*, *in cooking* lumaca *f*; **snail mail** F posta *f* lumaca

snake [sneɪk] serpente *m*

snap [snæp] **1** *n sound* botto *m*; PHOT foto *f* **2** *v/t break* spezzare; (*say sharply*) dire bruscamente **3** *v/i break* spezzarsi **4** *adj decision* immediato; **snappy** *person, mood* irritabile; F (*quick*) rapido; (*elegant*) elegante; **snapshot** istantanea *f*

snarl [snɑːl] **1** *n of dog* ringhio *m* **2** *v/i* ringhiare

snatch [snætʃ] afferrare; (*steal*) scippare; (*kidnap*) rapire

snazzy ['snæzɪ] F chic *inv*

sneakers ['sniːkəz] *Am* scarpe *fpl* da ginnastica

sneaky ['sniːkɪ] F (*crafty*) scaltro

sneer [snɪə(r)] **1** *n* sogghigno *m* **2** *v/i* sogghignare

sneeze [sniːz] **1** *n* starnuto *m* **2** *v/i* starnutire

snicker ['snɪkə(r)] ridacchiare

sniff [snɪf] **1** *v/i to clear nose* tirare su col naso; *of dog* fiutare **2** *v/t smell* annusare

sniper ['snaɪpə(r)] cecchino *m*

snivel ['snɪvl] *pej* frignare

snob [snɒb] snob *m/f inv*; **snobbery** snobismo *m*; **snobbish** snob *inv*

◆ **snoop around** [snuːp] ficcanasare

snooty ['snuːtɪ] snob *inv*

snooze [snuːz] **1** *n* sonnellino *m*; **have a ~** fare un sonnellino **2** *v/i* sonnecchiare

snore [snɔː(r)] russare; **snoring** russare *m*

snorkel ['snɔːkl] boccaglio *m*

snort [snɔːt] sbuffare

snow [snəʊ] **1** *n* neve *f* **2** *v/i* nevicare

◆ **snow under**: **be snowed under with ...** essere sommerso di ...

'**snowball** palla *f* di neve; **snow chains** *npl* MOT catene *fpl* da neve; **snowdrift** cumulo *m* di neve; **snowflake** fiocco *m* di neve; **snowman** pupazzo *m* di neve; **snowplough**, *Am* **snowplow** spazzaneve *m inv*; **snowstorm** tormenta *f*; **snowy** *weather* nevoso; *roofs, hills* innevato

snub [snʌb] **1** *n* affronto *m* **2** *v/t* snobbare; **snub-nosed** col naso all'insù

snug [snʌg] al calduccio; (*tight-fitting*) attillato

so [səʊ] **1** *adv* così; **~ hot** così caldo; **not ~ much** non così tanto; **~ much easier** molto più facile; **I miss you ~** mi manchi tanto; ~ **am / do I** anch'io; **and ~ on** e così via **2** *pron*: **I hope ~** spero di sì; **I don't think ~** non credo, credo di no **50 or ~** circa 50 **3** *conj* (*for that reason*) così; (*in order that*) così che; ~ (*that*) **I could come too** così che potessi venire anch'io; ~ **what?** F e allora?

soak [səʊk] (*steep*) mettere a bagno; *of water* inzuppare; **soaked** fradicio; **soaking** (*wet*) bagnato fradicio

soap [səʊp] *for washing* sapone *m*; **soap** (**opera**) soap (opera) *f inv*, telenovela *f*; **soapy** *water* saponato

soar [sɔː(r)] *of rocket etc* innalzarsi; *of prices* aumentare vertiginosamente

sob [sɒb] **1** *n* singhiozzo *m* **2** *v/i* singhiozzare

sober ['səʊbə(r)] sobrio; (*serious*) serio

◆ **sober up** smaltire la sbornia

so-'called cosiddetto

soccer ['sɒkə(r)] calcio *m*

sociable ['səʊʃəbl] socievole

social ['səʊʃl] sociale; **social democrat** socialdemocratico *m*, -a *f*; **socialism** socialismo *m*; **socialist 1** *adj* socialista **2** *n* socialista *m/f*; **socialize** socializzare; **social life** vita *f* sociale; **social science** scienza *f* sociale; **social security** sussidio *m* della previdenza sociale; **social**

work assistenza *f* sociale; **social worker** assistente *m/f* sociale

society [sə'saɪətɪ] società *f inv*; (*organization*) associazione *f*

sociologist [səʊsɪ'ɒlədʒɪst] sociologo *m*, -a *f*; **sociology** sociologia *f*

sock[1] [sɒk] *n* calzino *m*

sock[2] [sɒk] *v/t* F (*punch*) dare un pugno a

socket ['sɒkɪt] *for light bulb* portalampada *m inv*; *in wall* presa *f* (di corrente); *of eye* orbita *f*

soda ['səʊdə] (~ *water*) seltz *m inv*; *Am* bibita *f* analcolica

sofa ['səʊfə] divano *m*

soft [sɒft] *pillow* soffice; *chair, skin* morbido; *light, colour* tenue; *music* soft *inv*; *voice* sommesso; (*lenient*) indulgente; **soft drink** bibita *f*; **soft drug** droga *f* leggera; **soften** *butter etc* ammorbidire; *position* attenuare; *impact, blow* attutire; **softly** *speak* sommessamente; **software** software *m*

soggy ['sɒgɪ] molle e pesante

soil [sɔɪl] **1** *n* (*earth*) terra *f* **2** *v/t* sporcare

solar 'energy ['səʊlə(r)] energia *f* solare; **solar panel** pannello *m* solare

soldier ['səʊldʒə(r)] soldato *m*

sole[1] [səʊl] *n of foot* pianta *f* (del piede); *of shoe* suola *f*

sole² [səʊl] *adj* unico; (*exclusive*) esclusivo

solely ['səʊlɪ] solamente

solemn ['sɒləm] solenne; **solemnity** solennità *f inv*; **solemnly** solennemente

solicit [sə'lɪsɪt] *of prostitute* adescare; **solicitor** avvocato *m*

solid ['sɒlɪd] (*hard*) solido; (*without holes*) compatto; *gold, silver* massiccio; (*sturdy*) robusto; *evidence* concreto; *support* forte; **solidarity** solidarietà *f*; **solidify** solidificarsi; **solidly** *built* solidamente; *in favour of sth* all'unanimità

solitaire ['sɒlɪteə(r)] *card game* solitario *m*

solitary ['sɒlɪtərɪ] *life, activity* solitario; (*single*) solo; **solitude** solitudine *f*

solo ['səʊləʊ] **1** *n* MUS assolo *m* **2** *adj performance* solista; **soloist** solista *m/f*

soluble ['sɒljʊbl] *substance* solubile; *problem* risolvibile; **solution** soluzione *f*

solve [sɒlv] risolvere; **solvent** *financially* solvibile

sombre, *Am* **somber** ['sɒmbə(r)] (*dark*) scuro; (*serious*) tetro

some [sʌm] **1** *adj* (*amount*) un po' di, del; (*number*) qualche, dei *m*, delle *f*; **~ people say that ...** alcuni dicono che ... **2** *pron* (*amount*) un po'; (*number*) alcuni *m*, -e

f; **would you like ~?** ne vuoi un po'?; **~ of the students** alcuni studenti; **somebody** qualcuno; **someday** un giorno; **somehow** (*by one means or another*) in qualche modo; (*for some unknown reason*) per qualche motivo; **someone** ☞ **somebody**; **someplace** ☞ **somewhere**

somersault ['sʌməsɔːlt] **1** *n* capriola *f* **2** *v/i* fare una capriola

'something qualcosa; **sometime** (*one of these days*) uno di questi giorni; **~ last year** l'anno scorso; **sometimes** a volte; **somewhat** piuttosto; **somewhere 1** *adv* da qualche parte **2** *pron* un posto; **let's go ~ quiet** andiamo in un posto tranquillo

son [sʌn] figlio *m*

song [sɒŋ] canzone *f*; *of birds* canto *m*

'son-in-law genero *m*; **son of a bitch** V figlio *m* di puttana P

soon [suːn] presto; **as ~ as** non appena; **as ~ as possible** prima possibile; **~er or later** presto o tardi; **the ~er the better** prima è, meglio è; **how ~ can you be ready?** fra quanto sei pronto?

soothe [suːð] calmare

sophisticated [sə'fɪstɪkeɪtɪd] sofisticato; **sophistication** *of person* raffinatezza *f*; *of machine* complessità *f*

sophomore ['sɒfəmɔːr] *Am* studente *m/f* del secondo anno

soprano [sə'prɑːnəʊ] soprano *m/f*

sordid ['sɔːdɪd] sordido

sore [sɔː(r)] **1** *adj* (*painful*) dolorante; *is it ~?* fa male? **2** *n* piaga *f*; **sore throat** mal *m* di gola

sorrow ['sɒrəʊ] dispiacere *m*, dolore *m*

sorry ['sɒrɪ] *day, sight* triste; (*I'm*) *~!* apologizing scusa!; *polite form* scusi!; *I'm ~ re-gretting* mi dispiace; *I feel ~ for her* mi dispiace per lei

sort [sɔːt] **1** *n* tipo *m*; *~ of ...* F un po' ...; *is it finished? - ~ of* F è terminato? - quasi **2** *v/t* separare; COMPUT ordinare

SOS [esəʊ'es] SOS *m inv*

so-'so F così così

soul [səʊl] anima *f*; *the poor ~* il poverino, la poverina

sound¹ [saʊnd] **1** *adj* (*sensible*) valido; (*healthy*) sano; *sleep* profondo; *structure* solido **2** *adv*: *be ~ asleep* dormire profondamente

sound² [saʊnd] **1** *n* suono *m*; (*noise*) rumore *m* **2** *v/i*: *noise ~s interesting* sembra interessante

'soundbite slogan *m inv*; **soundly** *sleep* profondamente; *beaten* duramente; **soundproof** insonorizzato; **soundtrack** colonna *f* sonora

soup [suːp] minestra *f*

sour ['saʊə(r)] *apple, orange* aspro; *milk, expression, comment* acido

source [sɔːs] fonte *f*; *of river* sorgente *f*

south [saʊθ] **1** *adj* meridionale, del sud **2** *n* sud *m* **3** *adv travel* verso sud; *~ of* a sud di; **South Africa** Repubblica *f* Sudafricana; **South African 1** *adj* sudafricano **2** *n* sudafricano *m*, -a *f*; **South America** Sudamerica *m*; **South American 1** *adj* sudamericano **2** *n* sudamericano *m*, -a *f*; **southeast 1** *n* sud-est *m* **2** *adj* sud-orientale **3** *adv* verso sud-est; **southeastern** sud-orientale; **southerly** meridionale; **southern** del sud; **southerner** abitante *m/f* del sud; **southernmost** più a sud; **South Pole** polo *m* sud; **southwards** verso sud; **southwest 1** *n* sud-ovest *m* **2** *adj* sud-occidentale **3** *adv* verso sud-ovest; **southwestern** sud-occidentale

souvenir [suːvə'nɪə(r)] souvenir *m inv*

sovereign ['sɒvrɪn] *state* sovrano; **sovereignty** *of state* sovranità *f*

sow¹ [saʊ] *n* (*female pig*) scrofa *f*

sow² [səʊ] *v/t seeds* seminare

soya sauce ['sɔɪə] salsa *f* di

soia

space [speɪs] spazio *m*; *in car park* posto *m*; **space-bar** COMPUT barra *f* spaziatrice; **spacecraft** veicolo *m* spaziale; **spaceship** astronave *f*; **space shuttle** shuttle *m inv*; **space station** stazione *f* spaziale; **spacious** spazioso

spade [speɪd] *for digging* vanga *f*; **~s** *in card game* picche *fpl*

spaghetti [spə'getɪ] spaghetti *mpl*

Spain [speɪn] Spagna *f*

spam [spæm] spam *f*

span [spæn] coprire; *of bridge* attraversare

Spaniard ['spænjəd] spagnolo *m*, -a *f*; **Spanish 1** *adj* spagnolo **2** *n language* spagnolo *m*

spanner ['spænə(r)] chiave *f* inglese

spare [speə(r)] **1** *v/t (do without)* fare a meno di; **can you ~ £50?** mi puoi prestare 50 sterline?; **can you ~ the time?** hai tempo?; **have money / time to ~** avere soldi / tempo d'avanzo **2** *adj* in più **3** *n* ricambio *m*; **spare part** pezzo *m* di ricambio; **spare ribs** costine *fpl* di maiale; **spare room** stanza *f* degli ospiti; **spare time** tempo *m* libero; **spare wheel** MOT ruota *f* di scorta; **sparing: be ~ with** andarci piano con; **sparingly** con modera-

zione

spark [spɑːk] scintilla *f*

sparkle ['spɑːkl] brillare; **sparkling wine** vino *m* frizzante

'spark plug candela *f*

sparrow ['spærəʊ] passero *m*

sparse [spɑːs] *vegetation* rado; **sparsely: ~ populated** scarsamente popolato

spartan ['spɑːtn] spartano

spasmodic [spæz'mɒdɪk] irregolare

spate [speɪt] *fig* ondata *f*

spatial ['speɪʃl] spaziale

speak [spiːk] **1** *v/i* parlare; **~ing** TELEC sono io **2** *v/t foreign language* parlare; *the truth* dire

♦ **speak up** *(speak louder)* parlare ad alta voce

speaker ['spiːkə(r)] oratore *m*, -trice *f*; *of sound system* cassa *f*; **Italian ~** italofono *m*, -a *f*; **speaker phone** telefono *m* con vivavoce

spear [spɪə(r)] lancia *f*

special ['speʃl] speciale; *(particular)* particolare; **special effects** effetti *mpl* speciali; **specialist** specialista *m/f*; **speciality** specialità *f inv*; **specialize** specializzarsi *(in* in); **specially** ☞ **especially**; **specialty** specialità *f inv*

species ['spiːʃiːz] specie *f inv*

specific [spə'sɪfɪk] specifico; **specifically** specificamente; **specifications** *of machine etc* caratteristiche *fpl* tecni-

che; **specify** specificare
specimen ['spesɪmən] campione *m*
spectacle ['spektəkl] (*impressive sight*) spettacolo *m*; (**a pair of**) **~s** (un paio di) occhiali *mpl*; **spectacular** spettacolare
spectator [spek'teɪtə(r)] spettatore *m*, -trice *f*
spectrum ['spektrəm] *fig* gamma *f*
speculate ['spekjʊleɪt] fare congetture (**on** su); FIN speculare; **speculation** congetture *fpl*; FIN speculazione *f*; **speculator** FIN speculatore *m*, -trice *f*
speech [spiːtʃ] discorso *m*; *in play* monologo *m*; (*ability to speak*) parola *f*; (*way of speaking*) linguaggio *m*; **speechless** *with shock, surprise* senza parole
speed [spiːd] **1** *n* velocità *f inv*; (*quickness*) rapidità *f inv* **2** *v/i* (*go quickly*) andare a tutta velocità; (*drive too quickly*) superare il limite di velocità
◆ **speed up 1** *v/i* andare più veloce **2** *v/t* accelerare
'**speedboat** motoscafo *m*; **speed bump** dosso *m* di rallentamento; **speedily** rapidamente; **speeding** *when driving* eccesso *m* di velocità; **speed limit** limite *m* di velocità; **speedometer** tachimetro *m*; **speedy** rapido

spell¹ [spel] **1** *v/t*: **how do you ~ ...?** come si scrive ...?; **could you ~ that please?** me lo può dettare lettera per lettera? **2** *v/i* sapere come si scrivono le parole
spell² [spel] *n* (*period of time*) periodo *m*
'**spellchecker** COMPUT correttore *m* ortografico; **spelling** ortografia *f*
spend [spend] *money* spendere; *time* passare; **spendthrift** *pej* spendaccione *m*, -a *f*
sperm [spɜːm] spermatozoo *m*; (*semen*) sperma *m*
sphere [sfɪə(r)] *also fig* sfera *f*
spice [spaɪs] (*seasoning*) spezia *f*; **spicy** *food* piccante
spider ['spaɪdə(r)] ragno *m*; **spider's web** ragnatela *f*
spike [spaɪk] *on railings* spuntone *m*; *on plant* spina *f*; *on animal* aculeo *m*; *on running shoes* chiodo *m*
spill [spɪl] **1** *v/t* versare **2** *v/i* versarsi **3** *n of oil etc* fuoriuscita *f*
spin¹ [spɪn] **1** *n* giro *m*; *on ball* effetto *m* **2** *v/t* far girare; *ball* imprimere l'effetto a **3** *v/i of wheel* girare
spin² [spɪn] *v/t wool, cotton* filare; *web* tessere
spinach ['spɪnɪdʒ] spinaci *mpl*
spinal ['spaɪnl] spinale; **spinal column** colonna *f* vertebrale, spina *f* dorsale; **spinal cord** midollo *m* spinale

'spin doctor *esperto che ha il compito di presentare ai media le decisioni di un partito o personaggio politico sotto la luce migliore*

spine [spaɪn] *of person, animal* spina *f* dorsale; *of book* dorso *m*; *on plant, hedgehog* spina *f*; **spineless** (*cowardly*) smidollato

'spin-off applicazione *f* secondaria

spinster ['spɪnstə(r)] zitella *f*

spiny ['spaɪnɪ] spinoso

spiral ['spaɪrəl] **1** *n* spirale *f* **2** *v/i* (*rise quickly*) salire verticalmente; **spiral staircase** scala *f* a chiocciola

spire ['spaɪə(r)] spira *f*, guglia *f*

spirit ['spɪrɪt] spirito *m*; **spirited** *debate* animato; *defence* energico; *performance* brioso; **spirits** (*morale*) morale *msg*; **be in good / poor ~** essere su / giù di morale; **spiritual** spirituale

spit [spɪt] *of person* sputare

spite [spaɪt] dispetto *m*; **in ~ of** malgrado; **spiteful** dispettoso; **spitefully** dispettosamente

spitting image ['spɪtɪŋ]: **be the ~ of s.o.** essere il ritratto sputato di qu

splash [splæʃ] **1** *n* (*noise*) tonfo *m*; (*small amount of liquid*) schizzo *m*; *of colour* macchia *f* **2** *v/t person* schizzare; *water, mud* spruzzare **3** *v/i* schizza-

re; *of waves* infrangersi

'splashdown ammaraggio *m*

splendid ['splendɪd] magnifico; **splendour**, *Am* **splendor** magnificenza *f*

splint [splɪnt] MED stecca *f*

splinter ['splɪntə(r)] **1** *n* scheggia *f* **2** *v/i* scheggiarsi

split [splɪt] **1** *n in leather* strappo *m*; *in wood* crepa *f*; (*disagreement*) spaccatura *f*; (*division, share*) divisione *f* **2** *v/t leather* strappare; *wood, logs* spaccare; (*cause disagreement in*) spaccare; (*divide*) dividere **3** *v/i of leather* strapparsi; *of wood* spaccarsi; (*disagree*) spaccarsi

◆ **split up** *of couple* separarsi

splitting ['splɪtɪŋ]: **~ headache** feroce mal *m inv* di testa

spoil [spɔɪl] *child* viziare; *surprise, party* rovinare; **spoilsport** F guastafeste *m/f*; **spoilt** *child* viziato; **be ~ for choice** avere (solo) l'imbarazzo della scelta

spoke [spəʊk] *of wheel* raggio *m*

spokesperson ['spəʊkspɜ:sən] portavoce *m/f*

sponge [spʌndʒ] spugna *f*; **sponger** F scroccone *m*, -a *f*

sponsor ['spɒnsə(r)] **1** *n for immigration etc* garante *m/f inv*; *of TV programme, sports event, for fundraising* sponsor *m inv* **2** *v/t for immigra-*

tion, *membership* garantire per; *TV programme, sports event* sponsorizzare; **sponsorship** sponsorizzazione *f*
spontaneous [spɒn'teɪnɪəs] spontaneo; **spontaneously** spontaneamente
spool [spuːl] bobina *f*
spoon [spuːn] cucchiaio *m*; **spoonful** cucchiaio *f*
sporadic [spə'rædɪk] sporadico
sport [spɔːt] sport *m inv*; **sporting** sportivo; **sports jacket** giacca *f* sportiva; **sports car** auto *f inv* sportiva; **sportsman** sportivo *m*; **sportswear** abbigliamento *m* sportivo; **sportswoman** sportiva *f*; **sporty** sportivo
spot[1] [spɒt] *n* (*pimple*) brufolo *m*; *caused by measles etc* foruncolo *m*; *part of pattern* pois *m inv*
spot[2] [spɒt] *n* (*place*) posticino *m*; **on the ~** (*in the place in question*) sul posto; (*immediately*) immediatamente
spot[3] [spɒt] *v/t* (*notice*) notare; (*identify*) trovare
'spot check controllo *m* casuale; **spotless** pulitissimo; **spotlight** faretto *m*; **spotty** *with pimples* brufoloso
spouse [spaʊs] *fml* coniuge *m/f*
spout [spaʊt] **1** *n* beccuccio *m* **2** *v/i of liquid* sgorgare **3** *v/t* F: **~ nonsense** ciarlare
sprain [spreɪn] **1** *n* slogatura *f*

2 *v/t* slogarsi
sprawl [sprɔːl] stravaccarsi; *of city* estendersi; **send s.o. ~ing** *of punch* mandare qu a gambe all'aria; **sprawling** *city* tentacolare
spray [spreɪ] **1** *n of sea water* spruzzi *mpl*; *for hair* lacca *f*; (*container*) spray *m inv* **2** *v/t* spruzzare; **spraygun** pistola *f* a spruzzo
spread [spred] **1** *n of disease, religion etc* diffusione *f*; F *big meal* banchetto *m* **2** *v/t* (*lay*) stendere; *butter, jam* spalmare; *news, rumour, disease* diffondere; *arms, legs* allargare **3** *v/i* diffondersi; **spreadsheet** COMPUT spreadsheet *m inv*
sprightly ['spraɪtlɪ] arzillo
spring[1] *n* [sprɪŋ] *season* primavera *f*
spring[2] [sprɪŋ] *n device* molla *f*
spring[3] [sprɪŋ] **1** *n* (*jump*) balzo *m*; (*stream*) sorgente *f* **2** *v/i* (*jump*) balzare; **~ from** derivare da
'springboard trampolino *m*; **spring onion** cipollotto *m*; **springtime** primavera *f*
sprinkle ['sprɪŋkl] spruzzare; **~ sth with** cospargere qc di; **sprinkler** *for garden* irrigatore *m*; *in ceiling* sprinkler *m inv*
sprint [sprɪnt] **1** *n*: scatto *m*; **the 100 metres ~** i cento metri piani **2** *v/i* fare uno scatto;

sprinter SP velocista *m/f*
spud [spʌd] F patata *f*
spy [spaɪ] **1** *n* spia *f* **2** *v/i* fare la spia **3** *v/t* (*see*) scorgere
◆ **spy on** spiare
squabble ['skwɒbl] **1** *n* bisticcio *m* **2** *v/i* bisticciare
squalid ['skwɒlɪd] squallido; **squalor** ['skwɒlə(r)] squallore *m*
squander ['skwɒndə(r)] *money* dilapidare
square [skweə(r)] **1** *adj* in shape quadrato; **~ mile** miglio quadrato **2** *n* shape quadrato *m*; *in town* piazza *f*; *in board game* casella *f*; MATH quadrato *m*; **we're back to ~ one** siamo punto e a capo; **square root** radice *f* quadrata
squash¹ [skwɒʃ] *n vegetable* zucca *f*
squash² [skwɒʃ] *n game* squash *m*
squash³ [skwɒʃ] *v/t* (*crush*) schiacciare
squat [skwɒt] **1** *adj* in shape tozzo *m* **2** *v/i* (*sit*) accovacciarsi; *illegally* occupare abusivamente
squeak [skwiːk] **1** *n of mouse* squittio *m*; *of hinge* cigolio *m* **2** *v/i of mouse* squittire; *of hinge* cigolare; *of shoes* scricchiolare; **squeaky** *hinge* cigolante; *shoes* scricchiolante; *voice* stridulo; **squeaky clean** F pulito
squeal [skwiːl] **1** *n of pain, laughter* strillo *m*; *of brakes*

stridore *m* **2** *v/i* strillare; *of brakes* stridere
squeamish ['skwiːmɪʃ]: **be ~** avere lo stomaco delicato
squeeze [skwiːz] **1** *n of hand, shoulder* stretta *f* **2** *v/t hand* stringere; *sponge, lemon* spremere; *sponge* strizzare
squid [skwɪd] calamaro *m*
squint [skwɪnt] strabismo *m*
squirm [skwɜːm] (*wriggle*) contorcersi; **~ (with embarrassment)** morire di vergogna
squirrel ['skwɪrəl] scoiattolo *m*
squirt [skwɜːt] **1** *v/t* spruzzare **2** *n* F *pej* microbo *m* F
St *abbr* (= *saint*) S. (= santo *m*, santa *f*); (= *street*) v. (= via *f*)
stab [stæb] accoltellare
stability [stə'bɪlətɪ] stabilità *f*; **stabilize 1** *v/t* stabilizzare **2** *v/i* stabilizzarsi; **stable 1** *adj* stabile; **2** *n for horses* stalla *f*; *establishment* scuderia *f*
stack [stæk] **1** *n* (*pile*) pila *f*; **~s of** F un sacco di F **2** *v/t* mettere in pila
stadium ['steɪdɪəm] stadio *m*
staff [stɑːf] (*employees*) personale *msg*; (*teachers*) corpo *m* insegnante; **staffroom** *in school* sala *f* professori
stage¹ [steɪdʒ] *in life, project etc* fase *f*; *of journey* tappa *f*
stage² [steɪdʒ] **1** *n* THEA palcoscenico *m* **2** *v/t play* mettere in scena; *demonstration*

organizzare

stagger ['stægə(r)] **1** v/i barcollare **2** v/t (amaze) sbalordire; *holidays, breaks etc* scaglionare; **staggering** sbalorditivo

stagnant ['stægnənt] *also fig* stagnante; **stagnate** *of person, mind* vegetare

'**stag party** (festa f di) addio m al celibato

stain [steɪn] **1** n (dirty mark) macchia f; for wood macchiante m **2** v/t (dirty) macchiare; *wood* dare il mordente a **3** v/i of wine etc macchiarsi; of fabric macchiarsi; **stained-glass window** vetrata f colorata; **stainless steel** acciaio m inossidabile

stair [steə(r)] scalino m; the **~s** le scale; **staircase** scala f

stake [steɪk] **1** n of wood paletto m; when gambling puntata f; (investment) partecipazione f; **be at ~** essere in gioco **2** v/t *tree* puntellare; *money* puntare

stale [steɪl] *bread* raffermo; *air* viziato; *fig: news* vecchio; **stalemate** in chess stallo m; *fig* punto m morto

stalk[1] [stɔːk] n of fruit picciolo m; of plant gambo m

stalk[2] [stɔːk] v/t *animal* seguire; *person* perseguitare (con telefonate, lettere ecc)

stall[1] [stɔːl] n at market bancarella f; for cow, horse box m inv

stall[2] [stɔːl] **1** v/i of vehicle fermarsi; (play for time) temporeggiare **2** v/t *engine* far spegnere; *people* trattenere

stalls [stɔːlz] platea f

stalwart ['stɔːlwət] *supporter* fedele

stamina ['stæmɪnə] resistenza f

stammer ['stæmə(r)] **1** n balbuzie f **2** v/i balbettare

stamp[1] [stæmp] **1** n for letter francobollo m; (date ~ etc) timbro m **2** v/t *letter* affrancare; *document, passport* timbrare; **~ed addressed envelope** busta f affrancata per la risposta

stamp[2] [stæmp] v/t: **~ one's feet** pestare i piedi

stance [stɑːns] (position) presa f di posizione

stand [stænd] **1** n at exhibition stand m inv; (witness ~) banco m dei testimoni; (support, base) base f; **take the ~** LAW testimoniare **2** v/i (be situated: of person) stare; of object, building trovarsi; as opposed to sit stare in piedi; (rise) alzarsi in piedi **3** v/t (tolerate) sopportare; (put) mettere; **you don't ~ a chance** non hai alcuna probabilità; **~ s.o. a drink** offrire da bere a qu

◆ **stand by 1** v/i (not take action) stare a guardare; (be ready) tenersi pronto **2** v/t *person* stare al fianco di; de-

cision mantenere
◆ **stand down** (*withdraw*) ritirarsi
◆ **stand for** (*tolerate*) tollerare; (*mean*) significare; *freedom etc* rappresentare
◆ **stand out** spiccare; *of person, building* distinguersi
◆ **stand up 1** *v/i* alzarsi in piedi **2** *v/t* F *on date* dare buca a F
◆ **stand up for** difendere
◆ **stand up to** far fronte a
standard ['stændəd] **1** *adj* (*usual*) comune; *model* standard *inv* **2** *n* (*level*) livello *m*; (*expectation*) aspettativa *f*; TECH standard *m inv*; **be up to ~** essere di buona qualità; **standardize** standardizzare; **standard of living** tenore *m* di vita
'**standby** *ticket* biglietto *m* stand-by; **on ~** *at airport* in lista d'attesa; **on ~** *of troops etc* pronto; **standing** *in society etc* posizione *f*; (*repute*) reputazione *f*; **of long ~** di lunga durata; **standoffish** scostante; **standpoint** punto *m* di vista; **standstill**: **be at a ~** essere fermo; **bring to a ~** fermare
staple[1] ['steɪpl] *n* (*foodstuff*) alimento *m* base
staple[2] ['steɪpl] **1** *n* (*fastener*) graffa *f* **2** *v/t* pinzare
stapler ['steɪplə(r)] pinzatrice *f*
star [stɑː(r)] **1** *n in sky* stella *f*;

fig star *f inv* **2** *v/t*: **a film ~ring Julia Roberts** un film interpretato da Julia Roberts; **starboard** a tribordo
stare [steə(r)] fissare; **~ at** fissare
stark [stɑːk] **1** *adj landscape* desolato; *colour scheme* austero; *reminder, contrast etc* brusco **2** *adv*: **~ naked** completamente nudo
starling ['stɑːlɪŋ] storno *m*
starry ['stɑːrɪ] *night* stellato
start [stɑːt] **1** *n* inizio *m*; **get off to a good ~** cominciare bene **2** *v/i* iniziare, cominciare; *of engine, car* partire; **~ing from tomorrow** a partire da domani **3** *v/t* cominciare; *engine, car* mettere in moto; *business* mettere su; **~ to do sth**, **~ doing sth** cominciare a fare qc; **starter** *of meal* antipasto *m*; *of car* motorino *m* d'avviamento; *in race* starter *m inv*; **starting point** punto *m* di partenza; **starting salary** stipendio *m* iniziale
startle ['stɑːtl] far trasalire; **startling** sorprendente
'**start-up** COM nuova azienda *f*
starvation [stɑː'veɪʃn] fame *f*; **starve** soffrire la fame; **I'm starving** F sto morendo di fame
state[1] [steɪt] **1** *n of car, house, part of country* stato *m*; **the States** gli Stati Uniti **2** *adj*

stem cell

di stato; *school* statale; *banquet etc* ufficiale

state² [steɪt] *v/t* dichiarare

'State Department Ministero *m* degli Esteri; **statement** *to police* deposizione *f*; (*announcement*) dichiarazione *f*; (*bank ~*) estratto *m* conto; **state of emergency** stato *m* d'emergenza; **state-of-the-art** allo stato dell'arte; **statesman** statista *m*

static (elec'tricity) ['stætɪk] elettricità *f* statica

station ['steɪʃn] **1** *n* stazione *f* **2** *v/t guard etc* disporre; **stationary** fermo

stationery ['steɪʃənərɪ] articoli *mpl* di cancelleria

'station wagon giardiniera *f*

statistical [stə'tɪstɪkl] statistico; **statistically** statisticamente; **statistician** esperto *m*, -a *f* di statistica; **statistics** *science* statistica *f*; *npl figures* statistiche *fpl*

statue ['stætjuː] statua *f*

status ['steɪtəs] posizione *f*; **status symbol** status symbol *m inv*

statute ['stætjuːt] statuto *m*

staunch [stɔːntʃ] leale

stay [steɪ] **1** *n* soggiorno *m* **2** *v/i in a place* stare; *in a condition* restare; *~ in a hotel* stare in albergo; *~ right there!* non ti muovere!

◆ **stay behind** rimanere

◆ **stay up** (*not go to bed*) rimanere alzato

steadily ['stedɪlɪ] *improve etc* costantemente; *look* fisso;

steady 1 *adj voice, hands* fermo; *job, boyfriend* fisso; *beat* regolare; *improvement, decline* costante **2** *adv*: *be going ~* fare coppia fissa; *~ on!* calma! **3** *v/t bookcase etc* rendere saldo

steak [steɪk] bistecca *f*, carne *f* (di manzo)

steal [stiːl] **1** *v/t* rubare **2** *v/i* (*be a thief*) rubare; *~ in / out* entrare / uscire furtivamente

stealthy ['stelθɪ] furtivo

steam [stiːm] **1** *n* vapore *m* **2** *v/t food* cuocere al vapore; **steamed up** F *angry* furibondo; **steamer** *for cooking* vaporiera *f*

steel [stiːl] **1** *n* acciaio *m* **2** *adj* d'acciaio; **steelworker** operaio *m* di acciaieria

steep¹ [stiːp] *adj hill etc* ripido; F *prices* alto

steep² [stiːp] *v/t* (*soak*) lasciare a bagno

steer¹ [stɪr] *n animal* manzo *m*

steer² [stɪə(r)] *v/t* manovrare; *person* guidare; *conversation* spostare; **steering** MOT sterzo *m*; **steering wheel** volante *m*

stem¹ [stem] *n of plant, glass* stelo *m*; *of word* radice *f*

stem² [stem] *v/t* (*block*) arginare

'stem cell cellula *f* staminale

stench [stentʃ] puzzo *m*

stencil ['stensıl] **1** *n* stencil *m inv* **2** *v/t* **pattern** disegnare con lo stencil

step [step] **1** *n* (*pace*) passo *m*; (*stair*) gradino *m*; (*measure*) provvedimento *m*; **~ by ~** poco a poco **2** *v/i*: **~ into** / **out of** salire in / scendere da

◆ **step down** *from post etc* dimettersi

◆ **step up** (*increase*) aumentare

'**stepbrother** fratellastro *m*; **stepdaughter** figliastra *f*; **stepfather** patrigno *m*; **stepladder** scala *f* a libretto; **stepmother** matrigna *f*; **stepsister** sorellastra *f*; **stepson** figliastro *m*

stereo ['steriəʊ] (*sound system*) stereo *m inv*; **stereotype** stereotipo *m*

sterile ['steraıl] sterile; **sterilize** sterilizzare

sterling ['stɜːlıŋ] FIN sterlina *f*

stern[1] [stɜːn] *adj* severo

stern[2] [stɜːn] *n* NAUT poppa *f*

sternly ['stɜːnlı] severamente

steroids ['steroıdz] anabolizzanti *mpl*

stethoscope ['steθəskəʊp] fonendoscopio *m*

stew [stjuː] spezzatino *m*

steward ['stjuːəd] *on plane, ship* steward *m inv*; *at demonstration, meeting* membro *m* del servizio d'ordine; **stewardess** *on plane, ship* hostess *f inv*

stick[1] [stık] *n wood* rametto *m*; (*walking* ~) bastone *m*; **out in the ~s** F a casa del diavolo F

stick[2] [stık] **1** *v/t with adhesive* attaccare; *needle, knife* conficcare; F (*put*) mettere **2** *v/i* (*jam*) bloccarsi; (*adhere*) attaccarsi

◆ **stick by** F *person* rimanere al fianco di

◆ **stick to** F (*keep to*) attenersi a; F (*follow*) seguire

◆ **stick up for** F difendere

sticker ['stıkə(r)] adesivo *m*; **sticking plaster** cerotto *m*; **stick-in-the-mud** F abitudinario *m*, -a *f*; **sticky** appiccicoso; *label* adesivo

stiff [stıf] **1** *adj brush, cardboard, leather* rigido; *muscle, body* anchilosato; *paste* sodo; *in manner* freddo; *drink, competition* forte; *fine* salato **2** *adv*: **be bored ~** F essere annoiato a morte F; **stiffness** *of muscles* indolenzimento *m*; *of material* rigidità *f*; *of manner* freddezza *f*

stifle ['staıfl] *also fig* soffocare; **stifling** soffocante

stigma ['stıgmə] vergogna *f*

stilettos [stı'letəʊz] *npl* (*shoes*) scarpe *fpl* con tacco a spillo

still[1] [stıl] **1** *adj* (*motionless*) immobile; *without wind* senza vento; *drink* non gas(s)ato **2** *adv*: **keep** / **stand ~!** stai fermo!

still² [stɪl] *adv* (*yet*) ancora; (*nevertheless*) comunque; **she ~ hasn't finished** non ha ancora finito; **~ more** ancora più

'stillborn nato morto; **still life** natura *f* morta

stilted ['stɪltɪd] poco naturale

stimulant ['stɪmjʊlənt] stimolante *m*; **stimulate** stimolare; **stimulating** stimolante; **stimulation** stimolazione *f*; **stimulus** (*incentive*) stimolo *m*

sting [stɪŋ] **1** *n from bee* puntura *f*; *from jellyfish* pizzico *m* **2** *v/t of bee* pungere; *of jellyfish* pizzicare **3** *v/i of eyes, scratch* bruciare; **stinging** *criticism* pungente

stingy ['stɪndʒɪ] F tirchio F

stink [stɪŋk] **1** *n* (*bad smell*) puzza *f*; F (*fuss*) putiferio *m* F; **kick up a ~** F fare un casino F **2** *v/i* (*smell bad*) puzzare; F (*be very bad*) fare schifo F

stipulate ['stɪpjʊleɪt] stabilire; **stipulation** condizione *f*

stir [stɜː(r)] **1** *v/t* mescolare **2** *v/i of sleeping person* muoversi; **stirring** *music, speech* commovente

stitch [stɪtʃ] **1** *n in sewing* punto *m*; *in knitting* maglia *f*; **~es** MED punti *mpl* (di sutura); **be in ~es** *laughing* ridere a crepapelle **2** *v/t sew* cucire; **stitching** (*stitches*) cucitura *f*

stock [stɒk] **1** *n* (*reserves*) provvista *f*; COM *of store* stock *m inv*; *animals* bestiame *m*; FIN titoli *mpl*; *for soup etc* brodo *m*; **in ~** / **out of ~** disponibile / esaurito; **take ~** fare il punto **2** *v/t* COM vendere; **stockbroker** agente *m/f* di cambio; **stock exchange** borsa *f* valori; **stockholder** azionista *m/f*; **stockist** rivenditore *m*; **stock market** mercato *m* azionario; **stockpile 1** *n of food, weapons* scorta *f* **2** *v/t* fare scorta di

stocky ['stɒkɪ] tarchiato

stodgy ['stɒdʒɪ] *food* pesante

stoical ['stəʊɪkl] stoico; **stoicism** stoicismo *m*

stomach ['stʌmək] **1** *n* stomaco *m*; (*abdomen*) pancia *f* **2** *v/t* (*tolerate*) sopportare; **stomach-ache** mal *m* di stomaco

stone [stəʊn] pietra *f*; (*pebble*) sasso *m*; *in fruit* nocciolo *m*; **stoned** F *on drugs* fatto F; **stone-deaf** sordo (come una campana)

stool [stuːl] *seat* sgabello *m*

stoop¹ [stuːp] *v/i* (*bend down*) chinarsi; (*have bent back*) essere curvo

stoop² [stuːp] *n Am* (*porch*) porticato *m*

stop [stɒp] **1** *n for train, bus* fermata *f*; **put a ~ to** mettere fine a **2** *v/t* (*put an end to*) mettere fine a; (*prevent*) fermare; (*cease*) smettere; *per-*

son, car, bus fermare; *cheque* bloccare; **~ doing sth** smettere di fare qc **3** *v/i (come to a halt)* fermarsi; *of rain, noise* smettere

◆ **stop over** fare sosta

'**stopgap** *person* tappabuchi *m/f inv; thing* soluzione *f* temporanea; **stoplight** *(traffic light)* rosso *m; (brake light)* fanalino *m* d'arresto; **stopover** sosta *f; in air travel* scalo *m* intermedio; **stopper** tappo *m*; **stop sign** (segnale *m* di) stop *m inv*; **stopwatch** cronometro *m*

storage ['stɔːrɪdʒ]: **put sth in ~** mettere qc in magazzino; **store 1** *n large shop* negozio *m; (stock)* riserva *f; (storehouse)* deposito *m* **2** *v/t* tenere; COMPUT memorizzare; **storekeeper** *Am* negoziante *m/f*; **store window** *Am* vetrina *f*

storey ['stɔːrɪ] *of building* piano *m*

storm [stɔːm] tempesta *f*; **stormy** tempestoso

story¹ ['stɔːrɪ] *(tale)* racconto *m; (account)* storia *f; (newspaper article)* articolo *m*; F *(lie)* bugia *f*

story² ['stɔːrɪ] *of building* piano *m*

stout [staut] *person* robusto

stove [stəuv] *for cooking* cucina *f; for heating* stufa *f*

stow [stəu] riporre

◆ **stow away** imbarcarsi

clandestinamente

'**stowaway** passeggero *m*, -a *f*

straight [streɪt] **1** *adj line* retto; *hair, whisky* liscio; *back, knees* dritto; *(tidy)* in ordine; *(conservative)* convenzionale; *(not homosexual)* etero; **keep a ~ face** non ridere **2** *adv* dritto; *think con* chiarezza; **go ~** F *of criminal* rigare dritto; **give it to me ~** F dimmi francamente; **~ ahead** avanti dritto; **carry ~ on** proseguire dritto; **~ away, ~ off** immediatamente; **~ out** *say sth* chiaro e tondo; **straighten** raddrizzare; **straightforward** *(honest, direct)* franco; *(simple)* semplice

strain¹ [streɪn] **1** *n physical* sforzo *m; mental* tensione *f* **2** *v/t (injure)* affaticare; *finances*, gravare su

strain² [streɪn] *v/t vegetables* scolare; *oil, fat etc* filtrare

strained [streɪnd] teso; **strainer** *for vegetables etc* colino *m*

strait [streɪt] GEOG stretto *m*; **straitlaced** puritano

strand [strænd] piantare in asso F; **be ~ed** essere bloccato

strange [streɪndʒ] *(odd, curious)* strano; *(unknown, foreign)* sconosciuto; **strangely** *(oddly)* stranamente; **~ enough** strano ma vero;

stranger *person you don't know* sconosciuto *m*, -a *f*; **I'm a ~ here myself** non sono di queste parti

strangle ['stræŋgl] strangolare

strap [stræp] *of bag* tracolla *f*; *of bra, dress* bretellina *f*, spallina *f*; *of watch* cinturino *m*; *of shoe* listino *m*; **strapless** senza spalline

strategic [strə'ti:dʒɪk] strategico; **strategy** strategia *f*

straw [strɔ:] paglia *f*; *for drink* cannuccia *f*; **strawberry** fragola *f*

stray [streɪ] **1** *adj animal* randagio; *bullet* vagante **2** *n dog, cat* randagio *m* **3** *v/i of animal* smarrirsi; *of child* allontanarsi; *fig: of eyes, thoughts* vagare

streak [stri:k] **1** *n of dirt, paint* striscia *f*; *in hair* mèche *f inv*; *fig: of nastiness etc* vena *f* **2** *v/i move quickly* frecciare

stream [stri:m] **1** *n* ruscello *m*; *fig: of people, complaints* fiume *m*; **come on ~** *of plant* entrare in attività; *of oil* arrivare **2** *v/i* riversarsi; **streamline** *fig* snellire; **streamlined** *car, plane* aerodinamico; *organization* snellito

street [stri:t] strada *f*; *in address* via *f*; **streetcar** *Am* tram *m inv*; **streetlight** lampione *m*; **street value** *of drugs* valore *m* di mercato; **streetwise** scafato F

strength [streŋθ] forza *f*; *(strong point)* punto *m* forte; **strengthen 1** *v/t* rinforzare **2** *v/i* consolidarsi

strenuous ['strenjʊəs] faticoso; **strenuously** *deny* recisamente

stress [stres] **1** *n (emphasis)* accento *m*; *(tension)* stress *m inv* **2** *v/t syllable* accentare; *importance etc* sottolineare; **stressed out** stressato; **stressful** stressante

stretch [stretʃ] **1** *n of land, water* tratto *m*; **at a ~** *(non-stop)* di fila **2** *adj fabric* elasticizzato **3** *v/t material* tendere; *small income* far bastare; **~ the rules** F fare uno strappo (alla regola); **he ~ed out his hand** allungò la mano **4** *v/i to relax muscles* stirarsi; *to reach sth* allungarsi; *(spread)* estendersi; **stretcher** barella *f*

strict [strɪkt] *person* severo; *instructions* tassativo; **strictly: be brought up ~** ricevere un'educazione rigida; **it is ~ forbidden** è severamente proibito

stride [straɪd] **1** *n* falcata *f*; **take sth in one's ~** affrontare qc senza drammi; **make great ~s** *fig* far passi da gigante **2** *v/i* procedere a grandi passi; **he strode up to me** avanzò verso di me

strident ['straɪdnt] stridulo; *demands* veemente

strike [straɪk] **1** n of workers sciopero m; of oil scoperta f; **be on ~** essere in sciopero **2** v/i of workers scioperare; (attack) aggredire; of disaster colpire; of clock suonare **3** v/t (hit) colpire; match accendere (sfregando); of idea, thought venire in mente a; oil trovare; **she struck me as being ...** mi ha dato l'impressione di essere ...
♦ **strike out** (delete) depennare

'strikebreaker crumiro m, -a f; **striker** person on strike scioperante m/f; in football bomber m inv, cannoniere m; **striking** (marked) marcato; (eye-catching) impressionante; (attractive) attraente; colour forte

string [strɪŋ] (cord) spago m; of violin, tennis racket corda f; **the ~s** MUS gli archi; **a ~ of** (series) una serie di; **stringed instrument** strumento m ad arco

stringent ['strɪndʒənt] rigoroso

strip [strɪp] **1** n striscia f; (comic ~) fumetto m; of soccer player divisa f **2** v/t (remove) staccare; bed togliere; (undress) spogliare; **~ s.o. of sth** spogliare qu di qc **3** v/i (undress) spogliarsi; of stripper fare lo spogliarello; **strip club** locale m di spogliarelli

stripe [straɪp] striscia f; MIL gallone m; **striped** a strisce

stripper ['strɪpə(r)] spogliarellista f; **male ~** spogliarellista m; **striptease** spogliarello m

strive [straɪv] **~ to do sth** sforzarsi di fare qc; **~ for sth** lottare per (ottenere) qc

stroke [strəʊk] **1** n MED ictus m inv; when painting pennellata f; style of swimming stile m di nuoto; **~ of luck** colpo di fortuna **2** v/t accarezzare

stroll [strəʊl] **1** n passeggiata f; **go for a ~** fare una passeggiata **2** v/i fare due passi; **she ~ed back to the office** tornò in ufficio in tutta calma; **stroller** Am for baby passeggino m

strong [strɒŋ] forte; structure resistente; candidate valido; taste, smell intenso; views, beliefs fermo; arguments convincente; objections energico; **~ support** largo consenso; **strongly** believe, object fermamente; built solidamente; **feel ~ about sth** avere molto a cuore qc; **strong-minded** risoluto; **strong point** (punto m) forte m; **strongroom** camera f blindata; **strong-willed** deciso

structural ['strʌktʃərəl] strutturale; **structure 1** n something built costruzione f; of novel, society etc struttura f **2** v/t strutturare

struggle ['strʌgl] **1** n (*fight*) colluttazione f; *fig* lotta f; (*hard time*) fatica f **2** v/i with a person lottare; (*have a hard time*) faticare; **~ to do sth** faticare a fare qc

strut [strʌt] camminare impettito

stub [stʌb] **1** n of cigarette mozzicone m; of cheque, ticket matrice f **2** v/t: **~ one's toe** urtare il dito del piede
♦ **stub out** spegnere

stubble ['stʌbl] on man's face barba f ispida

stubborn ['stʌbən] person testardo; defence, refusal ostinato

stubby ['stʌbɪ] tozzo

stuck [stʌk] F: **be ~ on s.o.** essere cotto di qu F; **stuck-up** F presuntuoso

student ['stjuːdnt] studente m, -essa f

studio ['stjuːdɪəʊ] studio m; (*recording* ~) sala f di registrazione

studious ['stjuːdɪəs] studioso; **study 1** n studio m **2** v/t & v/i studiare

stuff [stʌf] **1** n roba f **2** v/t turkey farcire; **~ sth into sth** ficcare qc in qc; **stuffing** for turkey farcia f; in chair, teddy bear imbottitura f; **stuffy** room mal ventilato; person inquadrato

stumble ['stʌmbl] inciampare; **stumbling-block** fig scoglio m

stump [stʌmp] **1** n of tree ceppo m **2** v/t of question, questioner sconcertare

stun [stʌn] of blow stordire; of news sbalordire; **stunning** (*amazing*) sbalorditivo; (*very beautiful*) splendido

stunt [stʌnt] for publicity trovata f pubblicitaria; in film acrobazia f; **stuntman** in movie cascatore m

stupefy ['stjuːpɪfaɪ] sbalordire

stupendous [stjuː'pendəs] (*marvellous*) fantastico; mistake enorme

stupid ['stjuːpɪd] stupido; **stupidity** stupidità f

sturdy ['stɜːdɪ] robusto

stutter ['stʌtə(r)] balbettare

style [staɪl] stile m; (*fashion*) moda f; (*fashionable elegance*) classe f; (*hair* ~) pettinatura f; **stylish** elegante; **stylist** (*hair* ~) parrucchiere m, -a f

subcommittee ['sʌbkəmɪtɪ] sottocommissione f

subconscious [sʌb'kɒnʃəs] subconscio; **the ~** (*mind*) il subconscio; **subconsciously** inconsciamente

subcontract [sʌbkən'trakt] subappaltare; **subcontractor** subappaltatore m, -trice f

subdivide [sʌbdɪ'vaɪd] suddividere

subdue [səb'djuː] sottomettere

subheading ['sʌbhedɪŋ] sottotitolo m

subhuman [sʌb'hju:mən] subumano

subject 1 ['sʌbdʒɪkt] n of monarch suddito m, -a f; (topic) argomento m; EDU materia f; GRAM soggetto m; **change the ~** cambiare argomento **2** ['sʌbdʒɪkt] adj: **be ~ to** essere soggetto a; **~ to availability** nei limiti della disponibilità **3** [səb'dʒekt] v/t sottoporre; **subjective** soggettivo

sublet ['sʌblet] subaffittare

subma'chine gun mitra m

submarine ['sʌbməri:n] sottomarino m, sommergibile m

submerge [səb'mɜːdʒ] **1** v/t sommergere **2** v/t of submarine immergersi

submission [səb'mɪʃn] (surrender) sottomissione f; request to committee etc richiesta f; **submissive** sottomesso; **submit 1** v/t plan, proposal presentare **2** v/t sottomettersi

subordinate [sə'bɔːdɪnət] **1** adj employee, position subalterno **2** n subalterno m, -a f

subpoena [sə'pi:nə] **1** n citazione f **2** v/t person citare in giudizio

♦ subscribe to [səb'skraɪb] magazine etc abbonarsi a; theory condividere

subscriber [səb'skraɪbə(r)] to

magazine abbonato m, -a f; **subscription** abbonamento m

subsequent ['sʌbsɪkwənt] successivo; **subsequently** successivamente

subside [səb'saɪd] of waters, winds calare; of building sprofondare; of fears calmarsi

subsidiary [səb'sɪdɪərɪ] filiale f

subsidize ['sʌbsɪdaɪz] sovvenzionare; **subsidy** sovvenzione f

substance ['sʌbstəns] sostanza f

substandard [sʌb'stændəd] scadente

substantial [səb'stænʃl] considerevole; meal sostanzioso; **substantially** (considerably) considerevolmente; (in essence) sostanzialmente

substantive [səb'stæntɪv] sostanziale

substitute ['sʌbstɪtjuːt] **1** n for person sostituto m, -a f; for commodity alternativa f; SP riserva f **2** v/t: **~ X for Y** sostituire Y con X **3** v/i: **~ for s.o.** sostituire qu; **substitution** (act) sostituzione f

subtitle ['sʌbtaɪtl] sottotitolo m

subtle ['sʌtl] sottile; flavour delicato

subtract [səb'trækt] sottrarre

suburb ['sʌbɜːb] sobborgo m; **the ~s** la periferia; **subur-**

ban di periferia

subversive [səb'vɜːsɪv] **1** *adj* sovversivo **2** *n* sovversivo *m*, -a *f*

subway ['sʌbweɪ] *Br* sottopassaggio *m*; *Am* metropolitana *f*

sub'zero: ~ *temperatures* temperature sottozero

succeed [sək'siːd] **1** *v/i* avere successo; *to throne* succedere; ~ *in doing sth* riuscire a fare qc **2** *v/t* (*come after*) succedere a; **success** successo *m*; *be a* ~ avere successo; **successful** *person* affermato; *marriage, party* riuscito; *be* ~ riuscire; *he's very* ~ è arrivato; **successfully** con successo; *we* ~ *completed* ... siamo riusciti a portare a termine ...; **successive** successivo; *three* ~ *days* tre giorni di seguito; **successor** successore *m*

succinct [sək'sɪŋkt] succinto

succumb [sə'kʌm] (*give in*) cedere

such [sʌʧ] **1** *adj* (*of that kind*) del genere; ~ *a* (*so much of a*) un / una simile; ~ *as* come; *he made* ~ *a fuss* ha fatto una tale scenata; *there is no* ~ *word as* ... la parola ... non esiste **2** *adv* così; ~ *nice people* gente così simpatica

suck [sʌk] **1** *v/t* lollipop etc succhiare **2** *v/i*: *it* ~*s* P fa schifo P

◆ **suck up to** F leccare i pie-

di a F

sucker ['sʌkə(r)] F *person* pollo F; *suction* aspirazione *f*

sudden ['sʌdn] improvviso; *all of a* ~ all'improvviso; **suddenly** improvvisamente

sue [suː] *v/t* fare causa a **2** *v/i* fare causa

suede [sweɪd] pelle *f* scamosciata

suffer ['sʌfə(r)] **1** *v/i* (*be in pain*) soffrire; *be ~ing from* avere; ~ *from* soffrire di **2** *v/t loss, setback* subire; **suffering** sofferenza *f*

sufficient [sə'fɪʃnt] sufficiente; **sufficiently** abbastanza

suffocate ['sʌfəkeɪt] soffocare; **suffocation** soffocamento *m*

sugar ['ʃʊgə(r)] **1** *n* zucchero *m* **2** *v/t* zuccherare

suggest [sə'dʒest] proporre, suggerire; **suggestion** proposta *f*, suggerimento *m*

suicide ['suːɪsaɪd] suicidio *m*; *commit* ~ suicidarsi; **suicide bomber** kamikaze *m inv*

suit [suːt] **1** *n for man* vestito *m*, completo *m*; *for woman* tailleur *m inv*; *in cards* seme *m inv* **2** *v/t of clothes, colour* stare bene a; ~ *yourself!* F fa' come ti pare!; *be* ~*ed for sth* essere fatto per qc; **suitable** adatto; **suitably** adeguatamente; **suitcase** valigia *f*

suite [swiːt] *of rooms* suite *f inv*; *of furniture* divano *m* e

poltrone *fpl* coordinati; MUS
suite *f inv*
sulk [sʌlk] fare il broncio;
sulky imbronciato
sullen ['sʌlən] crucciato
sultry ['sʌltrɪ] *climate* afoso;
sexually sensuale
sum [sʌm] somma *f*; *in arith-*
metic addizione *f*
◆ **sum up 1** *v/t (summarize)*
riassumere; *(assess)* valutare
2 *v/i* LAW riepilogare
summarize ['sʌmərarz] riassumere; **summary** riassunto
m
summer ['sʌmə(r)] estate *f*
summit ['sʌmɪt] *of mountain*
vetta *f*; POL summit *m inv*
summon ['sʌmən] convocare;
summons LAW citazione *f*
sun [sʌn] sole *m*; **in the ~** al
sole; *out of the ~* all'ombra;
sunbathe prendere il sole;
sunbed lettino *m* solare;
sunblock protezione *f* solare totale; **sunburn** scottatura *f*; **sunburnt** scottato;
Sunday domenica *f*; **sunglasses** occhiali *mpl* da sole; **sunny** *day* di sole; *spot*
soleggiato; *disposition* allegro; *it's ~* c'è il sole; **sunrise**
alba *f*; **sunset** tramonto *m*;
sunshade ombrellone *m*;
sunshine (luce *f* del) sole
m; **sunstroke** colpo *m* di sole; **suntan** abbronzatura *f*;
get a ~ abbronzarsi
super ['suːpə(r)] F fantastico
superb [suˈpɜːb] magnifico

superficial [suːpəˈfɪʃl] superficiale
superfluous [suˈpɜːfluəs] superfluo
super'human sovrumano
superintendent [suːpərɪn-
ˈtendənt] *Br of police* commissario *m*; *Am of apartment*
block custode *m/f*
superior [suːˈpɪərɪə(r)] **1** *adj*
(better) superiore **2** *n in or-*
ganization superiore *m*
superlative [suːˈpɜːlətɪv] **1**
adj (superb) eccellente **2** *n*
GRAM superlativo *m*
'**supermarket** supermarket
m inv, supermercato *m*
super'natural 1 *adj powers*
soprannaturale **2** *n: the ~* il
soprannaturale
'**superpower** POL superpo-
tenza *f*
supersonic [suːpəˈsɒnɪk] su-
personico
superstition [suːpəˈstɪʃn] superstizione *f*; **superstitious**
superstizioso
supervise ['suːpəvarz] super-
visionare; **supervisor** *at*
work supervisore *m*
supper ['sʌpə(r)] cena *f*
supple ['sʌpl] *person, limbs*
snodato; *material* flessibile
supplement ['sʌplɪmənt]
supplemento *m*
supplier [səˈplaɪə(r)] COM fornitore *m*; **supply 1** *n* fornitura *f*; *~ and demand* domanda e offerta; *supplies* rifor-
nimenti **2** *v/t goods* fornire; *~*

s.o. with sth fornire qc a qu

support [sə'pɔːt] **1** *n for structure* supporto *m* **2** (*backing*) sostegno *m* **2** *v/t structure*, (*back*) sostenere; *financially* mantenere; *football team* fare il tifo per; **supporter** sostenitore *m*, -trice *f*; *of football team etc* tifoso *m*, -a *f*; **supportive: be ~ towards s.o.** dare il proprio appoggio a qu

suppose [sə'pəʊz] (*imagine*) supporre; *it is ~d to ...* (*is meant to*) dovrebbe ...; (*is said to*) dicono che ...; *you are not ~d to ...* (*not allowed to*) non dovresti ...; **supposedly** presumibilmente

suppress [sə'pres] reprimere; **suppression** repressione *f*

supremacy [suː'preməsɪ] supremazia *f*; **supreme** supremo; **Supreme Court** Corte *f* Suprema

surcharge ['sɜːtʃɑːdʒ] *for travel* sovrapprezzo *m*; *for mail* soprattassa *f*

sure [ʃʊə(r)] **1** *adj* sicuro; *make ~ that ...* assicurarsi che ... **2** *adv* certamente; *~ enough* infatti; *~!* F certo!; **surely** certamente; (*gladly*) volentieri; *~ that's not right!* non può essere!; **surety** *for loan* cauzione *f*

surf [sɜːf] **1** *n on sea* spuma *f* **2** *v/t the Net* navigare in

surface ['sɜːfɪs] **1** *n* superficie

f; *on the ~ fig* superficialmente *f*; *from water* risalire in superficie; (*appear*) farsi vivo; **surface mail** posta *f* ordinaria

'surfboard tavola *f* da surf; **surfer** surfista *m/f*; **surfing** surf *m*; *go ~* fare surf

surge [sɜːdʒ] *in electric current* sovratensione *f* transitoria; *in demand* impennata *f*

surgeon ['sɜːdʒən] chirurgo *m*; **surgery** intervento *m* chirurgico; *place of work* ambulatorio *m*; *~ hours* orario *m* d'ambulatorio; **surgical** chirurgico; **surgically** chirurgicamente

surly ['sɜːlɪ] scontroso

surmount [sə'maʊnt] *difficulties* sormontare

surname ['sɜːneɪm] cognome *m*

surpass [sə'pɑːs] superare

surplus ['sɜːpləs] **1** *n* surplus *m inv* **2** *adj* eccedente

surprise [sə'praɪz] **1** *n* sorpresa *f* **2** *v/t* sorprendere; *be ~d* essere sorpreso; *look ~d* avere l'aria sorpresa; **surprising** sorprendente; **surprisingly** sorprendentemente

surrender [sə'rendə(r)] **1** *v/i of army* arrendersi **2** *v/t weapons etc* consegnare **3** *n* resa *f*

surrogate 'mother ['sʌrəgət] madre *f* biologica

surround [sə'raʊnd] **1** *v/t* circondare **2** *n of picture etc* bordo *m*; **surrounding** circostante; **surroundings** dintorni *mpl*; *fig* ambiente *m*

survey 1 ['sɜːveɪ] *n* of *modern literature* quadro *m* generale; *of building* perizia *f*; *poll* indagine *f* **2** [səˈveɪ] *v/t* (*look at*) osservare; *building* periziare; **surveyor** perito *m*

survival [səˈvaɪvl] sopravvivenza *f*; **survive 1** *v/i* sopravvivere; *his two surviving daughters* le due figlie ancora in vita **2** *v/t* sopravvivere a; **survivor** superstite *m/f*; *he's a ~ fig* se la cava sempre

suspect 1 ['sʌspekt] *n* indiziato *m*, -a *f* **2** [səˈspekt] *v/t person* sospettare; (*suppose*) supporre; **suspected** *murderer* presunto; *cause, heart attack etc* sospetto

suspend [səˈspend] (*hang*), *from office* sospendere; **suspenders** *Br* giarrettiere *fpl*; *Am for pants* bretelle *fpl*

suspense [səˈspens] suspense *f*; **suspension** MOT, *from duty* sospensione *f*

suspicion [səˈspɪʃn] sospetto *m*; **suspicious** *causing suspicion* sospetto; *feeling suspicion* sospettoso; **be ~ of** sospettare di; **suspiciously** *behave* in modo sospetto; *examine* sospettosamente

sustain [səˈsteɪn] sostenere; **sustainable** sostenibile

SUV [esjuːˈviː] (= *sports utility vehicle*) Suv *m inv*, gip-

pone *m*

swab [swɒb] tampone *m*

swallow[1] ['swɒləʊ] *v/t* & *v/i* inghiottire

swallow[2] ['swɒləʊ] *n bird* rondine *f*

swamp [swɒmp] **1** *n* palude *f* **2** *v/t*: *be ~ped with* essere sommersi da; **swampy** paludoso

swan [swɒn] cigno *m*

swap [swɒp] **1** *v/t*: *~ sth for sth* scambiare qc con qc **2** *v/i* fare scambio

swarm [swɔːm] **1** *n of bees* sciame *m* **2** *v/i*: *the town was ~ing with ...* la città brulicava di ...

swarthy ['swɔːðɪ] scuro

swat [swɒt] *fly* schiacciare

sway [sweɪ] **1** *n* (*power*) influenza *f* **2** *v/i* barcollare

swear [sweə(r)] **1** *v/i* (*use swearword*) imprecare; *~ at s.o.* dire parolacce a qu **2** *v/t* (*promise*) giurare; LAW, *on oath* giurare

♦ **swear in**: *the witness was sworn in* il testimone ha prestato giuramento

'swearword parolaccia *f*

sweat [swet] **1** *n* sudore *m* **2** *v/i* sudare; **sweat band** fascia *f* asciugasudore; **sweater** maglione *m*; **sweats** *Am* tuta *f* (da ginnastica); **sweatshirt** felpa *f*; **sweaty** *hands* sudato; *smell* di sudore

Swede [swiːd] svedese *m/f*; **Sweden** Svezia *f*; **Swedish**

1 adj svedese **2** n svedese m

sweep [swiːp] **1** v/t floor, leaves spazzare **2** n (long curve) curva f; **sweeping changes** radicale; **a ~ statement** una generalizzazione

sweet [swiːt] **1** adj dolce; F (kind) gentile; F (cute) carino **2** n caramella f; (dessert) dolce m; **sweet and sour** agrodolce; **sweetcorn** mais m; **sweeten** zuccherare; **sweetheart** innamorato m, -a f

swell [swel] **1** v/i of wound, limb gonfiarsi **2** n of the sea mare m lungo; **swelling** MED gonfiore m

sweltering ['sweltərɪŋ] heat afoso, soffocante

swerve [swɜːrv] of driver, car sterzare (bruscamente)

swift [swɪft] rapido

swim [swɪm] **1** v/i nuotare **2** n nuotata f; **go for a ~** andare a nuotare; **swimmer** nuotatore m, -trice f; **swimming** nuoto m; **swimming costume** costume m da bagno; **swimming pool** piscina f; **swimsuit** esp Am costume m da bagno

swindle ['swɪndl] **1** n truffa f **2** v/t truffare; **~ s.o. out of sth** estorcere qc a qu (con l'inganno)

swing [swɪŋ] **1** n of pendulum etc oscillazione f; for child altalena f; **a ~ to the left** una svolta verso la sinistra **2** v/t far dondolare **3** v/i dondola-

re; (turn) girare; of public opinion etc indirizzarsi

Swiss [swɪs] **1** adj svizzero **2** n person svizzero m, -a f; **the ~** gli svizzeri

switch [swɪtʃ] **1** n for light interruttore m; (change) cambiamento m **2** v/t (change) cambiare **3** v/i (change) cambiare; **~ to** passare a
◆ **switch off** spegnere
◆ **switch on** accendere

Switzerland ['swɪtsələnd] Svizzera f

swivel ['swɪvl] girarsi

swollen ['swəʊlən] gonfio

sword [sɔːd] spada f; **swordfish** pesce m spada inv

syllable ['sɪləbl] sillaba f

syllabus ['sɪləbəs] programma m

symbol ['sɪmbəl] simbolo m; **symbolic** simbolico; **symbolism** simbolismo m; **symbolist** simbolista m/f; **symbolize** simboleggiare

symmetrical [sɪ'metrɪkl] simmetrico; **symmetry** simmetria f

sympathetic [sɪmpə'θetɪk] (showing pity) compassionevole; (understanding) comprensivo; **be ~ towards an idea** simpatizzare per un'idea
◆ **sympathize with** ['sɪmpəθaɪz] person, views capire

sympathizer ['sɪmpəθaɪzə(r)] POL simpatizzante m/f; **sympathy** (pity) compassione f;

(*understanding*) comprensione *f*

symphony ['sɪmfənɪ] sinfonia *f*

symptom ['sɪmptəm] *also fig* sintomo *m*; **symptomatic: be ~ of** essere sintomatico di

synchronize ['sɪŋkrənaɪz] sincronizzare

synonym ['sɪnənɪm] sinonimo *m*; **synonymous** sinonimo

synthesizer ['sɪnθəsaɪzə(r)] MUS sintetizzatore *m*; **syn-**thetic sintetico

syphilis ['sɪfɪlɪs] sifilide *f*

Syria ['sɪrɪə] Siria *f*; **Syrian 1** *adj* siriano **2** *n* siriano *m*, -a *f*

syringe [sɪ'rɪndʒ] siringa *f*

syrup ['sɪrəp] sciroppo *m*

system ['sɪstəm] *also computer* sistema *m*; (*orderliness*) ordine *m*; **systematic** sistematico; **systematically** sistematicamente; **systems analyst** COMPUT analista *m/f* di sistemi

T

table ['teɪbl] tavolo *m*; *of figures* tabella *f*, tavola *f*; **tablecloth** tovaglia *f*; **table lamp** lampada *f* da tavolo; **table of contents** indice *m*; **tablespoon** cucchiaio *m* da tavola

tablet ['tæblɪt] MED compressa *f*

table tennis tennis *m* da tavolo, ping pong *m*

tabloid ['tæblɔɪd] *newspaper* quotidiano *m* formato tabloid; *pej* quotidiano *m* scandalistico

taboo [tə'buː] tabù *m inv*

tacit ['tæsɪt] tacito

tack [tæk] **1** *n* (*nail*) chiodino *m* **2** *v/t* (*sew*) imbastire **3** *v/i of yacht* virare di bordo

tackle ['tækl] **1** *n* (*equipment*) attrezzatura *f*; SP *in football,* *hockey* contrasto *m*; *in rugby* placcaggio *m* **2** *v/t in football, hockey* contrastare; *in rugby* placcare; *problem, intruder* affrontare

tacky ['tækɪ] *paint* fresco; *glue* appiccicoso; F (*cheap, poor quality*) di cattivo gusto

tact [tækt] tatto *m*; **tactful** pieno di tatto; **tactfully** con grande tatto

tactical ['tæktɪkl] tattico; **tactics** tattica *f*

tactless ['tæktlɪs] privo di tatto

tadpole ['tædpəʊl] girino *m*

tag [tæg] (*label*) etichetta *f*

tail [teɪl] coda *f*; **tailback** coda *f*; **tail light** luce *f* posteriore

tailor ['teɪlə(r)] sarto *m*, -a *f*; **tailor-made** *also fig* (fatto) su misura 'tailpipe tubo *m* di scappamento

take [teɪk] prendere; (*transport*) portare; (*accompany*) accompagnare; (*accept: money, gift*) accettare; *maths, French, photograph, exam, shower, stroll* fare; (*endure*) sopportare; (*require*) richiedere; **how long does it ~?** quanto ci vuole?

◆ take after aver preso da

◆ take away *pain* far sparire; *object* togliere; MATH sottrarre; **take sth away from s.o.** togliere qc a qu; **to take away** *food* da asporto

◆ take back (*return: object*) riportare; (*receive back*) riprendere; *person* riaccompagnare; (*accept back: husband etc*) rimettersi insieme a; *sth said* ritirare; **that takes me back** mi riporta al passato

◆ take down *from shelf* tirare giù; *scaffolding* smontare; (*write down*) annotare

◆ take in (*take indoors*) portare dentro; (*give accommodation*) ospitare; (*make narrower*) stringere; (*deceive*) imbrogliare; (*include*) includere

◆ take off 1 *v/t clothes, 10%* togliere; (*mimic*) imitare; **take a day off** prendere un giorno di ferie 2 *v/i of aeroplane* decollare; (*become popular*) far presa

◆ take on *job* intraprendere;

staff assumere

◆ take out *from bag, pocket* tirare fuori; *stain, appendix, tooth, word* togliere; *money from bank* prelevare; *to dinner etc* portar fuori; *insurance policy* stipulare, fare; **take it out on s.o.** prendersela con qu

◆ take over 1 *v/t company etc* assumere il controllo di 2 *v/i of new management etc* assumere il controllo; (*do sth in s.o.'s place*) dare il cambio

◆ take to (*like*) prendere in simpatia; (*form habit of*) prendere l'abitudine di; **he immediately took to the new idea** la nuova idea gli è piaciuta subito

◆ take up *carpet etc* togliere; (*carry up*) portare sopra; *dress etc* accorciare; *judo, Spanish, new job* incominciare; *offer* accettare; *space, time* occupare; **I'll take you up on your offer** accetto la tua offerta

'takeoff *of airplane* decollo *m*; (*impersonation*) imitazione *f*; takeover COM rilevamento *m*; takeover bid offerta *f* pubblica di acquisto, OPA *f*; takings incassi *mpl*

tale [teɪl] storia *f*

talent ['tælənt] talento *m*; talented pieno di talento; talent scout talent scout *m/f inv*

talk [tɔːk] 1 *v/i* parlare 2 *v/t*

English etc parlare; *business, politics* parlare di; **~ s.o. into doing sth** convincere qu a fare qc **3** *n* (*conversation*) conversazione *f*; (*lecture*) conferenza *f*; **~s** (*negotiations*) trattative *fpl*
♦ talk back ribattere
talkative ['tɔːkətɪv] loquace; talk show talk show *m inv*
tall [tɔːl] alto; **tall story** bagianata *f*
tally ['tælɪ] **1** *n* conto *m* **2** *v/i* quadrare
tame [teɪm] *animal* addomesticato; *joke etc* blando
♦ tamper with ['tæmpə(r)] manomettere
tampon ['tæmpɒn] tampone *m*
tan [tæn] **1** *n from sun* abbronzatura *f*; *colour* marrone *m* rossiccio **2** *v/i in sun* abbronzarsi **3** *v/t leather* conciare
tangent ['tændʒənt] MATH tangente *f*
tangerine [tændʒə'riːn] tangerino *m*
tangible ['tændʒɪbl] tangibile *f*
tangle ['tæŋgl] nodo *m*
tango ['tæŋgəʊ] tango *m*
tank [tæŋk] recipiente *m*; MOT serbatoio *m*; MIL carro *m* armato; *for skin diver* bombola *f* (d'ossigeno); **tanker** *ship* nave *f* cisterna; *truck* autocisterna *f*
tanned [tænd] abbronzato
tantalizing ['tæntəlaɪzɪŋ] allettante; *smell* stuzzicante

tantamount ['tæntəmaunt]: **be ~ to** essere equivalente a
tantrum ['tæntrəm] capricci *mpl*; **throw a ~** fare (i) capricci
tap [tæp] **1** *n* rubinetto *m* **2** *v/t* (*hit*) dare un colpetto a; *phone* mettere sotto controllo; **tap dance** *n* tip tap *m*
tape [teɪp] **1** *n magnetic* nastro *m* magnetico; *recorded* cassetta *f*; (*sticky*) nastro *m* adesivo; **on ~** registrato **2** *v/t conversation etc* registrare; **~ sth to sth** attaccare qc a qc col nastro adesivo; **tape deck** registratore *m*; **tape drive** COMPUT unità *f* inv di backup a nastro; **tape measure** metro *m* a nastro
taper ['teɪpə(r)] assottigliarsi
'tape recorder registratore *m* a cassette; **tape recording** registrazione *f* su cassetta
tar [tɑː(r)] catrame *m*
tardy ['tɑːdɪ] *Am* tardivo; *arrival* in ritardo
target ['tɑːgɪt] **1** *n* bersaglio *m*; *for sales etc* obiettivo *m* **2** *v/t market* rivolgersi a; **target audience** target *m inv* di pubblico; **target date** data *f* fissata; **target group** COM gruppo *m* target; **target market** mercato *m* target
tariff ['tærɪf] (*price*) tariffa *f*; (*tax*) tassa *f*
tarmac ['tɑːmæk] *at airport* pista *f*
tarnish ['tɑːnɪʃ] *metal* ossida-

re; *reputation* macchiare

tarpaulin [taːˈpɔːlɪn] tela *f* cerata

tart [tɑːt] torta *f*

task [tɑːsk] compito *m*; **task force** task force *f inv*

taste [teɪst] **1** *n* gusto *m* **2** *v/t food* assaggiare; (*experience: freedom etc*) provare **3** *v/i*: **it ~s like …** ha sapore di …; **it ~s very nice** è molto buono; **tasteful** di gusto; **tastefully** con gusto; **tasteless** *food* insaporo; *remark, person* privo di gusto; **tasting** *of wine* degustazione *f*; **tasty** gustoso

tattered [ˈtætəd] malridotto

tattoo [təˈtuː] tatuaggio *m*

taunt [tɔːnt] **1** *n* scherno *m* **2** *v/t* schernire

Taurus [ˈtɔːrəs] ASTR Toro *m*

taut [tɔːt] teso

tax [tæks] **1** *n* tassa *f*; **before / after ~** al lordo / al netto di imposte **2** *v/t* tassare; **taxable income** reddito *m* imponibile; **taxation** tassazione *f*; **tax bracket** fascia *f* di reddito; **tax-deductible** deducibile dalle imposte; **tax disc** *for car* bollo *m* (di circolazione); **tax evasion** evasione *f* fiscale; **tax-free** esentasse *inv*; **tax haven** paradiso *m* fiscale

taxi [ˈtæksɪ] taxi *m inv*; **taxi driver** tassista *m/f*

taxing [ˈtæksɪŋ] estenuante

'taxi rank stazione *f* dei taxi

'taxpayer contribuente *m/f*; **tax return** *form* dichiarazione *f* dei redditi; **tax year** anno *m* fiscale

TB [tiːˈbiː] (= **tuberculosis**) tbc *f* (= tubercolosi *f*)

tea [tiː] *drink* tè *m inv*; *meal* cena *f*; **teabag** bustina *f* di tè

teach [tiːtʃ] *subject* insegnare; *person* insegnare a; **~ s.o. to do sth** insegnare a qu a fare qc; **teacher** insegnante *m/f*; **teaching** *profession* insegnamento *m*

'tea-cup tazza *f* da tè

teak [tiːk] tek *m*

team [tiːm] *in sport* squadra *f*; **at work** équipe *f inv*; **team mate** compagno *m*, -a *f* di squadra; **team spirit** spirito *m* d'équipe; **teamster** *Am* camionista *m*; **teamwork** lavoro *m* d'équipe

teapot [ˈtiːpɒt] teiera *f*

tear¹ [ter] **1** *n in cloth etc* strappo *m* **2** *v/t paper, cloth* strappare; **be torn between two alternatives** essere combattuto tra due alternative **3** *v/i* (*run fast, drive fast*) sfrecciare

♦ **tear down** *poster* strappare; *building* buttar giù

♦ **tear out** *page* strappare; *hair* strapparsi

♦ **tear up** *paper* distruggere; *agreement* rompere

tear² [tɪr] *n in eye* lacrima *f*; **burst into ~s** scoppiare a piangere; **be in ~s** essere in lacrime

tearful ['tɪrful] *look, voice* piangente; **tear gas** gas *m* lacrimogeno

tease [ti:z] *person* prendere in giro; *animal* stuzzicare

'**teaspoon** cucchiaino *m* da caffè

technical ['teknɪkl] tecnico; **technically** tecnicamente; **technician** tecnico *m*; **technique** tecnica *f*

technological [teknə'lɒdʒɪkl] tecnologico; **technology** tecnologia *f*; **technophobia** tecnofobia *f*

teddy bear ['tedɪbeə(r)] orsacchiotto *m*

tedious ['ti:dɪəs] noioso

tee [ti:] *in golf* tee *m inv*

teenage ['ti:neɪdʒ] *problems* degli adolescenti; **~ fashions** moda giovane; **teenager** adolescente *m/f*

teens [ti:nz] adolescenza *f*; **be in one's ~** essere adolescente

teeny ['ti:nɪ] F piccolissimo

teeth [ti:θ] *pl* ☞ **tooth**

teethe [ti:ð] mettere i denti; **teething problems** difficoltà *fpl* iniziali

teetotal ['ti:'təʊtl] *person* astemio; *party* senza alcolici

telecommunications [telɪkəmju:nɪ'keɪʃnz] telecomunicazioni *fpl*

telegraph pole ['telɪgrɑ:fpəʊl] palo *m* del telegrafo

telepathic [telɪ'pæθɪk] telepa-

tico; **telepathy** telepatia *f*

telephone ['telɪfəʊn] **1** *n* telefono *m* **2** *v/t person* telefonare a **3** *v/i* telefonare; **telephone book** guida *f* telefonica; **telephone booth** cabina *f* telefonica; **telephone call** telefonata *f*; **telephone conversation** conversazione *f* telefonica; **telephone directory** elenco *m* telefonico; **telephone number** numero *m* telefonico

telephoto lens [telɪfəʊtəʊ'lenz] teleobiettivo *m*

telesales ['telɪseɪlz] vendita *f* telefonica

telescope ['telɪskəʊp] telescopio *m*

televise ['telɪvaɪz] trasmettere in televisione

television ['telɪvɪʒn] *also set* televisione *f*; **on ~** alla televisione; **television programme**, *Am* **television program** programma *m* televisivo; **television studio** studio *m* televisivo

tell [tel] **1** *v/t* dire; *story* raccontare; **~ s.o. sth** dire qc a qu; **~ s.o. to do sth** dire a qu di fare qc; **it's hard to ~** è difficile a dirsi; **you never can ~** non si può mai dire; **~ X from Y** distinguere X da Y; **I can't ~ the difference between ...** non vedo nessuna differenza tra ... **2** *v/i* (*have effect*) farsi sentire; **time will ~** il tempo lo dirà;

teller *in bank* cassiere *m*, -a
f; **telling off** rimprovero *m*;
give s.o. a ~ rimproverare
qu; **telltale 1** *adj signs* rivelatore **2** *n* spione *m*, spiona *f*

temp [temp] **1** *n employee* impiegato *m*, -a internale **2** *v/i*
fare lavori internali

temper ['tempə(r)] (*bad ~*):
have a terrible ~ essere irascibile; **be in a ~** essere arrabbiato; **keep one's ~** mantenere la calma; **lose one's ~**
perdere le staffe

temperament ['temprəmənt]
temperamento *m*; **temperamental** (*moody*) lunatico;
machine imprevedibile

temperate ['tempərət] temperato

temperature ['temprətʃə(r)]
temperatura *f*; (*fever*) febbre
f

temple¹ ['templ] REL tempio
m

temple² ['templ] ANAT tempia
f

tempo ['tempəʊ] ritmo *m*;
MUS tempo *m*

temporarily ['tempə'reərılı]
temporaneamente; **temporary** temporaneo, provvisorio

tempt [tempt] tentare; **temptation** tentazione *f*; **tempting** allettante; *meal* appetitoso

ten [ten] dieci

tenacious [tɪ'neɪʃəs] tenace;
tenacity tenacità *f*

tenant ['tenənt] inquilino *m*,
-a *f*, locatario *m*, -a *f*

tend¹ [tend] *v/t* (*look after*)
prendersi cura di

tend² [tend] *v/i*: **~ to do sth**
tendere a fare qc

tendency ['tendənsı] tendenza *f*

tender¹ ['tendə(r)] *adj* (*sore*)
sensibile; (*affectionate*) tenero; *steak* tenero

tender² ['tendə(r)] *n* COM offerta *f* ufficiale

tenderness ['tendənıs] (*soreness*) sensibilità *f*; *of kiss*,
steak tenerezza *f*

tendon ['tendən] tendine *m*

tennis ['tenıs] tennis *m*; **tennis ball** palla *f* da tennis;
tennis court campo *m* da
tennis; **tennis player** tennista *m/f*

tenor ['tenə(r)] MUS tenore *m*

tense¹ [tens] *n* GRAM tempo
m

tense² [tens] *adj voice, person*
teso; *atmosphere* carico di
tensione

tension ['tenʃn] tensione *f*

tent [tent] tenda *f*

tentative ['tentətıv] esitante

tenterhooks ['tentəhʊks]: **be
on ~** essere sulle spine

tenth [tenθ] decimo

tepid ['tepıd] tiepido

term [tɜːm] periodo *m*; *of office* durata *f* in carica; EDU
three months trimestre *m*;
two months bimestre *m*;
(*condition, word*) termine

m; **be on good / bad ~s with s.o.** essere in buoni / cattivi rapporti con qu; **in the long / short ~** a lungo / breve termine; **come to ~s with sth** venire a patti con qc

terminal ['tɜːmɪnl] **1** *n* at airport, for containers, COMPUT terminale *m;* for buses capolinea *m inv;* ELEC morsetto *m* **2** *adj illness* in fase terminale; **terminally:~ ill** malato (in fase) terminale; **terminate 1** *v/t contract, pregnancy* interrompere **2** *v/i* terminare; **termination** of contract, pregnancy interruzione *f*

terminology [tɜːmɪ'nɒlədʒɪ] terminologia *f*

terminus ['tɜːmɪnəs] for buses capolinea *m inv;* for trains stazione *f* di testa

terrace ['terəs] on hillside, at hotel terrazza *f;* of houses fila *f* di case a schiera

terracotta [terə'kɒtə] di terracotta

terrain [tə'reɪn] terreno *m*

terrestrial [tə'restrɪəl] **1** *n* terrestre *m/f* **2** *adj* television di terra

terrible ['terəbl] terribile; **terribly** *play* malissimo; *(very)* molto

terrific [tə'rɪfɪk] eccezionale; **~!** bene!; **terrifically** *(very)* eccezionalmente

terrify ['terɪfaɪ] terrificare; **terrifying** terrificante

territorial [terɪ'tɔːrɪəl] territoriale; **territory** also fig territorio *m*

terror ['terə(r)] terrore *m;* **terrorism** terrorismo *m;* **terrorist** terrorista *m/f;* **terrorist attack** attentato *m* terroristico; **terrorize** terrorizzare

terse [tɜːs] brusco

test [test] **1** *n* prova *f,* test *m inv;* for driving, medical esame *m;* **blood ~** analisi *f inv* del sangue **2** *v/t soup, bathwater* provare; *machine, theory* testare; *person, friendship* mettere alla prova

testament ['testəmənt]: **Old / New Testament** REL Vecchio / Nuovo Testamento

'test-drive: go for a ~ fare un giro di prova

testicle ['testɪkl] testicolo *m*

testify ['testɪfaɪ] LAW testimoniare

testimony ['testɪmənɪ] LAW testimonianza *f*

'test tube provetta *f*

testy ['testɪ] suscettibile

tetanus ['tetənəs] tetano *m*

text [tekst] **1** *n* testo *m;* (message) SMS *m inv,* messaggino *m* **2** *v/t* mandare un SMS a; **textbook** libro *m* di testo

textile ['tekstaɪl] tessuto *m*

'text-message SMS *m inv,* messaggino *m*

texture ['tekstʃə(r)] consistenza *f*

Thai [taɪ] **1** *adj* tailandese **2** *n*

person tailandese *m/f*; *language* tailandese *m*; Thailand Tailandia *f*

than [ðæn] che; *with numbers, pronouns, names* di; *older ~ me* più vecchio di me; *more French ~ Italian* più francese che italiana

thank [θæŋk] ringraziare; *~ you* grazie; *no ~ you* no, grazie; **thankful** riconoscente; **thankfully** con riconoscenza; *(luckily)* fortunatamente; **thankless** ingrato; **thanks** ringraziamenti *mpl*; *~!* grazie!; *~ to* grazie a; **Thanksgiving (Day)** *in USA* giorno *m* del ringraziamento

that [ðæt] **1** *adj* quel; *with masculine nouns before s+consonant, gn, ps and z* quello; *~ one* quello **2** *pron* quello *m*, *-a f*; *what is ~?* cos'è?; *who is ~?* chi è?; *~'s mine* è mio; *~'s tea* quello è tè; *~'s very kind* è molto gentile **3** *relative pron* che; *the car ~ you saw* la macchina che hai visto; *the day ~ he was born* il giorno in cui è nato **4** *adv (so)* così; *~ expensive* così caro **5** *conj* che; *I think ~ ...* credo che ...

thaw [θɔː] *of snow* sciogliersi; *of frozen food* scongelare

the [ðə] il *m*, la *f*; i *mpl*, le *fpl*; *with masculine nouns before s+consonant, gn, ps and z* lo *m*, gli *mpl*; *before vowel* l' *m/f*, gli *mpl*; *to ~ bathroom*

al bagno; *~ sooner ~ better* prima è, meglio è

theatre, *Am* **theater** ['θɪətə(r)] teatro *m*; MED sala *f* operatoria

theatrical [θɪ'ætrɪkl] *also fig* teatrale

theft [θeft] furto *m*

their [ðeə(r)] il loro *m*, la loro *f*; i loro *mpl*, le loro *fpl*; *(his or her)* il suo *m*, la sua *f*, i suoi *mpl*, le sue *fpl*; **theirs** il loro *m*, la loro *f*; i loro *mpl*, le loro *fpl*; *it was an idea of ~* è stata una loro idea

them [ðem] *direct object* li *m*, le *f*; *referring to things* essi *m*, esse *f*; *indirect object* loro, gli; *after preposition* loro; *referring to things* essi *m*, esse *f*; *(him or her)* lo *m*, la *f*; *I know ~* li / le conosco; *I sold it to ~* gliel'ho venduto, l'ho venduto a loro

theme [θiːm] tema *m*; **theme park** parco *m* a tema

themselves [ðem'selvz] si; *emphatic* loro stessi *mpl*, loro stesse *fpl*; *after prep* se stessi / se stesse; *they enjoyed ~* si sono divertiti

then [ðen] *(at that time, deducing)* allora; *(after that)* poi; *by ~* allora

theology [θɪ'ɒlədʒɪ] teologia *f*

theoretical [θɪə'retɪkl] teorico; **theoretically** teoricamente; **theory** teoria *f*

therapeutic [θerə'pjuːtɪk] terapeutico; **therapist** terapista *m/f*, terapeuta *m/f*; **therapy** terapia *f*

there [ðeə(r)] lì; là; **over ~** là; **down ~** laggiù; **~ is ...** c'è; **~ are ...** ci sono; **is ~ ...?** c'è ...?; **are ~ ...?** ci sono ...?; **isn't ~?** non c'è ...?; **aren't ~?** non ci sono ...?; **~ you are** giving sth ecco qui; finding sth ecco; completing sth ecco fatto; **~ and back** andata e ritorno; **~ he is!** eccolo!; **~, ~!** comforting s.o. dai!; thereabouts giù di lì; **therefore** quindi, pertanto

thermometer [θə'mɒmɪtə(r)] termometro *m*

thermos flask ['θɜːməsflɑːsk] termos *m inv*

thermostat ['θɜːməstæt] termostato *m*

these [ðiːz] **1** adj questi **2** pron questi *m*, -e *f*

thesis ['θiːsɪs] tesi *f inv*

they [ðeɪ] ◇ loro; **~'re going to the theatre** vanno a teatro; **there ~ are** eccoli *mpl*, eccole *fpl* ◇ **if anyone looks at this, ~ will see that ...** se qualcuno lo guarda, vedrà che ...; **~ say that ...** si dice che ...; **~ are going to change the law** cambieranno la legge

thick [θɪk] spesso; hair folto; fog, forest fitto; liquid denso; F (stupid) ottuso; **thicken** sauce ispessire; **thick-skinned** fig insensibile

thief [θiːf] ladro *m*, -a *f*

thigh [θaɪ] coscia *f*

thin [θɪn] sottile; person magro; hair rado; liquid fluido

thing [θɪŋ] cosa *f*; **~s** (belongings) cose *fpl*; **it's a good ~ you told me** è un bene che tu me l'abbia detto

thingumajig ['θɪŋəmədʒɪg] F coso *m*, cosa *f* F

think [θɪŋk] pensare; **I ~ so** penso o credo di sì; **I don't ~ so** non credo; **I'm ~ing about emigrating** sto pensando di emigrare

◆ **think over** riflettere su

◆ **think through** analizzare a fondo

◆ **think up** plan escogitare

'**think tank** comitato *m* di esperti

thin-skinned [θɪn'skɪnd] fig sensibile

third [θɜːd] **1** adj terzo **2** n terzo *m*; thirdly in terzo luogo; third-party terzi *mpl*; third-party insurance assicurazione *f* sulla responsabilità civile; **Third World** Terzo Mondo *m*

thirst [θɜːst] sete *f*; **thirsty** assetato; **be ~** avere sete

thirteen [θɜː'tiːn] tredici; thirteenth tredicesimo; thirtieth trentesimo; **thirty** trenta

this [ðɪs] **1** adj questo; **~ one** questo (qui) **2** pron questo *m*, -a *f*; **~ is easy** è facile; **~ is ... introducing s.o.** questo / questa è ... **3** adv: **~**

high alto così

thorn [θɔːn] spina f; **thorny** *also fig* spinoso

thorough ['θʌrə] *search, knowledge* approfondito; *person* scrupoloso; **thoroughbred** *horse* purosangue *inv*; **thoroughly** *search for* accuratamente; *know, understand, clean* perfettamente; *agree, spoil* completamente; *stupid, rude* extremamente

those [ðəʊz] **1** *adj* quelli; *with masculine nouns before* s+consonant, gn, ps *and* z quegli **2** *pron* quelli *m*, -e *f*; *with masculine nouns before* s+consonant, gn, ps *and* z quegli

though [ðəʊ] **1** *conj* (*although*) benché (+*subj*); **as** ~ come se **2** *adv* però

thought [θɔːt] pensiero *m*; **thoughtful** pensieroso; *reply* meditato; (*considerate*) gentile; **thoughtless** considerato

thousand ['θaʊznd] mille; **~s of** migliaia di; **thousandth** millesimo

thrash [θræʃ] picchiare; SP battere

◆ **thrash out** *solution* mettere a punto

thrashing ['θræʃɪŋ] botte *fpl*; SP batosta *f*

thread [θred] **1** *n* filo *m*; *of screw* filettatura *f* **2** *v/t needle* infilare il filo in; *beads* infila-

re; **threadbare** liso

threat [θret] minaccia *f*; **threaten** minacciare; **threatening** minaccioso; ~ **letter** lettera *f* minatoria

three [θriː] tre; **three quarters** tre quarti *mpl*

threshold ['θreʃhəʊld] *of house, new era* soglia *f*

thrifty ['θrɪftɪ] parsimonioso

thrill [θrɪl] **1** *n* emozione *f*; *physical feeling* brivido *m* **2** *v/t*: **be ~ed** essere emozionato; **thriller** giallo *m*; **thrilling** emozionante

thrive [θraɪv] *of plant* crescere rigoglioso; *of business* prosperare

throat [θrəʊt] gola *f*; **have a sore** ~ avere mal di gola; **throat lozenge** pastiglia *f* per la gola

throb [θrɒb] pulsare; *of heart* battere; *of music* rimbombare

throne [θrəʊn] trono *m*

throttle ['θrɒtl] **1** *n on motorbike* manetta *f* di accelerazione; *on boat* leva *f* di accelerazione **2** *v/t* (*strangle*) strozzare

through [θruː] **1** *prep* (*across*) attraverso; (*during*) durante; (*by means of*) tramite; **go** ~ **the city** attraversare la città; ~ **the winter** per tutto l'inverno; **arranged** ~ **him** organizzato tramite lui **2** *adv*: **wet** ~ completamente bagnato **3** *adj*: **be** ~ *of couple* essersi lasciati; *have arrived*: *of news etc* essere arrivato; **I'm ~ with ...** (*finished with*) ho finito con ...; **I'm ~ with him** ho chiuso con lui; **throughout 1** *prep*: **~ the night** per tutta la notte **2** *adv* (*in all parts*) completamente

throw [θrəʊ] **1** *v/t* lanciare; *into bin etc* gettare; *of horse* disarcionare; (*disconcert*) sconcertare; *party* dare **2** *n* lancio *m*

◆ **throw away** buttare via, gettare

◆ **throw out** *old things* buttare via; *from bar, house etc* buttare fuori; *plan* scartare

◆ **throw up 1** *v/t ball* lanciare **2** *v/i* (*vomit*) vomitare

'throw-away *remark* buttato lì; (*disposable*) usa e getta *inv*; **throw-in** SP rimessa *f*

thru [θruː] *Am* ☞ **through**

thrust [θrʌst] (*push hard*) spingere; *knife* conficcare; **~ one's way through the crowd** farsi largo tra la folla

thud [θʌd] tonfo *m*

thug [θʌg] *hooligan* teppista *m*; *tough guy* bullo *m*

thumb [θʌm] **1** *n* pollice *m* **2** *v/t*: **~ a lift** fare l'autostop; **thumbtack** *Am* puntina *f*

thunder ['θʌndə(r)] tuono *m*; **thunderous** *applause* fragoroso; **thunderstorm** temporale *m*; **thunderstruck** allibito; **thundery** *weather* temporalesco

Thursday ['θɜːzdeɪ] giovedì *m inv*

thus [ðʌs] (*in this way*) così

thwart [θwɔːt] *person, plans* ostacolare

Tiber ['taɪbə(r)] Tevere *m*

tick [tɪk] **1** *n of clock* ticchettio *m*; *in text* segno *m* **2** *v/i of clock* ticchettare **3** *v/t with a ~* segnare

ticket ['tɪkɪt] biglietto *m*; *in cloakroom* scontrino *m*; **ticket machine** distributore *m* di biglietti; **ticket office** biglietteria *f*

ticking ['tɪkɪŋ] *noise* ticchettio *m*

tickle ['tɪkl] **1** *v/t person* fare il solletico a **2** *v/i of material* dare prurito; *of person* fare il solletico

tidal wave ['taɪdlweɪv] onda *f* di marea

tide [taɪd] marea *f*; **the ~ is in / out** c'è l'alta / la bassa marea

tidiness ['taɪdɪnɪs] ordine *m*; **tidy** ordinato

◆ **tidy up 1** *v/t room, shelves* mettere in ordine; **tidy o.s. up** darsi una sistemata **2** *v/i* mettere in ordine

tie [taɪ] **1** *n* (*necktie*) cravatta *f*; (SP: *even result*) pareggio *m*; **he doesn't have any ~s** non ha legami **2** *v/t knot, hands* legare **3** *v/i* SP pareggiare

◆ **tie down** *with rope* legare; (*restrict*) vincolare

◆ **tie up** *person, laces, hair* legare; *boat* ormeggiare; **I'm tied up tomorrow** sono impegnato domani

tier [tɪə(r)] *of hierarchy* livello *m*; *in stadium* anello *m*

tiger ['taɪɡə(r)] tigre *f*

tight [taɪt] **1** *adj clothes* stretto; *security* rigido; *rope* teso; *not leaving much time* giusto; *schedule* serrato; F *(drunk)* sbronzo F **2** *adv:* **hold s.o. / sth** ~ tenere qu / qc stretto; **shut sth** ~ chiudere bene qc; **tighten** *screw* serrare; *belt* stringere; *rope* tendere; *security* intensificare; **tight-fisted** taccagno; **tightly** ☞ **tight** *adv*; **tightrope** fune *f* (per funamboli); **tights** collant *mpl*

tile [taɪl] *on floor* mattonella *f*; *on wall* piastrella *f*; *on roof* tegola *f*

till¹ [tɪl] ☞ **until**

till² [tɪl] *(cash register)* cassa *f*

tilt [tɪlt] **1** *v/t* inclinare **2** *v/i* inclinarsi

timber ['tɪmbə(r)] legname *m*

time [taɪm] tempo *m*; *by the clock* ora *f*; *(occasion)* volta *f*; **for the** ~ **being** al momento; **have a good** ~**!** divertiti!; **what's the** ~**?** che ora è?, che ore sono?; **the first** ~ la prima volta; **take your** ~ fai con calma; **for a** ~ per un po(di tempo); **at any** ~ in qualsiasi momento; **(and) about** ~**!** era ora!;

two at a ~ due alla volta; **at the same** ~ *speak, reply etc* contemporaneamente; *(however)* nel contempo; **in** ~ in tempo; *(eventually)* col tempo; **on** ~ in orario; **in no** ~ in un attimo; **time bomb** bomba *f* a orologeria; **time difference** fuso *m* orario; **time-lag** scarto *m* di tempo; **time limit** limite *m* temporale; **timely** tempestivo; **time out** SP time-out *m inv*; **timer** cronometro *m*; *on oven* timer *m inv*; **time-saving** risparmio *m* di tempo; **timescale** *of project* cronologia *f*; **time share** *(house, apartment)* multiproprietà *f inv*; **time switch** interruttore *m* a tempo; **timetable** orario *m*; **timewarp** trasposizione *f* temporale; **time zone** zona *f* di fuso orario

timid ['tɪmɪd] timido

tin [tɪn] *metal* stagno *m*; *container* barattolo *m*; **tinfoil** carta *f* stagnola

tinge [tɪndʒ] sfumatura *f*

tingle ['tɪŋɡl] pizzicare

tinkle ['tɪŋkl] *of bell* tintinnio *m*

'tin opener apriscatole *m inv*

tinsel ['tɪnsl] fili *mpl* d'argento

tint [tɪnt] **1** *n of colour* sfumatura *f*; *in hair* riflessante *m* **2** *v/t hair* fare dei riflessi a; **tinted** *glasses* fumé *inv*

tiny ['taɪnɪ] piccolissimo

tip¹ [tɪp] *n of stick, finger* punta *f*; *of cigarette* filtro *m*

tip² [tɪp] **1** *n advice* consiglio *m*; *money* mancia *f* **2** *v/t waiter etc* dare la mancia a

♦ **tip off** fare una soffiata a

'tip-off soffiata *f*

tipped [tɪpt] *cigarettes* col filtro

Tipp-Ex® ['tɪpeks] bianchetto *m*

tippy-toe ['tɪpɪtəʊ] *Am*: **on ~** sulla punta dei piedi

tipsy ['tɪpsɪ] alticcio

'tip-toe *n* **on ~** sulla punta dei piedi

tire¹ [taɪr] *n Am* gomma *f*, pneumatico *m*

tire² [taɪr] **1** *v/t* stancare **2** *v/i* stancarsi

tired [taɪrd] *stanco*; **be ~ of s.o. / sth** essere stanco di qu / sth; **tiredness** stanchezza *f*; **tireless** instancabile; **tiresome** (*annoying*) fastidioso; **tiring** stancante

tissue ['tɪʃu:] ANAT tessuto *m*; (*handkerchief*) fazzoletti- no *m* (di carta); **tissue paper** carta *f* velina

title ['taɪtl] titolo *m*; LAW diritto *m*; **titleholder** SP detentore *m*, -trice *f* del titolo

to [tu:] **1** *prep* a; **~ Italy** in Italia; **~ Rome** a Roma; **let's go ~ my place** andiamo a casa mia; **~ the north of ...** a nord di ...; qc; **from 10 ~ 15 people** tra 10 e 15 persone; **it's 5 ~ 11**

sono le undici meno cinque **2** *with verbs*: **~ speak, ~ see** parlare, vedere; **learn ~ drive** imparare a guidare; **nice ~ eat** buono da mangiare; **~ learn Italian** *in order to* per imparare l'italiano **3** *adv*: **~ and fro** avanti e indietro

toast [təʊst] **1** *n pane m* tostato; (*drinking*) brindisi *m inv* **2** *v/t bread* tostare; *drinking* fare un brindisi a; **toaster** tostapane *m inv*

tobacco [tə'bækəʊ] tabacco *m*

today [tə'deɪ] oggi

toddler ['tɒdlə(r)] bambino *m*, -a *f* ai primi passi

to-'do *F* casino *m* F

toe [təʊ] dito *m* del piede; *of shoes, socks* punta *f*; **big ~** alluce *m*; **toenail** unghia *f* del piede

toffee ['tɒfɪ] caramella *f* mou

together [tə'geðə(r)] insieme

toilet ['tɔɪlɪt] gabinetto *m*; **go to the ~** andare in bagno; **toilet paper** carta *f* igienica; **toiletries** prodotti *mpl* da toilette

token ['təʊkən] (*sign*) pegno *m*; *for gambling* gettone *m*; (*gift ~*) buono *m*

tolerable ['tɒlərəbl] *pain etc* tollerabile; (*quite good*) accettabile; **tolerance** tolleranza *f*; **tolerant** tollerante; **tolerate** tollerare

toll[1] [təʊl] *v/i of bell* suonare

toll[2] [təʊl] *n (deaths)* bilancio *m* delle vittime

toll[3] [təʊl] *n for bridge, road* pedaggio *m*

'toll booth casello *m*; **toll-free number** *Am* TELEC numero *m* verde; **toll road** strada *f* a pedaggio

tomato [təˈmɑːtəʊ] pomodoro *m*; **tomato ketchup** ketchup *m inv*; **tomato sauce** *for pasta etc* salsa *f or* sugo *m* di pomodoro; *(ketchup)* ketchup *m inv*

tomb [tuːm] tomba *f*; **tombstone** lapide *f*

tomcat [ˈtɒmkæt] gatto *m* (maschio)

tomorrow [təˈmɒrəʊ] domani; **the day after ~** dopodomani; **~ morning** domattina, domani mattina

ton [tʌn] tonnellata *f* (*Br* 1016kg, *Am* 907kg)

tone [təʊn] *of colour, musical instrument* tonalità *f inv*; *of conversation etc* tono *m*; *of neighbourhood* livello *m* sociale; **~ of voice** tono di voce; **toner** toner *m inv*

tongue [tʌŋ] lingua *f*

tonic [ˈtɒnɪk] MED ricostituente *m*; **tonic (water)** acqua *f* tonica

tonight [təˈnaɪt] stanotte; *(this evening)* stasera

tonsillitis [tɒnsəˈlaɪtɪs] tonsillite *f*

too [tuː] *(also)* anche; *(exces-*

sively) troppo; **me ~** anch'io; **~ much rice** troppo riso; **many mistakes** troppi errori; **eat ~ much** mangiare troppo

tool [tuːl] attrezzo *m*; *fig* strumento *m*

tooth [tuːθ] (*pl* **teeth** [tiːθ]) dente *m*; **toothache** mal *m* di denti; **toothbrush** spazzolino *m* da denti; **toothpaste** dentifricio *m*; **toothpick** stuzzicadenti *m inv*

top [tɒp] **1** *n of mountain, tree* cima *f*; *of wall, screen* parte *f* alta; *of page, list, street* inizio *m*; *(lid: of bottle etc, pen)* tappo *m*; *of the class, league* testa *f*; *(clothing)* maglia *f*; (MOT: *gear)* marcia *f* più alta; **on ~ of** in cima a; **at the ~ of** *list, tree, mountain* in cima a; *league* in testa a; *page, street* all'inizio di; **get to the ~** *of company etc* arrivare in cima; **get to the ~** *of mountain* arrivare alla vetta; **be over the ~** *(exaggerated)* essere esagerato **2** *adj branches* più alto; *floor* ultimo; *management* di alto livello; *official* di alto rango; *player* migliore; *speed, note* massimo

topic [ˈtɒpɪk] argomento *m*; **topical** attuale

topless [ˈtɒplɪs] topless *inv*; **topmost** *branches, floor* più alto; **topping** *on pizza* guarnizione *f*

topple [ˈtɒpl] **1** *v/i* crollare **2**

v/t government far cadere

top 'secret top secret *inv*

topsy-turvy ['tɒpsɪ'tɜːvɪ] sottosopra *inv*

torch [tɔːtʃ] pila *f; with flame* torcia *f*

torment ['tɔːment] *n* tormento *m* **2** [tɔː'ment] *v/t* tormentare

tornado [tɔː'neɪdəʊ] tornado *m*

torpedo [tɔː'piːdəʊ] **1** *n* siluro *m* **2** *v/t* silurare; *fig* far saltare

torrent ['tɒrənt] torrente *m; of lava* fiume *m; of abuse, words* valanga *f;* **torrential rain** torrenziale

tortoise ['tɔːtəs] tartaruga *f*

torture ['tɔːtʃə(r)] **1** *n* tortura *f* **2** *v/t* torturare

toss [tɒs] **1** *v/t ball* lanciare; *rider* disarcionare; *salad* mescolare; **~ a coin** fare testa o croce **2** *v/i:* **~ and turn** rigirarsi

total ['təʊtl] **1** *n* totale *m* **2** *adj amount, disaster* totale; *stranger* perfetto; *totalitarian* totalitario; *totally* totalmente, completamente

totter ['tɒtə(r)] barcollare

touch [tʌtʃ] **1** *n* tocco *m; sense* tatto *m; in rugby* touche *f;* **lose one's ~** perdere la mano; **kick the ball into ~** calciare la palla fuoricampo; **lose ~ with s.o.** perdere i contatti con qu; **keep in ~ with s.o.** rimanere in contatto con qu; **be out of ~ with**

news non essere al corrente; *with people* non avere contatti **2** *v/t* toccare; *emotionally* commuovere **3** *v/i* toccare; *of two lines* sfiorarsi

◆ **touch down** *of plane* atterrare; SP fare meta

'**touchdown** *of plane* atterraggio *m;* **touching** commovente; **touchline** SP linea *f* laterale; **touch screen** schermo *m* tattile; **touchy** *person* suscettibile

tough [tʌf] *person* forte; *question, exam, meat, punishment* duro; *material* resistente

tour [tʊə(r)] **1** *n* giro *m; of tourist* giro *m* turistico; *of band* tournée *f inv* **2** *v/t area* girare **3** *v/i of tourist* andare in giro; *of band* andare in tournée; **tour guide** guida *f* turistica; **tourism** turismo *m;* **tourist** turista *m/f;* **tourist industry** industria *f* del turismo; **tourist (information) office** ufficio *m* informazioni turistiche

tournament ['tʊənəmənt] torneo *m*

'**tour operator** operatore *m* turistico

tow [təʊ] rimorchiare

◆ **tow away** *car* portare via col carro attrezzi

toward(s) [tɔːrd(z)] *verso;* **rude ~** maleducato nei confronti di; **work ~** *(achieving)* **sth** lavorare per (raggiungere) qc

towel ['tauəl] asciugamano *m*
tower ['tauə(r)] torre *f*; tower
block condominio *m* a torre
town [taun] città *f inv*; (*opposed to* city cittadina *f*);
town centre, *Am* town center centro *m*; town council
consiglio *m* comunale; town
hall municipio *m*
toxic ['tɒksɪk] tossico; toxin
tossina *f*
toy [tɔɪ] giocattolo *m*
trace [treɪs] 1 *n of substance*
traccia *f* 2 *v/t* (*find*) rintracciare; (*draw*) tracciare
track [træk] (*path*) sentiero *m*;
on race course pista *f*; (*race
course*) circuito *m*; RAIL binario *m*; *on CD* brano *m*;
keep ~ of sth tenersi al passo con qc
◆ track down rintracciare
'tracksuit tuta *f* (da ginnastica)
tractor ['træktə(r)] trattore *m*
trade [treɪd] 1 *n* commercio
m; (*profession, craft*) mestiere *m* 2 *v/i* (*do business*) essere
in attività; ~ in sth commer-
ciare in qc 3 *v/t* (*exchange*)
scambiare (for con); trade
fair fiera *f* campionaria;
trademark marchio *m* registrato; trader commerciante
m/f; trade union sindacato
m
tradition [trə'dɪʃn] tradizione
f; traditional tradizionale;
traditionally tradizional-
mente

traffic ['træfɪk] *on roads, in
drugs* traffico *m*
◆ traffic in *drugs* trafficare
'traffic circle *Am* rotatoria *f*;
traffic cop *F* vigile *m* (urbano); traffic jam ingorgo *m*;
traffic island isola *f* spartitraffico; traffic light(s) semaforo *m*; traffic police polizia *f* stradale; traffic sign
segnale *m* stradale; traffic
warden ausiliario *m* (del
traffico)
tragedy ['trædʒədɪ] tragedia
f; tragic tragico
trail [treɪl] 1 *n* (*path*) sentiero
m; *of person, animal* tracce
fpl; *of blood* scia *f* 2 *v/t* (*follow*) seguire; (*drag*) trascinare; *caravan etc* trainare 3 *v/i*
(*lag behind*) trascinarsi;
they're ~ing 3-1 stanno per-
dendo 3 a 1; trailer *pulled by
vehicle* rimorchio *m*; *of film*
trailer *m inv*; (*mobile home*)
roulotte *f inv*
train¹ [treɪn] *n* treno *m*; go by
~ andare in treno
train² [treɪn] 1 *v/t team, athlete*
allenare; *employee* formare;
dog addestrare 2 *v/i of team,
athlete* allenarsi; *of teacher
etc* fare il tirocinio
trainee [treɪ'niː] apprendista
m/f; trainer SP allenatore
m, -trice *f*; *of dog* addestra-
tore *m*, -trice *f*; ~s shoes scarpe *fpl* da ginnastica; trainers
shoes scarpe *fpl* da ginnastica; training *of new staff* for-

mazione *f*; SP allenamento
m; **be in** ~ SP allenarsi; **be
out of** ~ SP essere fuori allenamento

'train station stazione *f* ferroviaria

traitor ['treɪtə(r)] traditore *m*,
-trice *f*

tram [træm] tram *m inv*

tramp [træmp] barbone *m*, -a
f

◆ **trample on** calpestare

trampoline ['træmpəlɪn]
trampolino *m*

tranquil ['træŋkwɪl] tranquillo; **tranquillity**, *Am* **tranquility** tranquillità *f*; **tranquillizer**, *Am* **tranquilizer**
tranquillante *m*

transaction [træn'zækʃn]
transazione *f*

transatlantic
[trænzət'læntɪk] transatlantico

transcript ['trænskrɪpt] trascrizione *f*

transfer 1 [træns'fɜː(r)] *v/t*
trasferire; LAW cedere 2
[træns'fɜː(r)] *v/i* cambiare 3
['trænsfɜː(r)] *n* trasferimento *m*; LAW cessione *f*; *of money* bonifico *m* bancario;
transferable *ticket* trasferibile; **transfer fee** *for football
player* prezzo *m* d'acquisto

transform [træns'fɔːm] trasformare; **transformation**
trasformazione *f*; **transformer** ELEC trasformatore
m

transfusion [træns'fjuːʒn]
trasfusione *f*

transit ['trænzɪt]: **in** ~ in transito; **transition** transizione *f*;
transitional di transizione;
transit lounge *at airport* sala
f passeggeri in transito;
transit passenger passeggero *m*, -a *f* in transito

translate [træns'leɪt] tradurre; **translation** traduzione
f; **translator** traduttore *m*,
-trice *f*

transmission [trænz'mɪʃn]
trasmissione *f*; **transmit**
news, programme, disease
trasmettere; **transmitter**
RAD, TV trasmettitore *m*

transparency
[træns'pærənsɪ] PHOT diapositiva *f*; **transparent** trasparente

transplant 1 [træns'plɑːnt] *v/t*
MED trapiantare 2
['trænsplɑːnt] *n* MED trapianto *m*

transport 1 [træn'spɔːt] *v/t*
trasportare 2 ['trænspɔːt] *n
of* trasporto *m*; *means of
transport* mezzo *m* di trasporto; **public** ~ i trasporti
pubblici; **transportation**
trasporto *m*

transvestite [træns'vestaɪt]
travestito *m*

trap [træp] **1** *n* trappola *f*;
question tranello *m* **2** *v/t* intrappolare; **trappings** *of
power* segni *mpl* esteriori

trash [træʃ] *poor product* ro

baccia *f*; *despicable person* fetente *m/f*; *Am* (*garbage*) spazzatura *f*; **trashcan** *Am* bidone *m* della spazzatura; **trashy** *goods*, *novel* scadente

trauma ['trɔːmə] trauma *m*; **traumatic** traumatico; **traumatize** traumatizzare

travel ['trævl] **1** *n* viaggiare *m*; ~**s** viaggi *mpl* **2** *v/i* viaggiare; **I ~ to work by train** vado a lavorare in treno **3** *v/t miles* percorrere; **travel agency** agenzia *f* di viaggio; **travel agent** agente *m/f* di viaggio; **traveller**, *Am* **traveler** viaggiatore *m*, -trice *f*; **traveller's cheque**, *Am* **traveler's check** traveller's cheque *m inv*; **travel expenses** spese *fpl* di viaggio; **travel insurance** assicurazione *f* di viaggio

trawler ['trɔːlə(r)] peschereccio *m*

tray [treɪ] *for food, photocopier* vassoio *m*; *to go in oven* teglia *f*

treacherous ['tretʃərəs] traditore; **treachery** tradimento *m*

tread [tred] **1** *n* passo *m*; *of staircase* gradino *m*; *of tyre* battistrada *m inv* **2** *v/i* camminare

treason ['triːzn] tradimento *m*

treasure ['treʒə(r)] **1** *n also person* tesoro *m* **2** *v/t gift etc* custodire gelosamente;

treasurer tesoriere *m*, -a *f*; **Treasury Department** *Am* tesoro *m*

treat [triːt] **1** *n* trattamento *m* speciale; **it's my ~** *(I'm paying)* offro io **2** *v/t* trattare; **illness** curare; ~ **s.o. to sth** offrire qc a qu; **treatment** trattamento *m*; *of illness* cura *f*

treaty ['triːtɪ] trattato *m*

treble ['trebl] **1** *adv*: ~ **the price** il triplo del prezzo **2** *v/i* triplicarsi

tree [triː] albero *m*

tremble ['trembl] tremare

tremendous [trɪ'mendəs] *(very good)* fantastico; *(enormous)* enorme; **tremendously** *(very)* incredibilmente; *(a lot)* moltissimo

tremor ['tremə(r)] *of earth* scossa *f*

trench [trentʃ] trincea *f*

trend [trend] tendenza *f*; **trendy** alla moda

trespass ['trespəs] invadere una proprietà privata; **no ~ing** divieto d'accesso; **trespasser** intruso *m*, -a *f*

trial ['traɪəl] LAW processo *m*; *of equipment* prova *f*; **on ~** LAW sotto processo; **stand ~ for sth** essere processato per qc; **have sth on ~** *equipment* avere qc in prova; **trial period** periodo *m* di prova

triangle ['traɪæŋgl] triangolo *m*; **triangular** triangolare

tribe [traɪb] tribù *f inv*

tribunal [traɪ'bjuːnl] tribunale *m*

tributary ['trɪbjʊtərɪ] *of river* affluente *m*

trick [trɪk] **1** *n to deceive* stratagemma *m*; (*knack*) trucco *m*; **play a ~ on s.o.** fare uno scherzo a qu **2** *v/t* ingannare; **trickery** truffa *f*

trickle ['trɪkl] **1** *n* filo *m*; **a ~ of replies** poche risposte sporadiche **2** *v/i* gocciolare

tricky ['trɪkɪ] (*difficult*) complicato

trifle ['traɪfl] *n* (*triviality*) inezia *f*; *pudding* zuppa *f* inglese; **trifling** insignificante

trigger ['trɪgə(r)] *on gun* grilletto *m*

◆ **trigger off** scatenare

trim [trɪm] **1** *adj* (*neat*) ordinato; *figure* snello **2** *v/t hair, hedge* spuntare; *costs* tagliare; (*decorate: dress*) ornare **3** *n* (*light cut*) spuntata *f*; **in good ~** in buone condizioni

trinket ['trɪŋkɪt] ninnolo *m*

trio ['triːəʊ] MUS trio *m*

trip [trɪp] **1** *n* (*journey*) viaggio *m*, gita *f* **2** *v/i* (*stumble*) inciampare (**over** in) **3** *v/t* (*make fall*) fare inciampare

◆ **trip up 1** *v/t* (*make fall*) fare inciampare; (*cause to make a mistake*) confondere **2** *v/i* (*stumble*) inciampare; (*make a mistake*) sbagliarsi

triple ['trɪpl] ☞ **treble**

trite [traɪt] trito

triumph ['traɪʌmf] trionfo *m*

trivial ['trɪvɪəl] banale; **trivial-**

ity banalità *f inv*

trolley ['trɒlɪ] *in supermarket, at airport* carrello *m*

trombone [trɒm'bəʊn] trombone *m*

troops [truːps] truppe *fpl*

trophy ['trəʊfɪ] trofeo *m*

tropic ['trɒpɪk] tropico *m*; **tropical** tropicale; **tropics** tropici *mpl*

trot [trɒt] trottare

trouble ['trʌbl] **1** *n* (*difficulties*) problemi *mpl*; (*inconvenience*) fastidio *m*; (*disturbance*) disordini *mpl*; **the ~ with you is ...** il tuo problema è ...; **get into ~** mettersi nei guai **2** *v/t* (*worry*) preoccupare; (*bother, disturb*) disturbare; *of back, liver etc* dare dei fastidi a; **troublemaker** attaccabrighe *m/f inv*; **troubleshooting** mediazione *f*; *in software manual* ricerca *f* problemi e soluzioni; **troublesome** fastidioso

trousers ['traʊzəz] pantaloni *mpl*; **a pair of ~** un paio di pantaloni

trout [traʊt] trota *f*

truant ['truːənt]: **play ~** marinare la scuola

truce [truːs] tregua *f*

truck [trʌk] camion *m inv*; **truck driver** camionista *m*; **truck stop** *Am* posto *m* di ristoro per camionisti

trudge [trʌdʒ] **1** *v/i* arrancare; **~ around the shops** trascinarsi per i negozi **2** *n* camminata *f* stancante

true [truː] vero; **come** *~* **of hopes, dream** realizzarsi; **truly** davvero; **Yours** *~* distinti saluti

trumpet ['trʌmpɪt] tromba *f*

trunk [trʌŋk] *of tree, body* tronco *m*; *of elephant* proboscide *f*; *(large case)* baule *m*; MOT bagagliaio *m* inv

trust [trʌst] **1** *n* fiducia *f*; FIN fondo *m* fiduciario **2** *v/t* fidarsi di; **trusted** fidato; **trustee** amministratore *m*, -trice *f* fiduciario, -a; **trustful**, **trusting** fiducioso; **trustworthy** affidabile

truth [truːθ] verità *f* inv; **truthful account** veritiero; *person* sincero

try [traɪ] **1** *v/t* provare; LAW processare; *~* **to do sth** provare a fare qc, cercare di fare qc **2** *v/i* provare, tentare; **you must** *~* **harder** devi provare con più impegno **3** *n* tentativo *m*; *in rugby* meta *f*; **trying** *(annoying)* difficile

T-shirt ['tiːʃɜːt] maglietta *f*

tub [tʌb] *(bath)* vasca *f* da bagno; *of liquid* tinozza *f*; *for yoghurt* barattolo *m*; **tubby** tozzo

tube [tjuːb] tubo *m*; *of toothpaste* tubetto *m*; **tubeless** *tyre* senza camera d'aria

Tuesday ['tjuːzdeɪ] martedì *m* inv

tuft [tʌft] ciuffo *m*

tug [tʌg] **1** *n* NAUT rimorchiatore *m* **2** *v/t* *(pull)* tirare

tuition [tjuːˈɪʃn] lezioni *fpl*

tulip ['tjuːlɪp] tulipano *m*

tumble ['tʌmbl] ruzzolare; *of wall, prices* crollare; **tumbledown** in rovina, fatiscente; **tumbler** *for drink* bicchiere *m* (senza stelo); *in circus* acrobata *m/f*

tummy ['tʌmɪ] F pancia *f*; **tummy ache** mal *m* di pancia

tumour, *Am* **tumor** ['tuːmə(r)] tumore *m*

tumult ['tjuːmʌlt] tumulto *m*; **tumultuous** tumultuoso

tuna ['tjuːnə] tonno *m*

tune [tjuːn] **1** *n* motivo *m*; **in** *~* **instrument** accordato **2** *v/t* *instrument* accordare; *engine* mettere a punto

◆ **tune up 1** *v/i* *of orchestra* accordare gli strumenti **2** *v/t* *engine* mettere a punto

tuneful ['tjuːnful] melodioso; **tuner** *(hi-fi)* sintonizzatore *m*, tuner *m* inv; **tune-up** *of engine* messa *f* a punto

tunnel ['tʌnl] galleria *f*, tunnel *m* inv

turbine ['tɜːbaɪn] turbina *f*

turbulence ['tɜːbjʊləns] *in air travel* turbolenza *f*; **turbulent** turbolento

turf [tɜːf] tappeto *m* erboso; *(piece)* zolla *f*

Turin [tjuːˈrɪn] Torino *f*

Turk [tɜːk] turco *m*, -a *f*; **Turkey** Turchia *f*

turkey ['tɜːkɪ] tacchino *m*

Turkish ['tɜːkɪʃ] **1** *adj* turco **2** *n language* turco *m*

turmoil ['tɜːmɔɪl] agitazione *f*

turn [tɜːn] **1** *n (rotation)* giro *m*; *in road* curva *f*; *in variety show* numero *m*; **take ~s** *in doing sth* fare a turno a fare qc; **it's my ~** è il mio turno, tocca a me; **do s.o. a good ~** fare un favore a qu **2** *v/t wheel, corner* girare **3** *v/i of driver, car, wheel* girare; *(become)* diventare; **it has ~ed cold** è diventato freddo; **he has ~ed 40** ha compiuto 40 anni

♦ **turn around 1** *v/t object* girare; *company* dare una svolta positiva a; (COM *deal with*) eseguire; *order* evadere **2** *v/i of person* girarsi; *of driver* girare

♦ **turn away 1** *v/t (send away)* mandare via **2** *v/i (walk away)* andare via; *(look away)* girarsi dall'altra parte

♦ **turn back 1** *v/t edges, sheets* ripiegare **2** *v/i of walkers etc* tornare indietro; *in course of action* tirarsi indietro

♦ **turn down** *v/t offer, invitation* rifiutare; *volume, heating* abbassare; *edge* ripiegare

♦ **turn in** *v/i (go to bed)* andare a letto **2** *v/t to police* denunciare

♦ **turn off 1** *v/t TV, engine* spegnere; *tap* chiudere; F *(sexually)* far passare la voglia a **2** *v/i of driver* svoltare

♦ **turn on 1** *v/t TV, engine* accendere; *tap* aprire; F *(sexually)* eccitare **2** *v/i of machine* accendersi

♦ **turn over 1** *v/i in bed* girarsi; *of vehicle* capottare **2** *v/t object, page* girare; FIN fatturare

♦ **turn up 1** *v/t collar, volume, heating* alzare **2** *v/i (arrive)* arrivare

turning ['tɜːnɪŋ] svolta *f*; **turning point** svolta *f* decisiva; **turnout** *of people* affluenza *f*; **turnover** FIN fatturato *m*; *of staff* ricambio *m*; **turnpike** Am strada *f* a pedaggio; **turn signal** Am MOT freccia *f*; **turn-up** *of trousers* risvolto *m*

turquoise ['tɜːkwɔɪz] turchese

turtle ['tɜːtl] tartaruga *f* marina; **turtleneck sweater** maglia *f* a lupetto

Tuscany ['tʌskənɪ] Toscana *f*

tusk [tʌsk] zanna *f*

tutor ['tjuːtə(r)] EDU *insegnante universitario che segue un piccolo gruppo di studenti*; **(private) ~** insegnante *m/f* privato, -a

tuxedo [tʌk'siːdəʊ] Am smoking *m inv*

TV [tiː'viː] TV *f inv*; **on ~** alla TV; **TV dinner** piatto *m* pronto; **TV guide** guida *f* dei programmi TV; **TV programme**, Am **TV program** programma *m* televisivo twang [twæŋ] **1** *n in voice* suono *m* nasale **2** *v/t guitar string* vibrare

tweezers ['twi:zəz] pinzette *fpl*

twelfth [twelfθ] dodicesimo; **twelve** dodici

twentieth ['twentɪɪθ] ventesimo; **twenty** venti; **twenty--four-seven** ventiquattr'ore su ventiquattro, sette giorni su sette

twice [twaɪs] due volte; **~ as much** il doppio; **~ as fast** veloce due volte tanto

twig [twɪg] ramoscello *m*

twilight ['twaɪlaɪt] crepuscolo *m*

twin [twɪn] gemello *m*; **twin beds** due lettini *mpl*

twinge [twɪndʒ] *of pain* fitta *f*

twinkle ['twɪŋkl] *of stars, eyes* scintillare

'twin room camera *f* a due letti; **twin town** città *f inv* gemellata

twirl [twɜːl] **1** *v/t* fare roteare **2** *n of cream etc* ricciolo *m*

twist [twɪst] **1** *v/t* attorcigliare; **~ one's ankle** prendere una storta **2** *v/i of road* snodarsi;

of river serpeggiare **3** *n in rope* attorcigliata *f*; *in road* curva *f*; *in plot* svolta *f*; *twisty road* contorto

twit [twɪt] F scemo *m*, -a *f*

twitch [twɪtʃ] **1** *n nervous* spasmo *m* **2** *v/i (jerk)* contrarsi

twitter ['twɪtə(r)] cinguettare

two [tuː] due; **the ~ of them** loro due

tycoon [taɪˈkuːn] magnate *m*

type [taɪp] **1** *n (sort)* tipo *m* **2** *v/t & v/i (use a keyboard)* battere (a macchina)

typhoon [taɪˈfuːn] tifone *m*

typhus ['taɪfəs] tifo *m*

typical ['tɪpɪkl] tipico; **that's ~ of you / him!** tipico!; **typically** tipicamente

typist ['taɪpɪst] dattilografo *m*, -a *f*

tyrannical [tɪˈrænɪkl] tirannico; **tyrannize** tiranneggiare; **tyranny** tirannia *f*; **tyrant** tiranno *m*, -a *f*

tyre [taɪr] gomma *f*, pneumatico *m*

Tyrol [tɪˈrəl] Tirolo *m*; **Tyrolean** tirolese

Tyrrhenian Sea [taɪˈriːnɪən] mar *m* Tirreno

U

ugly ['ʌglɪ] brutto

UK [juːˈkeɪ] (= **United Kingdom**) Regno *m* Unito

ulcer ['ʌlsə(r)] ulcera *f*

ultimate ['ʌltɪmət] *(best, de-*

finitive) definitivo; *(final)* ultimo; *(basic)* fondamentale; **ultimately** *(in the end)* in definitiva

ultimatum [ʌltɪˈmeɪtəm] ultimatum *m inv*

ultrasound [ˈʌltrəsaʊnd] MED ecografia *f*

ultraviolet [ʌltrəˈvaɪələt] ultravioletto

umbrella [ʌmˈbrelə] ombrello *m*

umpire [ˈʌmpaɪə(r)] arbitro *m*

umpteenth [ʌmpˈtiːnθ] F ennesimo

UN [juːˈen] (= *United Nations*) ONU *f* (= Organizzazione *f* delle Nazioni Unite)

unable [ʌnˈeɪbl]: *be ~ to do sth* not know how to non saper fare qc; *not be in a position to* non poter fare qc

unacceptable [ʌnəkˈseptəbl] inaccettabile

unaccountable [ʌnəˈkaʊntəbl] inspiegabile

unanimous [juːˈnænɪməs] *verdict* unanime; *unanimously* all'unanimità

unapproachable [ʌnəˈprəʊtʃəbl] *person* inavvicinabile

unarmed [ʌnˈɑːmd] *person* disarmato; *~ combat* combattimento senz'armi

unassuming [ʌnəˈsjuːmɪŋ] senza pretese

unattached [ʌnəˈtætʃt] (*without a partner*) libero

unattended [ʌnəˈtendɪd] incustodito

unauthorized [ʌnˈɔːθəraɪzd] non autorizzato

unavoidable [ʌnəˈvɔɪdəbl] inevitabile

unbalanced [ʌnˈbælənst] non equilibrato; PSYCH squilibrato

unbearable [ʌnˈbeərəbl] insopportabile

unbeatable [ʌnˈbiːtəbl] *team*, *quality* imbattibile

unbeaten [ʌnˈbiːtn] *team* imbattuto

unbelievable [ʌnbɪˈliːvəbl] incredibile

unbias(s)ed [ʌnˈbaɪəst] imparziale

unblock [ʌnˈblɒk] sbloccare

unbreakable [ʌnˈbreɪkəbl] *plates* infrangibile; *world record* imbattibile

unbutton [ʌnˈbʌtn] sbottonare

uncanny [ʌnˈkænɪ] *resemblance*, *skill* sorprendente; (*worrying: feeling*) inquietante

unceasing [ʌnˈsiːsɪŋ] incessante

uncertain [ʌnˈsɜːtn] incerto; *origins* dubbio; *be ~ about sth* non essere certo su qc; *uncertainty of the future* incertezza *f*; *there is still ~ about ...* ci sono ancora dubbi su ...

uncle [ˈʌŋkl] zio *m*

uncomfortable [ʌnˈkʌmftəbl] scomodo; *I feel ~ with him* mi sento a disagio con lui

uncommon [ʌnˈkɒmən] raro

uncompromising [ʌnˈkɒmprəmaɪzɪŋ] fermo; *in a nega-tive way* intransigente

unconditional [ʌnkən'dɪʃnl] incondizionato

unconscious [ʌn'kɒnʃəs] MED svenuto; PSYCH inconscio; *knock s.o. ~* stordire qu con un colpo; *be ~ of sth* (*not aware*) non rendersi conto di qc

uncontrollable [ʌnkən-'trəʊləbl] incontrollabile

unconventional [ʌnkən-'venʃnl] poco convenzionale

uncooperative [ʌnkəʊ'ɒprə-tɪv] poco cooperativo

uncover [ʌn'kʌvə(r)] scoprire

undamaged [ʌn'dæmɪdʒd] intatto

undecided [ʌndɪ'saɪdɪd] *question* irrisolto; *be ~ about sth* essere indeciso su qc

undeniable [ʌndɪ'naɪəbl] innegabile

under ['ʌndə(r)] sotto; (*less than*) meno di; *it is ~ investigation* viene indagato

undercarriage carrello *m* d'atterraggio

undercover *agent* segreto

undercut COM vendere a minor prezzo di

underdone *meat* al sangue; (*not cooked enough*) non cotto abbastanza

underestimate sottovalutare

underfed malnutrito

undergo *treatment* sottoporsi a; *experiences* vivere

undergraduate studente *m*, -essa *f* universitario, -a

underground 1 *adj passages etc* sotterraneo; POL clandestino **2** *adv work* sottoterra; *go ~* POL entrare in clandestinità **3** *n* RAIL metropolitana *f*

undergrowth sottobosco *m*

underhand (*devious*) subdolo

underline *text* sottolineare

underlying di fondo

undermine *s.o.'s position* minare

underneath [ʌndə'niːθ] sotto

underpants mutande *fpl* da uomo

underpass *for pedestrians* sottopassaggio *m*

underprivileged [ʌndə'prɪvɪlɪdʒd] svantaggiato

underrate sottovalutare

undershirt *Am* canottiera *f*

understaffed [ʌndə'stɑːft] a corto di personale

understand capire; *I ~ that you ...* mi risulta che tu ...; **understandable** comprensibile; **understandably** comprensibilmente; **understanding 1** *adj person* comprensivo **2** *n* comprensione *f*; (*agreement*) intesa *f*

undertake *task* intraprendere; *~ to do sth* impegnarsi a fare qc; **undertaking** (*enterprise*) impresa *f*; (*promise*) promessa *f*

undervalue sottovalutare

'underwear biancheria f intima

'underworld criminal malavita f; in mythology inferi mpl

under'write FIN sottoscrivere

undeserved [ʌndɪ'zɜːvd] immeritato

undesirable [ʌndɪ'zaɪərəbl] 1 adj indesiderabile 2 n persona f indesiderata

undisputed [ʌndɪ'spjuːtɪd] champion indiscusso

undo [ʌn'duː] parcel disfare; shirt sbottonare; shoes slacciare; s.o.'s work annullare

undoubtedly [ʌn'dautɪdlɪ] indubbiamente

undress [ʌn'dres] 1 v/t spogliare; get ~ed spogliarsi 2 v/i spogliarsi

undue [ʌn'djuː] (excessive) eccessivo; unduly (excessively) eccessivamente

unearth [ʌn'ɜːθ] remains portare alla luce; (fig: find) scovare

uneasy [ʌn'iːzɪ] relationship, peace precario; feel ~ about non sentirsela di

uneatable [ʌn'iːtəbl] immangiabile

uneconomic [ʌniːkə'nɒmɪk] poco redditizio

uneducated [ʌn'edjʊkeɪtɪd] senza istruzione

unemployed [ʌnɪm'plɔɪd] 1 adj disoccupato 2 npl: the ~ i disoccupati; unemployment disoccupazione f; ~ benefit sussidio m di disoc-

cupazione

unending [ʌn'endɪŋ] interminabile

unequal [ʌn'iːkwəl] disuguale

unerring [ʌn'erɪŋ] judgement, instinct infallibile

uneven [ʌn'iːvn] quality irregolare; ground accidentato

uneventful [ʌnɪ'ventfʊl] day, journey tranquillo

unexpected [ʌnɪk'spektɪd] inatteso; unexpectedly inaspettatamente

unfair [ʌn'feə(r)] ingiusto

unfaithful [ʌn'feɪθfʊl] husband, wife infedele; be ~ to s.o. essere infedele a qu

unfamiliar [ʌnfə'mɪljə(r)] sconosciuto; be ~ with sth non conoscere qc

unfasten [ʌn'faːsn] belt slacciare

unfavourable, Am unfavorable [ʌn'feɪvərəbl] report, review negativo; weather conditions sfavorevole

unfinished [ʌn'fɪnɪʃt] non terminato; leave sth ~ non terminare qc

unfit [ʌn'fɪt] adj physically fuori forma; be ~ to ... morally non essere degno di ...; ~ to eat / drink non commestibile / non potabile

unfold [ʌn'fəʊld] 1 v/t letter spiegare; arm aprire 2 v/i of story etc svolgersi; of view spiegarsi

unforeseen [ʌnfɔː'siːn] im-

previsto
unforgettable [ʌnfəˈgetəbl]
indimenticabile
unforgivable [ʌnfəˈgɪvəbl]
imperdonabile
unfortunate [ʌnˈfɔːtʃənət]
people sfortunato; *event,
choice of words* infelice;
that's ~ for you è spiacevole
per lei; **unfortunately** sfortunatamente
unfounded [ʌnˈfaʊndɪd] infondato
unfriendly [ʌnˈfrendlɪ] poco
amichevole
ungrateful [ʌnˈgreɪtfʊl] ingrato
unhappiness [ʌnˈhæpɪnɪs]
infelicità *f*; **unhappy** infelice; *customers etc* non soddisfatto (**with** di)
unharmed [ʌnˈhɑːmd] illeso
unhealthy [ʌnˈhelθɪ] *person*
malaticcio; *conditions* malsano; *food, atmosphere* poco
sano; *economy* traballante
unheard-of [ʌnˈhɜːdɒv] inaudito
unhygienic [ʌnhaɪˈdʒiːnɪk]
non igienico
unification [juːnɪfɪˈkeɪʃn]
unificazione *f*
uniform [ˈjuːnɪfɔːm] **1** *n* divisa *f*; MIL *also* uniforme *f* **2** *adj*
uniforme
unify [ˈjuːnɪfaɪ] unificare
unilateral [juːnɪˈlætrəl] unilaterale
unimaginable [ʌnɪˈmædʒɪnəbl] inimmaginabile

unimaginative [ʌnɪˈmædʒɪnətɪv] senza fantasia
unimportant [ʌnɪmˈpɔːtənt]
senza importanza
uninhabitable [ʌnɪnˈhæbɪtəbl] inabitabile; **uninhabited** *building* disabitato; *region* deserto
unintentional [ʌnɪnˈtenʃnl]
involontario; **unintentionally** involontariamente
uninteresting [ʌnˈɪntrəstɪŋ]
poco interessante
uninterrupted [ʌnɪntəˈrʌptɪd] ininterrotto
union [ˈjuːnɪən] POL unione *f*;
(*trade ~*) sindacato *m*
unique [juːˈniːk] unico
unit [ˈjuːnɪt] unità *f inv*; (*department*) reparto *m*
unit 'cost COM costo *m* unitario
unite [juːˈnaɪt] **1** *v/t* unire **2** *v/i*
unirsi; **united** unito; **United
Kingdom** Regno *m* Unito;
United Nations Nazioni *fpl*
Unite; **United States (of
America)** Stati *mpl* Uniti
(d'America); **unity** unità *f
inv*
universal [juːnɪˈvɜːsl] universale; **universe** universo *m*
university [juːnɪˈvɜːsətɪ] università *f inv*
unjust [ʌnˈdʒʌst] ingiusto
unkind [ʌnˈkaɪnd] cattivo
unknown [ʌnˈnəʊn] **1** *adj* sconosciuto **2** *n*: *a journey into
the* ~ un viaggio nell'ignoto
unleaded [ʌnˈledɪd] senza

piombo

unless [ənˈles] a meno che; ~ *he pays us tomorrow* a meno che non ti paghi domani; ~ *I am mistaken* se non mi sbaglio

unlikely [ʌnˈlaɪklɪ] improbabile

unlimited [ʌnˈlɪmɪtɪd] illimitato

unload [ʌnˈləʊd] scaricare

unlock [ʌnˈlɒk] aprire (con la chiave)

unluckily [ʌnˈlʌkɪlɪ] sfortunatamente; **unlucky** *day, choice, person* sfortunato; *that was so ~ for you!* che sfortuna hai avuto!

unmanned [ʌnˈmænd] *spacecraft* senza equipaggio

unmarried [ʌnˈmærɪd] non sposato

unmistakable [ʌnmɪˈsteɪkəbl] inconfondibile

unnatural [ʌnˈnætʃrəl] non normale

unnecessary [ʌnˈnesəsrɪ] non necessario; *comment, violence* gratuito

unnerving [ʌnˈnɜːvɪŋ] inquietante

unobtainable [ʌnəbˈteɪnəbl] *goods* introvabile; TELEC non ottenibile

unobtrusive [ʌnəbˈtruːsɪv] discreto

unoccupied [ʌnˈɒkjʊpaɪd] *building, house* vuoto; *post* vacante; *room* libero

unofficial [ʌnəˈfɪʃl] non uffi-

ciale; *announcement* ufficioso; **unofficially** non ufficialmente

unorthodox [ʌnˈɔːθədɒks] poco ortodosso

unpack [ʌnˈpæk] **1** *v/t* disfare **2** *v/i* disfare le valige

unpaid [ʌnˈpeɪd] *work* non retribuito

unpleasant [ʌnˈpleznt] *person, thing to say* antipatico; *smell, taste* sgradevole

unplug [ʌnˈplʌg] *TV, computer* staccare (la spina di)

unpopular [ʌnˈpɒpjʊlə(r)] *person* mal visto; *decision* impopolare

unprecedented [ʌnˈpresɪdentɪd] senza precedenti

unpredictable [ʌnprɪˈdɪktəbl] imprevedibile

unpretentious [ʌnprɪˈtenʃəs] senza pretese

unproductive [ʌnprəˈdʌktɪv] *meeting* sterile; *soil* improduttivo

unprofessional [ʌnprəˈfeʃnl] *workmanship* poco professionale

unprofitable [ʌnˈprɒfɪtəbl] non redditizio

unprovoked [ʌnprəˈvəʊkt] *attack* non provocato

unqualified [ʌnˈkwɒlɪfaɪd] *worker* non qualificato; *doctor, teacher* non abilitato

unquestionably [ʌnˈkwestʃnəblɪ] indiscutibilmente; **unquestioning** *attitude* assoluto

unreadable [ʌnˈriːdəbl] *book* illeggibile

unrealistic [ʌnrɪəˈlɪstɪk] *person* poco realista; *expectations* poco realistico

unreasonable [ʌnˈriːznəbl] *person* irragionevole; *demand* eccessivo

unrelated [ʌnrɪˈleɪtd] *issues* senza (alcuna) attinenza; *people* non imparentato

unrelenting [ʌnrɪˈlentɪŋ] incessante

unreliable [ʌnrɪˈlaɪəbl] poco affidabile

unrest [ʌnˈrest] agitazione *f*

unrestrained [ʌnrɪˈstreɪnd] *emotions* incontrollato, sfrenato

unroll [ʌnˈrəʊl] srotolare

unruly [ʌnˈruːlɪ] indisciplinato

unsafe [ʌnˈseɪf] pericoloso; **~ to drink / eat** non potabile / non commestibile; **it is ~ to …** è rischioso …

unsanitary [ʌnˈsænɪtrɪ] antigienico

unsatisfactory [ʌnsætɪsˈfæktrɪ] poco soddisfacente

unscathed [ʌnˈskeɪðd] (*not injured*) incolume; (*not damaged*) intatto

unscrew [ʌnˈskruː] svitare

unscrupulous [ʌnˈskruːpjələs] senza scrupoli

unselfish [ʌnˈselfɪʃ] *person* altruista; *act* altruistico

unsettled [ʌnˈsetld] *issue* irrisolto; *weather* instabile; *life-*

style irrequieto; *bills* non pagato

unshaven [ʌnˈʃeɪvn] non rasato

unskilled [ʌnˈskɪld] non specializzato

unsophisticated [ʌnsəˈfɪstɪkeɪtɪd] *person, beliefs* semplice; *equipment* rudimentale

unstable [ʌnˈsteɪbl] instabile; *person* squilibrato

unsteady [ʌnˈstedɪ] *ladder* malsicuro; **be ~ on one's feet** non reggersi bene sulle gambe

unsuccessful [ʌnsəkˈsesfʊl] *writer etc* di scarso successo; *candidate, party* sconfitto; *attempt* fallito; **he tried but was ~** ha provato ma non ha avuto fortuna; **unsuccessfully** senza successo

unsuitable [ʌnˈsuːtəbl] *partner, clothing* inadatto; *thing to say* inappropriato

unswerving [ʌnˈswɜːvɪŋ] *loyalty* incrollabile

unthinkable [ʌnˈθɪŋkəbl] impensabile

untidy [ʌnˈtaɪdɪ] in disordine

untie [ʌnˈtaɪ] *knot* disfare; *laces* slacciare; *prisoner* slegare

until [ənˈtɪl] **1** *prep* fino a; **from Monday ~ Friday** da lunedì a venerdì; **not ~ Friday** non prima di venerdì **2** *conj* finché (non); **can you wait ~ I'm ready?** puoi aspettare che sia pronta?

untiring [ʌn'taɪrɪŋ] *efforts* instancabile

untold [ʌn'təʊld] *riches* incalcolabile; *suffering* indescrivibile; *story* inedito

untrue [ʌn'truː] falso

unused [ʌn'juːzd] mai usato

unusual [ʌn'juːʒʊəl] insolito; **it's ~ for them not to write** non è da loro non scrivere; **unusually** insolitamente

unveil [ʌn'veɪl] *statue etc* scoprire

unwell [ʌn'wel]: **be / feel ~** stare / sentirsi male

unwilling [ʌn'wɪlɪŋ]: **be ~ to do** non essere disposto a fare; **unwillingly** malvolentieri

unwind [ʌn'waɪnd] 1 *v/t tape* svolgere 2 *v/i of tape* svolgersi; *of story* dipanarsi; *(relax)* rilassarsi

unwise [ʌn'waɪz] avventato, imprudente

unwrap [ʌn'ræp] aprire, scartare

unzip [ʌn'zɪp] *dress etc* aprire (la chiusura lampo di); COMPUT espandere

up [ʌp] 1 *adv*: **~ in the sky / ~ on the roof** in alto nel cielo / sul tetto; **~ here / there** quassù / lassù; **be ~** *(out of bed)* essere in piedi; *of sun* essere sorto; *of temperature* essere aumentato; *(have expired)* essere scaduto; **what's ~?** F che c'è?; **~ to the year 1989** fino al 1989;

he came ~ to me mi si è avvicinato; **what are you ~ to these days?** cosa fai di bello?; **what are those kids ~ to?** cosa stanno combinando i bambini?; **be ~ to something (bad)** stare architettando qualcosa; **I don't feel ~ to it** non me la sento; **it's ~ to you** dipende da te; **it is ~ to them to solve it** their duty sta a loro risolverlo; **be ~ and about** *after illness* essersi ristabilito 2 *prep*: **further ~ the mountain** più in alto sulla montagna; **they ran ~ the street** corsero per strada; **we travelled ~ to Milan** siamo andati a Milano 3 *n*: **~s and downs** alti e bassi *mpl*

'upbringing educazione *f*

'upcoming *(forthcoming)* prossimo

up'date *file, records* aggiornare; **~ s.o. on sth** mettere qu al corrente di qc

up'grade *equipment etc* aggiornare; *memory* potenziare; *passenger* promuovere a una classe superiore; *product* migliorare

upheaval [ʌp'hiːvl] *emotional* sconvolgimento *m*; *physical* scombussolamento *m*; *political, social* sconvolgimento *m*

uphill ['ʌphɪl] 1 *adv*: **go / walk ~** salire 2 *adj climb* in salita; *struggle* arduo

up'hold *traditions, rights* sostenere; (*vindicate*) confermare

'**upkeep** manutenzione *f*

'**upload** COMPUT caricare, fare l'upload di

up'**market** *restaurant, hotel* elegante; *product* di qualità

upon [ə'pɒn] ☞ **on**

upper ['ʌpə(r)] superiore; *deck, rooms* di sopra

upper '**class** *adj accent* aristocratico; *family* dell'alta borghesia

'**upright 1** *adj citizen* onesto **2** *adv sit* (ben) dritto; **upright** (**piano**) pianoforte *m* verticale

'**uprising** insurrezione *f*

'**uproar** trambusto *m*; (*protest*) protesta *f*

'**upscale** *Am restaurant, hotel* elegante; *product* di qualità

up'**set 1** *v/t drink, glass* rovesciare; (*make sad*) fare stare male; (*distress*) sconvolgere; (*annoy*) seccare **2** *adj* (*sad*) triste; (*distressed*) sconvolto; (*annoyed*) seccato; **be / get ~** prendersela (**about** per); **have an ~ stomach** avere l'intestino in disordine; up-setting: *it's so ~* (*for me*) mi fa stare male, mi turba

up**side** '**down** capovolto; *turn sth ~* capovolgere qc

up'**stairs 1** *adv* di sopra **2** *adj room* al piano di sopra

'**upstream** a monte

up'**tight** F (*nervous*) nervoso; (*inhibited*) inibito

up-to-'**date** *information* aggiornato; *fashions* più attuale

'**up turn** *in economy* ripresa *f*

upward ['ʌpwəd] in su; **~ of 10,000** oltre 10.000

uranium [juː'reɪnɪəm] uranio *m*

urban ['ɜːbən] *areas, population* urbano; *redevelopment* urbanistico

urchin ['ɜːtʃɪn] monello *m*, -a *f*

urge [ɜːdʒ] **1** *n* (forte) desiderio *m* **2** *v/t*: **~ s.o. to do sth** raccomandare a qu di fare qc; **urgency** urgenza *f*; **the ~ of the situation** la gravità della situazione; **urgent** urgente

urinate ['jʊərɪneɪt] orinare; **urine** urina *f*

US [juːes] (= **United States**) USA *mpl*

us [ʌs] ci; *when two pronouns are used* ce; *after prep* noi; *don't leave ~* non ci lasciare, non lasciarci; *she gave them to ~* ce li ha date; *that's for ~* quello è per noi; *who's that? - it's ~* chi è? - siamo noi

USA [juːes'eɪ] (= **United States of America**) USA *mpl*

usage ['juːzɪdʒ] uso *m*

use **1** *v/t tool, skills, knowledge* usare, utilizzare; *word, s.o.'s car* usare; *a lot of petrol* consumare; *pej: person* usare **2** [juːs] *n* uso *m*; **be** *of no ~ to s.o.* non essere d'aiuto a qu; *it's no ~ waiting* non serve a niente aspettare

◆ **use up** finire

used[1] ['ju:zd] *adj car etc* usato

used[2] [ju:st]: *be ~ to* essere abituato a; *get ~ to* abituarsi a

used[3] [ju:st]: *I ~ to know him* lo conoscevo; *I ~ to like him* un tempo mi piaceva

useful ['ju:sfʊl] utile; *person* di grande aiuto; **usefulness** utilità *f*; **useless** *information, advice* inutile; F *person* incapace; *machine* inservibile; *feel ~* sentirsi inutile; **us-**er *of product* utente *m/f*; **userfriendly** di facile uso

usual ['ju:ʒʊəl] solito; *it's not ~ for this to happen* non succede quasi mai; *as ~* come al solito; **usually** di solito

utensil [ju:'tensl] utensile *m*

utility [ju:'tɪlɪtɪ] (*usefulness*) utilità *f*; **utility pole** *Am* palo *m* del telegrafo; **utilize** utilizzare

utmost ['ʌtməʊst] **1** *adj* massimo **2** *n*: *do one's ~* fare (tutto) il possibile

utter ['ʌtə(r)] **1** *adj* totale **2** *v/t sound* emettere; *word* proferire; **utterly** totalmente

V

vacancy ['veɪkənsɪ] *at work* posto *m* vacante; *in hotel* camera *f* libera; *~ for a driver* as *advert* autista cercasi; *"no vacancies"* "completo"; **vacant** *building* vuoto; *room* libero; *look, expression* assente; *position* vacante; **vacantly** con sguardo assente; **vacate** *room* lasciar libero; **vacation** vacanza *f*; *be on ~* essere in vacanza

vaccinate ['væksɪneɪt] vaccinare; **vaccination** vaccinazione *f*; **vaccine** vaccino *m*

vacuum ['vækjʊəm] **1** *n also fig* vuoto *m* **2** *v/t floors* passare l'aspirapolvere su

vagina [və'dʒaɪnə] vagina *f*

vagrant ['veɪgrənt] vagabondo *m*, -a *f*

vague [veɪg] vago; *I'm still ~ about it* non ho ancora le idee chiare al riguardo; **vaguely** vagamente

vain [veɪn] **1** *adj person* vanitoso; *hope* vano **2** *n*: *in ~* invano

valiant ['vælɪənt] valoroso

valid ['vælɪd] valido; **validate** *with official stamp* convalidare; *alibi* confermare; **validity** *of reason, argument* validità *f*

valley ['vælɪ] valle *f*

valuable ['væljʊəbl] **1** *adj* prezioso **2** *n*: *~s* oggetti *mpl* di valore; **valuation** valutazione *f*; **value 1** *n* valore *m* **2** *v/t friendship, freedom* tenere a; **have an object ~d** far valutare un oggetto

valve [vælv] valvola *f*

van [væn] furgone *m*

vandal ['vændl] vandalo *m*; **vandalism** vandalismo *m*; **vandalize** vandalizzare

vanilla [və'nɪlə] **1** *n* vaniglia *f* **2** *adj ice cream* alla vaniglia; *flavour* di vaniglia

vanish ['vænɪʃ] sparire

vanity ['vænətɪ] *of person* vanità *f inv*

vapor ['veɪpə(r)] *Am* ☞ **vapour**, **vaporize** vaporizzare; **vapour** vapore *m*

variable ['veərɪəbl] **1** *adj* variabile **2** *n* MATH, COMPUT variabile *f*; **variant** variante *f*; **variation** variazione *f*; **varied** *range, diet* vario; *life* movimentato; **variety** varietà *f inv*; *(type)* tipo *m*; **a ~ of things to do** varie cose da fare; **various** *(several)* vario; *(different)* diverso

varnish ['vɑːnɪʃ] **1** *n for wood* vernice *f*; *(nail ~)* smalto *m* **2** *v/t wood* verniciare; *nails* smaltare

vary ['veərɪ] variare

vase [vɑːz] vaso *m*

vast [vɑːst] vasto; *improvement* immenso; **vastly** immensamente

VAT [viːeɪˈtiː, væt] *abbr* (= **value added tax**) IVA *f* (= im-

posta *f* sul valore aggiunto)

Vatican ['vætɪkən]: **the ~** il Vaticano

vault[1] [vɔːlt] *n in roof* volta *f*; *cellar* cantina *f*; **~s** *of bank* caveau *m inv*

vault[2] [vɔːlt] **1** *n* SP volteggio *m* **2** *v/t* saltare

VCR [viːsiːˈɑː(r)] (= **video cassette recorder**) videoregistratore *m*

veal [viːl] (carne *f* di) vitello *m*

veer [vɪə(r)] *of car* sterzare; *of wind, party* cambiare direzione

vegetable ['vedʒtəbl] verdura *f*; **vegetarian 1** *n* vegetariano *m*, -a *f* **2** *adj* vegetariano; **vegetation** vegetazione *f*

vehement ['viːəmənt] veemente

vehicle ['viːɪkl] veicolo *m*; *for information etc* mezzo *m*

veil [veɪl] velo *m*

vein [veɪn] ANAT vena *f*; **in this ~** *fig* su questo tono

Velcro® ['velkrəʊ] velcro *m*

velocity [vɪˈlɒsətɪ] velocità *f inv*

velvet ['velvɪt] velluto *m*

vendetta [venˈdetə] vendetta *f*

vending machine ['vendɪŋ] distributore *m* automatico; **vendor** LAW venditore *m*, -trice *f*

veneer [vəˈnɪə(r)] impiallacciatura *f*; *of politeness etc* parvenza *f*

venerable ['venərəbl] venerabile; **veneration** venerazione f

venereal disease [vɪ'nɪərɪəl] malattia f venerea

Venetian [vəˈniːʃn] **1** adj veneziano **2** n veneziano m, -a f; **venetian blind** veneziana f; **Venice** Venezia f

venom ['venəm] veleno m

ventilate ['ventɪleɪt] ventilare; **ventilation** ventilazione f; **ventilator** ventilatore m; MED respiratore m

venture ['ventʃə(r)] **1** n impresa f **2** v/i avventurarsi

venue ['venjuː] for meeting, concert etc luogo m

veranda [vəˈrændə] veranda f

verb [vɜːb] verbo m; **verbal** (spoken) verbale; **verbally** verbalmente

verdict ['vɜːdɪkt] LAW verdetto m; (opinion, judgment) giudizio m

verge [vɜːdʒ] of road bordo m; **be on the ~ of ...** ruin, collapse essere sull'orlo di ...; **on the ~ of tears** sul punto di piangere

verification [verɪfɪ'keɪʃn] verifica f; **verify** verificare

vermin ['vɜːmɪn] animali mpl nocivi

vermouth ['vɜːməθ] vermut m

versatile ['vɜːsətaɪl] versatile; **versatility** versatilità f

verse [vɜːs] poetry poesia f; part of poem, song strofa f

version ['vɜːʃn] versione f

versus ['vɜːsəs] contro

vertical ['vɜːtɪkl] verticale

vertigo ['vɜːtɪgəu] vertigini fpl

very ['verɪ] **1** adv molto; **~ fast** molto veloce, velocissimo; **the ~ best** il meglio **2** adj: **at that ~ moment** in quel preciso momento; **that's the ~ thing I need** è proprio quello che mi serve

vessel ['vesl] NAUT natante m

vest [vest] Br undershirt canottiera f; Am gilè m inv

vestige ['vestɪdʒ] vestigio m; **not a ~ of truth** neanche un'ombra di verità

vet[1] [vet] n (veterinary surgeon) veterinario m, -a f

vet[2] [vet] v/t applicants etc passare al vaglio

vet[3] [vet] n MIL reduce m/f

veteran ['vetərən] **1** n veterano m, -a f; MIL reduce m/f **2** adj veterano

veto ['viːtəu] **1** n veto m **2** v/t mettere il veto a

via ['vaɪə] attraverso

viable ['vaɪəbl] in grado di sopravvivere; alternative, plan fattibile

vibrate [vaɪ'breɪt] vibrare; **vibration** vibrazione f

vicar ['vɪkə(r)] parroco m anglicano

vice[1] [vaɪs] vizio m

vice[2] [vaɪs] tool morsa f

vice 'president vice-presidente m

vice versa [vaɪs'vɜːsə] viceversa

vicious ['vɪʃəs] *dog* feroce; *attack, criticism* brutale; **viciously** brutalmente

victim ['vɪktɪm] vittima *f*; **victimize** perseguitare

victorious [vɪk'tɔːrɪəs] *army* vittorioso; *team* vincente; **victory** vittoria *f*

video ['vɪdɪəʊ] **1** *n* video *m inv*; *tape* videocassetta *f*; *(VCR)* videoregistratore *m* **2** *v/t* registrare; **video camera** videocamera *f*; **video cassette** videocassetta *f*; **video conference** videoconferenza *f*; **video game** videogame *m inv*; **video recorder** videoregistratore *m*; **videotape** videocassetta *f*

vie [vaɪ] competere

Vietnam [vjet'næm] Vietnam *m*; **Vietnamese 1** *adj* vietnamita **2** *n* vietnamita *m/f*; *language* vietnamita *m*

view [vjuː] **1** *n* veduta *f*; *of situation* parere *m*; **in ~ of** considerato; **be on ~** *of paintings* essere esposto; **with a ~ to** con l'intenzione di **2** *v/t* vedere; *TV programme* guardare **3** *v/i* *(watch TV)* guardare la TV; **viewer** *TV* telespettatore *m*, -trice *f*; **viewpoint** punto *m* di vista

vigor ['vɪgər] *Am* ☞ **vigour**, **vigorous** vigoroso; **vigorously** vigorosamente; **vigour** vigore *m*

village ['vɪlɪdʒ] paese *m*; **vil-**

lager abitante *m/f* (del paese)

villain ['vɪlən] cattivo *m*, -a *f*; *F criminal* delinquente *m/f*

vindicate ['vɪndɪkeɪt] *(prove correct)* confermare; *(prove innocent)* scagionare; **I feel ~d by the report** il resoconto mi dà ragione

vindictive [vɪn'dɪktɪv] vendicativo

vine [vaɪn] *(grape~)* vite *f*; *climber* rampicante *m*

vinegar ['vɪnɪgə(r)] aceto *m*

vineyard ['vɪnjɑːd] vigneto *m*

vintage ['vɪntɪdʒ] **1** *n* *of wine* annata *f* **2** *adj* *(classic)* d'annata

viola [vɪ'əʊlə] MUS viola *f*

violate ['vaɪəleɪt] violare; **violation** violazione *f*; *Am* *(traffic ~)* infrazione *f*

violence ['vaɪələns] violenza *f*; **violent** violento

violin [vaɪə'lɪn] violino *m*; **violinist** violinista *m/f*

VIP [viːaɪ'piː] (= *very important person*) VIP *m/f*

viral ['vaɪrəl] virale

virgin ['vɜːdʒɪn] vergine *m/f*; **virginity** verginità *f*

Virgo ['vɜːgəʊ] ASTR Vergine *f*

virile ['vɪraɪl] virile; **virility** virilità *f*

virtual ['vɜːtjʊəl] effettivo; COMPUT virtuale; **virtually** *(almost)* praticamente

virtue ['vɜːtjuː] virtù *f inv*

virtuoso [vɜːtʊ'əʊzəʊ] MUS virtuoso *m*, -a *f*

virtuous ['vɜːtjʊəs] virtuoso

virus ['vaɪərəs] MED, COMPUT virus *m inv*

visa ['viːzə] visto *m*

vise *Am* ☞ **vice²**

visibility [vɪzə'bɪlətɪ] visibilità *f*; **visible** visibile; *anger etc* evidente

vision ['vɪʒn] *(eyesight)* vista *f*; REL *etc* visione *f*

visit ['vɪzɪt] **1** *n* visita *f*; **pay s.o. a ~** fare una visita a qu **2** *v/t person* andare a trovare; *place, country, city, website* visitare; *doctor, dentist* andare da; **visitor** *(guest)* ospite *m*; *to museum etc* visitatore *m*, -trice *f*; *(tourist)* turista *m/f*

visor ['vaɪzə(r)] visiera *f*

visual ['vɪzjʊəl] *organs, memory* visivo; *arts* figurativo; **visualize** immaginare; *(foresee)* prevedere; **visually** visivamente

vital ['vaɪtl] *(essential)* essenziale; **vitality** vitalità *f*; **vitally**: **~ important** di vitale importanza

vitamin ['vɪtəmɪn] vitamina *f*; **vitamin pill** (confetto *m* di) vitamina *f*

vivacious [vɪ'veɪʃəs] vivace; **vivacity** vivacità *f*

vivid ['vɪvɪd] vivido; **vividly** in modo vivido

V-neck ['viːnek] maglione *m* con scollo a V

vocabulary [və'kæbjʊlərɪ] vocabolario *m*; *list of words*

glossario *m*

vocal ['vəʊkl] *to do with the voice* vocale; *expressing opinions* eloquente; **become ~** cominciare a farsi sentire; **vocal group** MUS gruppo *m* vocale; **vocalist** MUS cantante *m/f*

vocation [və'keɪʃn] *(calling)* vocazione *f* (**for** a); *(profession)* professione *f*; **vocational** *guidance* professionale

vodka ['vɒdkə] vodka *f inv*

vogue [vəʊg] moda *f*; **be in ~** essere in voga

voice [vɔɪs] **1** *n* voce *f* **2** *v/t opinions* esprimere; **voice-activated** attivato dalla voce; **voice mail** segreteria *f* telefonica; *message* messagio *m* in segreteria

volatile ['vɒlətaɪl] *personality* volubile

volcano [vɒl'keɪnəʊ] vulcano *m*

volley ['vɒlɪ] *of shots* raffica *f*; *in tennis* volée *f inv*

volt [vəʊlt] volt *m inv*; **voltage** voltaggio *m*; **high ~** alta tensione *f*

volume ['vɒljuːm] volume *m*

voluntarily [vɒlən'teərɪlɪ] spontaneamente; **voluntary** volontario; **~ work** volontariato; **volunteer 1** *n* volontario *m*, -a *f* **2** *v/i* offrirsi volontario

vomit ['vɒmɪt] **1** *n* vomito *m* **2** *v/i* vomitare

voracious [və'reɪʃəs] vorace
vote [vəʊt] **1** n voto m; *right to vote* diritto m di voto **2** v/i POL votare (**for** a favore di, **against** contro); **voter** POL elettore m, -trice f; **voting** POL votazione f
♦ **vouch for** [vaʊtʃ] *truth* garantire; *person* garantire per

vow [vaʊ] **1** n voto m **2** v/t: **~ to do** giurare di fare
vowel [vaʊl] vocale f
voyage ['vɔɪɪdʒ] viaggio m
vulgar ['vʌlɡə(r)] volgare
vulnerable ['vʌlnərəbl] vulnerabile
vulture ['vʌltʃə(r)] avvoltoio m

W

waddle ['wɒdl] camminare ondeggiando
wade [weɪd] guadare
wafer ['weɪfə(r)] *cookie* cialda f; REL ostia f
waffle ['wɒfl] (*to eat*) tipo di cialda
wag [wæɡ] *finger* scuotere; *the dog ~ged its tail* il cane scodinzolò
wages ['weɪdʒɪz] paga f
waggle ['wæɡl] far muovere
wail [weɪl] *of person* gemere; *of siren* ululare
waist [weɪst] vita f; **waistcoat** gilè m inv; **waistline** vita f
wait [weɪt] **1** n attesa f **2** v/i aspettare; *I can't ~ to ...* non vedo l'ora di ... **3** v/t *meal* ritardare
♦ **wait for** aspettare
♦ **wait on** (*serve*) servire
♦ **wait up** restare alzato ad aspettare
waiter ['weɪtə(r)] cameriere m; **waiting list** lista f d'attesa; **waiting room** sala f d'at-

tesa; **waitress** cameriera f
waive [weɪv] (*renounce*) rinunciare a; (*dispense with*) fare a meno di
wake [weɪk] **1** v/i: **~ (up)** svegliarsi **2** v/t svegliare; **wake-up call** sveglia f (telefonica)
Wales [weɪlz] Galles m
walk [wɔːk] **1** n camminata f; *go for a ~* fare due passi **2** v/i camminare; *as opposed to driving* andare a piedi; (*hike*) passeggiare **3** v/t *dog* portare fuori; **~ the streets** (*walk around*) girare in lungo e in largo
♦ **walk out** *of spouse etc, from theatre* andarsene; (*go on strike*) scendere in sciopero
♦ **walk out on** *spouse, family* abbandonare
walker ['wɔːkə(r)] (*hiker*) escursionista m/f; *for baby* girello m; *for old person* deambulatore m; *be a slow / fast ~* avere il passo lento / spedito; **walking** *as*

opposed to driving camminare *m*; (*hiking*) escursionismo *m*; **it's within ~ distance** ci si arriva a piedi; **Walkman®** walkman *m inv*; **walkout** strike sciopero *m* selvaggio; **walkover** (*easy win*) vittoria *f* facile

wall [wɔːl] *also fig* muro *m*; *internal* parete *f*; **~s** *of a city* mura *fpl*; **drive s.o. up the ~** F far diventare matto qu

wallet ['wɒlɪt] portafoglio *m*

wallpaper 1 *n* tappezzeria *f*, carta *f* da parati **2** *v/t* tappezzare; **wall-to-wall carpet** moquette *f*

waltz [wɔːlts] valzer *m inv*

wan [wɒn] *face* pallido

wander ['wɒndə(r)] (*roam*) gironzolare; (*stray*) allontanarsi

wangle ['wæŋgl] F rimediare F

want [wɒnt] **1** *n*: **for ~ of** per mancanza di **2** *v/t* volere; (*need*) avere bisogno di; **~ to do sth** volere fare qc; **she~s you to go back** vuole che torni indietro **3** *v/i*: **~ for nothing** non mancare di niente; **wanted** *by police* ricercato

war [wɔː(r)] guerra *f*; *fig* lotta *f*

ward [wɔːd] *in hospital* corsia *f*; *child* minore *m* sotto tutela

◆ **ward off** *blow* parare; *attacker* respingere; *cold* combattere

warden ['wɔːdn] (*traffic ~*) vigile *m* urbano; *of hostel* direttore *m*, -trice *f*; *of nature reserve* guardiano *m*, -a *f*; *of prison* agente *m/f* di custodia; *Am* direttore *m*, -trice *f*

'**wardrobe** *for clothes* armadio *m*; *clothes* guardaroba *m*

'**warehouse** ['weəhaʊs] magazzino *m*

'**warfare** guerra *f*; **warhead** testata *f*

warily ['weərɪlɪ] con aria guardinga

warm [wɔːm] caldo; *welcome, smile* caloroso; **it's ~** *of weather* fa caldo

◆ **warm up 1** *v/t* scaldare **2** *v/i* scaldarsi; *of athlete etc* fare riscaldamento

warmly ['wɔːmlɪ] *dressed* con abiti pesanti; *welcome, smile* calorosamente; **warmth** calore *m*; *of welcome, smile* calorosità *f*; **warm-up** SP riscaldamento *m*

warn [wɔːn] avvertire; **warning** avvertimento *m*; **without ~** senza preavviso

warp [wɔːp] *of wood* deformarsi; *warped fig* contorto

'**warplane** aereo *m* militare

warrant ['wɒrənt] **1** *n* mandato *m* **2** *v/t* giustificare; **warranty** (*guarantee*) garanzia *f*

warrior ['wɒrɪə(r)] guerriero *m*, -a *f*

'**warship** nave *f* da guerra

wart [wɔːt] verruca *f*

wary ['weərɪ] guardingo; **be ~ of** diffidare di

wash [wɒʃ] **1** n: **have a ~** darsi una lavata **2** v/t lavare; **~ one's hair** lavarsi i capelli **3** v/i lavarsi

◆ **wash up** Br lavare i piatti; Am (wash one's hands and face) lavarsi

washable ['wɒʃəbl] lavabile; **washbasin, washbowl** lavandino m; **washcloth** Am guanto m di spugna; **washed out** sfinito; **washer** for tap etc guarnizione f; **washing** washed clothes bucato m; clothes to be washed biancheria f da lavare; **do the ~** fare il bucato; **washing machine** lavatrice f; **washing-up liquid** detersivo m per i piatti; **washroom** Am servizi mpl

wasp [wɒsp] vespa f

waste [weɪst] **1** n spreco m; from industrial process rifiuti mpl; **it's a ~ of time / money** è tempo sprecato / sono soldi sprecati **2** adj material di scarto **3** v/t sprecare; **waste disposal (unit)** tritarifiuti m inv; **wasteful** person sprecone; methods dispendioso; **wasteland** distesa f desolata; **wastepaper** cartaccia f; **wastepaper basket**, Am **waste basket** cestino m della cartaccia

watch [wɒtʃ] **1** n timepiece orologio m; MIL guardia f; **keep ~** stare all'erta **2** v/t guardare; (spy on) sorveglia-

re; (look after) tenere d'occhio **3** v/i guardare; **watchful** vigile

water ['wɔːtə(r)] **1** n acqua f **2** v/t plant annaffiare **3** v/i of eyes lacrimare; **my mouth is ~ing** ho l'acquolina in bocca; **watercolour**, Am **watercolor** acquerello m; **watered down** fig edulcorato; **waterfall** cascata f; **waterline** linea f di galleggiamento; **waterlogged** allagato; **watermelon** anguria f, cocomero m; **waterproof** impermeabile; **waterside**: **at the ~** sulla riva; **waterskiing** sci m nautico; **watertight** compartment stagno; fig inattaccabile; **waterway** corso m d'acqua navigabile; **watery** acquoso

watt [wɒt] watt m inv

wave[1] [weɪv] n in sea onda f

wave[2] [weɪv] **1** n of hand saluto m (con la mano) **2** v/i with hand salutare (con la mano) **3** v/t flag etc sventolare

'**wavelength** RAD lunghezza f d'onda; **be on the same ~** fig essere sulla stessa lunghezza d'onda

waver ['weɪvə(r)] vacillare

wavy ['weɪvɪ] ondulato

wax [wæks] for furniture cera f; in ear cerume m

way [weɪ] **1** n (method, manner) modo m; (manner) maniera f; (route) strada f; **this ~** (like this) così; (in this direc-

tion) da questa parte; ***by the ~*** (*incidentally*) a proposito; ***in a ~*** (*in certain respects*) in un certo senso; ***be under ~*** essere in corso; ***give ~*** MOT dare la precedenza; (*collapse*) crollare; ***X has given ~ to Y*** (*been replaced by*) Y ha preso il posto di X; ***have one's (own) ~*** averla vinta; ***lead the ~*** *also fig* fare strada; ***lose one's ~*** smarrirsi; ***be in the ~*** (*be an obstruction*) essere d'intralcio; ***it's on the ~ to the station*** è sulla strada della stazione; ***I was on my ~ to the station*** stavo andando alla stazione; ***no ~!*** neanche per sogno!; ***there's no ~ he can do it*** è impossibile che ce la faccia **2** *adv* F (*much*): ***it's ~ too soon*** è veramente troppo presto; ***they are ~ behind with their work*** sono molto indietro nel lavoro; **way in** entrata *f*; **way of life** stile *m* di vita; **way out** uscita *f*; *fig*: *from situation* via *f* d'uscita

we [wiː] *noi*; ***~'re the best*** siamo i migliori

weak [wiːk] debole; *tea, coffee* leggero; **weaken 1** *v/t* indebolire **2** *v/i* indebolirsi; **weakness** debolezza *f*; ***have a ~ for sth*** (*liking*) avere un debole per qc

wealth [welθ] ricchezza *f*; ***a ~ of*** una grande abbondanza di; **wealthy** ricco

weapon ['wepən] arma *f*

wear [weə(r)] **1** *n*: ***~*** (***and tear***) usura *f* **2** *v/t* (*have on*) indossare; (*damage*) logorare **3** *v/i* (*wear out*) logorarsi; (*last*) durare

◆ **wear down** fiaccare

◆ **wear off** of *effect* svanire

◆ **wear out 1** *v/t* (*tire*) estenuare; *shoes* consumare **2** *v/i* of *shoes, carpet* consumarsi

wearily ['wɪərɪlɪ] stancamente; **weary** stanco

weather ['weðə(r)] **1** *n* tempo *m*; ***be feeling under the ~*** sentirsi poco bene **2** *v/t crisis* superare; **weather-beaten** segnato; **weather forecast** previsioni *fpl* del tempo; **weatherman** meteorologo *m*

weave [wiːv] **1** *v/t cloth* tessere; *basket* intrecciare **2** *v/i* (*move*) zigzagare

web [web] *of spider* ragnatela *f*; ***the Web*** COMPUT il web *m*; **web page** pagina *f* web; **web site** sito *m* web

wedding ['wedɪŋ] matrimonio *m*; **wedding anniversary** anniversario *m* di matrimonio; **wedding day** giorno *m* del matrimonio; **wedding dress** abito *m* or vestito *m* da sposa; **wedding ring** fede *f*

wedge [wedʒ] *to hold sth in place* zeppa *f*; *of cheese etc* fetta *f*

Wednesday ['wenzdeɪ] mercoledì *m inv*

weed [wiːd] **1** *n* erbaccia *f* **2** *v/t* diserbare; **weed-killer** diserbante *m*; **weedy** F mingherlino

week [wiːk] settimana *f*; **a ~ tomorrow** una settimana a domani; **weekday** giorno *m* feriale; **weekend** fine *m* settimana, weekend *m inv*; **on the ~** durante il fine settimana; **weekly 1** *adj* settimanale **2** *n magazine* settimanale *m* **3** *adv* settimanalmente

weep [wiːp] piangere

'**wee-wee** F pipì *f inv* F; **do a ~** fare la pipì

weigh [weɪ] pesare

◆ **weigh up** (*assess*) valutare

weight [weɪt] peso *m*; **put on / lose ~** ingrassare / dimagrire; **weightlessness** assenza *f* di peso; **weightlifter** pesista *m/f*; **weightlifting** sollevamento *m* pesi; **weighty** *fig: important* importante

weir [wɪə(r)] chiusa *f*

weird [wɪəd] strano; **weirdo** F pazzoide *m/f*

welcome ['welkəm] **1** *adj* benvenuto; **make s.o. ~** accogliere bene qu; **you're ~!** prego!; **you're ~ to try some** serviti pure **2** *n also fig* accoglienza *f* **3** *v/t guests etc* accogliere; *fig: decision etc* rallegrarsi di; **she ~s a challenge** apprezza le sfide

weld [weld] saldare

welfare ['welfeə(r)] bene *m*; **welfare check** *Am* sussidio *m* di disoccupazione; **welfare state** stato *m* sociale; **welfare worker** assistente *m/f* sociale

well[1] [wel] *n for water, oil* pozzo *m*

well[2] [wel] **1** *adv* bene; **~ done!** bravo!; **as ~** (*too*) anche; **as ~ as** *in addition to* oltre a; **it's just as ~ you told me** hai fatto bene a dirmelo; **very ~** *acknowledging order* benissimo; *reluctantly agreeing* va bene; **~, ~!** *surprise* bene, bene!; **~ ...** *uncertainty, thinking* beh ... **2** *adj*: **be ~** stare bene; **feel ~** sentirsi bene; **get ~ soon!** guarisci presto!

well-'balanced equilibrato; **well-behaved** educato; **well-being** benessere *m*; **well-done** *meat* ben cotto; **well-dressed** ben vestito; **well-earned** meritato; **well-heeled** F danaroso; **well-informed** ben informato; **well-known** famoso; **well-meaning** spinto da buone intenzioni; **well-off** benestante; **well-timed** tempestivo; **well-to-do** abbiente

Welsh [welʃ] **1** *adj* gallese **2** *n language* gallese *m*; **the ~** i gallesi

west [west] **1** *n* ovest *m*, occidente *m*; **the West** POL l'Occidente **2** *adj* occidentale **3** *adv* verso ovest; **~ of** a ovest di; **westerly** occidentale; **western 1** *adj* occidentale; **Western** occidentale **2** *n* (*film*) western *m inv*; **Westerner** occidentale *m/f*; **westernized** occidentalizzato; **West Indian 1** *adj* delle Indie Occidentali **2** *n* nativo *m* delle Indie Occidentali; **West Indies: the ~** le Indie Occidentali; **westward** verso ovest

wet [wet] bagnato; (*rainy*) piovoso; **~ paint** *as sign* vernice fresca; **wet suit** *for diving* muta *f*

whack [wæk] **1** *n* F (*blow*) colpo *m* **2** *v/t* F colpire; **whacked** F stanco morto

whale [weɪl] balena *f*

wharf [wɔːf] *n* banchina *f*

what [wɒt] **1** *pron* (che) cosa; **~ is that?** (che) cos'è?; **~ is it?** (*what do you want*) (che) cosa c'è?; **~?** cosa?; **it's not ~ I meant** non è ciò che volevo dire; **~ about some dinner?** e se mangiassimo qualcosa?; **~ for?** (*why*) perché? **2** *adj* che *inv*, quale; **~ colour is the car?** di che colore è la macchina? **3** *adv*: **~ a brilliant idea!** che bella idea!; *whatever*: **I'll do ~ you want** farò (tutto) quello che vuoi; **~ I do, it'll be a problem** qualsiasi cosa faccia, ci saranno problemi;

~ people say qualunque cosa dica la gente; **~ gave you that idea?** cosa mai te lo ha fatto pensare?; **ok, ~** F va bene, come vuoi / volete

wheat [wiːt] grano *m*, frumento *m*

wheel [wiːl] ruota *f*; (*steering ~*) volante *m*

'**wheelchair** sedia *f* a rotelle; **wheel clamp** ceppo *m* bloccaruote

wheeze [wiːz] ansimare

when [wen] quando; *whenever* (*each time*) ogni volta che; *regardless of when* in qualunque momento

where [weə(r)] dove; **this is ~ I used to live** io abitavo qui; *whereabouts* **1** *adv* dove **2** *npl*: **know s.o.'s ~** sapere dove si trova qn; **whereas** mentre; *wherever* **1** *conj* dovunque; **~ you go** dovunque tu vada **2** *adv* dove; **~ can he be?** dove sarà mai?

whet [wet] *appetite* stuzzicare

whether ['weðə(r)] se

which [wɪtʃ] **1** *adj* quale; **~ one is yours?** qual è il tuo? **2** *pron interrogative* quale; *relative* che; **the car ~** ... la macchina che ...; **on / in ~** su / in cui; *whichever* **1** *adj* qualunque **2** *pron* quello che *m*, quella che *f*; **~ of the methods** qualunque metodo

whiff [wɪf]: **catch a ~ of** sentire

while [waɪl] **1** *conj* mentre; *(although)* benché (+ *subj*) **2** *n*: **a long ~ ago** molto tempo fa; **wait a long ~** aspettare molto *or* lungo; **for a ~** per un po'; **in a ~** fra poco

whim [wɪm] capriccio *m*

whimper ['wɪmpə(r)] gemere; *of animal* mugolare

whine [waɪn] *of dog* guaire; F *(complain)* piagnucolare

whip [wɪp] **1** *n* frusta *f* **2** *v/t (beat)* sbattere; *cream* montare; F *(defeat)* stracciare F

'whirlpool *in river* mulinello *m*; *for relaxation* vasca *f* per idromassaggio

whisk [wɪsk] **1** *n* frusta *f*; *mechanical* frullino *m* **2** *v/t eggs* frullare

whisky, *Am* whiskey ['wɪskɪ] whisky *m inv*

whisper ['wɪspə(r)] bisbigliare

whistle ['wɪsl] **1** *n sound* fischio *m*; *device* fischietto *m* **2** *v/i* fischiare **3** *v/t* fischiettare

white [waɪt] **1** *n* bianco *m*; *person* bianco *m*, -a *f* **2** *adj* bianco; **go ~** sbiancare (in viso); **white coffee** caffè *m inv* con latte *or* panna; **white-collar worker** impiegato *m*, -a *f*; **White House** Casa *f* Bianca; **white lie** bugia *f* innocente; **whitewash 1** *n* calce *f*; *fig* copertura *f* **2** *v/t* imbiancare(con calce); **white wine** vino *m* bianco

whittle ['wɪtl] *wood* intagliare
♦ **whittle down** ridurre

whizzkid ['wɪzkɪd] F mago *m*, -a *f* F

who [huː] *interrogative* chi; *relative* che; **the man ~ I was talking to** l'uomo con cui parlavo; **whoever** chiunque; *(interrogative)* chi mai; **~ can that be?** chi sarà mai?

whole [həʊl] **1** *adj* intero; **the ~ town** tutta la città; **two ~ hours / days** ben due ore / giorni; **it's a ~ lot easier** è molto più facile **2** *n* tutto *m*; **the ~ of the United States** tutti gli Stati Uniti; **on the ~** nel complesso; **whole-hearted** senza riserve; **wholemeal bread** pane *m* integrale; **wholesale** all'ingrosso; *fig* in massa; **wholesaler** grossista *m/f*; **wholesome** sano; **wholly** completamente

whom [huːm] *fml* chi; **to / for ~** a cui

whore [hɔː(r)] puttana *f*

whose [huːz] *interrogative* di chi; *relative* il / la cui; **~ is this?** di chi è questo?; **a man ~ wife ...** un uomo la cui moglie ...

why [waɪ] perché; **the reason ~** il motivo per cui

wicked ['wɪkɪd] *(evil)* malvagio; *(mischievous)* malizioso; P *(great)* grande

wicker ['wɪkə(r)] di vimini *m*

wicket ['wɪkɪt] *Br* SP porta *f*;

Am in station, bank etc porta
f

wide [waɪd] largo; *experience*
vasto; *range* ampio; *be 12
metres* ~ essere largo 12 metri; **widely** used, known lar-
gamente; **widen 1** v/t allargare **2** v/i allargarsi; **wide-
-open** spalancato; **wide-
-ranging** di largo respiro;
widespread diffuso

widow ['wɪdəu] vedova f;
widower vedovo m

width [wɪdθ] larghezza f; of
fabric altezza f

wield [wiːld] *weapon* brandire; *power* esercitare

wife [waɪf] moglie f

wig [wɪg] parrucca f

wiggle ['wɪgl] *loose screw etc*
muovere; ~ **one's hips** an-
cheggiare

wild [waɪld] **1** *adj animal, flowers* selvatico; *teenager, party*
scatenato; *scheme* folle; *applause* fragoroso; **be ~ about
...** (*keen on*) andare pazzo
per ...; **go ~** impazzire; (*become angry*) andare su tutte
le furie **2** n: **the ~s** le zone
sperdute

wilderness ['wɪldənɪs] deserto m; *fig: garden etc* giungla f

'wildlife fauna f

wilful ['wɪlfəl] *person* ostinato; *action* intenzionale

will[1] [wɪl] n LAW testamento
m

will[2] [wɪl] n (*willpower*) volontà f inv

will[3] [wɪl] v/aux: **I ~ let you
know tomorrow** ti farò sa-
pere entro domani; **the car
won't start** la macchina
non parte; ~ **you tell her that
...?** dille che ...; ~ **you have
some more tea?** vuoi del-
l'altro tè?; ~ **you stop that!**
smettila!

willful Am ☞ **wilful**

willing ['wɪlɪŋ] disponibile;
are you ~ to pay more?
sei disposto a pagare di
più?; **willingly** volentieri;
willingness disponibilità f;
willpower forza f di volontà

willy-nilly [wɪlɪ'nɪlɪ] (*at random*) a casaccio

wilt [wɪlt] *of plant* appassire

wily ['waɪlɪ] astuto

wimp [wɪmp] F pappamolle
m/f

win [wɪn] **1** n vittoria f **2** v/t &
v/i vincere

wince [wɪns] fare una smorfia

wind[1] [wɪnd] n vento m; (*flat-
ulence*) aria f

wind[2] [waɪnd] **1** v/i of path,
stream snodarsi; of plant av-
volgersi **2** v/t avvolgere

♦ **wind up 1** v/t clock caricare; car window tirar su;
speech concludere; affairs,
company chiudere **2** v/i:
wind up in hospital finire
in ospedale

'wind-bag F trombone m;
windfall fig colpo m di fortuna

winding ['waɪndɪŋ] tortuoso

window ['wɪndəʊ] *also* COM-PUT finestra *f*; *of shop* vetri-na *f*; *of car, train* finestrino *m*; *in the ~ of shop* in vetrina; **window box** fioriera *f*; **win-dow seat** *on plane, train* po-sto *m* di finestrino; **window-shop**: **go ~ping** guardare le vetrine; **windowsill** davan-zale *m*; **windscreen wiper** tergicristallo *m*; **wind-screen**, *Am* **windshield** pa-rabrezza *m inv*; **windsurfer** windsurfista *m/f*; **board windsurf** *m inv*; **windsurfing** windsurf *m*; **windy** ventoso; *it's getting ~* si sta alzando il vento

wine [waɪn] vino *m*; **wine glass** bicchiere *m* da vino; **wine merchant** *company* azienda *f* vinicola; *individual* vinaio *m*, -a *f*; **wine cellar** cantina *f*; **wine list** lista *f* dei vini; **winery** *Am* vigneto *m*

wing [wɪŋ] *also* SP ala *f*; *of car* parafango *m*; **wingspan** apertura *f* alare

wink [wɪŋk] *of person* strizza-re gli occhi; *~ at s.o.* fare l'occhiolino a qu

winner ['wɪnə(r)] vincitore *m*, -trice *f*; **winning** vincente; **winning post** traguardo *m*; **winnings** vincita *f sg*

winter ['wɪntə(r)] inverno *m*; **winter sports** sport *m* inver-nali; **wintry** invernale

wipe [waɪp] *(dry)* asciugare;

(clean) pulire; *tape* cancella-re; **wiper** MOT tergicristallo *m*

wire ['waɪə(r)] filo *m* di ferro; ELEC filo *m* elettrico; **wiring** ELEC impianto *m* elettrico; **wiry** *person* dal fisico asciut-to

wisdom ['wɪzdəm] saggezza *f*; **wisdom tooth** dente *m* del giudizio

wise [waɪz] saggio; **wise-crack** F spiritosaggine *f*; **wisely** *act* saggiamente

wish [wɪʃ] **1** *n* desiderio *m*; *best ~es for birthday etc* tan-ti auguri; *as greetings* cordiali saluti; *~ s.o. well* fare tanti auguri a qu

◆ **wish for** desiderare

wisp [wɪsp] *of hair* ciocca *f*; *of smoke* filo *m*

wistful ['wɪstful] malinconi-co; **wistfully** malinconica-mente

wit [wɪt] *(humour)* spirito *m*; *person* persona *f* di spirito; *be at one's ~s' end* non sa-pere più che fare; *keep one's ~s about one* non per-dere la testa

witch [wɪtʃ] strega *f*; **witch-hunt** *fig* caccia *f* alle stre-ghe

with [wɪð] con; *(cause)* di; *shiver ~ fear* tremare di pa-ura; *a girl ~ blue eyes* una ragazza dagli *or* con gli occhi azzurri; *I'm staying with my uncle* sto da mio zio; *are*

you ~ me? (do you understand) mi segui?; **~ no money** senza soldi

with'draw 1 v/t ritirare; money from bank prelevare **2** v/i ritirarsi; **withdrawal** ritiro m; of money prelievo m; **withdrawal symptoms** sindrome f da astinenza; **withdrawn** person chiuso

wither ['wɪðə(r)] seccare

with'hold information nascondere; consent rifiutare; payment trattenere

with'in (inside) dentro; in expressions of time nel giro di, entro; in expressions of distance a meno di

with'out senza; **~ you / him** senza (di) te / lui; **~ looking** senza guardare

with'stand resistere a

witness ['wɪtnɪs] **1** n testimone m/f **2** v/t essere testimone di; signature attestare l'autenticità di

witticism ['wɪtɪsɪzm] arguzia f; **witty** arguto

wobble ['wɒbl] of person vacillare; of object traballare; **wobbly** person vacillante; object traballante; voice, hand tremante

wolf [wʊlf] **1** n animal lupo m **2** v/t: **~ (down)** divorare

woman ['wʊmən] donna f; **womanizer** donnaiolo m; **womanly** femminile

womb [wuːm] utero m

women [wɪmɪn] pl ☞ **woman**;

women's lib movimento m di liberazione della donna

wonder ['wʌndə(r)] **1** n (amazement), of science etc meraviglia f; **no ~!** non mi stupisce!; **it's a ~ that…** è incredibile che … **2** v/i domandarsi; **I ~ if you could help** mi chiedevo se potessi aiutarmi; **wonderful** stupendo; **wonderfully** (extremely) estremamente

won't [wəʊnt] ☞ **will not**

wood [wʊd] legno m; for fire legna f; (forest) bosco m; **wooded** boscoso; **wooden** made of wood di legno; **woodpecker** picchio m; **woodwork** parts made of wood strutture fpl in legno; activity lavorazione f del legno

wool [wʊl] lana f; **woollen**, Am **woolen 1** adj di lana **2** n indumento m di lana

word [wɜːd] **1** n parola f; (news) notizie fpl; **have ~s** (argue) litigare; **have a ~ with s.o.** parlare con qu **2** v/t article, letter formulare; **word processor** word processor m inv

work [wɜːk] **1** n lavoro m; **out of ~** disoccupato **2** v/i of person lavorare; study studiare; of machine, (succeed) funzionare

◆ **work out 1** v/t problem capire; solution trovare **2** v/i at gym fare ginnastica; of rela-

tionship etc funzionare

workable ['wɜːkəbl] *solution* realizzabile; **workaholic** F stacanovista *m/f*; **workday** *hours of work* giornata *f* lavorativa; *not a holiday* giorno *m* feriale; **worker** lavoratore *m*, -trice *f*; **workforce** forza *f* lavoro; **work hours** orario *m* di lavoro; **working class** classe *f* operaia; **working-class** operaio *m*; **working hours** ☞ **workhours**; **workload** carico *m* di lavoro; **workman** operaio *m*; **workmanlike** professionale; **workmanship** fattura *f*; **work of art** opera *f* d'arte; **workout** allenamento *m*; **work permit** permesso *m* di lavoro; **workshop** laboratorio *m*; *for mechanic* officina *f*; *(seminar)* workshop *m inv*

world [wɜːld] mondo *m*; **out of this** ☞ F fantastico; **world-class** di livello internazionale; **World Cup** mondiali *mpl* (di calcio); **world-famous** di fama mondiale; **worldly** *goods* materiale; *not spiritual* terreno; *power* temporale; *person* mondano; **world record** record *m inv* mondiale; **world war** guerra *f* mondiale; **worldwide 1** *adj* mondiale **2** *adv* a livello mondiale

worn-'out *shoes, carpet* logoro; *person* esausto

worried ['wʌrɪd] preoccupato; **worry 1** *n* preoccupazione *f* **2** *v/t* preoccupare; *(upset)* turbare **3** *v/i* proccuparsi; **worrying** preoccupante

worse [wɜːs] **1** *adj* peggiore; **things will get ~** le cose peggioreranno **2** *adv* peggio; **worsen** peggiorare

worship ['wɜːʃɪp] **1** *n* culto *m* **2** *v/t* venerare; *fig* adorare

worst [wɜːst] **1** *adj* peggiore **2** *adv* peggio **3** *n*: **the ~** il peggio; **if the ~ comes to the ~** nel peggiore dei casi; **worst-case scenario**: **the ~** la peggiore delle ipotesi

worth [wɜːθ] **1** *adj*: **be ~** valere; **it's ~ reading** vale la pena leggerlo; **be ~ it** valerne la pena **2** *n* valore *m*; **worthwhile** *cause* lodevole; **be ~** (*worth the effort, worth doing*) valere la pena

worthy ['wɜːðɪ] degno; *cause* lodevole; **be ~ of** (*deserve*) meritare

would [wʊd]: **I ~ help if I could** ti aiuterei se potessi; **~ you like to go to the cinema?** vuoi andare al cinema?; **~ you tell her that …?** le dica che …; **~ you close the door?** le dispiace chiudere la porta?

wound [wuːnd] **1** *n* ferita *f* **2** *v/t* ferire

wow [waʊ] wow

wrap [ræp] *gift* incartare; (*wind, cover*) avvolgere;

wrapper incarto *m*; **wrapping** involucro *m*; **wrapping paper** carta *f* da regalo

wrath [rɒθ] ira *f*

wreath [riːθ] corona *f*

wreck [rek] **1** *n* of ship relitto *m*; of car carcassa *f*; **be a nervous ~** sentirsi un rottame **2** *v/t* ship far naufragare; car demolire; plans, marriage distruggere; **wreckage of** car, plane rottami *mpl*; of marriage, career brandelli *mpl*; **wrecker** Am truck carro *m* attrezzi

wrench [rentʃ] **1** *n* tool chiave *f* inglese **2** *v/t* (pull) strappare

wrestle ['resl] fare la lotta; **wrestler** lottatore *m*, -trice *f*; **wrestling** lotta *f* libera

wriggle ['rɪgl] (squirm) dimenarsi; along the ground strisciare

wrinkle ['rɪŋkl] in skin ruga *f*; in clothes grinza *f*

wrist [rɪst] polso *m*; **wristwatch** orologio *m* da polso

write [raɪt] scrivere; cheque fare

◆ **write down** annotare, scrivere

◆ **write off** debt cancellare; car distruggere

writer ['raɪtə(r)] autore *m*, -trice *f*; professional scrittore *m*, -trice *f*; **write-up** F recensione *f*

writhe [raɪð] contorcersi

writing ['raɪtɪŋ] as career scrivere *m*; (hand-writing) scrittura *f*; (words) scritta *f*; (script) scritto *m*; **in ~** per iscritto; **writing paper** carta *f* da lettere

wrong [rɒŋ] **1** *adj* sbagliato; **be ~** of person sbagliare, avere torto; of answer, morally essere sbagliato; **get the ~ train** sbagliare treno; **what's ~?** cosa c'è?; **there is something ~ with the car** la macchina ha qualcosa che non va **2** *adv* in modo sbagliato; **go ~** of person sbagliare; of marriage, plan etc fallire **3** *n* immoral action torto *m*; immorality male *m*; **be in the ~** avere torto; **wrongful** illegale; **wrongly** erroneamente; **wrong number** numero *m* sbagliato

wry [raɪ] beffardo

X

xenophobia [zenəʊˈfəʊbɪə] xenofobia *f*

X-ray ['eksreɪ] **1** *n* radiografia *f* **2** *v/t* radiografare

Y

yacht [jɒt] *for pleasure* yacht *m inv*; *for racing* imbarcazione *f* da diporto; **yachting** navigazione *f* da diporto

Yank [jæŋk] F yankee *m inv*

yank [jæŋk] dare uno strattone a

yard[1] [jɑːd] *of prison, institution etc* cortile *m*; *for storage* deposito *m* all'aperto; *Am behind house* giardino *m*

yard[2] [jɑːd] *measurement* iarda *f*

'yardstick *fig* metro *m*

yarn [jɑːn] (*thread*) filato *m*; F *story* racconto *m*

yawn [jɔːn] **1** *n* sbadiglio *m* **2** *v/i* sbadigliare

year [jɪə(r)] anno *m*; **be six ~s old** avere sei anni; **yearly 1** *adj* annuale **2** *adv* annualmente; **twice ~** due volte (al)l'anno

yeast [jiːst] lievito *m*

yell [jel] **1** *n* urlo *m* **2** *v/t & v/i* urlare

yellow ['jeləʊ] giallo; **yellow pages**® pagine *fpl* gialle

yelp [jelp] **1** *n* guaito *m* **2** *v/i* guaire

yes [jes] sì; **say ~** dire di sì; **yes-man** *pej* yes man *m inv*

yesterday ['jestədeɪ] ieri; **the day before ~** l'altro ieri

yet [jet] **1** *adv* finora; **the fastest ~** il più veloce finora; **as ~ up to now** per ora; **have you finished ~?** (non) hai (ancora) finito?; **he hasn't arrived ~** non è ancora arrivato; **~ bigger** ancora più grande **2** *conj* eppure

yield [jiːld] **1** *n from fields etc* raccolto *m*; *from investment* rendita *f* **2** *v/t fruit, harvest* dare, produrre; *interest* fruttare **3** *v/i* (*give way*) cedere

yob [jɒb] P teppista *m/f*

yoga ['jəʊgə] yoga *m*

yoghurt ['jɒgət] yogurt *m inv*

yolk [jəʊk] tuorlo *m*

you [juː] ◇ *subject: familiar singular* tu; *familiar polite plural voi*; *polite singular* lei; **do ~ know him?** lo conosci / conosce / conoscete? ◇ *direct object: familiar singular* ti; *familiar polite plural* vi; *polite singular* la; **he knows ~** ti / vi / la conosce ◇ *indirect object: familiar singular* ti; *when two pronouns are used* te; *familiar polite plural* vi; *when two pronouns are used* ve; *polite singular* le; **did he talk to ~?** ti / vi / le ha parlato?; **I told ~** te / ve l'ho detto, glielo ho detto ◇ *after prep: familiar singular* te; *familiar polite plural* voi; *polite singular* lei;

this is for ~ questo è per te / voi / lei ◇ *impersonal:* *~ have to pay* si deve pagare; *fruit is good for ~* la frutta fa bene

young [jʌŋ] giovane; **youngster** ragazzo *m*, -a *f*

your [jɔː(r)], **yours** [jɔːz] *familiar singular* il tuo *m*, la tua *f*, i tuoi *mpl*, le tue *fpl*; *polite singular* il suo *m*, la sua *f*, i suoi *mpl*, le sue *fpl*; *familiar & polite plural* il vostro *m*, la vostra *f*, i vostri *mpl*, le vostre *fpl*; *your brother* tuo / suo / vostro fratello; *a friend of yours* un tuo / suo / vostro amico; *yours ... at end of letter* saluti ...; *yours sincerely* distinti sa-

luti

your'self ti; *reflexive polite* si; *emphatic* tu stesso *m*, tu stessa *f*; *emphatic polite* lei stesso *m*, lei stessa *f*; *did you hurt ~?* ti sei / si è fatto male?

your'selves vi; *emphatic* voi stessi *mpl*, voi stesse *fpl*; *did you hurt ~?* vi siete fatti male?

youth [juːθ] gioventù *f*; (*young man*) ragazzo *m*; (*young people*) giovani *mpl*; **youth club** circolo *m* giovanile; **youthful** giovanile; *ideas* giovane

yo-yo ['jəʊjəʊ] yo-yo *m inv*; **yo-yo dieting** dieta *f* yo-yo

yuppie ['jʌpɪ] F yuppie *m/f inv*

Z

zap [zæp] F COMPUT (*delete*) cancellare; (*kill*) annientare; (*hit*) colpire; (*send*) mandare

zeal [ziːl] zelo *m*

zebra ['zebrə] zebra *f*; **zebra crossing** strisce *fpl* pedonali

zero ['zɪərəʊ] zero *m*

zest [zest] (*enthusiasm*) gusto *m*; (*peel*) scorza *f*

zigzag ['zɪgzæg] **1** *n* zigzag *m inv* **2** *v/i* zigzagare

zilch [zɪltʃ] F un bel niente

zip [zɪp] (cerniera *f*) lampo *f*

◆ **zip up** *dress*, *jacket* allacciare; COMPUT zippare

'zip code *Am* codice *m* di avviamento postale; **zipper** *Am* (cerniera *f*) lampo *f*

zit [zɪt] *Am* brufolo *m*

zone [zəʊn] zona *f*

zonked [zɒŋkt] P (*exhausted*) stanco morto

zoo [zuː] zoo *m inv*

zoology [zuː'ɒlədʒɪ] zoologia *f*

zoom lens [zuːm] zoom *m inv*

zucchini [zuː'kiːnɪ] *Am* zucchino *m*

Verbi irregolari inglesi

Si riportano le tre forme principali di ciascun verbo: infinito, passato, participio passato.

arise - arose - arisen

awake - awoke - awoken, awaked

be (am, is, are) - was (were) - been

bear - bore - borne

beat - beat - beaten

become - became - become

begin - began - begun

bend - bent - bent

bet - bet, betted - bet, betted

bid - bid - bid

bind - bound - bound

bite - bit - bitten

bleed - bled - bled

blow - blew - blown

break - broke - broken

breed - bred - bred

bring - brought - brought

broadcast - broadcast - broadcast

build - built - built

burn - burnt, burned - burnt, burned

burst - burst - burst

buy - bought - bought

cast - cast - cast

catch - caught - caught

choose - chose - chosen

cling - clung - clung

come - came - come

cost (v/i) - cost - cost

creep - crept - crept

cut - cut - cut

deal - dealt - dealt

dig - dug - dug

dive - dived, dove [dəʊv] (1) - dived

do - did - done

draw - drew - drawn

dream - dreamt, dreamed - dreamt, dreamed

drink - drank - drunk

drive - drove - driven

eat - ate - eaten

fall - fell - fallen

feed - fed - fed

feel - felt - felt

fight - fought - fought

find - found - found

flee – fled – fled
fling – flung – flung
fly – flew – flown
forbid – forbad(e) – forbidden
forecast – forecast(ed) – forecast(ed)
forget – forgot – forgotten
forgive – forgave – forgiven
freeze – froze – frozen
get – got – got, gotten (2)
give – gave – given
go – went – gone
grind – ground – ground
grow – grew – grown
hang – hung, hanged – hung, hanged (3)
have – had – had
hear – heard – heard
hide – hid – hidden
hit – hit – hit
hold – held – held
hurt – hurt – hurt
keep – kept – kept
kneel – knelt, kneeled – knelt, kneeled
know – knew – known
lay – laid – laid
lead – led – led

lean – leaned, leant – leaned, leant (4)
leap – leaped, leapt – leaped, leapt (4)
learn – learned, learnt – learned, learnt (4)
leave – left – left
lend – lent – lent
let – let – let
lie – lay – lain
light – lighted, lit – lighted, lit
lose – lost – lost
make – made – made
mean – meant – meant
meet – met – met
mow – mowed – mowed, mown
pay – paid – paid
plead – pleaded, pled – pleaded, pled (5)
prove – proved – proved, proven
put – put – put
quit – quit(ted) – quit(ted)
read – read [red] – read [red]
ride – rode – ridden
ring – rang – rung
rise – rose – risen
run – ran – run

saw – sawed – sawn, sawed
say – said – said
see – saw – seen
seek – sought – sought
sell – sold – sold
send – sent – sent
set – set – set
sew – sewed – sewed, sewn
shake – shook – shaken
shed – shed – shed
shine – shone – shone
shit – shit(ted), shat – shit(ted), shat
shoot – shot – shot
show – showed – shown
shrink – shrank – shrunk
shut – shut – shut
sing – sang – sung
sink – sank – sunk
sit – sat – sat
slay – slew – slain
sleep – slept – slept
slide – slid – slid
sling – slung – slung
slit – slit – slit
smell – smelt, smelled – smelt, smelled (4)
sow – sowed – sown, sowed
speak – spoke – spoken

speed – sped, speeded – sped, speeded
spell – spelt, spelled – spelt, spelled (4)
spend – spent – spent
spill – spilt, spilled – spilt, spilled (4)
spin – spun – spun
spit – spat – spat
split – split – split
spoil – spoiled, spoilt – spoiled, spoilt (4)
spread – spread – spread
spring – sprang, sprung – sprung
stand – stood – stood
steal – stole – stolen
stick – stuck – stuck
sting – stung – stung
stink – stunk, stank – stunk
stride – strode – stridden
strike – struck – struck
swear – swore – sworn
sweep – swept – swept
swell – swelled – swollen
swim – swam – swum
swing – swung – swung
take – took – taken
teach – taught – taught
tear – tore – torn

tell – told – told	**wake** – woke, waked –
think – thought –	woken, waked
thought	**wear** – wore – worn
thrive – throve – thriven,	**weave** – wove – woven (7)
thrived (6)	**weep** – wept – wept
throw – threw – thrown	**win** – won – won
thrust – thrust – thrust	**wind** – wound – wound
tread – trod – trodden	**write** – wrote – written

1) **dove** non si usa nell'inglese britannico
2) **gotten** non si usa nell'inglese britannico
3) **hung** per i quadri, ma **hanged** per gli omicidi
4) l'inglese parlato in America ha di solito la forma in **-ed**
5) **pled** si usa nell'inglese parlato in America e in Scozia
6) **thrived** è la forma più comune
7) ma **weaved** quando significa *zigzagare*

Numbers / Numerali

Cardinal Numbers / Numerali cardinali

0	*zero*	zero
1	*one*	uno
2	*two*	due
3	*three*	tre
4	*four*	quattro
5	*five*	cinque
6	*six*	sei
7	*seven*	sette
8	*eight*	otto
9	*nine*	nove
10	*ten*	dieci
11	*eleven*	undici
12	*twelve*	dodici
13	*thirteen*	tredici
14	*fourteen*	quattordici
15	*fifteen*	quindici
16	*sixteen*	sedici
17	*seventeen*	diciassette
18	*eighteen*	diciotto
19	*nineteen*	diciannove
20	*twenty*	venti
21	*twenty-one*	ventuno
22	*twenty-two*	ventidue
23	*twenty-three*	ventitrè
28	*twenty-eight*	ventotto
29	*twenty-nine*	ventinove
30	*thirty*	trenta

40	*forty*	quaranta
50	*fifty*	cinquanta
60	*sixty*	sessanta
70	*seventy*	settanta
80	*eighty*	ottanta
100	*one/a hundred*	cento
101	*one/a hundred and one*	centouno
102	*one/a hundred and two*	centodue
200	*two hundred*	duecento
201	*two hundred and one*	duecentouno
300	*three hundred*	trecento
400	*four hundred*	quattrocento
500	*five hundred*	cinquecento
600	*six hundred*	seicento
700	*seven hundred*	settecento
800	*eight hundred*	ottocento
900	*nine hundred*	novecento
1,000	*one/a thousand*	mille
1,001	*one/a thousand and one*	milleuno/mille e uno
2,000	*two thousand*	duemila
3,000	*three thousand*	trêmila
4,000	*four thousand*	quattromila
5,000	*five thousand*	cinquemila
10,000	*ten thousand*	diecimila
100,000	*one/a hundred thousand*	centomila
1,000,000	*one/a million*	un milione
2,000,000	*two million*	due milioni
1,000,000,000	*one/a billion*	un miliardo

Note: i) 1,000,000 (in inglese) = 1.000.000 (in Italian)
     ii) 1.25 (one point two five) = 1,25 (uno virgola venticinque)

Ordinal numbers / Numerali ordinali

1st	*first*	1°	il primo, la prima
2nd	*second*	2°	secondo
3rd	*third*	3°	terzo
4th	*fourth*	4°	quarto
5th	*fifth*	5°	quinto
6th	*sixth*	6°	sesto
7th	*seventh*	7°	settimo
8th	*eighth*	8°	ottavo
9th	*ninth*	9°	nono
10th	*tenth*	10°	decimo
11th	*eleventh*	11°	undicesimo
12th	*twelfth*	12°	dodicesimo
13th	*thirteenth*	13°	tredicesimo
14th	*fourteenth*	14°	quattordicesimo
15th	*fifteenth*	15°	quindicesimo
16th	*sixteenth*	16°	sedicesimo
17th	*seventeenth*	17°	diciassettesimo
18th	*eighteenth*	18°	diciottesimo
19th	*nineteenth*	19°	diciannovesimo
20th	*twentieth*	20°	ventesimo
21st	*twenty-first*	21°	ventunesimo
22nd	*twenty-second*	22°	ventiduesimo
30th	*thirtieth*	30°	trentesimo
40th	*fortieth*	40°	quarantesimo
50th	*fiftieth*	50°	cinquantesimo
60th	*sixtieth*	60°	sessantesimo

70th	*seventieth*	**70°**	settantesimo
80th	*eightieth*	**80°**	ottantesimo
90th	*ninetieth*	**90°**	novantesimo
100th	*hundredth*	**100°**	centesimo
101st	*hundred and first*	**101°**	centunesimo
103rd	*hundred and third*	**103°**	centotreesimo
200th	*two hundredth*	**200°**	duecentesimo
1000th	*thousandth*	**1000°**	millesimo
1001st	*thousand and first*	**1001°**	millesimo primo
2000th	*two thousandth*	**2000°**	duemillesimo
1,000,000th	*millionth*	**1.000.000°**	milionesimo

Note: Italian ordinal numbers are ordinary adjectives and consequently must agree:

her 13th granddaughter
la sua tredicesima nipote

Dates / Date

1996	nineteen ninety-six	*millenovecentonovantasei*
2005	two thousand and five	*duemilacinque*

the 10/11th of November,
Am **November 10/11 (ten/eleven)**
il dieci/undici novembre

the first of March, *Am* **March 1 (first)**
il primo marzo